dtv-Lexikon
Ein Konversationslexikon in 20

D1644658

dtv-Lexikon
Ein Konversationslexikon in 20 Bänden

Band 4: Deut–Einq

Deutscher
Taschenbuch
Verlag

In diesem Lexikon werden, wie in allgemeinen Nachschlagewerken üblich, etwa bestehende Patente, Gebrauchsmuster oder Warenzeichen nicht erwähnt. Wenn ein solcher Hinweis fehlt, heißt das also nicht, daß eine Ware oder ein Warenname frei ist.

Oktober 1977
Copyright 1966 by Deutscher Taschenbuch Verlag GmbH & Co. KG, München
Mit Genehmigung erarbeitet nach Unterlagen der Lexikon-Redaktion
des Verlages F. A. Brockhaus, Wiesbaden
Umschlaggestaltung: Celestino Piatti
Gesamtherstellung: C. H. Beck'sche Buchdruckerei, Nördlingen
Printed in Germany · ISBN 3-423-03054-2

Hinweise für den Gebrauch des dtv-Lexikons

Reihenfolge im Abc

Die Stichwörter folgen einander nach dem Abc. Für das Einordnen gelten alle fett gedruckten Buchstaben, auch wenn das Stichwort aus mehreren Wörtern besteht; die Umlaute ä, ö, ü und die wie Umlaute gesprochenen Doppelbuchstaben ae, oe, ue werden behandelt wie die einfachen Buchstaben a, o, u; also folgen z. B. aufeinander: **Bockhuf, Bockkäfer, Böckler, Böcklin, Bockmühle.** Die Doppellaute ai, au, äu, ei, eu werden wie getrennte Buchstaben behandelt, ebenso sch, st, sp usw., ferner ae, oe, ue, wenn sie nicht wie ä, ö, ü gesprochen werden; also folgen z. B. aufeinander: **Bodoni, Boer, Boeslunde, Boethius, bofen.** Wörter, die man unter C vermißt, suche man unter K oder Tsch oder Z, bei **Dsch** vermißte Wörter unter Tsch, bei **J** vermißte unter Dsch oder I; ebenso im umgekehrten Fall. Wird ein Stichwort in zwei Formen oder Schreibungen angeführt, so ist die erste die gebräuchlichere.

Trennstrich

Um bei zusammengesetzten Wörtern die Bestandteile zu verdeutlichen, wird ein dünner senkrechter Strich verwendet. Er bedeutet also nicht ohne weiteres die Silbentrennung.

Betonung und Aussprache

Die Betonung ist durch einen Strich (') vor dem betonten Selbstlaut angegeben, z. B. B'andung. Die Aussprache seltener Wörter und Namen wird nach dem Internationalen Lautschriftsystem bezeichnet, z. B. **Courage** [kuraჳe]. Die Lautzeichen bedeuten:

a = vorderes a: m*a*tt	$\tilde{\varepsilon}$ = nasales ε: frz. bass*in*	z = stimmhaftes s: le*i*se
ɑ = hinteres a: w*a*r	λ = mouilliertes l: ital.deg*li*	ʃ = stimmloses sch: Ta*sch*e
ɑ̃ = nasales ɑ: frz. c*en*time	ŋ = nasales n: la*ng*e	ჳ = stimmhaftes sch: frz.
ʌ = dumpfes a: engl. b*u*t	ɲ = mouilliertes n: frz.	Eta*g*e
ɣ = niederländ. g, wie	Boulo*gn*e	θ = stimmloses th: engl.
sächs. Wa*g*en	ɔ = offenes o: K*o*pf	*th*ing
ç = stimmloses ch: *ich*	o = geschlossenes o: S*oh*n	ð = stimmhaftes th: engl.
x = stimmloses ch: Ba*ch*	ɔ̃ = nasales ɔ: frz. sal*on*	*th*e
æ = breites ä: engl. h*a*t	œ = offenes ö: H*ö*lle	v = wie w in: *w*o, W*i*ese
ɛ = offenes e: f*e*tt	ø = geschlossenes ö: H*öh*le	w = halbvokalisches w:
e = geschlossenes e: B*ee*t	œ̃ = nasales œ: frz. *un*	engl. *w*ell
ə = dumpfes e: all*e*	s = stimmloses s: wa*s*	y = ü: R*ü*be

Langer Vokal wird durch nachfolgenden Doppelpunkt bezeichnet (z. B. ɑ: in H*aa*r); b d f g h i j k l m n p r u geben etwa den deutschen Lautwert wieder.

Herkunft der Wörter (Etymologie)

Die Herkunftsangaben stehen in eckiger Klammer hinter dem Stichwort. Die Zeitangaben beziehen sich auf das erste Auftreten eines Wortes im Deutschen, z. B. ›Lutherzeit‹, ›Goethezeit‹. Fremdwörter werden durch Angabe der Herkunftssprache gekennzeichnet: **anim'oso** [ital.]; das fremdsprachige Herkunftswort wird gebracht, wenn es wichtig ist: **Am'ause** [mhd. aus franz. émail]. Wo die wörtliche deutsche Entsprechung des fremden Begriffs von Bedeutung ist, wird sie angegeben: **allons** [alõ, franz. ›gehen wir!‹].

Zeichen

Die Zugehörigkeit zu einer besonderen Sprachschicht machen folgende Zeichen kenntlich:

† = veralteter Ausdruck	K = Kanzleistil, geschraubter Ausdruck
B = Bibel- und Kanzelsprache	M = Mundartwort oder nur landschaft-
D = dichterische und gehobene Sprache	lich verbreitetes Wort
G = gemeiner oder Gaunerausdruck	S = schlechter Stil
H = scherzhafter Ausdruck	U = Umgangssprache

Weitere Zeichen: * geboren (zu ... am ...), † gestorben (zu ... am ...). Der Pfeil → fordert auf, das dahinterstehende Wort nachzuschlagen. BILD bedeutet: die zugehörige Abbildung suche man an der hier genannten Stelle; ähnlich: ÜBERSICHT, TAFEL, KARTE.

Anregungen und Verbesserungsvorschläge

aus dem Kreise der Benutzer sind stets willkommen und werden genau geprüft; da der Verlag nicht auf jeden Hinweis antworten kann, spricht er seinen Dank für jede Hilfe schon hier aus.

Abkürzungen

Häufig sind Endungen oder Wortteile weggelassen, die man ohne Schwierigkeit ergänzen kann, z. B. span. für spanisch; abgek. für abgekürzt; Abt. für Abteilung; in den eckigen Klammern d. für deutsch in: niederd.; oberd. Weitere Abkürzungen →Maße und Gewichte, physikalische →Maßeinheiten, →mathematische Zeichen, →chemische Elemente u. a.

Abg.	Abgeordneter	MdB	Mitglied des Bundestags
ABGB	Allgemeines Bürgerliches Gesetzbuch (Österr.)	MdR	Mitglied des Reichstags
AG	Aktiengesellschaft	mhd.	mittelhochdeutsch
AGer.	Amtsgericht	Mill.	Million
ahd.	althochdeutsch	Min.	Minister
Arr.	Arrondissement	MinPräs.	Ministerpräsident
Art.	Artikel	Mitt.	Mitteilung(en)
a. St.	alten Stils	mlat.	mittellateinisch
A. T.	Altes Testament	mnd.	mittelniederdeutsch
Bd., Bde.	Band, Bände	Mz.	Mehrzahl
Bez.	Bezirk, Bezeichnung	N	Nord(en)
BezA.	Bezirksamt	n. Br.	nördliche(r) Breite
BezGer.	Bezirksgericht	n. Chr.	nach Christi Geburt
BGB	Bürgerliches Gesetzbuch	nhd.	neuhochdeutsch
BRT	Bruttoregistertonne	nlat.	neulateinisch
d. Ä.	der (die) Ältere	n. St.	neuen Stils
das.	daselbst	N. T.	Neues Testament
Dep.	Departement	O	Ost(en)
Distr.	Distrikt	o. J.	ohne Jahr
d. J.	der (die) Jüngere	ö. L.	östliche(r) Länge
dt.	deutsch	OLdGer.	Oberlandesgericht
Dtl.	Deutschland	OR	Obligationenrecht (Schweiz)
DurchfVO.	Durchführungs-Verordnung	Präs.	Präsident
Eigw.	Eigenschaftswort	Prof.	Professor
Einw., Ew.	Einwohner	Prov.	Provinz
EStG	Einkommensteuergesetz	Ps.	Psalm
e. V.	eingetragener Verein	ref.	reformiert
Ez.	Einzahl	RegBez.	Regierungsbezirk
Gem.	Gemeinde	RegPräs.	Regierungspräsident
Ges.	Gesetz; Gesellschaft	RT	Registertonne
GewO	Gewerbeordnung	Rep.	Republik
Gfsch.	Grafschaft	S	Süd(en)
GG	Grundgesetz	s. Br.	südliche(r) Breite
Gouv.	Gouvernement, Gouverneur	StGB	Strafgesetzbuch
grch., griech.	griechisch	StPO	Strafprozeßordnung
GVG	Gerichtsverfassungsgesetz	Stw.	Stammwort
Hb.	Handbuch	svw.	soviel wie
hd.	hochdeutsch	TH	Technische Hochschule
HGB	Handelsgesetzbuch	u. d. T.	unter dem Titel
hg. v.	herausgegeben von	ü. M., u. M.	über (unter) dem Meeresspiegel
Hptw.	Hauptwort	urspr.	ursprünglich
Hwb.	Handwörterbuch	v. Chr.	vor Christi Geburt
Hzgt.	Herzogtum	Verf.	Verfassung; Verfasser
i. J.	im Jahre	VerwBez.	Verwaltungsbezirk
Jb.	Jahrbuch	vgl.	vergleiche
Jh., Jhs.	Jahrhundert(s)	Vfg. v.	Verfügung vom
Kap.	Kapital	v. Gr.	von Greenwich
Kgr.	Königreich	v. H.	vom Hundert
KO	Konkursordnung	Vors.	Vorsitzender
Kr.	Kreis	VO. v.	Verordnung vom
Kw.	Kunstwort	W	West(en)
lat.	lateinisch	Wb.	Wörterbuch
LdGer.	Landgericht	w. L.	westliche(r) Länge
Lit.	Literatur	WO	Wechselordnung
Lw.	Lehnwort	ZGB	Zivilgesetzbuch (Schweiz)
MA.	Mittelalter	ZPO	Zivilprozeßordnung
md.	mitteldeutsch	³1950	3. Auflage 1950

Verzeichnis der Tafeln am Schluß des Bandes.

Deut, niederländ. **duit** [dœjt], seit dem 16. Jh. eine niederländ. Kupfermünze zu 2 Penningen oder $^1/_8$ Stüver oder $^1/_{160}$ Gulden; vom 17. bis zur Mitte des 19. Jhs. für Ostindien in großen Mengen geschlagen.

deut(ero)..., **Deut(ero)...** [griech.], in Wortzusammensetzungen zweit..., nächst...

Deuteragon'ist [grch.], im altgriech. Drama der zweite Schauspieler. →Protagonist.

Deut'erium [griech.], schwerer **Wasserstoff**, chem. Zeichen D (oder auch ²H), das Isotop des Wasserstoffs mit der Massenzahl 2. D. kann durch elektrolytische Zersetzung von schwerem →Wasser oder durch Destillation von flüssigem Wasserstoff bei −250° C dargestellt werden. Der Kern eines Atoms D. *(D'euteron)* ist aufgebaut aus einem Proton und einem Neutron und damit der einfachste der zusammengesetzten Atomkerne. Seine Eigenschaften sind sehr genau untersucht, da ihre Deutung für die Theorie der schwereren Atomkerne und für die Frage nach der Natur der Kernkräfte eine entscheidende Rolle spielt. Sein elektr. Quadrupolmoment weist darauf hin, daß seine elektr. Ladung nicht genau kugelsymmetrisch, sondern in einem schwach ellipsoidisch gestreckten Raumbereich verteilt ist, woraus Schlüsse über die Größe der Spin-Spin-Wechselwirkung der Nukleonen in Atomkernen gezogen werden können. →Kernphysik.

Wegen seiner Abneigung gegen Anlagerung von Neutronen und seiner Fähigkeit, schnelle Neutronen rasch abzubremsen, wird das D. als beinahe ideale Bremssubstanz in *Atombrennern* (→Reaktor) viel verwendet. Nach theoret. Überlegungen dürfte D. ferner der wesentliche Anteil des Sprengstoffes der *Wasserstoffbombe* sein, da bei Temperaturen oberhalb 14000000° C in einer thermisch ausgelösten Kernreaktion katalytisch in Helium umgewandelt wird. Das D. wurde 1932 von dem Amerikaner Urey entdeckt.

Lit. K. E. W. Finkelnburg: Einf. in die Atomphysik ($^{11/12}$1967).

Deuterojes'aja, →Jesaja.

d'euterokan'onische Bücher, die von der kath. Kirche in den Kanon aufgenommenen apokryphen Schriften des A. T. (Übersicht Bibel).

Deuteron'omium [griech. ›Wiederholung des Gesetzes‹], das fünfte Buch Mose, →Pentateuch.

D'eutinger, Martin, kath. Philosoph und Theologe, * Schachtmühle (Oberbayern) 24. 3. 1815, † Bad Pfäfers 9. 9. 1864, 1847 bis 1852 Prof. in Dillingen. Unter dem Einfluß seiner Lehrer Schelling und Baader suchte er kath. Dogmatik und Philosophie systematisch zu verbinden.

Werke. Grundlinien einer positiven Philosophie, 7 Bde. (1843–53).

Lit. H. Fels: M. D. (1938); E. Reisch: M. D.s dialekt. Geschichtstheol. (1939); Joh. Fellerer: Das Verhältnis v. Philos. u. Theol. nach M. D. (1940); Fr. X. Gerstner: Das Bild des Menschen bei D. (1943).

deutsch, kam seit dem 8. Jh. als Gesamtbezeichnung für die german. Hauptstämme Mitteleuropas auf. Mit dem ursprünglich als Gegenstück zu *walhisk* = ›zu den Welschen gehörig‹ gebildeten *theudisk* = ›zur theoda (Stamm) gehörig‹ (wahrscheinl. in der Gegend von Cambrai entstanden) bezeichneten seit etwa 700 n. Chr. die Westfranken im zweisprachigen Merowingerreich insbes. ihre german. Sprache (vgl. altfrz. *tieis*). Seit 786 wurde mit latinisiertem *theodisca lingua*, zuerst vom damaligen Bischof von Amiens, die gemeinsame Sprache als einigendes Merkmal der german. Stämme des Reiches Karls d. Gr. hervorgehoben. Im 9. Jh. erstarkte dieses an die Muttersprache anknüpfende Gemeinbewußtsein zur Grundlage für ein eigenständiges bewußtes Volksleben der sich seit dem 10. Jh. als *diutisk-deutsch* begreifenden Stämme der Franken, Sachsen, Baiern, Alemannen, Thüringer, Friesen. Dieser Übergang auf das durch die Reichsteilungen entstandene und nach den Franken als den Herren, nicht als Stamm, bezeichnete Ostfränk. Reich ist wahrscheinl. in der Gegend von Mainz geschehen. Der Einfluß der Gelehrten vermengte damit seit 850 die aus älteren latein. Quellen stammende Wortform *teutonicus*, die auch zu Nebenformen wie ahd. *tutisk*, mhd. *tiu(t)sch*, nhd. *teutsch* führte. Im letzten Drittel des 9. Jhs. meint das Wort diutisk-deutsch geradezu »die einigen Stämme«, und zum Jahre 919 sprechen die Salzburger Annalen vom *regnum teutonicorum*, vom ›Königtum der Deutschen‹.

Der Name und Begriff der Deutschen geht als einziger in Europa nicht auf einen älteren Landes- oder Stammesnamen zurück, sondern wurde als geschichtl. Zeit auf dem Wege: deutsche Sprache – deutsche Leute/Deutsche – deutsche Lande/Deutschland aus der Muttersprache gewonnen und hat bis heute sein Schwergewicht im Sprachlich-Kulturellen.

Die den Deutschen benachbarten Völker haben das Wort nicht gleichmäßig übernommen, sondern nur die wenigsten von ihnen, merkwürdigerweise ganz getrennt voneinander im S die Italiener *(Tedeschi)* und im N die Skandinavier *(Tysk)*, spät die Niederländer *(Duitsche)* die ihrerseits aber von den Angelsachsen *Dutch* genannt werden. Eine weitere Gruppe keineswegs miteinander verwandter Völker hat die Deutschen mit den *Germanen* gleichgesetzt, so die Angelsachsen (die selbst Germanen waren), aber auch nichtslawische Völker des Balkans (Griechen, Rumänen), während die Slawen nur das Land als *Germania* bezeichnen, die Deutschen selbst aber als ›Stammler, Ausländer‹ (russisch *Njemzij*, poln. *Niemcij*, tschech. *Němci*, slowak. *Nemec*, serbokroat. *Nijémac* usw.); von ihnen haben die Madjaren *Németek* übernommen. Schließlich gibt es noch zwei in sich geschlossene Gruppen, welche die Deutschen nur mit einem Stammesnamen

belegen, nämlich die baltischen Völker, denen die Deutschen als (Nieder-) Sachsen begegneten (finnisch-estnisch *Saksalaiset*), und die gleich den Deutschen ebenfalls aus dem Fränk. Reich hervorgegangenen Franzosen, Spanier, Portugiesen, denen die Deutschen als Alemannen (frz. *Allemands*, span. *Alemanes*, port. *Alemàos*) erschienen.
LIT. W. Krogmann: D. (1936); L. Weisgerber: Der Sinn des Wortes D. (1949).

Deutsch, 1) Ernst, Schauspieler, * Prag 16. 9. 1890, † Berlin 22. 3. 1969, kam über Wien, Prag, Dresden nach Berlin, wo er bei Max Reinhardt klassische Charakterrollen spielte; seit 1924 auch im Film tätig. Während der Hitlerzeit lebte er in der Emigration.
2) Julius, österreich. Politiker (Sozialist), * Lackenbach (Burgenland) 2. 2. 1884, † Wien 17. 1. 1968, Gewerkschaftsführer, war 1919 bis 1920 Staatssekretär für das Heerwesen, gründete 1924 den Republikan. Schutzbund; nach dem Scheitern des Februaraufstandes (1934) floh er ins Ausland. Im Span. Bürgerkrieg organisierte er 1936 die republik. Truppen. 1940 ging er nach den Verein. Staaten; 1946–53 war er wieder in der SPÖ tätig.
WERKE. Der Bürgerkrieg in Österreich (1934), Gesch. der Österreich. Arbeiterbewegung (³1947).
3) Niklaus Manuel, schweizerischer Maler, →Manuel.
4) Otto Erich, österreich. Musikforscher, * Wien 5. 9. 1883, † das. 23. 11. 1967, 1939–53 in England; schrieb neben kunst- und literaturgeschichtlichen Arbeiten zahlreiche Musikerstudien (Haydn, Händel, Mozart, Schubert); von ihm stammt auch eine umfangreiche Dokumentensammlung und das thematische Werkverzeichnis Schuberts.
Deutsch Altenburg, Bad, Markt im Bez. Bruck a. d. Leitha, Niederösterreich, (1970) 1300 Ew., hat Schwefelquellen; Museum und Ausgrabungen der Römerstadt *Carnuntum.*
Deutschamerikaner, Bürger der USA, die selbst in Deutschland geboren (1960:987 000) oder Kinder aus Dtl. eingewanderter Eltern sind, im weitesten Sinne alle Amerikaner deutscher Abstammung (→Deutsche).
Deutsch-Amerikanische Petroleum-Gesellschaft, →Esso AG.
Deutschbalten, Baltendeutsche, →Balten, →Deutsche.
Deutschbein, Max, dt. Anglist, * Zwickau 7. 5. 1876, † Marburg (Lahn) 15. 4. 1949, war seit 1919 Prof. in Marburg.
WERK. Grammatik der engl. Sprache auf wissenschaftl. Grundlage (1924; bearb. von H. Klitscher ¹⁷1962).
Deutsch Brod, tschech. Německý Brod, seit 1945 **Havlíčkův Brod,** Stadt im Gebiet Iglau, Tschechoslowakei, mit (1970) 18 000 Ew.; Textil- und Maschinenindustrie. D., im 13. Jh. als deutsche Bergstadt entstanden, wurde 1422 von den Hussiten zerstört. 1637 wurde D. Freistadt.
Deutsch-Dänische Kriege (1848–50 und 1864), →Schleswig-Holstein, Geschichte.

Deutsche. Die Deutschen sind nach Herkunft, Sprache und Gesittung ein Teil der →Germanen, seit alters in der Hauptsache in Mitteleuropa ansässig. Doch kann man von D. erst sprechen, als bei und nach dem Zerfall des →Fränkischen Reichs in den german. Stämmen des Ostfränk. Reichs das neue Bewußtsein eines gemeinsamen polit. Schicksals entstand. Der Name D. ist daher zunächst als ein Unterschied, ja als ein Gegensatz zu der roman. Bevölkerung des Westfränk. Reichs und – seit den Romzügen der Ottonen – Italiens zu begreifen. Die D. scheiden sich nach Sprache, Recht, Wesensart und bald auch Geschichte von den »Welschen« (der *Romanitas*). Dieser Vorgang tritt auf die polit.-geschichtl. Ebene aber erst in der Mitte des 9. Jhs., etwa z. Z. der »Straßburger Eide, ist im wesentl. nach einem Jahrhundert – die Schlacht auf dem Lechfeld wird schon den »Deutschen« zugerechnet – abgeschlossen.
Über Herkunft und Bedeutung des Namens →deutsch.
I. Die D. als Gesamtvolk. Schon seit dem Ende der Völkerwanderung war das besiedelte Land in Europa vergeben, und so begann in der Karolingerzeit, um die wachsende Bevölkerung aufzunehmen, das den Germanen bis dahin fremde Neusiedlung in Gestalt der Rodung, d. h. der Urbarmachung bisher unbewohnten und ungenutzten, vielfach praktisch herrenlosen (»Königs-«)Landes im Innern. Diese »innere Kolonisation« ist dann jahrhundertelang in die Wälder und Berge vorgetrieben worden und hat damals schon in wesentlichen das heutige Landschaftsbild geschaffen. Hierzu trat, ebenfalls in der Karolingerzeit beginnend, die »äußere Kolonisation«, der teils friedliche, teils kriegerische Erwerb von Siedlungsgebieten außerhalb der Grenzen des Reichs (»Marken«), die von Fremdstämmigen dünn besiedelt waren, insbes. in den während der Völkerwanderung den Slawen überlassenen Gebieten (»ostdeutsche Kolonisation«). Damals wurden Österreich, Kärnten, Steiermark, Obersachsen, Schlesien, Brandenburg, Mecklenburg, Pommern, Preußen sowie die Randgebiete Böhmens und Mährens eingedeutscht. Über diesen geschlossenen Volkskörper hinaus waren Siedlungskerne weit nach Osteuropa vorgetrieben. Diese mittelalterl. Ostsiedlung fand ein Ende, als durch den »Schwarzen Tod« seit etwa 1350 der Bevölkerungsnachschub ausblieb.
Die Bevölkerung Deutschlands bestand um 1000 aus vielleicht 2 Mill. Die Ziffer von etwa 20 Mill. (zu Beginn des Dreißigjähr. Krieges, 1618) wurde erst gegen 1800 wiedererreicht. Vom Ende des 17. bis zum Beginn des 19. Jhs. kamen hierzu kleinere Neusiedlungen im O, in Ungarn, Preußen und Rußland. Weiterer Ausbreitung der D. nach O wirkte die Entstehung der Nationalstaaten entgegen, was bes. im 19. Jh. zu einer rückläufigen Bewegung führte.

Im 19. Jh. begann eine neue »innere Kolonisation«, diesmal in Gestalt der Verstädterung, eines riesigen Wachstums zumal der Industriestädte. Die Auswanderung nach Übersee stieg stark an. Süd-, vor allem aber Nordamerika nahmen Millionen von D. auf, die jedoch nur in einzelnen Volksgruppen ihr Deutschtum bewahrten.

Mit dem Zusammenbruch des Deutschen Reiches seit Ende 1944 starben mehr als 2 Millionen D. in den östlichen Reichsgebieten und im übrigen Osteuropa. Über 13 Millionen wurden aus den Gebieten jenseits der Oder-Neiße-Linie und aus Böhmen und Mähren vertrieben und flohen hauptsächlich nach Restdeutschland (→Vertriebene), zu einem kleineren Teil auch als neue Auswandererwelle nach Übersee. Von 1944 bis zum Bau der »Berliner Mauer« (13. 8. 1961) kamen rd. 3 Millionen D. aus dem Gebiet der DDR und Ost-Berlins in die Bundesrepublik Deutschland. Vgl. ÜBERSICHT Deutsche Geschichte (Abschn. Deutschland nach dem Zusammenbruch).

LIT. C. Brinkmann: Die bewegenden Kräfte in d. deutschen Volksgesch. (1922); M. H. Boehm: Das eigenständige Volk (1932); G. Ipsen: Programm einer Soziologie d. deutschen Volkstums (1932); Th. Frings: Germania Romana (1932); E. Gamillscheg: Romania Germanica, 3 Bde. (1934/36); H. Aubin: Von Raum und Grenzen des dt. Volkes (1938); W. Hellpach:

Dt. Physiognomik ([2]1949); Dokumentation der Vertreibung der D. aus Ostmitteleuropa, 5 Bde., hg. v. T. Schieder (1953 bis 1961); W. Wachtsmuth: Das polit. Gesicht der dt. Volksgruppe in Lettland 1918–34 (1953); Th. Bierschenk: Die dt. Volksgruppe in Polen 1934–39 (1954); O. Heike: Das Deutschtum in Polen 1918 bis 1933 (1955); Die dt. Vertreibungsverluste. Bevölkerungsbilanzen für die dt. Vertreibungsgebiete 1939–50, hg. v. Statist. Bundesamt (1958); Buchenland. 150 Jahre Deutschtum in der Bukowina (1961); K. Meissner: Dt. in Japan 1639–1960 (1961); F. H. Riedl: Das Südostdeutschtum in den Jahren 1918–45 (1962).

II. Die deutschen Stämme. Die D. gliedern sich seit jeher in Stämme, von denen einige bis in die german. Zeit zurückzuverfolgen sind. Der Stamm wurde früher mehr anthropologisch aufgefaßt, heute sieht man in ihm einen urspr. politischen Bund, dem freilich auch andere Gemeinsamkeiten zugrunde liegen. Die Stämme sind somit geschichtlich gewachsene Einheiten, die gemeinsam die größere Einheit des deutschen Volkes bilden. Die gegenwärtigen Stammesgrenzen decken sich selten mehr mit den politischen und sind nur gelegentlich noch scharf zu erkennen. Wesentl. Merkmale für die Gliederung nach Stämmen sind Mundarten, Volksglaube, Sitte und Brauchtum, Rechtsbegriffe, seltener Siedlungs- und

Die deutschen Stammesherzogtümer um 1000

Hausformen. Die Ursachen für die Ausprägung der Stammeseigenschaften sind vielfach: Landschaft und Witterung, Wirtschaftsbedingungen und Verkehrslage haben ebenso stark dazu beigetragen wie gemeinsame religiöse, kulturelle und polit. Geschichte.

DIE DEUTSCHEN STÄMME
(Stand 1937)

Niederdeutsche

Franken	Mecklenburger
Niederfranken	Pommern
Niedersachsen	Brandenburger
Schleswig-Hol-	Altpreußen
steiner	Baltendeutsche
Niedersachsen	Friesen
im engeren Sinn	*Nordfriesen*
Westfalen	*Ostfriesen*
Ostfalen	

Mitteldeutsche

Franken	*Siebenbürger*
Rheinländer	*›Sachsen‹*
Lothringer	*Rußlanddeutsche*
Luxemburger	Hessen
Pfälzer	Thüringer
Ungarndeutsche	Obersachsen
Jugoslawien-	Schlesier
deutsche	Sudetendeutsche
	Zipser

Oberdeutsche

Franken	*Niederbayern*
Ostfranken	*Oberbayern*
Alemannen	*Tiroler*
Schwaben	*Oberösterreicher*
Elsässer	*Niederösterreicher*
Schweizer	*Kärntner*
Vorarlberger	*Steirer*
Bayern-Österreicher	*Heinzen*
Oberpfälzer	

Nach der Völkerwanderung siedelten auf dem heutigen Volksboden der D. die folgenden Großstämme: die Alemannen beiderseits des Oberrheins, die Bayern zwischen dem Böhmerwald, den Alpen bis zur Enns und dem Lech, die Franken beiderseits des Mittel- und Niederrheins, die Thüringer zwischen dem Main und dem Harz, die Sachsen zwischen der Elbe und dem Niederrhein und die Friesen auf den Nordseeinseln und an der dahinterliegenden Küste. Die Stämme waren in dieser Zeit geschlossene polit. Einheiten. Die erste Vereinigung dieser Stämme war das Werk der Franken. Die Auflösung des Fränk. Reichs (seit 843) trennte die Stämme abermals. Sie wurden noch einmal die Träger der staatl. Gewalt; an ihre Spitze traten wieder einheim. Stammesherzöge. Zu Beginn des 10. Jhs. bestand das Ostfränk. Reich aus 5 Stammesherzogtümern: Bayern, Sachsen-Thüringen, Schwaben, Franken und Lothringen. Friesland blieb ohne Herzog. Die erneute Einigung der Stämme ging von den Sachsen aus, deren Herzog Heinrich 919 König des nunmehr entstehenden Königtums der D. wurde. Auflehnungen der Stämme gegen das Königtum brach Otto I.; unter ihm wurde die Kirche der Träger der Reichsgewalt. Damit war die polit. Bedeutung der alten Stämme entscheidend eingeengt. Völlig verloren ging sie jedoch erst im 12. und 13. Jh. An die Stelle der Stämme traten die Landesfürstentümer, nach 1918 die Länder, die teilweise Bruchstücke mehrerer alter Stämme umfaßten, während einige der nach dem Zusammenbruch von 1945 entstandenen Länder der Stammesgebieten wieder näherkommen.

Die Neusiedler jenseits der alten Ostgrenze wuchsen rasch zu Neustämmen zusammen. Als das stärkste Band der deutschen Stämme hat sich die →deutsche Sprache erwiesen. Der Zusammenbruch nach dem 2. Weltkrieg und die Vertreibung der Ostdeutschen aus ihrer Heimat hat die stammesmäßige Zusammensetzung des Volks beeinflußt.

LIT. H. Aubin: Das deutsche Volk in seinen Stämmen, in: Volk u. Reich d. D., hg. v. B. Harms, 1 (1929); J. Nadler: Das stammhafte Gefüge d. deutschen Volkes (⁴1941); Der deutsche Volkscharakter. Eine Wesenskunde der dt. Volksstämme u. Volksschläge, hg. v. M. Wähler (1937); Chr. Obermüller: Die dt. Stämme (³1941).

III. Wandlungen des Begriffs »Deutsche«.
Während die Gliederung nach Stämmen unverändert geblieben war, haben sich durch die historisch-politische Entwicklung (Ausscheiden der Schweizer seit dem 15., der Niederländer seit dem 16. Jh., der Österreicher seit 1866, Gründung des Deutschen Reichs von 1871, Zerfall der Donaumonarchie 1918, Gebietsverluste des Deutschen Reichs 1919) Einengungen des Begriffs »Deutsche« und neue Sonderbegriffe ergeben, die jedoch voneinander nicht klar abgegrenzt sind. So hat man im polit. Sinn »deutsch« bevorzugt zur Staatsbürger des Dt. Reichs *(Reichsdeutsche)* eingeengt, neben denen die Österreicher standen; in der Schweiz wurde der Begriff »deutschsprachig« üblich; auch innerhalb der österreichisch-ungar. Monarchie war im amtlichen Gebrauch deutsch mit deutschsprachig identisch.

Bevorzugt im Deutschen Reich verwendete Sonderbegriffe: Unter *Binnendeutschen* (Inlanddeutschen) verstand man in der Regel die Staatsangehörigen. *Grenzlanddeutsche* (Grenzdeutsche) hießen die seit 1918 außerhalb deutscher Staatsgrenzen wohnenden bodenständigen Deutschen, z. B. Ostoberschlesier, Eupener, Südtiroler. Sie waren ein Teil der *Auslanddeutschen.* Unter dem Nationalsozialismus wurde der Begriff Auslanddeutsche auf die im Ausland wohnenden Reichsdeutschen beschränkt und die Begriffe *Volksdeutsche* und *deutsche Volksgruppen* (in Insellage) verwendet. Seit der Katastrophe von 1945 ist die Begriffsbildung im Fluß.

IV. Geschichte der deutschen Volksgruppen.
Aus der Ostsiedlung des MA. stammten die Deutschen im Memelland und in Danzig, in Oberschlesien, um Bielitz und Teschen, in

Böhmen, Mähren-Schlesien und der Slowakei, in Niederösterreich, dem Burgenland, der Steiermark und in Kärnten, ferner im angrenzenden Westungarn. Westpreußen und Posen wurden damals nur z. T. mit D. besiedelt, starke dt. Gruppen wurden vorgetragen nach Estland und Lettland (→Balten); nach Prag, ins Innere Mährens, nach Krain, in die Karpaten und nach Siebenbürgen.

Die D. des *Memelgebiets* flohen schon seit Ende Juli 1944. *Danzig* wurde 1945 mit in den Zusammenbruch gerissen; durch Zwangsausweisungen verminderte sich die Zahl der D. auf (1947) 7000, seitdem ist sie weiter gesunken.

In den preuß. Prov. *Westpreußen* und *Posen* lebten ebenfalls seit dem 13. und 14. Jh. D., dort vom Deutschen Orden, hier von den poln. Fürsten ins Land gerufen, teils in geschlossenen Volkskörper, teils mit Polen und Kaschuben in Streusiedlung. Schon 1919 verminderten sich die D. durch Option und Wegzug und durch Ausweisung. Nach dem Polenfeldzug von 1939 durch Hitler mit Rücksiedlern aus Osteuropa aufgefüllt, flüchteten die D. 1944/45 nach Restdeutschland.

Ähnliches gilt für die bis 1919 zu Österreich.-Schlesien, seitdem teils zu Polen, teils zur Tschechoslowakei gehörenden deutschen Volksgruppen um *Teschen* und *Bielitz*. Die *Sudetendeutschen* aus den alten habsburg. Kronländern Böhmen, Mähren und Österreich.-Schlesien bildeten die zweitgrößte deutsche Volksgruppe unmittelbar jenseits der Staatsgrenzen, zusammen mit einigen Volksinseln: Schönhengstgau, um Budweis, Iglau, Brünn, Olmütz u. a. In diesen seit 700–800 Jahren von Deutschen besiedelten Randgebieten Böhmens und Mährens wurden auf Grund der Potsdamer Beschlüsse der Alliierten vom 5. 8. 1945 alle D. zur Aussiedlung bestimmt. Sie kamen, soweit sie nicht den Tschechen zum Opfer fielen, meist in die amerikan.-oder sowjet. Besatzungszone und nach Österreich. Geringe Reste der Sudetendeutschen blieben im Land, so daß man vorsichtig einen Untergang von 1 Mill. D. schätzen darf. Ein ähnlich tragisches Geschick haben die D. in der Slowakei, in der Zips und um Kremnitz erlitten, die seit dem 13. und 14. Jh. als Bergleute nach Oberungarn gekommen waren. In der 1919 an Jugoslawien gefallenen *Untersteiermark* (Marburg an der Drau) und in dem 1919 an Italien gefallenen Kanaltal *(Südkärnten)* leben nur noch geringe Reste von D. Aus dem MA. stammten auch die dt. Sprachinseln in *Krain*, die ebenfalls 1919 an Jugoslawien kamen; während des 2. Weltkrieges wurden alle D. aus den Gebieten von Gottschee und Laibach umgesiedelt.

Die weitaus größte der abgetrennten alten Volksgruppen ist seit der Mitte des 12. Jhs. die der *Siebenbürger Sachsen.* Durch ihre geschlossene Siedlung in drei Hauptgebieten (um Bistritz, Hermannstadt und Kronstadt), ihre von jeher straffe Organisation und ihre kulturelle Höhe haben sie sich gegenüber den Bestrebungen sowohl der Madjaren wie der Rumänen verhältnismäßig unversehrt erhalten können, bis auch hier seit 1944 ein Wandel eintrat, indem ein Teil nach Deutschland und Österreich flüchtete, ein anderer verschleppt wurde. Die Zurückgebliebenen, die zunächst wirtschaftlich schwer geschädigt und enteignet wurden, haben seit 1952 die rechtliche und kulturelle Gleichstellung wiedererlangt.

Nach den Türkenkriegen entstanden im habsburg. Ungarn mehrere Siedlungsgebiete der *Ungarndeutschen* (vor allem westl. von Budapest), dann der *Banater Schwaben*, der D. in der *Batschka*, der *Schwäbischen Türkei*, *Slawonien*, im Gebiet von *Sathmar* und im späteren *Karpatorußland*. Nach der 1. Teilung Polens (1772) traten hierzu die ebenfalls von den Habsburgern ins Werk gesetzten dt. Streusiedlungen in *Galizien* und der *Bukowina*. Als letzte Ausläufer entstanden im 19. Jh. dt. Siedlungen in *Altrumänien*, der *Dobrudscha* und an der ehem. Militärgrenze in *Bosnien*.

Die Schicksale aller dieser Volksgruppen sind nach 1918 sehr verschiedenartig gewesen. Während die D. im Kerngebiet Ungarns bei einigen verblieben, wurde das Banat auf Ungarn, Rumänien und Jugoslawien verteilt, die Batschka auf die beiden letzteren, Sathmar und die Bukowina fielen an Rumänien, Slawonien und Bosnien an Jugoslawien, Karpatorußland an die Tschechoslowakei, Galizien und Polen.

Auf Grund des Potsdamer Abkommens vom 5. 8. 1945 konnten die *Ungarndeutschen* ausgesiedelt werden; ein beträchtlicher Rest ist im Lande verblieben. Die übrigen D. aus *Rumänien* (Alt-Rumänien, Bessarabien, Süd-Bukowina, Dobrudscha) kamen während des 2. Weltkriegs zumeist durch Umsiedlungsverträge nach Deutschland und Österreich. Von den Zurückgebliebenen wurden die Banater Schwaben 1951 zum großen Teil in die Baragan-Steppe umgesiedelt. Aus *Jugoslawien* wurden während des 2. Weltkriegs die D. in Bosnien und Rest-Serbien ebenfalls umgesiedelt. Aus dem Banat und der Batschka kamen nach 1945 zahlreiche Flüchtlinge und Vertriebene hinzu, die in Dtl., bes. in der Bundesrep., und in Österreich aufgenommen wurden; weitere 50000 wurden in die Sowjetunion verschleppt, 325000 dürften umgekommen sein. Von 162000 Besitzungen mit 1,5 Mill. ha Land wurden 1944–46 97000 mit 637000 ha aus volksdeutschem Besitz enteignet. Die D. in Galizien wurden 1940 in das Reich umgesiedelt.

Rußland. 1763–67 kamen unter Katharina II. zu günstigen Bedingungen D. in die Kirgisensteppe an der *Wolga*, seit 1787 unter ihrem Schützling Potemkin in die *Ukraine*. Der dortige Zuzug wurde dann erneut durch Alexander I. gefördert (1804

Deut

bis 1809), desgleichen seit 1814 der in das den Türken abgenommene *Bessarabien;* selbst auf die *Krim* und in das Land nördl. und südl. des *Kaukasus* kamen D. Auch in *Polen* setzte im 18. Jh. eine neue deutsche Siedlungsbewegung ein; sie endete in *Kongreßpolen* erst mit der Bauernbefreiung 1861. Die größte dieser Streusiedlungen war die von Lodz und Umgebung, wo seit etwa 1820 die Einwanderer eine Textilindustrie großen Stils aufbauten. Von Kongreßpolen aus wurden dann in der 2. Hälfte des 19. Jhs.

Deutschsprachige und Deutschbürtige in:	vor 1937 (in 1000)
Österreich	6760 (1934)
Südtirol	225 (1935)
Liechtenstein	10 (1935)
Schweiz	2950 (1935)
Elsaß und Lothringen. . .	1580 (1935)
Luxemburg	285 (1935)
Eupen-Malmedy und Altbelgien	100 (1935)
Niederlande	100 (1935)
Nordschleswig.	35 (1937)
Estland ⎱ (Balten-	23 (1935)
Lettland ⎰ deutsche)	70 (1935)
Litauen	40 (1935)
Memelgebiet.	80 (1935)
Danzig	379 (1937)
Posen und Westpreußen .	325 (1937)
Ostoberschlesien	300 (1937)
Teschen-Schlesien	40 (1935)
Kongreßpolen	350 (1937)
Galizien	60 (1937)
Wolhynien	65 (1937)
Ukraine.	395 (1935)
Krim	45 (1935)
Wolgadeutsche ASSR . .	392 (1935)
Sibirien	120 (1935)
Kaukasus	75 (1935)
Bessarabien	90 (1935)
Dobrudscha	25 (1937)
Bukowina	96 (1937)
Altrumänien	93 (1937)
Sathmar	40 (1935)
Siebenbürgen	230 (1935)
Banat und Batschka	790 (1935)
Kroatien und Slowenien.	160 (1935)
Bosnien	16 (1935)
Südsteiermark und Krain	70 (1935)
Ungarn	505 (1935)
Karpatorußland.	15 (1935)
Slowakei (Zips)	150 (1935)
Sudetengebiet	3100 (1935)
Kanada	400 (1936)
Verein. Staaten	5200 (1937)
Mexiko	13 (1935)
Brasilien	900 (1935)
Argentinien	230 (1935)
Chile	40 (1937)
Paraguay	15 (1935)
Übriges Mittel- und Südamerika	25 (1935)
Australien	77 (1935)
Asien.	21 (1935)
Südwest-, Ost- und Süd- afrika.	51 (1935)

als jüngste deutsche Gruppe in Osteuropa die Siedlungen im *Cholmer* und *Lubliner Land,* vor allem aber in *Wolhynien* gegr. Im zarist. Rußland kam es noch zu einer privaten dt. bäuerl. Siedlung in *Litauen,* meist von Ostpreußen aus.

Soweit nach 1917 den Gruppen bei der Sowjetunion verblieben (die Hälfte der Wolhynien-D., die D. in der Ukraine, am Schwarzen Meer, am Kaukasus, an der Wolga), hatten sie zunächst unter Hungersnöten und wirtschaftl. Bedrückungen schwer zu leiden, letztere trotz ihrer polit. Vereinigung in der Wolgadeutschen ASSR. Seit dem 2. Weltkrieg begann ihr Untergang. Selbst die 1944 nach Deutschland geflüchteten 220 000 Rußland-D. sind nach 1945 zum Teil (die aus der sowjet. Besatzungszone) in das Innere der Sowjetunion verschleppt worden. Das gleiche Schicksal erlitten die seit 1920 im rumän. Staatsverband lebenden Bessarabien-D., nachdem sie nach Deutschland zurückgesiedelt waren. Von den D., die 1920/21 an Polen kamen, wurden nach dem Polenfeldzug 170 000 aus Wolhynien und Ostpolen auf Grund von Staatsverträgen mit der Sowjetunion von 1940 umgesiedelt, meist in die Reichsgaue Wartheland und Danzig-Westpreußen; von dort flüchteten sie 1944/45 nach Westdeutschland. Die D. in Kongreßpolen dürften ausgerottet sein. Die D. dagegen, die 1920 an Litauen gekommen waren, wurden 1940 in das Dt. Reich umgesiedelt, 1942/43 z. T. wieder zurückgebracht; 1944/45 flüchteten auch sie meist nach Nordwestdeutschland.

V. Auswanderung. Was Osteuropa im 18. und 19. Jh. an D. aufnahm, ist zahlenmäßig verschwindend gering gegenüber dem Strom, der nach Übersee, bes. nach Nordamerika, auswanderte. In *Kanada* begann um 1750 eine geringe Siedlung, die erst im 19. Jh. wesentlich zunahm, dann nochmals zu Beginn des 20. Jhs. und wiederum nach 1945 um viele Zehntausende verstärkt wurde. Der Hauptstrom des deutschen Bevölkerungsüberschusses floß jedoch, schon 1683 beginnend, bes. stark seit 1848 in die *Verein. Staaten;* er übertraf an Zahl bei weitem alle übrigen deutschen Auswanderer und Siedler zusammen, mündete jedoch zum großen Teil im amerikan. »Schmelztiegel«. In Mittel- und vor allem in Südamerika hat sich das Deutschtum in geschlossenen und Streusiedlungen erhalten. Ansehnliche Zahlen deutscher Pflanzer und Kaufleute leben in Brasilien, Argentinien und Chile. *Brasilien* steht an der Spitze, wo seit 1824 (São Leopoldo), verstärkt seit 1850 (Blumenau), viele D. einwanderten, bes. auch aus Rußland. Heute leben sie meist in den Staaten Rio Grande do Sul, Santa Catarina, São Paulo und Paraná. In *Argentinien* wurde 1836 die erste deutsche Ansiedlung gegr.; nach 1850 siedelte die Regierung planmäßig D. an, auch hier etwa zur Hälfte Rußlanddeutsche. Ein neuer Zuzug kam nach dem 2. Weltkrieg ins Land. In *Chile* siedelten sich

12

die ersten D. 1850 bei Valdivia und in der Prov. Chiloë an, später auch in Santiago, Valparaiso und Concepción.

In die übrigen Erdteile sind nur geringe Abzweigungen des großen deutschen Auswandererstroms des 19. und 20. Jhs. gedrungen. In *Australien* begann die Besiedlung 1838 und hat lange angedauert, meist in Südaustralien; nach 1949 begann wieder eine Einwanderung von D. Doch schwindet ähnlich wie in den Verein. Staaten das Bewußtsein des Deutschtums. In Afrika siedelten schon mit den Buren auch D., seit der Mitte des 19. Jhs. erneut auf dem Gebiet der späteren *Südafrikan. Union* (Natal), so daß die Buren etwa zur Hälfte aus Niederdeutschland stammen. Von den Schutzgebieten war klimatisch nur *Südwestafrika* für eine bodenständige Siedlung zugänglich, die sich dort auch trotz der Rückschläge zweier Weltkriege erhalten hat. In *Ostafrika* war die deutsche Siedlung von Anfang an geringer. Das Deutschtum in *Asien* ist nach dem 2. Weltkrieg fast völlig verschwunden, so die (schwäb.) Templer in Palästina. Nur in *Sibirien* hat sich das Deutschtum durch Umsiedlung der Wolgadeutschen vermehrt; Einzelheiten sind noch wenig bekannt.

Weiteres →Vertriebene, →Sowjetzonenflüchtlinge, →Umsiedlung.

LIT. W. Winkler: Statist. Hb. f. d. gesamte Deutschtum (1927); Hwb. d. Grenz- u. Auslandsdeutschtums, 3 Bde.: A–M (1933–40); F. Thierfelder: Das Deutschtum im Ausland (²1935); H. Rothfels: Reich, Staat u. Nation im deutschbalt. Denken (1930); R. Wittram: Gesch. d. balt. D. (1939); K. Stavenhagen: Das Deutschtum in Lettland (1927); R. Heberle: Die D. in Litauen (1927); H. Rauschning: Die Entdeutschung Westpreußens u. Posens (1930); A. Eichler: Das Deutschtum in Kongreßpolen (1921); Heckel: Das Deutschtum in Polen (1929); K. Lück: Dt. Aufbaukräfte i. d. Entwicklung Polens (1934); ders.: Der Mythos vom Deutschen i. d. poln. Volksüberlieferung (1938); V. Kauder: Die D. in Polen (1939); J. Schleuning: Das Deutschtum in Sowjetrußland (1927); J. Bleyer (Hg.): Das Deutschtum in Rumpfungarn (1928); O. Isbert: Das südwestl. ungar. Mittelgebirge. Bauernsiedlung u. Deutschtum (1931); F. H. Reimesch: Das Deutschtum in Großrumänien (²1929); Adriaticus: Die D. in Südslawien (1930); H. Lehmann: Das Deutschtum in W-Kanada (1939); A. Faust: Das Deutschtum i. d. Verein. Staaten, 2 Bde. (1912); R. Cronau: Drei Jahrh. deutschen Lebens in Amerika (²1924); H. Kloss: Statist. Hb. d. Volksdeutschen in Übersee (1943); K. G. Cornelius: Die D. im brasil. Wirtschaftsleben (1929); J. Riffel: Die Rußlanddeutschen, insbes. d. Wolgadeutschen, von La Plata (²1928); A. Lodewyckx: Die D. in Australien (1932).

Deutsche Adelsgenossenschaft, abgek. *D.A.G.,* gegr. 1874, 1945 umbenannt in *Deutsches Adelsarchiv*; Monatsschrift ›Deut-sches Adelsblatt‹. Es setzt sich ein für die Erhaltung der Überlieferung des Adels und dessen Belange. Angegliedert ist eine soziale Hilfsstelle.

Deutsche Afrika-Gesellschaft e. V., 1956 gegr. zur Förderung der Afrika-Kenntnisse und der Beziehungen der Bundesrep. Dtl. zu den afrikan. Staaten; Sitz: Bonn; Präs. (seit 1970): L. Clausen. Veröffentlichungen: u. a. der halbmonatliche ›Afrika-Informationsdienst‹.

Deutsche Akademie, *Akademie zur wissenschaftlichen Erforschung und Pflege des Deutschtums,* in München, gegründet 1925; 1945 aufgelöst. Wichtige Auslandsaufgaben der D. A. werden von dem 1952 wiedererrichteten →Goethe-Institut in München fortgeführt.

Deutsche Akademie für Sprache und Dichtung, Darmstadt, →Dichterakademien.

Deutsche Akademien der Wissenschaften, ÜBERSICHT Akademien.

Deutsche Allgemeine Zeitung, 1) seit 1843 Name der 1837 gegr. und im Verlag von F. A. Brockhaus täglich erscheinenden *Leipziger Allgem. Zeitung.* Sie änderte ihren Titel, als sie 1843 in Preußen verboten wurde. Die national und liberal gerichtete D. A. Z. wurde 1851–57 von Heinr. Brockhaus, 1857–63 von Eduard Brockhaus und von 1863 bis zum Eingehen 1879 von Karl Biedermann redigiert.

LIT. F. Neefe: Gesch. d. Leipz. Allg. Ztg. 1837–43 (1913).

2) seit 1919 Name der 1861 in Berlin gegr. *Norddeutschen Allgemeinen Zeitung.* Sie gehörte seit 1920 zum Stinneskonzern und war danach vorübergehend in Reichsbesitz. 1926 ging sie in die Norddeutsche Buchdruckerei und Verlagsanstalt AG über. 1939 wurde sie im Zusammenhang mit dem Eingehen des ›Berliner Tageblatts‹ in den Deutschen Verlag übergeführt. Sie behielt bis zu ihrem Ende (20. 4. 1945) außenpolit. Gewicht.

Deutsche Angestellten-Gewerkschaft, DAG, →Angestelltengewerkschaften.

Deutsche Arbeitsfront, DAF, der nat.-soz. Einheitsverband der Arbeitgeber und Arbeitnehmer, der die Vertretung aller »schaffenden Deutschen« beanspruchte. Die DAF wurde nach Auflösung der Gewerkschaften im Nov. 1933 von Rob. Ley gegründet und bildete als »angeschlossener Verband« der NSDAP ein polit. und wirtschaftl. Machtinstrument der Partei. Sie sollte gemäß ihrem programmat. Ziel, den Klassenkampfgedanken durch den Grundsatz des »Arbeitsfriedens« zu überwinden, die überlieferte Trennung der Berufsorganisationen in Arbeitnehmer- und Arbeitgeberverbände ab (im Unterschied auch zu den faschist. Korporationen). Die Mitglieder der verschiedenen Wirtschaftszweige waren in 16 Fachämtern zusammengefaßt. Eine besondere Dienststelle war die *NS-Gemeinschaft Kraft durch Freude* für Urlaubs- und Freizeitgestaltung. Die Mitgliedschaft war formell-rechtl. freiwillig; doch wurde zunehmend ein starker polit. Beitrittszwang ausgeübt. Vermöge ihrer hohen Mitgliederzahl und des angeeigneten Gewerkschaftsvermögens war die DAF in der Lage, zahlreiche eigene wirtschaftl. Unternehmen zu entwickeln (Bank deutscher Arbeit, Volkswagenwerk Wolfsburg, Versicherungs- und Verlagsunternehmen usw.). Durch Kontrollratsgesetz Nr. 2 vom 10. 10. 1945 wurde die DAF aufgelöst.

Deutsche Atomkommission, Beratungsorgan des Bundesministeriums für Bildung und Wissenschaft, 1956 eingesetzt. Die D. A. besteht aus Fachkommissionen und Arbeitskreisen von Sachverständigen der Wissenschaft und Technik sowie der Wirtschaft und Verwaltung. Sie unterstützt die Förderung der Kernforschung, Kerntechnik und des Strahlenschutzes.

Deutsche Bank AG, Frankfurt a. M. (früher Berlin), deutsche Großbank, gegr. 1870; 1929–37 nach Zusammenschluß mit der *Direction der Disconto-Gesellschaft* (gegr. 1851 von David Hansemann) *D. B. und Discontogesellschaft.* 1948 wurde die D. B. durch VO. der Militärregierung dezentralisiert (10 Nachfolgebanken); diese schlossen sich 1952 zu 3 Regionalbanken (Norddeutsche Bank, Rheinisch-Westfäl. Bank, Süddeutsche Bank) zusammen. 1957 vereinigten sie sich wieder zur D. B.

Deutsche Bauernbank, in der DDR die Zentralkasse der landwirtschaftl. Genossenschaften, die durch kurz- und mittelfristige Kredite die Versorgung der Landwirtschaft mit Produktionsmitteln und durch langfristige Kredite den Ausbau der genossenschaftl. Einrichtungen und den Aufbau von Bauernhöfen fördern soll. Sie ist eine Anstalt öffentl. Rechts mit dem Sitz in Berlin, gegr. durch Ges. v. 22. 2. 1950.

Deutsche Bauernpartei, eine agrarische Partei demokrat. Richtung, die zuerst bei den Reichstagswahlen 1928 hervortrat und bis 1933 im Reichstag vertreten war; ihr Kern war der Bayer. Bauern- und Mittelstandsbund (→Bayerischer Bauernbund).

Deutsche Bau- und Bodenbank AG, Berlin-Frankfurt a. M., Spezialbank zur Finanzierung der Bauwirtschaft.

Deutsche Bergwacht, eine Organisation, die bei Unglücksfällen in den Bergen erste Hilfe leistet; gegr. 1920, seit 1946 dem Roten Kreuz angeschlossen.

Deutsche Bewegung, ein von W. Dilthey geprägter, von H. Nohl eingeführter Ausdruck für jene Blütezeit des dt. Geistes, die etwa durch die Lebenszeit Goethes bestimmt ist. Sie bedeutet nach der Beeinflussung durch die roman. Länder und Englands in den Epochen der Renaissance, des Humanismus, des Barock und des Klassizismus die erste umfassende Selbstverwirklichung des dt. Geistes nach dem hohen Mittelalter auf dem Gebiet der Dichtung (Klopstock, Lessing, Goethe, Schiller, Hölderlin, Jean Paul, Kleist, Romantik), auf dem Gebiet der Philosophie (Kant, Fichte, Schelling, Hegel), der Entdeckung der geschichtl. Welt und des deutschen MA. (Möser, Herder, Romantik), der Neubegegnung mit der Antike (Winckelmann, Goethe, Schiller, Hölderlin), der Sprachdeutung und -erforschung (Hamann, Herder, Jac. Grimm, W. v. Humboldt), der Entstehung des Nationalgefühls (Fichte, Arndt, Kleist), der Staatsauffassung (W. v. Humboldt, Frhr. v. Stein). Zugleich beeinflußte sie (Herder, Goethe, die Romantik und Hegel) den Gang der europ. Geistesentwicklung nachhaltig.

Deutsche Bibliothek, eine Stiftung des öffentl. Rechts (Stifter: Bundesregierung, Land Hessen, Stadt Frankfurt a. M., Börsenverein Deutscher Verleger- und Buchhändlerverbände), gegr. 1946, Sitz Frankfurt. Als zentrale Bibliothek der Bundesrep. Dtl. und als Archiv des dt. Buchhandels setzt die D. B. in Frankfurt die Arbeit der →»Deutschen Bücherei zu Leipzig« für die Bundesrep. Dtl. einschließlich West-Berlin fort. Die D. B. hat die Aufgabe, die seit dem 8. Mai 1945 erscheinende dt. und fremdsprachige Literatur des Auslandes, sowie fremdsprachige deutsche Literatur über Dtl. und Übersetzungen dt. Werke zu sammeln. Auch Hochschulschriften, Literatur der dt. Emigration (1933–45) und Ausgaben literar. Werke mit Schallplatten werden in der D. B. aufbewahrt. Am 1. 1. 1969 wurde die D. B. in eine Bundesanstalt umgewandelt; sie soll künftig auch Musiknoten und Musiktonträger sammeln. Die D. B. bearbeitet die Deutsche →Bibliographie.

LIT. Bibliographie und Buchhandel. Festschrift (1959).

Deutsche Bücherei, eine 1912 in Leipzig eröffnete, vom →Börsenverein der Deutschen Buchhändler gegründete öffentliche Präsenzbibliothek; sie sammelt die gesamte deutsche und fremdsprachige Literatur Deutschlands und die deutsche Literatur des Auslands. Sie bearbeitet, wie die →Deutsche Bibliothek, die deutschen →Bibliographien. Angegliedert ist ein Deutsches Museum für Buch und Schrift. Bücherbestand →Bücherei.

Deutsche Bucht, südöstl. Bucht der Nordsee, mit den wichtigsten dt. Nordseehäfen.

Deutsche Bühnengenossenschaft, Genossenschaft Deutscher Bühnen-Angehöriger (→Theater).

Deutsche Bundesbahn, DB, die Gesamtheit der bundeseigenen Eisenbahnen in der Bundesrep. Dtl., eine Anstalt des öffentl. Rechts, 1949 entstanden (→Deutsche Reichsbahn). Nach dem Bundesbahnges. v. 13. 12. 1951 (Neuf. 21. 12. 1970) verwaltet die Bundesrep. das Vermögen der DB als nicht voll rechtsfähiges Sondervermögen mit eigener Wirtschafts- und Rechnungsführung.

Die DB wird unter Wahrung der Interessen der dt. Volkswirtschaft nach kaufmännischen Grundsätzen verwaltet. Die Dienststellen sind Bundesbehörden, die Bundesbahnbeamten unmittelbare Bundesbeamte. *Organe:* 4köpfiger Vorstand,

20köpfiger Verwaltungsrat (je 5 Personen: Bundesrat, Gesamtwirtschaft, Gewerkschaften, sonstige Mitgl.). Der Bundesverkehrsmin. besitzt Aufsichts- und Einspruchsrecht. Präs. ist seit 13. 5. 1972 W. Vaerst.

Gliederung. Hauptverwaltung (HVB) in Frankfurt a. M. als Stab des Vorstandes mit Fachabteilungen; 2 Oberbetriebsleitungen, 10 (seit 1970, vorher 16) Bundesbahndirektionen (BD), 2 Bundesbahn-Zentralämter, Bundesbahnsozialamt (BSA) in Frankfurt a. M., Ausbesserungswerke (AW), ferner Betriebs-, Verkehrs-, Maschinen- und nach Bedarf Neubauämter.

Die DB hatte (1975) 407100 Beschäftigte. Die Verkehrseinnahmen betrugen (1975) 10,3 Mrd. DM; die Betriebslänge (1975) 28824 km. Die DB beförderte 1015 Mill. Personen im Schienenverkehr und 300,3 Mill. t Güter. Das rollende Material bestand 1975 aus 256 Dampf-, 2633 elektr., 3082 Diesellokomotiven, 1677 Kleinlokomotiven, 1318 elektr. Triebwagen, 894 Dieseltriebwagen und Triebwagen bes. Bauart, 17362 Personen- und 287365 Güterwagen. Die DB betreibt einen eigenen Kraftverkehr. Die DB ist u. a. an der Dt. Verkehrs-Kreditbank, der Dt. Speise- und Schlafwagengesellschaft, der Dt. Zentrale für Fremden-Verkehr, der Dt. Reisebüro GmbH und der Dt. Eisenbahnreklame GmbH. beteiligt.

Deutsche Bundesbank, die Zentralbank der Bundesrep. Dtl., Sitz Frankfurt a. M. Sie regelt den Geldumlauf (Recht der Notenausgabe) und die Kreditversorgung der Wirtschaft mit dem Ziel, die Währung zu sichern. Von Weisungen der Bundesregierung ist sie unabhängig, jedoch verpflichtet, deren Wirtschaftspolitik zu unterstützen. Die D. B. ist am 1. 8. 1957 durch Verschmelzung der Landeszentralbanken mit der →Bank deutscher Länder entstanden (Ges. v. 26. 7. 1957); sie unterhält in jedem Bundesland eine Hauptverwaltung (Landeszentralbank). Das Grundkapital (290 Mill. DM) ist in der Hand des Bundes. Organe der D. B. sind der Zentralbankrat, das Direktorium und die Vorstände der Landeszentralbanken. Präsident ist seit 1. 7. 1977 O. Emminger.

Lit. J. v. Spindler u. a.: Die D. B. (1957).

Deutsche Bundespost, DBP, das bundeseigene Post- und Fernmeldewesen in der Bundesrep. Dtl. Die DBP wurde am 1. 4. 1950 errichtet. Sie ist eine Anstalt des öffentl. Rechts und wird vom Bundesmin. für das Post- und Fernmeldewesen geleitet. Das Vermögen ist Sondervermögen des Bundes. Von den Einnahmen sind $6^2/_3$ % an den Bund abzuliefern. Die DBP hatte (1975) 468739 Beschäftigte.

Organisation. Dem Bundesmin. unterstehen 18 Oberpostdirektionen (einschließlich der Landespostdirektion Berlin), diesen (1975) 21320 Ämter und Amtsstellen des Postwesens, die Fernmelde-, Telegraphen- und Funkämter sowie die »gemeindlichöffentl. Sprechstellen«, ferner das Fern-

melde- und Posttechn. Zentralamt Darmstadt, die Bundesdruckerei, das Sozialamt. Besonderen Zwecken dienen 13 Postscheckämter, 2 Postsparkassenämter, 6 Fernmeldebauämter, 22 Fernmeldezeugämter, 2 Fernmeldezentralzeugämter usw. – Die DBP hat nach dem 2. Weltkrieg ihren Betrieb wiederaufgebaut, modernisiert und rationalisiert, u. a. den Brief- und Paketdienst, den Fernsprechverkehr, das Telegraphennetz, den Fernschreib-, den Funkdienst. Gesamtzahl der Leistungen (1975) 10479 Mill. Briefsendungen, 264 Mill. Paketsendungen, 9215 Mill. Ortsgespräche, 4848 Mill. Ferngespräche, 15 Mill. übermittelte Telegramme. Im Postscheckdienst wurden 1394 Mill. Buchungen vorgenommen und 3,5 Mill. Konten geführt; der Postsparkassendienst zählte 60,8 Mill. Buchungen und 17,5 Mill. Konten. Von 19,6 Mill. Fernsprechstellen waren 13,0 Mill. Hauptanschlüsse. Über den Kraftfahrdienst →Postkraftfahrdienst.

Lit. Schuster: Archiv f. das Post- und Fernmeldewesen, 2 (1951); Hwb. des Postwesens mit Nachtrag (^{2}1956).

Deutsche Christen, D. C., evangel.-kirchl. Bewegungen im Dt. Reich, so 1) die *Kirchenbewegung D. C. (national-kirchliche Bewegung).* Sie entstand 1927 in Thüringen unter S. Leffler und J. Leutheuser und war stark vom Wandervogel und der bündischen Bewegung, in ihrem religiösen Gehalt bes. von J. C. Blumhardt und A. Bonus beeinflußt. Ihr volksmissionarisches Ziel war eine auf Glauben und neuartig geprägtem Kultus beruhende Reich-Gottes-Bewegung. Sie wurde seit 1936 von der NSDAP immer stärker abgelehnt. 2) die *Glaubensbewegung D. C.* Sie war, von J. Hossenfelder geführt, unter unmittelbarem Einfluß der NSDAP seit 1932 in Preußen entstanden. Ihr Ziel war eine kirchenpolitisch: die Machtübernahme innerhalb der Kirche. 1933 strömten ihr die Masse der Pfarrer und des Kirchenvolkes zu, theologisch Konservative, vor allem pietist. Herkunft, ebenso weite Gemeinden eines »artgemäßen, positiven Christentums« im Sinne des Programms der NSDAP. In dieser uneinheitlichen Zusammensetzung lag der Keim der Krise, die im Herbst 1933 in der »Sportpalast-Versammlung« zum Ausbruch kam, als Vertreter der radikalen Richtung die Abschaffung des Alten Testaments und den Arierparagraphen für Kirche und Pfarrerschaft forderten. Damit geriet diese Bewegung in einen solchen Gegensatz nicht nur zu der erst jetzt an Bedeutung gewinnenden →Bekennenden Kirche, sondern auch zur kirchlich gesinnten Mehrheit der Gemeinden, daß sie im Unterschied zur Thüringer Richtung in kurzer Zeit (bis etwa 1936) wieder verschwand. →Kulturkampf.

Lit. K. D. Schmidt: Die Bekenntnisse der Jahre 1933 ff. (1934); H. Hermelink: Kirche im Kampf (1950).

Deutsche Centralbodenkredit-AG, Berlin und Köln, bedeutende Hypothekenbank,

1930 als **Preußische Central-Bodenkredit- und Pfandbriefbank AG** gegr., hervorgegangen aus dem Zusammenschluß der *Preußischen Central-Bodenkredit AG* (gegr. 1870) mit der *Preußischen Pfandbrief-Bank* (gegr. 1862 als Preuß. Hypotheken-Versicherungs-AG, 1895–1930 als D. C.); 1951 neu gegr. In der D. C. sind ferner, z. T. durch frühere Fusionen, aufgegangen: Preuß. Boden-Credit-Actien-Bank; Preuß. Hypotheken-Actien-Bank; Schlesische Boden-Credit-Actien-Bank; Deutsche Grundcredit-Bank, Gotha-Berlin; Landwirtschaftliche Pfandbriefbank (Roggenrentenbank); Getreiderentenbank.

Deutsche Dampfschiffahrts-Gesellschaft Hansa, Reederei in Bremen (Schiffahrtsgesellschaft).

Deutsche Demokratische Partei, DDP, in der Weimarer Republik die Sammelpartei des Bürgertums, Nov. 1918 von Fr. Naumann gegründet, umfaßte die bisherige Fortschrittliche Volkspartei, die Jungliberalen und einen Teil der bisherigen Nationalliberalen; sie wollte neben der Sozialdemokratie die parlamentar. Republik aufbauen und verteidigen, lehnte aber den Sozialismus ab. In der Weimarer Nationalversammlung zählte sie 75 Abg.; sie war, außer einer kurzen Zeit im Sommer 1919, als sie die Annahme des Versailler Vertrages verweigert hatte, an fast allen Reichs- und Landesregierungen der Weimarer Republik beteiligt. Durch den Aufstieg der →Deutschen Volkspartei erlitt die DDP große Verluste (1920: 45, 1928: 25 Abg. im Reichstag). Im Juli 1930 wandelte sich die DDP in die **Deutsche Staatspartei** um, ohne daß dies ihren Rückgang aufhalten konnte (1930: 20, Juli 1932: 4, Nov. 1932: 2, März 1933: 5 Mandate). Im Juli 1933 löste sie sich selber auf.

Nach Naumann war erst K. W. Petersen (1. Bürgermeister von Hamburg), dann Erich Koch und A. Erkelenz Parteiführer. Der DDP gehörten ferner Preuss, der Schöpfer der Weimarer Verfassung, W. Rathenau, O. Gessler, H. Dietrich, W. Hellpach, der württemberg. Staatspräs. Hieber, der Völkerbundsdiplomat Graf Bernstorff und die Führerin der dt. Frauenbewegung, Gertrud Bäumer, an. Führende Blätter waren: Vossische Zeitung, Berliner Tageblatt und Frankfurter Zeitung.

Deutsche Demokratische Republik, DDR, 1949 auf dem Gebiet der sowjet. Besatzungszone gegründet (Entstehung →Deutschland, Staatsform), 108 178 qkm mit (1973) 17,011 Mill. Ew. (einschl. Ost-Berlin). Hauptstadt ist nach der Verfassung vom 9. 4. 1968 Berlin, tatsächlich nur Ost-Berlin. Die sowjetische Besatzungszone erstreckte sich 1945 über 22,8% des Reichsgebietes in den Grenzen vom 31. 12. 1937 mit 21,9% (15,1 Mill.) der Bevölkerung von 1939.

Über *Landesnatur* →Deutschland.

Die *Bevölkerung* war im Gebiet der heutigen DDR durch Zuwanderung (Vertriebene, Flüchtlinge, Evakuierte u. a. Deutsche) von (1939) 15,1 Mill. auf (1946) 17,5 Mill. angewachsen. Seit der Gründung der DDR wanderten bis zum 13. 8. 1961 mehr als 3 Mill. Menschen, meist im erwerbsfähigen Alter, in die Bundesrep. Dtl. ab. Überalterung, Stagnieren des natürlichen Wachstums und ständig zurückgehende Ew.-Zahlen waren die Folgen. Seit

Bezirke	qkm	Ew.[1] 1972[2]	Ew.[1] 1939
Berlin (Ost)....	403	1089,9	—
Cottbus	8 262	869,9	754
Dresden	6 738	1863,8	1959
Erfurt	7 348	1254,5	1173
Frankfurt	7 185	687,7	640
Gera	4 004	740,8	633
Halle	8 771	1913,0	1747
Karl-Marx-Stadt[3]	6 009	2023,9	2160
Leipzig	4 966	1476,7	1549
Magdeburg....	11 525	1311,9	1343
Neubrandenburg	10 793	634,6	514
Potsdam	12 572	1131,5	1124
Rostock	7 074	864,5	601
Schwerin	8 672	596,0	457
Suhl	3 856	552,5	503
DDR	108 178	17011,3	15 157

[1] in 1000. [2] am 31. 12. [3] früher Chemnitz.

Deutsche Demokratische Republik : Verwaltungsbezirke

1964 erfolgt wieder ein geringfügiger Zuwachs. 22 % der Bevölkerung wohnen (1971, einschl. O-Berlin) in Großstädten mit 100 000 und mehr Ew., 31,8 % in Städten mit 10 000–100 000 Ew., 25 % in Landgemeinden unter 2000 Ew. – In der Lausitz

16

DEUTSCHE DEMOKRATISCHE REPUBLIK
GEMEINDEN MIT MEHR ALS 20 000 EINWOHNERN

Wohnbevölkerung am 31. 12. 1972	in 1 000	Wohnbevölkerung am 31. 12. 1972	in 1 000
Altenburg	48,8	Magdeburg	273,3
Annaberg-Buchholz	27,3	Markkleeberg	22,7
Apolda	28,6	Meerane	25,0
Arnstadt	29,6	Meiningen	26,0
Aschersleben	37,2	Meißen	44,1
Aue	33,0	Merseburg	55,2
Bautzen	44,2	Mühlhausen	44,6
Berlin (Ost)	1089,9	Naumburg	37,3
Bernburg	45,3	Neubrandenburg	53,0
Bitterfeld	28,2	Neuruppin	22,9
Borna	21,7	Neustrelitz	27,6
Brandenburg	94,3	Nordhausen	44,4
Burg	29,6	Oranienburg	20,9
Chemnitz →Karl-Marx-Stadt			
Coswig	22,4	Parchim	22,3
Cottbus	88,0	Pirna	49,6
Crimmitschau	29,3	Plauen	81,3
Delitzsch	24,5	Potsdam	113,7
Dessau	100,2	Prenzlau	22,5
Döbeln	27,6	Quedlinburg	30,4
Dresden	505,4	Radebeul	39,2
Eberswalde	46,6	Rathenow	31,5
Eilenburg	22,1	Reichenbach	28,2
Eisenach	50,7	Riesa	49,7
Eisenhüttenstadt	46,5	Rostock	204,7
Eisleben	30,1	Rudolstadt	31,6
Erfurt	200,8	Saalfeld	33,6
Falkensee	25,6	Salzwedel	20,5
Finsterwalde	22,5	Sangerhausen	32,2
Forst	28,6	Schneeberg	20,4
Frankfurt/Oder	65,1	Schönebeck	45,9
Freiberg	50,6	Schwedt/Oder	40,4
Freital	41,1	Schwerin	100,9
Fürstenwalde	31,0	Senftenberg	25,6
Gera	112,2	Sondershausen	23,4
Glauchau	31,5	Sonneberg	29,5
Görlitz	86,4	Spremberg	23,2
Gotha	57,0	Staßfurt	26,3
Greifswald	49,8	Stendal	37,7
Greiz	38,4	Stralsund	72,1
Guben →Wilhelm-Pieck-Stadt Guben		Strausberg	21,0
Güstrow	37,2	Suhl	34,4
Halberstadt	47,1	Torgau	21,7
Halle (Saale)	250,8	Waren	22,0
Halle-Neustadt	51,6	Weimar	63,4
Hennigsdorf	24,8	Weißenfels	44,9
Hettstedt	20,3	Weißwasser	23,1
Hoyerswerda	61,5	Werdau	22,6
Ilmenau	20,0	Wernigerode	32,7
Jena	94,1	Wilhelm-Pieck-Stadt Guben	31,4
Karl-Marx-Stadt	301,5	Wismar	56,7
Köthen	36,0	Wittenberg	47,6
Lauchhammer	26,8	Wittenberge	33,2
Leipzig	577,5	Wolfen	26,7
Limbach-Oberfrohna	26,2	Wurzen	24,3
Lübbenau	22,1	Zeitz	45,6
Luckenwalde	28,8	Zittau	42,5
		Zwickau	124,8

und im Spreewald leben rd. 38 000 →Sorben, die gewisse Autonomierechte besitzen.

Die *Verfassung*, die am 6. 4. 1968 durch Volksentscheid angenommen wurde, ist bereits die zweite Verfassungsurkunde der DDR. Die erste Verf. vom 7. 10. 1949, als gesamtdeutsche Verfassung konzipiert, lehnte sich noch an die Tradition der dt. Verfassungsgesetzgebung, bes. der Weimarer Reichsverf., an. In einigen Punkten trug sie jedoch bereits sozialist. Züge. So ersetzte sie den Grundsatz der Gewaltenteilung durch den der Gewaltenkonzentration. Durch wichtige Änderungen erhielt die Verf. von 1949 jedoch mit der Zeit einen völlig anderen Charakter. Durch die Verwaltungsneugliederung von 1952 wurden die Länder (Brandenburg, Mecklenburg, Sachsen-Anhalt, Sachsen, Thüringen) aufgelöst und durch 14 Bezirke ersetzt (Übersicht), womit zugleich die Umwandlung der DDR von einem ursprünglich föderalist. Staat in einen zentralist. Einheitsstaat verbunden war.

Die Verf. von 1968 deklariert die DDR zu einem sozialist. Staat und fixiert die führende Rolle der kommunistischen SED (Art. 1). Die übrigen, ursprünglich nichtkommunistischen Parteien CDU, DBD, LDPD und NDPD sind unter der Führung der SED in der Nationalen Front zusammengefaßt.

Oberstes Organ der Staatsgewalt ist die aus 500 Abgeordneten bestehende *Volkskammer*. Sie ist das einzige verfassungs- und gesetzgebende Organ (Art. 48). Allerdings werden ihre Aufgaben und Funktionen zwischen ihren Tagungen (mit Ausnahme der formellen Verfassungs- und Gesetzgebung) vom *Staatsrat* wahrgenommen.

Der *Staatsrat* hat eigene Rechtssetzungsbefugnisse (Erlasse und Beschlüsse), legt die Verf. verbindlich aus und vereinigt in sich durch seine Stellvertretungsbefugnis gegenüber der Volkskammer praktisch die höchste Staatsgewalt. Er besteht aus dem Vors., seinen Stellvertretern, den Mitgl. und dem Sekretär und wird von der Volkskammer auf die Dauer von 4 Jahren gewählt (Art. 67). Der Staatsrat nimmt auch die Funktionen eines Staatsoberhauptes wahr. Präs. der Republik: W. Pieck 1949–60; Vors. des Staatsrats: W. Ulbricht 1960–73, W. Stoph 1973–76, E. Honecker seit 1976.

Oberstes Leitungsorgan der Verwaltung ist der *Ministerrat*. Er arbeitet auf der Grundlage der Rechtsakte der Volkskammer und des Staatsrates und ist der Volkskammer verantwortlich. Der Ministerrat wird auf die Dauer von 4 Jahren von der Volkskammer gewählt. Er besteht aus dem Vors., den Stellvertretern und einer nicht konstanten Zahl von Ministern (rd. 20). Vors. des Ministerrats (MinPräs.): O. Grotewohl 1949–64, W. Stoph 1964–73, H. Sindermann 1973–76, W. Stoph seit 1976.

Die Flagge zeigt die Farben Schwarz-Rot-Gold, seit dem 1. 10. 1959 trägt sie in der Mitte das Wappen der DDR (FARBTAFEL Deutsche Wappen und Flaggen I).

Die Verfassung statuiert eine Reihe von Grundrechten und Grundpflichten der Bürger (Art. 19–40, 99–102). Ein institutioneller Schutz der Grundrechte ist jedoch nur schwach ausgebildet. Eine Verfassungs- und Verwaltungsgerichtsbarkeit besteht nicht, die Bürger haben lediglich die Möglichkeit, sich mit Eingaben (Art. 103) an die Staatsorgane zu wenden und gegen Entscheidungen staatl. Organe Beschwerde einzulegen (Art. 104–105). Die Verf. von 1968 hat ferner die Staats-(Amts-)Haftung, die lange Jahre praktisch abgeschafft war, wieder eingeführt.

Die *Rechtspflege* wird durch das Oberste Gericht (Sitz: Ost-Berlin), ferner BezGer. und Kreisgerichte ausgeübt (Art. 92). Organe der gesellschaftl. Rechtspflege sind die Schieds- und Konfliktkommissionen. Das Oberste Gericht leitet die Rechtsprechung der anderen Gerichte an und ist selbst der Volkskammer bzw. dem Staatsrat verantwortlich (Art. 93). Die Richter, Schöffen und Mitglieder der gesellschaftl. Gerichte werden von den Volksvertretungen oder unmittelbar von der Bevölkerung auf Zeit gewählt, sie sind ihren Wählern gegenüber rechenschaftspflichtig und können bei Rechts- oder Pflichtverstößen abberufen werden (Art. 95). Die in der Verf. gewährleistete Unabhängigkeit der Richter (Art. 96) erfährt hierdurch und durch die Bestimmung, daß Richter nur sein kann, wer dem Volke und seinem sozialist. Staate treu ergeben ist (Art. 94), einen veränderten Sinngehalt. Wichtige und hierarchisch aufgebaute Behörde mit der Aufgabe einer allgemeinen Kontrolle über die Einhaltung der sozialist. Gesetzlichkeit ist die *Staatsanwaltschaft*. Das neue Strafgesetz trat am 1. 7. 1968 in Kraft. Am 20. 2. 1967 wurde das bis dahin in beiden Teilen Dtl.s geltende Reichs- und Staatsangehörigkeitsges. v. 22. 7. 1913 durch ein *Staatsbürgerschaftsgesetz* der DDR ersetzt (→Staatsangehörigkeit).

Das *Finanzwesen* wurde 1950/51 zentralistisch neu geordnet. Die selbständigen Haushalte der öffentl. Körperschaften wurden zu einem Staatshaushalt zusammengefaßt. Er betrug (1973) 94,926 Mrd. an Einnahmen (1950: 24,438) und 93,260 Mrd. M an Ausgaben (1950: 24,091). Die Bezirke, Kreise und Gemeinden sind am Staatshaushalt auf Grund eines Finanzausgleichs je nach Bedarf beteiligt. Haupteinnahmequelle sind die Steuern und Verbrauchsabgaben und die Einnahmen aus der volkseigenen Wirtschaft, aus der Sozialversicherung usw. Unter den Ausgaben waren das Bildungswesen mit 7,8 %, das Gesundheits- und Sozialwesen mit 7,4 %, die Sozialversicherung mit 21 %, die Kultur mit 1,6 % beteiligt.

Währungseinheit: seit Jan. 1968 die Mark der DDR (M; feste Parität zum Rubel).

Zentrale staatl. Kreditinstitute sind (seit 1968) die *Deutsche Staatsbank*, die *Dt. Investitionsbank* für die Gewährung langfristiger Kredite an die staatl. Wirtschaft, die *Landwirtschaftsbank* (seit 1963) als Finanzinstitut der Landwirtschaft.

Die Wirtschaftsordnung beruht auf den Grundsätzen der staatl. Wirtschaftsplanung und der Verstaatlichung der Privatbetriebe (Zentralverwaltungswirtschaft). Träger ist die Staatl. Planungskommission, die für alle Wirtschaftszweige weisungsberechtigt ist. Der Zweijahresplan für 1949/50 vollzog ohne Rücksicht auf die überkommene wirtschaftl. Struktur die Trennung vom Westen. Der erste Fünfjahresplan (1950–55) strebte durch Förderung der Grundstoffindustrien einen nahezu geschlossenen Wirtschaftsraum an; mit dem zweiten Fünfjahresplan (1955–60; 1959 durch den Siebenjahresplan bis 1965 abgelöst, der nach mehreren Revisionen ebenfalls scheiterte und 1962–65 durch Einjahrespläne ersetzt wurde) wurde eine Abstimmung der Wirtschaftsplanung im Comecon vollzogen. 1966–70 folgte der erste, 1971(–75) der zweite Perspektivplan.

Die 1958 begonnene Reform des Planungssystems führte 1961 zur Gründung des Volkswirtschaftsrates, der die zentrale Leitung und Planung der Industrie übernehmen sollte, während die zentrale Plankommission für die Planung der Volkswirtschaft zuständig ist. Höhepunkt der Reformen war die Einführung des Neuen Ökonomischen Systems der Planung und Leitung der Volkswirtschaft (1963), das eine Dezentralisierung der Planung, Beschränkungen der administrativen Lenkung und die Anwendung eines in sich geschlossenen Systems ökonom. Hebel (Leistungsanreize durch Prämienlöhne und Gewinne) vorsieht. Das Ökonomische System des Sozialismus (seit 1967) betont wieder stärker die ideolog. Aspekte der Wirtschaftsreform.

Wichtigstes Ziel der zentralen Planung ist das höchstmögliche Wirtschaftswachstum unter besonderer Ausrichtung auf die Schwerindustrie (Grundstoff-, Produktionsmittel-, Rüstungsindustrie). Eine wichtige Rolle spielen dabei die Ausgleichsinvestitionen, durch die frühere Bezüge aus Westdeutschland ersetzt werden sollen, und Komplementärinvestitionen, mit deren Hilfe die Produktion der Sowjetunion u. a. Ostblockländer ergänzt werden soll. ·

In der *Industrie* wurden durch die Verstaatlichung Volkseigene Betriebe (VEB) geschaffen. Die wichtigsten der beschlagnahmten Betriebe wurden 1946–53 zu sowjet. Staatskonzernen zusammengefaßt (SAG, Sowjetische Aktiengesellschaften), deren Erzeugung als Reparationen in die Sowjetunion ging. Neben der bestehenden elektrotechn., feinmechanisch-opt., Maschinen-, Textil- und Fahrzeugindustrie wurde nach 1945 vorrangig die Grundstoff- und Schwerind. ausgebaut, bes. in Form

der Kombinate (Eisenhüttenstadt, Braunkohlenkombinat Schwarze Pumpe bei Hoyerswerda, Großkokerei bei Lauchhammer). Wichtiger Energieträger und Grundstoff der Großchemie ist die Braunkohle (größte Braunkohlenförderung der Welt); ein Erdölverarbeitungszentrum entstand in Schwedt (Oder). Die Industrieerzeugung hatte sich schon 1957 gegenüber 1936 mehr als verdoppelt. Zu den Wachstumsindustrien gehören bes. die elektrotechn., Maschinenbau-, chem. und Metallindustrie.

In der *Landwirtschaft* wurde im Okt. 1945 durch eine Bodenreform der Grundbesitz über 100 ha ohne Entschädigung enteignet und auf Klein- und Neubauern aufgeteilt oder in Volkseigene Güter (VEG) umgewandelt, die 1949 zur Vereinigung Volkseigener Güter (VVG) zusammengeschlossen wurden (1971: 7,3% der landwirtschaftl. Nutzfläche). Nach der 2. Parteikonferenz (Juli 1952) wurde die Kollektivierung der Landwirtschaft begonnen durch Überführung bäuerl. Betriebe in Großbetriebe: Gründung von Landwirtschaftl. Produktionsgenossenschaften (LPG; 1971: 8327 mit 85,8% der landwirtschaftl. Nutzfläche), straffere Organisierung der Maschinen-Traktoren-Stationen (MTS). 1971 entfielen 94,3% der landwirtschaftl. Nutzfläche auf sozialisierte Betriebe.

Bevorzugte Anbaugebiete sind die Magdeburger Börde und die norddt. Moränenplatte. Anbau von Getreide (1971: über 50% der Ackerfläche), Kartoffeln (13%), Futterpflanzen (16%), Mais (7,5%), Zuckerrüben (4,2%) u. a. Wiesen und Weiden nehmen rd. 23% der landwirtschaftl. Nutzfläche ein. Viehzucht (Rinder) überwiegt im N und im Mittelgeb., Schweinezucht bes. im mittl. und südl. Teil. Der Wald bedeckt 27,3% der Gesamtfläche.

Rund 72% des *Außenhandels* wurden 1971 mit Ostblockländern abgewickelt, 24% mit den westl. Industrieländern. Ausgeführt werden vor allem Industrieerzeugnisse (98% der Ausfuhr: Maschinen, Fahrzeuge, chem. und elektrotechn. Erzeugnisse, komplette Fabrikausrüstungen, Möbel, Textilien u. a.). Eingeführt werden bes. Roh- und Kraftstoffe, Halbfabrikate und Nahrungsmittel. Wie in allen Ostblockstaaten geht die Außenhandelsplanung stets vom Einfuhrbedarf aus.

Die Aufgaben des privaten *Großhandels* wurden den Großhandelsgesellschaften und staatl. Kontoren übertragen. Der Einzelhandel ist größtenteils auf die im Nov. 1948 gegründete staatseigene Handelsorganisation (HO) und die Konsumgenossenschaften übergegangen.

Verkehr. 1973 gab es 33 208 km Bezirks- und 12 364 km Staatsstraßen (davon 1465 km Autobahnen), 14 384 km Eisenbahnlinien (Deutsche Reichsbahn) und 2550 km schiffbare Binnenwasserstraßen. Das Eisenbahnnetz ist nach den sowjet. Demontagen der mehrgleisigen Strecken zum Teil wieder zweigleisig ausgebaut.

Kraftfahrzeugbestand 1972: 1,4 Mill. Pkw (ein Pkw auf 12 Ew.), 205800 Lkw, 17770 Omnibusse.

Wichtigste Binnenhäfen sind Magdeburg, Frankfurt/O., Berlin, Dresden. Hauptseehäfen: Rostock (mit Warnemünde), Stralsund, Wismar; Handelsflotte (1971) 961 355 BRT.

Die Fluggesellschaft ›Interflug‹ beförderte (1972) 925900 Personen. Internat. Flughäfen: Berlin-Schönefeld und (seit 1970) Dresden.

1971 waren 6,016 Mill. Rundfunk- und 4,649 Mill. Fernsehempfänger angemeldet.

Das *Unterrichtswesen* wurde nach 1945 zur Einheitsschule mit kommunistischer Zielsetzung umgestaltet. Es besteht allgemeine Schulpflicht vom 7. bis 18. Lebensjahr (mit Berufsschule). Das Gesetz über das einheitliche sozialist. Bildungssystem v. 25. 2. 1965 macht die im Ges. v. 2. 12. 1959 angestrebte Koppelung von Berufsausbildung und Abitur wieder rückgängig. Obligatorisch für alle Kinder ist die 3gliedrige 10klassige allgemeinbildende polytechnische Oberschule (kurz: Oberschule, früher Grund- und Mittelschule): Unterstufe Klasse 1–3, Mittelstufe Klasse 4–6, Oberstufe Klasse 7–10. Als 2klassige erweiterte polytechnische Oberschule (früher Oberschule) führt sie zur Reifeprüfung. Der Unterricht auf allen Stufen ist unentgeltlich. Seit 1960 bestehen keine einklassigen Landschulen mehr. Religionsunterricht darf nur außerhalb der Schulen erteilt werden. Politische Betätigung für das kommunist. System wird auf allen weiterführenden Schulen vorausgesetzt; Massenorganisationen üben großen Einfluß aus. Neben den 7 Universitäten (Berlin, Leipzig, Halle-Wittenberg, Jena, Rostock, Greifswald, Dresden) gibt es zehn Techn. Hochschulen, drei Medizinische Akademien, zwei landwirtschaftl. Hochschulen, drei Hochschulen für Wirtschafts- und Staatswissenschaften, fünf Musikhochschulen, fünf Kunsthochschulen und elf andere Fachhochschulen. Wichtigste Forschungsanstalt ist die Dt. Akademie der Wissenschaft in Ost-Berlin.

Kirche. In der DDR gab es (1970) über 10 Mill. Protestanten und (1975) rd. 1,1 Mill. Katholiken. Staat und Kirche sind getrennt. Die anerkannten Religionsgesellschaften dürfen Gottesdienst halten und Kirchensteuer erheben; ihnen obliegt auch die Erteilung des Religionsunterrichts. Die früheren staatl. Feiertage Ostermontag, Himmelfahrt und Buß- und Bettag sind aufgehoben. Am 10. 6. 1969 lösten sich die acht mitteldeutschen Landeskirchen von der EKD und bildeten den Bund der Evangelischen Kirchen in der DDR. Ebenso wurde am 25. 10. 1976 die kath. Berliner Ordinarienkonferenz von der gesamtdt. Bischofskonferenz getrennt. Sie ist damit als »Berliner Bischofskonferenz« selbständig. Die bis-

herigen Bistumsgrenzen bleiben erhalten. Sekten sind verboten.

Streitkräfte. Nach Beendigung des sowjet. Besatzungsregimes (1955) wurde die seit 1948 aufgebaute Kasernierte →Volkspolizei (KVP) am 18. 1. 1956 in ›Nationale Volksarmee‹ (NVA) umbenannt. Die Uniformen wurden in Farbe, Schnitt, Waffenfarben und Dienstrangabzeichen denen der ehem. dt. Wehrmacht angepaßt. Am 24. 1. 1962 beschloß die Volkskammer die Einführung der allgemeinen Wehrpflicht vom 18. bis 50. (Offiziere bis zum 60.) Lebensjahr; Grundwehrdienst 18, bei der Luftwaffe und Marine 24 Monate. Seit Febr. 1970 ist für Jugendliche von 16 bis 18 Jahren eine vormilitärische Ausbildung vorgeschrieben. Das Gesetz sieht ferner für diensttaugl. Frauen vom 18. bis 50. Lebensjahr Sonderdienste in der Armee vor. – Die Streitkräfte werden (1972) auf 126000 Mann unter Waffen, davon 31000 Mann Luftwaffe (rd. 360 Flugzeuge) und 17000 Mann Seestreitkräfte (rd. 180 Schiffe, darunter 12 Raketenschnellboote), mit etwa 650000 Reservisten und 350000 Mann in den Kampfgruppen der SED geschätzt. Mit modernen sowjet. Waffen und Geräten ausgerüstet, besitzen sie eine erhebliche Feuerkraft und große Beweglichkeit. Die Truppen sind in der atomaren Kriegführung ausgebildet und besitzen wie die Sowjetarmee atomare Raketen. Zu Reserveoffizieren werden bevorzugt Studenten ausgebildet. Aktivs der Reservisten dienen, in Kollektiven zusammengefaßt, als Ausbilder in der paramilitär. Gesellschaft für Sport und Technik und in den Kampfgruppen der SED. – Die Sowjetunion hat auf Grund des Abkommens v. 12. 3. 1957 das Recht, in der DDR Truppen zu unterhalten (etwa 350000 bis 400000 Mann).

GESCHICHTE. Über die staatsrechtl. Entwicklung in der sowjet. Besatzungszone →Deutschland, Staatsform. – Am 11. 11. 1949 wurden die Verwaltungsaufgaben durch die Sowjet. Militär-Administration in Dtl. (SMAD) deutschen Organen übertragen; an die Stelle der SMAD trat die Sowjet. Kontrollkommission in Berlin-Karlshorst, deren Befugnisse am 28. 5. 1953 auf einen Hochkommissar, am 20. 9. 1955 auf einen Botschafter übergingen. – Durch die Aufnahme der DDR in den ›Rat für gegenseitige Wirtschaftshilfe‹ (COMECON, 29. 9. 1950) und in den →Warschauer Pakt (14. 5. 1955) wurde sie dem Ostblock angeschlossen, durch den Vertrag vom 20. 9. 1955 von der Sowjetunion als souveräner Staat anerkannt. Auf Grund von Freundschaftsverträgen nahmen die übrigen Ostblockstaaten diplomat. Beziehungen zur DDR auf, ferner im Dez. 1955 China, 1957 Jugoslawien, 1963 Kuba, 1969 Sudan, Irak, Syrien, Südjemen, Kambodscha, Ägypten. Die →Oder-Neiße-Linie wurde durch Vertrag mit Polen (6. 7. 1950) als Ostgrenze (»Friedensgrenze«) festgelegt. Am 21. 12.

1972 wurde der Grundvertrag mit der Bundesrep. Dtl. unterzeichnet (›Vertrag über die Grundlagen der Beziehungen zwischen der Bundesrepublik Deutschland und der Deutschen Demokratischen Republik‹) zur Entwicklung »normaler gutnachbarlicher Beziehungen zueinander auf der Grundlage der Gleichberechtigung« (Art. 1): Regelung von Streitfragen mit ausschließlich friedlichen Mitteln, Bekräftigung der Unverletzlichkeit der zwischen der BRD und DDR bestehenden Grenze, Unabhängigkeit und Selbständigkeit jedes der beiden Staaten in seinen inneren und äußeren Angelegenheiten, Bereitschaft zur Regelung praktischer und humanitärer Fragen, Austausch ständiger Vertretungen. Der Grundvertrag trat am 21. 6. 1973 in Kraft. – Seit Sept. 1973 ist die DDR Mitgl. der Vereinten Nationen.

Lit. Handbuch der DDR, hg. von H. Büttner u. a. (1965); F. Oelssner: 20 Jahre Wirtschaftspolitik der SED (1966); H. Weber: Von der »SBZ« zur »DDR«, 2 Bde (1966/1967); DDR. Geschichte und Bestandsaufnahme, hg. von E. Deuerlein (²1966); S. Mampel: Das Recht in Mitteldtl. Staats- und Rechtslehre, Verfassungsrecht (1966); SBZ von A bis Z, hg. vom Bundesmin. für gesamtdt. Fragen (¹⁰1966); W. Hangen: DDR (dt. 1967); H. Apel: Die DDR. 1962, 1964, 1966 (1967); ders.: Das zweite DL. (²1967); E. Richert: Die DDR-Elite und Unsere Partner von morgen? (1968); St. Doernberg: Kurze Geschichte der DDR (³1968); Verfassung der DDR vom 6. April 1968, hg. von D. Müller-Römer (1968); Statistisches Jahrbuch der DDR (1955ff., ¹⁸1973).

Deutsche Edelstahlwerke AG, DEW, Krefeld, Unternehmen zur Erzeugung und zum Vertrieb von Edelstahl, gegr. 1927.
Deutsche Erdöl AG, DEA, seit 1970 **Deutsche Texaco AG,** gegr. 1899, Hamburg (früher Berlin).
Deutsche Evangelische Kirche, →Evangel. Kirche in Deutschland.
Deutsche Farben, die Nationalfarben des dt. Volkes. Das röm.-deutsche Reich vor 1806 konnte keine Nationalfarben entwickeln, da die Voraussetzung der Staatseinheit fehlte. Als kaiserl. Farbe galt Schwarz-Gelb, das mit der Kaiserwürde in Österreich bis 1918 weitergelebt hat. Seit 1815 wurde durch die Burschenschaft Schwarz-Rot-Gold (Waffenröcke mit den »Lützower«) zum Sinnbild des dt. Einheitswillens. Diese Farben wurden 1848 unter dem Eindruck der Revolution vom deutschen Bundestag vorübergehend als Bundesfarben erklärt. Der Norddeutsche Bund wählte 1867 Schwarz-Weiß-Rot als Bundesfarben, eine Verbindung der Farben Preußens und der Hansestädte. Diese Farben blieben auch die Reichsfarben des deutschen Kaiserreichs von 1871–1919. Die Österreicher betrachteten seit 1866 weiterhin Schwarz-Rot-Gold als die d. F. Die Weimarer Verfassung von 1919 führte die Farben Schwarz-Rot-Gold als Reichsfarben

ein. Durch Verordnung vom 1. 1. 1922 wurde jedoch Schwarz-Weiß-Rot (mit der schwarz-rot-goldenen Gösch) als Handelsflagge beibehalten. Im Nationalsozialismus wurde anfangs die schwarz-weiß-rote neben der Hakenkreuzflagge gehißt, seit 1935 waren die Reichsfarben Schwarz-Weiß-Rot, die Hakenkreuzflagge allein die Reichs- und Nationalflagge und zugleich Handelsflagge. Die Bundesrep. Dtl. und die DDR führen wieder Schwarz-Rot-Gold als d. F., die DDR seit 1959 mit Emblem. Tafeln Deutsche Wappen und Flaggen I, Seite 160/61, und III, Seite 69.
Deutsche Forschungsgemeinschaft, gemeinnützige Einrichtung, die der Wissenschaft durch Förderung des Nachwuchses und der Zusammenarbeit unter den Forschern und finanzielle Unterstützung von Forschungsvorhaben dient. Die Pflege enger Beziehungen zu Staat, Wirtschaft und Ausland ist ihre besondere Aufgabe. Die Mittel (1975: 620 Mill. DM) werden durch den Bund, die Länder und die Wirtschaft aufgebracht. Rechtsform: e. V., Sitz seit 1949: Bad Godesberg. Die D. F. ist 1951 durch den Zusammenschluß des *Deutschen Forschungsrats* und der *Notgemeinschaft der deutschen Wissenschaft* gebildet worden. Mitglieder sind die dt. Universitäten und wissenschaftl. Hochschulen, die Akademien der Wissenschaften, die Max-Planck-Gesellschaft u. a. wissenschaftl. Verbände und Gesellschaften. Die 1920 mit Sitz in Berlin gegr. Notgemeinschaft der Deutschen Wissenschaft, die 1949 neu gegr. worden war, hat die Bezeichnung D. F. bereits 1930–45 geführt.
Deutsche Forschungs- und Versuchsanstalt für Luft- und Raumfahrt, DFVLR, Sitz: Porz b. Köln, 1968 durch Zusammenschluß der Dt. Forschungsanstalt für Luft- und Raumfahrt (DFL), Braunschweig, mit mehreren anderen Instituten entstanden.
Deutsche Friedensgesellschaft, pazifist. Gesellschaft, 1892 auf Anregung von Bertha v. Suttner gegr., 1933 aufgelöst, 1945 von Frhr. von Schönaich neugebildet als *D. F. – Internationale der Kriegsdienstgegner e. V.*; Sitz Castrop-Rauxel.
Deutsche Friedensunion, DFU, Partei in der Bundesrep. Dtl., Dez. 1960 gegr., Vors. war Renate Riemeck. 1969 kandidierte die DFU nicht mehr (1965: 1,3 %).
Deutsche Genossenschaftskasse, Frankfurt a. M., öffentlich-rechtl. Zentralbank (ohne Niederlassungen) zur Förderung des Genossenschaftswesens, bes. des genossenschaftl. Personalkredits, neu gegr. 1949; Vorläuferin war die 1895 gegr. *Preuß. Zentralgenossenschaftskasse* (Preußenkasse), Berlin, später: *Deutsche Zentralgenossenschaftskasse* (Deutschlandkasse).
Deutsche Geschichte, Übersicht S. 22ff.
Deutsche Gesellschaft, seit Ende des 17. Jhs. in Leipzig bestehende landsmannschaftl. Vereinigung, 1717 *Deutschübende poet. Gesellschaft,* 1727 D. G. genannt, zuerst unter J. B. Menke, dann von Gottsched

Fortsetzung des Alphabets Seite 55

DEUTSCHE GESCHICHTE

Vorgeschichte: →Mitteleuropa, Vorgeschichte; *Frühgeschichte:* →Germanen, →Fränkisches Reich.

DER ANFANG DER DEUTSCHEN GESCHICHTE (843–918)

Die Enkel Karls d. Gr., die Söhne Ludwigs des Frommen, teilten im Vertrag von Verdun 843 das →Fränkische Reich; Ludwig der Deutsche erhielt das rein german. Land östlich des Rheins und der Aare als Ostfränkisches Reich. Sein Sohn Karl II., der Dicke, nach dem Tod seiner Brüder Karlmann (†880) und Ludwig III. (†882) Alleinherrscher des Ostfränkischen Reichs, vereinigte 885–87 noch einmal das Gesamtreich. Aber als mit Ludwig dem Kind 911 die deutschen Karolinger ausstarben, wurde der bisherige Frankenherzog Konrad zum König des Ostfränkischen Reichs gewählt, das damit endgültig den Zusammenhang mit einem Gesamtreich der Karolinger aufgab und eine selbständige Entwicklung nahm. Seitdem kann man von einer deutschen Geschichte im eigentlichen Sinne sprechen (→deutsch, →Deutsche).

DIE BLÜTEZEIT DES MITTELALTERLICHEN REICHS (919–1250)

Während des Zerfalls des fränkischen Großreichs waren an die Spitze der deutschen Stämme Herzöge mit fast königl. Gewalt getreten. Ihnen gegenüber suchte Konrad I. vergebens die Macht des Königtums durchzusetzen. Das gelang erst seinem 919 gewählten Nachfolger Heinrich I., dem ersten Herrscher aus dem sächsischen Hause der Liudolfinger oder Ottonen. Er vereinigte Lothringen, das sich 911 dem Westfränk. Reich angeschlossen hatte, als eigenes Herzogtum mit dem Reich (925), unterwarf Böhmen (929) und die Slawen östl. der Elbe der deutschen Oberhoheit und verteidigte das Reich gegen die verheerenden Einfälle der Ungarn. Sein Sohn Otto d. Gr. machte die deutschen Bischöfe zur Hauptstütze des Königtums und brach die Macht der Stammesherzöge. Im slaw. Osten errichtete er eine Reihe von Marken und Bistümern. Den

---

DIE DEUTSCHEN KAISER, KÖNIGE UND STAATSOBERHÄUPTER

* Deutsche Könige, die vom Papst zum Kaiser gekrönt wurden.

Ungarn brachte er in der Schlacht auf dem Lechfeld (955) eine vernichtende Niederlage bei und schuf die bayr. Ostmark (Österreich). 951 gewann er durch seine Ehe mit Adelheid von Burgund das langobard. Italien. 962 ließ er sich vom Papst zum römischen Kaiser krönen. Damit gründete er das →›Heilige Römische Reich‹ und leitete die Italienpolitik ein, die auch für seine Nachfolger bestimmend wurde. Unter Otto II. vernichtete 983 ein Aufstand der Elbslawen einen großen Teil der deutschen Eroberungen. Im SO dehnte sich die Neusiedlung des bayr. Stammes, der außer dem eigentl. Österreich schon seit dem 8. Jh. die von Slowenen besetzten Alpenländer Kärnten und Steiermark eindeutschte. Mit Konrad II. gelangte 1024 das fränkische oder salische Haus an den Thron. Unter den ersten Saliern errang das Reich die höchste Stufe seiner Macht. Konrad II. gewann 1034 die Krone des überwiegend roman. Kgr. Burgund, das dadurch neben Deutschland und Italien ein dritter Reichsteil des röm.-deutschen Kaisertums wurde; Heinrich III. nahm die Reform der Kirche in Angriff und setzte deutsche Bischöfe als Päpste ein.

Während der vormundschaftl. Regierung für den minderjährigen Heinrich IV. (1056–65) konnten aber die Fürstengeschlechter der Welfen, Zähringer und Staufer wieder ihre Macht erweitern. Gleichzeitig wandte sich das Papsttum unter dem Einfluß der kirchl. Reformbewegung der Cluniazenser gegen die otton. Organisation der Reichskirche. Als 1073 Aufstände der deutschen Fürsten und der Sachsen gegen Heinrich IV. ausbrachen, entfesselte Papst Gregor VII. den →Investiturstreit. Heinrich sah sich 1077 genötigt, in Canossa vor Gregor Kirchenbuße zu tun, um die Lösung vom Bann zu erreichen. In wechselnden Kämpfen behauptete er sich dann gegen die deutschen Fürsten, die Rudolf von Schwaben und Hermann von Luxemburg als Gegenkönige aufstellten; dagegen brach seine Regierung 1093 in Italien vollständig zusammen. Schließlich kam es unter dem letzten Salier Heinrich V. zum Friedensschluß mit der Kirche im Wormser Konkordat von 1122, das dem König den entscheidenden Einfluß auf die Besetzung der Bistümer in Deutschland, jedoch nicht in Italien und Burgund ließ.

Der 1125 zum König gewählte Herzog Lothar von Sachsen stützte sich den Staufern gegenüber auf die Welfen; damals begann der Kampf dieser beiden Fürstenhäuser um die Macht. Das Ansehen des deutschen Königtums hob der Staufer Friedrich I. Barbarossa wieder auf die alte Höhe. Freilich unterlag er bei dem Versuch, die von Papst Alexander III. unterstützten lombardischen Städte der kaiserlichen Verwaltung zu unterwerfen; er mußte 1177 im Waffenstillstand von Venedig und 1183 im Frieden von Konstanz den Städten die Selbstverwaltung gewähren, während sie die

kaiserl. Oberhoheit anerkannten. Dagegen entzog er auf Betreiben der Fürsten dem mächtigen Welfenherzog Heinrich dem Löwen 1179–81 seine beiden Herzogtümer Sachsen und Bayern. Seinem Sohn Heinrich VI. fiel als Erbschaft seiner Gemahlin das normannische Kgr. Sizilien zu; der Versuch, die deutsche Krone für erblich zu erklären, scheitert. Der frühe Tod des machtvollen Herrschers führte wieder einen Niedergang der deutschen Geschichte herbei.

Es kam 1198 zu einer Doppelwahl; der Staufer Philipp von Schwaben und der Welfe Otto IV. standen sich als Könige gegenüber. Als nach der Ermordung Philipps (1208) Otto die Kaiserpolitik der Staufer fortsetzte, wurde von Papst Innozenz III. der junge Sohn Heinrichs VI., Friedrich II. von Sizilien, als Gegenkönig aufgestellt und erlangte 1214 die allgemeine Anerkennung. Aber er fühlte sich als Italiener und überließ in Deutschland den geistl. und weltl. Fürsten das Feld, die zahlreiche Landesherrschaften (Territorien) entwickelten. Ihrer Landeshoheit erteilte Friedrich II. die reichsrechtliche Anerkennung mit den grundlegenden Gesetzen von 1220 und 1232. Außerdem hatte er bereits 1213 den Einfluß der Krone auf die Bischofswahlen vollständig preisgegeben. Als er dann 1237 seinen großen Endkampf mit dem Papsttum begann, traten in Deutschland die Mehrzahl der Bischöfe und ein Teil der weltl. Fürsten auf die päpstl. Seite. Mit dem Tod Friedrichs (1250) war die große Zeit des mittelalterl. Kaisertums zu Ende. Den Endkampf der Staufer um Italien beschloß 1268 die Hinrichtung seines Enkels Konradin durch Karl von Anjou.

Inzwischen hatte sich das deutsche Herrschaft und Kultur durch die →ostdeutsche Kolonisation gewaltig ausgedehnt. Um die Mitte des 12. Jhs. hatte die endgültige Unterwerfung der Slawen an Havel, Elbe und Oder begonnen, vor allem durch Albrecht den Bären und Heinrich den Löwen. Nach dessen Sturz wurden die slaw. Fürsten in Mecklenburg und Pommern selbst reichsunmittelbare Herzöge. Das bisher zu Polen gehörende Schlesien wurde durch friedl. Eindeutschung gewonnen. 1241 wurde der Ansturm der Mongolen von schles. Fürsten gebrochen. Der Deutsche Orden setzte sich 1226 in Preußen fest und gründete hier einen eigenen Staat, dem auch Kurland, Livland und Estland angegliedert wurden. Auch im geistigen Leben war das Zeitalter der Staufer eine Blütezeit. Die ritterl. Kultur brachte die höfische Epik und den Minnesang hervor (Walther von der Vogelweide, Wolfram von Eschenbach), die bildende Kunst der Spätromanik (»Staufischer Stil«) und die Anfänge der Gotik.

DAS SPÄTE MITTELALTER (1250–1519)

Während man sich bisher bei der Königswahl in der Regel an das regierende Geschlecht gehalten hatte, setzte sich jetzt der Grundsatz der völlig freien Wahl durch. Nach dem Tode des Staufers Konrad IV. (1254) und des Gegenkönigs Wilhelm von Holland (1256) wurden machtlose Ausländer gewählt (Richard von Cornwall und Alfons X. von Kastilien). Nach dieser Zeit des Interregnums folgte eine notdürftige Wiederherstellung des deutschen Königtums 1273 mit der Wahl des Grafen Rudolf von Habsburg. Es gelang ihm 1276–78 durch den Sieg über den Böhmenkönig Ottokar II., die Herzogtümer Österreich, Steiermark und Krain für sein Haus zu gewinnen; auf eine solche Hausmacht gründete sich seitdem die Stellung des Königs. Dagegen war es das Bestreben der Fürsten, ein mächtiges Königshaus nicht aufkommen zu lassen. Ihre Führung hatte die Gruppe der Kurfürsten, denen seit der Mitte des 13. Jhs. das Recht der Königswahl ausschließlich zustand und deren Sonderstellung durch die ›Goldene Bulle‹ von 1356 festgelegt wurde. Der Luxemburger Heinrich VII. erwarb 1309 für sein Haus das Kgr. Böhmen (bis 1437). Ludwig der Bayer, den den habsburgischen Gegenkönig Friedrich den Schönen überwand, gewann für sein Haus Brandenburg, Tirol und Holland, freilich nicht auf die Dauer. Als er in einem Kampf mit Papst Johann XXII. in Avignon geriet, wiesen die Kurfürsten im Kurverein von Rhense (1338) die päpstl. Einmischung entschieden zurück. Der Luxemburger Karl IV. verzichtete auf eine Wiederherstellung des deutschen Kaisertums in Italien. Er begnügte sich mit der Erwerbung Brandenburgs (1373) und mit dem bloßen Kaisertitel. Das Kgr. Burgund überließ er dem französischen Machtbereich; nur die Westschweiz und Savoyen, die bisher zu Burgund gehört hatten, blieben übrig. Karls IV. jüngerer Sohn Sigismund wußte durch die Beilegung des großen kirchl. Schismas auf dem Konstanzer Konzil (1414–18) zum letztenmal dem deutschen Kaisertum auf kurze Zeit die polit. Führung in Europa zu gewinnen. Aber seine vergeblichen Bemühungen, die Hussiten in Böhmen niederzuwerfen und das östl. Deutschland vor ihren Einfällen zu schützen, enthüllten die Schwäche des Reichs. Auf Sigismund folgte 1438 sein Schwiegersohn Albrecht II. von Österreich. Hatte schon Karl IV. den Grundsatz des reinen Wahlkönigtums für das luxemburg. Haus wieder zu durchbrechen vermocht, so blieb von nun an die Krone tatsächlich im erblichen Besitz der Habsburger. Die Regierung Friedrichs III. (1440–93) war eine der schwächsten der ganzen deutschen Geschichte. Dagegen erfuhr die habsburgische Hausmacht einen großen Zuwachs, als sein Sohn Maximilian 1477–82 durch Heirat die reichen burgundischen Lande gewann.

Der Schwerpunkt der deutschen Geschichte lag längst nicht mehr im Reich, sondern in den landesherrlichen Gebieten. Die führenden Geschlechter unter den Landesfürsten waren neben den Habsburgern: die Wittelsbacher, seit 1180 Herzöge von Bayern (Altbayern), seit 1214 auch im Besitz der Rheinpfalz (Kurpfalz); die Askanier, 1134 bis 1319 Markgrafen von Brandenburg und 1181–1422 Herzöge von Sachsen-Wittenberg; die Wettiner, Markgrafen von Meißen, seit 1247/64 auch Landgrafen von Thüringen und seit 1423 Herzöge (Kurfürsten) von Sachsen; die Welfen, seit 1235 Herzöge von Braunschweig-Lüneburg; die Hohenzollern, seit 1191 Burggrafen von Nürnberg, seit 1415 Markgrafen (Kurfürsten) von Brandenburg. Ein inneres Gegengewicht zur fürstl. Macht entwickelte sich allerdings in den Landständen. Neben dem Kaiser kam auch der Reichstag zu wachsender Bedeutung, in dem neben den Kurfürsten, Fürsten und Reichsgrafen allmählich die Reichsstädte ebenfalls eine Vertretung erlangten. Angesichts der lähmenden Schwerfälligkeit und Ohnmacht der Reichspolitik erhob sich seit etwa 1430 immer lauter der Ruf nach einer Reichsreform. Diese Bewegung führte unter den Kurfürsten von Mainz, Berthold von Henneberg, während der Regierung Maximilians I. (1493–1519) zu einem allgemeinen Fehdeverbot (Ewiger Landfriede 1495), zur Einteilung des Reichs in zehn Kreise und der Einsetzung eines Reichskammergerichts. Maximilian nahm übrigens als erster ohne päpstl. Krönung den Kaisertitel an. Die folgenden Herrscher, nur noch Karl V. ausgenommen, nannten sich gleich nach der Wahl ›erwählter römischer Kaiser‹, während der Thronerben seitdem den Titel eines ›römischen Königs‹ führten.

Trotz der Schwäche der Reichsgewalt erfuhr die deutsche Geltung nach dem Untergang der Staufer zunächst noch eine weitere Ausbreitung im NO. Hier deckte der Deutsche Orden die Grenzen; der Zusammenschluß der norddeutschen Städte, die Hanse, erlangte die Vormachtstellung in Nordeuropa. Erst im 15. Jh. erlag der Deutsche Orden dem polnisch-litauischen Reich. Das 16. Jh. brachte den Niedergang der Hanse. Im W bildete sich ein neues burgund. Reich, das unter der Herrschaft einer Nebenlinie des französ. Königshauses seit 1390 auf die deutschen Niederlande (Brabant, Hennegau, Holland, Luxemburg) übergriff und dem Reich tatsächlich entfremdete. Im SW trennte sich die schweizer. Eidgenossenschaft, die im Kampf gegen die habsburg. Herrschaft entstanden war, vom Reich; sie versagte seit 1495 den Reichsgesetzen die Anerkennung.

Der Verfall des Reichs hat aber damals weder die wirtschaftliche noch die geistige Entwicklung wesentlich beeinträchtigt. Die Städte, die seit der Stauferzeit emporgekommen waren, blühten teils als Reichsstädte empor, teils unterlagen sie dem Landesfürstentum, errangen jedoch wirtschaftlich die Führung. Wie Lübeck und Köln unter den Hansestädten, so traten Augsburg (Fugger), Ulm, Straßburg und Nürnberg unter den süddeutschen Städten hervor. Die erste deutsche Universität wurde 1348 von Karl IV. in Prag gegründet; es folgten zahlreiche weitere Gründungen (Heidelberg 1386, Köln 1388). An der neuen, aus Italien stammenden Kunst (Renaissance) und Wissenschaft (Humanismus) nahmen die Deutschen großen Anteil.

DAS ZEITALTER DER REFORMATION UND GEGENREFORMATION (1519–1648)

Der Habsburger Karl V. vereinigte 1516 Spanien und Neapel-Sizilien mit den burgund. Ländern in seiner Hand; 1519 wurde er auch in Deutschland zum König gewählt (1530 zum Kaiser gekrönt). In seiner Politik stand der Kampf gegen Frankreich um Italien im Vordergrund; er überließ das Reich vorläufig seinem Bruder Ferdinand, der 1521/22 die Regierung der österreich. Erblande erhielt, 1526 auch Böhmen und das westl. Ungarn gewann. Inzwischen war die große religiöse Bewegung der Reformation entstanden. Die Reichsacht, die der Kaiser auf den Wormser Reichstag von 1521 über Luther verhängte, blieb wirkungslos. Die politische Führung der Reformation übernahmen die Landesfürsten. Ihnen gegenüber mißlangen die Versuche der Reichsritter und der Bauern, die religiöse Bewegung mit einer politisch-sozialen Umwälzung zu verquicken; Sickingen erlag 1523, die Bauern 1525 im großen Bauernkrieg den Fürsten. Karl V. wurde immer wieder durch seine Kriege mit Frankreich und durch die Abwehr der Türken, die den größten Teil Ungarns eroberten und 1529 sogar Wien belagerten, daran gehindert, der deutschen Reformation mit seiner ganzen Macht entgegenzutreten. Die evangel. Fürsten und Reichsstädte (seit 1529 »Protestanten«), die ihre Sache auf dem Augsburger Reichstag von 1530 verteidigten, schlossen sich unter Führung des Kurfürsten Joh. Friedrich von Sachsen und des Landgrafen Philipp von Hessen zum Schmalkald. Bund zusammen. Aber als der Kaiser sich endlich doch die Hände freigemacht hatte, errang er 1546/47 im Schmalkald. Krieg einen vollständigen Sieg. Seine Übermacht trieb freilich die deutschen Fürsten unter Führung Moritz' von Sachsen zum siegreichen Aufstand von 1552; sie wurden unterstützt von Frankreich, dem dafür das Vikariat über die lothring. Hochstifte Metz, Toul und Verdun versprochen wurde. Der Augsburger Religionsfriede von 1555 setzte die Gleichberechtigung der Lutheraner mit den Katholiken fest und überließ den Landesfürsten die uneingeschränkte Kirchenhoheit in ihren Gebieten. Nach der Abdankung Karls V. (1556), dem als Kaiser nicht sein Sohn Philipp II. von Spanien, sondern sein Bruder Ferdinand I. folgte, trennte sich das habsburg. Haus in eine österreich. und eine span. Linie; letzterer übertrug Karl auch die Niederlande, die dadurch dem Reich nach und nach entfremdet wurden (→Reformation).

Der Protestantismus hatte damals die weitaus überwiegende Mehrheit des deutschen Volkes ergriffen. Hiergegen setzte von der kathol. Seite die Bewegung der Gegenreformation ein (→Jesuiten), deren Vorkämpfer die bayer. Wittelsbacher und die Habsburger waren. Der deutsche Protestantismus war in zwei Lager gespalten; gegenüber der kaisertreuen Haltung des lutherischen Kursachsen ging die calvinistische Kurpfalz auf einen Zusammenschluß und eine tatkräftige Politik aller Glaubensgenossen aus. Sie trat 1608 an die Spitze der protestantischen Union, während Herzog Maximilian I. von Bayern 1609 die katholische Liga gründete. Dieser wachsende religiöse Gegensatz entlud sich im →Dreißigjährigen Krieg (1618–48), der als Glaubenskrieg begann und als europ. Machtkampf zwischen Habsburg, Frankreich und Schweden auf deutschem Boden endete. Als der →Westfälische Friede zustande kam, war der deutsche Wohlstand vernichtet, ein Drittel des Volkes untergegangen, das Reich nahezu aufgelöst. Frankreich riß die habsburg. Besitzungen im Elsaß an sich, Schweden die Mündungen der Oder, Elbe und Weser; die Schweiz und die nördl. Niederlande schieden förmlich aus dem Reich aus. Die Gebiete der Landesfürsten wurden zu selbständigen Staaten. Die religiöse Frage löste man durch die Gleichberechtigung der großen Bekenntnisse.

VOM WESTFÄLISCHEN FRIEDEN BIS ZUM TOD FRIEDRICHS DES GROSSEN (1648–1786)

Der Reichstag, der 1663 in Regensburg zusammentrat, wurde zu einem ständigen Gesandtenkongreß (›Immerwährender Reichstag‹). Doch das wirkliche politische Leben war ganz in die Gebiete der größeren Landesfürsten verlegt. Hier, vor allem in Brandenburg-Preußen, begann der Absolutismus neuzeitliche Staaten zu schaffen. Die Landstände verloren meist ihre frühere Machtstellung; die Verwaltung wurde vereinheitlicht, eine zuverlässige Beamtenschaft und ein stehendes Heer gebildet. In der europ. Politik stand Deutschland unter dem ständigen Druck Frankreichs, das unter Ludwig XIV. die stärkste Macht Europas wurde. Frankreich konnte sich durch die ›Reunionen‹ stückweise fast das ganze Elsaß aneignen; 1681 nahm es mitten im Frieden Straßburg weg; 1689 ließ Ludwig XIV. die Pfalz völlig verwüsten. Inzwischen focht Österreich, unterstützt von starken Heeresaufgeboten aus dem ganzen Reich, während der Regierung Kaiser Leopolds I. (1658 bis 1705) den entscheidenden Kampf gegen die Türken durch, die 1683 noch einmal Wien belagerten, und entriß ihnen ganz Ungarn; es stieg dadurch zur europ. Großmacht empor. Im Spanischen Erbfolgekrieg wurde schließlich das Übergewicht Ludwigs XIV. gebrochen; doch blieb das ganze Elsaß französisch. Gleichzeitig war Ost- und Norddeutschland in den Nordischen Krieg gegen den Schwedenkönig Karl XII. hineingezogen worden. Durch dessen Niederlage kamen die schwed. Besitzungen an der Weser- und Elbmündung an Hannover und die größere Hälfte von Vorpommern an Preußen. Der Kurfürst von Sachsen hatte 1697 die poln. Königskrone erworben, der Kurfürst von Brandenburg 1701 Preußen zum Königtum erhoben, der Kurfürst von Hannover 1714 die Nachfolge der englischen Könige angetreten. Die kulturelle Vorherrschaft Frankreichs in Sprache und Schrifttum, in Mode und Sitten fand keinen ebenbürtigen Widerstand, und das Versailles Ludwigs XIV. war das große Vorbild der deutschen Höfe (→Barockzeitalter).

Die Regierung Kaiser Karls VI. (1711–40) ging vor allem darauf aus, seiner Erbtochter Maria Theresia die Nachfolge in den österreich. Erblanden zu sichern. Darum gab er 1738 das Hzgt. Lothringen an Frankreich preis. Unterdessen war in Norddeutschland →Preußen emporgewachsen; Friedrich Wilhelm I. schuf dort eine Militärstaat eigener Prägung. Als mit dem Tode Karls VI. der habsburg. Mannesstamm erlosch, eroberte Friedrich d. Gr. in den →Schlesischen Kriegen die reichste Provinz Österreichs, und zugleich fiel die Kaiserwürde dem bayer. Wittelsbacher Karl VII. zu. Aber Maria Theresia behauptete sich im Österreich. Erbfolgekrieg; ihr Gemahl, Franz I. von Lothringen, erlangte 1745 die Kaiserkrone. Im Bund mit Frankreich und Rußland strebte sie nun danach, den preuß. Nebenbuhler niederzuwerfen. Der erfolgreiche Widerstand Friedrichs d. Gr. im →Siebenjährigen Krieg (1756–63) gegen die starke Übermacht erhob Preußen zur europäischen Großmacht. Der preußisch-österreichische Gegensatz beherrscht seitdem die deutsche Geschichte bis zur Reichsgründung Bismarcks. Gemeinsam schritten Rußland, Österreich und Preußen 1772, 1793 und 1795 zu den drei Teilungen Polens; von dem Anteil Preußens waren die früheren Deutschordensgebiete Ermland und Pommerellen (Westpreußen) mit Danzig altes deutsches Siedlungsland. Die vorherrschende geistige Strömung des 18. Jhs., die Aufklärung, trug inzwischen wesentlich zur Abschwächung der religiösen Gegensätze bei. Durch sie gelangte das Bürgertum zu neuer Bedeutung, und unter ihrem Einfluß setzte auch eine innere Reformpolitik ein; Friedrich d. Gr. und Joseph II. waren die Hauptvertreter des »aufgeklärten Absolutismus« (→Aufklärungszeitalter).

Vom Tod Friedrichs des Grossen bis zum Wiener Kongress (1786–1815)

Während im letzten Drittel des 18. Jhs. die großen Dichter und Denker der klass. Literatur, der Romantik und der Philosophie des deutschen Idealismus eine geistige Blütezeit heraufführten, brach gleichzeitig unter dem Ansturm der französ. Revolutionsheere das morsche Deutsche Reich auseinander. Seit 1792 suchten Preußen und Österreich gemeinsam Frankreich abzuwehren, aber Preußen zog sich im Baseler Frieden 1795 zurück und überließ dem französ. Republik das linke Rheinufer; Österreich mußte 1797 im Frieden von Campoformio folgen. Nach einem zweiten europ. Koalitionskrieg gegen das revolutionäre Frankreich bestätigte der Friede von Lunéville (1801) die Abtretung des linken Rheinufers. Die Verhandlungen über die Entschädigung der deutschen Fürsten für linksrhein. Verluste führten zum Reichsdeputationshauptschluß von 1803: fast alle geistl. Fürstentümer, die meisten Reichsstädte und kleinen weltl. Herrschaften verschwanden. Die sehr vergrößerten Mittelstaaten Bayern, Württemberg, Baden, Hessen-Darmstadt und Nassau schlossen sich eng an Frankreich an. Als Bundesgenossen des neuen französ. Kaisers Napoleon I. kämpften sie im Krieg von 1805 gegen die dritte europ. Koalition mit. Dann fanden sich die süd- und westdeutschen Staaten am 12. 7. 1806 unter Napoleons Schutzherrschaft zum Rheinbund zusammen; sie traten am 1. 8. förmlich aus dem Deutschen Reich aus, und am 6. 8. legte Kaiser Franz II. die Kaiserkrone nieder; schon 1804 hatte er den Titel Kaiser von Österreich angenommen.

Im Krieg von 1806/07 warf Napoleon auch Preußen nieder; es verlor im Tilsiter Frieden alles Land westlich der Elbe sowie die ehemals poln. Gebiete außer Westpreußen. Ein Kgr. Westfalen und ein Großhzgt. Berg unter Fürsten des napoleon. Hauses wurden geschaffen; 1810 wurde sogar das ganze Nordwestdeutschland bis Lübeck unmittelbar dem französ. Kaiserreich einverleibt. Aber in dem zerstückelten und ausgesogenen Preußen begannen nach 1807 Stein, Hardenberg und Scharnhorst ein großes Reformwerk durch Bauernbefreiung, Selbstverwaltung und allgemeine Wehrpflicht. Zu früh schlug Österreich 1809 unter Graf Stadion und Erzherzog Karl los. Die Erhebung scheiterte auch in Tirol (Hofer) und Norddeutschland (Schill, Dörnberg). Als Napoleons russ. Feldzug von 1812 zum Untergang der Großen Armee führte, kam es im Frühjahr 1813 zur nationalen Erhebung in Preußen; Österreich folgte bald, die Rheinbundstaaten meist erst nach der Niederlage Napoleons. In den Freiheitskriegen gelang mit Unterstützung Rußlands und Englands 1813/14 und 1815 der Sturz des napoleon. Kaisertums. Im zweiten Pariser Frieden von 1792 hinaus noch Landau an Bayern, Saarlouis und Saarbrücken an Preußen abtreten, behielt aber das Elsaß. Auf dem Wiener Kongreß wurden die dt. Einzelstaaten durch die Bundesakte vom 8. 6. 1815 zu einem losen Staatenbund, dem →Deutschen Bund, vereinigt, in dem drei fremde Souveräne für ihre dt. Besitzungen Mitglieder waren.

Der Deutsche Bund und die Bismarcksche Reichsgründung (1815–71)

Der Deutsche Bund konnte die erwachende nationale Einheitsbewegung nicht befriedigen. Der Bundestag in Frankfurt a. M. bestand aus den Gesandten der Einzelstaaten, während eine gemeinsame Volksvertretung fehlte; Österreich stellte den Präsidenten. Der leitende österreich. Minister Metternich gewann die Führung der Bundespolitik; im Kampf gegen die nationalen und liberalen Bestrebungen, die zuerst bes. in der Studentenschaft (Burschenschaft) hervortraten, veranlaßte er die Karlsbader Beschlüsse von 1819 und die gefürchteten »Demagogenverfolgungen«. Zwar wurden in Süddeutschland bereits 1818/19 Volksvertretungen geschaffen, doch hielt Preußen am Absolutismus fest und unterstützte die Politik Metternichs. Nachdem es 1815 durch die Erwerbung der Rheinlande den Schutz der deutschen Westgrenze übernommen hatte, war es ganz anders als Österreich mit dem gesamtdeutschen Schicksal verbunden. Unter preuß. Führung kam 1834 der Deutsche Zollverein zustande, der dem größten Teil Deutschlands (ohne Österreich) die wirtschaftl. Einheit gab. Gefördert auch durch den Bau der ersten Eisenbahnen, brach nun das →Industriezeitalter an.

Das Bürgertum erfüllte sich immer mehr mit den liberalen und nationalen Ideen. Die wachsende Unruhe des ›Vormärz‹ entlud sich in der Märzrevolution von 1848; in Österreich erzwang sie die Entlassung Metternichs. An Stelle des Bundestags trat eine aus demokrat. Wahlen hervorgegangene deutsche Nationalversammlung, die in der Paulskirche zu Frankfurt a. M. zusammen; sie wählte den Erzherzog Johann zum Reichsverweser. Aber die Kraft der Bewegung wurde durch tiefe Gegensätze gespalten. Gegen einen kleindeutschen Bundesstaat mit einem preuß. Kaiser, wie ihn die ›Erbkaiserlichen‹ unter Führung Gagerns forderten, wehrten sich die Anhänger des großdeutschen Gedankens, bes. die Österreicher und die Katholiken. Als im Frühjahr 1849 die Nationalversammlung eine liberale Reichsverfassung beschlossen hatte, wurde König Friedrich Wilhelm IV. von Preußen zum deutschen Kaiser gewählt. Doch er schlug die Kaiserkrone aus, und die beiden deutschen Großmächte lehnten ebenso wie die größeren Mittelstaaten die Reichsverfassung ab. Darauf brachen im Mai 1849 schwere Aufstände der demokrat. Republikaner in Dresden, Baden und der Pfalz aus, die von preuß. Truppen niedergeworfen wurden. Der Versuch Preußens, durch eine freiwillige Union die deutschen Fürsten doch noch einen kleindeutschen Bundesstaat zu schaffen, mißlang. Der österreich. Fürst Schwarzenberg, gestützt auf Rußland und die deutschen Mittelstaaten, berief den alten Bundestag wieder ein. Mit der Olmützer Punktation 1850 gab Preußen die Unionspolitik auf und erkannte den Bundestag an. Zugleich wurde auch die Erhebung der Schleswig-Holsteiner gegen die dänische Herrschaft, die 1848/49 von preußischen Truppen unterstützt worden war, preisgegeben. Im wiederhergestellten Deutschen Bund herrschte nun jahrelang eine schroffe Reaktion.

In Preußen kam es zu einem schweren Machtkampf zwischen der Krone und der liberalen Landtagsmehrheit, den Bismarck, im Herbst 1862 von König Wilhelm I. zum MinPräs. berufen, erfolgreich bestand. Er konnte sich auf die Freundschaft Rußlands stützen, und als die schleswig-holsteinische Frage sich wieder zuspitzte, wußte er sogar Österreich für ein gemeinsames Vorgehen gegen Dänemark zu gewinnen. Der Krieg von 1864 endete mit der Abtretung Schleswig-Holsteins und Lauenburgs an die beiden deutschen Großmächte. Dann entzündete sich ihre Gegnerschaft von neuem. Bismarck erzwang die Entscheidung im →Deutschen Krieg von 1866. Preußen erklärte den Deutschen Bund für erloschen. Österreich unterlag und schied bei der Neuordnung aus. Schleswig-Holstein, Hannover, Hessen-Kassel, Nassau und Frankfurt a. M. wurden Preußen einverleibt, das den Norddeutschen Bund gründete und mit den südd. Staaten geheime Bündnisse abschloß. Die Bismarcksche Neuordnung knüpfte an die Gedanken von 1848/49 an. Die Bundesverfassung stellte den Reichstag des allgemeinen, gleichen und unmittelbaren Wahlrechts gleichberechtigt neben den Bundesrat, die Vertretung der einzelstaatl. Regierungen; der König von Preußen als Bundespräsident führte den Oberbefehl über das Bundesheer und leitete die auswärtige Politik. Das Fortschreiten der Reichsgründung suchte nun der franzöz. Kaiser Napoleon III. zu verhindern, nachdem seine Versuche, die preuß. Zustimmung zu linksrhein. Abtretungen zu erzwingen, gescheitert waren. Den letzten Widerstand überwand Bismarck im →Deutsch-Französischen Krieg von 1870/71. Nach der franzöz. Kriegserklärung stellten sich die süddeutschen Staaten sofort auf die Seite des Norddeutschen Bundes, und Österreich blieb infolge der deutschen Anfangssiege und der preußenfreundl. Haltung Rußlands und Englands neutral. In den Novemberverträgen von Versailles traten Bayern, Württemberg, Baden und Hessen-Darmstadt dem Norddeutschen Bund bei; dieser wurde zum Deutschen Reich erweitert, und am 18. 1. 1871 wurde im Schloß zu Versailles König Wilhelm I. zum Deutschen Kaiser ausgerufen. Die Reichsverfassung vom 16. 4. 1871 ging allerdings über eine Ergänzung der Verfassung des Norddeutschen Bundes nicht hinaus; eine zentrale Stellung hatte der Reichskanzler (ÜBERSICHT Reichskanzler). Durch die Friedensschlüsse von Versailles (26. 2.) und Frankfurt a. M. (10. 5. 1871) gewann das Reich Elsaß-Lothringen zurück.

Deut

DAS NEUE KAISERREICH (1871–1918)

Von Anfang an war das Reich mit der Feindschaft Frankreichs belastet, das sich mit dem Verlust Elsaß-Lothringens nicht abfand. Als in den deutsch-russ. Beziehungen nach dem →Berliner Kongreß von 1878 eine zunehmende Spannung eintrat, schloß Bismarck 1879 den Zweibund mit Österreich-Ungarn; dieser wurde 1882 zum Dreibund mit Italien erweitert. Dabei hielt Bismarck immer noch Verbindung mit Rußland, zuletzt durch den Rückversicherungsvertrag von 1887, und England trat dem Dreibund 1887 näher. Dieses Bündnissystem entzog Frankreich die Bundesgenossen. Zwar kam es 1887/88 zu einer gefährlichen deutsch-französ. Krise (Boulanger), doch wußte Bismarck den Frieden zu erhalten. 1884/85 hatte er Schutzgebiete in Afrika (Togo, Kamerun, Deutsch-Südwestafrika, Deutsch-Ostafrika) und der Südsee (Deutsch-Neuguinea) erworben. Die stärkste Partei war nach 1871 zunächst die nationalliberale (→Reichstag), die Bismarck in der freihändlerischen Wirtschaftspolitik und im Kulturkampf (1871–79) unterstützte. Dieser richtete sich gegen die Zentrumspartei und die kathol. Kirche, mißlang aber ebenso wie der Versuch der Unterdrückung der marxistischen Sozialdemokratie 1878 durch das Sozialistengesetz. Dann ging Bismarck an eine konservative Wandlung der inneren Politik. Die Einführung von Schutzzöllen 1879 half der Landwirtschaft und der Industrie, die nach den ungesunden ›Gründerjahren‹ (1871–73) einen schweren Rückschlag erfahren hatte. Freilich genügte die zunehmende Industrialisierung nicht zur Beschäftigung der sich rasch vermehrenden Bevölkerung; durch die Massenauswanderung nach Amerika in den 40er bis 90er Jahren gingen Millionen von Deutschen der Heimat verloren. Auf Grund der kaiserl. Botschaft vom 17. 11. 1881 schuf Bismarck, dem Ausland hierin weit vorauseilend, eine vorbildliche Sozialversicherung, ohne freilich damit das Anwachsen der staatsfeindl. Sozialdemokratie aufhalten zu können, die immer mehr die Partei der neuen Massenschicht der Industriearbeiter wurde. Infolge des Niedergangs der Nationalliberalen sah sich Bismarck seit 1881 im Reichstag einer feindseligen Mehrheit gegenüber, die im wesentlichen vom Zentrum und der liberalen Linken gestellt wurde. Erst durch die Reichstagsauflösung von 1887 gewann er eine zuverlässige Mehrheit durch die Konservativen und Nationalliberalen. 1888 zerstörte der frühe Tod Kaiser Friedrichs III. manche Hoffnung; 29jährig trat Wilhelm II. die Regierung an. Nach scharfen Auseinandersetzungen zwang er im März 1890 Bismarck zum Rücktritt.

Der ›Neue Kurs‹, den Wilhelm II. und der Kanzler Caprivi einschlugen, verzichtete auf die Erneuerung des Rückversicherungsvertrags mit Rußland, das sich nun mit Frankreich verbündete. Von England wurde 1890 gegen koloniale Zugeständnisse die Insel Helgoland erworben. Dann aber verschlechterte sich das deutsch-engl. Verhältnis allmählich immer mehr; hier wirkten der wirtschaftl. Wettbewerb, die Besetzung Kiautschous (1897), die Freundschaft mit der Türkei (Bagdadbahn) und schließlich der Bau einer starken deutschen Kriegsflotte zusammen, die seit 1898 von Tirpitz geschaffen wurde. Darauf schloß England 1904 eine ›Entente‹ mit Frankreich und verständigte sich 1907 auch mit Rußland. So bildete sich der gegen das Reich gerichtete Dreiverband, während gleichzeitig der Dreibund durch die innere Schwäche Österreich-Ungarns und die wachsende Unzuverlässigkeit Italiens an Wert einbüßte. Bei der 1. Marokkokrise (1905) sah sich das Deutsche Reich schon fast ganz isoliert; auch bei der 2. (1911) gelang kein dauerndes Einvernehmen mit Frankreich (→Marokko, Geschichte). Weder die höfisch-diplomatische Gewandtheit Bülows noch der trotz seiner persönl. Unstetheit ehrliche Friedensliebe des Kaisers reichten aus, um die gefahrvolle Entwicklung der außenpolit. Lage zu verhindern. Im Innern waren von Bedeutung die Einführung des für das ganze Reich geltenden Bürgerlichen Gesetzbuchs (1900), der Ausbau der Reichsverwaltung und die, wenn auch zu spät (1911) erlassene Verfassung für Elsaß-Lothringen. Im Reichstag wurde von 1912 wurde die Sozialdemokratie die stärkste Partei (110 Mandate).

DEUTSCHLAND 1914–1945

Die Entwicklung von 1914 bis Frühjahr 1945 wird in den Sonderartikeln *Weltkriege, Novemberrevolution, Weimarer Republik, Versailler Vertrag, Nationalsozialismus* dargestellt.

Der Ausbruch des 1. →Weltkriegs schuf eine innere Einheit des Volks und den »Burgfrieden« der Parteien; doch traten in der Frage der Kriegsziele sowie in der Frage einer demokrat. Umgestaltung des Staatslebens bald Gegensätze hervor. Nach großen Erfolgen auf allen Kriegsschauplätzen führte die Versteifung des französ. Widerstands, der Druck der engl. Blockade, schließlich das Eingreifen der Verein. Staaten zum Zusammenbruch der Mittelmächte und zur Niederlage Dtl.s, obwohl Rußland nach der Oktoberrevolution 1917 aus dem Kriege ausschied. Die →Novemberrevolution 1918 stürzte die Dynastien; die Republik wurde ausgerufen. Die von der Nationalversammlung in Weimar beschlossene Weimarer Reichsverfassung vom 11. 8. 1919 machte das Dt. Reich zur parlamentar. Demokratie (→Weimarer Republik). Fr. Ebert wurde der erste Reichspräsident. Der →Versailler Vertrag beraubte das Reich (1871 bis 1919: 540858 qkm; 1910: 64,9 Mill. Ew.) großer Gebietsteile (70500 qkm, 6,5 Mill. Ew.) und seiner Schutzgebiete (2952900

Deut

qkm) und bürdete dem jungen Staatswesen untragbare →Reparationen auf. Die Besetzung des Ruhrgebietes durch Franzosen und Belgier (Jan. 1923) verzögerte den Wiederaufbau, der durch Streiks und Aufstände, die an den Rand des Bürgerkriegs führten, und durch die Inflation erschwert wurde. Die Reparationsfrage wurde durch den →Dawesplan (1924) vom politischen auf das finanzielle Feld verlagert. Infolge der wirtschaftl. und außenpolitischen Schwierigkeiten wechselten die Regierungen häufig (ÜBERSICHT Reichskanzler; der Widerstand der Rechtsparteien und -gruppen gegen die Weimarer Republik und die »Erfüllungspolitik« war von Anfang an stark. Nach Eberts Tod wurde Hindenburg am 26. 4. 1925 Reichspräsident. Stresemann (Außenminister 1923–29) gelangte in Zusammenarbeit mit dem französ. Außenminister Briand 1925 zu den →Locarnoverträgen mit Großbritannien und Frankreich, die den Eintritt Dtl.s in den Völkerbund und die Räumung der besetzten Gebiete vorbereiteten. Die nach der Markstabilisierung allmählich einsetzende Besserung der wirtschaftl. Lage wurde durch die Weltwirtschaftskrise (seit 1929) und die sich aus ihr ergebende Massenarbeitslosigkeit unterbrochen. Die innere Opposition gegen die Weimarer Republik wuchs, das parlamentar. System geriet wegen der fortschreitenden Parteizersplitterung und wegen des schnellen Anwachsens der radikalen Rechtsund Linksparteien (Nationalsozialisten, Kommunisten) in eine Krisis, die nur mit Notverordnungen nach Art. 48 der Weim. Verf. überwunden wurde und sich 1932 zur Staatskrise verdichtete. Auf diesem Hintergrund vollzog sich der Aufstieg des →Nationalsozialismus. Am 30. 1. 1933 von Hindenburg zum Reichskanzler ernannt, baute Hitler die demokrat. Republik zum ›Führerstaat‹ um, der, auf die Rassenideologie gestützt, außenpolit. Machtstreben mit einer diktatorischen, den Rechtsstaat durch »Gleichschaltung« aufhebenden Innenpolitik verband. Am 14. 10. 1933 trat das Reich aus dem Völkerbund aus, am 1. 3. 1935 wurde das →Saarland eingegliedert, im März 1936 wurden die entmilitarisierten Rheinlande wieder von dt. Truppen besetzt und die deutsche ›Wehrhoheit‹ verkündet, am 13. 3. 1938 der Anschluß Österreichs an das Dt. Reich vollzogen; die sudetendeutschen Gebiete der Tschechoslowakei wurden im Nov. 1938 mit dem Reich vereinigt (→Münchener Abkommen). Diese machtpolit. Offensive, die sich teils unter Duldung, teils in Überraschung der europ. Mächte vollzog, stieß seit der Besetzung der Rest-Tschechoslowakei als Protektorat (März 1939) auf entschlossenen Widerstand der Westmächte. Nachdem Hitler durch den Vertrag mit der Sowjetunion (1939) Rückendeckung gewonnen hatte, löste er durch den Angriff auf Polen (1. 9. 1939) den 2. →Weltkrieg aus.

DEUTSCHLAND NACH DEM ZUSAMMENBRUCH

Am 25. 4. 1945 erreichten amerikan. Einheiten von W und sowjet. Einheiten von O her bei Torgau die Elbe. Am 2. 5. 1945 kapitulierte Berlin vor der Roten Armee. Hitler hatte schon am 30. 4. 1945 im Bunker der Reichskanzlei Selbstmord begangen und zuvor Großadmiral Dönitz zu seinem Nachfolger bestimmt. Nach Einzelkapitulationen unterzeichnete General Jodl am 7. 5. 1945 im Hauptquartier Eisenhowers zu Reims die Kapitulation der Wehrmacht, am 8. 5. 1945 wiederholte Keitel diese Kapitulation im sowjet. Hauptquartier zu Karlshorst.

Die Regierung Dönitz, die in Mürwik (Flensburg) amtierte, wurde am 23. 5. 1945 gefangengesetzt. Dtl. war nun, den völkerrechtlich als Staat aufgehört zu haben, ein erobertes und besetztes Land, das sich nach der alliierten Viermächte-Erklärung vom 5. 6. 1945 »allen Forderungen« unterwarf und in Besatzungszonen eingeteilt wurde. Dtl. war in einen Trümmerhaufen verwandelt, das Reich vernichtet.

Die Sieger übernahmen in der Organisation des Kontrollrats (5. 6. 1945) die oberste Gewalt. Dtl.s staatsrechtl. Einheit in den Grenzen vom 31. 12. 1937 (470700 qkm; 1939: 69,3 Mill. Ew.) sollte bestehenbleiben. Die im →Potsdamer Abkommen vom 2. 8. 1945 kundgegebene Absicht der Besatzungsmächte, Dtl. als wirtschaftl. Einheit zu behandeln und zentrale dt. Verwaltungsstellen einzurichten, wurde nicht durchgeführt. Das dt. Gebiet westlich der →Oder-Neiße-Linie wurde unter Hinzuziehung Frankreichs in vier Besatzungszonen geteilt. 1946 wurden Länder als handlungsfähige Staatseinheiten gebildet, deren Grenzen, mit Ausnahme bes. der Bayerns, häufig von den Zufälligkeiten der militär. Demarkationslinien bestimmt worden waren. Schon im April 1945 war Österreich wieder für unabhängig erklärt worden. Der preuß. Staat erlosch mit der in Potsdam gutgeheißenen sowjet. Annexion des nördl. Ostpreußens und mit der Unterstellung der früheren Provinzen Pommern (ohne den Hauptteil Vorpommerns), Posen-Westpreußens, Schlesien und des südl. Ostpreußens unter poln. Verwaltung. Am 25. 2. 1947 wurde Preußen durch Kontrollratsbeschluß auch formell für aufgelöst erklärt. Im Juni 1945 hatten die Amerikaner Thüringen und Sachsen geräumt, die Engländer das westl. Mecklenburg, sie ließen dadurch den sowjet. Einflußbereich bis an die Werra vorspringen. Dafür konnten die Westmächte die ihnen zugesprochenen Besatzungsrechte in Berlin ausüben, das jetzt unter Viermächteverwaltung kam. Das Saargebiet erhielt auf Weisung Frankreichs einen autonomen, der dt. Hoheit entzogenen Status.

Aus allen Gebieten östl. der Oder-Neiße-Linie, aus der Tschechoslowakei, Ungarn und Südosteuropa wurden die Deutschen nach Beschluß des →Potsdamer Abkommens ausgetrieben. Das Flüchtlingsproblem wurde zu einer neuartigen, die alten Stände und Klassen übergreifenden sozialen Frage (→Flüchtlinge, →Vertriebene).

Von der Niederlage des Jahres 1918 unterschied sich die Katastrophe von 1945 durch ihr Ausmaß, durch die Besetzung des gesamten Staatsgebiets, das Fehlen einer Zentralregierung und durch das Ausbleiben eines Friedensvertrags. Auch die Reparationsfrage blieb in der Schwebe, die Sowjets griffen vornehmlich durch Entnahme aus der laufenden Produktion, die Westmächte bes. durch Wegnahme von Rohstoffen und durch Verfügung über die Patentrechte vor. Umfangreiche →Demontagen wurden nach einem von den Alliierten aufgestellten Industrieplan durchgeführt.

Zu dem Flüchtlingsproblem wurde durch die seit 1946 verstärkt einsetzende Rückkehr der Kriegsgefangenen und durch die →Entnazifizierung eine weitere soziale Frage aufgeworfen. Auf Grund des Londoner Viermächteabkommens vom 8. 8. 1945 wurden zunächst vor einem internat. Militärtribunal, dann vor einem US-Militärtribunal die Prozesse gegen →Kriegsverbrecher in Nürnberg geführt. Die auf den Außenministerkonferenzen in Moskau und London (Mai, Dez. 1947) unternommenen Versuche der Besatzungsmächte, sich über die Wiedervereinigung der getrennten Teile Dtl.s zu verständigen, scheiterten. Der Kontrollrat hatte, nachdem ihn der sowjet. Vertreter im Juli 1948 verlassen hatte, praktisch aufgehört zu bestehen. Die drei westl. Besatzungszonen und die sowjet. Besatzungszone nahmen nun eine getrennte Entwicklung, die nach den Währungsreformen (20./21. 6. 1948) schließlich zur Spaltung Deutschlands führte. Über die weitere Entwicklung →Deutschland (Staatsform), →Bundesrepublik Deutschland, →Deutsche Demokratische Republik.

Das Verhältnis der beiden deutschen Staaten zueinander wurde fast ausschließlich durch ihre Zugehörigkeit zum östl. bzw. westl. Machtblock bestimmt. Die Pariser Außenministerkonferenz (1949) erbrachte die Ablehnung der drei Großmächte einer ohne freie Wahlen gebildeten deutschen Zentralregierung. Auf der New Yorker Außenministerkonferenz (1950) wurde das polit. Alleinvertretungsrecht der BRD für ganz Deutschland beschlossen. Dieser Auffassung entsprach die Anwendung der Hallsteindoktrin (seit 1955) von seiten der BRD. Die Berliner Außenministerkonferenz (1954) scheiterte wieder an der Frage der allgemeinen Wahlen. Die Moskauer Ostblockkonferenz erklärte 1954 eine Wiedervereinigung für aussichtslos. Nachdem die UdSSR bis 1955 die Auffassung vertreten hatte, allein die DDR sei ein deutscher (Kern-)Staat, erklärte sie 1955 den Kriegszustand mit ganz Deutschland für beendet und entwickelte die Zwei-Staaten-Theorie, die dem Kon-

föderationsplan der DDR entsprach, nach dem die Wiedervereinigung allein durch Verständigung der beiden deutschen Teilstaaten ohne Änderung der sozialist. Errungenschaften der DDR zu erreichen war. Ein sowjet. Entwurf für einen Friedensvertrag (1959), der Neutralisierung, Anerkennung der Oder-Neiße-Linie und der »freien Stadt West-Berlin« forderte, wurde nicht angenommen. Von westl. Seite wurde auf der Genfer Außenministerkonferenz (1959) ein gestufter Friedensplan vorgelegt, in dem die Einheit Berlins durch freie Wahlen vorgesehen war, ein gesamtdeutscher Wahlausschuß (25 BRD-, 10 DDR-Vertreter), Wahlen zur Nationalversammlung (Verfassung), Regierungsbildung, anschließend die Friedensregelung. 1967 wurde die bisherige allgemeine deutsche Staatsangehörigkeit in der DDR zugunsten einer »Staatsbürgerschaft der DDR« abgeschafft. Am 3. 6. 1972 trat ein Viermächte-Berlinabkommen in Kraft, am 21. 12. 1972 wurde der ›Grundvertrag‹ zwischen der BRD und der DDR unterzeichnet.

LITERATUR ZUR DEUTSCHEN GESCHICHTE

Quellen. Monumenta Germaniae historica (1826ff.); deutsch die meisten als ›Geschichtsschreiber der deutschen Vorzeit‹ (²1884ff.). Die Histor. Kommission in München gibt u. a. die Chroniken der dt. Städte v. 14.–16. Jh. (1862ff.), die dt. Reichstagsakten (1867ff.), Dt. Geschichts-Quellen im 19. Jh. (1921ff.) heraus. Ein Jh. D. G., 1815 bis 1919 (1928; faksim. Urk. u. Akten); E. Forsthoff: D. G. seit 1918 in Dokumenten (²1938); Die große Politik der europ. Kabinette 1871–1914, 40 Bde. in 54 Tl. (1922ff.); Akten zur Dt. Auswärt. Politik 1918–45. Aus dem Archiv d. Auswärt. Amts, Serie D 1937–45, 4 Bde. (1950/51); Der Prozeß gegen d. Hauptkriegsverbrecher vor dem internat. Militärgerichtshof, 42 Bde. (1947 bis 1949).

Bibliographie. Jahresber. f. dt. Gesch. (seit 1925); F. C. Dahlmann u. G. Waitz: Quellenkunde d. dt. Gesch. (⁹1931); G. Franz: Bücherkunde d. dt. Gesch. (1951). Literaturverzeichnis der Politischen Wissenschaften (1952ff.); Bibliographie zur Zeitgeschichte in: Vierteljahrshefte für Zeitgeschichte (1953ff.); K. Schottenloher: Bibliographie zur D. G. im Zeitalter der Glaubensspaltung 1517–1585, Bd. 1–6 (²1956–58); Schrifttum über Deutschland, 1918–1962 (1962).

Gesamtdarstellungen. J. Haller: Die Epochen der D. G. (viele Aufl. seit 1922); B. Gebhardt: Hb. d. G., 3 Bde. (⁸1953ff.); V. Valentin: Gesch. d. Deutschen, 2 Bde. (²1949); D. G. im Überblick, hg. v. P. Rassow (1953); Hubertus Prinz zu Löwenstein: D. G. (⁴1962); W. Treue: Dt. Gesch. (1958); M. Freund: D. G. (1960); H. Rössler: D. G. (1961); P. Sethe: D. der Deutschen (1962).

Biographien. Allgemeine Dt. Biographie, 56 Bde. (1875–1912); Neue Dt. Biographie

(1953ff.); Die Großen Deutschen, hg. v. H. Heimpel, Th. Heuss, B. Reifenberg, 5 Bde. (1956/57); H. Rössler u. G. Franz: Sachwörterbuch zur D. G. (1958; neu 1975). **Verfassungsgeschichte.** O. Brunner: Land und Herrschaft (³1943); F. Hartung: Dt. Verfassungsgesch. vom 15. Jh. bis z. Gegenwart (⁹1969); ders.: Staatsbildende Kräfte der Neuzeit (1961); Th. Mayer: Fürsten und Staat (1950); C. v. Schwerin u. H. Thieme: Grundzüge der dt. Rechtsgesch. (⁴1950); E. R. Huber: Dt. Verfassungsgesch., 5 Bde. (²1967ff.).

Kirchengeschichte. A. Hauck: Kirchengesch. Dtl.s, 5 Bde. (³⁻⁴1904–20); A. Werminghoff: Verfassungsgesch. der dt. Kirche im MA. (²1913).

Kultur- und Wirtschaftsgeschichte. G. Steinhausen: Gesch. der dt. Kultur, 2 Bde. (³1929 bis 1936); H. Günter: Dt. Kultur in ihrer Entwickl. (1932); R. Kötzschke: Grundzüge d. dt. Wirtschaftsgesch. (³1931); H. Heimpel: Der Mensch in seiner Gegenwart (²1957); F. Rörig: Wirtschaftskräfte im Mittelalter (1959); W. Treue: D. G. 1648–1740 (1956); G. Ritter: Staatskunst und Kriegshandwerk. Das Problem des ›Militarismus‹ in Deutschland, Bd. 1 (⁴1970), Bd. 2 (³1973), Bd. 3 (1964), Bd. 4 (1968).

Zeitschriften. Histor. Ztschr. (seit 1859); Neues Archiv der Gesellsch. f. ältere dt. Geschichtskunde (seit 1876; seit 1937: Deutsches Archiv); Mitt. des Inst. f. österr. Geschichtsforsch. (seit 1880); Archiv für Kulturgesch. (seit 1903); Blätter für Deutsche Landesgesch. (1937ff.); Vierteljahrshefte f. Zeitgesch. (seit 1953).

Zeitalter. *Frühes Mittelalter:* Th. Mayer u. a.: Der Vertrag von Verdun (1943); G. Tellenbach: Die Entstehung des Dt. Reiches (³1946); H. Mitteis: Die dt. Königswahl (²1944); G. Barraclough: Die mittelalterl. Grundl. des modernen Deutschland (1953).

Hohes Mittelalter: P. E. Schramm: Die dt. Kaiser und Könige in Bildern ihrer Zeit, 2 Bde. (1928); ders.: Kaiser, Rom und Renovatio (²1957); H. Günter: Das dt. MA., 2 Bde. (1936–39); H. Mitteis: Der Staat des hohen MA. (⁷1962); H. Heimpel: Dt. MA. (1941); H. Dannenbauer: Grundlagen der mittelalterlichen Welt (1958); R. Holtzmann: Gesch. d. sächs. Kaiserzeit (1941); W. Kienast: Dtl. u. Frankreich in d. Kaiserzeit (1943); K. Hampe: Dt. Kaisergesch. in d. Zeit d. Salier u. Staufer (¹²1968); H. Naumann: Dt. Kultur im Zeitalter d. Rittertums (1949).

Spätes Mittelalter: R. Stadelmann: Vom Geist d. ausgehenden MA. (1929); F.Bock: Reichsidee u. Nationalstaaten (1943; von 1250–1341); W. Andreas: Dtl. vor d. Reformation (⁷1972); J. Huizinga: Herbst d. MA. (¹¹1975).

Reformation u. Gegenreformation: L. v. Ranke: D. G. im Zeitalter d. Reformation, 6 Bde. (⁸1909; Ausg. der Dt. Akad., 5 Bde., 1925); K. Brandi: D. G. im Zeitalter d. Re-

formation u. Gegenreformation (⁴1969); J. Lortz: Die Reformation in Dtl., 2 Bde. (³1949); H. Rössler: Europa im Zeitalter von Renaissance, Reformation u. Gegenreformation 1450–1650 (1956).

Von 1648 bis 1815: B. Erdmannsdörffer: D. G. vom Westfäl. Frieden b. z. Regierungsantritt Friedrichs d. Gr., 2 Bde. (1892/93); F. Meinecke: Das Zeitalter der dt. Erhebung 1795–1815 (1906 u. ö.); ders.: Weltbürgertum u. Nationalstaat (⁷1928); W. Treue: D. G. 1648–1740 (1956); ders.: D. G. 1713–1806 (1957).

Von 1815 bis 1918: H. v. Treitschke: D. G. im 19. Jh., 5 Bde. (1879–94); E. Brandenburg: Die Reichsgründung, 2 Bde. (²1922); ders.: Von Bismarck zum Weltkrieg (³1939); Ad. Wahl: D. G. von der Reichsgründung b. z. Ausbruch des (I.) Weltkriegs, 4 Bde. (1926–36); W. Bussmann: Das Zeitalter Bismarcks (⁴1968); E. Eyck: Bismarck und das Deutsche Reich (1955); M. Göhring: Bismarcks Erben (1958); W. Conze: Die Zeit Wilhelms II. und die Weimarer Republik. Deutsche Geschichte 1890 bis 1933 (1964); F. Schnabel: D. G. im 19. Jh., 4 Bde. (1929–37 u. ö.); H. v. Srbik: D. Einheit, 4 Bde. (1935–42, bis 1866, österr.); E. Marcks: Der Aufstieg des Reiches, 2 Bde. (1936); F. Hartung: D. G. 1871–1919 (⁵1952); P. Sethe: D. im letzten Jh. (1966). Weitere Lit. →Weltkrieg.

Neueste Zeit: A. Rosenberg: Geschichte der Weimarer Republik (¹⁶1974); Th. Eschenburg: Die improvisierte Demokratie der Weimarer Republik (²1964); E. Eyck: Geschichte der Weimarer Republik (⁴/⁵1972/1973); K. D. Bracher: Die Auflösung der Weimarer Republik (³1960); H. Heiber: Die Republik von Weimar (⁸1975); M. Broszat: Der Staat Hitlers (⁴1974); Th. Vogelsang: Das geteilte Deutschland (⁹1975); F. Meinecke: Die dt. Katastrophe (1946); S. A. Kaehler: Vorurteile und Tatsachen (1949); ders.: Zur diplomat. Vorgesch. d. Kriegsausbruches vom 1. 9. 1939 (1949); E. Franzel: Gesch. unserer Zeit 1870–1950 (²1952); Golo Mann: Dt. Gesch. des 19. u. 20. Jhs. (neu 1971); H. Buchheim: Das Dritte Reich (1959); W. Cornides: Die Weltmächte u. Dtl. (²1961); L. W. Shirer: Aufstieg und Fall des Dritten Reiches (dt. 1961); H. Mau und H. Krausnick: D. G. der jüngsten Vergangenheit 1933–1945 (⁶1964); L. Dehio: Deutschland und die Weltpolitik im 20. Jahrhundert (1961); H. Kohn: Wege und Irrwege. Vom Geist des deutschen Bürgertums (1962); H. Rothfels: Zeitgeschichtl. Betrachtungen (1959); H. Herzfeld: Die moderne Welt, 1789 bis 1945 (⁶/¹1969/70); Th. Schieder: Staat und Gesellschaft im Wandel unserer Zeit (²1970).

Karten. J. v. Spruner u. K. Menke: Handatlas f. d. Gesch. des MA. und der neueren Zeit (³1879); F. W. Putzger u. A. Baldamus: Histor. Schulatlas (⁸¹1961); H. Kinder u. W. Hilgemann: dtv-Atlas zur Weltgeschichte. Bd. 1 und 2 (¹²/¹³1977).

Die Geschichte der deutschen Kunst (TA-FELN S. 34–38) beginnt zur Zeit Karls d. Gr. Doch war sie zunächst noch nicht von der des Westfränkischen Reichs geschieden. So kann man von einer eigentl. deutschen Kunst erst seit ottonischer Zeit sprechen, in der sich die Kunst in den jetzt auch politisch getrennten Reichen selbständig fortzuentwickeln begann und ihre erste Blüte in Deutschland erlebte. – Das Gebiet der deutschen Kunst grenzt sich im S und W deutlich von dem der italienischen und französischen ab. Der slawische Osten, die Ostseeprovinzen und von den skandinavischen Ländern bes. Schweden waren Ausstrahlungsgebiete der deutschen Kunst. Im NW trennte sich die Kunst der stammverwandten Flamen und Holländer von der deutschen, der jedoch die Schweiz eng verbunden blieb.

BAUKUNST

Aus *karolingischer* Zeit sind erhalten vor allem die Pfalzkapelle Karls d. Gr. in →Aachen (geweiht 805) und die Torhalle des Klosters Lorsch (774). Die für die Folgezeit entscheidende Weiterbildung der frühchristl. Basilika läßt am deutlichsten der Klostergrundriß von St. Gallen erkennen (um 820; Bauten nicht erhalten), dessen Kirche ein Querhaus und zwei Chöre hat. Die Kirchen der *Romanik* zeichnen sich durch rhythmische Gliederung ihrer Innenräume und die klare, auch die Türme miteinbeziehende Gruppenbildung der Baukörpers aus. In *ottonischer* Zeit entstanden auf niedersächsischem Boden die Stiftskirche in Gernrode (begonnen 961) und St. Michael in Hildesheim (1001–36), in *salischer* Zeit die Stiftskirche in Limburg a. d. Hardt (um 1025; Ruine) und der gewaltige Kaiserdom in Speyer (begonnen um 1025), eine ursprünglich flachgedeckte Basilika, die unter Heinrich IV. aufs reichste ausgebaut und als erste vollständig eingewölbt wurde (um 1100). Die zweite große Gewölbebasilika war der ebenfalls von Heinrich IV. erneuerte Kaiserdom in Mainz. Auch die Klosterkirche Maria Laach (1156 geweiht) erhielt gewölbte Decken. Die streng und klar durchgebildeten Kirchen der Hirsauer Bauschule (Alpirsbach, Paulinzella u. a.) hielten dagegen, wie auch die meisten andern der Zeit, an der Flachdecke fest. Eine eigenartige Verbindung von kleeblattförmigem Zentralbau und flachgedeckter Basilika ist die Kirche St. Maria im Kapitol (geweiht 1065), deren Grundgedanken in stauferischer Zeit die Kölner Kirchen Groß St. Martin und St. Aposteln wiederaufnahmen. In der *Stauferzeit* erhielten die Dome von Worms, Mainz und Bamberg ihre endgültige Gestalt, in der die Monumentalität mit Pracht verbindet. Die seit karolingischottonischer Zeit entwickelte Kunst der vielgestaltigen Gruppierung des Außenbaus ge-

langte zu ihren reifsten Lösungen, so bes. in der sechstürmigen Abteikirche Maria Laach (Außenbau vollendet um 1220). Die Gotik war bereits im Vordringen. Doch blieben die Bauten der staufischen Zeit noch lange in ihrem Wesen romanisch, vor allem die großen Pfalzen (Wimpfen, Gelnhausen, Eger, Nürnberg), auch noch Klosterbauten wie das Herrenrefektorium von Maulbronn (um 1225), dessen Konstruktion z. T. bereits gotisch ist. Rein romanisch gebaut wurde vor allem noch im Elsaß (Maursmünster, Murbach u. a.).

Als die Romanik in Deutschland zu Ende ging, stand in Frankreich die **Gotik** in voller Blüte. Die deutsche Kunst nahm den neuen Stil nur zögernd auf, anfänglich vor allem Konstruktionen und Schmuckformen, aus deren Verbindung mit deutschen Raumvorstellungen Bauten von eigenartigem Reiz entstanden. Ein typischer Bau der Übergangszeit ist die Stiftskirche St. Georg in Limburg a. d. Lahn (seit etwa 1215). Die Elisabethkirche in Marburg (gegr. 1236) wurde in fast schon rein gotischen Formen erbaut, hat aber einen ungotischen, weiträumigen Chor von kleeblattartigem Grundriß und ein als Halle gebildetes Langhaus. Die Liebfrauenkirche in Trier (begonnen um 1240), noch formenreiner, ist ein in der Gotik sonst nicht vorkommender Zentralbau. Der Magdeburger Dom übernahm 1209 als erster das französ. Kathedralsystem, doch mit burgund. Abwandlungen. In Straßburg wurde um 1250 das Langhaus des Münsters begonnen, ein lichter und weiter, in reifem gotischen Stil errichteter Raum, der in lebendigem Gegensatz steht zu dem romanisch schweren und dunklen Chor. Der Kölner Dom (Grundsteinlegung 1248) schloß sich aufs engste dem Vorbild der Kathedrale von Amiens an. Bauten der reifen Gotik sind das Freiburger Münster mit seinem nach 1310 begonnenen durchbrochenen Turm, die Dome in Regensburg und Halberstadt, die Backsteinbauten der Lübecker Marienkirche, der Nikolaikirche in Stralsund, des Schweriner Doms u. a., alles Basiliken, wie auch das ursprünglich als Hallenkirche geplante Ulmer Münster. Die Zukunft gehörte jedoch dem Hallenbau. Dieser hatte sich bereits früh in Westfalen ausgebreitet, wo im 13. Jh. die Dome von Paderborn und Minden, in der Hochgotik die Wiesenkirche in Soest als Hallenkirchen errichtet wurden.

Im 15. Jh., in dem sich die deutsche Kunst zu einer ihrer reifsten Blütezeiten entwickelte, bildete sich in Deutschland ein eigener Stil der **Spätgotik** aus, der statt der Basilika die Hallenkirche bevorzugte. In Süddeutschland, wo vor allem der von der Parlerschule erbaute Hallenchor der Kreuzkirche in Schwäbisch-Gmünd (begonnen 1351) als Vorbild fortwirkte, ist von den Baumeistern des 15. Jhs. bes. H. Stethaimer

bekannt, dessen Hauptwerk die Martins-
kirche in Landshut ist (begonnen 1387). Zu
den vollkommensten Hallenbauten gehören
der Chor von St. Lorenz in Nürnberg (1439
bis 1472), St. Georg in Dinkelsbühl (begonnen 1448) und die Annenkirche in Annaberg
(1499–1520); der mächtigste ist die Marienkirche in Danzig (vollendet 1502). – Von den
weltlichen Bauten der Gotik sind wenige unverändert erhalten geblieben. Neben dem
Steinbau entwickelte sich im 15. Jh. der
Holzbau zu reichen Formen, dem man oft
auch bei öffentlichen Gebäuden den Vorzug
gab. Vielfältige Gestaltungsmöglichkeiten
boten die Rathäuser (Gelnhausen, Lübeck,
Aachen, Braunschweig, Münster, Stralsund,
Tangermünde, Breslau, Thorn), die zugleich
Gerichts-, Kauf- und Feststätten sein konnten, auch die Stadtbefestigungen mit ihren
Mauern, Türmen und Toren. Unter den
Wehrbauten ragen die Deutschordensburgen
hervor; in dem gegen Ende des 14. Jhs. entstandenen Mittelschloß der Marienburg
(TAFEL Burg) verbindet sich ordnende Kraft
mit festlicher Haltung. Der regelmäßige
Grundriß der Ordensburgen steht im Gegensatz zu den anderen Burgen, die als gewachsene Gebilde durch ihre malerische Erscheinung wirken (TAFEL Burg). Der Ritterorden baute in Backstein, der seit dem
12. Jh. in Norddeutschland bevorzugt, aber
auch, bes. seit Ende des 14. Jhs., in Bayern
viel verwendet wurde. Die reichsten Wirkungen gewann ihm der Norden ab, so vor
allem in der Zisterzienserkirche in Chorin
(1334) und der Fronleichnamskapelle an der
Katharinenkirche in Brandenburg (vollendet 1434).

Zur Zeit der **Renaissance** lebte in der deutschen Baukunst die Überlieferung der Spätgotik fort, wenn im einzelnen auch italien.
Formen übernommen wurden. Reich aus-
gestaltete Lauben, Treppenhäuser, Erker
und Giebel dienten der freien und malerischen Gliederung (Schloß Hartenfels in
Torgau, 1533–52; Rathaus in Rothenburg,
1572). Nur wenige Bauten näherten sich dem
Wesen der italien. Renaissance (Heidelberger Schloß, Ottheinrichsbau, seit 1556).
Echter architekton. Wille, der mehr auf den
Baukörper als auf seinen Schmuck gerichtet
war, begegnet erst wieder gegen Ende des
Jahrhunderts. 1602 begann E. Holl das
Zeughaus, 1615 das Rathaus in Augsburg;
1605 wurde das Aschaffenburger Schloß,
1600 das Danziger, 1609 das Bremer Rathaus begonnen. Nach langem Stillstand
lebte auch der Kirchenbau wieder auf. Wichtig für dessen zukünftige Entwicklung wurde
vor allem St. Michael in München (1583–97),
ein von der römischen Kirche Il Gesù an-
geregter saalförmiger Raum mit Seiten-
kapellen zwischen den nach innen gezoge-
nen Strebepfeilern.

Barock. Nach dem Dreißigjährigen Krieg
arbeiteten in Dtl. viele italien. Architekten.
Zu europ. Rang erhob sich die deutsche
Baukunst erst wieder gegen Ende des 17. Jhs.

Bahnbrechend wirkten in Wien J. B. Fischer
v. Erlach, der aus der baugeschichtl. Überlieferung geschöpfte Anregungen zu groß-
artiger Einheit verschmolz (Kollegienkirche
in Salzburg, 1696–1707, TAFEL Barock I, 2;
Karlskirche in Wien, seit 1715) und sein
jüngerer Zeitgenosse L. v. Hildebrandt,
leichter von Geblüt und von eigenwilligerer
Erfindung (→Belvedere in Wien, 1724 vollendet). Als Klosterbaumeister war J. Prandt-
auer in Österreich tätig (Melk, 1702–38).
Chr. und K. J. Dientzenhofer wirkten in
Prag, wo sie einen leidenschaftlich bewegten
Stil begründeten (St. Nikolaus auf der
Kleinseite in Prag, 1703–52). A. Schlüter
schuf in schweren majestätischen Formen
das Berliner Schloß (seit 1699), D. Pöppelmann den festlichen Bau des →Dresdner
Zwingers (1711–22; TAFEL Barock I, 3),
G. Bähr die wuchtig ernste Frauenkirche in
Dresden (seit 1726). J. B. Neumann, unter
dessen Leitung die Würzburger Residenz
(seit 1720) erbaut wurde (TAFEL Barock I, 4),
schuf unvergleichliche Werke raumgestal-
tender Phantasie (Treppenhäuser in Würzburg, Brühl und Bruchsal; Kirchenbauten in
Vierzehnheiligen, seit 1743, und Neresheim,
seit 1749). In Bayern, wo der in das Rokoko
übergehende Spätbarock die größte Fülle an
Kirchenbauten hervorbrachte, waren die als
Baumeister, Bildhauer und Maler gemeinsam arbeitenden Brüder Asam tätig (Klosterkirche Weltenburg, seit 1717; Nepomuk-
kirche in München, seit 1733) und die nach
in Schwaben wirkenden Baumeister J. M.
Fischer (Zwiefalten, 1741–53; Rott a. Inn,
1759–62) und D. Zimmermann (Steinhau-
sen, 1727–33; Wies, 1745–54). Das deutsche
Rokoko entfaltete sich am reichsten in den
Innenräumen bayrischer Kirchen (bes. der
Wies) und Schlösser (Amalienburg im
Nymphenburger Park nach Entwürfen von
F. Cuvilliés, 1734–39), neben denen vor
allem die auf Knobelsdorff zurückgehenden
Bauten der friderizian. Rokoko zu nennen
sind (Goldene Galerie des Charlottenburger
Schlosses, 1740–43; Sanssouci, 1745–47).

Der **Klassizismus**, den in Deutschland die
Erstlingsschrift von J. J. Winckelmann (1755)
literarisch begründet hatte, brach mit der die
deutsche Kunst bisher bestimmenden Überlieferung. Der erste große Bau des neuen
Stils, das →Brandenburger Tor in Berlin,
wurde von C. G. Langhans nach gleich.
Vorbild errichtet (seit 1788). Der überragende Baumeister der Zeit war K. F.
Schinkel in Berlin, der groß und edel gestaltete Werke aus dem Geist der Antike (Neue
Wache, 1816; Schauspielhaus, 1818; Altes
Museum, 1822–28), zugleich aber auch neu-
gotische Bauten schuf (Werdersche Kirche,
1825–28). F. Weinbrenner baute in einem
schweren klassizist. Stil in Karlsruhe, L. v.
Klenze in Stilformen des Klassizismus und
der Renaissance in München. An die
italien. Renaissance knüpfte auch G. Semper an, der letzte bedeutende Baumeister
der Zeit (Dresden: Oper, 1838–41, und

1

2

3

4

1 *Stiftskirche in Gernrode, Inneres gegen Osten, 10. Jh.* 2 *Dom St. Georg in Limburg an der Lahn, von Südwesten, 1. Hälfte des 13. Jhs.* 3 *Straßburger Münster von Südwesten, Westbau 1277–1439.* 4 *St. Georg in Dinkelsbühl, Inneres gegen Osten, 1448–99*

1 *Zeughaus in Augsburg, von E. Holl, 1602–07.* 2 *Klosterkirche in Zwiefalten, von J. M. Fischer, Inneres gegen Westen, 1741–53.* 3 *Kopf der Elisabeth im Bamberger Dom, um 1235.* 4 *Verleugnung Petri, Relief am Westlettner des Naumburger Doms, um 1260*

1

2

3

4

1 ›Schöne Madonna‹ in der Johanneskirche zu Thorn, um 1390–1400. 2 Christophorus im Hochaltarschrein der Pfarrkirche zu Kefermarkt, um 1498. 3 Schutzengelgruppe, von Ignaz Günther, 1763 (München, Bürgersaal). 4 Flötenbläser, Teakholz, von Ernst Barlach, 1936

1 *Verkündigung an die Hirten, Miniatur in dem von Kaiser Heinrich II. dem Bamberger Dom geschenkten Perikopenbuch, um 1010 auf der Reichenau entstanden (München, Staatsbibliothek).* 2 *Stefan Lochner: Die Muttergottes in der Rosenlaube, um 1440–50 (Köln, Wallraf-Richartz-Museum).* 3 *Hans Baldung: Hexensabbat, Holzschnitt, 1510.* 4 *Albrecht Altdorfer: Waldmenschen, Federzeichnung in Schwarz, weiß gehöht, auf farbig grundiertem Papier, 1510 (Wien, Albertina)*

37

1 Grünewald: Auferstehung Christi, Flügelbild des Isenheimer Altars, um 1515 (Colmar, Museum Unterlinden). **2** C. D. Friedrich: Kreidefelsen auf Rügen, um 1820 (Winterthur, Stiftung Oskar Reinhart). **3** Ernst Ludwig Kirchner: Rheinbrücke in Köln, 1914 (Berlin, Nationalgalerie). **4** Franz Marc: Turm der blauen Pferde, 1913 (ehemals Berlin, Nationalgalerie; verschollen)

Gemäldegalerie, 1847–54; seit 1869 in Wien: Hofmuseum und Burgtheater). Die Selbständigkeit in der Anwendung histor. Stilformen verlor sich immer mehr mit dem **Eklektizismus** des fortschreitenden Jahrhunderts, das sich in seiner massenhaften Bautätigkeit auf Nachahmung aller Stile beschränkte.

Die um die Wende zum **20. Jahrhundert** beginnende Erneuerung der Baukunst ging vom Jugendstil aus, der durch eine völlig neu geschaffene Ornamentik, aber auch durch zweck- und materialgerechte Formgebung handwerklicher Art die Stilverwilderung des ausgehenden 19. Jhs. zu überwinden suchte. Zu den Vorkämpfern der sich vom Eklektizismus lösenden neuen Baukunst gehörten O. Wagner, seine Schüler J. Olbrich und J. Hoffmann, P. Behrens, A. Loos, H. van de Velde, F. Schumacher, P. Bonatz und H. Tessenow. Die strenge geometrische Flächenordnung (Skelettbauweise), die erst von P. Behrens entwickelt, dann von W. Gropius (→Bauhaus), B. Taut, L. Hilbersheimer, H. Häring, E. May weitergeführt worden war, wurde vor allem von L. Mies van der Rohe vom Industriebau auf den Wohnbau übertragen. Die freie plastische Formung des Baukörpers mittels der neuen Baustoffe Stahl, Glas, Beton, Eisenbeton tritt in den Werken E. Mendelsohns und H. Scharouns hervor. Im Kirchenbau war O. Bartning tätig.

Im nat.-soz. Dt. Reich brach die Entwicklung ab; einzelne Architekten wurden verfemt, andere emigrierten; nur der Industriebau und unbedeutende Bauaufgaben konnten sich dem verordneten Eklektizismus entziehen. Das im 2. Weltkrieg hoffnungslos zerstörte Dtl. war kulturell von der Welt isoliert. Der allmählich einsetzende, sich dann rasch steigernde Wiederaufbau vollzog sich meist ohne umfassende Neuordnung; nur an wenigen Orten, wie in Hannover, ist es gelungen, vorausschauend die Entwicklung in gesunde Bahnen zu lenken. Bedeutende Leistungen zeigen der Theaterbau (Stadttheater Münster von H. Deilmann u. a., 1954–56; Philharmonie Berlin von H. Scharoun, 1963; Nationaltheater Mannheim von G. Weber, 1956), auch der Schulbau und vor allem der Kirchenbau (Kaiser-Wilhelm-Gedächtniskirche, Berlin, von E. Eiermann, 1961). An Architekten sind ferner zu nennen: R. Gutbrod, H. Hentrich, H. Petschnigg, F. W. Kraemer, D. Oesterlen, S. Ruf, P. Schneider-Esleben, R. Schwarz, E. Steffan, von den jüngeren F. Otto und O. Ungers. Als Städtebauer ragen hervor R. Hillebrecht, W. Hebebrand und F. Eggeling.

PLASTIK

Aus *karolingischer* Zeit sind nur kleinplast. Werke, vor allem Elfenbeinreliefs von Bucheinbänden erhalten, dje im wesentlichen an die christl. Spätantike anknüpfen. – Mit der beginnenden **Romanik** regte sich in *ottonischer* Zeit ein neuer Wirklichkeitssinn, so vor allem in den Elfenbeinarbeiten des ›Echternacher

Meisters‹ (Kreuzigung auf dem Einband des Echternacher Codex, um 990; Nürnberg, German. Museum) und den Reliefs der in der Werkstatt Bischof →Bernwards geschaffenen Bronzetür in Hildesheim (Dom, 1015), die von urwüchsigem Leben erfüllt sind. Hauptwerke der Zeit sind die Goldene Altartafel Heinrichs II. aus dem Baseler Münster (um 1000; Paris, Musée Cluny), das ergreifende Holzkruzifix im Kölner Dom (um 970) und die Goldene Maria des Essener Münsterschatzes (um 1000). Auf unvergleichlicher Höhe stand die Goldschmiedekunst (Kreuz und Krone der Reichskleinodien, Wien). – In *salischer* Zeit verfestigten sich die Formen zu streng gebundenen Gestaltungen. Es entstanden das feierliche Kultbild der thronenden Maria in Paderborn (um 1055), die Reliefs am Portal von St. Emmeram in Regensburg (um 1060), der asketisch erhabene Bronzekruzifixus in Werden (um 1060), der gedrungenere in Minden (um 1070) und die Bronzegrabplatte Rudolfs von Schwaben († 1080) im Merseburger Dom, die älteste erhaltene des Mittelalters. Schwer und einfach gebildet, doch von starker Ausdruckskraft sind die Reliefs der Holztür von St. Maria im Kapitol zu Köln (um 1050).

Die Plastik der *Stauferzeit* gehört zu den höchsten Leistungen der deutschen Kunst. Rein romanisch sind noch der Braunschweiger Löwe (1160), die Chorschrankenreliefs von St. Michael in Hildesheim (um 1186) und der Liebfrauenkirche in Halberstadt (um 1190), die Kreuzigungsgruppen im Halberstädter Dom (1220) und der Schloßkirche in Wechselburg (um 1230), das Grabmal Heinrichs des Löwen im Dom zu Braunschweig (um 1230), die Chorschrankenreliefs im Bamberger und die Goldene Pforte des Freiberger Doms, dessen Meister bereits französ. Figurenportale gekannt hat. Die reifsten Werke der sich aus dem ritterlichen Geist der Stauferzeit zu klassischem Adel der Form entwickelnden Bildhauerkunst wurden für das Straßburger Münster (Engelspfeiler im südl. Querschiff; Ekklesia, Synagoge und Relief des Marientods am Südportal, 1220–30), den Bamberger Dom (Fürstenportal, Bamberger Reiter, Maria und Elisabeth, Ekklesia und Synagoge, Adamsporte, 1230–37) und den Naumburger Dom (Stifterfiguren im Westchor, Kreuzigungsgruppe und Brüstungsreliefs des Lettners, 1249 bis etwa 1270) geschaffen. Ihre Meister hatten in Frankreich gelernt und dort an den gotischen Kathedralen mitgearbeitet; doch sind wie auch in der Dichtung der Zeit (Gottfried von Straßburg, Wolfram v. Eschenbach) aus der schöpferischen Auseinandersetzung mit französ. Vorbildern Werke von unverkennbar deutscher Eigenart entstanden.

Die klassischen Werke der staufischen Plastik stammen aus der Übergangszeit zur **Gotik.** Durchgesetzt hat sich diese aber erst in den Gewändefiguren des Straßburger Westportals (um 1290) und den Pfeilerfiguren des Kölner Domchors (um 1310), deren Stil in Grabmälern wie dem des Bischofs v. Hohenlohe († 1352) im Bamberger Dom fortwirkte. Deutscher Empfindungsgehalt spricht vor allem aus den →Andachtsbildern, die sowohl das Innige (Jesus-Johannes-Gruppen) wie auch das Schreckliche (Vesperbilder) vergegenwärtigen. Nach den entkörperlichten Gestaltungen der Gotik brach sich in der 2. Hälfte des 14. Jhs. ein neuer Wirklichkeitssinn Bahn, am stärksten in den Werken von Peter Parler in Prag (Büsten des Trioriums im Dom, 1374–85). Südostdeutschland war auch die Heimat der um 1400 geschaffenen →Schönen Madonnen.

Die Zeit der **Spätgotik** war seit Mitte des 15. Jhs. die an Meisterpersönlichkeiten reichste der deutschen Plastik: N. Gerhaert v. Leyden, vom Rhein bis Wien wirkend, war der erste und einflußreichste von ihnen, J. Syrlin, der Meister des Ulmer Chorgestühls (1469–74) sein schwäbischer, der des Nördlinger Hochaltars sein fränkischer Zeitgenosse. 1480 schuf E. Grasser die Moriskentänzer für den Tanzsaal des Münchener Rathauses, 1481 vollendete M. Pacher den Altar v. St. Wolfgang, 1489 V. Stoß den Altar der Marienkirche in Krakau und B. Notke die St. Jürgengruppe für Stockholm, 1494 G. Erhart den Blaubeurer Hochaltar, 1496 A. Krafft das Sakramentshaus für St. Lorenz in Nürnberg. In Würzburg wirkte Tilman Riemenschneider, der vor allem Schnitzaltäre schuf (Marienaltar in Creglingen, 1505–10), aber auch als Steinbildhauer tätig war (Grabmal des Bischofs v. Scherenberg, 1496–99, Würzburg, Dom) wie H. Backoffen in Mainz und A. Pilgram in Wien (BILD AUGUSTINUS). Die malerischen Formverflechtungen der spätgot. Plastik wurden von Bildschnitzern den frühen 16. Jhs. zu überschwenglich bewegten Gestaltungen gesteigert (»spätgotischer Barock«), so bes. von dem am Oberrhein arbeitenden Meister H. L. (Breisacher Hochaltar, 1526), H. Leinberger in Bayern und den Lübeckern C. Berg und B. Dreyer.

Während sich im 16. Jh. die spätgotische Plastik zu ihren letzten Möglichkeiten entfaltete, waren gleichzeitig andere Meister am Werk, die eine formklare und harmonische Gestaltung im Sinne der italien. Renaissance erstrebten. Unter ihnen ragt der in seiner Frühzeit noch gotisch schaffende P. Vischer d. Ä. mit seinen Söhnen hervor, in deren Gießhütte in Nürnberg das Sebaldusgrab entstand (Nürnberg, St. Sebald; vollendet 1519), A. Daucher und sein Sohn H. Daucher in Augsburg und H. Meit aus Worms. Gegen Mitte des Jahrhunderts begannen die schöpferischen Kräfte zu erlahmen. Doch entstanden noch immer reizvolle Arbeiten bes. kleinplastischer und kunsthandwerklicher Art wie des Nürnberger Goldschmieds W. Jamnitzer u. a. Größere Werke von Bedeutung wurden erst wieder in der Übergangszeit vom Manierismus zum Frühbarock geschaffen, so vor al-

lem von H. Reichle (Bronzegruppe des hl. Michael am Augsburger Zeughaus, 1603 bis 1606) und J. Zürn (Hochaltar des Münsters zu Überlingen, 1613–18).

Die Plastik des deutschen **Barock**, zu deren bedeutendsten Werken im 17. Jh. die Kreuzigungsgruppe von J. Glesker im Bamberger Dom gehört (1648–53), entwickelte sich zu ihrer Blüte erst in der Spätzeit des Stils seit der Wende zum 18. Jh. A. Schlüter (TAFEL Barock II, 3) in Berlin schuf seit 1696 das machtvolle Reiterdenkmal des Großen Kurfürsten und die Schlußsteine mit den Köpfen der sterbenden Krieger im Zeughaus, B. Permoser den üppigen Skulpturenschmuck des →Dresdner Zwingers, aber auch ausdrucksstarke Heiligengestalten (Augustinus und Ambrosius, 1725; Bautzen, Museum), G. R. Donner die formklar gestalteten Brunnenfiguren auf dem Neuen Markt in Wien (1737–39). Neben ihnen war eine nur der spätgot. Zeit vergleichbare Fülle von Bildhauern tätig: der im Mondsee arbeitende M. Guggenbichler, in dessen Holzbildwerken Formkräfte der Gotik wiederauflebten, E. Bendl in Augsburg (Evangelisten und Apostel, 1697; Nürnberg, German. Mus.), M. Braun in Prag, P. Egell in Mannheim, der für Kloster Admont arbeitende J. Th. Stammel (Holzbildwerke in der Bibliothek, 1760) und E. Q. Asam, der in den gemeinsam mit seinem Bruder erbauten Kirchen die malerisch bewegten Skulpturen schuf (Rohr, 1717–25; Weltenburg 1721–36) Zu den bekanntesten Meistern der Plastik des **Rokoko**, die sich am reichsten in Bayern entfaltete, gehören vor allem J. B. Straub und I. Günther in München, der im Bodenseegebiet wirkende J. A. Feuchtmayer, Chr. Wenzinger in Freiburg, F. Dietz, der Meister der Gartenskulpturen im Park von Veitshöchheim (1763–68) und die Porzellanbildner J. J. Kändler in Meißen und F. Bustelli in Nymphenburg.

Der bedeutendste deutsche Bildhauer des **Klassizismus** war G. Schadow in Berlin (Grabmal des Grafen von der Mark, 1790/91; ehemals Dorotheenstädt. Kirche), dessen Kunst D. Chr. Rauch (Reiterdenkmal Friedrichs d. Gr. in Berlin, 1839–51) und sein Schülerkreis fortsetzten. Neben ihnen sind vor allem H. Dannecker in Stuttgart (Schillerbüsten) und F. Zauner in Wien (Reiterdenkmal Josephs II., 1795–1806) zu nennen. Die im 19. Jahrhundert vor allem mit Denkmalsaufträgen beschäftigten Bildhauer verfielen immer mehr einem banalen Realismus und leerer Repräsentation.

Eine Neubesinnung auf die Formgesetze plast. Gestaltung ging kurz vor der Wende zum 20. Jahrhundert von A. v. Hildebrand aus (Wittelsbacher Brunnen in München 1891–95), dem sich L. Tuaillon anschloß (BILD Amazone). G. Kolbe schuf freier gestaltete Aktfiguren und Bildnisse, A. Gaul meisterhafte Tierbildwerke. Neue Möglichkeiten erschloß der **Expressionismus**. W. Lehmbruck schuf in schlanken, sich vom

Naturvorbild entfernenden Formen zart vergeistigte weibliche Akte, E. Barlach vor allem Holzbildwerke von urtümlicher Kraft der Ausdrucksgestaltung. Das Werk Lehmbrucks und Barlachs, E. Scharffs, G. Marcks' und E. Matarés blieb fast ohne Einfluß auf die nachfolgende Generation, die sich eher an H. Moore, H. Arp und C. Brancusi orientierte. Die Eisen- und Stahlplastik wurde in Deutschland von H. Uhlmann eingeführt, der Österreicher R. Hoflehner und die Schweizer R. Müller, W. Bodmer, B. Luginbühl arbeiten ebenfalls in Eisen und Stahl. Metallplastiker der jüngeren Generation sind N. Kricke, B. Meier-Denninghoff, F. Werthmann, J. Hiltmann, E. Hauser. Zur Ecole de Paris gehört der Basler J. Tinguely, der vorwiegend Roboter und bewegliche Automaten konstruiert. Zur Düsseldorfer Zero-Gruppe gehören H. Mack mit seinen Lichtdynamos, H. Goepfert, G. Uecker, der Nagelbilder herstellt, und O. Piene. Metallreliefs schuf Z. Kemeny, der erst als Maler begonnen hatte. Der Schweizer A. Giacometti wurde durch seine stabförmigen Figuren weltberühmt, sein Landsmann M. Bill, der Architekt, Maler und Bildhauer zugleich ist, zählt zu den Vertretern der Konkreten Kunst. Die blockhaften Plastiken des Wieners F. Wotruba entstehen häufig im Bronzeguß, während O. H. Hajek seine zum Teil begehbaren Plastiken in Modellierbeton aufbaut und in verlorener Form gießt. Zu der jüngsten Generation zählen R. Hommes, H. Baumann, E. Reischke, R. Göschl, U. Kampmann, E. Cimiotti, E. R. Nele, der zur Münchener Gruppe Spur gehörende L. Fischer.

MALEREI

Aus *karolingischer* Zeit sind nur Buchmalereien erhalten, die in stark voneinander abweichenden Stilen spätantike, byzantinische und syrische Vorbilder verarbeiten. Die Herkunft der sowohl in ost- wie westfränkischen Schulen geschaffenen Handschriften ist schwer bestimmbar. Aus der in Aachen ansässigen Hofschule gingen vermutlich die →Adahandschrift und eine Gruppe verwandter Werke hervor. Das Krönungsevangeliar der Wiener Schatzkammer und ähnliche Handschriften entstanden, wie man heute annimmt, in Reims.

In der beginnenden Zeit der **Romanik** war der Mittelpunkt der *ottonischen* Buchmalerei die Insel Reichenau. Ihre Meister, die mit einer neuen, aus äußerste gesteigerten Ausdruckskraft das Evangeliar Ottos III., das Perikopenbuch Heinrichs II. (beide München, Staatsbibliothek) und die Bamberger Apokalypse (Bamberg, Stadtbibliothek) schufen, gehören zu den größten des Abendlandes. Neben der Reichenauer Schule waren die wichtigsten die in Trier, Echternach, Köln, Fulda, Hildesheim und Regensburg. Auf der Reichenau sind aus ottonischer Zeit auch Wandmalereien erhalten (St. Georg in Oberzell).

Den gefestigten Figurenstil der *salischen* Zeit lassen vor allem die Glasmalereien des Augsburger Doms erkennen (um 1100). In der Buchmalerei begegnet er bes. in Werken der Echternacher Schule (Evangelienbuch Heinrichs III., 1045/46; Escorial).

In *staufischer* Zeit entstanden die umfangreichen Freskenfolgen der Klosterkirche zu Prüfening und der Doppelkapelle zu Schwarzrheindorf sowie die Malereien der Holzdecke von St. Michael zu Hildesheim. Von den Werken der Buchmalerei sind hervorzuheben das Evangelistar aus dem Speyerer Dom (um 1197; Karlsruhe, Landesbibliothek), der Liber matutinalis aus Scheyern (1206–25; München, Staatsbibliothek) und das Missale Abt Bertholds v. Weingarten (um 1225; New York, Morgan Library).

Die **Gotik** war die Blütezeit der Glasmalerei (Domchor und St. Kunibert in Köln; St. Elisabeth in Marburg; Erfurter Dom). Die Wandmalerei, der die in schmal aufstrebende Pfeiler und füllende Fensterflächen aufgelöste Architektur die Möglichkeit zur Entfaltung entzog, trat hinter der Tafelmalerei zurück, die in der seit Mitte des 14. Jhs. zunächst Böhmen führend war (Meister v. Hohenfurth; Meister von Wittingau). In Hamburg malte Meister Bertram v. Minden auf volkstümlich schildernde Art den Grabower Altar (1379; Hamburg, Kunsthalle) und Meister Francke in weitläufigerem Stil den Englandfahrer-Altar (seit 1424; ebd.). In Köln ragte zu Anfang des 15. Jhs. der Meister der hl. Veronika hervor (München, Pinakothek), in Westfalen Konrad v. Soest (Altäre der Pfarrkirche zu Wildungen und der Marienkirche zu Dortmund).

Der entscheidende Durchbruch zum Realismus der **Spätgotik** ging vor allem von schwäbischen Malern aus. L. Moser schuf 1431 den Altar in der Pfarrkirche zu Tiefenbronn, K. Witz um 1435 den Heilsspiegelaltar (die meisten Tafeln im Baseler Museum) und 1444 den Petrus-Altar mit der ersten örtlich bestimmbaren Landschaft der europ. Malerei (Genf, Museum), H. Multscher 1437 den Wurzacher Altar (Berlin, Museum), dessen kraftvolle Drastik im Gegensatz steht zu der repräsentativen Feierlichkeit des Dombildes von St. Lochner in Köln (um 1440). In der 2. Hälfte des 15. Jhs. war das Vorbild niederländ. Maler maßgebend. In Ulm wirkte der Meister des Sterzinger Altars (1458), in Nürnberg H. Pleydenwurff, in Colmar M. Schongauer (Maria im Rosenhag, 1443; Colmar, St. Martin; TAFEL Zeichnung), der wie der am Mittelrhein tätige Hausbuchmeister (TAFEL Zeichnung) vor allem als Kupferstecher hervorragt. Die Werke B. Zeitbloms in Ulm und M. Wolgemuts in Nürnberg wirken befangener. Die Bildtafeln, die M. Pacher in Südtirol für seine Schnitzaltäre schuf, lassen die Kenntnis oberitalien. Malerei erkennen.

Die Auseinandersetzung mit der italien.

Kunst begann erst im 16. Jh., dessen erste Jahrzehnte die große Zeit der deutschen Malerei und Graphik sind. Wenn ihre Meister auch meist der **Renaissance** zugerechnet werden, blieb doch das Schaffen der meisten von ihnen durch das Fortleben spätgot. Grundkräfte bedingt. Grünewald, der das gewaltigste Altarwerk der deutschen Malerei schuf (Isenheimer Altar, um 1515; Colmar, Museum), blieb durch die Tiefe seiner religiösen Erlebnisfähigkeit dem Mittelalter aufs engste verbunden. Das unermeßlich reiche Werk Dürers erwuchs aus der fruchtbaren Spannung zwischen spätgot. Ausdrucksgestaltung, die vor allem seine Graphik bestimmt (Apokalypse, 1498), und dem Ringen um südliche Klarheit in der Darstellung des Menschen (BILD Akt). Zu eigenwillig neuen Formen entwickelte sich die leidenschaftliche Kunst H. Baldungs. In den Werken A. Altdorfers, des Meisters der →Donauschule, zu der auch W. Huber und in seiner genialen Frühzeit L. Cranach gehören, verbinden sich Mensch und Natur zu dichterisch empfundener Einheit. H. Holbein d. J., der sich, seinen Vater weit überflügelnd, zu überlegener Meisterschaft als Bildnismaler entwickelte, kam an Klarheit und Ausgewogenheit des Stils der italien. Renaissance am nächsten (BILD Anna 1). In einem gewissen Abstand ist der malerisch hochbegabte H. Burgkmair in Augsburg zu nennen (BILD Apokalypse).

Mit dem Tode der großen Meister der Dürerzeit erloschen die schöpferischen Kräfte. Die beiden bedeutendsten deutschen Maler zur Zeit des beginnenden **Barock** waren im Ausland tätig: der Frankfurter A. Elsheimer in Rom und der Holsteiner J. Liss in Venedig (TAFEL Barock II, 4). An der großen europ. Malerei des 17. Jhs. hatte Deutschland keinen Anteil mehr, wenn es auch einzelne tüchtige Maler hervorbrachte. – Eine Fülle von neuen Aufgaben bot der deutschen Malerei des 18. Jhs. die Baukunst des Spätbarock. In den Kirchen, Klöstern und Schlössern Süddeutschlands und Österreichs entstanden gewaltige Deckenfresken, die mit illusionistischen Mitteln in Dienst der Architektur den begrenzten Raum in den unbegrenzten übergehen lassen. Unter den bayrischen Freskenmalern sind vor allem C. D. Asam und J. B. Zimmermann, unter den in Österreich tätigen P. Troger u. F. A. Maulbertsch zu nennen.

Der sich ihrem Ende zuneigenden Kunst des Barock trat R. Mengs als Wortführer des **Klassizismus** entgegen, dessen Stilwille sich am entschiedensten in den Zeichnungen von A. J. Carstens aussprach. Gleichzeitig entstanden die Kupferstiche D. Chodowieckis, die das Leben des Bürgertums mit nüchternem Realismus schildern. Als Bildnismaler der Goethezeit ragen A. Graff und W. Tischbein hervor, als Landschaftsmaler der in Rom lebende J. A. Koch. Die **Romantik** fand ihren reinsten Ausdruck in den Werken C. D. Friedrichs, Ph. O. Runges,

des frühverstorbenen C. Ph. Fohr und der Brüder Olivier. Romantischen Ursprungs waren auch die Bestrebungen der →Nazarener (J. F. Overbeck, F. Pforr u. a.), die im Rückgriff auf die Kunst der frühen Meister eine Erneuerung der religiösen Malerei erstrebten. Zu ihnen gehörte anfänglich auch der als Freskenmaler tätige P. Cornelius, den an Kraft der Gestaltung A. Rethel übertraf (Entwürfe zu den Wandgemälden aus der Geschichte Karls des Großen im Aachener Rathaus). Während die Romantik, von der auch der gemütvolle L. Richter ausging, in den Märchen- und Sagenbildern M. v. Schwinds bis in die zweite Hälfte des Jahrhunderts fortlebte, hatte sich mit F. Krüger in Berlin und F. Waldmüller in Wien der **Realismus** immer mehr durchgesetzt. Der überragende Meister war A. Menzel, der in den Bildern seiner Frühzeit den Impressionismus vorausnahm, vor allem aber das Leben Friedrichs d. Gr. in Holzschnittillustrationen und Gemälden schilderte, später auch Bilder aus der zeitgenöss. Geschichte malte. Impressionistischer Malweise näherten sich auch K. Blechen, der als Romantiker begann, F. v. Rayski und zeitweilig W. Leibl, dessen malerischer Realismus sich zu altmeisterlicher Sachtreue entwickelte. Ihm standen C. Schuch und W. Trübner nahe, in seinen Anfängen auch H. Thoma. Bilder einer im klassischen Sinn idealen Welt malten A. Feuerbach und A. Böcklin, die meist in Italien lebten, wie auch H. v. Marées, der die monumentalen Fresken der Zoologischen Station in Neapel schuf (1873).

Die führenden Meister des bis weit in das 20. Jahrhundert fortwirkenden **Impressionismus** waren M. Liebermann, M. Slevogt und L. Corinth, die in Berlin tätig waren. Der Durchbruch zum **Expressionismus** ging von der →Brücke aus, der 1905 in Dresden gegründeten Gemeinschaft der Maler E. L. Kirchner, E. Heckel, K. Schmidt-Rottluff, zeitweilig auch E. Nolde, die mit unrealistischen, den Ausdruck aufs äußerste steigernden Mitteln ihr Wirklichkeitserlebnis zu gestalten suchten. Im Gegensatz zum Sturm und Drang der Brücke war das Schaffen der 1911 in München gegründeten Künstlervereinigung der →Blauen Reiters, der W. Kandinsky, F. Marc, A. Macke, P. Klee u. a. angehörten, von mehr romantisch-lyrischer Art. Zu einem aus dem Impressionismus entwickelten Stil expressionist. Art gelangte O. Kokoschka, auch L. Corinth in seiner Spätzeit. M. Beckmann fand die harte Sachlichkeit der ihm eigenen Ausdruckskunst nach dem 1. Weltkrieg. Neben ihm ist vor allem C. Hofer zu nennen. Von starker Wirkung auch auf die Malerei war das 1919 in Weimar gegründete →Bauhaus, an dem W. Kandinsky, L. Feininger, P. Klee und O. Schlemmer lehrten. Die **abstrakte Malerei** ging von Malern des Blauen Reiters aus, von denen Kandinsky 1910 das erste gegenstandslose Bild malte; auch F. Marc wandte sich in seiner letzten Schaffenszeit immer mehr abstrakten Gestaltungen zu. Zur Bewegung des Dadaismus gehörten K. Schwitters, H. Arp, G. Grosz, J. Heartfield.

Nach der erzwungenen Pause von 1933 bis 1945 zeigten zunächst die älteren Überlebenden, daß trotz der Abschnürung ihre Entwicklung nicht zum Stillstand gekommen war, so unter den Abstrakten vor allem W. Baumeister mit seiner einflußreichen Schule und dessen Gegenpol E. W. Nay als führender Kolorist. Zu den Klassikern der Nachkriegszeit, die ihren Ausgang schon im Expressionismus (Nay) oder Kubismus (Baumeister) genommen haben, gehören weiterhin Th. Werner, der Kandinsky- und Kleeschüler F. Winter, J. Bissier. Deutlicher als bei den Genannten wird es bei dem Landschaftsmaler W. Gilles, bei W. Heldt und A. Camaro, die sich nie ganz vom Gegenstand gelöst haben, daß die Kontinuität zwischen der Vor- und der Nachkriegsgeneration sehr gering ist. Als Nachexpressionist kann der Holzschneider HAP Grieshaber gelten. Vertreter des *Tachismus*, der in seinen Anfängen von Wols und H. Hartung, die beide früh nach Frankreich emigriert waren, entscheidend mitbestimmt wurde, sind die Maler der Frankfurter Quadriga K. O. Götz, O. Greis, H. Kreutz und B. Schultze. Zur Bewegung des *Action-Painting* zählen G. Hoehme, E. Schumacher, H. Trier, P. Brüning, R. H. Sonderburg. In das Gebiet der skripturalen Malerei sind einzuordnen die Phantasieschriften H. Trökes', die Sehtexte F. Kriwets, die aus Druckbuchstaben komponierten Bilder von J. Reichert. Der *Surrealismus*, dessen bedeutendste klass. Vertreter der nach Paris emigrierte M. Ernst und der ursprüngl. vom Bauhaus stammende R. Oelze sind, findet eine gewisse Fortsetzung im Werk des Wieners Hundertwasser, in der Wiener Schule des phantast. Realismus (E. Brauer, E.

Fuchs, R. Hausner, A. Lehmden) und bei den Deutschen M. Zimmermann, P. Wunderlich, H. Janssen, W. Blecher, H. Antes, F. Schröder-Sonnenstern. Zur Pop-Art gehören W. Vostell, K. Klapheck, W. Gaul, H. P. Alvermann, K. Pfahler. Zu den frühen Vorläufern der Op-Art können die Schweizer M. Bill und R. Lohse gezählt werden, Opkünstler der jüngeren Generation sind G. Fruhtrunk und G. Wind.

LITERATUR ZUR DEUTSCHEN KUNST

G. Dehio: Gesch. der D. K., 3 Doppel-Bde. (⁴1930–34), Doppel-Bd. 4 (19. Jh.) v. G. Pauli (1934); Dt. Kunstgeschichte, 1: E. Hempel, Baukunst (²1956), 2: A. Feulner u. Th. Müller, Plastik (1953), 3: O. Fischer, Malerei (³1956), 4: ders., Zeichnung u. Graphik (1951), 5: H. Kohlhaussen, Kunsthandwerk (1955), 6: F. Roh: Von 1900 bis zur Gegenwart (1958); W. Pinder: Vom Wesen u. Werden dt. Formen, 4 Bde. (1935–51); A. Grisebach: Die Kunst der dt. Stämme (1946). – G. Dehio: Handb. der dt. Kunstdenkmäler, neu bearb. von E. Gall, bisher 9 Bde. (1952 ff.); Reallexikon zur dt. Kunstgesch. (1937ff.); Deutsche Kunstdenkmäler, ein Bildhandbuch, hg. v. R. Hootz, 14 Bde. (1958ff.). J. Joedicke: Moderne Architektur (1969); Neue dt. Architektur, Bd. 2, Einl. v. U. Conrads, Bildtexte v. W. Marschall (1962). – G. Händler: Dt. Malerei der Gegenwart (1956); Juliane Roh: Dt. Bildhauer der Gegenwart (1957); A. Schulze-Vellinghausen u. Anneliese Schröder: Junger Westen, D. K. nach Baumeister (1958); Neue Kunst nach 1945, hg. v. W. Grohmann (1958); F. Roh: Dt. Malerei von 1900 bis heute (1962); H. Platschek: Neue Figurationen (1959); ders.: Bilder als Fragezeichen (1962); Wegzeichen im Unbekannten, 19 dt. Maler zu Fragen der zeitgenöss. Kunst, hg. v. W. Rothe (1962).

DEUTSCHE LITERATUR

ÄLTESTE ZEIT BIS 1170

Aus Zeugnissen des Tacitus und anderer latein. Schriftsteller lassen sich Grundformen und -stoffe der vorliterar. deutschen Dichtung erschließen. Ihre Hauptgattungen waren Zauberspruch, heroisches Lied, Preislied, Götterdichtung und -spruch; ihre Form war der Stabreim.

In der *Karolingischen Zeit* (etwa 760–910) beginnt unter fränkischer Führung die Einordnung der Deutschen in die christlich-abendländ. Völkergemeinschaft, deren geistiger Träger die Kirche ist. Neben der mündlich überlieferten gesungenen oder erzählten Dichtung, die selten schriftlich festgehalten wird (Hildebrandslied, Merseburger Zaubersprüche), entsteht eine von Geistlichen verfaßte theologisch-christliche Bildungsliteratur (Übersetzungen aus dem Lateinischen, Glossare, Interlinearversionen). Die

Geistlichkeit versucht, die christliche Lehre dem Volk in deutscher Sprache nahezubringen; es entstehen religiöse Werke in Stabreimen, z. B. Wessobrunner Gebet, Heliand (um 830). Otfried von Weißenburg schuf in seiner Evangelienharmonie (zwischen 863 und 871) die erste deutsche Dichtung mit Endreim nach latein.-kirchl. Vorbild. Mit dem Aussterben der Karolinger (911) bricht die schriftliche dt. Überlieferung für 150 Jahre ab.

An ihre Stelle setzt die *ottonische Renaissance* das Latein. Das erste Heldenepos (Waltharius manu fortis) gehört vielleicht noch der karolingischen Zeit an, das erste Tierepos (Ecbasis captivi, um 1040) und der fragmentarische lat. Versroman ›Ruodlieb‹ (um 1050) schon der Salzeit. Einzig dastehend bleibt die dem humanistischen Schulunterricht verpflichtete Übersetzungsleistung Notkers III. von St. Gallen († 1022).

Deut

Die *Cluniazensische Dichtung* (1060–1170) ist auf Glaubensfestigung, Buße und Sündenbewußtsein gerichtete Erbauungsliteratur (Annolied, Wiener Genesis, Bußpredigt des Armen Hartmann und Heinrichs von Melk). Die weltliche Dichtung lebte daneben in Heldenliedern, politischen Versen, Lobliedern unaufgezeichnet fort. An diese Überlieferung knüpft die erhaltene Epik des 12. Jhs. an. Sie behandelt weltgeschichtliche Vorgänge (Kaiserchronik), den Orient der Kreuzzüge (König Rother, Herzog Ernst), Stoffe des spätgriechischen Abenteuer- und Reiseromans (Lamprechts Alexander, um 1130). Weltfreude verkünden die latein. Gedichte des Archipoeta. Zum Kreuzzugsaufruf wird das Rolandslied durch den Pfaffen Konrad nach französ. Vorlage umgeformt (um 1170). Die polit. Zeitlage um die Mitte des Jahrhunderts gestaltete der Tegernseer ›Ludus de Antichristo‹.

DIE BLÜTE RITTERLICHER DICHTUNG (1170 BIS 1250) UND DER ÜBERGANG ZUR BÜRGERLICHEN DICHTUNG (1250–1450)

Um 1170 halten Frauendienst und Minne nach französ. Vorbild auf deutschem Boden ihren Einzug und werden zum beliebten Thema der Epik des zum Selbstbewußtsein erwachten deutschen Rittertums. Im Äneasroman des Heinrich von Veldeke (um 1180–90) wird das neue Bildungs- und Kunstideal zum erstenmal auf eine beachtliche Höhe geführt. Der Alemanne Hartmann von Aue († um 1210) holt die Artussage nach Deutschland und gibt in seinen Epen Vorbilder der edlen ritterlichen Lebensform. Der Franke Wolfram v. Eschenbach († um 1220) schafft in genialer, oft dunkler Sprache das größte Epos des Mittelalters, den ›Parzival‹. Anders als Hartmann und Wolfram spielt im ›Tristan‹ des (wohl geistlichen) Gottfried v. Straßburg das Rittertum keine entscheidende Rolle. Der höfisch-ritterlichen Umformung entging auch ein so heroischer Stoff wie die Nibelungensage nicht; um 1205 schafft ein Dichter am Hof des Bischofs von Passau durch Umstilisierung vorhandener Epen im Geschmack der Zeit das Nibelungenlied. Aus der einfachen Lieddichtung des Frühmittelalters entwickelt sich seit Mitte des 12. Jhs. eine ritterliche Kunstdichtung, →Minnesang (Kürenberger, Friedrich von Hausen, Reinmar der Alte, Heinrich von Morungen, Walther von der Vogelweide). In der Spätzeit der Minnedichtung behandelte Neidhart v. Reuenthal (um 1210 bis um 1245) in seinen Liedern bäuerliche Liebesszenen und Ulrich von Lichtenstein übersteigert in einem Versroman ›Frauendienst‹ (1255) die ritterlichen Sitten ins Groteske. Unter den zahlreichen Epigonen höfischer Epik ragt der Alemanne Rudolf von Ems hervor († um 1254). In der Laienbibel ›Bescheidenheit‹ des bürgerlichen Freidank, im Zeitspiegel des Thomasin von Zerklaere ›Der welsche

Gast‹, in den Rechtsbüchern (Sachsen-, Deutschen-, Schwabenspiegel) künden sich noch in der ersten Hälfte des 13. Jhs. neue literarische Formen und Stoffe an.

In der 2. Hälfte des 13. Jhs. bleibt Konrad v. Würzburg als Formtalent der Vergangenheit verpflichtet; er pflegt die neue Gattung der Versnovelle. Im Bairisch-Österreichischen verklingt das Heldenepos in Dichtungen aus dem Umkreis Dietrichs von Bern. Den Übermut des über seinen Stand hinausgreifenden Bauernsohns hält der Österreicher Wernher der Gärtner in einem erschütternden Sittenbild ›Meier Helmbrecht‹ fest (um 1270). Die Epik mündet im 14. und 15. Jh. in geistliche Dichtung (Deutschordensdichtung) und Lehrdichtung (›Der Renner‹ Hugos v. Trimberg, um 1300; ›Der Ring‹ Heinrich Wittenweilers, 1. Hälfte des 15. Jhs.). Der Lyrik erstehen noch selbständige Persönlichkeiten in Heinrich Frauenlob von Meißen (Anfang des 14. Jhs.), der die höfischen Formen aufgibt, in Hugo v. Montfort (1357–1423) und Oswald von Wolkenstein (1377–1445). Seit der 2. Hälfte des 14. Jhs. versammeln sich Handwerker zur Pflege des →Meistergesangs. Das Drama, ursprünglich ein Teil der Festliturgie zu Weihnachten und Ostern, nimmt die deutsche Sprache an und zieht von der Kirche auf den Markt. Vor allem aber ändert sich das Gesicht der dt. Literatur grundlegend durch die verstärkte Weiterentwicklung der dt. Prosa: wortgewaltige Predigten Bertholds von Regensburg, Schriften der Mystiker, so von Meister Eckart (1260–1327), Seuse, Tauler; Streitgespräch mit dem Tod des ›Ackermanns aus Böhmen‹ von Johannes von Saaz (1401).

VON HUMANISMUS UND REFORMATION ZU BAROCK UND KLASSIZISMUS (1450–1750)

Die deutschen Humanisten schreiben und dichten oft in lateinischer Sprache. Doch versuchen humanistische Übersetzer (Steinhöwel, Niklas von Wyle) das neue humanistisch-lateinische Sprachideal auch ins Deutsche zu übertragen. Predigt (Geiler v. Kaisersberg), Moralsatire (Sebastian Brants ›Narrenschiff‹, Thomas Murner) und Prosachronik halten die Mitte zwischen gelehrter und Volksdichtung. Die Reformation schafft im evangel. Kirchenlied eine neue entwicklungsfähige Gattung. Luthers Bibelübersetzung gibt den Anstoß zur Ausbildung einer über den Mundarten stehenden deutschen Schriftsprache. Auch Fastnachtsspiel (Niklas Manuel) und lateinisches Kunstdrama (Naogeorg) stellen sich in den Dienst der Reformation. Moralische Lehre ist Aufgabe des Tierepos (Reinke de Vos). Dank dem neuen Buchdruck erlangen die ›Volksbücher‹ weite Verbreitung. Größter Vertreter der volkstümlichen Dichtung des 16. Jhs. ist der Schuhmacher und Meistersinger Hans Sachs (Meisterreden, Dramen, Fastnachtsspiele). Jörg Wickram eröffnet mit seinem ›Rollwagenbüchlein‹ um die

Mitte des Jahrhunderts die beliebten Schwanksammlungen und ist auch Schöpfer des bürgerlichen deutschen Prosaromans. Moralsatiriker von großer Sprachkraft und Rabelais-Übersetzer ist Johann Fischart (1546–1590).

Nach den üppigen Wortkaskaden Joh. Fischarts versuchte im 17. Jh. Martin Opitz als Gesetzgeber (›Buch von der deutschen Poeterey‹, 1624) und mit eigenen Dichtungen die Voraussetzungen für eine deutsche Nationalliteratur im Sinne der Renaissancepoetik zu schaffen. Aber dem konfessionell gespaltenen, durch den Dreißigjährigen Krieg zerrütteten deutschen Sprachgebiet fehlen die Möglichkeiten ruhigen Wachstums, der literar. Mittelpunkt und eine tonangebende Gesellschaft. Die Schwerpunkte der literar. Entwicklung verlagern sich nach Schlesien, Sachsen, Bayern-Österreich. Schüler und Anhänger von Opitz (Erste schlesische Dichterschule) führen das theoretische Gespräch fort (Tscherning, A. Buchner). Unter all den Vertretern einer lehr- und lernbaren Poesie ragt Paul Fleming (1609 bis 1640) als Lyriker von tieferer Eigenart hervor. Vertraut mit den Schrecken des Todes und mystischem Erleben, bewegt sich die geistliche Lyrik auf den Spuren des Hohen Liedes. Sie erreicht ihren Höhepunkt im Kirchenlied Paul Gerhardts (1607–76) und in der mystischen, paradox zugespitzten Epigrammatik des Angelus Silesius (1624 bis 1677). Wissenschaftliche- und Sprachgesellschaften zur Pflege von Sprache und Dichtung bekämpfen Grobianismus, Fremd- und Dialektworte. In ihrem Umkreis entstehen Gesellschaftslieder und schäferliche Gesellschaftsdichtungen. Gryphius (1616–64), auch als Lyriker bedeutend, schreibt, geführt von Lohenstein, die ersten hohen Tragödien in deutscher Sprache, die die Hauptthemen barocker Dichtung, die Vergänglichkeit, den Wechsel irdischen Glücks, die Größe des Leides und die größere Kraft der Überwindung veranschaulichen. Das lateinische Jesuitendrama (J. Bidermann, 1578–1639) ist Kampfmittel der Gegenreformation. Der Roman entwickelt sich mit Hilfe von Übersetzungen aus dem Spanischen und Französischen; es folgen als Gattungen: politisch-historischer Heldenroman (Buchholtz, Herzog Anton Ulrich v. Braunschweig, Ziegler), Schäferroman, politischer Roman (Chr. Weise), parodistischer Roman (Chr. Reuter), galanter Roman und Robinsonade. Grimmelshausens ›Simplizissimus‹ (1669), die einzige zeitüberragende Dichtung des Barock, knüpft an den Gegentypus des höfischen Romans, den Schelmenroman, an. Der barocke Hang zur Übersteigerung führt zum bildüberladenen, manieristischen lyrischen und Erzählstil der Zweiten Schlesischen Dichterschule (C. v. Lohenstein, Hofmann von Hofmannswaldau). Gegen Modetorheiten und Laster der Zeit wenden sich Moscherosch († 1669), Logau († 1655),

Lauremberg († 1658) in Epigrammen und Satiren. Aus der Masse der Predigt- und Erbauungsliteratur ragt Abraham a Sancta Clara hervor.

In den Gedichten von B. H. Brockes (›Irdisches Vergnügen in Gott‹, 1721–48) mit ihrer Verbindung von Naturbetrachtungen und nüchternen Nützlichkeitserwägungen wird die Aufklärung sichtbar. Deren neue journalistische Form ist Anfang des 18. Jhs. die moralische Wochenschrift. Wieder tritt ein klassizistischer Gesetzgeber dem Wildwuchs des sprachlichen Ausdrucks entgegen: Gottsched (1700–66); im Bund mit Karoline Neuber tritt er auch als Reformator der dt. Schaubühne auf. Gegen Gottscheds schulmeisterliche Nüchternheit verteidigen die Schweizer Bodmer und Breitinger das Recht der Einbildungskraft. Hagedorn und die Anakreontiker verkünden heiteren Lebensgenuß. Naturidyllen schreiben die Schweizer A. v. Haller, S. Geßner, ferner Ewald v. Kleist. Die Familie wird im Rührstück Gellerts und dem von Richardson beeinflußten Roman Hauptthema.

DIE GOETHEZEIT (1750–1832)

Gottscheds einstige Anhänger, die Mitarbeiter an den ›Bremer Beiträgen‹, entscheiden 1748 durch Veröffentlichung der drei ersten Gesänge von Klopstocks Epos ›Messias‹ den Literaturstreit zwischen Gottsched und den Schweizern zugunsten des Eigenrechts der Phantasie und damit gegen den Rationalismus der Aufklärung. Klopstock wird der dichterische Verkünder eines neuen, schwärmerischen, zugleich frommen und weltfreudigen Lebensgefühls. Lessing befreit im Blick auf Shakespeare die deutsche Dichtung aus ihrer Abhängigkeit von französ. Vorbildern und bahnt dem deutschen Drama neue Wege (›Emilia Galotti‹, ›Minna von Barnhelm‹, ›Nathan der Weise‹). In Wielands anmutig-eleganten Vers- und Prosaerzählungen gipfelt das deutsche Rokoko. Herder überwindet das vernunftgläubige, aufklärerische Welt- und Menschenbild durch die Neuentdeckung der Natur und Geschichte und lenkt den Blick auf die dem Gesetz der unverbildeten Natur folgende Dichtung (Homer, Ossian, Shakespeare). Als Gefolgschaft Klopstocks zeigt sich der Göttinger Hain (Voss, die beiden Stolberg, Bürger, Hölty, Claudius). Angeregt durch Herder und Hamann und die Zeitströmung der Empfindsamkeit wird der →Sturm und Drang zur entscheidenden Gegenbewegung gegen den Rationalismus (Goethe, Klinger, Wagner, Lenz, Heinse, Schiller; psychologische Selbstanalyse von K. Ph. Moritz). Für Goethe und Schiller ist der Sturm und Drang nur Übergang. Schon in Goethes ›Tasso‹, vollends in ›Iphigenie‹ und ›Wilhelm Meister‹ vollzieht sich der Ausgleich von Ich und Welt, wird das klassische Humanitäts- und Kunstideal ausgebildet. Schiller spürt in der Nachfolge Kants dem Wesen des Dichterischen und dem phi-

45

losoph. Grund des Tragischen nach. Das Jahrzehnt gemeinsamen Weges mit Goethe bringt seine höchsten Leistungen (›Maria Stuart‹, ›Jungfrau von Orleans‹, ›Braut von Messina‹, ›Wilhelm Tell‹). Bedeutendster Romanschriftsteller der Zeit ist Jean Paul. Am Leitbild eines religiös vertieften Griechentums wächst Hölderlins Dichtung bis zur Höhe gottergriffener Schau und mythischen Sehertums. H. v. Kleists dramatische und sprachliche Kraft gestaltet eine Klassik und Romantik überschreitende neue Erfahrung der Wirklichkeit.

Die →Romantik zerbricht von ihrem Erlebnis der Unendlichkeit her das humane und künstlerische Vollendungsideal der Klassik. Man unterscheidet die Frühromantik (Berlin, Jena) mit den Brüdern Schlegel, Tieck, Wackenroder, Novalis, Fouqué, Chamisso, und die Spätromantik des Heidelberger Kreises mit Achim von Arnim, Cl. Brentano, Eichendorff, Görres, den Brüdern Grimm. Eine schwäbische Dichtergruppe mit Uhland, Kerner, G. Schwab setzt diese Überlieferungen fort. Nur in der Lyrik bringt die Romantik Vollkommenes hervor. Das romantische Drama (Tieck, Arnim, Z. Werner) ist formlos-phantastisches Buchdrama. Die meisten romantischen Romane bleiben Fragment. Nur in dem Musiker-Dichter E. T. A. Hoffmann gewinnt die romantische Erzählung Weltgeltung. Patriotisch-politische Lyrik (Arndt, Körner, Schenkendorf, Rückert) entfaltet sich im Befreiungskrieg. Sie wird in den Griechenliedern W. Müllers weitergeführt. Die Mundartdichtung erlangt hohen Rang bei dem Alemannen Joh. Peter Hebel, der in seinen volkstümlichen Kalendergeschichten auch ein bedeutender Erzähler ist. Goethes Spätzeit zeigt eine immer strengere Hinwendung zu den Gesetzen der Natur und den sittlichen Lebens (›Wahlverwandtschaften‹) und zur tätig dienenden Einordnung in das gesellschaftliche Ganze (›Wanderjahre‹). Sein Werk gipfelt in universaler Lebensschau (›Westöstlicher Diwan‹, ›Faust II‹).

REALISMUS 1832–85

Die klassisch-romantische Erlebnislyrik klingt aus in den Gedichten von Heine (›Buch der Lieder‹, 1827), Lenau, in der Formkunst Platens, in dem erfüllten Zusammenklang von Klassik und Romantik in der Dichtung Mörikes (›Gedichte‹, 1838). In den Gedichten und Erzählungen Annette v. Droste-Hülshoffs, auch im Werk Immermanns kündet sich bereits ein neuer Realismus der Natur- und Menschenbeobachtung an. In Österreich gelangt die barocke Theatertradition in den formal der Klassik verpflichteten, inhaltlich weltschmerzlich-pessimistischen Dramen Grillparzers, im Volkstheater Raimunds und Nestroys zu neuer Blüte.

Das noch die Goethezeit bestimmende Gleichgewicht von Geist und Welt weicht einer wachsenden Übermacht der Wirklichkeit (Entwicklung der Industrie und Technik, politisch-soziale Bewegung). Dem weltanschaulichen bürgerlichen Liberalismus als Versuch der Versöhnung des Wirklichen mit dem Menschlichen entspricht ein künstlerischer Realismus, der zwar die Schilderung des Wirklichen erstrebt, sich aber dabei bemüht, im Naturhaften das Geistige sichtbar zu machen (Poetischer Realismus, von Otto Ludwig näher in ›Shakespearestudien‹ u. a. gekennzeichnet. Deutlich ist dabei die Entwicklung von der Verklärung der kleinen, aber lebensvollen Dinge im →Biedermeier, vom Realismus bei Jeremias Gotthelf und Adalbert Stifter, die in ihren mächtigen Erzählwerken auch das Unscheinbare in eine höhere göttliche Ordnung einbeziehen, und vom Realismus Gottfried Kellers, der sich bemüht, die neue Wirklichkeit auf Grund einer mit demokratischen Idealen sich verbindenden Humanität zu bejahen, zu einem mehr psychologisch-kritischen Realismus bei W. Raabe, C. F. Meyer, Th. Storm, Th. Fontane. Sie ist Ausdruck des schon bei den Dramatikern G. Büchner, Chr. D. Grabbe erwachten Bewußtseins der tödlichen Bedrohung der Freiheit und des Daseinssinnes durch die totale Naturgesetzlichkeit und die entseelende Zivilisation. Nach F. Hebbels Dramen ist der Geschichtsprozeß gebunden an den tragischen Untergang der großen Individuen, an die Urschuld des Einzelwillens. Die schärfste Wendung zur Tagesrealität mit dem Willen zu ihrer unmittelbaren Beeinflussung hatte sich schon nach 1830 im →Jungen Deutschland vollzogen, auch in der politischen Lyrik von Anastasius Grün, Hoffmann v. Fallersleben, Herwegh, Freiligrath. Wie in ganz Europa sind auch in Deutschland Roman und Novelle die Hauptträger des realistischen Stils. Bäuerliches Leben und stammverwurzeltes Menschentum ist das Thema der Heimatdichtung eines Auerbach, F. Reuter, K. Groth, Rosegger. Die gesellschaftlichen Verhältnisse in Wien und Österreich schildern Marie v. Ebner-Eschenbach und F. von Saar. Das erzählerische Werk von Sealsfield stellt die erste epische Bewältigung des aufstrebenden Amerika dar. Der Geschichtsroman Walter Scotts ist Ahnherr der Geschichtsromane von W. Alexis, V. v. Scheffel, H. Kurz, G. Freytag, W. Meinhold, Louise von François, die Professorenromane von F. Dahn und G. Ebers.

Die klassisch-romantischen Stil- und Gesinnungsgrundsätze werden im Zeitalter des Realismus weiterbewahrt, u. a. in der epigonalen Bildungsdichtung des Münchener Dichterkreises um Geibel und Heyse.

VON NATURALISMUS UND NEUROMANTIK BIS 1945

Der Naturalismus, dessen Beginn im allgemeinen mit den ›Kritischen Waffengängen‹ (1882) der Brüder Hart angesetzt wird, verstand sich als Revolution in der Literatur und sah die gesamte nachklassische Vergangenheit, obgleich deren Tendenzen zu ihm hinführten, als idealist. Epigonentum an. Das Neue, »die Moderne«, vertrat eine antimetaphysische Welt, stellte den Menschen als Triebwesen dar, behandelte soziale Probleme; nicht die Einzelperson interessierte; sondern das Schicksal einer ganzen Schicht oder Klasse. Der entstehende dt. Naturalismus konnte sich an die bereits weiter fortgeschrittene Literatur der Franzosen (Balzac, Flaubert, Maupassant, Zola), der russ. Realisten (Tolstoi, Dostojewski) und der skandinav. Länder (Jacobsen, Strindberg, Ibsen, Björnson) anlehnen. Genaue Erfassung der sozialen Wirklichkeit wurde gefordert; die Reportage wurde Dichtung. L. Anzengruber, M. Halbe, D. von Liliencron, A. Holz, H. Sudermann, O. E. Hartleben, G. Hauptmann, J. Schlaf, O. J. Bierbaum schrieben psychologische Dramen und Romane, die sich kritisch gegen die bestehende Gesellschaftsordnung und das Bürgertum wandten. Die naturalist. Lyrik formulierte eine neue Poetik, in der vor allem Motive der Technik verwandt und zum erstenmal Großstadt und Großstadtmenschen erfaßt wurden. – Während der gleichen Zeit traten verschiedene Strömungen zum Naturalismus zutage, die ihren Gegensatz zur gesamten realist. Entwicklung des 19. Jhs. betonten. Von maßgebendem Einfluß waren der Pessimismus A. Schopenhauers, der durch die Musikdramen Richard Wagners eine romantische Note bekam, und der Kulturpessimismus F. Nietzsches. Die Impressionisten (Schnitzler, P. Altenberg, Polgar, R. Walser) – diese Bezeichnung wurde von der zeitgenössischen franz. übernommen – schufen durch die Wiedergabe sensibler Stimmungsbilder ein neues Kunstideal. Als eine diesen Gruppen gemeinsame Komponente wurde der von Frankreich ausgehende Symbolismus (Baudelaire, Verlaine, Mallarmé, Rimbaud) angesehen. Melancholie und Extase waren der symbolisierende Ausdruck des Tatsächlichen; Schlagworte wie *decadence* und *fin de siecle* kennzeichnen die Geisteshaltung. Die Jung-Wiener Gruppe scharte sich um H. von Hofmannsthal, A. Schnitzler und H. Bahr. Vor allem S. George, dessen Kreis, zu dem der junge Hofmannsthal, M. Dauthendey, K. Wolfskehl u. a. gehörten und R. M. Rilke eigneten sich die symbolist. Kunstauffassungen an. Das Stilbemühen der Zeit fand im literar. Jugendstil (George, Rilke, R. Dehmel, T. Däubler), der auf Erlesenheit, lineare Arabesken und kunstvoll arrangierte Naturszenerie abzielte, einen deutlichen Ausdruck. Die Wiederbelebung der Balladendichtung erfolgte durch A. Miegel, Börries von Münchhausen, L. von Strauß und Torney, Ch. Morgenstern.

Mit der Neuklassik sind die Namen P. Ernst und W. von Scholz verbunden, die die Erneuerung des antiken und klassischen Dramas erstrebten. Zur Neuromantik gehören: E. Hardt, H. Eulenberg, I. Kurz, R.

Beer-Hofmann, R. G. Binding, R. Borchardt, W. Schäfer, W. Lehmann, G. Britting, H. Carossa, J. Weinheber, R. Huch und H. Hesse. Der von F. Lienhard begründeten Heimatkunstbewegung sind zuzurechnen: H. Löns, A. Bartels, C. Viebig. – Der Expressionismus entwickelte sich aus einer ästhetisch und philosophisch orientierten Bewegung zu einer politisch betonten. Sein Weltgefühl war bestimmt von der Entfesselung des Individuums, vom Chaos des modernen Lebens. Vorbildlich für den Expressionismus wurden die späten Dramen A. Strindbergs, vor allem für F. Werfel, E. Toller, E. Barlach, G. Kaiser, F. von Unruh. Die Groteske, wie sie von F. Wedekind und Morgenstern vorgebildet war, wurde von C. Sternheim weitergeführt. Zu Beginn der expressionist. Literatur-Epoche herrschte die Lyrik vor. Die Frühexpressionisten (G. Heym, G. Trakl, E. Stadler, E. Lasker-Schüler, A. Stramm) kamen vom Impressionismus her. Mit protestierendem und revolutionierendem Akzent wurde die Song-Ballade (A. Lichtenstein, Klabund, J. Ringelnatz, W. Mehring) fortgeführt. An dem Expressiven überhaupt, bis in die Wortstellung und Wortwahl hinein, zeigte sich der Einfluß Nietzsches (R. J. Sorge, G. Benn). Hinter Lyrik und Drama trat der expressionist. Roman zurück. Die für diesen Stil kennzeichnende Aussparung und Verknappung tritt besonders bei H. Mann und in den erzählerischen Kleinformen von G. Benn, A. Döblin, F. Kafka, K. Edschmid, L. Frank, A. Mombert, W. Hasenclever, R. Musil hervor. Die sozialkritische Tendenz (B. Brecht), die Entwicklung von der Ich-Dichtung zur Wir-Dichtung geht parallel mit der wachsenden Rationalisierung und Politisierung in der Literatur. – Vom weltanschaulichen Programm des Expressionismus unabhängig war der Dadaismus (R. Huelsenbeck, H. Ball, T. Tzara, H. Arp, K. Schwitters), der über das absolut gesetzte Wort hinaus bis zum absolut gesetzten Laut vorstieß. – Um die Mitte der zwanziger Jahre wurde die Sprache betont nüchtern und sachlich (T. Mann, A. Döblin, E. M. Remarque, F. R. Schickele, K. Weiß, W. von Niebelschütz, J. Wassermann, Werfel, R. Musil). Die Autoren der »Neuen Sachlichkeit« bezogen ein skeptisches, selektives oder ideologisch bestimmtes Verhältnis zur Dichtung. Mit der Begriffsprägung »magischer Realismus« versuchte man, der Einbeziehung des Über- und Außerwirklichen gerecht zu werden (H. H. Jahnn). Als Antwort »auf die Ausbeutung und auf den Krieg« (J. R. Becher) entwickelte sich die proletarisch-revolutionäre Literatur (E. Weinert, W. Bredel, B. Brecht, J. R. Becher, J. Roth, L. Feuchtwanger, H. Marchwitza, A. Scharrer, L. Turek, A. Kurella, F. Wolf, G. von Wangenheim, E. Toller, A. Seghers, H. Mann, K. Tucholsky, H. Kesten, L. Renn). – Den polit. Ereignissen nach der

Machtergreifung Hitlers folgten Maßnahmen, Verordnungen, Gesetze, die die deutschsprachige Literatur (in Dtl. ab 1933, in Österreich ab 1938) in die Emigration zwangen (Brecht, Döblin, H. Mann, Schnitzler, Toller, A. Zweig, St. Zweig, T. Mann, Ö. von Horvath u. a.). Auf »Germanentum« und Romantik zurückgehende Vorstellungen von dt. Volkstum und Dichtertum, die Betonung des »Ahnenerbes«, Bäuerlichen und Bodenständigen, die Überzeugung von der Gültigkeit bestimmter »Ordnungen«, eine heroisierende Auffassung des »Soldatischen«, die biolog. Bewertbarkeit des Menschen wurden für die »volkhafte Dichtung«, wie sie der Nationalsozialismus forderte, mitbestimmend. Sie verstand sich als Opposition zu ästhetisierender, »dekadenter« und »artfremder« Literatur (H. Grimm, H. F. Blunck, G. Kolbenheyer, H. Johst, H. Zillich, W. Schäfer, W. Beumelburg). Die durch den Nat.-Soz. direkt oder indirekt ausgebürgerte deutschsprachige Literatur (»Dt. Literatur im Exil«) hatte ihre Zentren in Wien (bis 1938), Prag, Amsterdam, Paris, Moskau, in der Schweiz, in Skandinavien, später in Palästina, USA, Argentinien, Chile, Brasilien, Mexiko. Zusammenfassend kann in der dt. Literatur zwischen 1925 und 1945, von der ein großer Teil im Ausland publiziert wurde, das Bemühen um die Aneignung und Sichtbarmachung eines neuen Wirklichkeits- und Weltbildes festgehalten werden, was zum Zurücktreten der Fabel und der Stimmung hinter die Reflexion führte. Bemerkenswert sind die Gestaltung politischer oder wissenschaftl. Utopien (Hesse, Werfel, H. Mann, E. Jünger) und der Rückgriff auf das Mythisch-Archaische (T. Mann). Für christl. Autoren wurde die Geschichte der Stoff, an dem sich der Bezug des Menschen auf das Transzendentale sichtbar machen ließ (G. von Le Fort, R. Schneider, J. Klepper, E. Schaper, W. Bergengruen). Der sozialist. Realismus, der seine »Abbild-Theorie« historisch-dialektisch begriff, bezeichnete das »Hinausweisen« über die bestehende Gesellschaft als Kriterium. Der Mensch in der Literatur dieser Epoche wurde ein exemplarischer Fall in seiner Ausgesetztheit und Unsicherheit (T. Mann, Kafka, L. Feuchtwanger, Musil, H. Broch). Die epische wie die dramatische Objektivität wurde zerstört (Döblin, Brecht), die Scheidung von Subjekt- und Objektsphäre verwischt (Kafka, Broch), das Reale mit dem Irrealen verschmolzen, der innere Monolog, der Traum, die Vision nicht von der Darstellung der sinnl. Welt abgesetzt.

Nach 1945

Die Vielfalt der Richtungen nach 1945 war weitgehend die Folge eines Generationswechsels, den politische Ereignisse verzögert und beeinflußt hatten, der neuen Wirksamkeit von Strömungen, deren Impulse teils am Anfang verebbten, teils nach 1933 ausgeschaltet waren, des Einfließens ausländischer Literatur, die nicht nur unbekannte Modelle empfahl, sondern auch solche, die bereits für veraltet gehalten worden waren, und der Suche nach Poetiken, ohne daß eine bestimmte Lehre allgemeine Verbindlichkeit erlangte. – Nach der bedingungslosen Kapitulation am 8. 5. 1945, mit der die völlige Niederlage im Zweiten Weltkrieg besiegelt wurde, führte die Besetzung durch USA, England, Frankreich und Sowjetunion zu Gebietsveränderungen: Bildung von Besatzungszonen, Sonderstellung von Berlin, das in Sektoren aufgeteilt wurde, Verselbständigung Österreichs. Die Unterschiede zwischen den drei westlichen Besatzungszonen und den östlichen, seit 1949 zwischen der Bundesrep. Dtl. und der DDR, kamen in der deutschen Literatur durch Aufspaltung in eine westdeutsche und ostdeutsche zum Ausdruck. Während einer längeren Periode übten nur wenige Autoren (z. B. Brecht, H. Böll), die in beiden Bereichen zur Kenntnis gelangten, eine gewisse Klammerfunktion aus. – Die Literatur der DDR wurde nach 1945 vorwiegend von heimgekehrten Emigranten (J. R. Becher, B. Brecht, W. Bredel, L. Renn, A. Seghers, B. Uhse, Arnold Zweig) getragen. Sie setzte die proletarisch-revolutionäre Tradition fort. Auf ihre äußere und innere Entwicklung haben das Zentralkomitee der SED (Sozialistische Einheitspartei), Parteitage, Konferenzen, das 1955 gegründete Leipziger Literatur-Institut »Johannes R. Becher« sowie Schriften und Aufsätze zum sozialistischen Realismus oder zum Prinzip der Parteilichkeit des dichterischen Schaffens maßgeblichen Einfluß ausgeübt. Beispielgebende ältere und später auftretende jüngere Autoren sind durch Preise (Nationalpreis, Lenin-Friedenspreis) ausgezeichnet worden. Österreich erreichte 1955 nach elfjähriger Viermächtebesetzung die Räumung des Landes und einen Staatsvertrag, in dem seine Neutralität garantiert wurde. Ansätze einer neueren Literatur kristallisierten sich um die Zeitschrift ›Plan‹, die Otto Basil seit 1945 herausgab. Ilse Aichingers ›Aufruf zum Mißtrauen‹, der hier 1946 erschien, gilt als »Ausgangspunkt einer ganzen Schriftstellergeneration« (H. Eisenreich). Auf neue Talente wies vor allem Hans Weigel hin, der die Anthologien ›Stimmen der Gegenwart‹ (1951–54) herausgab und eine Buchreihe ins Leben rief, in der u. a. Arbeiten von I. Aichinger und H. Eisenreich erschienen. Die um 1950 sichtbar gewordene Generation, ein »deutlich nichtepigonales Lebenszeichen der Literatur in Österreich« (G. Fritsch), fand zunächst geringes und zum Teil negatives Echo. Die Mehrzahl ihrer Angehörigen erreichte breitere Wirkung dann durch westdeutsche Verleger und Rundfunkanstalten (I. Aichinger, I. Bachmann, H. Eisenreich). Von den älteren Autoren, die zum Neuen in der Literatur Österreichs beitrugen, zählen besonders H. von

Doderer und A. P. Gütersloh. 1950 begann das Österreichische Bundesministerium für Unterricht Förderpreise an jüngere Autoren zu vergeben; Wien und andere Bundesländer sind diesem Beispiel gefolgt. Die 1960 von Wolfgang Kraus gegründete »Österreichische Gesellschaft für Literatur« verhalf zu internationalen Kontakten, Übersichten und Maßstäben. Überregionale Ziele verfolgte auch das »Forum Stadtpark Graz«, das die wichtige Zeitschrift ›Manuscripte‹ herausgibt. Die Schweiz, die ihre demokratische Tradition bewahrt hatte, Emigranten aufnahm und mit dem Schauspielhaus Zürich ein demonstrativ antitotalitäres Theater schuf, trug nach 1945 vor allem durch Max Frisch und Friedrich Dürrenmatt zur internationalen Geltung moderner deutschsprachiger Literatur bei. Als positive Konstante der schweizerischen Literatur sind außer der eigenartigen Verbindung des Lokalen mit dem Universalen und der humanistisch-europäischen Tradition die ästhetisch getönte Weltläufigkeit, die Literatur der Bildung, die Kunst des Essays, der Kritik, der Lyrik, der Übersetzung bezeichnet worden (Max Wehrli). Als Mittler zwischen dem Schweizerisch-Regionalen, dem Gesamtdeutschen und dem Europäischen trat Max Rychner hervor. – Die schon früher beobachtete Erweichung der Grenzen zwischen den traditionellen Literaturgattungen trifft auch für die nach 1945 veröffentlichte Dichtung zu: im Roman dominieren Monologe, Dialoge, lyrische Partien oder essayist. Einschübe; die Lyrik ist gelegentlich nur in Zeilen aufgeteilte Prosa, im Drama finden sich epische Komponenten, und die wissenschaftl. Prosa sowie der Essay sind wieder zu Kunstgebilden aufgestiegen. Das Hörspiel, 1924 entstanden, entwickelte mehr dem Lyrischen als dem Dramatischen nahestehenden eigenständigen Charakter. Ein Teil der nach 1945 hervorgegangenen deutschsprachigen Literatur ist als »Trümmerliteratur« bezeichnet worden: eine Generation von Schriftstellern, die den Krieg und die völlige Niederlage miterlebt hatten, die sich mit den Menschen zwischen den Ruinen identifiziert hatten (H. Böll, W. Borchert, W. Schnurre) schrieben sachlich, skeptisch autobiograph. Berichte. Authentische Diagnosen standen am Beginn der neueren realist. Literatur, die ihre Sozialkritik bis zur Satire und Groteske zuspitzte. Grundgedanken des Marxismus, der Existenzphilosophie, der Psychoanalyse, des Expressionismus und des Surrealismus waren starke Impulse. »Es gibt keinen Stil mehr, es gibt nur noch Stile« (F. Dürrenmatt). Mit theoret. Essays und Selbstinterpretationen wurden nach 1945 die poetolog. Überlegungen von T. Mann bis zu Benn u. a. fortgesetzt. Die Literatur trug stark experimentellen Charakter und näherte sich so methodologisch der Naturwissenschaft und Technik. Die Literatur ist »niemals nur Poesie, sondern auch zugleich Wissenschaft und Philosophie« (W. Jens). Der von vielen vertretene Nonkonformismus führte zu einer radikalen Sozial- und Zeitkritik, zu satirischem Moralismus und provozierender Opposition und wandte sich gegen die Selbstgerechten, Konjunkturritter und Spießer (H. Böll, A. Andersch, M. Frisch, F. Dürrenmatt, U. Johnson, A. Schmidt, E. Strittmatter, M. Walser, P. Weiss, Ch. Wolf, W. Koeppen, I. Bachmann, W. Hildesheimer, D. Wellershoff, G. Herburger, P. Härtling, G. Elsner, P. Bichsel, P. Handke, H. Fichte, M. Bieler, P. O. Chotjewitz, G. Zwerenz). Zeitgeschichtliche Realität wurde von G. Grass und dem Mitteln einer grotesk-komischen Phantasie zu überdimensionalen Bildern ausgemalt. Die sprachliche Transformation muß der soziologischen entsprechen, d. h. man war sich dessen bewußt, daß die Literatur, zwischen Breitenkultur und Spezialistendenken gestellt, mit der Manipulation der Sprache durch die Massenmedien wie Presse, Funk, Fernsehen, Film, Werbung und der zunehmenden Differenzierung in zahllose Untersprachen mit abweichender Bedeutung äußerlich gleicher Wörter rechnen mußte (H. C. Artmann, H. Heißenbüttel, F. Mon, A. Kluge). Da die Welt durch Worte abgestempelt wirkte, die nicht mehr mit der Sache deckten, zielte die Literatur auf eine Durchbrechung dieser Welt und den Aufbau einer eigenen, der weder mit dem Sekundenstil des Naturalismus noch mit den ekstatischen Rufen des Expressionismus erreichbar dünkte und das Stimmungshafte und Gefühlsselige vermied. Eine Zeitlang hat E. Hemingway mit seiner kargen, nüchternen Sprache starken Einfluß ausgeübt. Die überkommene Normalsyntax, wie sie große deutschsprachige Stilisten noch im 20. Jh. anwandten, wurde weitgehend aufgegeben, der Satzbau durch ein langes Band von assoziativ aneinandergereihten verkürzten Hauptsätzen abgelöst. Neben die Erzählung als abbildende Einkreisung individueller Entwicklungen oder kollektiver Schicksale trat die Montage aus disparaten Elementen, mit denen Situationen umkreist wurden. Eine ständig relativierende Darstellungsweise ließ den Leser am Zweifel, Erwägen, Prüfen teilnehmen. Im Roman fällt die Verlorenheit, Brüchigkeit, Indifferenz, Traditionslosigkeit der dargestellten Personen auf. Das Milieu ist nicht in herkömmlicher Weise beschrieben, sondern drückt sich durch seine Sprache, leitmotivisch verwendete Formeln, symbolähnliche Chiffren aus. Statt psychologischer Analyse von außen wird Unbewußtes und Unterbewußtes monologisch entschalt. Assoziativ gereihte Erinnerungsströme, Rechenschaftsberichte, Reihung verschiedener Ansichten, alogisch und achronologisch montiert, tragen zur Vielschichtigkeit des Erzählten bei. Der Leser soll die in wechselnde Perspektiven gefügten Erzählfragmente zu Ende denken;

dem Leser, der nicht mehr als geneigter, sondern als kritischer gefordert ist, wird auch weitgehend die Interpretation der Parabeln, Utopien, Symbole und Zerrbilder überantwortet, soweit der Text nicht prinzipiell interpretationsfeindlich ist. Ein kontinuierlich erzählter Roman sei unmöglich geworden, heißt die These. Das Erzählen im traditionellen Sinn erhielt sich am stärksten in den Heimat-, Liebes-, Familien- und volkstümlichen Kriminalromanen.

Nach 12 Jahren des Schweigens oder der Unterdrückung der deutschen Literatur kamen 1946 nach W. Borchert. W. Schnurre, H. E. Nossack, H. Böll; H. W. Richter gründete die »Gruppe 47«, deren Mitglieder aus der von den Alliierten bald verbotenen Zeitschrift ›Der Ruf‹ hervorgingen. Richter brachte L. Rinser, H. Risse, Erhart Kästner, E. Kreuder heraus; A. Seghers ›7. Kreuz‹ wurde auch in Deutschland bekannt. A. Schmidt, W. Koeppen, H. Bender, A. Goes, E. Schnabel, G. Gaiser, R. Krämer-Badoni, H. Schirmbeck, R. Schroers, U. Becher, H. Eisenreich, P. Schallück, M. Dor und S. Lenz betraten die Bühne und nach 1950 folgten die Lyriker I. Bachmann, C. Busta, P. Celan, E. Meister, und die Prosaistin I. Aichinger; H. M. Enzensberger, H. Heißenbüttel, H. Piontek, W. Höllerer, J. Poethen, H. de Haas um die gleiche Zeit; H. Domin und M. Scharpenberg einige Jahre darauf. Namen wie R. Hagelstange, K. Krolow, G. Britting und G. Eich verbürgten Sicherheit und Kontinuität, M.-L. Kaschnitz, N. Sachs, W. Lehmann und P. Huchel wurden neu entdeckt. U. Johnson, A. Kluge, R. Lettau, P. Weiss, R. Baumgart, H. Bienek und A. Andersch wandten sich der romanesken Großform zu. M. Walser, H. von Cramer, J. Rehn, H. Heckmann, E. Augustin, T. Bernhard, W. Hildesheimer, P. Rühmkorf, H.-J. Soehring, J. Becker, H. Fichte, H. Kant, Rolf Schneider, P. Handke wurden bekannt.

Die Lyrik setzte vorwiegend die vom Expressionismus und Surrealismus, von Benn und Brecht herkommenden Linien fort. Sowohl der motivierende ›Inhalt‹ als auch die äußere Form wurden mehr und mehr reduziert. Die deutschsprachige Lyrik folgt damit der Tendenz, »Sprache ohne mitteilbaren Gegenstand« (Hugo Friedrich) zu sein. Von vielen wurde G. Benns Vortrag ›Probleme der Lyrik‹ (1951) als maßgebende neue ars poetica betrachtet. Die herkömmliche grammatische Ordnung und die logische Wortfolge, der geregelte Rhythmus und der runde Zeilenausklang wurden ersetzt durch neue Syntax-Typen, harte Fügung, Brechung des Reimes, Beziehungen zwischen den Bildern, Variationen, Nebenordnung, Paradoxon, durch eine Technik der Anspielung und des Zitierens. Die engagierte Lyrik ist gekennzeichnet durch Unterkühlung: »Ein manipulierter Temperatursturz ist die Folge: Ironie, Mehrdeutigkeit, kalter Humor, kontrollierter Unterdruck sind die poetischen Kühlmittel«

(H. M. Enzensberger). Die *konkrete Poesie* hat es allein mit Sprache zu tun. Heißenbüttel versucht mit seinen Texten »sozusagen ins Innere der Sprache einzudringen, sie aufzubrechen und in ihren verborgensten Zusammenhängen zu befragen«. E. Gomringer definiert konkrete Poesie als den Überbegriff für Versuche, deren Merkmal »eine bewußte Beobachtung des Materials und seiner Struktur ist«. Außer Heißenbüttel und F. Mon, der mit Prosatexten, Hörspielen und konkreter Lyrik bisher hervorgetreten ist, hat vor allem M. Bense sprachwissenschaftliche, ästhetische und informationstheoretische Grundsätze für die konkrete Poesie oder auch die »linguistische Poesie« erarbeitet. Die Mitglieder der »Wiener Gruppe« mit H. C. Artmann, G. Rühm, K. Bayer, F. Achleitner und O. Wiener schufen, auch in Gemeinschaftsarbeit, vorwiegend Textmontagen, Lautgedichte, Dialekttexte, Chansons. – Konkrete Poesie betrieb oft in kleinen und kleinsten Gebilden Erforschung sprachlicher Elemente, und die Schriftsteller wirkten dabei als »Verbaltechniker«, die das autonom gemachte Wortmaterial unter Reduktion der Syntax nach akustischen oder typographischen Gesichtspunkten (F. Kriwet) zu »Sehtexten« kombinierten. – Für die »Unsinns«-Dichtung (Nonsense Poetry), die eine eigenständige Urgattung im Bereich der sogenannten einfachen Formen darstellen dürfte, lassen sich die Dadaisten, Chr. Morgenstern, der Franzose Max Jacob und andere Vorgänger aufführen. – Nach 1945 sind zusammenfassend etwa folgende Lyrik-Gruppen zu unterscheiden: Natur- und Landschaftslyrik (W. Lehmann, E. Langgässer, G. Kolmar, R. Borchert, P. Huchel, K. Krolow, G. Eich, J. Bobrowski, H. Piontek), surrealistische Lyrik (Chr. Meckel, W. Höllerer, P. Rühmkorf), Lyrik als religiöse oder philosophische Aussage (P. Celan, N. Sachs, I. Bachmann, M.-L. Kaschnitz), politische Lyrik (E. Kästner, H. M. Enzensberger, E. Fried, G. Grass, F. Graßhoff, F. J. Degenhardt, V. Braun, W. Biermann, H. G. Michelsen, G. Kunert, R. und S. Kirsch, Y. Karsunke), Lyrik als Sprachspiel und Sprachkombination (H. Heißenbüttel, E. Jandl, H. C. Artmann, E. Gomringer, F. Mon, G. Rühm). – Das deutsche Drama nach 1945 begann mit dem expressiven Heimkehrerstück ›Draußen vor der Tür‹ (1947) von W. Borchert. Krieg und Gefangenschaft klangen immer wieder an (L. Ahlsen, C. Hubalek, M. Walser). Für die Dramatiker der DDR wurden der sozialistische Aufbau, die Bodenreform, die Bekämpfung von Faschismus und Neofaschismus, von Aufrüstung und Atomtod, die revolutionären Bewegungen und Gesellschaftskrisen, Geschichte der Arbeiterbewegung zu zentralen Themen (E. Strittmatter, A. Matusche, H. Baierl, H. Zinner, H. Müller, P. Hacks, Rolf Schneider). B. Brecht hat sein episches Theater im »Berliner Ensemble« in

Berlin-Ost zu einem Modell für Spielplan, Inszenierung und Darstellung entwickelt, wie Dürrenmatt und Frisch eine in der Grundlage jeweils spezifische Werkfolge schufen. M. Frisch erklärt: »allein dadurch, daß wir ein Stück Leben in ein Theaterstück umzubauen versuchen, kommt Veränderung zum Vorschein, Veränderbares auch in der geschichtlichen Welt«. Wenn auch zum Teil alte Dramaturgien verwendet wurden, so beurteilte man doch wiederholt den »Illusionismus« (S. Melchinger) des bürgerlichen Zeitalters und jegliches museale, falsch feierliche Theater als überlebt. Dürrenmatt geht von einer Geschichte aus und sieht den Wert eines Stückes in dessen »Problemträchtigkeit, nicht in seiner Eindeutigkeit«. Das Theater, in das die dokumentarische Realität eingebaut ist, wurde in den 60er Jahren durch konkrete Stoffe und Figuren von grundsätzlich historisch-politischem Interesse aktualisiert (P. Weiss, H. Kipphardt, G. Grass, W. Hildesheimer, T. Dorst, D. Waldmann, H. G. Michelsen). P. Handkes »Sprechstücke« reihen realistische Feststellungen, Schablonensätze, Zitate, Phrasen, grammatische Strukturen nebeneinander, um die Sprache nicht nur als »Ordnung«, sondern auch als Dilemma und Verführung zum Klischeedenken zu zeigen. Das absurde Theater stellt nichts dar, was sich im logischen Ablauf offenbaren könnte. Durch seine Vertreter A. Jarry, S. Beckett und E. Ionesco, ist das absurde Theater in Deutschland mehr als durch eigene Stücke (W. Hildesheimer, G. Grass) bekannt. Die Verfasser absurder Werke verwenden nicht die Dramaturgie des psychologischen und erzählenden Theaterstücks. Sinnlosigkeit des Daseins und Unzulänglichkeit der Vernunft in einer unvernünftige Welt werden von ihnen nicht mehr diskutiert, sondern in szenischen Bildern vor Augen geführt. Die agierenden Menschen sind kontaktlos, aber aufeinander angewiesen. Ihr Dialog ist oft nur noch ein Aneinander-Vorbeireden und demonstriert die Unmöglichkeit gegenseitiger Verständigung. Was den Zuschauern veranschaulicht werden soll, geht weniger aus den Worten hervor, die der Autor sprechen, als aus dem, was er auf der Bühne geschehen läßt. Eine Interpretation der Dramen kann nicht eindeutig klären, was sie »bedeuten«, kann keine konventionelle »Handlung« beschreiben, aber Bildreihen und Themenkomplexe herauslösen und die Grundstruktur mit ihren Baumethoden aufweisen (Martin Esslin).

Einen starken Aufschwung nahm seit etwa 1950 das Hörspiel. »In ihm werden Zeit und Ort assoziiert, mehrere Ebenen erscheinen zeitlich und räumlich simultan, innere und äußere Vorgänge sind nicht mehr unterscheidbare Schichten, Sinn, Bedeutung, Bild, Handlung bilden eine Einheit und unauflösliche Ganzheit der Phantasiewirklichkeit« (H. Schwitzke). Als Hörspielautoren traten vor allem hervor: G. Eich, F. Dürrenmatt, H. Böll, S. Lenz, P. Hirche, W. Hildesheimer, D. Wellershoff, W. Weyrauch, I. Bachmann, I. Aichinger, M. Frisch, H. Eisenreich, H. Risse, F. Mon.

Wissenschaftliche Werke. K. Goedeke: Grundriß zur Gesch. der dt. Dichtung (Bd. 1–13 [2]1894–1934; Bd. 4 [3]1906–13; N. F., 1940ff.; mit genauen Schrifttumshinweisen); Dt. Dichtung, in: Handb. der Literaturwiss., hg. v. O. Walzel, 4 Bde. (1927ff.); Scherer-Walzel: Gesch. der d. L. ([1]1928); J. Nadler: Geschichte der d. L. (neubearb. und erg. Aufl. 1960); Epochen der d. L., hg. v. J. Zeitler, 8 Bde. ([2]1946ff.); Dt. Literaturgesch., hg. v. B. Boesch (Bern 1946); G. Fricke: Gesch. der dt. Dichtung ([7]1960); H. Schneider: Gesch. der dt. Dichtung, 2 Bde. (1949/50); Annalen der d. L., hg. v. O. Burger (1951/52); P. Hankamer: Dt. Literaturgesch. (1952); T. C. van Stockum u. J. van Dam: Gesch. der d. L., 2 Bde. ([2]1954); F. Martini: Dt. Literaturgesch. ([16]1972); H. de Boor u. R. Newald: Gesch. der d. L., 8 Bde. (1949ff.). – A. H. Frenzel: Daten dt. Dichtung ([7]1971); F. Schmitt u. G. Fricke: Abriß der d. L. in Tabellen ([3]1969); Reallexikon der dt. Literaturgesch. hg. v. W. Kohlschmidt u. W. Mohr, 1 (1958), 2 (1965), 3 (in Lfg.); Dt. Literaturlexikon, hg. v. W. Kosch (1963); G. v. Wilpert: D. L. in Bildern ([2]1965). – *Volkstümlich.* P. Fechter: Dichtung der Dt., 2 Bde. (1960); W. Pfeiffer-Belli: Gesch. der dt. Dichtung (1954). – *Neuere Zeit.* E. Alker: Die d. L. im 19. Jh., 1832–1914 ([3]1969); Dt. Lit. in unserer Zeit. Mit Beitr. v. W. Kayser, B. v. Wiese u. a. (1959); Dt. Lit. im 20. Jh. Strukturen und Gestalten, 2 Bde., hg. v. H. Friedmann u. O. Mann ([5]1967); Die d. L. der Gegenwart. Aspekte u. Tendenzen, hg. v. M. Durzak ([2]1973); W. Schwerbrock: Eine Gesch. der dt. Lit. (1962); W. Duwe: Dt. Dichtung des 20. Jhs., 2 Bde. (1962); A. Soergel u. C. Hohoff: Dichtung und Dichter der Zeit, 2 Bde. (1961/62); K. A. Horst: Krit. Führer durch die dt. Lit. der Gegenwart (1962). – Bibliographie der dt. Literaturwiss., hg. v. H. W. Eppelsheimer, Bd. 3 (1960; für die Jahre 1957–58), Bd. 4 (1961; für die Jahre 1959–60). – W. Killy: Die Dt. Literatur. Texte und Zeugnisse (1965ff.).

DEUTSCHE MUSIK

Nur wenig und nicht sicher Deutbares ist in den Berichten antiker Schriftsteller über die Musik der Germanen überliefert. Doch lassen Beobachtungen z. B. an der Form des gregorian. Chorals nördl. der Alpen und an ältesten deutschen Liedern Schlüsse auf eine der nordischen Musik zugrunde liegende Tonvorstellung zu, die dem Zusammenklang besonders entgegenkam. Paarige Instrumentenfunde (Luren) weisen auf die Möglichkeit einer instrumentalen Ausführung durch mehrere Spieler hin. So kennzeichnete ein besonderes Zusammenklangempfinden die Musikkultur des nördl. Europa, die sich von der linear und melodisch betonten des Mittelmeerbeckens unterscheidet.

Der im 8. Jh. eingeführte einstimmige gregorianische Kirchengesang nimmt im dt. Raum Eigenheiten der Volksmusik auf. Notker Balbulus in St. Gallen entwickelte um 900 die Sequenzen, Tuotilo die Tropen. Auf dem reichen Boden der Volksmusik mit dem geistlichen und weltlichen Volkslied, dem Tanz- und Spielstück entstand seit dem 12. Jh. der einstimmige, von Instrumenten begleitete Kunstgesang der Minnesänger, die Dichter und Musiker zugleich waren: Reinmar der Ältere von Hagenau († 1210), Walther von der Vogelweide († 1230), Neidhart von Reuenthal († 1245), später der Mönch von Salzburg (um 1390) und Oswald von Wolkenstein († 1445). Eine bürgerl. Nachahmung dieser ritterl. Kunst, wenn auch von geringer Bedeutung, war die der Meistersinger, zu denen Michel Beheim († 1474) und Hans Sachs († 1576) gehörten. Eine bedeutende Sammlung der frühen Volkslieder und der ersten mehrstimmigen Gesänge ist das Lochamer Liederbuch um 1455, ein wichtiges Zeugnis der seit Anfang des 15. Jhs. blühenden Orgelmusik das Buxheimer Orgelbuch um 1470. Die von den Niederländern übernommene Mehrstimmigkeit ist aufs reichste ausgebildet; gleichzeitig jedoch wurden für das deutsche Lied ausdrucksvolle Sätze von schlichter Stimmführung geschaffen. Hauptmeister um 1500 sind am Hof Maximilians I. H. Fink, P. Hofhaimer, zugleich ein bedeutender Orgelkünstler, H. Isaak, L. Senfl.

Von grundlegender Bedeutung für die Folgezeit wurde der von M. Luther und J. Walther geschaffene deutsche Choral, der Mittelpunkt der protestant. Kirchenmusik werden sollte; zu den ersten Meistern der Choralmotette gehören Agricola Resinarius, Senfl, Stolzer. In der 2. Hälfte des 16. Jhs. herrschten niederländ. Musiker an den deutschen Höfen, an ihrer Spitze Orlando di Lasso in München. Doch haben neben ihnen die einheimischen Komponisten Bedeutendes geleistet. Der protestantische Norden bewahrte das Erbe der strenggebundenen Mehrstimmigkeit (Burgk, Eccard), während man im Süden die mehrchörige Prachtentfaltung der venezianischen Renaissanceschule mit deutschem Geist erfüllte: J. Handl, der deutsche Hauptmeister der kathol. Kirchenmusik; H. L. Haßler, der die ersten deutschen Madrigale schuf und daneben schlichte mehrstimmige Lieder von Kraft und Innigkeit. Eine Sonderleistung ist die Ausbildung der Instrumentalsuite: Peuerl, Schein. Das Barock leitete M. Prätorius († 1621) ein, der mehrchörige Motetten schrieb, dann aber den neuen italienischen Konzertstil mit Generalbaß aufnahm und vor allem das protestantische

Kirchenlied in klarer Satzkunst pflegte. In Heinrich Schütz (1585–1672) erstand der überragende Meister, der in seiner protestantischen Kirchenmusik, den geistlichen Konzerten für Einzelgesang mit Generalbaß und konzertierenden Instrumenten, den Kantaten und Oratorien die italienische Barockform mit deutscher Satzweise zu einer eigenen Kunst leidenschaftl. Ausdrucks verschmolzen hat. Neben und nach ihm wirkten J. H. Schein, S. Scheidt, A. Hammerschmidt, M. Weckmann, F. Tunder, D. Buxtehude. Die auf dem protestantischen Choral aufbauende norddeutsche Orgelmusik, die an der alten strenggeführten Mehrstimmigkeit festhielt, weist einen Zug ins Große und Tiefgründige auf: Scheidt, Froberger, Pachelbel, Böhm, Reinken, Buxtehude. Auch die übrige Instrumentalmusik, die von Italien und Frankreich befruchtet wurde, blühte auf: Strungk und Biber (Geige), Kerll (Klavier), Rosenmüller (Orchestersuite), Reusner (Lautensuite). Die wichtigsten Meister des Einzellieds mit Instrumentalbegleitung sind H. Albert und A. Krieger. Die erste deutsche Oper schuf H. Schütz, ihr Hauptvertreter war R. Keiser in Hamburg; doch erlag sie der italienischen.

Das 18. Jh. brachte die Erfüllung und die Weltgeltung der deutschen Musik. In Joh. Seb. Bach (1685–1750) gipfelt die voraufgegangene Entwicklung der 17. Jhs.; er hat der deutschen strenggebauten Mehrstimmigkeit den kraftvollen Abschluß gegeben und zugleich mit seinen nicht selten kühnen Klangverbindungen in die Zukunft gewiesen. In seiner Kirchenmusik, den Orgelwerken, Kantaten und Passionen, hat die protestantische Frömmigkeit ihren tiefsten Ausdruck erhalten, seine Fugen für Klavier und Orgel sind gültigste Gestaltungen dieser Form. In der gleichen Zeit wirkte Händel, der, aus Halle stammend, größtenteils in England lebte; er ist der Schöpfer des Volksoratoriums, das Klarheit mit Fülle und Gespanntheit des Ausdrucks verbindet. Weitere Meister: Telemann, Mattheson, Hasse, Graun, Fasch, Kuhnau, Stölzel. Doch gehören diese, ebenso wie die Söhne Bachs, z. T. schon zum Rokoko, einem Übergangsstil, der die Strenge und Wucht zu gelockerter Einfachheit und galanter Empfindsamkeit wandelte. Die Fuge tritt zurück, die Sonatenform wird ausgebildet; es entstehen, vor allem in der →Mannheimer Schule, die ersten eigentlichen Sinfonien. Die Berliner Liederschule mit Reichardt, Zelter, Schulz vertonte die Lieder Herders, Goethes, Schillers in schlichter, volkstümlicher Weise. Im Zusammenhang mit dieser neuen Liedkunst steht die Erneuerung des deutschen Singspiels durch Standfuß, Hiller, Dittersdorf, den jungen Mozart. Gluck blieb zwar der italienischen, später der französischen Oper verbunden, doch atmen seine auf Wahrheit des Ausdrucks abzielenden Neuerungen deutschen Geist. Den Höhepunkt der Entwicklung bilden die drei Wiener Klassiker Haydn (1732–1809), Mozart (1756–91), Beethoven (1770–1827). In einer neuen Verbindung der einfachen homophonen und der durchgearbeiteten polyphonen Stimmführung erlangte die Instrumentalmusik in der Sinfonie, der Sonate, dem Streichquartett überzeitlich-klassische Gestalt. Haydn schuf zudem, auf Händel aufbauend, das von Naturgefühl beseelte volkstümliche Oratorium; Mozart, von reicher Schöpferkraft, schuf mit seinen Opern, sowohl des italienischen Stils (›Figaro‹) wie des deutschen (›Zauberflöte‹), einen Höhepunkt des Musiktheaters. Beethoven hat in 9 Sinfonien kämpferische Individualität ausgedrückt, tiefe Gläubigkeit in seiner Missa solemnis. Der größte Vertreter der Frühromantik ist der frühvollendete F. Schubert (1797–1828), der Meister des neuen deutschen Liedes, das Schumann, Brahms, Wolf weiterentwickelten. Die erste romantische Volksoper, ›Der Freischütz‹, stammt von Weber (1786–1826), Spohr und Marschner folgten, während sich Lortzing hauptsächlich dem Singspiel widmete. Schubert und vor allem Schumann (1810–56) bildeten in der Klaviermusik das dichterisch erfüllte Stimmungs- und Charakterstück aus, ihre Sinfonien blieben dem klassischen Gefüge verhaftet. Klassisch in der Form und romantisch im Ausdruck war die Musik von Mendelssohn-Bartholdy (1809–47). Eine Wende bedeutet R. Wagner (1813–83) mit der Gestaltung seiner monumentalen Bühnenwerke; er schuf eine neue Opernform des musikalisch-dramat. Gesamtkunstwerks und zugleich eine neue, von der Romantik zum Realismus übergehende Tonsprache von großem Klangreichtum. Liszt entwickelte in seinen sinfonischen Dichtungen die Programmusik, die bis zu Richard Strauss u. a. weitergewirkt hat. Gleichzeitig haben aber zwei sehr verschiedengeartete Meister eine neue deutsche absolute Musik geschaffen: Anton Bruckner (1824–96), Joh. Brahms (1833–97). Von Bruckner gingen die symphon. Werke G. Mahlers (1860–1911) aus. Der weltoffenen Kunst von Richard Strauss (1864–1949), der mit zahlreichen bedeutenden Werken eine scharf profilierte Stellung einnimmt, steht die Bekenntnismusik Pfitzners (1869–1949) gegenüber. Der urwüchsige, aber zwiespältige Reger (1873–1916) griff in seinen Orgelwerken auf Bach zurück; sein Einfluß reicht über seine Schüler J. Haas, H. Grabner u. a. bis zu Hindemith (1895–1963). Dieser ging dann zu der von dem Wiener A. Schönberg heraufgeführten Atonalität (→Zwölftonmusik) über, die von der übersteigerten chromatischen Harmonik der vorausgehenden Zeit mitbedingt ist. Unter den Schülern Schönbergs ragen bes. A. Berg (1885–1935) und A. v. Webern (1883–1945) hervor. Hindemith wandte sich mit der Oper ›Mathis der Maler‹ (1934) wieder mehr der Überlieferung zu. H. Kaminski (1886–1946) und J. N. David (* 1895) knüpften auf tonal moderner Grundlage an alte polyphone Techniken an. Aus Kräften der alten deutschen Vokalpolyphonie sind Werke evang. Haltung wie die H. Distlers (1908–42) oder E. Peppings (* 1901) gespeist. Kath. Kirchenmusik schrieb Joseph Haas (1879–1960). Rhythmus und Wort kennzeichnen das Schaffen Carl Orffs (* 1895), dessen szenisches Oratorium ›Carmina Burana‹ Weltruf erlangte. W. Egk (* 1901) und G. v. Einem (* 1918) sind beş. als Opernkomponisten hervorgetreten. E. Křenek (* 1900), H. Jelinek (1901–69) und H. E. Apostel (1901 bis 1972) führten die Tradition der Wiener Schule Schönbergs fort. Ihr stand auch der bedeutende Sinfoniker K. A. Hartmann (1905–63) nahe. P. Dessau (* 1894), H. Eisler (1898–1962), K. Weill (1900–50), und W. Zillig (1905–63) schreiben neben dodekaphonen Werken auch volkstümlichere Film- und Theatermusik. H. Heiß (1897–1966) folgt der Lehre von Hauer (1883–1959). Der neuklassischen Richtung Paul Hindemiths sind der Liedkomponist H. Reutter (* 1900) sowie K. Höller (* 1907) und H. Genzmer (* 1909) verpflichtet. Um 1950 verlor diese Richtung ihre Anziehungskraft. W. Fortner (* 1907) und sein Schüler H. W. Henze (* 1926) gingen 1948 zur Zwölftontechnik Schönbergs über, Blacher (1903–75) systematisierte variable Metren. Kaum hatten die jüngeren Komponisten das ursprüngliche Nebeneinander der neuen Richtungen überwunden, indem sie Schönbergs Reihenidee mit den rhythmisch-metrischen Errungenschaften Strawinskys verbanden, als sich bereits neue Richtungen abzeichneten. Während etwa der als Ballett- und Opernkomponist international bekanntgewordene H. W. Henze und G. Klebe (* 1925) trotz aller Neuerungen an den traditionellen Tonsatztypen festhalten, verzichten die Komponisten der seit 1950 entwickelten elektronischen und →seriellen Musik, die an die bis dahin kaum beachteten Werke A. von Weberns anknüpfen, namentlich K. H. Stockhausen (* 1928), auf alle traditionellen Momente wie Thematik und Durchführung, neuerdings sogar auch auf geschlossene Form (Stockhausen: Klavierstück XI, 1956). Seit 1958 macht sich der Einfluß der experimentellen Musik (→Vereinigte Staaten, Musik) geltend. Internationale Zentren der jüngsten Musik sind die »Kranichsteiner Ferienkurse« (seit 1946, jährlich) und das »Studio für elektronische Musik« in Köln (gegr. 1951).

Die Entwicklung in der *DDR* blieb von diesen Vorgängen nahezu unberührt. Dem Prager Manifest von 1948 folgend, wird dort vornehmlich eine an bewährten Vorbildern orientierte, betont volkstümliche Musik gepflegt, vor allem Massenlied, Oratorium und Kantate. Als Komponisten sind O. Gerster (1897–1969), E. H. Meyer (* 1905), H. G. Görner (* 1908), Eisler und Dessau (bekannt durch Brecht-Vertonungen, Eisler schrieb die Nationalhymne der DDR) zu nennen. Eislers und Dessaus Zwölftonwerken, die kaum aufgeführt werden, folgt neuerdings J. P. Thilmann (*1906).

LIT. H. J. Moser: Gesch. der D. M. (1, 2 ⁵1930, 3 ²1928); ders.: Kleine dt. Musikge-

schichte (1938 u. ö.); J. M. Müller-Blattau: Gesch. der D. M. (1938); R. Malsch: Gesch. der D. M. (1929, neu bearb. 1949); H. Mersmann: Dt. Musik des 20. Jhs. im Spiegel des Weltgeschehens (1958); W. Vetter: Aus dem musikal. Schaffen der DDR, in: W. Vetter, Mythos – Melos – Musica, 2 (1961).

DEUTSCHE PHILOSOPHIE

Schon an der Ausbildung der mittelalterl. Philosophie, bes. seit dem 13. Jh., waren deutsche Denker beteiligt. Albertus Magnus (1206–80) begründete die aristotelische Scholastik, Meister Eckart (1260–1327) eine spekulative Mystik. Mit grundlegenden Gedanken leitete Nikolaus von Kues (1401–64), wohl der bedeutendste Denker des ausgehenden Mittelalters, die neuzeitl. Philosophie ein. Im 16. und 17. Jh., in England und Frankreich eine Blütezeit der Philosophie, wurden in Deutschland Rechtsphilosophie (Grotius, Althusius, Pufendorf, Thomasius), Theosophie (Böhme) und Naturphilosophie (Paracelsus, Agrippa von Nettesheim) bedeutend gefördert. Der erste universale deutsche Denker der Neuzeit war Leibniz (1648–1716). Er umfaßte das gesamte Ideengut seiner Zeit; die Wirkung seiner bahnbrechenden Lehren reicht bis in die Gegenwart. Im deutschen Geistesleben des 18. Jhs. (→Aufklärungszeitalter) wurde die Philosophie die beherrschende Macht, bes. durch die schulbildende Lehrtätigkeit Chr. Wolffs (1679–1754), der ein geschlossenes System der Philosophie in deutscher Sprache schuf (Rationalismus) und mit großem Erfolg volkstümlich machte. Durch Gottsched wirkten seine Lehren auf die Literatur. Die Volkstümlichkeit der Philosophie steigerte sich noch während der ersten Blütezeit der Berliner Akademie (Mitte des 18. Jhs.), bes. im von Euler angeregten »Monadenstreit« um die Wolffische Metaphysik. Durch das Bekanntwerden des englischen Empirismus, die Veröffentlichung des Leibnizschen Hauptwerkes (1768) und den Sieg der Newtonschen Kosmologie wurde die weitere Entwicklung entscheidend beeinflußt. Die philosophische Begründbarkeit der Mechanik und deren Verträglichkeit mit der christlichen Dogmatik wurden zu bewegenden Problemen. Crusius (1712–76), Lambert (1728–77), der junge Kant (1724–1804) und bes. Euler (1707–83) wirkten in diesen Kämpfen bahnbrechend; diese fanden ihren Abschluß in Kants ›Kritik der reinen Vernunft‹ (1781), in der dann das Vorbild wissenschaftlicher Erkenntnis eine Neubegründung der Philosophie angestrebt wurde. Diese Entwicklung, die in Hamann (1730 bis 1788), Herder (1744–1803) und Jacobi (1759–1819) Gegner fand, leitete die Blütezeit der deutschen Philosophie ein. In den mannigfachen Auseinandersetzungen um Kants Lehren, an denen Denker wie Rein-

hold, Schiller, Beck, Maimon, Schulze beteiligt waren, bahnte sich bes. in Fichtes (1762–1814) ›Wissenschaftslehre‹ von 1794 die Philosophie des →Deutschen Idealismus an, die, von Schelling (1775–1854) ausgebildet, von Hegel (1770–1831) ausgebildet, den Höhepunkt in der deutschen Philosophie darstellt.

Nach dem Tod Hegels zerfiel seine Schule (→Hegelianismus), die idealist. Metaphysik trat zurück. Hegel wirkte weiter in den meisten europäischen Ländern schulbildend. Welthistorische Bedeutung erlangten die Junghegelianer und Marx (1818–83). Auch in der Theologie (Baur), der Philosophiegeschichtsschreibung (Zeller, Fischer) und der späteren philosophischen Spekulation blieb Hegels Einfluß lebendig. Mit dem Niedergang der idealistischen Philosophie gewannen indes auch selbständige Denker wie Schleiermacher (1768–1834), Fries (1773 bis 1843), Herbart (1776–1841), Schopenhauer (1788–1860), Beneke (1798–1854) und Trendelenburg (1802–77) an Geltung. Eine neue Entwicklung bahnte das Aufblühen der Naturwissenschaften in Deutschland an; Hinwendung zum Erfahrungswissen (Positivismus, Mach, Wundt), zur Lebensphilosophie (Dilthey, Nietzsche) und Bemühung um ältere Lehren wurden zu beherrschenden Tendenzen. Die Erneuerung idealist. und aristotelischer Lehren führte zur Überwindung der materialistischen Auffassungen Büchners, Haeckels u. a. Die Versuche, systematische Philosophie und Naturwissenschaften zu versöhnen (Lotze, E. v. Hartmann), gipfelten im →Neukantianismus (Cohen, Natorp, Rickert, Windelband); sie wurden bes. vom →Positivismus (Wiener Kreis; L. Wittgenstein) bekämpft. Einen selbständigen Weg ging Husserl (→Phänomenologie). Seine Lehre wurde von M. Scheler zu einer personalistischen Metaphysik (→philosophische Anthropologie), von N. Hartmann zu einer Schichtenlehre des Seins (→Ontologie) und von M. Heidegger, ähnlich auch von K. Jaspers, zur Existenzphilosophie fortgebildet

LIT. R. Kroner: Von Kant bis Hegel, 2 Bde. (1921–24); E. Troeltsch: Der dt. Geist u. Westeuropa (1925). C. v. Brockdorff: Dt. Aufklärungsphilosophie (1926); W. Stegmüller: Hauptströmungen der Gegenwartsphilosophie (⁴1969); F. Überweg: Geschichte der Philosophie, 2–4 (¹¹1953–55); E. v. Aster: Geschichte d. Philos. (¹⁶1968).

geleitet, hatte sich die Übung in der Poesie und die Reinigung und Erforschung der deutschen Sprache zum Ziel gesetzt. Regelmäßige Zusammenkünfte fanden bis zum 2. Weltkrieg statt. Festschrift: Beiträge zur deutschen Bildungsgeschichte (1927).

Deutsche Gesellschaften, patriot. Vereine, die sich auf Anregung Ernst Moritz Arndts 1814 im Rheinland und in Nassau bildeten; sie wurden nach 1815 unterdrückt.

Deutsche Gesellschaft für öffentliche Arbeiten, →Offa.

Deutsche Gesellschaft für Psychologie, gegr. 1903, Vereinigung der Psychologen aus Forschung und Lehre.

Deutsche Gesellschaft zur Rettung Schiffbrüchiger, gegr. 1865, Sitz in Bremen; hat Küstenrettungsstationen mit durch Freiwillige bemannten Rettungsbooten, Funkbetrieb, Raketenapparaten zur Herstellung einer Verbindung zw. Wrack und Strand.

Deutsche Glaubensbewegung, ein 1933 entstandener, 1938 in *Kampfring Deutscher Glaube* umbenannter Zusammenschluß völkisch-religiöser Bünde, die eine »arteigene Frömmigkeit« ohne dogmatische Bindung erstrebten und sich zum Nationalsozialismus bekannten. Anfangs war J. W. Hauer und Graf E. Reventlow führend. Nietzsche, Lagarde, H. St. Chamberlain galten als Vorläufer. Bereits 1935 begann sektiererische Zersplitterung, diese ließ die Einzelgruppen bald zur Bedeutungslosigkeit herabsinken.

Deutsche Golddiskontbank, abgek. **Dego,** Berlin, ein 1924 gegr., bis 1945 bestehendes Tochterinstitut der früheren Deutschen →Reichsbank mit dem Zweck, die dieser nicht gestattete Finanzierung des Außenhandels, später die Ausgabe von Solawechseln zur Arbeitsbeschaffung, die Mitwirkung beim Stillhalteabkommen und die Verwaltung des 1934 gebildeten Anleihestocks durchzuführen.

Deutsche Gold- und Silber-Scheideanstalt vormals Roessler AG, Abkürzung **Degussa,** Frankfurt a. M., 1873 gegr. chemisches Unternehmen (Edelmetallscheidung und -verarbeitung, Herstellung und Vertrieb von Chemikalien); Betriebe u. a. in Frankfurt a. M., Rheinfelden (Baden), Knapsack (bei Köln).

Deutsche Gotterkenntnis, Bund für D. G., 1937 gegründete antichristl. Organisation, die an die Stelle des 1925 von Ludendorff gegründeten, 1933 verbotenen »Tannenbergbundes« trat. Der B. f. D. G. war eine *völkische Kampforganisation* gegen die »überstaatlichen« Mächte.

Deutsche Handelszentralen, DHZ, in der DDR die 1949 errichteten 14 staatl. Großhandelsunternehmen zur Versorgung der volkseigenen Wirtschaft mit Roh- und Hilfsstoffen und Fertigerzeugnissen; 1958 wurden die zentralen Leitungen aufgelöst und den neuen Staatl. Kontoren unterstellt.

Deutsche Hochschule für Politik, Berlin-Schöneberg, →Hochschulen.

Deutsche Investitionsbank, öffentl.-rechtl. Bankinstitut der DDR, Sitz Berlin, mit Filialen in den Bezirken; gegr. 1948 zur Versorgung der Wirtschaft mit langfristigem Kredit; sie ist neben der →Deutschen Notenbank ein kreditpolit. Instrument der Planwirtschaft.

deutsche Kolonien, die →Schutzgebiete.

Deutsche Kommission für Weltraumforschung, am 6. Sept. 1962 gegründete Kommission mit beratenden Funktionen.

Deutsche Kommunistische Partei, DKP, im Sept. 1968 in der Bundesrep. Dtl. gegründete kommunistische Partei; erster Parteitag 1969 in Essen. Bei den Bundestagswahlen im Oktober 1976 erhielt die Deutsche Kommunistische Partei 0,3 % der Stimmen.

deutsche Kunst, ÜBERSICHT Seite 32–43.

Deutsche Landwirtschaftsgesellschaft, abgek. **DLG,** eine Vereinigung zur Förderung des landwirtschaftl. Betriebes, 1885 von Max (v.) Eyth gegründet, 1947 mit Sitz in Frankfurt/M. wiedergegründet.

Deutsche Lebens-Rettungs-Gesellschaft, abgek. **DLRG,** gegr. 1913 zur Verbreitung von Kenntnissen und Fertigkeiten im Retten und Wiederbeleben Ertrinkender; sie organisiert einen umfassenden Rettungsdienst.

Deutsche Legion, die hannoverschen Offiziere und Soldaten, die nach der franzöз. Besetzung Hannovers (1803) im brit. Dienst kämpften; zeichnete sich bes. in Spanien und bei Belle-Alliance aus; 1816 aufgelöst. LIT. Beamish: Gesch. der kgl. D. L. (1832–37, Neudr. 1906).

Deutsche Linoleum-Werke AG, DLW, Bietigheim (Württ.), führendes Unternehmen zur Herstellung von Linoleum u. ä Erzeugnissen, gegr. 1899.

deutsche Literatur, ÜBERSICHT Seite 43–51.

Deutsche Literaturzeitung, in Berlin 1880 gegr. Zeitschrift für Kritik der internat. Wissenschaft, im Auftrag der dt. Akademien der Wissenschaften; seit 1945 ein Organ der Berliner Akademie für die Wissenschaft der DDR.

Deutsche Lufthansa, →Lufthansa.

Deutsche Mark, D-Mark, DM, die durch die Währungsreform 1948 an die Stelle der Reichsmark getretene neue Währungseinheit; sie ist in 100 Pfennig eingeteilt. In der DDR wurde die DM am 1. 8. 1964 durch die Mark der Deutschen Notenbank (MDN) abgelöst, seit 1. 12. 1967 durch die Mark der DDR (M).

deutsche Mundarten, →Mundarten.

deutsche Musik, ÜBERSICHT Seite 51–54.

Deutsche Musik-Phonothek, ein seit 1. 10. 1961 bestehendes wissenschaftl. Institut in Berlin, das ein Schallplattenarchiv mit Musikaufnahmen aller Art errichtet. Es ist eine öffentliche Stiftung bürgerlichen Rechtes, die vom Land Berlin, dem Bund und den Ländern der Bundesrep. Dtl. unterhalten wird.

Deutsche Nationalbibliographie, →Bibliographie.

Deutsche Nationalpartei, 1) frühere österr. Partei, →Deutschnationale Bewegung. **2)** die deutschnationale Partei der Tschechoslowakei, 1919 hervorgegangen aus der österr. →Deutschnationalen Bewegung. Sie stand dem tschechoslowak. Staat ablehnend gegenüber. 1933 mußte sie ihre Tätigkeit einstellen.

Deutsche Nationalsozialistische Arbeiterpartei (in Österreich und der Tschechoslowakei), →Nationalsozialismus.

Deutschendorf, slowak. **Poprad,** Stadt und Sommerfrische in der Tschechoslowakei, zu Füßen der Hohen Tatra, mit (1963) 15900 slowak. Ew. D. ist eine der 16 freien Zipser Städte, die im 12. Jh. durch Deutsche gegründet wurden.

Deutsche Notenbank, 1967 in **Staatsbank der DDR** umgebildet, die Zentralbank der DDR, Sitz Berlin (Ost). Ihre Aufgabe ist, die Wirtschaftsplanung mit allen Mitteln der Geld- und Kreditpolitik zu unterstützen. Sie entstand 1948 durch Umbenennung der zuvor gegr. *Deutschen Emissions- und Girobank.*

Deutschenspiegel, *Spiegel deutscher Leute,* süddeutsches Rechtsbuch, entstand um 1275 als Bearbeitung des Sachsenspiegels, gelangte jedoch nicht zu größerer prakt. Bedeutung (→Schwabenspiegel). Der D. wurde erst 1857 in der Innsbrucker Universitätsbibliothek aufgefunden; Ausgabe von Eckhardt und Hübner (1930).

Deutsche Olympische Gesellschaft, 1951 wiedergegr., dient der Förderung der Leibesübungen, bes. als Urheberin des ›Goldenen Plans‹ (1960), der die Vermehrung der sportl. Übungsstätten in weitem Ausmaß vorsieht, und des ›Zweiten Weges‹ (1961), der zu einer sinnvollen Freizeitgestaltung verhelfen will.

Deutsche Ostgebiete, →Ostgebiete der Dt. Reichs unter fremder Verwaltung.

Deutsche Partei, 1) 1866–1919 Name der →Nationalliberalen Partei in Württemberg. **2)** DP, seit 1947, hervorgegangen aus der früheren Welfenpartei in Niedersachsen *(Niedersächs. Landespartei)*; betont national, konservativ, gemäßigt föderalistisch; Vors. bis Jan. 1961 H. Hellwege. Die DP vereinigte sich April 1961 mit dem Gesamtdeutschen Block/BHE zur Gesamtdeutschen Partei (GDP). In Niedersachsen und Bremen konstituierte sich 1962 die DP neu.

deutsche Philologie, die Wissenschaft von der Geschichte und Eigenart der deutschen Sprache und der deutschen Literatur, →Germanistik.

deutsche Philosophie, ÜBERSICHT Seite 54.

Deutsche Philosophische Gesellschaft, 1917 bis 1945, Sitz Weimar; gab zur Erforschung und Weiterbildung der dt. Philosophie die ›Blätter für deutsche Philosophie‹, 18 Bde. (1927–44) heraus.

Deutsche Physikalische Gesellschaft, Fachorganisation der deutschen Physiker, gegr. 1845, nach dem 2. Weltkrieg in den Ländern und Besatzungszonen wiedergegr., 1950 zum *Verband Deutscher Physikalischer Gesellschaften* zusammengeschlossen.

Deutsche Post, 1) die Post im *Verein. Wirtschaftsgebiet* 1947–50 (ab 1950 →Deutsche Bundespost). **2)** die Post in der *Dt. Dem. Rep.* seit 1949 (in Ost-Berlin seit 1948); sie untersteht dem Min. für Post- und Fernmeldewesen. 1952 wurden die 6 Oberpostdirektionen aufgelöst und 15 Bezirksdirektionen für Post- und Fernmeldewesen errichtet. **3)** die Post in West-Berlin 1948–51.

Deutsche Presse-Agentur GmbH, →dpa.

Deutscher A´ero Club e. V., →Luftsport.

Deutscher Akademischer Austauschdienst, abgek. **DAAD,** gemeinnütziger Verein, der der Pflege der Beziehungen zum Ausland auf wissenschaftl. und pädagog. Gebiet dient. Er fördert u. a. den Austausch von Dozenten und Studenten. Die Mittel werden vom Bund, den Ländern, der Wirtschaft und Spendern aufgebracht. 1931 in Berlin gegr., 1950 in Bonn wiedergegründet.

Deutscher Amateur-Radio-Club e. V., 1925 gegründeter Verein der Kurzwellen-Funkamateure.

Deutscher Ausschuß für das Erziehungs- und Bildungswesen, gegr. 1953, ein Ausschuß unabhäng. Persönlichkeiten, für 5 Jahre vom Bundesinnenmin. und vom Präs. der Kultusministerkonferenz berufen; 1965 aufgelöst; →Deutscher Bildungsrat.

Deutscher Bauernverband e. V., in der Bundesrep. Dtl. der am 17. 8. 1948 gegr. Spitzenverband der in den Ländern bestehenden →Bauernverbände, Sitz Bonn. Präsident bis 1954 A. Hermes; bis 1959 drei Präsidenten: B. Bauknecht, O. v. Feury, E. Rehwinkel; 1959–69 E. Rehwinkel; seit 1969 C. v. Heereman.

Deutscher Beamtenbund, DBB, 1918 als Interessenvertretung der dt. Beamten gegründet, 1933 aufgelöst, 1948 als ›Gewerkschaftsbund der Berufsbeamten‹ wiedererrichtet (1975: 727000 Mitgl.); Sitz Bonn-Bad Godesberg.

Deutscher Bildungsrat, gegr. 1965 von Bund und Ländern; Sitz Bonn-Bad Godesberg. Aufgaben: Ausarbeitung von Entwicklungsplänen für das dt. Bildungswesen, Berechnung des Finanzbedarfs u. a. Der Bildungskommission im D.B. gehören Sachverständige und Vertreter bildungspolit. Gruppen, der Verwaltungskommission Vertreter des Bundes und der Länder an.

Deutscher Bund, 1815–66 der Staatenbund der dt. Einzelstaaten; auf dem Wiener Kongreß durch die Bundesakte vom 8. 6. 1815 gegr., durch die Wiener Schlußakte vom 15. 5. 1820 weiterentwickelt. Er umfaßte anfangs (1815) 34, zuletzt (1866) 28 souveräne Fürsten und 4 freie Städte; ihm gehörten auch Dänemark für Holstein und Lauenburg, England für Hannover und die Niederlande für Luxemburg und Limburg an. Österreich und Preußen, die beiden bestimmenden Mächte des D. B., gehörten ihm nur mit den Gebietsteilen an, die bis 1806 zum alten Reich gehört hatten. Einziges Bundesorgan war die Bundesversammlung in Frankfurt (auch Bundestag genannt), in

der Österreich als Präsidialmacht den Vorsitz führte. Die Entwicklung des D. B. zu einem deutschen Nationalstaat war rechtlich durch die den Gliedstaaten garantierte Souveränität, politisch durch den Dualismus von Österreich und Preußen unmöglich gemacht. Von Anfang an sah sich der D. B. der starken Gegnerschaft der demokrat.-liberalen und -nationalen Bewegung ausgesetzt. Sie wurde durch die Maßnahmen der Metternichschen Bundespolitik (→Karlsbader Beschlüsse) unterdrückt. Die Revolution von 1848/49 suchte den D. B. in einen nationalen Bundesstaat gemäßigt demokrat.-liberaler Prägung umzuformen; die Bundesversammlung trat ihre Befugnisse an den Reichsverweser ab und stellte ihre Tätigkeit ein. Nach dem Fehlschlag der Revolution stellte Österreich, zunächst gegen Preußen, 1850 die Bundesversammlung wieder her; nach der Olmützer Punktation kehrte auch Preußen mit seinen Anhängern in die Bundesversammlung zurück. Versuche zu einer Reform der Bundesverfassung, die, in gegensätzlichem Sinn, von Österreich (Frankfurter Fürstentag 1. 9. 1863) und von Preußen (Reformanträge vom 11. 5. 1866) unternommen wurden, scheiterten. Der D. B. zerbrach, als die Bundesversammlung auf österreich. Antrag am 14. 6. 1866 wegen des österreich.-preuß. Konflikts die Mobilisierung des Bundesheeres gegen Preußen beschloß; Preußen erklärte darauf seinen Rücktritt vom Bundesvertrag; der König erkannte im Prager Frieden v. 23. 8. 1866 die Auflösung des D. B. an.→Dt. Geschichte.
Lit.: Protok. d. dt. Bundesversamml., 19 Bde. u. Reg. (1817–28); J. L. Klüber: Öffentl. Recht d. D. B. . . . (⁴1840); L. F. Ilse: Gesch. der dt. Bundesvers., 3 Bde. (1860–62).

Deutscher Caritasverband, →Caritas.
Deutsche Rechtspartei, 1) eine 1892 gegr. polit. Partei, die außer den Welfen auch kurhess. und mecklenburg. Partikularisten umfaßte und die föderalist. Ausgestaltung der Reichsverfassung forderte. 2) eine im Juli 1946 in einigen norddt. Ländern, dann auch in Nordrhein-Westfalen und Hessen aus dem Zusammenschluß der Deutschen Konservativen, der Deutschen Aufbau- und der Deutschen Bauern- und Landvolkpartei entstandene polit. Partei konstitutionell-monarch. und nationaler Richtung.
Deutsche Reichsbahn, 1) die Staatsbahnen des *Deutschen Reichs* 1920–45. Die verschiedenen dt. Eisenbahnen wurden erstmalig im 1. Weltkrieg unter eine gemeinsame Kriegsbetriebsleitung gestellt. Nach 1918 setzte sich der *Reichsbahngedanke* durch (Reichs-Verf., Reichs-Ges. v. 1. 4. 1920). Die NotVO v. 12. 2. 1924 schuf im Zusammenhang mit den Reparationen das selbständige Unternehmen D. R. als Sondervermögen des Reiches, das am 1. 10. 1924 in die *Deutsche Reichsbahn-Gesellschaft* übergeführt wurde. Sie verwaltete die Reichseisenbahnen als Betriebsgesellschaft für das

Reich, das Eigentümer blieb *(Reichseisenbahnvermögen).* Wert des Anlagekapitals (1930): 26,287 Mrd. RM. *Organe:* Verwaltungsrat und Vorstand. Die Länge der Betriebsanlagen betrug 1932: 53931 km. Die Betriebsorganisation umfaßte die Hauptverwaltung in Berlin für den Gesamtbereich, weiter die Gruppenverwaltung Bayern in München für den Bezirk der ehem. bayer. Verwaltung, 30 Reichsbahndirektionen mit Amtsbezirken zur Beaufsichtigung des örtlichen Dienstes, 4 Reichsbahnzentralämter und 3 Oberbetriebsleitungen. Durch Ges. v. 27. 6. 1933 wurde als Zweigunternehmen die Gesellschaft *Reichsautobahnen* gegründet. Die Ges. v. 10. 2. 1937 und 6. 7. 1939 unterstellten die Reichsbahn-Gesellschaft wieder als *Deutsche Reichsbahn* der Reichshoheit. Der Generaldirektor wurde zugleich Reichsverkehrsminister. Nach Ende des 2. Weltkriegs waren neben zerstörten Gleisen, Weichen, Brücken, Tunnels usw. nur noch 65 % der Lokomotiven, 40 % der Personen-, 75 % der Güterwagen von 1936 verfügbar. Die Betriebsführung, die anfangs in alliierten Händen lag, wurde wieder dt. Stellen übertragen. Für jede der 4 Zonen wurde eine Eisenbahn-Zentralbehörde errichtet, die sich mit Ausnahme der für die Sowjetzone am 1. 10. 1946 zur *Hauptverwaltung der Eisenbahnen (HVE)* vereinigten. Seit dem 7. 9. 1949 führt die D. R. in der Bundesrep. Dtl. den Namen →Deutsche Bundesbahn.
Lit.: A. Sarter u. T. Kittel: Was jeder von der D. R. wissen muß (⁷1953).
2) die Staatsbahnen der *Dt. Dem. Rep.* Nach ursprünglich straffer Zentralisation des gesamten Verkehrswesens erhielt die D. R. nach Errichtung der DDR Selbständigkeit unter dem Min. für Verkehrswesen (1955); es bestehen 6 Hauptverwaltungen für Betrieb, Verkehr, Maschinenwirtschaft, Wagenwirtschaft, Bahnanlagen, Sicherungs- und Fernmeldewesen, daneben als Kontrollinstanz die Politische Verwaltung, ferner 8 Reichsbahndirektionen.
Deutsche Reichspartei, 1) bis 1918 Name der →Freikonservativen Partei im Reichstag. 2) DRP, eine 1946 in den norddt. Ländern der Bundesrep. Dtl. entstandene rechtsstehende Partei mit nationalkonservativer Tendenz. 1949 spaltete sich die radikale Sozialistische Reichspartei (SRP) ab. Bei der Bundestagswahl 1961 erhielt die DRP 0,8 % der Stimmen; Ende 1965 ging sie in der Nationaldemokratischen Partei (NPD) auf (Bundestagsw. 1965: 2 % der Stimmen).
Deutsche Reichspost, 1924–45 Name der Post im Dt. Reich (→Deutsche Bundespost, →Deutsche Post).
Deutsche Rentenbank, *Deutsche Rentenbank-Kreditanstalt,* →Landwirtschaftliche Rentenbank.
Deutscher Fußballbund, →Fußball.
Deutscher Gemeindetag, →Gemeindetag.
Deutscher Genossenschafts- und Raiffeisenverband e. V., Bonn, Dachverband des westdt. Genossenschaftswesens; entstand

1971 durch Fusion aus Dt. Genossenschaftsverband (Schulze-Delitzsch) e. V. und Dt. Raiffeisenverband.

Deutscher Genossenschaftsverband (Schulze-Delitzsch) e. V., →Deutscher Genossenschafts- und Raiffeisenverband e. V.

Deutscher Gewerkschaftsbund, DGB, Düsseldorf, die Gesamtorganisation der Einheitsgewerkschaften der Arbeiter, Angestellten und Beamten in der Bundesrep. Dtl.; nicht rechtsfähiger Verein, gegr. Okt. 1949

GEWERKSCHAFTEN IM DEUTSCHEN GEWERK-
SCHAFTSBUND (1974)

IG. = Industriegewerkschaft G. = Gewerkschaft	Mitgl. (1000)
IG. Metall	2593,5
G. Öffentl. Dienste, Transport u. Verkehr (ÖTV)	1051,1
IG. Bergbau und Energie	374,1
IG. Chemie, Papier, Keramik .	655,7
IG. Bau, Steine, Erden	517,9
G. der Eisenbahner Deutschlands.	455,4
G. Textil, Bekleidung	287,6
G. Nahrung, Genuß, Gaststätten	248,5
Deutsche Postgewerkschaft. . .	420,0
G. Holz und Kunststoff	135,2
IG. Druck und Papier	164,5
G. Handel, Banken, und Versicherungen	236,6
G. Gartenbau, Land- und Forstwirtschaft	39,9
G. Leder	57,6
G. Erziehung und Wissenschaft.	132,1
G. Kunst.	36,2
Dt. Gewerkschaftsbund.	7405,8[1]

[1] 5 416 300 Arbeiter, 1 313 600 Angestellte, 675 900 Beamte; Anteil der weibl. Mitglieder 1 284 500.

in München, trat an die Stelle der 1933 aufgelösten, politisch und konfessionell verschiedenen Gewerkschaftsbünde. Die zum DGB zusammengeschlossenen 16 *Industrie-Gewerkschaften* entsenden ihre Vorsitzenden in den Vorstand des DGB. In der Bundesleitung gibt es besondere Ausschüsse für Wirtschafts-, Ernährungs-, Sozial-, Kulturpolitik usw. Zu den Einrichtungen des DGB gehören das Wirtschaftswissenschaftl. Institut, Bundesschulen, Akademien der Arbeit, Vermögens- und Treuhandgesellschaften, Ruhrfestspiele; er ist beteiligt an gemeinnützigen Unternehmen (Banken, Versicherungen, Bau- und Siedlungsgesellschaften u. a.). Wirtschafts- und sozialpolit. Ziele sind Vollbeschäftigung, betriebl. Mitbestimmung, Sozialisierung der Schlüsselindustrien, Beteiligung am Wirtschaftsvertrag, Fürsorge im Alter, bei Invalidität, Krankheit, Arbeitszeitverkürzung. 1955 trat ein Teil der christl. Arbeitnehmer aus dem DGB aus und gründete die Christl. Gewerkschaftsbewegung Deutschlands. – Zahl der Mitglieder: hierzu ÜBERSICHT. Erste Vorsitzende des DGB waren: H. Böckler (1949 bis 1951), Chr. Fette (1951/52), W. Freitag (1952–56), W. Richter (1956–62), L. Rosenberg (1962–69), seitdem H. O. Vetter.

LIT. K. Hirche: Die Wirtschaftsunternehmen der Gewerkschaften (1966); H. Streithofen: Wertmaßstäbe der Gewerkschaftspolitik (1967).

Deutscher Idealismus, die philosophische Bewegung, die mit Kants Wendung zum transzendentalen Idealismus einsetzte und bis etwa 1830 in großen Systembildungen (→Fichte, →Schelling, →Hegel) Gestalt gewann. Da der D. I. mit der Dichtung und Wissenschaft der Zeit in vielfältiger Wechselwirkung stand und auf das allgemeine Geistesleben stark einwirkte, macht er einen wesentlichen Bestandteil der deutschen Klassik und Romantik aus. Den Systemen des D. I. ist, bei großer Verschiedenheit der Grundbegriffe und des Aufbaus, gemeinsam, daß sie über Kants kritische Grundhaltung hinausgehen und die gesamte Wirklichkeit aus einem geistigen Prinzip metaphysisch ableiten; insofern stellen sie einen Höhepunkt in der Geschichte der Metaphysik dar. Ihr Vertrauen in die konstruktive Kraft des Denkens ist groß. Am bedeutendsten sind die Leistungen des D. I. in Kultur- und Bildungsphilosophie, Ästhetik, Religionsphilosophie. Mit dem Tode Hegels (1831) brach die beherrschende Stellung des D. I. zusammen. Doch wirkten viele der von ihm geprägten Anschauungen und Begriffe, zumal in den Geisteswissenschaften und in der Staatslehre, fort. Nachzügler traten bis zum Ende des 19. Jhs. auf (Lotze, E. v. Hartmann). Um 1900 griff die Philosophie in Dtl. und anderen Ländern auf Kant und die nachkantischen Systeme zurück und erneuerte sie (Neu-Kantianismus, Neu-Hegelianismus).

LIT. →Hartmann, Nicolai; →Nohl, H.

Deutscher Juristentag, Vereinigung deutscher Juristen unter Leitung einer *Ständigen Deputation* zum gegenseitigen Meinungsaustausch und zur Fortbildung des Rechts. Regelmäßige Arbeitstagungen fanden 1860 bis 1931 statt. 1949 neugegründet; die erste Tagung war 1950 in Frankfurt (›Verhandlungen des D. J.‹, seit 1860).

Deutscher Klub, 1) →Deutschnationale Bewegung. **2)** →Herrenklub.

Deutscher Krieg von 1866, der von Bismarck herbeigeführte Entscheidungskampf zwischen Preußen und Österreich um die Vorherrschaft in Deutschland. Die Bundestagssitzung vom 14. 6. bedeutete den Bruch zwischen den beiden Mächten. Zu Preußen standen die norddeutschen Kleinstaaten und Italien, zu Österreich die deutschen Mittelstaaten. Die preuß. Hauptmacht rückte nach Moltkes Feldzugsplan in drei Armeen über die Sudeten in Böhmen ein, warf die mit sächs. Truppen vereinigte österreich. Nordarmee unter Benedek in mehreren Gefechten (26.–29. 6.) zurück und gewann die Entscheidungsschlacht bei Königgrätz (3. 7.).

Inzwischen hatten die hannoverschen Truppen, die nach S durchzubrechen versuchten, am 29. 6. bei Langensalza die Waffen strekken müssen. Die preuß. Mainarmee drang dann unter siegreichen Gefechten gegen die süddeutschen Korps (4.–26. 6.) in das bayer. Franken ein. Als die Preußen schon in der Nähe von Wien standen, schloß Österreich am 26. 7. den Vorfrieden von Nikolsburg ab, dem am 23. 8. der Friede von Prag folgte; es blieb aber der Auflösung des Deutschen Bundes und der Gründung des Norddeutschen Bundes zustimmen. Ebenso schonend wurden Sachsen und die süddeutschen Staaten vom Sieger behandelt, dagegen Hannover, Hessen-Kassel, Nassau, Frankfurt a. M. und Schleswig-Holstein in Preußen einverleibt. In Italien hatte die österreich. Südarmee unter Erzherzog Albrecht bei Custozza (24. 6.) und die österreich. Flotte unter Tegetthoff bei Lissa (20. 7.) gesiegt; dennoch trat Österreich unter Vermittlung Napoleons III. Venetien an Italien ab (Wiener Friede vom 3. 10. 1866).

LIT. D. Feldzug v. 1866 in Dtl. (preuß. Generalstabswerk, 5 Bde., 1868); Österreichs Kämpfe 1866 (österr. Generalstabswerk, 5 Bde., 1867–69); La campagna del 1866 in Italia (ital. Generalstabswerk, 2 Bde. u. Compl. 1875–95, Rom 1909); O. v. Lettow-Vorbeck: Gesch. des Krieges von 1866 in Deutschland, 3 Bde. (1896 bis 1902); Groote u. Gersdorff (Hg.): Entscheidung. 1866 (1966).

Deutscher Kurzwellensender, von 1930–45 ein Sender mit regelmäßigem Programm, auch in Fremdsprachen, das auf kurzen Wellen über Richtstrahler gesendet wurde.

Deutscher Literat́urkalender, ein von Joseph Kürschner 1883 gegr. Verzeichnis der lebenden dt. Schriftsteller und ihrer Werke, das auf den Angaben der Schriftsteller selbst beruht; die wissenschaftl. Schriftsteller werden seit 1925 in einem besonderen *Gelehrtenkalender* verzeichnet.

deutscher Michel, eine Darstellung des Deutschen als Karikatur. Michel ist die Kurzform von Michael, des Erzengels und Schutzpatrons der Deutschen. Der d. M. ist das Gegenteil des strahlenden Gotteskämpfers: ein Bauernbursche in Zipfelmütze und Kniehosen, der Inbegriff der Einfalt und gutmütigen Schwerfälligkeit. Polit. Bewegungen benutzen gern diese Gestalt, um das Volk aufzurütteln, so schon in der Reformationszeit (1. Beleg bei Seb. Frank, 1541). – Im 30jährigen Krieg erhielt der tapfere Reiterführer Michael Obentraut (* 1574, † 1625) den Beinamen ›der d. M.‹ – Niederdt. Bauernkomödie: ›De dütsche M.‹ von Fritz Stavenhagen (1905).

LIT. A. Hauffen: Gesch. d. d. M. (1918); E. Boehlich: Joh. Mich. Elias Obentraut. Zur Gesch. u. Legende des D. M. (Bausteine. Festschrift f. Max Koch, 1926).

Deutscher Normenausschuß, DNA, eine unabhängige Körperschaft freiwilliger und ehrenamtl. Mitarbeiter zur Aufstellung und Registrierung der Normen auf allen Gebieten der industriellen Fertigung. 1917 wurde der *Normalienausschuß für den Maschinenbau* gegr. (umbenannt in *Normenausschuß der dt. Industrie;* seit 1926 D. N.).

Deutscher Offizierbund, abgek. **D. O. B.,** Verband, in dem die nach dem 1. Weltkrieg ausgeschiedenen Offiziere sich zur Vertretung ihrer Belange zusammenschlossen, ging seit 1934 in anderen Verbänden auf.

Deutscher Orden, *Deutschritter-, Deutschherren-, Kreuzritterorden,* wurde 1190 von Lübecker und Bremer Kaufleuten als Krankenpflegerorden gegründet und 1198 in einen geistlichen Ritterorden mit dem Sitz in Akkon umgewandelt. Die Ordensritter trugen einen weißen Mantel mit schwarzem Kreuz. Unter dem Hochmeister Hermann von Salza (1210–39) besaß der D. O. 1211 bis 1225 als ungar. Lehen das siebenbürgische Burzenland, wo er Kronstadt gründete, und erhielt 1226, von Herzog Konrad von Masowien gegen die heidn. Preußen zu Hilfe gerufen, das Culmerland; er unterwarf von hier aus bis 1283 das ganze Preußenland, das durch Ansiedlung deutscher Bauern und durch zahlreiche Städtegründungen völlig eingedeutscht wurde. Die Vereinigung mit dem Schwertbrüderorden (1237) hatte den D. O. auch zum Herrn in Livland und Kurland gemacht. Der weitere Vorstoß gegen Nowgorod scheiterte 1242 in der Schlacht auf dem Peipus-See. Nachdem 1291 Akkon an die Mohammedaner verlorengegangen war, wurde der Sitz des Hochmeisters nach Venedig, 1309 nach der Marienburg, 1466 nach Königsberg verlegt. Immer neue Grenzkriege führte der Orden gegen die heidnischen Litauer, die 1370 in der Schlacht bei Rudau besiegt wurden und 1380 Schamaiten abtreten mußten. Ferner gewann er 1308 Pommerellen mit Danzig, 1346 das bisher dänische Estland, 1398 Gotland, 1402 die Neumark. Die Herrschaft des Hochmeisters Winrich von Kniprode (1351–82) ist der Höhepunkt in der Entwicklung des D. O.-Staates.

Der Hochmeister, auf Lebenszeit gewählt, war nicht Reichsfürst, aber reichszugehörig; ihm zur Seite standen fünf Gebietiger, unter ihm der Landmeister für Livland und der Deutschmeister für die 12 binnendeutschen Balleien. An der Spitze der Bezirksverwaltung standen Komture. Die kloster- und schloßähnlichen Ordensburgen in Preußen gehören zu den schönsten Bauten der norddeutschen Backsteingotik (BILD Burg). Die Deutschordensdichtung, die ihre Blütezeit unter dem Hochmeister Luder von Braunschweig (1331–35) erlebte, ist meist in mitteldeutscher Sprache abgefaßt; es gab ferner Chroniken von hohem Rang.

Im Innern des Ordensstaates wuchs freilich schon im 14. Jh. eine starke Gegnerschaft des Landadels und der Städte heran, nicht zuletzt durch den Großhandel des Ordens mit Getreide und Bernstein. Gegen die Übermacht des seit 1386 vereinigten Polen-

Litauen verlor der D. O. am 15. 7. 1410 die Schlacht bei Tannenberg und trat im ersten Thorner Frieden von 1411 Schamaiten ab. Ein durchgreifender Reformversuch des Hochmeisters Heinrich von Plauen (1410 bis 1413) scheiterte. 1454 brach der ›Dreizehnjährige Krieg‹ mit dem Landadel, den Städten und Polen aus; er endete mit dem zweiten Thorner Frieden von 1466, durch den Pommerellen, das Culmerland, Marienburg, Danzig, Elbing und Ermland polnisch wurden, während das übrige Preußen die Oberlehnshoheit des Polenkönigs anerkennen mußte. Schließlich verwandelte der letzte Hochmeister, Markgraf Albrecht von Brandenburg-Ansbach, 1525 den preuß. Ordensstaat in ein protestantisches Herzogtum. In Livland suchte der Landmeister Walter von Plettenberg (1494–1535) die Ordensherrschaft zu behaupten, drohte aber den russischen Angriffen zu erliegen: daher unterwarf sich 1561 Estland der schwedischen und Livland der polnischen Herrschaft, während Kurland 1558 als poln. Lehen ein protestant. Herzogtum des letzten livländ. Heermeisters, Gotthard Kettler, wurde.

Der D. O. selbst war seitdem auf seine zerstreuten süd- und westdeutschen Besitzungen beschränkt; der Hauptsitz wurde Mergentheim, und dem Deutschmeister, der katholisch blieb, verlieh 1530 Kaiser Karl V. die Würde des Hochmeisters. 1809 hob Napoleon den Orden im außerösterr. Dtl. auf; 1834 erneuerte ihn Franz I. von Österreich als kathol. Adelsgemeinschaft. Seit 1929 (wiederhergestellt 1945) gehört er zu den klerikalen Bettelorden. Sitz des Hochmeisters ist Wien.

LIT. E. Caspar: Hermann von Salza (1924); C. Krollmann: Polit. Gesch. des D. O. (1932); W. Ziesemer u. K. Helm: Die Literatur des D. O. (1951); M. Tumler: Der D. O. (1955); W. Hubatsch: D. O. u. Preußentum, in Zeitschrift für Ostforschung 1 (1952); R. ten Haaf: Kurze Bibliogr. zur Gesch. des D. O. (1949).

Deutscher Philologenverband e. V., Zusammenschluß der Lehrer an höheren Schulen, gegr. 1903; 1947 neugegr. Berufsverband der Lehrer an Gymnasien, Sitz Bonn.

Deutscher Presserat, Selbstkontrolleinrichtung der Presse, gegr. 20. 11. 1956, Sitz Bad Godesberg. Der D. P. hat 20 Mitglieder (je 10 Vertreter der Zeitungs- und Zeitschriftenverleger und 10 der Zeitungs- und Zeitschriftenjournalisten). Aufgaben: Schutz der Pressefreiheit, Beseitigung von Mißständen, Vertretung der Presse gegenüber der Öffentlichkeit.

Deutscher Raiffeisenverband, →Deutscher Genossenschafts- und Raiffeisenverband e. V.

Deutscher Richterbund, Bund der Richter und Staatsanwälte, gegr. 1909, 1933 aufgelöst, 1949 in der Bundesrep. Dtl. neu gegr.; Sitz: München.

Deutscher Sängerbund, Vereinigung der dt. Männergesangvereine, gegr. 1862 in Coburg.

1945 wurde der D. S. vorübergehend verboten; er ist heute, zusammen mit dem 1948 gegr. *Deutschen Allgemeinen Sängerbund,* Organ des dt. Männerchorwesens.

Deutscher Schulverein e. V., →Verein für das Deutschtum im Ausland.

Deutscher Schutzbund, 1919 gegr. Verband von Vereinen für das Grenz- und Auslanddeutschtum; arbeitete kulturell und politisch, aber ohne Parteibindung. Seit 1933 ging er in anderen Verbänden auf.

Deutscher Siedlerbund e. V., Düsseldorf, 1927 gegr., 1946 neugegr. Spitzenverband der Landesverbände der Kleinsiedler mit der Aufgabe der Betreuung und Beratung seiner Mitglieder auf den Gebieten der Siedlerwirtschaft (Gartenbau, Kleintierhaltung), des Siedlungsrechts sowie der Siedlungsbewerber bei Landbeschaffung, Finanzierung und Organisation der baul. Selbsthilfe.

Deutscher Sportbund, DSB, in der Bundesrep. Dtl. die Dachorganisation aller Sportverbände; gegliedert in: Landesverbände, Spitzenverbände mit olymp. Aufgaben, Spitzenverbände mit nur internat. Beziehungen und Anschlußverbände, bei denen der Sport nur ein Teil ihrer Arbeit ist (Sporterzieher, Sportärzte u. a.); gegr. 1950; Präs.: W. Weyer (seit 1974).

Deutscher Sprachatlas, von Georg Wenker in Marburg 1876 gegründete Kartensammlung, die die sprachlichen bes. die lautlichen Eigentümlichkeiten der deutschen Sprache auf der Basis der Mundarten darstellt. Das Werk wird seit 1927 von F. Wrede, W. Mitzka, B. Martin fortgesetzt.

Deutscher Sprachverein, Allgemeiner, gegr. 1885 auf Anregung von Herm. Riegel zur Pflege der deutschen Sprache; erlosch im 2. Weltkrieg. Er wurde 1947 unter dem Namen *Gesellschaft für deutsche Sprache* in Lüneburg neu gegründet. Seit 1949 erscheint wieder die Zeitschrift ›Muttersprache‹.

Deutscher Städtetag, die Dachorganisation der kreisfreien und eines Teils der kreisangehörigen Städte und Städteverbände in der Bundesrep. Dtl., Sitz Köln. Der D. S. vertritt die Interessen der Städte gegenüber Regierung und Parlamenten und berät staatl. und kommunale Behörden. Der D. S. wurde 1905 gegründet und 1933–45 als *Deutscher Gemeindetag* gesetzl. Zwangsverband aller Gemeinden und Gemeindeverbände; 1946 wurde er neu gegründet. Dieser fusionierte mit dem 1910 gegründeten *Deutschen Städtebund* zum *Deutschen Städte- und Gemeindebund* (Sitz: Düsseldorf), der die kreisangehörigen Städte vertritt. – In der DDR wurde am 15. 3. 1957 in Ost-Berlin ein *Städte- und Gemeindetag* gegründet.

Deutscher Taschenbuch Verlag, München, gegr. 1960. Gründer: Artemis Verlags-AG, Zürich; C. H. Beck'sche Verlagsbuchhandlung, München; Deutsche Verlags-Anstalt GmbH, Stuttgart; Carl Hanser Verlag, München; Jakob Hegner Verlag GmbH, Köln; Insel-Verlag, Frankfurt (1963 ausgeschieden); Kiepenheuer & Witsch, Köln; Kösel-Verlag O. Huber KG, München; Nymphenburger Verlagshandlung GmbH, München (seit 1974 Ellermann); Piper & Co. KG, München; Otto Walter AG, Olten; Heinz Friedrich, München. 1971 kam die Jugend-Taschenbuch-Union dazu, 1978 der Hoffmann und Campe Verlag, Hamburg.

Deutscher Turnerbund, →turnen.

Deutscher Turn- und Sportbund, DTSB, bis 1957 *Deutscher Sportausschuß,* dem staatl. Komitee für Körperkultur und Sport unterstehende Dachorganisation aller sportl. Fachverbände in der DDR.

Deutscher Verlag, →Ullstein Verlag.

Deutscher Volksbund, war die führende Organisation der Deutschen im poln. Ost-Oberschlesien; im Nov. 1921 gegr., um die dt. Kulturarbeit zu fördern.

Deutscher Volkskongreß (in der sowjet. Besatzungszone), →Deutschland, Staatsform.

Deutscher Volkskundeatlas, eine Kartensammlung, die eine Auswahl volkskundl. Erscheinungen in ihrer gesamtdeutschen Verbreitung (Reichsgebiet, dazu Österreich, Böhmen, Luxemburg; insges. 20000 Belegorte) darstellt. 1937–39 sind 99 Karten erschienen, die meist den Volksglauben und den Volksbrauch betreffen. Der D. V. wurde 1928 auf Anregung von W. Pessler begonnen; eine Ergänzung bringt der Atlas der schweiz. Volkskunde (in Arbeit seit 1937).
LIT. Dt. Volkskunde (1928 Dt. Forschung, H. 6); H. Schlenger: Methode u. techn. Grundlagen d. Atlas der dt. Volkskunde, Heft 27 (1934); E. Röhr: Die Volkstumskarte (1939); P. Geiger u. R. Weiss: Atlas d. Schweiz. Volkskunde; dies.: Schweiz. Arch. f. Volkskunde, 43 (Zürich 1946).

Deutsches Amt für Meßwesen und Warenprüfung, DAMW, in der DDR 1964 entstanden durch Zusammenschluß des Dt. Amtes für Material- und Warenprüfung und des Dt. Amtes für Meßwesen (ehem. Dt. Amt für Maße und Gewichte).

Deutsches Archäol'ogisches Institut, wissenschaftl. Anstalt mit der Aufgabe, neues Material über die Länder des klassischen Südens, den nahen Orient und Ägypten zu sammeln und mitzuteilen und den archäologischen Nachwuchs insbes. durch Vergebung von Auslandsstipendien heranzubilden. Sitz der Zentralverwaltung ist seit 1874 Berlin. Das Institut hat Abteilungen in Rom (1953 zurückgegeben), Athen (seit 1874, wiedereröffnet 1951), Istanbul (1929), Kairo (1929, entstanden aus dem 1906 von L. Borchardt gegründeten Deutschen Institut für ägypt. Altertumskunde) und Madrid (1942; Bibliothek 1953 zurückgegeben). Die Abteilung in Rom und damit das Institut überhaupt ist 1828 als privates *Istituto di corrispondenza archeologica* unter maßgebender Beteiligung C. von Bunsens und E. Gerhards gegründet und seit 1859 bis zur Übernahme durch das Reich (1874) von Preußen finanziert worden. Eine Abteilung des D. A. I. ist auch die Römisch-Germani-

sche Kommission in Frankfurt a. M., die seit 1901 röm.-german. Archäologie und Vorgeschichtsforschung betreibt.
VERÖFFENTLICHUNGEN. Jahrbuch (seit 1886) mit Archäologischem Anzeiger und jährl. Bibliographie und Ergänzungsbänden; Mitteilungen des D. A. I. ›Germania‹ und Berichte der Römisch-German. Kommission.

Deutsches Arzneibuch, D. A. B., Pharmakop'öe, das amtl. deutsche, mit Gesetzeskraft versehene Vorschriftenbuch über Beschaffenheit, Prüfung und Aufbewahrung der gebräuchlichsten Arzneimittel. Die darin aufgenommenen Mittel werden als *offizinell* bezeichnet.

Deutsches Atomforum, Zusammenschluß der Arbeitsgemeinschaft für Kerntechnik, der Dt. Ges. für Atomenergie, der Physikal. Studiengesellschaft und des Vereins ›Atome für den Frieden‹, gegr. 26. 5. 1959, Sitz Bonn. Es verfolgt den Zweck, alle Bestrebungen zu fördern, die mit der Entwicklung und Verwendung der Atomkernenergie zu friedlichen Zwecken zusammenhängen.

Deutsches Auslands-Institut, →Institut für Auslandsbeziehungen.

Deutsches Schlaf- und Speisewagen GmbH, DSG, gegr. 1949 in Frankfurt a. M. unter Übernahme der Vermögenswerte der früheren Mitropa, betreibt Schlaf- und Speisewagen sowie den Speisen- und Getränkeverkauf in Zügen der Dt. Bundesbahn.

deutsche Schrift, →Fraktur.

Deutsches Eck, Landzunge in Koblenz zwischen Rhein und Mosel mit 1897 errichtetem Denkmal Wilhelms I.; 1944 zerstört; seit Mai 1953 ein Mahnmal zur Wiederherstellung der dt. Einheit.

Deutsche Seewarte, eine 1875 in Hamburg gegr. Reichsanstalt mit der Aufgabe, die Naturverhältnisse der Meere zu erforschen und zur Sicherung der Seeschiffahrt zu verwerten. Sie gab u. a. die ›Annalen der Hydrographie und Maritimen Meteorologie‹ (1873–1944), zahlreiche Dampfer- und Segelhandbücher, Atlanten der Ozeane, Monatskarten und den ›Seewart‹ heraus. Die D. S. wurde 1945 aufgelöst; ihre Aufgaben gingen teils auf das →Deutsche Hydrographische Institut, teils auf das Meteorolog. Amt in NW-Deutschland, Sitz Hamburg, über.

Deutsches Grünes Kreuz, ein 1950 gegr. gemeinnütziger Verein zur Abwendung und Minderung von Gefahren für den Menschen und zur Bekämpfung von Schäden aller Art für Tiere und Pflanzen; Sitz Marburg.

Deutsche Shell AG, Hamburg, Erdölgesellschaft, gegr. 1902; gehört zur *Royal-Dutch-Shell-Gruppe.*

Deutsches Hydrographisches Institut, Hamburg, als *Norddt. Seewarte* 1868 von W. v. Freeden gegr., untersteht dem Bundesverkehrsmin.; gibt Seekarten, Seehandbücher, Nachrichten für Seefahrer, Eis- und Gezeitentafeln heraus.

Deutsches Institut für die tropische und subtropische Landwirtschaft, früher Deutsche

Kolonialschule, Witzenhausen an der Werra, bildet in zweisemestrigen Lehrgängen Landwirte für tropische und subtropische Gebiete aus (Diplom als staatl. geprüfter Landwirt).

Deutsches Institut für Länderkunde, früher **Deutsches Museum für Länderkunde,** Leipzig, 1892 zur Verbreitung geogr. Kenntnisse, zur Vermittlung von Anschauungsmaterial für Wissenschaft u. Schule und zur Veröffentlichung hinterlassener Werke dt. Geographen gegr., gibt ›Wissenschaftl. Veröffentlichungen‹ und ein ›Jahrbuch‹ heraus. Angeschlossen ist seit 1948 die *Geograph.-völkerkundl. Zentralbibliothek.*

Deutsches Kreuz, dt. Kriegsorden, gestiftet 28. 9. 1941; Brusstern, 2 Arten: ›in Gold‹ und ›in Silber‹.

Deutsches Museum *von Meisterwerken der Naturwissenschaft und Technik* in München, seit 1903 nach den Plänen Oskar von Millers eingerichtet und am 7. 5. 1925 eröffnet. Es umfaßt 36000 qm Ausstellungsfläche. Das D. M. hat die Aufgabe, den historischen Werdegang der exakten Naturwissenschaften, der Technik und Industrie durch Original-Maschinen und -Apparate, Nachbildungen, Modelle, Demonstrationseinrichtungen, Bilder und Zeichnungen zu veranschaulichen. Den Sammlungen ist eine Bücherei naturwissenschaftlicher und technischer Art angegliedert mit rund 600000 Bänden, 13000 Urkunden und 7000 Bildnissen.

LIT. J. Zenneck: 50 Jahre D. M. (1953).

Deutsches Museum für Buch und Schrift, *Deutsches Buch- und Schriftmuseum,* in der Dt. Bücherei Leipzig, enthält seit 1917 das frühere *Dt. Buchgewerbemuseum* sowie die *Sächs. Bibliographische Sammlung* (gegr. v. Heinrich Klemm) mit 3000 Inkunabeln und Drucken des 16. Jhs., darunter einem Pergamentexemplar der 42zeiligen Bibel.

Deutsches Nachrichtenbüro GmbH, abgek. **DNB,** gegr. 5. 12. 1933 durch Umwandlung von Wolffs Telegraphischem Büro AG in eine GmbH und Vereinigung mit der Telegraphen-Union. Das DNB wurde bald das offiziöse Nachrichtenbüro des nationalsozialistischen Reichs. An seine Stelle trat nach 1945 in Westdeutschland die Deutsche Nachrichten-Agentur (DENA), in der sowjet. Zone der Allgemeine Deutsche Nachrichtendienst (ADN).

Deutsches Obergericht, der durch die amerik. und brit. Militärregierung 1949 für das Vereinigte Wirtschaftsgebiet errichtete Gerichtshof (Sitz Köln), der als Rechtsmittelinstanz in Zivil- und Strafsachen und als 1. Instanz in Streitigkeiten über die Gültigkeit von Gesetzen zu entscheiden hatte. Seine Zuständigkeiten sind 1949–51 auf den Bundesgerichtshof und auf das →Bundesverfassungsgericht übergegangen.

LIT. Entscheidungen des D. O. (1951).

deutsche Sprache, ÜBERSICHT Seite 63–65.

Deutsches Rechenzentrum, 1962 in Darmstadt gegr.; Aufgaben: Lösung von Rechenproblemen bei Forschungsvorhaben; Ausbildung von Fachkräften u. a.

deutsches Recht, das Recht, das sich auf der Grundlage der german. Rechtsvorstellungen entwickelt hat. Das ältere german. Recht war mündlich überliefertes Gewohnheitsrecht der Volksgerichte (Ding); bei stark symbolischer Form war es gekennzeichnet durch seinen starken sittl. Gehalt und durch seinen genossenschaftl. und sozialen Geist. In der Völkerwanderungszeit bildete sich ein *Stammesrecht* für die Angehörigen der einzelnen Stämme, die Stammesrechte wurden im 5.–9. Jh. aufgezeichnet (→Germanische Volksrechte). Im Frankenreich entstand daneben das auf königl. Verordnungen (Kapitularien) beruhende *Reichsrecht* im mittelalterl. Reich entwickelte sich die Stammesrechte zu *Landrechten* für die Bewohner eines bestimmten Gebiets. Daneben entstanden Sonderrechte für bestimmte Personenkreise oder Berufe (Lehn-, Hof-, Stadtrecht u. a.). Zu größerer Rechtsangleichung trugen im 13. Jh. entstandene private Rechtsbücher bei (Sachsenspiegel, Schwabenspiegel) sowie die Beleihung neugegründeter Städte, bes. im dt. Osten, mit dem Recht einer älteren Stadt, deren Oberhof Rechtsweisungen gab.

Seit der 2. Hälfte des 15. Jhs. wurde das d. R., das sich weitgehend auf nationaler Grundlage entwickelt hatte, durch das spätröm. Recht des Corpus iuris beeinflußt (→Rezeption). Das röm. Recht galt zwar nur ergänzend (subsidiär) zu den Orts- und Landesrechten, doch wurden diese vielfach romanisiert (Stadtrechtsreformationen, z. B. Nürnberg 1479). Seit dem 18. Jh. begann jedoch das d. R. wieder zu erstarken, bes. unter dem Einfluß des Naturrechts; die neuen Gesetzbücher (Preuß. Allgem. Landrecht, Österreich. ABGB) erneuerten eine Reihe german. Rechtsgedanken. Große Verdienste um das d. R. erwarb sich die deutsche historische Rechtsschule im 19. Jh., indem sie die gemeinsame Grundlage der deutschen Partikularrechte aufdeckte. Das BGB, das 1900 das Recht im Dt. Reich vereinheitlichte, beruht auf deutschen und römischen Rechtsgedanken.

LIT. C. v. Schwerin u. H. Thieme: Grundzüge der dt. Rechtsgeschichte (⁴1950); F. Wieacker: Privatrechtsgeschichte der Neuzeit (²1967); H. Mitteis: Dt. Rechtsgeschichte (¹²1971).

Deutsches Reich, 1) das alte deutsche Reich 911–1806, amtlich seit dem 11. Jh. *Römisches Reich,* seit dem 15. Jh. *Heiliges Römisches Reich Deutscher Nation* genannt. 2) amtl. Name des deutschen Staates im Zeitalter des Bismarckschen Reichs, der Weimarer Republik und des Nationalsozialismus (1871–1945). →Deutschland, →Deutsche Geschichte.

Deutsches Reisebüro GmbH, DER, 1) Tochtergesellschaft der Dt. Bundesbahn, Frankfurt a. M., 1968 aus dem 1918 gegr. *Mitteleurop. Reisebüro (MER)* hervorgegangen. 2) Staatl. Reisebüro der DDR, 1964 in **Reisebüro der DDR** umbenannt.

DEUTSCHE SPRACHE

GESCHICHTE DER DEUTSCHEN SPRACHE

Die deutsche Sprache ist die Muttersprache der deutschen Sprachgemeinschaft. Unter den indogermanischen Sprachen ist die deutsche Sprache durch die germ. →Lautverschiebung als germ. Sprache gekennzeichnet. Früher hatte man das Deutsche zusammen mit dem Angelsächsischen und Friesischen als Zweig des Westgermanischen angesehen, dieses selbst als Ast des Germanischen. Die neuere Forschung betont gegenüber solchem Werdegang durch Aufspaltung, daß in der deutschen Sprache eine im Gefolge der Völkerwanderung verbliebene Mannigfaltigkeit zusammengewachsen ist: die fränkischen Mundarten entsprangen wesentlich anderen germanischen Grundlagen als die bairisch-alemannischen oder die sächsischen Mundarten. Es lassen sich kaum gemeinsame Merkmale angeben, durch die das Deutsche sich aus dem Westgermanischen herausgelöst hätte. Die Geschichte der deutschen Sprache ist also wesentlich eine Geschichte der Wechselbeziehungen der Mundartgruppen und der darauf beruhenden Ausbildung einer Schriftsprache. Nach dem Abklingen der Völkerwanderung erfaßt die von den Alemannen ausgehende hochdeutsche →Lautverschiebung das Bairische und Teile des Fränkischen. Freising liefert um 765 mit dem *Abrogans* (auch *Keronisches Glossar*; spätlatein. Wortliste mit Verdeutschungen) das älteste schriftliche Denkmal der deutschen Sprache. Die fränkische Staatsmacht übte seit dem 8. Jh. von Westen her auch starke sprachliche Wirkungen aus, die gemäß dem von dort ausgehenden Gedanken der theodisca lingua (→deutsch) auch Ansätze zu einer Hochsprache enthalten. Die Folgezeit brachte je nach den Schwerpunkten der Reichsgewalt ein Ausstrahlen des Sächsischen, spärlich des Alemannischen, später des Bairisch-Österreichischen (deutlich in der Ausbreitung der Diphthongierungen). Es fand sich keine gestaltende Mitte; selbst die höchste Blüte mittelhochdeutscher Sprache, die der ritterlich-höfischen Dichtung, führte zu keiner dauerhaften Gemeinsprache. Neue Bedingungen ergab die deutsche Ostsiedlung: im Zusammenströmen der Siedler erwuchsen Ausgleichsmundarten. Am wichtigsten wurde das Thüringisch-Obersächsische, das mit dem geistigen Einfluß Erfurts und der Reichweite der obersächs. (meißnischen) Kanzlei eine solche Breite gewann, daß die Reformation in den Schriften Luthers, insbes. seiner Bibelübersetzung, diese Sprachform nutzen und weiterverbreiten konnte. Im 17. Jh. erlangte das Meißnische den Ruf, die »zierlichste« deutsche Aussprache zu sein: »Wer nun ein reinliches Teutsches Carmen schreiben will, der muß dem lieblichsten Dialectum, wie die Meißnische ist, ihm vorsetzen« (Morhof). Durch Dichter- und Gelehrtenarbeit (Opitz, Gottsched; Sprachgesellschaften), durch Mitwirkung der Buchdrucker, die ihren Büchern weiteste Verbreitung sichern wollten, und die Ausstrahlungskraft Leipzigs als Buchhandelszentrale kam es gegen viele Widerstände langsam zur Ausbildung einer einheitlichen Schriftsprache mit dem Obersächsisch-Meißnischen als wichtigster Grundlage.

Auch im niederdeutschen Raum (→Mundarten) setzte sich das Hochdeutsche seit etwa 1500 über die Kanzleien und im Gefolge der Reformation als Amts- und Schriftsprache durch.

Was in dieser Entwicklung an Einzeltatsachen beschlossen ist, wird in der üblichen Periodisierung von **Althochdeutsch** (Ahd., 750–1100), **Mittelhochdeutsch** (Mhd., 1100 bis 1500), **Neuhochdeutsch** (Nhd., seit 1500) mehr nach Anhaltspunkten des Schrifttums als nach der Entwicklung der Sprache selbst geordnet.

Die Zahl der Deutschsprechenden stieg – trotz einer Einbuße durch die Ausbildung einer selbständigen niederländ. Hochsprache im 16. Jh. – stetig an; heute sprechen etwa 100 Mill. Menschen auf der Welt deutsch.

DIE EIGENART DER DEUTSCHEN SPRACHE

Beim Wortschatz heben sich vor allem Anschaulichkeit und Wurzelgebundenheit heraus. So geht die dt. Wortprägung häufig auf das Anschaulich-Besondere der Gegenstände ein, wo das Französische sich mit einem allgemeinen Hinweis begnügt *(Kesselschmied: chaudronnier; Schlafzimmer: dortoir; Aschenbecher: cendrier* usw.); hier spielt die dt. Vorliebe für Zusammensetzungen gegenüber der frz. Ausnutzung der Wortableitung mit. Aber entsprechend ist dem Dt. die Mannigfaltigkeit etwa von *hineingehen, -fahren, -rudern, -fliegen* usw. unentbehrlich, wo im Frz. einfaches *entrer* ausreicht; und in der Abwandlung der Kennzeichnung der Vorgänge (bei einem Verb wie *fallen: hin-, nieder-, ab-, aus-, herab-, um-, zusammen-, hinunter-, heraus-, hinaus-)* ist das Dt. von keiner Nachbarsprache erreicht. – Die Wurzelgebundenheit des Dt. läßt die Sinnentfaltung stärker in Wortfamilien verlaufen gegenüber den durch wiederholte Renaissancen lat. Wortgutes gesprengten franz. oder den durch Vereinigung germ. und roman. Wortgutes vermannigfachten englischen Wortgruppen (z. B. dt. *blind:* Blindheit gegen frz. *aveugle: cécité* oder engl. *blind: blindness, cecity*).

Beim Satzbau fällt eine fast übertrieben erscheinende Kennzeichnung der Beugungsformen auf. Trotz der Ausbildung des Artikels sind im Dt. die Kasusendungen nicht verlorengegangen (wie im Engl. oder Frz.), selbst die längst unwichtig gewordene Unterscheidung der Genera und Stammklassen ist beibehalten. Doch ist diese Bewahrung des Formenreichtums in Verbindung mit der Freiheit der Wortstellung im dt. Satz zu sehen, für die eine leichte Erkennbarkeit von Satzfunktion und Wortzusammengehörigkeit unentbehrlich ist. Am charakteristischsten ist die Rolle, die im Aufbau der dt. Satzbaupläne die Umklammerung spielt. Während im Franz. die einen Gehalt näher bestimmenden Züge in lockerer Folge aneinandergereiht werden, führt das Dt. durch Umklammerung zu immer ausgedehnteren Ganzheiten: *das Brot – das Weißbrot: le pain – le pain blanc* usw. Das geht weiter bis zu den bekannten Schachtelungen des dt. Satzbaus, die immer von neuem Klammern auftun bis hin zu den vor allem doch klammerfähige Verbformen ermöglichten Gebilden, deren Eigenart man sich am besten bildlich veranschaulicht:

er wollte | weiterziehen
mit seinen ↑ | Begleitern
dem ↑ | Tode entronnenen
überall ↑ | drohenden
den ↑ | Flüchtlingen
gehetzten

Mit solchen Satzbauplänen weicht das Dt. stark von dem Verfahren des Franz. oder Engl. ab. Man kann darin gewiß eine Erschwerung sehen, doch steckt in solchen Umklammerungen dafür auch eine starke geistige Formungskraft, die ein geschlossenes, folgerichtig fortschreitendes, allerdings auch an die eingeschlagene Richtung gebundenes und schwer abwandelbares gedankl. Verfahren erzwingt. Insgesamt ist für das Weltbild der deutschen Sprache ein stark dynamischer Zug kennzeichnend. Viele Einzelheiten weisen darauf hin, so die Möglichkeit, Tun und Wirkung in ein einziges Wort zusammenzudrängen *(etwas wegdenken, jemanden loskaufen)*, oder den ausgedehnten Gebrauch des substantivierten Infinitivs *(das Wandern, das Besteigen)*, selbst für ganze Wendungen *(das Weintrinken, das Alleinsein)*. Aus dem Vergleich mit dem Franz. bestätigt Ch. Bally ein Wort von H. von Hofmannsthal: »Daß wir Deutschen das uns Umgebende als ein Wirkendes, die *Wirklichkeit*, bezeichnen, die latein. Europäer als die Dinglichkeit, *la réalité*, das zeigt die fundamentale Verschiedenheit des Geistes, und daß jene und wir in ganz verschiedener Weise auf dieser Welt zu Hause sind.« Die inhaltl. Eigenart der deutschen Sprache weist jedenfalls besonders auf das Werden der Erscheinungen, das Ausstrahlen ihrer Wirkungen, das Hervortreten ihrer Leistungen hin, und diesen Hinweisen folgen ganz selbstverständlich alle, die das Dt. als Muttersprache erlernt haben.

DIE ENTWICKLUNG
DES DEUTSCHEN WORTSCHATZES

Die Wörter der deutschen Sprache kann man einteilen in **Stammwörter**, die ihr seit uralter Zeit angehören, ja zum großen Teil in die indogermanische Ursprache zurückverfolgt werden können: *Adel, Arbeit, fahren, klingen, Knochen, Mutter, Vater, Zwerg;* **Ableitungen** aus Stammwörtern, die aus den verschiedensten Zeiten stammen: *Gefolgschaft, Gemahlin, glimpflich, Herzogtum, Offenheit;* **Lehnwörter** aus anderen Sprachen: *Almosen, Kellner, kochen, Mauer, Platz, schreiben, Sülze, Teufel;* und **Fremdwörter**, d. h. entlehnte Wörter, denen man ihre fremde Herkunft noch deutlich anmerkt: *Advokat, Alphabet, Despot, Gage, isolieren, Lunch, primitiv, Rowdy;* **Kunstwörter** der Wissenschaft, der Technik und des Handels: *Automobil, Bakelit, Buna, Din, Indanthren.* Viele Wörter sind unsicherer Herkunft.

An die *Entstehung* der Wörter kommen wir nur in einigen Ausnahmefällen heran. Von manchen Kunstwörtern wissen wir sogar den Schöpfer, von anderen Wörtern können wir uns denken, daß sie als Nachahmung eines Schalles der Natur abgelauscht sind (**Schallwörter**: *bimbam, bums, jodeln, knarren, Wauwau*). Im allgemeinen müssen wir uns damit begnügen anzugeben, ob ein Wort zu den Stammwörtern gehört oder wann es in der dt. Sprache gebräuchlich wird.

In der **althochdeutschen** Zeit (von etwa 750 bis etwa 1100) und in der folgenden **mittelhochdeutschen** Zeit (besonders in der höfischritterlichen Zeit um 1200) tauchen in großer Zahl Wörter auf, die vorher nicht belegt sind; zuerst weitn gelehrte Mönche: auf sie gehen Lehnwörter wie *Kirche, Kanzel, Kloster, Kreuz, Mönch, Pein, predigen, Schule* zurück, dann lieferten die höfische Bildung und die Kreuzzüge neue Ausdrücke: *Abenteuer, blond, Bluse, Fabel, hübsch, klar, Schärpe, Wams, Wappen,* im **späten Mittelalter** die Volkspredigt und die Mystik, man denke an *barmherzig, Beichte, Buße, Gnade, Mitleid, Reue.* Als neue Erscheinung trat eine ausgeprägte Rechts- und Kanzleisprache hervor sowie die Sprache der Gewerke, des Handels und Gewerbes: *Anwalt, Bank, Galgen, Innung, Kasse, Meister, Schultheiß, Sorte, Vogt, Zunft.* Die Schöpfungen der **Lutherzeit** (seit 1517–46) spiegeln die Kämpfe der Reformation und die wiedererwachte Kenntnis des Altertums; daneben spürt man die kräftige Entwicklung von Heer, Staat und Rechtspflege. Soldaten- und Fremdwörter, ein buntes Sprachgemisch bezeichnen die Zeit des **Dreißigjährigen Krieges** (1618–48). Einflußreich ist das Sprachleben der Barockzeit, die nach dem Dreißigjährigen Krieg einsetzt und bis ins 18. Jh. dauert: neben einem Gewirr von Fremdwörtern und gekünstelten Bildungen überraschen die vielen guten deutschen Wortprägungen für allgemeine Begriffe. Aus dieser Zeit stammt auch die Sprache der Musik und des Kaufmanns. Zum ersten Male bemühen sich Sprachgesellschaften um die Reinigung der deutschen Sprache.

In der Zeit **Gottscheds** (etwa 1720–60) wird

vor allem eine das Lateinische ablösende Wissenschaftssprache ausgebildet. Daneben entwickelt der Pietismus, wie vorher schon die katholische und naturphilosophische Mystik, einen Wortvorrat zum Ausdruck innerer Bewegung, der dann in der Zeit der »Empfindsamkeit noch erweitert wird. In der »klassischen« Zeit, der **Goethezeit** (um 1772–1832), gelangt das deutsche Geistesleben zu höchster Sprachkultur. Während die Klassik alles Mundartliche vermeidet, wird die Sprache in der Romantik durch volkstümliche und altertümliche Redewendungen bereichert.

Die **Bismarckzeit** (um 1860–90) ist gekennzeichnet durch die Entwicklung der Naturwissenschaften und Technik. Der überwiegende Teil der Kunstwörter gehört ihr an.

In diese Zeiten reihen sich auch die **Lehnwörter** ein, die die Entwicklung der deutschen Kultur getreulich spiegeln. Die Wortentlehnung beginnt in ältester Zeit, bekommt in der **Bekehrungszeit** der Germanen ihre feste Gestalt und findet besonders in der lateinischen Gelehrsamkeit ihre erste Hauptquelle: den griechisch-lateinischen Wortschatz, aus dem auch heute noch geschöpft wird. Später kommt als zweite Hauptquelle das Französische dazu, dem das Deutsche noch jahrhundertelang Wörter in großer Zahl entlehnte, und endlich das Englische. Dahinter treten alle weiteren Entlehnungen zurück, ja außer den italienischen sind die Entlehnungen von Nachbarvölkern, geschweige denn von anderen, ziemlich belanglos.

Ein Teil dieser Wörter kann in eine Sondergruppe gebracht werden als **Kulturwörter**. Viele Ausdrücke nämlich sind mit den damit bezeichneten Sachen von Sprache zu Sprache oft aus fernsten Weltteilen gewandert und kommen bei den meisten europäischen Völkern vor. Unter **Nordseewörtern** sollen die Wörter verstanden werden, die sich bei allen Völkern rings um die Nordsee finden, die so offenbar im Sprachtausch auf diesem Meer gewandert sind.

Auch die *Kunstwörter* fallen auf. Die neuere Wissenschaft und die Technik benötigten sehr viele neue Wörter. Meist nahm man griechische oder lateinische Wörter zu teilweise recht gewagten Wortbildungen, teils die Namen bekannter Forscher, neuerdings auch nur Anfangsbuchstaben.

Nicht alles läßt sich in die Gruppen pressen, die hier gebildet wurden. Der Wortschatz ist von unbegrenzter Mannigfaltigkeit. Die Zahl der deutschen Wörter wird meist in der Größenordnung um 300000

angegeben. Der dt. Wortschatz ist damit größer als der der romanischen Sprachen und geringer als der der englischen Sprache (die Wortsammlung Websters kommt auf etwa 600000 englische Wörter).

LIT. *Allgemein.* O. Weise: Unsere Muttersprache ([11]1929); L. Weisgerber: Von den Kräften der D. S., 1–4 ([4]1971 ff.); F. Kluge: Unser Deutsch ([6]1958); I. Weithase: Zur Gesch. der gesprochenen d. S., 2 Bde. (1961).

Sprachgeschichte. W. Scherer: Zur Gesch. der D. S. ([2]1878, Neudruck 1890); J. Grimm: Gesch. der D. S., 2 Bde. ([4]1880); Friedr. Kluge: Dt. Sprachgesch. ([2]1925); O. Behaghel: Gesch. der D. S. ([5]1928); Th. Frings: Grundlegung einer Gesch. der D. S. ([2]1950); A. Schirokauer u. A. Langen in: Dt. Philologie im Aufriß, 1 (1951); A. Bach: Gesch. der D. S. ([9]1970); H. Moser: Dt. Sprachgesch. ([6]1969); H. Eggers: Dt. Sprachgesch., 3 Bde. (neu 1972/73).

Sprachlehre. W. Wilmanns: Dt. Grammatik, 3 Tle. (2. und 3. Aufl., z. T. Neudruck 1909–22); H. Paul: Dt. Grammatik, 5 Bde. (1959); O. Behaghel: Dt. Syntax, 4 Bde. (1923–32); Duden: Grammatik ([3]1966); L. Weisgerber: Vom Weltbild der D. S., 1 ([2]1953); W. Schneider: Stilistische dt. Grammatik ([4]1967); H. Glinz: Die innere Form des Deutschen (6. Aufl. o. J.); H. Brinkmann: Dt. Sprache ([2]1971); J. Erben: Abriß der dt. Grammatik (neu 1972).

Historische Grammatik. H. Paul: Dt. Grammatik, 5 Bde. (1916–20); ders. u. H. Stolte: Kurze dt. Grammatik ([2]1951); W. Braune: Ahd. Grammatik ([12]1967); H. Paul / E. Gierach: Mhd. Grammatik ([19]1966).

Karten. Deutscher Sprachatlas (seit 1876).

Wörterbücher. J. u. W. Grimm: Dt. Wörterb., von verschiedenen fortgesetzt, 16 Bde. (1854–1960, völlig neu 1966ff.); – H. Paul: Dt. Wörterbuch ([4]1935, [5]1968); Trübners Dt. Wörterbuch, 8 Bde. (1939–57); L. Mackensen: Dt. Wörterbuch ([7]1972); W. Splettstößer: Junckers Wörterbuch der D. S. (1955); Langenscheidts Dt. Wörterbuch (1955); Duden: Rechtschreibung ([17]1973), Stilwörterbuch ([6]1971); G. Wahrig: Dt. Wörterbuch (neu 1974); Der Sprach-Brockhaus ([8]1972). – F. Dornseiff: Der Dt. Wortschatz, nach Sachgruppen ([7]1970). – F. Kluge: Etymolog. Wörterbuch (bearb. v. W. Mitzka, [20]1967), Duden: Etymologie (1963). F. Wasserzieher: Woher? ([18]1974). Dt. Wortgesch., hg. v. F. Maurer u. F. Stroh, 2 Bde. (1959). – Duden: Fremdwörterbuch ([4]1971), W. Dultz: Fremdwörterbuch (1965). – H. Küpper: Wörterbuch der dt. Umgangssprache, 6 Bde. (1954–70); Österr. Wörterbuch (1955).

Deutsches Requiem, Ein, Musikwerk für Chor, Solisten und Orchester, auf Bibelworte über Tod und Vergänglichkeit von J. Brahms (1869).
Deutsches Rotes Kreuz, →Rotes Kreuz.
Deutsche Staatspartei, →Deutsche Demokratische Partei.

Deutsches Volksliedarchiv, abgek. DVA, in Freiburg i. Br., 1914 im Auftrag des Verbandes deutscher Vereine für Volkskunde gegründetes Zentralinstitut für die Sammlung und Erforschung der deutschsprach. Volkslieder und ihrer fremdsprachigen Parallelen. Es enthält z. Z. rund 300000 Lieder.

Deutsches Wörterbuch, eine von Jacob und Wilhelm Grimm begonnene Sammlung aller deutschen Wörter. Das auf 16 Bände angelegte Werk, dessen erster Band 1854 erschienen ist, wurde 1960 abgeschlossen. Es wurde seit 1946 fortgeführt von der Dt. Akademie der Wissenschaften zu Berlin und einer von der Dt. Forschungsgemeinschaft finanzierten Arbeitsstelle in Göttingen.

Deutsches Zentralarchiv, 1946 in Potsdam errichtet, teilt sich mit dem Bundesarchiv bestandsmäßig in die Nachfolge des Reichsarchivs und übernimmt das Archivgut zentraler Dienststellen der DDR. Die auf dem Gebiet der DDR ausgelagerten Archivalien aus dem Preuß. Geheimen Staatsarchiv und dem Brandenburgisch-Preuß. Hausarchiv werden in Merseburg (Abt. II des D. Z.) verwaltet.

Deutsche Tageszeitung, in Berlin 1893–1934 erscheinende Zeitung rechts-agrarischer, christlich-nationaler Richtung.

Deutsche Texaco AG, →Deutsche Erdöl AG.

Deutsche Theologie, Theologia Teutsch, mystische Anleitung zur Vollkommenheit, Ende des 14. Jhs. zu Frankfurt a. M. entstanden, von →Eckart beeinflußt. Ausgaben: M. Luther, 1516 u. 1518 (Neuausgabe 1929); W. Uhl: Der Frankforter (1912).

Deutsche Verlags-Anstalt, Stuttgart, GmbH, Buch- und Zeitschriftenverlag, gegr. 1848 von Eduard Hallberger, seit 1940 GmbH. Verlagsgebiete sind schöne Literatur, Geistes- und Naturwissenschaften, Geschichte, Politik u. a.

Deutsche Versuchsanstalt für Luft- und Raumfahrt, Abk. DVL, seit 1961 Nachfolgeanstalt der 1912 gegr. *Dt. Versuchsanstalt für Luftfahrt:* unterhält zahlreiche Institute, wie (seit 1963) die Flugwissenschaftl. Forschungsanstalt, München, und das Institut für Physik der Strahlantriebe, Stuttgart.

Deutsche Verwaltungsakademie, in der DDR ein Institut zur Heranbildung und Weiterbildung von Funktionären des öffentl. Dienstes in allen Zweigen der Verwaltung, der Justiz und der staatl. Wirtschaft; gegr. 1947, Sitz: Forst-Zinna bei Jüterbog. Die D. V. ist mit der Dt. Hochschule für Justiz seit 11. 12. 1952 zu einer Deutschen Akademie für Staats- und Rechtswissenschaft zusammengefaßt.

Deutsche Volkspartei, 1) eine 1868 gegr. süddeutsche demokrat. Partei, die im Reichstag nur durch wenige Abgeordnete vertreten war, während sie in Württemberg 1895 die stärkste Partei wurde. Ihre Führer waren dort Haussmann und Payer, ihr wichtigstes Organ die ›Frankfurter Zeitung‹. 1910 ging sie in der →Fortschrittlichen Volkspartei auf.

2) DVP, im Dez. 1918 vom rechten Flügel der bisherigen Nationalliberalen unter Führung Stresemanns gegr. polit. Partei, die anfangs in der Opposition gegen die Weimarer Verfassung und die Erfüllungspolitik stand. Doch beteiligte sie sich bereits an den Reichsregierungen Fehrenbach (1920) und Cuno (1922/23). Stresemann führte als Reichskanzler (Aug.–Nov. 1923) der Außenmin. (bis 3. 10. 1929) die Verständigungspolitik durch. Bis 1931 blieb die D. V. im Reich Regierungspartei; in Preußen war sie 1921–25 an der Regierung Braun-Severing beteiligt. Hinter ihr standen weite Kreise der Industrie und des gebildeten Bürgertums; über die Verteilung der Sitze vgl. ÜBERSICHT Reichstag. Am 30. 6. 1933 löste sich die DVP unter nat.-soz. Druck auf. Neben Stresemann waren führende Abgeordnete Heinze, Scholz, v. Kardorff, Curtius und Dingeldey. Das wichtigste Blatt war die ›Kölnische Zeitung‹.

LIT. Deutscher Aufbau. Nationallib. Arbeit d. D. V., hg. v. A. Kempkes (²1928).

3) →Deutschnationale Bewegung.

Deutsche Wappen (TAFELN S. 68, 69 und 160/61), die Abzeichen der dt. Könige und Kaiser, des Dt. Bundes, des Dt. Kaiserreichs (1871–1918), der Weimarer Republik, der Bundesrep. Dtl. und der dt. Länder sowie das Emblem der DDR.

Deutsche Welle, Rundfunkanstalt für den Auslands- und Überseedienst, gegr. 1953, seit 1960 Bundesanstalt, Sitz Köln. Sie werden Programme in mehreren Sprachen über Kurzwellensender (Jülich u. a.) ausgestrahlt.

Deutsche Werft AG, Hamburg, gegr. 1918, baut Schiffe aller Art, Docks; 1968 Zusammenschluß mit den Howaldtswerken Hamburg AG und Kiel zur Betriebsges. *Howaldtswerke – Dt. Werft AG Hamburg und Kiel;* 1972 vom Staat übernommen, 1973 geschlossen.

Deutsche Werke Kiel AG, Schiffswerft und Maschinenfabrik in Kiel, gegr. 1925; darin gingen die frühere Kaiserl. Werft und die Kaiserl. Torpedowerkstatt auf; nach 1945 demontiert, seit 1951 Wiederaufbau, 1955 Fusion mit der Kieler →Howaldtswerke AG.

Deutsche Wirtschaftskommission, →Deutschland, Staatsform.

Deutsch Eylau, Stadt in Ostpreußen, am Südende des Geserichsees, (1939) 13 900 Ew., hatte landwirtsch. Ind.; backsteingot. Pfarrkirche (14. Jh.). D. E. wurde 1305 gegr.; seit 1945 steht es unter poln. Verwaltung *(Ilawa)*.

Deutsche Zeitung, 1896 in Berlin gegründete nationale Tageszeitung alldeutscher Richtung, 1935 in das NS-Wochenblatt ›Die Landpost‹ übergeführt.

Deutsche Zeppelinreederei GmbH, 1935 mit Beteiligung der Deutschen Lufthansa gegr. Unternehmen zum Verkehr mit Luftschiffen in Berlin, Friedrichshafen und Frankfurt; nach der Luftschiffkatastrophe in Lakehurst (1937) eingestellt.

Deutsche Zündwaren-Monopolgesellschaft, →Zündwarenmonopol.

Deutsch-Französischer Krieg von 1870/71, verursacht durch die Furcht Frankreichs unter Napoleon III. gegen die durch Bismarck herbeigeführte deutsche Einheit. Den äußeren Anlaß gab der Streit um die Berufung des Erbprinzen von Hohenzollern-Sigmaringen auf den spanischen Thron (→Emser Depesche). Am 19. 7. 1870 erklärte Frankreich den Krieg. Ein französisch-österreich. Bündnis kam nicht mehr zustande. Die süddeutschen Staaten traten sofort auf die Seite Preußens. Das deutsche Heer war dem Gegner vor allem durch seine Führung (Moltke) weit überlegen. Von der Pfalz aus drangen drei deutsche Armeen unter Kronprinz Friedrich, Prinz Friedrich Karl und von Steinmetz vor und siegten bei Weißenburg (4. 8.), Wörth und Spichern (6. 8.). Dann wurde die franz. Rheinarmee unter Bazaine durch die Schlachten bei Colombey-Nouilly (14. 8.), Mars-la-Tour und Vionville (16. 8.), Gravelotte und Saint-Privat (18. 8.) in die Festung Metz geworfen und eingeschlossen. Als eine franz. Armee unter MacMahon, bei der sich auch Kaiser Napoleon III. befand, Metz zu entsetzen versuchte, wurde sie von der Kronprinzen-Armee und der neugebildeten Maasarmee unter Kronprinz Albert von Sachsen abgedrängt und in Sedan umzingelt; am 2. 9. ergab sie sich mit dem Kaiser selbst. Bazaine kapitulierte in Metz am 27. 10. Der die neue republikanische Regierung (Gambetta) setzte den Krieg fort. Die Deutschen schlossen seit dem 15. 9. das stark befestigte Paris ein. Um die Hauptstadt zu befreien, stellte Gambetta im S und im N neue Massenheere auf, die aber schlecht ausgebildet und ausgerüstet waren. Die Loirearmee wurde bei Orléans (28. 11.–4. 12.) besiegt. Als sie sich dann teilte, wurde die Westarmee bei Le Mans (10.–12. 1. 1871) geschlagen. Gleichzeitig wiesen Manteuffel und Goeben die Vorstöße der franz. Nordarmee durch die Siege bei Amiens (27. 11.) und Saint-Quentin (19. 1.) ab. Auch die Ausfälle aus dem belagerten Paris scheiterten; am 28. 1. mußte es sich ergeben. Inzwischen drang die französ. Ostarmee unter Bourbaki gegen Belfort vor, um die noch unbesungene Festung zu entsetzen und die rückwärtigen deutschen Verbindungen abzuschneiden. General v. Werder stellte sich ihr in den Weg und behauptete sich in der Schlacht an der Lisaine (15. bis 17. 1.). Die neugebildete Südarmee unter Manteuffel zwang Bourbaki am 1. 2. bei Pontarlier, in die Schweiz überzutreten. Am 26. 2. wurde der Vorfriede von Versailles und am 10. 5. 1871 der Friede von Frankfurt a. M. abgeschlossen. Frankreich trat Elsaß-Lothringen ab und mußte eine Kriegsentschädigung von 5 Mrd. ffrs. leisten, bis zu deren Zahlung ein Teil Nordfrankreichs besetzt blieb.

Die Gesamtverluste auf dt. Seite 49000, auf franz. Seite 139000 Tote und 384000 Gefangene.

Lit. Der D. K. 1870/71 (das deutsche Generalstabswerk, 5 Text- und 3 Kartenbände, 1874–81); H. v. Moltke: Gesch. des D. K. (²1891, Volksausg. 1895); K. Stählin: Der D. K. 1870/71 (1912, mit Bibliographie); Deutschlands Einigungskriege 1864–71 in Briefen und Berichten der führenden Männer, hg. v. H. Kohl, 3. Tl.: Der D. K. 1870/71, 5 Bde. (1912–16). – B. E. Palat: Bibliographie générale de la guerre de 1870/71 (1896); La guerre de 1870/71 (das franz. Generalstabswerk, 10 Faszikel und 30 Bde., 1901–11); H. Delbrück: Gesch. d. Kriegskunst, fortges. v. E. Daniels u. O. Haintz, Bd. 6, T. 1–3 (1929–31).

Deutschgesinnte Genossenschaft, eine der Sprachgesellschaften des 17. Jhs., gegr. 1643 in Hamburg von Ph. v. Zesen, bestand bis zum Anfang des 18. Jhs.
Lit. K. Dissel: Ph. v. Zesen und die D. G. (1890).

Deutschhannoversche Partei, früher **Rechtspartei,** später **Landespartei,** gewöhnlich *Welfen* genannt, 1866 gegr. Partei zur Wiederherstellung des Königreichs, nach 1919 eines selbständigen Landes Hannover; löste sich 1933 auf. Nach 1945 wurde an ihrer Stelle die Niedersächsische Landespartei gegründet, die dann in die Deutsche Partei umgewandelt wurde.
Lit. W. Lueder: Der hannov. Gedanke (1920).

Deutschherren, →Deutscher Orden.

Deutschkatholiken, eine 1844 anläßl. der Ausstellung des Hl. Rocks zu Trier von Czerski (Schneidemühl) und Ronge (Breslau) ins Leben gerufene Reformbewegung, der sich auch viele Protestanten anschlossen. In Österreich und Bayern wurden die »kath. Dissidenten« verboten und ausgewiesen, in Preußen geduldet. 1847 erreichten sie ihren Höchststand mit 70000–80000 Anhängern. Ihr rationalist. Glaubensbekenntnis ließ sie kirchl. Lehramt und päpstl. Primat verwerfen, an Heiligenkult, Bilderverehrung und Fasten Anstoß nehmen. Seit 1850 beginnt der Verfall, der durch Verschmelzung mit den ›Freien Protest. Gemeinden‹ (Lichtfreunde) nicht aufgehalten wurde. 1859 fanden sich ihre vom positiven Christentum abgelösten, freidenkerisch gewordenen Reste im *Bund Freireligiöser Gemeinden Deutschlands* zusammen, der sich 1921 in *Volksbund für Geistesfreiheit* (→Freidenker, Freireligiöse) umbenannte.
Lit. G. Tschirn: Zur 60jähr. Gesch. d. freirelig. Bewegung (1904); P. Lieberknecht: Gesch. d. D. in Kurhessen (1915); K. Esselborn: Der D. in Darmstadt (1923); L. W. Silberhorn: Der D. im Herzogtum Nassau (Diss., Mainz 1953).

Deutschkonservative Partei, →konservative Parteien.

Deutsch Krone, ehemal. Kreisstadt in der Grenzmark Posen-Westpreußen, zwischen Schloß- und Großem Radunsee, hatte (1939) 14900 Ew., landwirtschaftl. Industrie. D. K. ist seit 1303 Stadt, kam 1772 an Preußen; seit 1945 unter poln. Verwaltung *(Wałcz Raduń).*

Deutschkunde, gelegentlich gebraucht für deutsche Philologie, eine Zeitlang auch für die Fächer Deutsch, Geschichte, Musik, Kunsterziehung an den höh. Schulen.

1 *Wappen Ottos IV. (1198–1218) auf dem*
›Schwert des Mauritius‹. 2 *Hohenstaufisches*
Reichswappen an der Westminster-Abtei
(13. Jahrh.). 3 *Wappen Ludwigs des Bayern*
(1314–47; Reichsschild und bayer. Helmzier)
in der Züricher Wappenrolle. 4 *Einköpfiger*
Adler aus dem Siegel Sigismunds als röm. Kö-
nig, gültig 1410–33. 5 *Nimbierter Doppeladler*
aus dem Kaisersiegel Sigismunds, gültig
1433–37. 6 *Prunkschild Friedrichs III. von*
1493, mit Brustschild Österreich. 7 *Wappen*
Karls V. (1519–56), im Brustschild die span.
und burgund. Besitzungen. 8 *Wappen Ferdi-*
nands I. als röm. König, gültig 1531–56; im
Brustschild Ungarn und Böhmen. 9 *Wappen*
Karls VI. (1711–40)

10 *Vollwappen Leopolds II. (1790–92), gültig bis 1804.*
11 *Mittleres Wappen Franz' II. (1792–1806); gültig seit
1804; zwei Kaiserkronen für beide Kaisertitel, österr. Erblande auf den Flügeln.* 12 *Wappen des Deutschen Bundes
1847–66.* 13 *Das ›Kleine Wappen des Kaisers‹ von 1871.*
14 *Das kaiserliche Wappen (›Reichsadler‹) Wilhelms II.,
gültig 1888–1918.* 15 *Standarte des Reichspräsidenten 1921
bis 1933, des Bundespräsidenten seit 1950*

DEUTSCHE FARBEN
GESCHICHTLICHE ENTWICKLUNG

Fahne der Deutschen
Burschenschaft (1816)

Deutscher Bund K
(1848–1866) [1]

Norddt. Bund u. Dt. Reich
H (1867–1921) [2]

Norddt. Bund u. Dt. Reich
K (1867–1921)

Deutsches Reich H
(1922–1933)

Deutsches Reich
N und H (1935–1945)

1) *ohne Abzeichen: Deutscher Bund N und H (1848–66), Deutsches Reich N (1919–33),
Bundesrepublik Deutschland N und H seit 1949.* 2) *Deutsches Reich N (1892–1919)*

D'eutschland, geschichtlich das geschlossene Sprach- und Siedlungsgebiet der Deutschen in →Mitteleuropa innerhalb häufig wechselnder Staatsgrenzen, von 1871–1945 gleichbedeutend mit dem Deutschen Reich. Da nach dem 2. Weltkrieg noch kein Friedensvertrag geschlossen ist und keine deutsche Gesamtregierung besteht, wird der Name D. verwendet, um das Deutsche Reich innerhalb der Grenzen vom 31. Dez. 1937 zu bezeichnen; die Entwicklung seit 1945 wird als provisorisch betrachtet. Die Teilung D.s hat seine staatsrechtliche Einheit nicht aufgehoben; das Grundgesetz der Bundesrep. Dtl. bekennt sich zu der Aufgabe, die Einheit und Freiheit D.s in freier Selbstbestimmung zu vollenden.

Landesnatur. D. hat an Hochgebirge, Mittelgebirge und Tiefland teil. Im S liegen Teile der Nördl. Kalkalpen, die Allgäuer Alpen, die Bayerischen Alpen mit der höchsten Erhebung, der Zugspitze (2963 m), und die Berchtesgadener Alpen. Den Alpen vorgelagert ist die im Durchschnitt 500 m hohe, nach N gegen die Donau sich senkende Oberdeutsche Hochebene. In Südwestdeutschland beginnt dann der Zug der deutschen Mittelgebirge: am Rhein entlang links Hardt, rechts Schwarzwald und Odenwald mit Spessart, dazwischen die Oberrheinische Tiefebene; weiter stromabwärts das Rhein. Schiefergebirge mit Hunsrück, Eifel und Hohem Venn auf dem linken, Taunus, Westerwald und Sauerland auf dem rechten Ufer. Östlich schließt sich an Schwarzwald und Odenwald bogenförmig das Schwäbischfränkische Stufenland an mit der Schwäbischen und der Fränk. Alb. Das Erzgebirge zieht sich wie das Rhein. Schiefergebirge von SW nach NO hin, die übrigen Mittelgebirge streichen in den Hauptzügen von NW nach SO: Teutoburger Wald, Weserbergland, Thüringer und Frankenwald mit ihren vorgelagerten Höhenzügen und Böhm.-Bayer. Wald, Sudeten. Dazu kommen noch das Hessische Bergland, das Fichtelgebirge, das Elbsandsteingebirge mit dem Lausitzer Gebirge. Die Mittelgebirge zeigen sanfte, rundkuppige Formen. Sie sind im Durchschnitt unter 500 m hoch; der höchste Gipfel ist die Schneekoppe im Riesengebirge (1603 m). Die durchschnittlich kaum 50 m hohe Norddeutsche Tiefebene greift in 4 großen Buchten, der Kölner, der Münsterer, der Sächs. und der Schles. Bucht, weit nach Süden in den Mittelgebirgsgürtel ein. Sie wird in ostwestl. Richtung von den bis zu 300 m hohen Endmoränenzügen des nördl. und südl. Landrückens und den Urstromtälern durchzogen.

Erdgeschichte. Fast ganz D. liegt im Gebiet des mitteleuropäischen Schollenlandes; nicht dazu gehören im Süden die Alpen und im Norden das zur russ. Tafel gehörige Tiefland östl. der Weichsel. In der diluvialen Eiszeit wurde ganz Norddeutschland bis an den Rand der Mittelgebirge mehrmals von dem von Norden vorstoßenden Inlandeis bedeckt und in eine an Seen und Mooren, Sand- und Schotterablagerungen reiche Moränenlandschaft umgewandelt. Die Oberdeutsche Hochebene ist ebenfalls eine Moränenlandschaft, durch die Alpenvergletscherung ausgebildet. Im eigentlichen mittel- und südwestdeutschen Schollenland sind alle geologischen Formationen vom Kambrium bis zur Kreide in mehr oder weniger großer Ausdehnung vertreten; im Paläozoikum und Tertiär fanden auch vulkanische Ausbrüche statt. Die heutige Gestaltung erhielten die Mittelgebirge im Tertiär, zur gleichen Zeit, da im Süden die Alpen aufgefaltet wurden.

Gewässer. D. gehört zum Einzugsbereich des Atlantischen Ozeans, die Flußgebiete von Rhein, Ems, Weser, Elbe, Oder und Weichsel entwässern zur Nord- und Ostsee, der Südosten durch die Donau zum Schwarzen Meer. Querverbindungen zwischen den einzelnen Flußsystemen wurden durch zahlreiche Kanäle geschaffen. Die wichtigsten sind der Dortmund-Ems-Kanal, der Mittellandkanal zwischen Rhein und Elbe und der im Bau befindliche Rhein-Main-Donau-Großschiffahrtsweg. Die Wasserführung ist am günstigsten beim Rhein, da durch die Schmelzwasserzufuhr aus den Alpen die starke sommerliche Verdunstung besser ausgeglichen wird. Die Seen verdanken der Mehrzahl der Eiszeit ihre Entstehung, so im Alpenvorland (Boden-, Ammer-, Starnberger, Chiemsee) und in Ostpreußen (Masurische Seen). Durch Vulkanwirkung sind die Maare der Eifel entstanden. D. besitzt auch zahlreiche Mineralquellen, die sich als Solquellen in den Gebieten der Salzvorkommen, als heiße Quellen in Störungsgebieten an den Gebirgsrändern und in vulkan. Gegenden häufen.

Klima. Die Witterung ist im allgemeinen unbeständig, was seinen Hauptgrund in der Mittellage D.s zwischen dem unter dem Einfluß des Meeres stehenden Westen und dem binnenländ. Osten Europas hat. Die durchschnittliche Jahrestemperatur beträgt 9° C. Mit der Abnahme des Meereseinflusses nach Osten werden die jahreszeitlichen Schwankungen immer größer. Die wärmsten Gebiete liegen in der Oberrhein. Tiefebene.

Die jährl. Durchschnittsmenge der *Niederschläge* beträgt 690 mm. Die Hauptmenge fällt als Regen, bes. im Sommer, und nimmt nach O und in den Gebieten, die im Windschatten der Gebirge liegen, wie am Rhein und Main, ab. Große Teile von Nordostdeutschland sind monatelang von einer dichten Schneedecke überzogen, ebenso die höheren Teile der Mittelgebirge und die Alpen.

Vom natürlichen *Pflanzenkleid* D.s ist nur noch ein ganz geringer Rest in den kleinen Naturschutzgebieten vorhanden. Das jetzige D. ist reine Kulturlandschaft.

Die *Tierwelt* tritt nirgends bes. kennzeichnend in Erscheinung. Der ursprüngliche Bestand, vor allem der Säuger und Vögel, ist meist ebenfalls der Umwandlung der Landschaft durch den Menschen zum Opfer gefallen. Faunenfremde Schädlinge haben sich weite Gebiete erobert (chinesische Wollhandkrabbe, Kartoffelkäfer, kanadische Bisamratte).

Bevölkerung. Über die Deutschen als Volk und die Gliederung in Stämme →Deutsche; über Größe und Bevölkerungszahl des Dt. Reichs in den Grenzen vom 31. 12. 1937 und über die Anteile an den heutigen Teilräumen vgl. STATISTIK. Im Gebiet der Bundesrep. hat die Bevölkerung von 1939 bis 1971 um 44,1%, in dem der Dt. Dem. Rep. um 1,8% zugenommen; die Bevölkerung Berlins ist um 26% zurückgegangen (West-Berlin 24%, Ost-Berlin 31%).

Die *Bevölkerungsstruktur* zeigt tiefgreifende Wandlungen gegenüber 1850 infolge der vollkommenen Änderung der natürl. Bevölkerungsbewegung und der Einwirkungen der beiden Weltkriege und der Nachkriegsjahre. Etwa seit Beginn des 19. Jhs. geht die Sterblichkeit erheblich zurück, bes. die →Säuglingssterblichkeit, gleichzeitig auch die Geburtenziffer infolge der zunehmenden Industrialisierung und Verstädterung. Bis etwa 1910 fiel die Sterbeziffer stärker als die Geburtenziffer, seitdem läßt der Geburtenüber-

GRÖSSE UND BEVÖLKERUNG
Das Deutsche Reich 1871–1933

Land	km²	Einwohner (in 1000)			km²	Einw.
		1871	1890	1910		1933
Preußen	348 780	24 691,4	29 957,4	40 165,2	292 776	39 746,9
Bayern	75 780	4 861,4	5 589,4	6 887,3	75 996	7 681,6
Sachsen	14 995	2 556,2	3 502,7	4 806,7	14 995	5 196,7
Württemberg............	19 507	1 818,6	2 036,6	2 437,6	19 507	2 696,3
Baden	15 069	1 461,6	1 657,9	2 142,8	15 069	2413
Hessen	7 688	852,9	992,9	1 282,1	7 691	1429
Thüringen	–	–	–	–	11 760	1 659,5
S.-Weimar-Eisenach	*3610*	*286,2*	*326,1*	*417,1*	–	–
S.-Coburg-Gotha	*1977*	*174,3*	*206,6*	*257,2*	–	–
S.-Altenbg..............	*1323*	*142,1*	*170,9*	*216,1*	–	–
S.-Meiningen	*2468*	*188*	*223,8*	*278,8*	–	–
Schwarzb.-Sondershausen ..	*862*	*67,2*	*75,5*	*89,9*	–	–
Schwarzb.-Rud.	*941*	*75,6*	*85,9*	*100,7*	–	–
Reuß jüng. Linie	*827*	*89*	*119,8*	*152,8*	–	–
Reuß ältere Linie	*316*	*45,1*	*62,8*	*72,8*	–	–
Mecklenburg	–	–	–	–	16 056	805,2
Meckl.-Schwerin.........	*13 127*	*557,7*	*578,3*	*640*	–	–
Meckl.-Strelitz	*2929*	*97*	*98*	*106,4*	–	–
Braunschweig	3 672	312,2	403,8	494,3	3 672	513
Oldenburg	6 429	314,6	355	483	6 429	573,9
Anhalt	2 299	203,4	272	331,1	2 326	364,4
Lippe	1 215	111,1	128,4	150,9	1 215	175,5
Schaumburg-Lippe........	340	32,1	39,2	46,7	340	50
Waldeck..............	1 121	56,2	57,3	61,7	–	–
Hamburg	415	339	622,6	1 014,7	415	1 218,4
Bremen	256	122,4	180,4	299,6	256	371,6
Lübeck	298	52,2	76,4	116,6	298	136,4
Elsaß-Lothringen	14 522	1 549,7	1 603,6	1874	–	–
Saarland	–	–	–	–	1 925	812,3
insgesamt	540 858	41 058,8	49 428,4	64 926	470 545	66 030,5

GEBIET UND BEVÖLKERUNG DES DEUTSCHEN REICHS
(in den Grenzen v. 31. 12. 1937)

	Einheit	Zählung 1939	davon entfielen auf:			
			Bundesrep.	DDR	Berlin	Ostgeb.
Reichsgebiet	qkm	470 700	52,7%	22,8%	0,2%	24,3%
Wohnbevölkerung	1000	69 317	58 %	21,9%	6,3%	13,8%
Frauen auf 100 Männer		104,4	103,5	103,4	118,9	104,2

Konfessionen (berechnet nach der ständigen Bev.: 68,1 Mill.)

Evangelische	1000	41 396	48,6%	86,7%	70,1%	66,6%
Röm.-Katholische	1000	22 584	46,3%	6,1%	11,3%	30,3%
Andere Religionen	1000	639	1 %	0,7%	2,4%	0,8%
Gemeinschaftslose und ohne Angabe.............	1000	3 507	4,1%	6,5%	16,2%	2,3%

schuß ständig nach. Die Verschiebungen im Altersaufbau wurden durch die Kriegsereignisse verschärft. Die Männer im wehrfähigen Alter erlitten in beiden Weltkriegen starke Einbußen, so daß sich das Geschlechterverhältnis bes. nach dem letzten Kriege wesentlich verschob (vgl. STATISTIK; BILD Altersaufbau). – Einen beträchtl. Einfluß auf die Altersverteilung und z. T. auch auf das Geschlechterverhältnis in der Bundesrep. hatte der Zustrom von über 11 Mill. *Vertriebenen*, Flüchtlingen und Zugewanderten aus der DDR und Berlin; sie machten fast ein Fünftel der Bevölkerung der Bundesrep. Dtl. aus (vgl. dort und bei den einzelnen Länderartikeln die Abschnitte Bevölkerung) und hatten zur Auffüllung der schwachen mittleren Altersklasse beigetragen.

Die *Auswanderung* aus dem Dt. Reich erreichte mit 857200 Personen 1881–85 ihren Höhepunkt, sank bis 1914 auf 11400, stieg bis 1923 wieder auf 115400 an und nahm bis 1939 ständig ab (weiteres →Auswanderung).

In der *sozialen Schichtung* der dt. Bevölkerung ging der Anteil der in der Landwirtschaft Erwerbstätigen im Dt. Reich von 34,7% (1907) zurück auf 25% (1939) und auf (1971) 8,2% in der Bundesrep. und 12,7% in der DDR; 1939 stand der Bevölkerung eine landwirtschaftl. Nutzfläche von insges. 285355 qkm (60,5% der Gesamtfläche) zur Verfügung. In der Bundesrep. sind es nur 55,5%, in der DDR 61%. Der Anteil der in Industrie und Handwerk Tätigen betrug in der Dt. Reich (1907) 40,5% und (1939) 40,8%, in der Bundesrep. (1971) 48,7 und in der DDR 51,5%. Im Restbestand spielen die wichtigste Rolle Handel und Verkehr mit (1939) 17,0% (in der Bundesrep. 17,9% und in der DDR 18,1%), ferner öffentl. Dienste und (private) Dienstleistungen im öffentl. Interesse sowie häusl. Dienste. Der Anteil der Selbständigen an den Erwerbstätigen ist gewachsen (1939: 13,4%; 1971: Bundesrep. Dtl. 10,5%, DDR 3,4%); weiteres →Berufsstatistik.

Staatsform. Bis 1945 →Deutsche Geschichte. Mit der Kapitulation vom 8. 5. 1945 hat das Dt. Reich nicht aufgehört zu bestehen. Durch die Viermächte-Erklärung vom 5. 6. 1945 übernahmen die Regierungen Großbritanniens, der Verein. Staaten, der Sowjetunion und Frankreichs die oberste Regierungsgewalt in D. Das Potsdamer Abkommen der Alliierten vom 2. 8. 1945 sah die Errichtung zentraler dt. Verwaltungsstellen vor; es ging damit von der fortbestehenden staatsrechtl. Einheit Dtl.s aus. Es hat die endgültige Festlegung der dt. Grenzen dem Friedensvertrag vorbehalten; die jenseits der Oder und Neiße liegenden Gebiete wurden bis dahin unter poln. und sowjet. Verwaltung gestellt. Die Ausübung der Regierungsgewalt wurde am 30. 8. dem *Alliierten Kontrollrat* in Berlin übertragen; gleichzeitig wurde D. in vier Besatzungszonen unter Militärbefehlshabern (Militärregierungen) geteilt, Berlin in vier Sektoren unter

einer Alliierten Kommandantur. Das Saarland wurde am 12. 2. 1946 aus der französ. Besatzungszone ausgegliedert und autonom (seit 1. 1. 1957 Bundesland der Bundesrep. Dtl.).

In den einzelnen Besatzungszonen wurden im Sommer 1945 auf Anweisung der Militärbefehlshaber *Länder* als handlungsfähige Staatseinheiten gebildet und dt. Regierungen eingesetzt, und zwar in den drei Westzonen, die bis zu ihrer Trennung (10./15. 7. 1945) General Eisenhower als Oberbefehlshaber der Alliierten unterstanden: Bayern, Bremen, Hessen, Württemberg-Baden (amerikan. Zone), Hamburg, Niedersachsen, Nordrhein-Westfalen, Schleswig-Holstein (brit. Zone), Rheinland-Pfalz, Baden, Württemberg-Hohenzollern (französ. Zone), in der sowjet. Zone: Brandenburg, Mecklenburg-Vorpommern, Sachsen, Sachsen-Anhalt und Thüringen. Die in den westdt. Ländern von den Militärbefehlshabern eingesetzten Regierungen wurden nach demokrat. Wahlen (1946/47) durch parlamentarisch gewählte ersetzt. Am 1. 1. 1947 erhielten die Länder der amerikan. und brit. Zone eine übergeordnete Verwaltung und wurden zum →Vereinigten Wirtschaftsgebiet *(Bizone)* zusammengefaßt.

Auf der Sechsmächte-Konferenz in London (Frühjahr 1948) beschlossen die Westmächte unter Beteiligung der Benelux-Staaten, gegen den Widerstand der Sowjetunion, ein staatsrechtl. Provisorium für *West-D.* zu schaffen. Am 1. 7. 1948 wurden die Min.-Präs. der 11 Länder beauftragt, eine Verfassunggebende Versammlung einzuberufen, die eine Verfassung mit föderativer Regierungsform ausarbeiten sollte (angenommen auf der Konferenz von Rüdesheim, 21. 7. 1948). Die 11 Landtage wählten auf Grund des gemeinsamen Wahlgesetzes v. 26. 7. 1948 an →Parlamentarischen Rat; er trat am 1. 9. 1948 in Bonn als vorläufiger Hauptstadt (seit 10. 5. 1948) unter Vorsitz des Abg. K. Adenauer zusammen. Auf Grund von den Sachverständigen ausgearbeiteten ›Herrenchiemseer Entwurfs‹ und nach wiederholtem Eingreifen der Militärbefehlshaber nahm der Parlamentar. Rat am 8. 5. 1949 das →Grundgesetz (GG) für die Bundesrep. Dtl. an; es trat am 24. 5. 1949 in Kraft, nachdem der Militärbefehlshaber der Westmächte am 12. 5. 1949 ihre Zustimmung unter dem Vorbehalt erklärt hatten, daß dem →Besatzungsstatut der Vorrang vor dem GG zustehe. Am 14. 8. 1949 wurde auf Grund des (kraft alliierter Ermächtigung) erlassenen Wahlgesetzes v. 15. 6. 1949 der erste Bundestag gewählt (dort ÜBERSICHT über die Verteilung der Sitze), der am 7. 9. in Bonn zusammentrat. Am 12. 9. 1949 wählte die Bundesversammlung den Abg. Th. Heuss (FDP) zum Bundespräsidenten (wiedergewählt 17. 7. 1954), auf dessen Vorschlag der Bundestag am 15. 9. 1949 den Abg. K. Adenauer (CDU) zum Bundeskanzler (ÜBERSICHT Bundesregierungen).

Mit Inkrafttreten des Besatzungsstatuts (21. 9.) wurden die Militärbefehlshaber durch die Alliierte Hohe Kommission ersetzt (bis 1955; Sitz auf dem Petersberg bei Bonn). Weiteres vgl. Bundesrep. Dtl.

In der *sowjet. Besatzungszone* wurde die Verwaltung nach der Kapitulation von der Sowjet. Militär-Administration in D. (SMAD, Berlin-Karlshorst) übernommen, der die SMA der Länder unterstanden. Neben ihr entstanden im Sommer 1945 dt. Gemeinde-, Kreis-, Provinzial- und Landesverwaltungen. Am 1. 8. 1945 wurden zwölf dt. Zentralverwaltungen geschaffen. Von den am 10. 6. zugelassenen Parteien (KPD, SPD, CDU, LDP) wurde am 21. 4. 1946 die SPD unter Druck mit der KPD zur SED vereinigt, um dieser das Übergewicht gegenüber CDU und LDP zu sichern. Bei den Kommunal- und Landtagswahlen (Okt. 1946) erlangte die SED trotz Behinderung der anderen Parteien nicht die Mehrzahl aller Stimmen. In der Folge wurden die Parteien, zu denen 1948 die Nationaldemokrat. Partei (NDPD) und die Demokrat. Bauernpartei D.s (DBD) kamen, durch die ›Blockpolitik‹ (Zusammenschluß der ›antifaschistisch-demokrat. Parteien‹) einheitlich ausgerichtet. Nach den Wahlen von 1946 wurden die Landtage und Länderregierungen gebildet, die Länder gaben sich Verfassungen.

Am 6. 12. 1947 wurde ohne Wahl der 1. Dt. *Volkskongreß*, am 18. 3. 1948 ebenso der 2. Volkskongreß aus Delegierten der Parteien gebildet. Dieser ernannte den *Dt. Volksrat* und entwarf eine Verfassung. Die 1948 fälligen Kommunal- und Landtagswahlen wurden von der SMAD abgesagt. Die Verwaltung wurde am 12. 2. 1948 in der *Dt. Wirtschaftskommission* als zentraler Exekutivbehörde zusammengefaßt, deren Mitglieder von der SMAD ernannt und später vermehrt wurden. Für die Wahl zum 3. Volkskongreß (15./16. 5. 1949) wurde eine Einheitsliste aufgestellt, in der sich die SED mit den inzwischen gebildeten Massenorganisationen die Mehrheit gesichert hatte. Der Volkskongreß nahm am 30. 5. 1949 den Entwurf einer Verfassung an, in Kraft seit 7. 10. Am gleichen Tag wurde die Dt. Dem. Rep. ausgerufen, der Volksrat bildete sich zur vorläufigen Volkskammer um. Am 11. 10. wurden die vorgesehenen Staatsorgane geschaffen: Wahl W. Piecks zum Präsidenten der Republik, O. Grotewohls zum MinPräs. (beide SED), Länderkammer als Mitgliedern der Landtage. Die SMAD wurde durch die Sowjet. Kontrollkommission (SKK) ersetzt. Weiteres vgl. DDR.

LIT. G. Waitz: Dt. Verfassungsgeschichte, 8 Bde. (1878–96); A. Meister: Dt. Verfassungsgesch. bis ins 15. Jh. (³1922); C. Bornhak: Dt. Verfassungsgesch. vom Westfäl. Frieden an (1934); E. Forsthoff: Dt. Verfassungsgesch. der Neuzeit (1940); W. Grewe: Ein Besatzungsstatut für D. (1948); F. Hartung: Dt. Verfassungsgesch. vom

15. Jh. bis zur Gegenwart (⁹1969); E. R. Huber: Dt. Verfassungsgesch., 1 (²1967); Th. Maunz: Dt. Staatsrecht (¹⁹1973).

Recht. Seit Errichtung des Norddeutschen Bundes (1867) und des Dt. Reichs (1871) wurde das ursprünglich stark zersplitterte Recht zunehmend vereinheitlicht. Neben und über die Landesgesetze traten seitdem die *Reichsgesetze*, vor allem die großen Kodifikationen des Straf-, Prozeß- und bürgerl. Rechts und auf Teilgebieten des öffentl. Rechts. Seit 1945 ist die dt. Rechtseinheit erneut stark gefährdet. Zwar gelten in der Bundesrep. Dtl. und der DDR auf weiten Gebieten noch die gemeinsamen alten Gesetze (BGB, HGB, ZPO u. a.), doch wurden sie zunehmend verändert, vor allem weithin verschieden gehandhabt. Im Recht der Bundesrep. Dtl. hat seit 1945 das *Landesrecht* eine verstärkte Bedeutung neben dem *Bundesrecht* wiedererlangt, bes. auf den der Landesgesetzgebung vorbehaltenen Gebieten (→Bundesgesetze). Daneben bestand das *Besatzungsrecht*, das als dt. Recht galt und nach Erlangung der Souveränität (5. 5. 1955) in großem Umfang durch dt. Gesetze aufgehoben oder geändert wurde. In der DDR wurde das Recht einheitlich zentralistisch umgestaltet. Grundlegend in D. ist die Unterscheidung von *öffentl.* und *privatem Recht*, die durch viele Zwischenbildungen, Überlagerungen und Durchdringungen zwischen beiden Rechtsgebieten gekennzeichnet ist, bes. im Bereich des Sozialrechts. Das Kirchenrecht ist teils eigenes Recht der Kirchen, teils vom Staat erlassenes Staatskirchenrecht, teils Konkordatsrecht. Die unterschiedl. Rechtsentwicklung wurde vor allem durch die Umgestaltung der DDR zu einer ›Volksdemokratie‹ verursacht und betraf am stärksten das Staats-, Gerichtsverfassungs-, Familien-, Wirtschafts-, Arbeits- und Sozialrecht, das Berufs- und Kulturrecht.

LIT. G. Dahm: Dt. Recht (²1963); G. Radbruch u. K. Zweigert: Einf. in die Rechtswiss. (¹²1969).

Finanzen. Die Finanzen des Dt. Reichs von 1871 waren aufs stärkste von der jeweiligen Gestaltung des finanziellen *Ausgleichs zwischen Reich und Ländern* geprägt. Zur Bestreitung der ›gemeinschaftl. Ausgaben‹ dienten in erster Linie die Einnahmen aus Zöllen, Verbrauchsteuern und aus dem Post- und Telegraphenwesen, daneben die →Matrikularbeiträge der Länder. Auf direkte Steuern griff das Reich erst 1906 zurück (Erbschaftsteuer, Vermögenszuwachssteuer, 1913 Wehrbeitrag). 1914–18 wurden die ›Ausgaben aus Anlaß des Krieges‹ hauptsächlich auf dem Wege von Kriegsanleihen unter Mithilfe der Reichsbank aufgebracht.

In der Weimarer Republik brachte die Finanzreform Erzbergers v. 13. 12. 1919 in der Reichsabgabenordnung die zentralist. Finanzhoheit des Reichs mit einer leistungsfähigen *Reichsfinanzverwaltung*. Auf der Grundlage dieser umfassenden Reform

(Stand von 1967)
Tabellen zur Bundesrepublik Deutschland und zur Deutschen Demokratischen Republik auf Seite 76

	qkm
Ostgebiete (1960)	**114 247**
unter poln. Verw.	101 045
unter sowjet. Verw.	13 202
Provinzen und RegBezirke:	
Ostpreußen	36 992
Königsberg	13 148
Gumbinnen	9 398
Allenstein	11 520
Westpreußen	2 926
Pommern	31 301
Stettin	7 074
Köslin	12 769
Schneidemühl	11 457
Mark Brandenburg.............	11 591
Frankfurt	11 591
Schlesien.....................	34 363
Breslau	12 960
Liegnitz	11 688
Oppeln	9 715

	qkm	Mill. Ew.[1]		qkm	Mill. Ew.[1]
Bundesrep. Dtl.	248 577	60,65	Nordwürttemberg. . .	10 581	3,50
Länder und			Südwürttemberg-		
Regierungsbezirke:			Hohenzollern	10 094	1,62
Schleswig-Holstein . . .	15 676	2,49	Bayern	70 547	10,48
Hamburg	753	1,79	Unterfranken	8 487	1,18
Niedersachsen	47 408	7,08	Oberfranken	7 497	1,12
Aurich	3 144	0,40	Mittelfranken	7 625	1,48
Osnabrück	6 206	0,78	Oberpfalz	9 642	0,96
Oldenburg[2]	5 447	0,85	Niederbayern	10 760	1,01
Stade	6 720	0,62	Schwaben	10 197	1,49
Lüneburg	10 983	1,07	Oberbayern	16 339	3,24
Hannover	6 567	1,54	**Berlin**		
Hildesheim	5 218	0,96	West-Berlin	480	2,12
Braunschweig[2]	3 122	0,86	Ost-Berlin	403	1,08
Bremen	404	0,72			
Nordrhein-Westfalen .	34 044	16,91	**Dt. Dem. Rep.**	108 178	17,04
Düsseldorf	5 505	5,63	Bezirke:		
Münster	7 209	2,40	Rostock	7 072	0,85
Detmold	6 481	1,74	Schwerin	8 672	0,59
. Aachen	3 098	1,02	Neubrandenburg	10 793	0,63
Köln	4 004	2,41	Potsdam	12 568	1,13
Arnsberg	7 746	3,72	Frankfurt	7 186	0,67
Hessen	21 110	5,38	Magdeburg	11 525	1,32
Kassel	9 199	1,35	Cottbus	8 262	0,84
Darmstadt	11 912	4,03	Halle	8 771	1,93
Rheinland-Pfalz	19 838	3,65	Leipzig	4 966	1,50
Trier	4 922	0,48	Dresden	6 738	1,88
Koblenz	8 089	1,35	Erfurt	7 348	1,25
Rheinhessen-Pfalz. . .	6 827	1,81	Gera	4 004	0,73
Saarland	2 568	1,12	Chemnitz		
Baden-Württemberg . .	35 750	8,86	(Karl-Marx-Stadt). . .	6 009	2,07
Nordbaden	5 121	1,91	Suhl	3 856	0,55
Südbaden	9 954	1,87			

[1] Bundesrep. Dtl.: 27. 5. 1970; Dt. Dem. Rep. und Ost-Berlin: 31. 12. 1967 (Gesamtzahl: 1. 1. 1971). [2] Verwaltungsbezirk.

wurde 1920 das erste Einkommensteuer-, Körperschaftsteuer- und Kapitalertragsteuergesetz des Reichs erlassen; die Länder erhielten lediglich anteilige Überweisungen aus dem Aufkommen dieser Steuern, zu denen u. a. die Umsatzsteuer gehörte. Nach der Stabilisierung mit Hilfe der →Rentenmark als Übergangswährung (13. 10. 1923) besserten sich allmählich die Staatsfinanzen. Die Reparationsverpflichtungen wurden im →Dawesplan geregelt. Das Steuersystem wurde nach Wiederkehr stabiler Verhältnisse 1925 neu geordnet (→Reichsmark). Reichskanzler Brüning bemühte sich seit 1930 durch verschiedene Notverordnungen um den Ausgleich des Staatshaushalts unter krisenpolit. Gesichtspunkten; infolge der erhöhten Soziallasgaben und des trotz der Steuererhöhungen unaufhörl. Sinkens der Einnahmen nahm jedoch das Haushaltsdefizit immer mehr zu, bis 1932 der Tiefpunkt der wirtschaftl. Krise erreicht war. Unter den Nationalsozialismus nahm die ›Defizitfinanzierung‹ staatl. Arbeitsbeschaffungsmaßnahmen an Tempo und Ausmaß kräftig zu. Die mit den Maßnahmen zur Arbeitsbeschaffung (Reichsautobahnen

u. a.) in Zusammenhang stehende Aufrüstung und Wiederbelebung der Wirtschaft führte zu einem starken Wiederanstieg der Einnahmen des Reichs: von 10,1 Mrd. (1932/33) auf 17,3 Mrd. RM (1937/38). Kennzeichnend auch für die Finanzpolitik des Nat.-Soz. war die Stärkung der Zentralgewalt unter Ausschaltung demokrat. Sicherungen (keine Mitwirkung des Reichstags mehr). Der Präsident des Reichsrechnungshofs war seit 1933 der Regierung gegenüber allein verantwortlich. Das Gesetz über den ›Neuaufbau des Reiches‹ (30. 1. 1934) übertrug die Steuerhoheit grundsätzlich auf das Reich; gleichzeitig wurden die meisten Steuergesetze geändert und dem Ziel, der Besteuerung den polit. Bestrebungen des Nat.-Soz. anzupassen, bes. im Dienste der Sozial- und Bevölkerungspolitik. Die *Kriegsfinanzierung* bediente sich im Unterschied zum 1. Weltkrieg neben den Einnahmen aus Steuern der »geräuschlosen« Finanzierung durch erzwungene Heranziehung der Mittel der Kreditinstitute, Versicherungen, Sparkassen und der Unternehmungen. Der Reichshaushalt umfaßte (1939) 44 Mrd. RM Einnahmen (davon 24 Mrd. aus Steuern) und 52,1 Mrd. Ausgaben (davon 32,3 Mrd. Kriegsausgaben), 1944: 181 Mrd. Einnahmen (38 Mrd. aus Steuern) und 171,3 Mrd. Ausgaben (128,4 Mrd. Kriegsausgaben).

Nach 1945 entwickelten sich die öffentlichen Finanzen im geteilten D. in verschiedener Richtung, vgl. die Artikel Bundesrep. Dtl. und DDR.

Lit. F. Terhalle: Geschichte der dt. öffentl. Finanzwirtschaft, in: Hb. d. Finanzwiss., 1 (²1952).

Wirtschaft. Die 1945 geschaffenen Besatzungszonen, dann vor allem die Sonderentwicklung in der Bundesrep. Dtl. und der DDR sowie die Herauslösung der ostwärts der Oder-Neiße-Linie gelegenen Gebiete zerrissen einen geschichtlich gewachsenen Wirtschaftsraum. Zwischen den industriellen Kerngebieten dieses Raumes: →Rhein-Ruhr, →Rhein-Main, →Neckar-Donau, →Mitteldeutschland und ihren landwirtschaftl. Randgebieten bestand eine ausgeprägte binnenwirtschaftl. Arbeitsteilung. Mit den sich verschärfenden polit. Gegensätzen wuchs die wirtschaftl. Entfremdung zwischen Bundesrep. und DDR, während die Ostprovinzen in fremde Wirtschaftsgebiete eingegliedert wurden (→Oberschlesisches Industriegebiet); weiteres in den Artikeln der einzelnen Länder. – In dem Maße , wie es den Teilgebieten allein oder mit Hilfe anderer Volkswirtschaften gelingt, zu einem neuen Gleichgewicht zu finden, lockert sich der alte Zusammenhang; der staatl. Wiedervereinigung stellen sich an Eigengewicht zunehmende wirtschaftl. Anpassungsschwierigkeiten entgegen. Fragen der Eingliederung dt. Gebiete in größere Wirtschaftsräume gewinnen unter diesem Gesichtspunkt an Ernst und Tragweite.

Land- und Forstwirtschaft. Von Natur aus unterscheiden sich deutlich drei Landwirtschaftszonen: der schmale Alpenrand, der breite, reichgegliederte Streifen der Mittel-

gebirge und die vorgelagerte Tiefebene. Bis auf die Löß- und Schwarzerdeböden Mittel-Dtl.s und Schlesiens, die Geschiebelehme und -mergel der eiszeitl. Aufschüttungsgebiete und alluviale Schwemmböden an der Nordseeküste herrschen mittlere und magere Böden vor. Ödlandflächen sind verhältnismäßig gering. Der Anteil der landwirtschaftl. Nutzfläche (vgl. Statistik) ist seit 1945 in Mittel- und West-D. geringfügig um je 2 % zurückgegangen gegenüber rd. 8 % in den Ostgebieten. Hauptgebiet der Landwirtschaft war der Osten des Reichs. – Angebaut werden in D. in erster Linie Körnerfrüchte: Roggen als Hauptfrucht bes. in Nord-D. und Bayern, daneben (vor allem in SW-D.) Weizen und Dinkel, außerdem Hafer, Gerste (bes. in Bayern); weiter Kartoffeln in Mengen, die über den Eigenbedarf hinausgehen; auf den fruchtbaren Böden Mittel-D.s Zuckerrüben, Hülsenfrüchte. Gemüse- und Blumenzucht hat sich vor allem im gärtnerischen Kleinbetrieb in der Nähe großer Städte entwickelt, für den Obstbau sind bes. die wärmeren Gegenden S-D.s geeignet; hier gedeihen auch Aprikosen, Pfirsiche, Mandeln, Walnüsse, Edelkastanien. Weinbau ist nur in den wärmsten Gebieten wirklich ertragreich (Rheintal und Nebentäler). An industriellen Rohstoffen werden Tabak (Pfalz, Baden, Franken), Hopfen (Bayern), Hanf, Flachs, Raps und Rübsen angebaut. Die *Viehzucht* (vgl. Statistik) umfaßt Rinderzucht (in den Alpen, den Voralpen und dem Land an der Küste), Pferdezucht (im norddt. Tiefland) sowie Schweinezucht in ganz D.; die Schafzucht ist in West-D. stark zurückgegangen. Die *Besitzverhältnisse* zeigten zwischen West-D. und den mittel- und ostdt. Gebieten erhebliche Unterschiede. In diesen Gebieten war der Großgrundbesitz stark verbreitet, doch umfaßte selbst dort der Anteil des bäuerl. Landbesitzes fast zwei Drittel der Nutzfläche.

LANDWIRTSCHAFT

	Einheit	Dt.Reich[1] 1938	Bundesrep. 1938[2]	1971	Dt. Dem. Rep. 1938[3]	1971
Nutzfläche	Mill. ha	28,54	14,73	13,50	6,66	6,29
Ackerland.........	Mill. ha	19,18	8,59	7,55	5,09	4,62
Wiesen, Weiden ...	Mill. ha	8,51	5,64	5,42	1,36	1,46
Waldfläche	Mill. ha	12,94	7,01	7,13	2,95	2,95
Getreideernte	Mill. t	26,18	11,81	20,95	7,82	7,74
Roggen	Mill. t	8,61	3,34	3,03	2,44	1,75
Weizen	Mill. t	5,68	2,92	7,14	1,89	2,49
Gerste	Mill. t	4,25	2,03	5,77	1,29	2,28
Hafer	Mill. t	6,37	3,08	3,04	1,93	0,81
Kartoffeln..........	Mill. t	50,89	21,71	15,17	14,55	9,41
Zuckerrüben	Mill. t	15,55	5,23	14,40	6,38	5,13
Viehbestand						
Pferde	Mill.	3,45	1,57	0,27	0,81	0,11
Rinder	Mill.	19,93	12,19	14,50	3,65	5,29
Schweine..........	Mill.	23,57	12,28	20,90	5,71	9,99
Schafe	Mill.	4,82	2,10	1,09	1,76	1,60
Ziegen	Mill.	2,51	1,40	0,04	0,68	0,11

[1] in den Grenzen vom 31. 12. 1937.   [2] heutiges Gebiet der BRD.   [3] heutiges Gebiet der DDR.

Die im allgemeinen geschlossene Lage dieser Einzelbetriebe gab ihnen betriebswirtschaftl. Vorteile gegenüber den stark zersplitterten in SW-D. Die von allen Besatzungsmächten geforderten →Bodenreformen haben in West-D. nur zu einer geringen Abnahme der Großbetriebe von 4,8 auf 4,2 % der landwirtschaftl. Nutzfläche geführt, in Mittel-D. senkten sie den Anteil von 28,2 % auf 3,6 %; die verbleibenden Betriebe wurden verstaatlicht und blieben aus produktionstechn. Gründen erhalten (Saatgutvermehrung, Viehzucht). Im sowjetisch verwalteten Teil Ost-D.s haben Großbetriebe in der Form von Kolchosen und Sowchosen neben den Gütern auch den bäuerl. Besitz ganz aufgesogen. Im poln. Verwaltungsgebiet blieb ein kleiner Teil des Bauernlandes in der Hand seiner früheren Eigentümer, soweit sie als Autochthone (Polen) anerkannt wurden; der Großgrundbesitz ging praktisch unaufgeteilt an den Staat über.

Der *Wald* nimmt noch rd. 28 % der Bodenfläche ein; mit den polnisch verwalteten Gebieten kamen etwa 23 % der dt. Waldfläche in fremde Nutzung. Hauptwaldgebiete sind die Moränen- und Sandflächen, die Mittelgebirge und die Alpen. Der Wald in D. ist überwiegend Nadelwald. Trotz des großen Umfangs der Waldflächen kann der starke Bedarf an Bau- und Brennholz sowie an Rohstoff für die Papierindustrie nicht im Land gedeckt werden.

Fischerei. Die Erträge der Binnenfischerei gehen infolge der Verunreinigung der großen Flüsse durch Industrieabwässer ständig zurück. Die Hochseefischerei wurde durch Verbesserung der Fang- und Versandmöglichkeiten stark gehoben; die Hauptfänge stammen aus der Nordsee sowie von der isländ. und norweg. Küste, nur rd. 8 % aus der Ostsee. In den Fischereihafenstädten hat sich eine ausgedehnte Dauerwarenindustrie entwickelt. Die Fischabfälle werden zu Düngemitteln verarbeitet.

Bodenschätze (→Bergbau, STATISTIK). Wie die meisten anderen Bodenschätze beschränken sich die Steinkohlenvorkommen auf die quer durch D. reichende Mittelgebirgszone und deren nördl. Vorfeld; zwischen Ruhr und Lippe, bei Aachen und in Oberschlesien befinden sich die Hauptlagerstätten der Randgebiete, weitere in den inneren Senken der Mittelgebirge (Saar, Zwickau, Waldenburg in Schlesien). Die Braunkohlenvorkommen finden sich bei breiterer Streuung vor allem in dem engeren mitteldt. Gebiet und der Lausitz sowie der niederrhein. Bucht. In den kohlenarmen Gebieten von Nord- und Süd-D. wird z. T. noch Torf als Heizstoff verwendet. Bedeutende Eisenerzvorkommen sind die Brauneisensteine des Harzvorlandes, die Spate des Siegerlandes und die Roteisensteine an Lahn und Dill sowie kleinere Vorräte von Doggererzen in Süd- und Mittel-D. Die Ablagerungen von Kupferschiefer und die geringen Vorkommen an Antimon, Mangan, Zinn, Wolfram, Kobalt, Nickel und Uran beschränken sich auf den mitteldt. Bereich; Fluß- und Schwerspat sind über ganz D. verbreitet. Von entscheidender Bedeutung für Landwirtschaft und Industrie sind die Kali- und Steinsalze in Nord- und Mittel-D. sowie in der Oberrheinebene (etwa 2 Mrd. t Vorräte an Reinkali). Die Ölfelder liegen überwiegend im Emsland, ferner in Niedersachsen, Holstein, Hessen und am Oberrhein. Basalt findet sich im westl. Mittel-D., Graphit um Passau, Schiefer in Thüringen und im Rheinland, Lithographenplatten in Solnhofen.

Einen weitaus größeren Anteil als die Landwirtschaft an der dt. Volkswirtschaft hat die *Industrie.* Die noch stark an die Kohlengebiete gebundene eisenschaffende Industrie ist wie früher auf Nordrhein-Westfalen und mit Abstand auf das Saarland, Niedersachsen und Mittel-D. konzentriert, während alle größeren Städte Standorte vor allem der Maschinen- und Fahrzeugindustrie sind. Die Schwerindustrie Oberschlesiens wurde nach 1945 in poln. Staatseigentum übergeführt. Die D. verbliebene Kapazität erlitt große Verluste durch die →Demontagen und durch Reparationsent-

BERGBAU UND INDUSTRIE (ausgewählte Erzeugnisse)

Erzeugnis	Einheit	Dt. Reich 1938	Bundesrep.		Dt. Dem. Rep.	
			1938[3]	1972	1938[4]	1972
Steinkohle	Mill. t	173,33	152,89	102,5	3,53	0,9[2]
Braunkohle	Mill. t	193,43	68,28	110,4	102,92[1]	248,5
Elektrizität	Mrd.kWh	55,33	32,40	259,6[2]	14,0[1]	72,8
Roheisen..........	Mill. t	18,06	17,59	32,0	0,23	2,2
Rohstahl	Mill. t	22,66	20,46	43,7	1,44	5,7
Zement	Mill. t	15,26		43,1	1,69[1]	8,9
Personenkraftwagen .	1000	274,85	205,14	3166	60,85[1]	139,6
Lastkraftwagen	1000	63,47	55,74	274	19,06[1]	26,8
Mehl	1000 t	3296,0		2743	1274,7[1]	1304,7
Butter	1000 t	410,0	237,6	489	85,2[1]	248,8
Margarine	1000 t	427,6	370,1	557	38,6[1]	192,5
Zucker	1000 t	2210,6		2052	.	661,5
Bier	Mill. hl	43,6		85,9	7,53[1]	18,5
Zigaretten	Mrd. St.	42,37	.	135,9	16,98[1]	18,7

[1] 1936. [2] 1971. [3] heutiges Gebiet der BRD. [4] heutiges Gebiet der DDR.

nahmen, bes. in Mittel-D. Kleineisenindustrie herrscht im Sauerland, im Bergisch-Märk. Gebiet, Thüringen und im oberen Neckargebiet vor, die elektrotechnische, opt. und feinmechan. Industrie in Berlin, Brandenburg, Thüringen, Rhein-Main-Gebiet und Bayern, Gold- und Silberwaren im Neckar- und Rhein-Main-Gebiet, Uhrenindustrie im Schwarzwald. Mittelpunkte der chem. Industrie sind das Rhein-Main- und das niederrhein. Gebiet sowie Mittel-D., der Textil- und Bekleidungsindustrie Berlin, Sachsen, Ostthüringen und das Rheinland, früher auch Schlesien. Die Lederwaren-, bes. die Schuhindustrie hat ihre Mittelpunkte im Neckar- und Rhein-Main-Gebiet, in der Pfalz, Berlin und Mittel-D., die Papierindustrie und das graph. Gewerbe im Rhein-Main- und Neckar-Gebiet, Hamburg, Berlin, Thüringen und Sachsen. Überwiegend standortgebunden sind die Holz-, Spielwaren- und Musikinstrumentenindustrie sowie die Glas- und Porzellanindustrie in den Mittelgebirgen, wo z. T. noch die Heimarbeit vorherrschend ist. Ebenfalls bodenständig sind die Industrien, die landwirtschaftl. Erzeugnisse verarbeiten: Molkerei-, Zucker-, Konserven-, Fleischwarenindustrie, Brauereien. Die früher überwiegend in Mittel- und Ost-D. ansässige elektrotechn., chem., feinmechan. und opt. Industrie, die Hohlglaserzeugung und Mineralölerzeugung sind nach 1945 in verschieden starkem Umfang nach West-D. verlagert worden. Das industrielle Gefüge West-D.s hat sich damit mehr der vor 1939 für ganz D. gültigen Struktur genähert.

Der *Außenhandel* umfaßte 1938 nach den Erschütterungen der Weltwirtschaftskrise und infolge der Autarkiebestrebungen des Nat.-Soz. nur noch die knappe Hälfte der vorhergehenden Jahre (1928 Einfuhr: 14,1 Mrd. RM, Ausfuhr: 12,1 Mrd. RM). Haupthandelsländer waren 1938: Großbritannien, Niederlande, Italien, Verein. Staaten, Schweden, Belgien-Luxemburg, Argentinien, Frankreich, Tschechoslowakei und Schweiz.

Verkehr. Das Rückgrat des Verkehrs waren im Dt. Reich nach Umfang, Verästelung und Leistungsbreite die Eisenbahnen (1937: 58 500 km), von denen fast 79 % im Besitz der →Deutschen Reichsbahn waren. Für den intensiven Durchgangs- und Anschlußverkehr war die Lage D.s in der Mitte Europas bestimmend. Die Bedeutung der Straßen (1938: 2310 km Reichsautobahnen, 203 400 km Reichsstraßen und Landstraßen 1. und 2. Ordnung; →Bundesfernstraßen) wuchs zunehmend durch die sich steigernde Motorisierung (Bestand an Kraftfahrzeugen 1938: 3,24 Mill.). Von dem Gesamtnetz an Eisenbahnen (und Straßen) verblieben 1945: 55,6 (59,1) % in den drei Westzonen, 24,4 (21,8) % in der sowjet. Zone und Berlin; 20 (19,1) % kamen mit den Ostgebieten unter fremde Verwaltung. Über die Koordinierung des

Eisenbahn- und Straßenverkehrs (»Schiene und Straße«) →Verkehr. Die befahrenen Wasserstraßen D.s hatten (1938) eine Länge von 11 000 km, davon 6900 km freie Wasserstraßen (Rhein, Elbe, Weser, Donau, Main, Oder) und 2300 km Schiffahrtskanäle, ferner kanalisierte Flüsse und Schiffahrtsstraßen durch Seen. Der Bestand an Binnenschiffen betrug 17 880 mit 6,54 Mill. t Tragfähigkeit; Hauptbinnenhäfen waren Duisburg-Ruhrort, Berlin, Hamburg, Mannheim-Ludwigshafen. Die dt. Handelsflotte, die 1914 mit 5,2 Mill. BRT nur von der britischen übertroffen wurde, betrug trotz der Verluste durch den Versailler Vertrag 1938 wieder 4,1 Mill. BRT; Hauptseehäfen waren Hamburg, Bremen/Bremerhaven und Emden (Güterumschlag der Nordseehäfen: 45 Mill. t), von den Ostseehäfen (Güterumschlag: 16 Mill. t) Lübeck, Stettin und Königsberg. Das von dt. Luftverkehrsgesellschaften bediente Flugstreckennetz hatte (1937) eine Länge von rd. 26 000 km, davon 8 500 km im innerdt. Verkehr. Die Flughäfen Berlin, Frankfurt, Köln, Hamburg, München, Halle/Leipzig und Stuttgart (mit insges. 72 % der beförderten Fluggäste) gehörten zu den Mittelpunkten des Weltflugverkehrs.

LIT. Dt. Verkehrsbuch, hg. v. H. Baumann (1931); Brandt-Brogmann: Dt. Verkehr in graph. Darstellungen (1952).

Bildung. Die Reichsverfassung von 1871 hatte das *Schulwesen* den Einzelstaaten überlassen. Die Folge war eine fast unübersehbare Mannigfaltigkeit. Die Weimarer Reichsverfassung von 1919 schuf eine gemeinsame Grundlage. Von den geplanten Rahmengesetzen kam jedoch nur das Grundschulges. v. 28. 4. 1920 zustande. In nat.-soz. Zeit wurde eine straffe Zentralisierung eingeleitet (seit 1934 unter dem Reichsminister für Wissenschaft, Erziehung und Volksbildung). Die Gliederungen der NSDAP übten einen maßgebl. Einfluß auf die Erziehung aus. Seit 1945 ist das Bildungswesen wieder Aufgabe der Länder.

Die *Presse* stellte bis 1933 ein getreues Abbild der geistigen und polit. Vielgestaltigkeit dar. Unter dem Nat.-Soz. wurde sie nach dem Verbot der polit. Parteien (Juni 1933) gleichgeschaltet, die »staatsfeindl.« Presse unterdrückt und ihr Vermögen beschlagnahmt. 1945 wurden alle noch bestehenden Zeitungen von den Alliierten verboten. Im Mai 1945 entstanden in der sowjet. Zone, im Juni auch in den Westzonen und in W-Berlin die ersten neuen Zeitungen, deren Verbreitung entsprechend der Besatzungspolitik lokal oder regional beschränkt war. In der →Lizenzpresse der amerikan. Zone ließ man Anhänger der CDU, der SPD, der FDP, der KPD zu Wort kommen, in der brit. Zone eine »Parteienpresse« entstehen, in der französ. Zone förderte die Besatzungsmacht föderalist. Ziele. In der sowjet. Zone kam es bald zur einseitigen Bevorzugung der SED-Presse und zur Gleichschaltung der übrigen Zeitungen. Erst 1949 hörten im Westen Nachrichtenkontrolle und Zensur auf. Seitdem hat sich die westdt. Presse, der im Art. 5 GG Pressefreiheit gewährleistet ist, langsam von den 1933 und 1945 erlittenen Schlägen erholt. In der DDR, in der formal nach der Verfassung (Art. 9) ebenfalls Pressefreiheit besteht, wird die noch der Lizenzierung und der Nachzensur unterworfene Presse vom Amt für Information gelenkt und geführt.

Über die Entwicklung des *Rundfunks* →Rundfunk.

Kirche. Das Religionsrecht lehnt sich an das der Weimarer Reichsverfassung an, das für die Bundesrep. im Grundgesetz und den Länderverfassungen formell, in der DDR in der Verfassung in den wesentl. Punkten materiell übernommen wurde. Es verpflichtet den Staat zu Toleranz, Neutralität und Parität gegenüber allen Religionen und Religionsgesellschaften und sichert unter dem Vorbehalt der allgemeinen Staatsgesetze die Religionsfreiheit des einzelnen sowie die Autonomie der Religionsgesellschaften als öffentl.-rechtl. Körperschaften. Die autonome Stellung der kathol. Kirche ist zusätzlich gesichert und geordnet durch verschiedene Länderkonkordate sowie durch das Reichskonkordat v. 20. 7. 1933. Diese Konkordate wurden nach 1945 nur in der Bundesrep. anerkannt. Die gleiche Stellung hat die evangel. Kirche wegen des Grundsatzes der Parität und gemäß der Tradition; sie ist für einige Länder durch Verträge zwischen Staat und Landeskirchen noch besonders garantiert.

Die →Katholische Kirche ist in Kirchenprovinzen organisiert. Die offizielle Vertretung der dt. Katholiken liegt in der Bundesrep. Dtl. bei der Fuldaer Bischofskonferenz; daneben bestehen die Katholikentage und das stark ausgebaute kathol. Verbands- und Vereinswesen. Der Hl. Stuhl ist durch einen Nuntius mit dem Sitz in Bad Godesberg vertreten, die Bundesrep. durch einen Botschafter beim Hl. Stuhl. Die freie Liebestätigkeit ist in den Caritasverbänden organisiert (→Caritas). – Die Evangel. Kirche ist in Landeskirchen gegliedert und in der →Evangelischen Kirche in Deutschland (EKD) zusammengeschlossen. Über die karitative Arbeit →Innere Mission. Über die Entwicklung seit 1969 in der DDR →Deutsche Demokratische Republik (Kirche).

In D. bestehen ferner 7 →Freikirchen und eine wechselnde Zahl von Sekten. Beide müssen sich im Unterschied zu den beiden großen Kirchen selbst unterhalten; auch bei Erteilung des Religionsunterrichts in den öffentl. Schulen werden sie nicht berücksichtigt. Die Sekten, die unter dem Nat.-Soz. unterdrückt und zum Teil verboten wurden, konnten sich in der Bundesrep. nach 1945 wieder stark entfalten, bes. durch Unterstützung amerikan. Organisationen, während einige Sekten in der DDR verboten oder verfolgt wurden (z. B. Zeugen Jehovas). Auch die freigläubigen und dem liberalen Protestantismus nahestehenden Gruppen haben sich nach 1945 teilweise wieder organisiert. – In einigen Städten haben sich nach 1945 wieder jüdische Gemeinden gebildet.

Über die Entwicklung der *Wehrverfassung* bis 1945 →Heer, über die früheren dt. *Kolonien* →Schutzgebiete; *Geschichte* →Deutsche Geschichte.

Deutschlandfunk, Rundfunkanstalt für den Europadienst, bes. auch für Hörer in der DDR, gegr. 1960, Sitz Köln. Die Sendungen werden in dt. Sprache von 05.00–01.00 Uhr über einen Lang- und einen Mittelwellensender ausgestrahlt.

Deutschlandlied, *Deutschland, Deutschland über alles,* dt. Nationalhymne seit der VO des Reichspräsidenten v. 11. 8. 1922; gedichtet von Hoffmann von Fallersleben im Aug. 1841 auf Helgoland; Weise der alten österr. Kaiserhymne ›Gott erhalte Franz den Kaiser‹ von Jos. Haydn (1797). Seit dem 6. 5. 1952 ist das Lied Nationalhymne der Bundesrep. Dtl.; bei amtl. Anlaß wird die dritte Strophe gesungen.

Deutschlandsender, 1) ein Langwellen-Rundfunksender hoher Leistung zur schwundfreien Versorgung eines großen Teils des ehemaligen Reichsgebiets mit einem ursprünglich tagsüber belehrenden, abends besonders hochwertigen künstlerischen Programm. Der erste D. wurde am 7. 1. 1926 in Königs Wusterhausen errichtet, am 20. 12. 1927 ersetzt durch den in der Nähe des Königs Wusterhausen errichteten D. II. Am 19. 5. 1939 wurde in Herzberg a. d. Elster ein neuer D. III errichtet, der aus drei 165 kW-Sendern bestand, die einzeln oder gemeinsam über die 325 m hohe selbststrahlende Antenne arbeiten konnten. Der D. III wurde im April 1945 durch Bombenvolltreffer teilweise zerstört und später demontiert. **2)** nach 1945 der Hauptsender der sowjet. Zone (70 kW) in Königs Wusterhausen, heute Sendergruppe des DDR-Rundfunks, O-Berlin, seit 1971 ›Stimme der DDR‹.

Deutschlandvertrag, *Bonner Vertrag,* der am 26. 5. 1952 in Bonn zwischen der Bundesrep. Dtl. und den Verein. Staaten, Großbritannien und Frankreich abgeschlossene ›Vertrag über die Beziehungen der Bundesrep. Dtl. mit den drei Mächten‹, mit dem *Generalvertrag* als Kernstück. Der D. sollte zusammen mit dem Vertrag über die Europ. Verteidigungsgemeinschaft (EVG) das Besatzungsregime ablösen, konnte jedoch nach dem Scheitern des EVG-Vertrags (1954) erst als Bestandteil der ›Pariser Verträge am 5. 5. 1955 in Kraft treten, nachdem er durch das ›Protokoll über die Beendigung des Besatzungsregimes‹ (Paris 23. 10. 1954) geändert und erweitert worden war. Auf Grund des D. wurde die Bundesrep. Mitglied des Nordatlantikpakts und der Westeurop. Union.

Deutschleder, →Englischleder.

Deutschmeister, 1) der Landmeister des

→Deutschen Ordens für Deutschland (West- und Süddeutschland). 2) das frühere Wiener Hausregiment, das Inf.-Regt. Hoch- und Deutschmeister Nr. 4 (seit 1695). Inhaber war der jeweilige Hoch- und Deutschmeister des Deutschen Ritterordens. 3) der **Deutschmeistermarsch,** komponiert 1893 von J. A. Jurek.

Deutschnationale Bewegung, die organisierte Bewegung der Deutschen im alten Österreich. Sie setzte sich seit 1866 im österreich. Nationalitätenkampf für die deutsche Sache ein und nahm 1879 den Kampf gegen die herrschende deutschliberale Partei auf. Unter der Leitung Schönerers kam 1882 das grundlegende Linzer Programm zustande, das u. a. eine bloße Personalunion mit Ungarn und die Befestigung des Bündnisses mit dem Dt. Reich forderte; es wurde 1885 durch einen antisemit. Zusatz erweitert. Die Bewegung zerfiel bald in zwei Richtungen. Während Schönerer und seine Anhänger in immer schärferen Kampf gegen den auf übernationalen Grundlagen beruhenden österr. Staat gerieten, erkannte unter dem Einfluß des Bündnisses mit dem Deutschen Reich (1879) die Mehrheit der Deutschnationalen die Staatsgrundlagen der Donaumonarchie an. Sie schloß sich im Abgeordnetenhaus 1885 zum **Deutschen Klub** zusammen, von dem sich hauptsächlich wegen der Judenfrage 1887 die **Deutschnationale Vereinigung** abspaltete, während der Rest 1888 mit dem Deutsch-Österr. Klub zusammen die **Vereinigte Deutsche Linke** bildete. Die parlamentar. Mehrheitsgruppe der Deutschnationalen festigte sich durch Umbildung zur **Deutschen Nationalpartei** (1891); 1896 verbreitete sie sich zur **Deutschen Volkspartei.** Die Anhänger Schönerers, zunächst nur gering an Zahl, schlossen sich nach den für sie erfolgreichen Wahlen von 1901 zur **Alldeutschen Vereinigung** zusammen. 1907 kam es zu einem losen Gesamtverband der nationaldeutsch-liberalen Richtungen, der 1910 als **Deutscher Nationalverband** festere Formen annahm; 1911 wurde er mit 104 Abg. die stärkste Partei des Reichsrats; doch zerfiel er 1917. Nach 1918 übernahm in der Rep. Österreich die Großdeutsche Volkspartei das Erbe der D. B.

Lit. P. Molisch: Gesch. der D. B. in Österreich (1926).

Deutschnationale Volkspartei, DNVP, die stärkste Rechtspartei in der Weimarer Republik, Nov. 1918 gegründet. Sie trat für den monarch. Gedanken ein, bekämpfte das parlamentar. System, die ›Erfüllungspolitik‹ und den Sozialismus; ihr radikaler Flügel war ›völkisch-alldeutsch‹ (→Deutschvölkische). Parteivorsitzender wurde nach Helfferich und Graf Westarp 1928 Hugenberg, unter dem die DNVP nach vorübergehenden Regierungsbeteiligungen (1925, 1927/28) zu einer extrem-oppositionellen Haltung zurückkehrte; das führte 1931 zum Bündnis mit den Nationalsozialisten (→Harzburger Front). Die Hoffnung, in der Regierung Hitlers ein Gegengewicht gegen den Nationalsozialismus zu bilden, war trügerisch. Im Mai änderte sie ihren Namen in **Deutschnationale Front;** am 27. 6. 1933 löste sie sich unter Druck auf. Über die Zahl der Sitze vgl. Übersicht Reichstag.

Deutschnationale Landesparteien waren die **Bayerische Mittelpartei,** die seit 1920 die Regierungen in Bayern unterstützte und an ihnen durch den Justizminister Gürtner beteiligt war, und die **Württembergische Bürgerpartei,** die seit 1924 zusammen mit dem Zentrum regierte (Staatspräs. Bazille). Die größten deutschnationalen Blätter waren *Tag* und *Deutsche Tageszeitung;* bes. einflußreich war die von Hugenberg beherrschte deutschnat. Provinzpresse.

Lit. A. v. Freytag-Loringhoven: Deutschnat. Volksp. (1931).

Deutsch-Neuguin'ea, ehemaliges deutsches →Schutzgebiet.

Deutsch-Ostafrika, ehemaliges deutsches →Schutzgebiet.

Deutschösterreich, in der habsburgischen Monarchie gebräuchlicher, nicht amtlicher Name der deutschen Siedlungsgebiete der Alpen- und Sudetenländer (→Österreich, Geschichte).

Deutsch-Proben, slowak. **Nitrianske Pravno,** Stadt in der Tschechoslowakei, im Quellgebiet der Neutra, mit 800 Ew.; war bis 1945 Mittelpunkt einer dt. Volksinsel, die im 14. Jh. von Schlesien aus entstanden war.

Deutschrömer, die im 19. Jh. in Rom lebenden Künstler, vor allem die →Nazarener und in der 2. Hälfte des Jahrhunderts Feuerbach, Marées und Böcklin.

Deutschschweizer, →Alemannen; →Schweiz, Bevölkerung.

Deutschsoziale Partei, eine 1889 gegründete Partei der extremen Rechten mit betont antisemit., jedoch konservativer Tendenz unter Führung des Abg. Liebermann von Sonnenberg. 1894–1900 war sie mit der radikalen Deutschen Reformpartei zur **Deutschsozialen Reformpartei** vereinigt. Die D. P. wurde 1921 von R. Kunze neu gegründet, hatte aber keinen Bestand.

Deutsch-Sowjetische Freundschaft, Gesellschaft für D.-S. F., gegr. 1947 als ›Gesellschaft zum Studium der Kultur der Sowjetunion‹, 1949 umbenannt in *DSF,* dient unter Führung der SED der Verbreitung der Kenntnis sowjet. Politik und Kultur.

Deutsch-Südwestafrika, ehemaliges deutsches →Schutzgebiet.

Deutschtum, D. im Ausland, →Deutsche.

Deutschtümel'ei, übertriebenes Pochen auf deutsches Wesen und Volkstum.

Deutschvölkische, im Dt. Reich polit. Gruppen und Parteien mit antisemit. Tendenz, ohne klares politisches Programm. Aus der 1914 gegr. **Deutschvölkischen Partei** ging Dez. 1918 der *Deutschvölk. Bund* hervor, aus dem 1920 zum *Deutschvölkischen Schutz- und Trutzbund* erweitert und nach der Ermordung Rathenaus 1922 verboten wurde. Im Dez. 1922 gründeten die Deutschnationalen

v. Graefe, Wulle und Henning die **Deutsch-völkische Freiheitspartei**, die sich nach dem Putsch vom Nov. 1923 mit den Nationalsozialisten zur **Nationalsozialistischen Freiheitspartei** vereinigte. 1925 trennte sich die norddt. Gruppe Graefes als **Deutschvölkische Freiheitsbewegung** wieder ab, erlangte jedoch keine Bedeutung mehr. Die Deutschvölkischen waren später, soweit sie nicht von der NSDAP aufgesogen wurden, im →Tannenbergbund Ludendorffs und in anderen kleinen Splittergruppen organisiert.
LIT. A. Dinter: Ursprung, Ziel u. Weg d. deutschvölk. Freiheitsbewegung (1924).

Deutung, 1) *allgemein:* die Erfassung und Herausarbeitung eines eindeutigen Sinnes, ausgehend von einem zunächst undeutlichen oder vieldeutigen Zusammenhang. So gibt es eine D. von Geheimschriften, von Gleichnissen, Gedichten usw., bis zu einer D. des Sinnes der Geschichte.
2) *Psychologie:* das Verfahren, den Sinn einer Ausdruckserscheinung zu ermitteln. Dabei beruht die D. der menschlichen Mimik sowie der emotionalen Ausdrucksbewegungen auf einer instinktiven Grundlage, die durch Erfahrungen angereichert ist. Eine Schwierigkeit der D. besteht im Mangel an sprachl. Bezeichnungen für anschaulich oft sehr prägnante Eindrücke. Die Psychoanalyse hat zwei große Bereiche der D. erschlossen: die Träume sowie die »nervösen« Erscheinungen mit den Fehlhandlungen.
LIT. P. R. Hofstätter: Einführung in die Tiefenpsychologie (Wien 1948, engl.).

Deutz, ein rechtsrhein., 1888 eingemeindeter Stadtteil von Köln. Ursprüngl. ein röm. Kastell zum Schutz der Rheinbrücke, hieß D. im frühen MA. *Divitia,* später *Tuitium.* 1002 gründete dort der hl. Heribert eine Benediktinerabtei; 1230 erhielt es Stadtrecht. Den Erzbischöfen diente D. als Stützpunkt gegen die Reichsstadt.

D'eutzia, *Deutzia,* strauchige Pflanzengattung der Steinbrechgewächse in Inner- und Ostasien, Nord- und Mittelamerika, mit weißen Blütenrispen; Gartensträucher.

Deux-Sèvres [dø sɛvr], Departement im mittleren Westfrankreich, umfaßt 6054 qkm mit (1970) 328 900 Ew.; Hauptort ist Niort.

Dev, böse Geister in der Lehre Zarathustras, auch →Daiwa.

Deval, Jacques, eigentlich *J. Boularan,* franz. Schriftsteller, * Paris 27. 6. 1890, † das. 18. 12. 1972.
WERKE. Komödien: Une tant belle fille (1925), Tovarich (1929), Mademoiselle (1932).

De Val'era, irischer Politiker, →Valera.

Devalvati'on [neulat.], →Abwertung.

Devastati'on [lat.], Verwüstung; **devastieren,** verwüsten, verheeren.

Development Assistance Committee [div'eləpmənt əs'istəns kəm'iti], DAC, 1960 gegr. Organisation zwischen den EWG- und OECD-Ländern sowie Australien. Sie dient besonders der Vorbereitung von Kapitalhilfen an nicht der OECD angehörende Entwicklungsländer und strebt eine gemeinsame Politik der Industrieländer gegenüber den Entwicklungsländern an.

D'eventer, Stadt in der niederländ. Prov. Overijsel, mit (1972) 65 800 Ew., an der Ijsel. D. ist eine altertümliche Stadt; Schule für koloniale Landwirtschaft; Herstellung von Honigkuchen (Deventerkoek), Teppich-, Maschinen-Ind. In der Altstadt zwei mittelalterl. Kirchen, bemerkenswert vor allem die spätgot. Lebuinuskirche, das stattl. Rathaus (1694), das Landhaus (Fassade 1632) und die spätgot. Waage (1528, Freitreppe 1643). D., einst Hansestadt, gehörte zum Hochstift Utrecht, kam 1528 an Karl V. und wurde 1591 den Spaniern durch Moritz von Oranien entrissen.

Devéria, 1) Achille, franz. Maler und Graphiker, * Paris 6. 2. 1800, † das. 23. 12. 1857, Schüler von Girodet, bedeutender Lithograph. Neben eleganten Illustrationen schuf er gute Porträts, bes. anmutige Damenbildnisse.
2) Eugène, franz. Maler, Bruder von 1), * Paris 22. 4. 1805, † Pau 3. 2. 1865, schloß sich den Romantikern an und malte bes. Historienbilder.

Devèze, Albert, belg. liberaler Politiker, * Ypern 6. 6. 1881, † Brüssel 28. 11. 1959, 1920–25 und 1932–36 Kriegs-, bis 1939 Innenminister.

Deviati'on [lat.], **Abweichung,** 1) der Winkel, um den auf eisernen Schiffen durch deren Eigenmagnetismus die Kompaßnadel aus der Richtung des magnet. Meridians abgelenkt wird. Der Schiffsmagnetismus entsteht auf induktivem Weg durch den Erdmagnetismus als ›fester‹, auf dem jeweils anliegenden Kurs als ›flüchtiger‹. Die D. ist deshalb auf verschiedenen Kursen verschieden. Sie muß durch in der Nähe des Kompasses angebrachte Magnete und Weicheisenmassen möglichst aufgehoben werden. Beim Kreiselkompaß tritt die D. nicht ein.
2) *Seerecht:* die Abweichung vom vereinbarten oder üblichen Reiseweg des Schiffes. Sie ist erlaubt, wenn höhere Gewalt, z. B. Kriegsausbruch, Wirbelsturm oder die Rettung von Menschenleben oder Eigentum sie erfordern. Kapitän, Reeder und Verfrachter haften den Ladungsbeteiligten für jeden durch unerlaubte D. entstandenen Schaden.

Dev'ise [franz.], 1) allgemein jedes Zahlungsmittel in ausländ. Währung; im Unterschied zu *Sorten* (ausländ. Banknoten und Münzen) nur Forderungen des bargeldlosen Zahlungsverkehrs (ausländ. Wechsel, Schecks, Guthaben bei ausländ. Banken). Das *Devisengeschäft* der Banken befaßt sich mit dem An- und Verkauf von D. für eigene und fremde Rechnung. Der *Devisenkurs,* wegen der Bedeutung des Wechsels im internat. Verkehr auch *Wechselkurs* genannt, wird an den *Devisenbörsen* ermittelt (Frankfurt a. M., Düsseldorf, Hamburg, München, W-Berlin; die amtl. Kurse werden in Frankfurt a. M. festgestellt). Durch die Schwankungen der Devisenkurse an den einzelnen Plätzen sind die D. auch Gegenstand der →Arbitrage *(Devisenarbitrage)*.

Die *Devisenpolitik* der Zentralnotenbanken ist bestrebt, durch planmäßige Beeinflussung des D.-Verkehrs und der D.-Kurse die eigene Währung zu sichern. Ein Mittel der D.-Politik ist die Zusammenfassung aller D.-Guthaben bei der Zentralnotenbank (über den deutschen D.-Bestand →Bundesrepublik Deutschland). Ziel der seit der Weltwirtschaftskrise aufgekommenen *Devisenbewirtschaftung* war, die vorhandenen und anfallenden D. zu erfassen und ihre Verwendung zu lenken. In der Bundesrep. Dtl. wurde die D.-Bewirtschaftung mit der Einführung der Konvertierbarkeit der DM (29. 12. 1958) beendet. – Bei der *Devisenkontrolle* unterscheidet man ohne Rücksicht auf die Staatsangehörigkeit *Deviseninländer*, die ihren Wohnsitz in der Bundesrep. Dtl. oder W-Berlin haben, und *Devisenausländer*, die ihn nicht in diesem Gebiet haben.

Lɪᴛ. H. Lipfert: Internat. Devisen- u. Geldhandel (⁴1975).

2) ein mit einem Sinnbild *(corps de d.)* zusammengehörender Spruch *(âme de d.,* Motto), auch der Spruch allein. Die Mode der persönl., im Unterschied zu den Wappen nicht vererbten D., die aus den →Badges (Connoissances, Empresen usw.) hervorgegangen waren, blühte vom 16. bis gegen Ende des 17. Jhs. vor allem in Italien. Manche D. haben seitdem ihren Inhaber überlebt (z. B. die Friedrichs d. Gr.: preuß. Adler mit dem Spruch »Pro Gloria et Patria«). Bekannte D. sind die Ludwigs XIV., die Sonne mit dem Spruch »Nec pluribus impar« (Auch mehreren gewachsen); der Adler Friedrichs I. von Preußen (und des →Schwarzen Adlerordens) mit den Sinnbildern der gerechten Belohnung (Lorbeerkranz) und der gerechten Strafe (Donnerkeil) und dem Spruch »Suum cuique« (Jedem das Seine).

Lɪᴛ. J. Dielitz: Wahl- u. Denksprüche, Feldgeschreie . . . (1882).

3) die Regierungsjahre der chinesischen und japanischen Herrscher (chinesisch *nien-hao,* japanisch *nengo*). Seit 114 v. Chr. führten die chines. Kaiser Regierungsdevisen, die frei gewechselt werden konnten. Seit 1368 wurde die D. nur beim Regierungsantritt eines neuen Herrschers geändert. Die D. drücken meist eine glückliche Vorbedeutung aus, z. B. *K'ang-hi* »Kraftvoller Glanz« (D. des Kaisers Scheng-tsu, 1662 bis 1722); *K'ien-lung* »Himmlische Fülle« (Kaiser Kao-tsung, 1736–1796). Von China übernahmen andere ostasiat. Staaten wie Annam und bes. Japan (seit 645) diesen Brauch, so in Japan: *Meiji* »Erleuchtete Regierung« (Kaiser Mutsuhito, 1868 bis 1912); *Taischo* »Große Gerechtigkeit« (Kaiser Joschihito, 1912–26); *Schowa* »Glänzende Harmonie« (Kaiser Hirohito, seit 1926). Die Jahreszählung in China und Japan erfolgt nach D., z. B. K'ang-hi 14. Jahr = 1675, Schowa 28. Jahr = 1953.

Devoluti'on [lat.], Abwälzung, Übergang eines Rechtes oder Besitzes auf einen anderen, insbes. im Kirchenrecht. **devolv'ieren,** an die höhere Instanz gehen.

Devoluti'onskrieg, der erste Eroberungskrieg Ludwigs XIV. von Frankreich (1667/ 1668). Auf Grund des in einigen niederländ. Provinzen gebräuchlichen Rechts der ›Devolution‹ forderte er, daß diese nach dem Tod Philipps IV. von Spanien (1665) dessen ältester Tochter Maria Theresia, der Gemahlin Ludwigs, zufallen müßten. Nach raschen Anfangserfolgen erlag Ludwig XIV. der Tripelallianz Hollands, Englands und Schwedens. Im Aachener Frieden mußte er die Freigrafsch. Burgund wieder herausgeben, konnte aber die Eroberungen in Hennegau (Charleroi, Tournai) und in Flandern (Douai, Lille, Kortrijk) behalten.

Devon [d'evn], 1) Grafschaft in SW-England, 6764 qkm, (1971) 896 000 Ew.; Hauptstadt Exeter.
2) Devon, →Nord-Devon.

Dev'on, Dev'onische Formation [nach der engl. Gfsch. Devonshire], eine der →geologischen Formationen, ein Abschnitt des →Paläozoikums. Das D. besteht aus Grauwacken, Quarziten, Tonschiefern, Mergeln, Dolomiten und Diabasen. Nutzbar sind Dachschiefer, Marmor, Eisenerze. Man gliedert es in **Unter-, Mittel- und Oberdevon.** Leitfossilien sind Goniatiten, Spiriferen und Korallen. Festländer bestanden im nordatlant. Raum (→old red sandstone) in Nord- und Südasien und auf der Südhalbkugel (→Gondwanaland). In Dtl. baut das D. das Rhein. Schiefergebirge, Teile des Harzes und Ostthüringens auf. Die Pflanzenwelt ist im unteren Devon durch die Psilophytenflora gekennzeichnet, niedrige krautige Gewächse ohne besondere Blattflächen. Im Oberdevon treten baumförmige Pflanzen auf (Archaeopteris-Flora). Aus diesen farnähnlichen Gewächsen setzten sich die ältesten Wälder zusammen, deren Reste in den einstigen Sümpfen des Oneonta-Sandsteins im Staate New York erhalten sind. Für die Tierwelt sind Korallen bezeichnend *(Pleurodictyum, Calceola),* Stromatoporen, Seelilien, Armfüßer *(Spirifer, Stringocephalus),* Muscheln, Schnecken, Nautiloideen und die erstmals aufkommenden Ammoniten (›Goniatiten‹), dann altertümliche Panzerfische, Lungenfische und Quastenflosser. Vierfüßer sind nur aus Fährten bekannt.

Lɪᴛ. E. Kayser u. R. Brinkmann: Abriß der Geologie, 2 (⁹1966).

Devonport [d'evnpɔ:t], Stadtteil von Plymouth.

dev'ot [lat.], 1) demütig, unterwürfig. 2) fromm.

Dev'otio mod'erna [lat. ›neue Frömmigkeit‹], religiöse Erneuerung des 14./15. Jhs., ging aus von →Groote und den →Brüdern des gemeinsamen Lebens (Fraterherren). An

Devo

Stelle des mönchisch-klösterl. Frömmigkeitsideals trat ein prakt. Weltchristentum der tätigen und helfenden Liebe (Krankenpflege, Armenfürsorge, Schulen). Die D. m. nahm innerhalb der kath. Kirche das Frömmigkeitsideal des Luthertums vorweg. Aus ihrem Geist entstand um 1420 die Schrift ›Die →Nachfolge Christi‹. Die *Devoten-Bewegung*, die in fast allen Ländern Westeuropas, auch in Spanien und Italien, Eingang fand, wurde in den Niederlanden und Westdeutschland von der →Windesheimer Reformkongregation gefördert.
Lit. J. M. E. Dols: Bibliogr. d. Moderne Devotie (Nijmegen 1941); M. Lücker: Meister Eckhart u. d. D. m. (Leiden 1950).

Devoti'on, lat. **devotio**, bei den alten Römern der magische Akt, durch den jemand einen Feind oder eine feindl. Stadt den Mächten der Unterwelt weiht. Eine bes. Art der D. war die D. der Decier (→Decius): der für das Wohl des Vaterlandes sich opfernde Feldherr weiht seine eigene Person und die Feinde den Unterirdischen und reißt, wenn er fällt, die mit ihm Geweihten nach. Die unter Augustus aufkommende Selbstdevotion zu Ehren des Kaisers geht auf den keltiberischen Brauch zurück, sein Leben im Kampfe für eine andere Person in der Weise zu weihen, daß man sich selber tötet, wenn jener fällt.

Devotion'alien [von lat. devotio ›Andacht‹], *kath. Kirche:* Gegenstände zur äußeren Anregung der Andacht, wie Rosenkränze, Heiligenbildchen u. a. Sie unterliegen der kirchl. Zensur.

Devree, Paul, fläm. Schriftsteller, * Antwerpen 13. 11. 1909, trat als Dichter, vor allem aber als Essayist hervor. Er ficht in der von ihm geleiteten Zeitschrift ›De Tafelronde‹ für alles Avantgardistische.
Werke. Lyrik: Terra firma (1944), Appassionato (1953). Kritik: Close-up der Vlaamse Dichtkunst van nu (1960).

Devrient [dəfr'int oder davriĕ], Schauspielerfamilie. *Ludwig D.,* * Berlin 15. 12. 1784, † das. 30. 12. 1832, war ein überragender Charakterspieler (Lear, Falstaff, Franz Moor). Er war mit E. Th. A. Hoffmann befreundet. Schauspieler wurden auch seine drei Neffen: *Karl* (* 1797, † 1872), *Emil* (* 1803, † 1872) und *Eduard D.* (* 1801, † 1877). Eduard leitete 1852–70 das Hoftheater in Karlsruhe, verfaßte den Operntext ›Hans Heiling‹ (vertont von Marschner) und die ›Geschichte der dt. Schauspielkunst‹ (5 Bde., 1848–1874, neu hg. 1929). Emils Sohn *Max D.* (* 1857, † 1929) wirkte am Burgtheater, Eduards Sohn *Otto D.* (* 1838, † 1894) in Karlsruhe und Weimar.
Lit. J. Bab: Die D.s (1932); G. Altmann: Ludwig D. (1926); K. Reinholz: Eduard D.s ›Geschichte der dt. Schauspielkunst‹ (ungedr. Diss., Berlin 1949); H. H. Houben: Emil D., sein Leben und Wirken (1903).

D'ewa [Sanskrit, lat. deus], Gott, Gottheit in der wedischen Religion.

Dewad'asi [Sanskrit ›Dienerin der Götter‹], Tänzerin in den großen ind. Tempeln, →Bajadere.

Dewan'agari, indische Schrift, wird fast ausschließlich zum Schreiben und Drucken des Sanskrit benutzt.

Dewar [dj'uə], James, engl. Chemiker, * Kincardine-on-Forth (Schottl.) 20. 9. 1842, † London 27. 3. 1923, Prof. in Cambridge und London, erfand das *Dewar-Gefäß* zur Aufbewahrung flüssiger Luft.

Dew'et, Christian, Burengeneral, * Farm Leeuwkop (Oranjefreistaat) 7. Okt. 1854, † Bloemfontein 3. 2. 1922, wurde im Burenkrieg 1900 Oberbefehlshaber der Truppen des Oranjefreistaats.

Dewey [dj'u:i], 1) John, amerikan. Philosoph und Pädagoge, * Burlington 20. 10. 1859, † New York 1. 6. 1952, war Prof. in Chicago und an der Columbia-Universität. D. bildete die Erkenntnislehre des →Pragmatismus im Sinne des Instrumentalismus fort. Alle Theorie diene letztlich dem Ziel, »das Ideal besserer sozialer Möglichkeiten« festzulegen; zu dessen Verwirklichung aber müsse die Erziehung führen. Daher geht D.s Philosophie unmittelbar in Pädagogik über. Erziehung ist Denkschulung, nicht im Sinne einer Einübung vorgegebener logischer Formen, sondern der Entwicklung solcher Formen in der denkenden Bewältigung der zu einer Auflösung drängenden konkreten Schwierigkeiten. D.s Pädagogik kommt daher der Erlebnispädagogik sehr nahe. Er hat dem Arbeitsunterricht in den USA den Weg gebahnt. Erziehung in diesem Sinne ist stets auch die Einpassung des Menschen ins Gemeinschaftsleben. Diese Richtung auf soziale Eingefügtheit, auf die Verantwortlichkeit jedes einzelnen und auf die prüfend-experimentierende Haltung in einer unfertigen Welt machen D. zum Philosophen der amerikan. Demokratie.
D.s Einfluß auf das amerikan. Denken kann nicht hoch genug bewertet werden. Darüber hinaus hat er eine starke Wirkung vor allem auf der Fernen Osten ausgeübt, insbes. durch seine pädagog. Schriften.
Werke. Psychology (N. Y. 1887), Leibniz (Chicago 1888), The School and Society (ebd. 1900; dt. 1905), Studies in Logical Theory (ebd. 1900), Ethics (N. Y. 1908, mit J. H. Tufts), Moral Principles in Education (Boston 1909), The Influence of Darwin on Philosophy (N. Y. 1910), How we think (Boston 1910; dt. Zürich 1951), German Philosophy and Politics (N. Y. 1915), Democracy and Education (N. Y. 1916; dt. 1930), Essays in Experimental Logic (Chicago 1916), Reconstruction in Philosophy (N. Y. 1920), Human Nature and Conduct (N. Y. 1922; dt. 1931), Experience and Nature (Open Court 1925), The Public and its Problems (N. Y. 1927), Characters and Events, 2 Bde. (N. Y. 1929), The Quest for Certainly (N. Y. 1929), Individualism Old and New (N. Y. 1931), Art as Experience (N. Y. 1934), A Common Faith (New Haven

1934), Der Projektplan (dt. 1935; mit W. Kupatrik), Logic: The Theory of Inquiry (N. Y. 1938), Theory of Valuation (Chicago 1939), Freedom and Culture (1940), Problems of Men (N. Y. 1946).

Lit. W. T. Feldmann: The Philosophy of J. D. (1934); E. Baumgarten: Die geistigen Grundlagen d. amerikan. Gemeinwesens. Der Pragmatismus (1938); The Philosophy of J. D., hg. v. P. A. Schilpp (1949, mit Bibl.); M. H. Thomas u. H. W. Schneider: Bibliography of J. D. (N. Y. 1929).

2) Melvil, amerikan. Bibliothekar, * Adams Center (N. Y.) 10. 12. 1851, † Lake Placid (Flor.) 26. 12. 1931, gründete die American Library Association, das ›Library Journal‹ und die erste Bibliotheksschule. Bekannt wurde er durch die →Dezimalklassifikation.

Lit. G. G. Dawe: M. D. (N. Y. 1932); F. Rider: M. D. (Chic. 1944).

3) Thomas Edmund, amerikan. Politiker (Republikaner), * Ossowo (Mich.) 24. 3. 1902, † Miami Beach 16. 3. 1971, Anwalt, übernahm als Staatsanwalt 1935 die Bekämpfung des organisierten Verbrechertums und der Korruption; 1942–54 war er Gouv. des Staates New York, 1944 verlor er gegen Roosevelt und 1948 gegen Truman die Präsidentschaftswahl.

Lit. S. Walker: D., An American of this Century (N. Y. 1944).

De Witt, Jan, →Witt.

Dewsbury [dj'u:zbəri], Stadt und Stadtgrafsch. in der engl. Grafschaft Yorkshire (West-Riding), mit (1970) 51800 Ew.; Teppich- u. Wollindustrie.

dexiogr'aphisch [griech.], von links nach rechts geschrieben.

Dextr'an, ein polymeres Glukosid, das als Blutplasma-Ersatz bei Blutübertragungen verwendet werden kann.

Dextr'in [lat. Kw.], Abbaustufen der Stärke, aufgebaut aus wenigen Glukosemolekülen. D. wird durch Säuern und Rösten aus Kartoffel- oder Maisstärke gewonnen; in Pflanzen wird es durch Fermente (Amylasen) aus Stärke gebildet. D. dient als Klebstoff, Verdickungsmittel (im Zeug- und Tapetendruck) und als Steifmittel (bei der Zurichtung von Geweben).

Dextr'insirup, dickflüssiger Traubenzucker, meist aus Malz hergestellt.

Dextr'ose, der →Traubenzucker.

Deyssel, Lodewijk van, niederländ. Schriftsteller, →Alberdingk Thijm 2).

D'ezem [lat. decem ›zehn‹], Zehnt; Steuer, Beitrag.

Dez'ember [lat. decem ›zehn‹], der 12. Monat im Jahre, bei den alten Römern der zehnte. Der von Karl d. Gr. vorgeschlagene Name des Monats ist *Heilmond*; später erhielt er den Namen *Christmonat.*

Dez'emvirn [lat. ›Zehnmänner‹ *Mz.,* im röm. Staate die Behörde von zehn Männern. *Dec'emviri l'egibus scrib'endis,* nach der Überlieferung die D. für das Jahr 451 v. Chr.; von ihnen soll die Zwölftafelgesetzgebung stammen.

Dez'ennium [lat. decennium], Zeitspanne von 10 Jahren.

dez'ent [lat.; Goethezeit], 1) unaufdringlich. 2) anständig. **Dez'enz,** Anstand, Zurückhaltung.

Dezentralisati'on [lat. Kw.], 1) Aufgliederung. 2) in der Staatsverwaltung die Übertragung staatl. Aufgaben auf die Organe der →Selbstverwaltung *(mittelbare Staatsverwaltung),* bes. auf Gemeinden.

Dezepti'on [lat.], Täuschung, Betrug; Unlauterkeit.

Dezern'at [lat.], Arbeitsgebiet, bes. Berichterstattung. **Dezern'ent,** Sachbearbeiter, Berichterstatter.

d'ezi, abgek. d, vor Maßeinheiten = $1/10$; z. B. Dezimeter = $1/10$ m, Dezigramm = $1/10$ g.

D'ezibel, Zeichen dB, der zehnte Teil des *Bel,* in der Hochfrequenztechnik übl. Maßeinheit für die Dämpfung. 20 dB entsprechen einer Dämpfung im Verhältnis 10:1.

dezid'iert [lat.], entschieden; entschlossen.

dezim'al [lat.], auf der Zahl 10 aufgebaut.

Dezim'albruch, ein Bruch, dessen Nenner mit einer der Zahlen 10, 100, 1000 usw., also einer Potenz von 10, gebildet wird. Man drückt den Nenner dadurch aus, daß man durch ein Komma vom hingeschriebenen Zähler so viel Stellen von rechts abschneidet, wie der gedachte Nenner Nullen zählt *(Dezimalzahl).* Demnach ist z. B. $311/1000$ = 0,311; $117/100$ = 1,17 usw. Hat der Zähler weniger Stellen als der Nenner Nullen, so füllt man die fehlenden Stellen rechts vom Komma durch Nullen aus; so ist $1/100$ = 0,01; $13/10000$ = 0,0013 usw. Die Einführung der Dezimalzahlen wird Vieta zugeschrieben.

Dezim'ale, früh. bayer. Flächenmaß, = 34,0727 m².

Dezim'alklassifikation, abgek. **DK,** ein von Melvil →Dewey entworfenes Ordnungssystem für das Gesamtwissen. Der Wissensstoff wird in 10 Hauptabteilungen gegliedert, die mit 0 bis 9 bezeichnet sind. Jede Hauptabteilung wird in 10 Abteilungen zerlegt (Zufügung einer zweiten Zahl), diese abermals in 10 Abteilungen usw. Die 10 Hauptabteilungen sind: 0 Allgemeines; 1 Philosophie, Psychologie; 2 Religion, Theologie; 3 Sozialwissenschaften, Recht, Verwaltung; 4 Philologie, Sprachwissenschaft; 5 Mathematik, Naturwissenschaften; 6 Angewandte Wissenschaften, Medizin, Technik; 7 Kunst, Kunstgewerbe, Musik, Spiel, Sport; 8 Literaturwissenschaft, Schöne Literatur; 9 Geographie, Biographien, Geschichte. Weitere Unterteilung z. B. so: Beispiel: 6 = Angewandte Wissenschaften, 62 = Technik, 622 = Bergbautechnik, 622.3 = Einzelne Bergbauzweige, 622.33 = Kohlenbergbau, 622.332 = Braunkohlenbergbau. Außer in Bibliotheken wird die DK in der →Dokumentation angewandt.

Die DK wurde 1895 von dem Internationalen Bibliographischen Institut in Brüssel übernommen und seitdem in internationaler

Dezi

Gemeinschaftsarbeit ausgebaut, heute vom *Internationalen Ausschuß für Universalklassifikation* im Haag. Die Haupttafel mit der systemat. Einteilung wird durch Hilfstafeln mit allg. Anhängezahlen ergänzt, die der Untergliederung nach Ort, Zeit, Form, Sprache usw. dienen. Zum Beispiel bedeutet (43) Deutschland, also 622 (43) Bergbautechnik in Deutschland. Beziehungen zweier Begriffe werden durch Doppelpunkt ausgedrückt, z. B. 621.3:622 Elektrotechnik im Bergbau.

Lit. M. Dewey: Decimal Classification and relative Index (1876, [15]1951); von der Brüsseler DK, die in Europa ausschließlich verwendet wird, erschien die 1. Ausgabe 1905–07, die 2. Ausg. 1927–33. DK, dt. Gesamtausgabe, bearb. vom Deutschen Normenausschuß (1934 ff.); Dt. Kurzausgabe ([2]1941); O. Frank: Die DK (1946, [2]1947).

Dezim′alsystem, dekadisches System, Dekadik, 1) Zahlensystem mit der Grundzahl 10. Jede natürliche Zahl wird im D. in der Form $a_0 \cdot 1 + a_1 \cdot 10 + a_2 \cdot 100 + \dots$ dargestellt, wobei die Koeffizienten $a_0, a_1, \dots$ die Ziffern 0, 1, 2, $\dots$, 9 sind. Für die abgekürzte Schreibung einer Dezimalzahl verwendet man die Folge der Koeffizienten in umgekehrter Reihenfolge, z. B. 763 = $3 \cdot 10^0 + 6 \cdot 10^1 + 7 \cdot 10^2$. Zur Darstellung der übrigen positiven Zahlen nimmt man noch die Potenzen von $^1/_{10}$, also die Potenzen von 10 mit negativen Exponenten, hinzu und trennt die entsprechenden Koeffizienten durch ein Komma von denen der positiven Potenzen; z. B. 87,376 = $8 \cdot 10^1 + 7 \cdot 10^0 + 3 \cdot 10^{-1} + 7 \cdot 10^{-2} + 6 \cdot 10^{-3}$. Auch bei unendlich vielen Dezimalstellen hinter dem Komma wird die Summe der Reihe nicht unendlich groß: die Reihe *konvergiert* gegen eine reelle Zahl (→Grenzwert); z. B. 0,333 ... →$^1/_3$. Dadurch erhält man eine Möglichkeit, die reellen Zahlen zu definieren. Zahlensysteme mit anderen Grundzahlen sind z. B. das →Dualsystem und das →Duodezimalsystem.

2) eine Einteilungsart der Geldgrößen, Münzen, Maße und Gewichte, bei der jede höhere Einheit in 10, 100 oder 1000 usw. niedrigere Einheiten geteilt wird, wie dies namentlich in dem →metrischen System der Fall ist. Die meisten Länder wenden in ihrem Geldwesen das D. an. Die wichtigste Ausnahme bildeten die Gebiete mit Pfundwährungen, die erst 1971/72 auf D. umstellten.

Dezim′alwaage, eine Brückenwaage, bei der das Verhältnis der Last zu den aufgelegten Gewichten 10:1 beträgt.

D′ezime, 1) eine aus dem Spanischen stammende zehnzeilige Strophenform, im Deutschen gern von den Romantikern gebraucht. **2)** Tonabstand von 10 diatonischen Stufen, d. h. die um eine Oktave erweiterte Terz.

D′ezimeter, 0,1 Meter.

D′ezimeterverbindung, Dezi-Verbindung, die Übertragung von Fernsehsendungen auf Dezimeterwellen.

D′ezimeterwellen, elektromagnet. Wellen zwischen 10 und 100 cm Wellenlänge ($3 \cdot 10^9$ und $3 \cdot 10^8$ Hz).

dezim′ieren [lat.; urspr. als Strafe für einen Truppenteil an jedem 10. Mann die Todesstrafe vollstrecken], starke Verluste beibringen.

Dezisi′on [lat.], Entscheidung, Bescheid, gesetzl. Entscheidung einer einzelnen strittigen Rechtsfrage. **Decisiones quinquaginta,** 50 den *Codex Justinianeus* (→Codex) vorbereitende Konstitutionen aus den Jahren 529–32. **Decisiones Rotae Romanae,** die Urteile der →Rota. – **dezisiv,** entscheidend.

DFU, →Deutsche Friedensunion.

D. G., Abk. für **Dei gratia,** durch Gottes Gnade, von Gottes Gnaden.

DGB, →Deutscher Gewerkschaftsbund.

d. Gr., der Große.

d. h., Abk. für **1)** de hodierno, vom heutigen (Tag). **2) das heißt. 3)** *bei Jahreszahlen:* **der** →Hedschra.

Dhahr′an, Mittelpunkt der seit 1945 ausgebauten arabisch-amerikan. Erdölindustrie in Saudi-Arabien, inmitten einer kleinen Halbinsel an der Westseite des Golfs von Bahrain, an der Bahn von Dammam nach Er-Rijad; hat etwa 25 000 Ew., Transitflughafen.

Dh′akbaum, *Butea frondosa,* indischer Schmetterlingsblüter mit roten Blüten; liefert den Gerbstoff *Butea-Kino.*

Dh′arma [Sanskrit], **Dhamma** [Pali] *der,* im Indischen: Gesetz (auch Weltgesetz), Recht, Pflicht, Lehre; im Buddhismus auch die daseinsbedingenden Kräfte, die durch ihr Zusammenwirken die Einzelwesen und die von ihnen wahrgenommene Welt hervorbringen.

Dhaul′agiri, Berggipfel des Himalaja im nordwestl. Nepal, 8 222 m hoch, wurde als 13. Achttausender 1960 von einer internat. Expedition unter schweizer. Leitung erstmalig erstiegen. Die Expedition benutzte bis 5 700 m ein einmotoriges Flugzeug.

Lit. M. Eiselin: Erfolg am D. (Zürich 1960).

Dhaw [dau] *die,* Seegelboot, →Dau.

Dhorme, Édouard, Klostername: **Paul,** Exeget und Orientalist, * Armentières 15. 1. 1881, † Roquebrune-Cap-Martin 19. 1. 1966, Direktor (1923–31) der *Ecole biblique et archéologique française* der Dominikaner zu Jerusalem, seit 1945 Prof. am College de France. Er entzifferte die *Ras-Schamra-Texte* und die *Byblos-Schrift.*

Dhôtel, André, franz. Schriftsteller, * Attigny 1. 9. 1900, war Mitarbeiter an der surrealistischen Zeitschrift ›Aventure‹ (1921/22), schreibt romantisch gestimmte Romane.

Werke. David (1948; dt. 1957), Le pays où l'on n'arrive jamais (1955; dt. Das Land, in dem man nie ankommt, 1957).

di... [griech.], *in Fremdwörtern:* doppel... **dia...** [griech.], *in Fremdwörtern:* durch..., zer..., ent..., über...

Dia *das,* kurz für →Diapositiv.

Diab′as [griech.], ein schwarzes oder dunkelgrünes altes Ergußgestein, das aus einem Gemenge von Plagioklas und Augit, auch

Quarz, Olivin oder brauner Hornblende besteht. Verwendung als Kleinschlag, Pflaster- und Werkstein.

Diab´elli-Variati´onen, Klavierstück op. 120 von L. van Beethoven, 33 Variationen über einen Walzer von dem Komponisten und Musikverleger Anton *Diabelli,* * 1781, † 1858.

Diab´etes [griech. ›Durchgang‹] *der*, die →Zuckerkrankheit *(D. mellitus)* und die →Wasserharnruhr *(D. insipidus).*

Diab´etiker, Zuckerkranker.

Diablerets, Les [lɛ diablərɛ, franz. ›Teufelshörner‹], zerrissener Bergstock in der Wildhorngruppe der südl. Freiburger Alpen, 3209 m hoch; am Südabhang sind häufig Bergstürze niedergegangen (z. B. 1714 und 1749).

Di´abolo [von ital. diavolo ›Teufel‹], **Diabolospiel**, Fangspiel, bei dem ein Doppelkreisel durch eine an zwei Stäben befestigte Schnur in Drehung gesetzt, in die Höhe geschleudert und auf der Schnur aufgefangen wird.

Di´abolus [lat.], Teufel. **diab´olisch**, teuflisch.

Diachyl´onpflaster, →Bleipflaster.

Diad´em [griech. ›Binde‹] *das*, eine aus Stoff (Seide, Wolle und Garn) oder aus Metall (Gold, Silber) verfertigte Kopf- oder Stirnbinde. Diademartiger Schmuck wurde bereits im alten Orient, bes. von Frauen, im Haar getragen. In Griechenland galt das D. als Zeichen der Priesterwürde; eine Binde im Haar trugen dort auch die Frauen und jungen Männer, bes. die olympischen Sieger. Im Orient dagegen war das D. schon früh ein Herrschaftssymbol (Babylonien, Ägypten, Juda). Alexander d. Gr. übernahm das D. aus dem Orient. Im republikan. Rom war es als Zeichen der Monarchie verhaßt. Erst vor Konstantin wurde das D. als Zeichen der Kaiserwürde für dauernd angenommen. Im oström. Reich entwickelten sich prächtige Formen des D. in Gold, Perlen und Edelsteinen. Von Justinian wurde es zu einem Stirnreif mit einem geschlossenen, von einem Kreuz überhöhten Bügel, der →Krone, umgestaltet.

LIT. A. Alföldi: Insignien u. Tracht röm. Kaiser, in: Mitt. d. Dt. Arch. Inst., Röm. Abt. 50 (1935).

Diad´ochen [griech. ›Nachfolger‹], *Ez. der* Diadoche, die Feldherren Alexanders d. Gr., die nach dessen Tode (323 v. Chr.) sein Reich teilten. Antipater behielt Makedonien mit Griechenland, Lysimachos erhielt Thrakien, Antigonos Lykien, Pamphylien und Phrygien, Ptolemäus Ägypten, Seleukos Babylonien. Nach langen Kämpfen der D. untereinander bildeten sich etwa seit 280 v. Chr. die drei großen *hellenistischen Reiche:* Ägypten unter den Ptolemäern, Syrien unter den Seleukiden, Makedonien unter den Antigoniden, später noch das Reich um Pergamon unter den Attaliden.

Diad´umenos [griech.], ein Bronzestandbild des Polyklet, das einen sich die Siegerbinde um die Stirn legenden Jüngling darstellte (um 430); durch viele Kopien bekannt.

Diagen´ese [griech.], Entstehung eines Minerals aus einem anderen, auch die Umwandlung loser Schichtgesteine in feste Gesteine, z. B. von Tonschlamm in Tonschiefer.

Di´aghilew, Sergej, russ. Tänzer und Ballettmeister, * Perm 19. 3. 1872, † Venedig 19. 8. 1929, Erneuerer des klass. →Balletts.

Diagn´ose [griech. ›Unterscheidung‹, **1)** das Feststellen der kennzeichnenden Merkmale eines Zustandes, eines Zusammenhangs, einer Person (Psychodiagnose, Charakterdiagnose). Auch stellt man die D. auf ein Tier, eine Pflanze, ein Mineral und bestimmt die Merkmale, um die Klasse, die Familie, Gattung und Art zu erkennen (→Systematik).

2) das Erkennen einer Krankheit aus den Mitteilungen des Kranken selbst und aus dem Untersuchungsbefund; sie dient dazu, das richtige Heilverfahren zu finden. Die Kunst, eine D. zu stellen, heißt **Diagnostik**. Um zu einem diagnostischen Urteil zu gelangen, stehen dem Arzt drei Wege zu Gebot: Der erste Weg ist die *Diagnostik in Distanz,* das Erkennen der Krankheit auf den ersten Blick. Dies Verfahren ist nur dem Begabten und Erfahrenen zugänglich. Eine solche Vermutungsdiagnose muß durch die objektive Untersuchung erhärtet werden. Der zweite Weg ist die *Diagnostik aus der Anamnese,* d. h. aus den Mitteilungen, die der Kranke selbst über seinen Zustand macht. Da diese Schilderungen im wesentl. Gefühle und subjektive Empfindungen wiedergeben, befähigen sie den Arzt nicht immer zu einem sicheren Urteil über die vorliegende Krankheit. Der dritte und zuverlässigste Weg ist die *objektive Untersuchung* unter Verwertung der Anamnese, bei der man sich mit Hilfe aller Sinne und aller durch die moderne Medizin gegebenen Untersuchungsmittel von den Abweichungen zu überzeugen sucht, die der erkrankte Organismus gegenüber einem gesunden darbietet. Für jede vernünftige Behandlung eines Kranken ist eine D. unerläßlich. *Fehldiagnosen* entstehen durch einseitige Untersuchungsmethodik, durch Übersehen oder Fehlbewertung von Symptomen.

Die **Differentialdiagnose** ist die D. von Krankheiten auf Grund der unterscheidenden Symptome ähnl. Krankheitsbilder. Neuerdings ist man zu der Erkenntnis gekommen, daß es nur wenige typische Krankheitseinheiten gibt und daß die kranke Persönlichkeit auch diagnostisch stärker berücksichtigt werden muß, da die Körperanlage den Verlauf stark beeinflußt. **diagnostisch**, die Unterscheidung und Erkennung begründend, auf die Diagnose bezüglich. **diagnostizieren**, eine Sache, bes. eine Krankheit, aus ihren Merkmalen erkennen.

Diagon´ale [griech.], **1)** *ebene Geometrie:* eine gerade Linie, die zwei nicht benachbarte Ecken eines Vielecks miteinander verbindet.

2) *Algebra:* die Folge derjenigen Elemente eines quadratischen Zahlenschemas (Matrix), die in der geometrischen Diagonale des Zahlenquadrats liegen.

Di´agoras der **Melier,** genannt der **Atheist,** griech. Dithyrambendichter im Ausgang des 5. Jhs. v. Chr. in Athen, wegen Leugnung der Götter verurteilt.

Diagr´amm [griech. Kw.], **Schaubild, 1)** die zeichnerisch-anschauliche Darstellung statistischer Angaben.
2) *Blütendiagramm,* schemat. Grundriß einer Blüte.

Diak´on, Di´akonus [griech. ›Diener‹, **1)** in der frühesten christlichen Kirche der Armen- und Krankenpfleger der Gemeinde. **2)** in der *kathol.* und *morgenländ. Kirche* die Vorstufe zur Priesterweihe, in der morgenländ. auch selbständige Weihestufe. Nach kathol. Kirchenrecht ist er außer zu dem liturg. Dienst seiner Weihestufe zum Predigen und ausnahmsweise zur Spendung der feierlichen Taufe und der hl. Kommunion befugt.
3) *evang. Kirche:* urspr. ein kirchl. Angestellter, der als Heimleiter in verschiedenen Anstalten, als Helfer des Geistlichen in der Gemeindearbeit, als Krankenpfleger in kirchl. Krankenhäusern oder als Erzieher in christl. Erziehungsanstalten bestellt war; heute auch zu pfarramtl. Funktionen zugelassen. Die Ausbildung erfolgt nach Erlernung eines anderen Berufs im →Bruderhaus oder Seminar. Berufsorganisation: Deutscher Diakonen-Verband, gegr. 1913. **Diakon´at,** Amt oder Wohnung des Diakons. **Diakon´ie,** in der evangel. Kirche der berufl. Dienst in der Gemeindearbeit.

Diak´onisches Jahr, ein freiwilliger Diakonissendienst in einem evang. Krankenhaus, Kinderheim u. ä., zu dem die evangel. Landeskirchen, die Diakoniegemeinschaft und die Freikirchen aufgerufen haben. Entsprechend in der kathol. Kirche das ›Jahr für die Kirche‹ oder ›Jahr für den Nächsten‹.

Diakonisches Werk, der 1957 vollzogene Zusammenschluß der Inneren Mission und des Hilfswerks der Evang. Kirche in Dtl. mit der Aufgabe, die diakon.-missionarische Arbeit zu fördern.

Diakon´isse, Diakon´issin, Schwester im Dienst der Sozialarbeit der evangel. Kirche. →Diakonissenhaus.

Diakon´issenhaus, Diakonissenmutterhaus, Anstalt des evangel. Diakon. Werks, wo die Diakonissen für den beruflichen Dienst in allen Zweigen kirchlicher Sozialarbeit ausgebildet, als Schwesternschaft mit eigener Tracht zusammengefaßt, in die praktische Arbeit gestellt und in Krankheit und Alter versorgt werden. Der Diakonissenberuf soll Lebensberuf sein, doch ist der Austritt aus dem Mutterhaus jederzeit gestattet, auch Eintritt in die Ehe unverwehrt. Die Ausbildung ist sehr vielseitig, entsprechend der Fülle der Arbeitsgebiete: Gemeindepflege, Anstaltspflege, Pflege und Erziehung der Kinder und der heranwachsenden weibl. Jugend, Fürsorge jeder Art. Außer den Krankenhäusern und anderen

Anstalten sind häufig auch Seminare für Kindergärtnerinnen, Soziale Frauenschulen, Säuglingspflege- und Haushaltungsschulen den Mutterhäusern angegliedert. Das älteste D. wurde 1836 von Th. Fliedner in Kaiserswerth gegründet. Die nach seinem Vorbild entstandenen deutschen Mutterhäuser schlossen sich 1861 zur *Kaiserswerther Generalkonferenz* zusammen. 1916 wurde der *Kaiserswerther Verband* dt. *Diakonissenmutterhäuser* gegr. Er schloß sich 1933 mit anderen Mutterhausverbänden zur *Diakoniegemeinschaft* zusammen.

Diakr´ise [griech.], Unterscheidung. **diakr´itische Zeichen,** Striche, Punkte, Häkchen u. a. über oder unter einem Buchstaben, die abweichende Aussprache andeuten; am häufigsten in der Lautschrift benutzt, aber auch in anderen Buchstabenfolgen, z. B. tschechisch c [ts], č [tʃ].

Dial´ekt [griech. ›Sprache‹], Mundart. **Dialektolog´ie,** Mundartenkunde.

Dial´ektik [griech.], die Kunst der scharfsinnigen Gesprächsführung, bes. der wissenschaftlichen Auseinandersetzung *(dialektische Methode).*
Philosophie. Die D. wurde von Sokrates-Platon zur Methode der Philosophie erhoben. Von der Stoa bis ins 16. Jh. war D. auch Name für die formale Logik. Nach Hegel hat die Logik mit den scheinbaren oder wirklichen Widersprüchen zwischen gültigen Begriffen zu tun. Sie hat die Stammbegriffe des Denkens nicht nur aufzuweisen und zu ordnen, sondern sie als auseinander hervorgehend und ineinander umschlagend zu denken, also die »Selbstbewegung des Begriffs« zu erfassen; damit wird sie zur D. Da nach Hegel Denken und Wirklichkeit zusammenfallen, ist die D. das innere Bewegungsgesetz nicht nur der Begriffe, sondern auch des wirklichen Seins, bes. der geschichtlichen Welt. Der Grundgedanke seiner D. ist, daß jede Setzung *(Thesis)* mit innerer Notwendigkeit ihr Gegenteil *(Antithesis)* aus sich hervortreibt, und daß sich beide in einer höheren Einheit *(Synthesis)* gegenseitig in einem dreifachen Sinne »aufheben«, nämlich überwinden, bewahren und auf eine höhere Ebene emporheben. Marx hat die Hegelsche D. ihres idealistischen Gehalts entkleidet und sie als das Bewegungsgesetz der wirtschaftlich-gesellschaftlichen Wirklichkeit aufgefaßt (→dialektischer Materialismus).

Lɪᴛ. L. Reidemeister: Das exakte Denken der Griechen (1949); R. Heiß: Wesen und Formen der D. (1959).

Dial´ektiker [griech.], **1)** der in der Kunst der Dialektik Geübte. **2)** Scholastiker im 11. Jh., die die Glaubenswahrheiten verstandesmäßiger Kritik unterwarfen (z. B. Berengar von Tours).

dial´ektisch [griech.], **1)** mundartlich. **2)** nach Methode der Dialektik.

dial´ektischer Materialismus, der Ausbau des historischen →Materialismus zu einem umfassenden System. Engels entwickelte Ansätze zu einer Erkenntnislehre und Naturphilosophie, Marx (in erst teilweise veröffentlichten Manuskripten) solche zu einer Philosophie der Mathematik. Diese Lehren wurden insbes. in Rußland weiter ausgestaltet, vor allem durch G. V. Plechanow und W. I. Lenin. Durch den letzteren wurde der d. M. die offizielle Philosophie des Bolschewismus. Lenins Lehren wurden in der Deutung von J. W. Stalin die Staatsphilosophie der Sowjetunion. Dort bestanden zunächst neben der orthodoxen Richtung verschiedene Schulen, eine »mechanistische«, insbesondere vertreten durch N. Bucharin und O. Minin, und die mehr Plechanow zuneigende Gruppe um A. M. Deborin. Beide Richtungen wurden am 25. 1. 1931 vom Zentralkomitee der Kommunistischen Partei verurteilt. Seitdem ist der d. M. kaum mehr fortgebildet worden, jedoch hat Stalin 1938 in einem Kapitel der ›Geschichte der Partei‹ die Lehre Lenins abrißartig dargestellt.

Als Erkenntnistheorie ist der d. M. wesentlich ein Realismus. »Materiell« ist nach Lenin ein Name für die objektive Realität, die unabhängig vom Bewußtsein existiert. Unsere Empfindungen bilden die Wirklichkeit ab. Als Ontologie behauptet der d. M., daß es in der Welt nichts gibt außer der in Raum und Zeit bewegte Materie. Die Materie sei ewig, der von ihr erfüllte Raum unendlich, sie sei unbegrenzt teilbar. In dieser Hinsicht unterscheidet sich der d. M. nicht vom Materialismus L. Büchners, nur legt er als »dialektischer« besonderen Nachdruck darauf, daß es keine isolierten Dinge gibt, sondern alle Dinge zusammenhängen und sich gegenseitig bedingen und daß alle Entwicklung sich sprunghaft vollziehe.

LIT. F. Engels: Herrn Eugen Dührings Umwälzung der Wissenschaft (1878 u. ö.); ders.: Ludwig Feuerbach und der Ausgang der klassischen d. Philosophie (1888); ders.: Dialektik der Natur (^{5}1961); W. I. Lenin: Materialismus und Empiriokritizismus (1909); ders.: Aus dem philosophischen Nachlaß (1932); G. V. Plechanow: Grundprobleme des Marxismus (1908; dt. 1910); ders.: Beiträge zur Geschichte des Materialismus (dt. ^{3}1921); Stalin: Über dial. u. hist. M., hg. v. I. Fetscher (^{7}1961); A. Thalheimer: Einführung in den d. M. (1928); I. M. Bochenski: Der sowjetrussische d. M. (^{4}1962); J. Monnerot: Sociologie du communisme (^{6}1949; dt. 1952); G. A. Wetter: Der d. M., s. Geschichte u. s. System i. d. Sowjetunion (^{5}1960); J. M. Somerville: Soviet philosophy (N. Y. 1946); H. Lefèbvre: Der d. M. (dt. 1966, ^{4}1970).

dial'ektische Theologie, eine Neuorientierung innerhalb der evangel. Theologie seit dem I. Weltkrieg (Barth, Brunner, Bultmann, Gogarten u. a.), die bes. an den Dänen →Kierkegaard anknüpft. Die d. Th. geht davon aus, daß nur in Rede und Gegenrede vom Wesen des Glaubens an Gott und Christus menschlich gesprochen werden

könne; allen ihren Vertretern gemeinsam ist die Ansicht, daß in der Theologie das menschl. Subjekt und die ihm begegnende göttliche Offenbarung in Christus klar gegenübergestellt werden müsse. Mensch und Gott ständen unvereinbar gegenüber; nur im »Wort«, das der »ganz andere« Gott in dem Ereignis Jesus Christus zur Menschheit gesprochen habe und in der Verkündigung spreche, offenbare sich der verborgene Gott. Dieses sei immer das ›Wort vom Kreuz‹ und als solches dem Menschen ein Ärgernis (Sk'andalon). Es stelle den Menschen, sein Denken, seine Geschichte in Frage, fordere seinen Glauben als Selbstpreisgabe an Gott. Die Theologie habe nicht die Aufgabe, den christl. Glauben logisch einleuchtend zu machen, sondern ihn als Wagnis aufzudecken. Die d. Th. richtete sich gegen die liberale wie gegen die orthodoxe Theologie und hat stark auf die theolog. Ausrichtung der Bekennenden Kirche gewirkt; sie vereinigt luther., reformierte und unierte Theologen und führte zu einer Neubesinnung auf das Wort Gottes in der Bibel.

LIT. K. Barth: Der Römerbrief (1919, neu 1967); ders.: Das Wort Gottes u. d. Theologie (1924); E. Thurneysen: Wort Gottes u. Kirche (1927); F. Gogarten: Die Kirche in der Welt (1948). *Zur Beurteilung der d. T.:* Th. Siegfried: Das Wort u. d. Existenz, 3 Bde. (1930–33); H. Schlemmer: Von K. Barth z. d. Dt. Christen (1934); F. Kattenbusch: Die dt. ev. Theologie seit Schleiermacher (1934); W. Elert: K. Barths Index d. verbotenen Bücher (1935); Anfänge der d. T. Eine Dokumentation, 2 Tle., hg. v. J. Moltmann (1962/63).

Dial'og [griech. ›Zwiegespräch‹], 1) Unterredung zwischen zwei oder mehreren Personen. Als Kunstmittel wird der D. im Epos, Roman, Drama (Gegensatz: Monolog) gebraucht. Im *sokratischen (platonischen) D.* führt der Frager den Partner stufenweise zur Erkenntnis. Der *lukianische D.* beleuchtet moralische, kulturelle oder literar. Zustände satirisch; er wurde vom Humanismus wiederbelebt (Erasmus, Hutten). Die D.-Form (in nicht immer reinlicher Scheidung) findet sich bei Malebranche, Fénelon, Berkeley, Hume, Lessing, M. Mendelssohn, Wieland, Herder, Schelling, W. S. Landor, F. Mauthner, R. Borchardt, P. Ernst, H. Bahr.

LIT. R. Hirzel: Der D., 2 Bde. (1895); J. Martin: Symposion (1931).

2) In *Musik* gesetzte D. findet man schon in den Mysterienspielen des MA. (einstimmig), dialogische Elemente auch in der mehrstimm. Chormusik des 16. Jhs. Größere Bedeutung erlangt der D. als Gattung in der weltl. und bes. der geistl. Musik des 17. Jhs.

Dial'yse [griech.] 1) die Abtrennung niedermolekularer Begleitstoffe (Salze) aus einer Lösung hochmolekularer Stoffe (Eiweiße, Stärke u. dgl.) beruht darauf, daß die ersten leicht, die letzten dagegen sehr schwer oder gar nicht durch bestimmte Filter, wie Pergamentpapier, tierische Haut oder Schweinsblase u. dgl., hindurchwandern. Bei der *Elektrodialyse* erhöht eine angelegte elektr. Spannung die Wanderungsgeschwindigkeit.

2) *Medizin:* extrakorporale Dialyse, Form einer künstlichen Niere, die sich außerhalb des Körpers befindet.

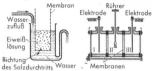

Dialyse: links Schema einer Dialyse; rechts Schema eines Elektrodialysators; II Mittelzelle mit der zu dialysierenden Lösung; I, III Außenzellen mit Pufferlösung

Diamagnet'ismus, ein magnetisches Verhalten, das alle Stoffe zeigen, wenn sie in ein Magnetfeld gebracht werden, das aber meist durch →Paramagnetismus oder →Ferromagnetismus verdeckt wird. Der D. beruht darauf, daß die im Atom umlaufenden Elektronen, die wie kleine Magnete wirken, durch das äußere Magnetfeld eine zusätzliche Ausrichtung in Feldrichtung erfahren.

Diam'ant [griech. adamas ›unbezwingbar‹], 1) einer der wertvollsten Edelsteine, kristallisiert meist in Oktaedern, seltener in Dodekaedern oder Würfeln. Sehr selten findet sich der D. derb, in feinkörnigen, porösen, rundlichen Stücken von bräunlichschwarzer Farbe *(Carbon'ado).* Im reinsten Zustand ist er farblos und wasserhell, oft aber auch gefärbt. Lebhafter Glanz, schönes Farbenspiel, sehr große Härte (10 nach der Mohsschen Härteskala) zeichnen ihn aus. Der D. ist ein reiner Kohlenstoff; er verbrennt daher in starker Glühhitze ohne Rückstand zu Kohlendioxyd. Der D. findet sich besonders im aufgeschwemmten Lande und im Flußsand, gewöhnlich mit anderen Edelsteinen. Vorkommen in Südafrika, Brasilien, Ostindien, Borneo, Sumatra, Ural, Australien. D. werden als Schmucksteine sowie zum Bohren und Schleifen, als Taster für Feinmeßgeräte, als Ritzschreiber, als Ziehsteine und Preßdüsen und pulverförmig *(Bort, Boort)* zum Sägen, Bohren, Polieren, Läppen, ferner durch Sintern mit Metallpulvern zur Herstellung von *Diamantmetallen* verwendet.

80 % der D. werden für industrielle Zwecke verbraucht. Das Gewicht wird in Karat (je 0,200 g) bestimmt. Große bekannte D. sind: der Orlow (194¾ Karat), der Florentiner oder Toskaner (139½ Karat), der Kohinoor (106 Karat), der Pitt oder Regent (136 Karat). Der größte D. ist der Cullinan I (516½ Karat), der die britische Krone schmückt. Er ist ein Teil des größten bisher gefundenen Steins, des Cullinan, mit über 3024 Karat = rd. 621 g, der zur Verwendung

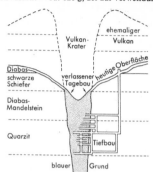

Diamant: Schema einer Diamantenlagerstätte in Südafrika

DIAMANTENFÖRDERUNG
(in 1 000 Karat)

Länder	1948	1960	1971
Angola	796	1 057	2 400
Brasilien . . .	250	350	. . .
Kongo (Zaïre) .	5 825	13 453	12 700
Ghana	786	3 273	2 550
Liberia	. . .	976	. . .
Sierra Leone .	466	2 055	1 950
Südafrika . . .	1 382	3 140	7 050
Südwestafrika . .	. . .	935	1 900
Tansania . . .	150	548	. . .
Zentralafrikan.Rep.	119	70	. . .
Welt[1]	10 270	27 300	37 500

[1] ohne Sowjetunion (1971: 8,8 Mill.).

in 105 Teile zerlegt wurde. Als Nachahmungen von D. werden häufig Topase und Quarze benutzt, ferner bleihaltiges Glas

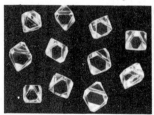

Diamant: links geschliffene Diamanten; rechts Industriediamanten, Bort (vergr.)

und Thalliumglas (Similidiamanten). Die künstliche Herstellung von kleinen D. ist erst in neuester Zeit gelungen. Das führende Unternehmen des Diamantbergbaus in der Rep. Südafrika ist De Beers Consolidated Mines Ltd., Kimberley. Bedeutende Schleifereien bestehen in den Niederlanden, Belgien, Frankreich, Deutschland, England, USA, Rep. Südafrika, Schweiz.

LIT. K. F. J. Chudoba und E. J. Gübelin: Schmuck- und edelsteinkundl. Taschenb. (1953).

Diamantbindung, strahlenförmiges Köpergewebe. *Diamantschwarz*, Anilinschwarz. *Schwarze Diamanten*, volkstümlich für Steinkohle.

2) ein Schriftgrad von 4 typographischen Punkten.

Diam'antberge, japan. **Kongosan**, korean. **Kŏmkangsan**, Gebirgslandschaft im O Mittelkoreas, bis 1638 m hoch, mit vielen buddhist. Klöstern.

diam'antene Hochzeit, der 60. Jahrestag der Hochzeit.

Diamant'ina, brasilian. Stadt, mit (1970) 17600 Ew., 1260 m ü. M., Erzbischofssitz; Diamantschleifereien u. a. Industrie.

Diam'antvogel (TAFEL Singvögel I), *Pardalotus punctatus*, austral. Singvogel.

Diam'at, im kommunist. Sprachgebrauch Abkürzung für dialektischer Materialismus.

diametr'al [griech., zu Diameter ›Durchmesser‹], polweit: *diametral gegenüberliegende Punkte*, die Endpunkte eines Durchmessers; *d. entgegengesetzt*, vollkommen gegensätzlich.

Diam'ine, basenartige organ. Verbindungen, die zweimal die Aminogruppe NH_2 im Molekül enthalten.

Diamorph'ose [griech.], Gestaltung zu bestimmter Form.

Di'ana, römische Göttin, als Jagdgöttin der Artemis gleichgesetzt. Ihre angesehensten Kultstätten waren das Heiligtum am Berge Tifata bei Capua und der heilige Hain von Aricia am Nemisee. Ihr dortiger Priester war der Rex Nemorensis, dessen Würde durch einen Zweikampf errungen wurde, in dem ein Zweig eines bestimmten Baumes die Waffe war. Als latin. Bundesgöttin erhielt sie einen Tempel auf dem Mons Aventinus in Rom.

LIT. F. Altheim: Griech. Götter im alten Rom (1930).

Di'ana-Affe, eine →Meerkatze.

Diane de Poitiers [dian də pwatje], **Di'ana von P.**, * 3. 9. 1499, † Schloß Anet (Dep. Eure-et-Loir) 22. 4. 1566, spielte bereits unter Franz I. als Geliebte des um 18 Jahre jüngeren Dauphins eine polit. Rolle und erlangte nach dessen Thronbesteigung (Heinrich II., 1547) beherrschenden Einfluß.

Diano'etik [aus griech. Dianoia ›Verstand‹], Lehre vom Denken.

Di'anthus [griech.], →Nelke.

Diap'ensia, Pflanzengattung der außertropischen nördl. Halbkugel, den Heidekrautgewächsen verwandt. Die polsterbildende, weißblühende *D. lapponica* wächst im nördl. Polargebiet.

diaph'an [griech.], durchscheinend.

Diaphanoskop'ie, das Durchleuchten eines Körperteils mit Hilfe einer dahintergehaltenen Lichtquelle.

Diaphor'ese [griech.], das Schwitzen.

diaphor'etische Mittel, *Diaphor'etica*, schweißtreibende Mittel.

Diaphr'agma [griech.], 1) bei Mensch und Wirbeltieren eine Scheidewand (meist muskulös-sehnig) zwischen Körperhöhlen; im engeren Sinn das →Zwerchfell. 2) poröse Scheidewand zwischen zwei Elektrolyten.

Diaphthor'ose, *retrograde Metamorphose*, die Zurückentwicklung eines metamorphen Gesteins bei seiner Heraushebung aus tieferen in höhere Zonen unter erneuter Durchbewegung. Die so gebildeten Gesteine heißen **Diaphthorite**.

Diaph'yse [griech.], der Mittelteil der Röhrenknochen.

Diaposit'iv [Kw.], kurz **Dia**, durchsichtiges photograph. Bild, das auf Glas, Film usw. hergestellt wird. D. werden mit Diaprojektoren auf eine Bildwand geworfen oder vor einer das Licht zerstreuenden, von hinten beleuchteten Scheibe betrachtet.

Di'arbekr, Stadt in der Türkei, →Diyarbakir.

Diär'ese [griech. ›Trennung‹], 1) die getrennte Aussprache von zwei nebeneinander stehenden Vokalen. Das Zeichen der D. ist das →Trema. 2) *Verslehre:* →Zäsur. 3) die logische Zweiteilung; bei Platon, bes. im Dialog ›Sophistes‹, als Definitionsverfahren gebraucht.

Di'arium [lat. ›Tagebuch‹], Notizbuch, Alltagsheft.

Diarrh'öe [griech. ›Durchfluß‹] die, der →Durchfall.

Diarthr'ose [griech.], Gelenk, bei dem die Knochenenden durch eine Gelenkhöhle getrennt sind.

Di'as, Antonio Gonçalves, brasil. Dichter, * Caxias (Maranhão) 10. 8. 1823, † bei einem Schiffbruch an der Küste von Maranhão 3. 11. 1864, der erste bedeutende Lyriker der Romantik in Brasilien, Vertreter des idealisierenden Indianismus.

LIT. F. Ackermann: Die Versdichtung des Brasiliers A. G. D. (1938).

Diask'op [griech.], **Diaprojektor**, Bildwerfer für Diapositive.

Di'aspora [griech. ›Zerstreuung‹], die unter Andersgläubigen zerstreut lebenden Mitglieder einer Religionsgemeinschaft sowie die Gebiete, in denen sie wohnen (Jak. 1, 1; 1. Petr. 1, 1).

1) *jüdische D.:* →Galut.

2) *evangelische D.* sind die inländ. Gebiete, in denen die Evangelischen in der Minderheit sind und wegen ihrer geringen Zahl Schwierigkeiten in der Unterhaltung der Kirchen, Pfarrhäuser und sonstigen kirchl. Einrichtungen haben. In den herkömml. Gebieten der evangelischen Diaspora

Dias

(Bayern, württemb. Oberland, Teile des Rheinlands und Westfalens) ist die Zahl der Evangelischen infolge der Vertriebenenbewegung nach 1945 erheblich gewachsen. Dazu sind neue Diasporagebiete (z. B. Emsland) entstanden. Die D. wird von den Kirchenbehörden (die *Auslandsdiaspora* durch das Kirchl. Außenamt) und durch freie Organisationen, vor allem den Gustav-Adolf-Verein (seit 1832) und den Martin-Luther-Bund gepflegt.

3) als *katholische D.* werden kirchlicherseits Gebiete betrachtet, in denen die Katholiken weniger als ein Drittel ausmachen, also bes. die angelsächs. und skandinav. Länder. Von Deutschland werden etwa zwei Drittel zur D. gerechnet, vor allem Nord- und Nordwestdeutschland. Für die seelsorgl. Betreuung tritt hier neben den zuständigen Bischöfen besonders der Bonifatiusverein (seit 1889) ein. Durch die Umsiedelung seit 1945 hat sich die D. noch vergrößert.

Diast′ase [griech. diastasis ›Trennung‹, ›Spaltung‹], 1) ein Enzym, identisch mit →Amylase. 2) in der dialekt. Theologie die Gegensätzlichkeit von Christentum und Umwelt.

Lit. W. Elert: D. Kampf um d. Christentum (1921); K. Barth: D. prot. Theol. im 19. Jh. (Zürich 1947, ²1952).

Di′astema [grch. ›Zwischenraum‹], Lücken für die langen Eckzähne in den Zahnreihen beider Kiefer vieler Säugetiere; auch beim Menschen kommen gelegentlich dem D. entsprechende Zahnlücken vor.

Diastereomer′ie [griech.], eine räuml. Isomerie, bei der zwei organ. Verbindungen sich zwar durch verschiedene räuml. Anordnung der Atome am asymmetrischen Kohlenstoffatom unterscheiden, aber dennoch keine optischen Antipoden sind.

Di′astole [griech. ›Ausdehnung‹], die rhythmisch wiederholte Erweiterung des Herzens oder seiner Abschnitte. **diastolisch**, während der D. →Systole.

Di′ät [griech.], Änderung der Ernährung, um Heilwirkungen zu erreichen *(Diätkur).*

Diät′etik, die Lehre von der für den Einzelmenschen geeignetsten Ernährung.

Di′äten [lat.; Gottschedzeit], Aufwandentschädigungen, bes. Tagegelder.

Di′ätendozentur, →Dozent.

Diatess′aron [griech. ›durch vier‹], 1) die älteste Evangelienharmonie, von →Tatian um 170 wahrscheinl. in Syrien in syr. Sprache verfaßt, wo sie bis ins 6. Jh. im kirchl. Gebrauch blieb. Der Urtext ist verloren und kann nur aus späteren Kommentaren und Bearbeitungen (bes. den arab., armen. und der mittelniederländ.) mühsam rekonstruiert werden. Das D. hat auch griechisch bestanden (Fragment 1933 entdeckt) und den griech. Evangelientext beeinflußt. Das latein. D. hat den Heliand und alle mittelalterl. Evangelienharmonien mitbestimmt.

2) *altgriech. Musik:* die Quart.

Lit. C. Peters: Der D. Tatians (Rom 1939); A. Vööbus: Studies in the History of the Gospel Text in Syriac (Löwen 1951).

diatherm′an [griech.], für Wärmestrahlen durchlässig, z. B. Luft, Glas, Eis. Gegenteil: atherman.

Diatherm′ie [griech. ›Durchwärmung‹], Wärmebehandlung mit hochfrequenten Wechselströmen, die durch den erkrankten Körperteil in solcher Stärke geleitet werden, daß das durchströmte Gewebe sich erwärmt, die Gefäße sich erweitern und mehr Blut hindurchfließt; bei der D. entsteht also die Wärme im Gewebe selbst. Die Wechselströme werden durch biegsame Bleiplatten oder andere metallische Kontakte dem Körper zugeleitet. Anwendung bei Rheuma, Neuralgien, Gelenkerkrankungen. Neuerdings ist die D. durch die Behandlung mit Kurzwellen stark verdrängt.

Diath′ese [griech.], eine besondere körperl. Anlage oder erhöhte Empfänglichkeit für eine Krankheit.

Diäthylbarbit′ursäure, ein Abkömmling der Barbitursäure, das Schlafmittel ›Veronal‹.

Diatom′een [griech.], **Kieselalgen**, *Bazillariophyten*, einzellige braune Algen, auch zu Kolonien vereinigt, mit über 4000 Arten; im Süßwasser, im Boden und als Schwebewesen im Meer. Sie haben eine kieselige Zellhaut, die schachtelartig aus zwei Hälften besteht und außen viele Leistchen und Bukkelchen trägt; durch feine Poren wird Gallerte ausgestoßen, die die Einzelzellen zur Kolonie zusammenhält. Teilung längs der Kapselränder ergibt die ungeschlechtliche Vermehrung.

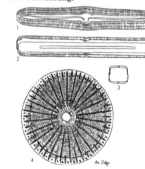

Diatomeen:
1–3 *Schiffchenform (Navicula gigas),* 1 Schalenansicht (etwa 120fach vergr.; nach Schmidt), 2 seitliche Ansicht, 3 Querschnitt. 4 strahlige Form *(Arachnoidiscus,* etwa 125fach vergr.; nach Pauschmann), Schalenansicht

Als gelbbraune Tiefseeablagerung *(Diatomeenschlamm)* finden sich Reste von D. bes. in den Meeren um die Antarktis und im nördl. Stillen Ozean.

Diatom′it, ein aus Kieselgur hartgebrannter Formstein, der sich für hohe Temperaturen und durch seine chem. und mechan. Widerstandsfähigkeit als Wärmeschutzmittel für Kesselanlagen, Verbrennungskammern, Schmelzöfen und Rohrleitungen eignet.

Diat′onik [griech.], Tonordnung aus den natürlichen Ganz- und Halbtönen der siebenstufigen Dur- oder Molltonleiter, *dazu* liatonisch, leitereigen; Gegensatz: chromatisch. **diatonische Fortschreitung** vermeidet leiterfremde Halbtöne.

Diatr′etglas, Diatr′eta, Vasa diatreta [grch.-atein. ›durchbrochen‹], Gattung spätrömischer, wahrscheinlich im Rheinland gearbeiteter Prunkgläser, aus deren äußerer Wandung ein kunstvolles, nur durch schmale Stege mit ihr verbundenes Netzwerk herausgeschliffen ist.

LIT. W. Dexel: Glas (1950); Aus der Schatzkammer des antiken Trier. Neue Forschungen und Ausgrabungen (1951).

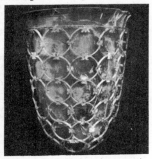

Diatretglas (Trier, Landesmuseum)

Diatr′ibe [griech.], gelehrte Abhandlung, Streitschrift.

Diavol′ezza, vergletscherter Bergpaß in der Berninagruppe, 2973 m hoch.

Diaz [d′ias], **1)** Armando, ital. Marschall, * Neapel 5. 12. 1861, † Rom 29. 2. 1928, erhielt 1917 nach der Niederlage von Karfreit an Stelle Cadornas den Oberbefehl, brachte den österr. Angriff an der Piave zum Stehen und ging im Okt. 1918 zu erfolgreichem Gegenangriff über (Schlacht bei Vittorio Veneto). Unter Mussolini war er eine Zeitlang Kriegsminister.
2) **D.** [d′iaθ], **Dias**, Bartolomĕu, portug. Seefahrer, * um 1450, † 29. 5. 1500, umfuhr 1488, vom Sturm verschlagen, ohne es zu ahnen, die Südspitze Afrikas und lief in die Algoabai ein. Auf der Rückreise bekam er die Südspitze Afrikas in Sicht und nannte die *Cabo tormentoso* (stürmisches Kap), ein Name, den der König später in *Cabo da boa speranza* (Kap der Guten Hoffnung) abänderte. In der Nähe des Kaps ging D. später unter. Camões hat in den ›Lusiaden‹ D.' Verdienste verewigt.

3) Porfirio, mexikan. Staatsmann, * Oaxaca 15. 9. 1830, † Paris 2. 7. 1915, Mestize, General unter Juárez gegen Kaiser Maximilian, 1877–80 und 1884–1911 Staatspräsident. Seine Regierung, in Wirklichkeit eine Diktatur, förderte die wirtschaftl. Entwicklung des Landes. Er verhalf aber auch dem nordamerikanischen Kapital, das er bes. zur Ausbeutung der Erdölfelder ins Land zog, zur wirtschaftl. Vorherrschaft in Mexiko.
LIT. J. F. Godoy: P. D. (New York 1910); A. M. Carreño: Archivo del General P. D., 7 Bde. (Mexiko 1947–50).
4) **D. de la Peña**, Narcisse, franz. Maler, * Bordeaux 20. 8. 1808, † Mentone 19. 11. 1876, wird zu den Malern von Barbizon gezählt, malte Naturausschnitte kleinen Formats, die er mit jugendlichen Mädchengestalten vor dem Waldhintergrund belebte. Als Lithograph wetteiferte er mit Delacroix.
LIT. R. Ballu: N. D. (1877).
5) **D. del Castillo**, Bernal, * Medina del Campo um 1498, † Mexiko 1582 (?), nahm 1519–21 unter Cortez an der Eroberung Mexikos teil.
WERK. Verdadera historia de la conquista de la Nueva España (Madrid 1632; krit. Ausg., 1, Madrid 1941; dt. 2 Bde. 1948).
6) **D. Rodriguez**, Manuel, venezuel. Schriftsteller, * Caracas 1864, † New York 1928, schrieb Reiseberichte, Romane und philosoph.-literar. Aufsätze. Ihn kennzeichnen eine starke Liebe zu Spanien (Mystik, Góngora) und pessimist.-satir. Kulturschau.

Diazot′ierung, Einwirkung von salpetriger Säure auf primäre aromatische Amine, wobei *Diazoniumverbindungen* entstehen, die sehr unbeständig und explosiv und Ausgangsstoffe für die Herstellung der Azofarbstoffe sind. *Diazotierfarbstoffe* enthalten eine Aminogruppe, die auf der Faser *diazotiert* und dann mit einem Entwickler (z. B. β-Naphthol) gekuppelt wird, wobei neue Farbwirkungen entstehen.

d′ibbeln [engl.], Samenkörner jeweils zu mehreren aussäen, so von Rübe, Mais. Früher wurde nur mit der Hand oder dem Pflanzstock *(Dibbelstock)* gedibbelt. Heute erleichtert die **Dibbelmaschine**, eine Drillmaschine mit Vorrichtungen zum Unterbrechen des Saatstromes, das Verhacken.

D′ibbuk, D′ybuk [hebr. ›Anhaftung‹] *der*, im jüd. Volksglauben ein Totengeist, der sich an den Leib eines Lebenden heftet und unter besonderen Beschwörungen vertrieben wird. Die Darstellung des D. ist seit dem 16. Jh. im kabbalist. Volksglauben von Bedeutung. Drama von An-Ski (›Der Dibbuk‹, jiddisch 1916; dt. 1922, neu 1976).

Dib′elius, 1) Friedrich Karl Otto, evang. Theologe, * Berlin 15. 5. 1880, † das. 31. 1. 1967, 1921 Mitgl. des Oberkirchenrats, 1925 Generalsuperintendent der Kurmark, 1933 des Amtes enthoben. War 1945–66 evang. Bischof von Berlin-Brandenburg, 1949–61 Vorsitzender des Rates der EKD.
WERKE. Die werdende Kirche (⁵1951), Grenzen des Staates (³1952), Vom ewigen

Recht (1950), Reden an eine gespaltene Stadt (1961).

2) Martin, evang. Theologe, * Dresden 14. 9. 1883, † Heidelberg 11. 11. 1947, seit 1915 Prof. das.
WERKE. Geschichtl. u. übergeschichtl. Religion im Christentum (²1929), Gesch. d. urchristl. Literatur (1926), Jesus (⁴1966), Paulus (³1964; hg. v. W. G. Kümmel).

3) Wilhelm, Anglist, Bruder von 1), * Berlin 23. 4. 1876, † das. 1. 1931, seit 1925 Prof. in Berlin. Bahnbrechend waren seine Arbeiten zur engl. Kulturkunde.
WERKE. Engl. Romankunst, 2 Bde. (1910), Charles Dickens (²1926), England, 2 Bde. (1923; ⁴1931).

Dibetou, Afrikan. Nußbaum, dunkelbraunes, gestreiftes Holz von Lovoa-Arten aus Äquatorialafrika; Ausstattungs- und leichtes Konstruktionsholz.

Dicenta [-θ'εŋta] y **Benedicto,** Joaquín, span. Schriftsteller, * (getauft) Calatayud (Aragón) 3. 2. 1863, † Alicante 19. 2. 1917, schrieb unter anderen Dramen das wirkungsvolle sozialist. Theaterstück ›Juan José‹ (1895), das den Gegensatz zwischen Arbeitnehmer und Arbeitgeber darstellt.

Dichlordiäth′ylsulfid, Lost, Senfgas, sehr wirksamer chem. Kampfstoff (→Gelbkreuz), der in Granaten verschossen oder ins Gelände flüssig verspritzt werden kann. Gasförmiges D. greift die Atmungsorgane und die Augen an, flüssiges ruft Blasenbildung und schwer heilende Wunden hervor. D. dient auch zur Krebsbehandlung.

Dichlorphenoxy′essigsäure, abgek. **2,4-D,** sehr wirksamer Wuchsstoff, zur Unkrautbekämpfung verwendet.

Dichotom′ie [griech.], **1)** *Philosophie:* Zweiteilung, svw. Diärese. **2)** gablige Verzweigung.

Dichro′ismus [griech.], Eigenschaft vieler Kristalle, in verschiedener Richtung das Licht in verschiedenem Maße zu absorbieren.

Dichromas′ie [griech.], Form der Farbenblindheit.

Dichrosk′op [griech.], **Haidingersche Lupe,** Vorrichtung zur Prüfung der Mineralien auf Dichroismus, ein Kalkspatrhomboeder, das den Lichtstrahl, der durch den zu untersuchenden Kristall hindurchgegangen ist, in zwei polarisierte Strahlenbündel zerlegt.

D′ichte, die Masse der Raumeinheit eines Stoffes. Ist *M* die Masse, *V* der Rauminhalt eines Körpers, so ist seine Dichte $d = \dfrac{M}{V}$.
Geräte zur Dichtemessung sind die Mohrsche Waage und das Aräometer.

Allgemeiner ist D. jede in der Raumeinheit (Flächeneinheit) enthaltene physikal. Größe, z. B. *Energiedichte, Impulsdichte, Ladungsdichte.* **Dichtezahl,** die D. eines Körpers im Verhältnis zur D. des Wassers (= 1); identisch mit dem spez. Gewicht.

d′ichten [ahd. dihtôn ›schreiben‹, im 9. Jh. beeinflußt von lat. dictare ›zum Nachschreiben vorsagen‹, ›verfassen‹], ein Sprachkunstwerk verfassen, bes. in Versen, →Dichtung.

D′ichterakademien, Vereinigungen von Schriftstellern und Schrifttumsforschern zur Pflege von Sprache und Dichtung. Sie knüpfen an die →Sprachakademien und die →Akademien der Wissenschaften an. D. sind die Académie Goncourt in Paris (1896), die Deutsche Akademie für Sprache und Dichtung in Darmstadt (1949). Bisweilen sind die D. an Akademien der Künste angeschlossen oder mit ihnen verschmolzen: Bayer. Akademie der Schönen Künste in München (1948), die Klasse der Literatur der Akademie der Wissenschaften und Literatur in Mainz (1949), die Freie Akademie der Künste in Hamburg (1949), die Deutsche Akademie der Künste in Ost-Berlin (1950). Über die Académie Française →Akademien der Wissenschaften.

D′ichterkrönung, der in der Antike gepflegte, in Unteritalien nie ganz vergessene Brauch, Dichter mit Lorbeer zu bekränzen, lebte vereinzelt im 12. Jh. wieder auf. Mit Petrarcas Krönung durch einen röm. Senator auf dem Kapitol (1341) setzt die Überlieferung ein, Verfasser lat. Dichtungen öffentlich auszuzeichnen und dem **poeta laureatus** ähnliche Rechte wie dem Doctor zuzuerkennen. Der Titel ist in Deutschland nie zu der Bedeutung gelangt wie in England, wo der *Poet Laureate* seit Eduard IV. als Hofbeamter ein kleines Gehalt bezieht; Wordsworth (1842), Tennyson (1850), Austin (1896), Bridges (1913), Masefield (1930).

LIT. R. Specht: Dichterkrönungen bis z. Ausgang des MA. (1928); E. K. Broadus: The Laureateship (Oxford 1921).

D′ichtung [zu dichten], die Kunstart, die sich auf die Ausdrucksmöglichkeiten der Sprache gründet. In archaischer Zeit war D. überwiegend gleichbedeutend mit der rhythmisch und bildhaft gesteigerten Aussageweise religiös-mythischer Glaubensinhalte (Gilgamesch, Weda, Psalmen). Als Hymne und Gebet, mythisch-epischer Bericht, Preislied und Spruch ist D. schon aus den ersten Anfängen menschl. Kultur überliefert. Sie unterscheidet sich von der Prosa

DICHTEZAHLEN EINIGER STOFFE

feste Stoffe		Flüssigkeiten		Gase (bei 0° C und 760 Torr)	
Aluminium	2,69	Wasser bei 4° C.	1	Wasserstoff	0,00009
Blei	11,35	Glyzerin	1,26	Helium	0,00018
Eisen	7,5–7,8	Petroleum	0,8	Kohlendioxyd	0,00198
Kork	0,2–0,35	Quecksilber	13,55	Luft	0,00129

der Alltagssprache dadurch, daß sie »gebundene«, d. h. durch äußere und innere Formgebung gestaltete Rede ist. Sie verwendet als Kunstmittel →Rhythmus, →Metrum, →Reim (Stabreim und Endreim), Strophenbildung (→Strophe), Parallelismus der Satzglieder, kühne und freie Satzgestaltung, vor allem aber die versinnlichende und vergegenwärtigende Kraft symbolischer Aussageweise (Umschreibung, Bild, Gleichnis, Metapher) und richtet sich stärker als die anderen Künste an den Menschen als geistig-seelisch-sinnliche Ganzheit. Aus Begeisterungs- und Einbildungskraft entspringend, wendet sich die D. an eben diese Fähigkeiten im Hörer oder Leser, um seine Seele zu ergreifen und zu verwandeln, so daß sie fähig wird, jener Lebens- und Welterfahrungen und -deutungen innezuwerden, die nur durch das Medium der Kunst angemessen ausgedrückt und übertragen werden können.

Der Sprache wohnen bereits von Natur überall Sinn- und Deutungsbezüge inne; ihre Klangfülle, ihr Reichtum an Bildern, Anschauungen, Vorstellungen, der in ihr und von ihr geschaffene Vorrat an geprägten Erkenntnissen strömt der D. zu. In der D. vollzieht sich der schöpferische Erneuerungs- und Wiederbelebungsprozeß der Sprache, wie denn erst die großen Dichter durch ihre sprachschöpferische Leistung jener Weltschau und Weltdeutung Wirklichkeit und Gültigkeit geben, die der Daseinserfahrung und -bewältigung der einzelnen Völker, Epochen und Kulturen eigentümlich ist. Darüber hinaus gestaltet D. auf ihren Höhepunkten Sinnbilder der ewigen Menschheitsfragen, die den Wandel der Zeiten und Kulturen überdauern.

Die Vielzahl dichterischer Aussageformen ist drei großen Grundgattungen, der →Lyrik, der Epik (→Epos) und dem Drama (→Schauspiel) untergeordnet. Mit der Verweltlichung der Kulturen übernahm die D. neue, wechselnde Funktionen und Formen, bezog auch die Prosa als Darstellungsform ein (spätantiker Prosaroman bis zu →Roman und Erzählung der Moderne) und diente zunehmend auch der Unterhaltung und Zerstreuung. Damit trat schon früh, im breitesten Ausmaß jedoch erst in der Neuzeit, neben den Dichter im strengen Kunstsinn der →Schriftsteller.

D. kann ihrem Wesen nach bestimmt werden:

1) als *Nachahmung* (Mimesis), so schon bei Aristoteles, an den die Renaissance, das Barock und noch die Aufklärung (Gottsched) wieder anknüpfen. Dabei kann Nachahmung in zweifachem Sinne verstanden werden: a) als realist. Abbildung der Wirklichkeit (Horaz ›Ars poetica‹, wobei D. als der Malerei verwandt erscheint (ut pictura poesis); diese Auffassung kehrt noch im modernen →Realismus und →Naturalismus wieder, die von der D. fordern, sie habe die Wirklichkeit in ihrer tatsächl.

Erscheinungsweise wiederzugeben; b) als Nachahmung der wesenhaften Wirklichkeit (der Wahrheit) des Seins. Danach sind es nicht die äußeren, erscheinungsmäßigen Realitäten, sondern die ideellen (ethischen und metaphysischen) Ordnungen und Werte des Daseins, die sich im symbol. Schöpfungen der D. darstellen. Diese Auffassung war von Aristoteles bis zu Goethe, den Romantikern und Hebbel die herrschende.

2) als *Ausdruck innerer Erfahrungen und Erlebnisse* (Ausdrucks- und Erlebnistheorie), als Bekenntnis des dichtenden Individuums (Goethes Bezeichnung seiner D. als »große Konfession«). Diese Auffassung setzt sich bes. in Deutschland bei Herder, dem jungen Goethe und dem Sturm und Drang durch. Im 19. Jh. wird sie in objektiverer Wendung durch Dilthey erneuert (›Das Erlebnis und die D.‹, 1905). D. kann hier verstanden werden als Ausdruck eines Individuums, als Ausdruck des Geistes und Stils einer Epoche, schließlich als Ausdruck des Geistes einer Nation. Dieser D.-Auffassung entsprang die geistesgeschichtl. Richtung der →Literaturwissenschaft.

3) als Objektivierung und Versinnbildlichung bestimmter Grundformen der *Welt- und Lebensdeutung*, wobei sie eine der Philosophie verwandte Aufgabe erfüllt. Aus dieser von Hegel und Dilthey vertretenen Auffassung entwickelte sich die ideen- und problemgeschichtl. Methode der Literaturbetrachtung (H. A. Korff, R. Unger).

4) in ausschließlich ästhet. Sinne als *zweckfreies Kunstgebilde*. Danach ist nicht der seelisch-geistige Gehalt, sondern der künstlerische Gestaltcharakter der D., ihre sprachliche Form und ihr Stil, das Entscheidende. Dabei kann die *äußere Form* (Metrum, Wortwahl, Reim) von der *inneren Form* als künstlerisch adäquatem Gesamtausdruck des jeweils besonderen Gehalts unterschieden werden (franz. Schule der Literaturkritik, E. Staiger, W. Kayser).

5) Eine weitere Richtung der Literaturbetrachtung geht von *psycholog. Grundtypen der Dichter* aus: Dichter, die der Objektivität des Seins, sei es als ideeller Wesensgesetzlichkeit *(Klassik)* oder als realer Tatsachenverknüpfung *(Realisten, Naturalisten)* zugewandt sind, oder Dichter, die auf die Innerlichkeit, die Welt der Seele, des Traums, der Phantasie gerichtet sind *(Romantiker)*; ferner Dichter der gegenständl. Bildhaftigkeit, *Augendichter* (Klassik) und Dichter des akust. Reizes, des musikalischen Klanges, *Ohrendichter* (Romantik); sodann überwiegend intellektuelle Dichtertypen (Lessing) und überwiegend emotionale *(Stürmer und Dränger, Romantiker, Expressionisten)*.

Die **Bedeutung der D. für das Leben**, ihre Leistung für Individuum wie Gesellschaft, kann höchst verschiedenartig sein. Sie kann, zweckgebunden, auf bestimmte Wirkungen ausgehen, etwa auf *Belehrung* durch Beschreibung der Wirklichkeit (Lukrez, B. H. Brockes) oder auf ethische und religiöse

Erziehung und Einsicht (Reformationsdrama, Barocktragödie). Wo sie ausschließlich und unter Hintansetzung aller künstlerischen Vollkommenheit und Wirkung derartige Zwecke erstrebt, wird sie zur (moralischen, politischen, konfessionellen) Tendenzdichtung.

Auch wo D. keine bestimmten außerkünstlerischen Zwecke verfolgt, zielt sie auf große *leitbildhafte Normen* und auf *Verwandlung, Steigerung und Befreiung des Menschen*. Gerade in ihren höchsten Erscheinungsformen beschreibt sie nicht einfach ein Sein oder erschafft autonome ästhetische Sprachgebilde, sondern sucht dem Menschen in jeweils bestimmten geschichtl. Situationen durch Aufstellung großer leitbildhafter Normen eine gültige und verbindliche Antwort auf die Frage nach Sinn und Aufgabe des Lebens zu geben (so im german. Heldenlied, der nord. Saga, dem höfischen Epos, der Barocktragödie, Corneille, der deutschen Klassik).

Aber selbst diese höchsten Leistungen der D. verbinden sich mit *Unterhaltung und Vergnügen*, denn auf Grund ihrer Sinnenhaftigkeit ergreift sie unmittelbar den ganzen Menschen, indem sie alle seine Kräfte in wohltätig freie Bewegung setzt und aus den realen Bedingtheiten und Beschränkungen herauslöst. Allerdings kann sich die Aufgabe der Unterhaltung und Zerstreuung auch selbständig machen. D. wird dann ohne eigentl. Wertgehalt zum bloßen Mittel der Ablenkung und Betäubung, eine Entartung, die bei der Kitsch- und Schundliteratur endet (Haupt- und Staatsaktionen des 17. Jhs., Trivialroman des 18. Jhs., rührseliges Familienstück Kotzebues und Ifflands, sentimentale und sensationelle Reizund Pseudodichtung aller Gattungen).

Endlich bedarf es zum Wesensverständnis der D. auch des soziologischen Gesichtspunktes, der Frage nach dem gesellschaftl. Ort, an dem sie steht, und nach dem Publikum, für das sie jeweils bestimmt ist und das wiederum durch seine Art und seine Bedürfnisse den Charakter der D. mitbestimmt. Der Dichter kann Gesellschaftsschichten angehören, die als solche mit D. gar nichts zu tun haben: er kann Ritter (Walther v. d. Vogelweide, Wolfram v. Eschenbach), Handwerker (Meistersinger), Gelehrter (Humanismus und Barock), Theologe und Pädagoge (Reformationszeitalter) sein, oder aber er ist von Beruf Dichter (Klopstock, Hölderlin, Romantiker). D. kann übergreifende, für eine Gemeinschaft verbindliche Lebensnormen gestalten, vor allem Ausdruck einer Standesethik sein (Homer, Firdusi, german. Heldenlied, Ritterdichtung), oder sie kann die weltanschaul. und religiösen Überzeugungen einer Gemeinschaft oder einer Epoche ausdrücken (z. B. christl. Glaubensinhalte in der frühmittelalterlichen, reformatorischen und barocken D.), oder sie erstrebt gültige Erkenntnis und Deutung des Seins (Lukrez, Brockes, be

schreibende D. der Aufklärung, Naturgedichte Goethes). Der Gegentypus ist der Dichter als Originalgenie, als autonomer Schöpfer des poetischen Gehalts wie der diesem Gehalt entsprechenden Form. Als solcher wurde er vor allem von Herder und dem Sturm und Drang gefeiert. Diese Isolierung des sich selber Form und Gehalt erschaffenden Dichters (der Dichter als Schöpfer von Privatmythen) kennzeichnet die Entwicklung vor allem des 19. und 20. Jhs. in der Krise der Glaubens- und Vernunftwahrheiten. In diesen Zusammenhang gehört schließlich die von der Romantik, vor allem von J. Grimm, aufgestellte Unterscheidung der *Volksdichtung* von der *Kunstdichtung*, deren Wahrheitsgehalt darin besteht, daß z. B. in Volksepos (Homer, Nibelungenlied), im Volkslied und Volksbuch (Eulenspiegel, Schildbürger) die innere Art und Erfahrung einer Gemeinschaft, ob auch durch den Mund eines oder mehrerer einzelner, sich offenbart, wobei der meist anonyme Dichter zurücktritt und die D. selbst vielfach im Flusse einer beständigen Um- und Weiterdichtung bleibt. Dem steht, zumal in der neueren Zeit, D. als bewußte Kunstleistung und als individueller Ausdruck einer geschichtlich bestimmten Einzelpersönlichkeit gegenüber. →Poetik.

Lit. E. Hirt: Das Formgesetz der ep., dramat. u. lyr. D. (1923); H. Hefele: Das Wesen der D. (1923); R. Ingarden: Das literarische Kunstwerk (1931); O. Walzel: Gehalt u. Gestalt im Kunstwerk des Dichters (1923/24); E. Ermatinger: Das dichterische Kunstwerk (³1939); H. Prang: Der moderne Dichter u. das arme Wort, in: Germ.-Rom. Monatsschr., 38. N. F., 7 (1957); K. Wagner: Die Stimme des Dichters (1958); H. Seidler: Die D., Wesen, Form, Dasein (1959); R. Wellek u. A. Warren: Theorie der Literatur (1959); W. Kayser: Die Wahrheit der Dichter (1959); H. Staub: Laterna magica. Studien zum Problem der Innerlichkeit in der Literatur (Diss. Zürich 1959); W. Kayser: Das sprachliche Kunstwerk (¹³1968); W. Schmied: Das Poetische in der Kunst (1960); W. Clemen: Das Wesen der Dichtung in der Sicht moderner engl. u. amerikan. Dichter (1962); J. Pfeiffer: Die dichter. Wirklichkeit (1962); K. Krolow: Die Gegenwärtigkeit des Gedichts in unserer Zeit, in: Zeitwende, Jg. 33 (1962); E. Auerbach: Mimesis (²1959); Th. W. Adorno: Noten zur Literatur, 3 Bde. (1958–65); Aspekte der Modernität, hg. von H. Steffen (1965); R. Alewyn: Probleme und Gestalten (1966); H. Heißenbüttel: Über Literatur (1966). Weitere Literatur →Poetik.

D'ichtung [zu dicht], **Packung, Liderung,** Maßnahme gegen unerwünschten Austritt von Gasen, Dämpfen und Flüssigkeiten aus Rohren, Behältern u. a. Flanschverbindungen von Rohren werden durch Dichtungsplatten, Kolben von Kolbenmaschinen durch Kolbenringe, Durchführungen von Kolbenstangen durch Stopfbüchsen abge dichtet. Dichtungsmaterial sind Papier, Gummi, Asbest, Hartblei, Leder, Kupfer, Kunststoffe.

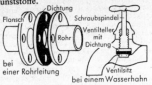

Dichtung

Dichtung und Wahrheit, Untertitel von Goethes Selbstbiographie ›Aus meinem Leben‹, die von 1749 bis 1775 (Abreise nach Weimar) reicht. Die ersten 3 Teile erschienen 1811–14; den 4. Teil gab Eckermann 1833 heraus. Den Plan faßte Goethe zum Geburtstag 1808, das 1. Schema stammt vom 11. 10. 1809, die Ausarbeitung begann im April 1811.

LIT. K. Alt: Studien z. Entstehungsgesch. v. D. u. W. (1898); K. Jahn: Goethes D. u. W. (1908); J. Zeitler: D. u. W. in: Goethe-Hb. 1 (1916); E. Beutler, in der Artemis-Ausg. von Goethes Werken. 10 (Zürich 1948).

Dick, Äthylarsindichlorid, $C_2H_5AsCl_2$, im 1. Weltkrieg verwendeter chem. Kampfstoff mit starker Reizwirkung auf Nase und Rachen.

D'ickblatt, 1) die Pflanzenart große →Fetthenne. **2)** *Crassula*, fetthennenartige, vorwiegend südafrikan. Pflanzengattung der *Dickblattgewächse (Krassulazeen)*, die in jeder ihrer strahligen Blüten als Frucht mehrere Balgkapseln entwickeln. Viele D.-Arten sind wegen der Doldentrauben roter oder weißer Blüten Zimmerpflanzen.

D'ickens, Charles, engl. Erzähler, Deckname Boz, * Landport bei Portsmouth 7. 2. 1812, † Gadshill 9. 6. 1870, verlebte seine Jugend teils in ärmlichen Verhältnissen in Chatham, seit 1822 in London, wurde Advokatenschreiber, Parlamentsberichterstatter, später freier Schriftsteller. D. wurde zuerst berühmt durch die humoristischen ›Pickwick Papers‹ (Die Pickwickier, 1836/37). D. gehört zu den Begründern des sozialen Romans. In seinen Erzählungen stellt er mit Vorliebe Originale dar, deren Schwächen er humorvoll, mit Neigung zum Grotesken, gelegentlich Pathetischen schildert. Seine bildhafte, einfache Sprache wurde zum Vorbild für den späteren engl. Unterhaltungsroman.

WERKE. Skizzen aus dem Londoner Leben (1834f., ges. 2 Bde., 1836/37); *Romane:* Oliver Twist (1838/39), Nicholas Nickleby (1838/39), Barnaby Rudge (1836–41), Der Raritätenladen (1840/41), Martin Chuzzlewit (1843/44), Dombey und Sohn (1846–48), David Copperfield (Schilderung seiner Jugend, 1849/50), Bleakhaus (1852/53), Klein Dorrit (1855–57), Die Geschichte zweier Städte (1859), Die großen Erwartungen (1861), Weihnachtserzählungen (1843–47). Ausgaben: Nonesuch Edition, 23 Bde. (1937/38), New Oxford Dickens (seit 1945). Ges. Werke in Einzelbänden (dt. 1955 ff.).

LIT. W. Dibelius: Ch. D. (²1926); G. K. Chesterton: Ch. D. (1906, 1927; dt. 1936); E. Johnson: Ch. D., his tragedy and triumph (1953).

Dicke Tonne, →Ducatone.

D'ickfuß, 1) *Triel*, stelzbeiniger, lerchenfarbiger Watvogel, taubengroß; in Mitteleuropa im Sommer auf sandigen Heiden. **2)** giftige Hutpilze: *Liladickfuß (Inoloma traganum),* ein Blätterpilz mit lilafarbenem, später zimtbraunem Hut; *Dickfußröhrling (Boletus pachypus)* mit lederfarbenem Hut, bläulich anlaufendem Fleisch und gelbrotem Stiel.

D'ickhäuter, Vielhufer, *Pachyd'ermen,* veraltete wissenschaftliche Zusammenfassung der Elefanten, Nashörner, Tapire, Flußpferde und Schweine.

D'ickhorn, Wildschafform, →Schafe.

Dickinson [d'ikinsn], **1)** Emily Elizabeth, amerikan. Lyrikerin, * Amherst (Mass.) 10. 12. 1830, † das. 15. 5. 1886. Ihre erst nach ihrem Tod veröffentlichten Gedichte geben in eigenwilligen Bildern die Empfindungs- und Vorstellungswelt der Einsamen in knappen Strophenformen wieder.

WERKE. Selected Poems (1924), Der Engel in Grau (Werke, Auswahl, dt. 1956).

LIT. M. D. Bianchi (E. D.s Nichte): The Life and Letters of E. D. (London 1924 u. ö.); G. F. Whicher: This was a Poet: A Critical Biography of E. D. (N. Y. 1938). **2)** Goldworthy Lowes, Schriftsteller, * London 6. 8. 1862, † das. 3. 8. 1932, war Prof. für Geschichte in Cambridge und London.

WERKE. The Greek view of life (1896), Letters from a Chinese official (1901), A modern symposium (1905), The magic flute (1920), War: its nature, cause and cure (1923), Plato and his dialogues (1931).

LIT. E. M. Forster: G. L. D.(London 1934). **D'ickkolben,** *Amorphoph'allus,* Pflanzengattung der Aronstabgewächse in den altweltlichen Tropen; z. T. mit mannshohem Blütenkolben, dem später das geteilte Blatt folgt.

D'ickkopf, der Fisch →Döbel.

D'ickköpfe, *Hesperiiden,* vorwiegend tropische Schmetterlinge, meist den Tagfaltern zugerechnet, mit großem Kopf und Keulenfühlern. In Mitteleuropa heimisch ist das gelbbraune *Komma, Strichfalterchen, Kornfuchs (Augiades comma)* mit kommaförmigem Vorderflügelfleck.

Dickkopfnattern, Schneckennattern, baumbewohnende Nattern mit dickem Kopf, langen Zähnen, großen Augen, ohne Kinnfurche; sie ernähren sich von Gehäuseschnecken. Die D., früher als einheitliche Unterfam. der Nattern aufgefaßt, werden jetzt in die altweltlichen *Amblycephalinae* und die neuweltlichen *Dipsadinae* gegliedert.

D'ickmilch, saure Milch, durch Milchsäurebakterien geronnene Milch.

D'ickmühle, Walkmaschine in der Filzherstellung.

Dick-Read [-ri:d], Grantly, engl. Geburtshelfer, * Beccles (Suffolk) 26. 1. 1890, † Wroxham 11. 6. 1959, ersann ein Verfahren körperlich-seelischer Vorbereitung der Schwangeren auf die Geburt, die die Entbindung auf natürl. Weise zu erleichtern vermag.
WERK. Mutterwerden ohne Schmerz. Die natürl. Geburt (¹⁹1972).

D'ickrübe, die Runkelrübe.

Dicks'onia, →Taschenfarn.

D'ickstein, eine Form des →Brillants.

Dickte, *Technik*: oft für Dicke.

D'ickung, Altersklasse des Forstes, die seine Entwicklung vom Bestandesschluß bis zum Absterben der unteren Äste umfaßt.

D'ickwurz, die Runkelrübe.

Dictionnaire [diksjɔnɛ:r, franz.], das Wörterbuch.

D'ictum [lat.], *Mz.* Dicta, Spruch, Sprichwort. **dictum factum,** gesagt, getan!

Didach'e [griech. ›Lehre‹], *Zwölfapostellehre,* die älteste erhaltene christliche Kirchenordnung, aus der 1. Hälfte des 2. Jhs.
LIT. R. Knopf: Die apostol. Väter, I (1920); Th. Klauser (Hg.): Doctrina duodecim apostolorum (1940).

Did'aktik [grch. didaskein ›lehren‹], die Lehre vom Unterricht einschließlich der Methodik der Lehrfächer. Der Begriff der D. tauchte zuerst im 17. Jh. auf (Ratke, Comenius). Die Pädagogik der Folgezeit baute die D. immer mehr aus (Pestalozzi, Herbart, Diesterweg u. v. a.) und schuf im 20. Jh. eine Vielzahl von Lehrverfahren. →Unterricht.

did'aktisch, belehrend, lehrhaft. **didaktische Dichtung,** →Lehrgedicht.

Didask'alia [griech. ›Lehre‹], eine urspr. griech. abgefaßte Kirchenordnung der syrischen Kirche des 3. Jhs. mit ethischen, rechtlichen und gottesdienstlichen Bestimmungen. Ausgabe von F. X. Funk (2 Bde., 1905); dt. von Achelis u. Flemming (1904).

Didask'alien [griech.] *Mz.,* Unterweisungen; in Alt-Athen: **1)** das Einüben eines Dramas oder Chors; **2)** urkundlche Listen der aufgeführten Dramen mit Angabe der Zeit, Verfasser, Schauspieler, Preise usw. Das Material ist erstmals von Aristoteles gesammelt, dann in Steintafeln gemeißelt worden. Reste davon sind erhalten. Ähnliche Urkunden gab es auch in Rom.

Diday [dide], François, schweizer. Landschaftsmaler, * Genf 12. 2. 1802, † das. 28. 11. 1877, bildete sich in Paris und Rom, schuf großzügig dekorative Hochgebirgsszenerien mit romantischem Pathos.

Did'elphier [grch.], die →Beuteltiere.

Diderot [didəro], Denis, franz. Schriftsteller, * Langres 5. 10. 1713, † Paris 31. 7. 1784, Sohn eines Messerschmieds; eignete sich selbst umfassende Kenntnisse an, die ihn zu einem der letzten Träger europäischer Universalbildung machten. 1745 hatte ihn der Verleger Le Breton mit der Übersetzung der engl. Enzyklopädie von Chambers betraut, daraus erwuchs ihm der Plan der monumentalen franz. Encyclopédie (→Enzyklopädisten), für die er selbst mehrere tausend Artikel schrieb. Seine philosoph. Artikel stellen zusammen eine hochwertige Geschichte des europ. Denkens dar. Trotz jesuitischen und staatlichen Widerstands, der das Ausscheiden D'Alemberts, mit dem D. zunächst die Leitung teilte, zur Folge hatte, setzte D. das Werk fort und leitete es vom 8. Bd. allein. Daneben verfaßte er zahlreiche weitere Schriften, vielfach ohne sie zu veröffentlichen. Er gehört zum Kreise Holbachs, sein geselliges und intimes Leben schilderte er seit 1759 der Freundin Sophie Volland in Briefen, einem Juwel der franz. Briefliteratur (Lettres à S. V., krit. Ausg. v. A. Babelon, 3 Bde. 1930; Auswahl dt. 1904). Es folgten 1769 die philosoph. Dialoge ›Entretien entre D'Alembert et D.‹ und ›Rêve de D'Alembert‹ (dt. 1923). An seinem berühmtesten Werk, dem ›Neveu de Rameau‹, arbeitete er wohl von 1760–72; es erschien erstmals 1805 in Goethes Übertragung und wurde 1821 ins Französische rückübersetzt. (Das Originalmanuskript wurde erst 1936 gefunden, krit. Ausg. v. J. Fabre 1950.) Den Höhepunkt des Dialogs liegt in der Erörterung über das Genie, das D. bestimmt als naturhafte, seherische Schöpferkraft, deren Größe nicht beschränkt wird durch eine von ihm verursachte Störung der moralischen oder logischen Ordnung. Unter D.s Romanen ragt ›Jacques le fataliste‹ (1773) hervor. Bedeutender als seine bürgerl. Rührstücke ›Le fils naturel‹ (1757) und ›Le père de famille‹ (1758; beide dt. von Lessing: ›Der natürliche Sohn‹, ›Der Hausvater‹, 1760) ist sein ›Paradoxe sur le comédien‹ (1778). Als D. in Not geriet, setzte ihn Katharina II., die er 1773 besuchte, ein Gehalt aus.
Goethe hat D. »ein ursprüngliches und unnachahmliches Genie« genannt. Dieses Urteil hat die Forschung bestätigt. D. ist der große Anreger, der heitere Geist, dem alle zum Anlaß neuer Fragen wird, und dem die Denkbewegung wichtiger ist, als das Resultat, der geborene Erzähler. Seine Bedeutung besteht in der Umwandlung des aufklärerischen starr-mechanischen Weltbildes in ein organisch-dynamisches. Es gelingt ihm den psycholog. Aussagewert des Unbewußten, des Traums und des Wahnsinns zu erkennen. Seine Gedanken haben auf vielen Gebieten das Gesicht des 19. Jhs. bestimmt.
WERKE. Œuvres, hg. v. A. Billy (1951). Romane und Erzählungen, dt. 3 Bde. (1920), 5 Bde. (1921). D. erzähl. Gesamtwerk, dt. 4 Bde. (1966).
LIT. D. Mornet: D. (Paris 1941; neu 1966); H. Diekmann: Stand u. Probleme der D. Forschung (1931); R. Mortier: D. in Dtl. 1750–1850 (1966).

D'ido, phönik. **Elissa**, in der griech. Sage Königstochter aus Tyros und Gründerin Karthagos; sie floh nach der Ermordung ihres Gemahls durch ihren Bruder nach Libyen. Die Einwohner überließen ihr ein Stück Land, wo sie die spätere Burg von Karthago, Byrsa (das Fell), anlegte. Die Sage erklärt den Namen so: D. habe so viel Land gekauft, wie mit einer Rindshaut belegt werden könne, dann aber die Haut in dünne Streifen geschnitten und damit einen weiten Raum umgrenzt. Nach der griech. Überlieferung tötete sie sich, um der Werbung des Libyerkönigs Iarbas zu entgehen. Die röm. Dichter Naevius und Vergil ließen Äneas zu ihr gelangen. Als er sie verließ, tötete sie sich auf einem selbsterrichteten Scheiterhaufen.

Didot [dido], franz. Drucker- und Buchhändlerfamilie. Der älteste Sohn *François Ambroise* (1730–1804) des Begründers *François D.* (1689–1757 oder 1759) verbesserte das von Fournier aufgestellte typographische Punktsystem (*Didotsystem*, →Schriften). Seine Söhne *Pierre* (1761–1853) und *Firmin* (1764–1836) führten die Familie auf die Höhe ihrer Bedeutung. Unter den zeitgenössischen Druckern kann Pierre D. nur mit Bodoni verglichen werden. Firmin D. gab der Type des Vaters die endgültige, heute als *Didot-Antiqua* bekannte Gestalt. Die Nachkommen Firmin D.s nennen sich *Firmin-Didot*.

LIT. G. Brunet: Firmin D. et sa famille (1870).

D'idring, Ernst, schwed. Schriftsteller, * Stockholm 18. 10. 1868, † das. 13. 10. 1931, schrieb Romane und Schauspiele über die Industrialnord Norrlands.

WERK. Malm, 3 Bde. (1914–19; dt.: Hölle im Schnee, Der Krater, Die Weltspinne, 1924).

Didschla [›Pfeil‹], arab. Name des Tigris.

D'idyma, alte Ortschaft im Gebiet von Milet mit berühmtem Orakelheiligtum, dem *Didymaion* des Apollo. Im ion. Aufstand wurde der alte Tempel 494 v. Chr. von den Persern zerstört. Alexander d. Gr. begann den Bau eines großen ion. Tempels von 109 m Länge, der nie vollendet wurde. Im 5. Jh. n. Chr. wurde dieser in eine christl. Basilika umgestaltet, die durch Erdbeben und Brände zugrundeging. Franz. (1895/96) und deutsche (1905–14) Ausgrabungen.

LIT. Th. Wiegand: Didyma I (1941).

D'idymos, Beiname **Chalkenteros** [grch. ›mit ehernen Eingeweiden‹, d. h. ›von eisernem Fleiß‹], alexandrin. Philologe, Zeitgenosse Cäsars, schloß die textkrit. u. erklärenden u. lexikal. Arbeiten der alexandrin. Philologie in umfangreichen Sammelwerken ab.

D'idymus der Blinde, Kirchenschriftsteller, * 313 (?), † Alexandria 398 (?), Leiter der alexandrinischen Katechetenschule, wurde 553 als Anhänger des Origenes verurteilt.

LIT. J. Leipoldt: D. d. B. (1905).

didyn'amisch [griech.], **zweimächtig,** mit 4 Staubblättern, von denen 2 länger sind als die andern.

D'iebeswerkzeug, Werkzeuge und Vor-

richtungen, die für Diebstähle und Einbrüche benutzt werden, z. B. falsche Schlüssel, Dietriche.

Diebische Elster, Die, Oper von Rossini (1817).

D'iebitsch-Sabalk'anskij, Iwan Iwanowitsch, Graf (1825), russ. Feldmarschall, * Großleipe (Schlesien) 13. 5. 1785, † Kleczewo (bei Pultusk) 10. 6. 1831, trat 1801 aus preuß. in russ. Dienste, schloß 1812 mit Yorck die Konvention von Tauroggen ab. Im Türkenkrieg erzwang er 1829 den Übergang über den Balkan (daher Sabalkanskij, »Überschreiter des Balkan«).

D'iebkäfer, Diebskäfer, *Ptiniden,* kleine Käfer, die teils in Holz bohren, teils in tierischen und pflanzl. Stoffen leben; so der goldgelb behaarte *Messingkäfer* (Niptus hololeucus) und der *Kräuterdieb* (Ptinus fur).

Diebkäfer: 1 *Messingkäfer (etwa 4 mm lang),* 2 *Kräuterdieb (2–4 mm lang)*

Diebold, Bernhard, Schriftsteller, * Zürich 6. 1. 1886, † das. 9. 8. 1945; 1913–16 Dramaturg am Münchner Schauspielhaus, später Schriftleiter an der ›Frankfurter Zeitung‹, bekannt durch seine Darstellung des expressionist. Dramas: ›Anarchie im Drama‹ (1920, ³1925).

D'iebsdaumen, Daumen eines hingerichteten Diebes, galt im Volksglauben als glückbringend.

D'iebsinseln, →Marianen.

D'iebskerze, Diebslicht, im Aberglauben eine mit Leichenteilen eines ungeborenen Kindes, eines Hingerichteten oder Ermordeten hergestellte Kerze, die die Ausführung von Diebstählen gewährleisten soll. Auf Darstellungen zum Hexensabbat seit dem 16. Jh. oft abgebildet.

D'iebstahl, lat. *furtum,* nach allgem. Sprachgebrauch jede Handlung, durch die jemand einen einem anderen gehörenden Vermögensgegenstand oder -wert unrechtmäßig an sich bringt oder für sich ausnutzt, also auch Handlungen, die juristisch Unterschlagung, Betrug, Plünderung oder Raub sind. D. im Sinne der christl. Ethik ist bes. Wegnahme von Privateigentum (7. Gebot). Das Verwerfliche des D. besteht in dem unrechtmäßigen Eingriff in die Vermögenssphäre eines anderen und zugleich in dem darin liegenden Angriff auf den allgem. Rechtsfrieden. In älteren Zeiten wurde der D. daher mit einer heute kaum mehr begreiflichen Härte, oft mit dem Tod, bestraft. Ein durch krankhafte Veranlagung

Dieb

des Täters bestimmter Hang zum D. ist die →Kleptomanie. Der sozialkritischen Polemik gegen die überlieferte Vermögensordnung entstammt der Satz »Eigentum ist D.« (→Anarchismus).

Nach § 242ff. StGB ist D. die Wegnahme einer fremden beweglichen Sache in der Absicht, sie sich rechtswidrig anzueignen. D. ist das häufigste Vermögensdelikt. Man unterscheidet den *einfachen D.*, der mit Geld- oder Freiheitsstrafe bis zu fünf Jahren, und den *schweren D.*, der mit drei Monaten bis zu zehn Jahren Freiheitsstrafe bestraft wird. Arten des schweren D.: Kirchen-D., Einbruch- oder Nachschlüssel-D. *Bewaffneter oder Banden-D.* wird mit Freiheitsstrafe von sechs Monaten bis zu 10 Jahren bestraft, auch der Versuch ist strafbar. *Rückfall-D.* wird nach § 48 StGB (Rückfall) bestraft. Straflos ist der D. zwischen Ehegatten und von Verwandten aufsteigender Linie gegen solche absteigender Linie. Nur auf Antrag werden verfolgt der *Not-D.*, bei dem geringwertige Gegenstände aus Not entwendet werden, und der *Gesinde-D.*, D. durch einen Lehrling oder Gesinde. Unter besondere Bestimmungen fallen Gebrauchsdiebstahl, Viehfutter-, Feld- und Forstdiebstahl, Mundraub, Elektrizitätsentwendung. – Die Strafdrohungen sind ähnlich in *Österreich* (§§ 127 ff. StGB) und in der *Schweiz* (Art. 137ff. StGB).

D´iebstahlversicherung, Versicherung gegen Verlust einer Sache durch Diebstahl, bes. gegen schweren Diebstahl durch Einbruch (Einbruch-D.).

D´ieburg, Kreisstadt in Hessen, 142 m ü. M., nördl. des Odenwalds, mit (1976) 13 000 Ew., hat A Ger., Museum, Industrie (Tonwaren, Textilien). D., wohl eine ältere röm. Gründung, erhielt unter Trajan ein Mithrasheiligtum (1926 ausgegraben). 1169 wird die Burg, 1208 die Stadt erwähnt; Wallfahrtskirche (Ende 12. Jh.).

Dieckhoff, Hans Heinrich, Diplomat, * Straßburg 23. 12. 1884, † Lenzkirch 21. 3. 1952, wurde 1930 Ministerialdirektor im Auswärtigen Amt, in dem er seit 1935 die Polit. Abteilung leitete. 1937–41 war D. Botschafter in Washington; er warnte in seinen Berichten vergeblich vor der Fehlbeurteilung der USA.

Dieckmann, 1) Johannes, Politiker, * Fischerhude (bei Bremen) 19. 1. 1893, † Berlin (Ost) 22. 2. 1969, gehörte bis 1933 der DVP und war ein Mitarbeiter Stresemanns; 1945 Mitgründer der LDPD in Sachsen, bekannte sich zum Kurs der SED und wurde 1948 sächs. Justizminister, 1949 Abg. und Präsident der Volkskammer in der DDR.

2) Max, * Hermannsacker (Harz) 5. 7. 1882, † Gräfelfing 28. 7. 1960, führte 1906 die Braunsche Röhre als Bildschreiber in die Fernsehtechnik ein, gründete 1908 die ›Drahtlostelegraphische und luftelektr. Versuchsstation‹ Gräfelfing, erfand 1925 mit R. Hell die lichtelektr. Bildzerlegerröhre.

D. arbeitete grundlegend auf den Gebieten der Luftelektrizität, des Bildfunks, der Flugfunktechnik und Flugfunknavigation.

D´iedenhofen, franz. **Thionville** [tjõvil], Stadt in Lothringen, an der Mosel, (1968) 38 500 Ew., Industriestadt (Hochöfen, Maschinenfabriken) und Festung mit Militärflugplatz. D. war eine fränkische Königspfalz und Tagungsort vieler Reichsversammlungen.

D´iederichs, 1) Eugen, Verlagsbuchhändler, * Löbitz bei Naumburg 22. 6. 1867, † Jena 10. 9. 1930, gründete 1896 in Florenz und Leipzig einen Verlag, der 1904 nach Jena, 1948 nach Düsseldorf verlegt wurde. D. förderte bes. die Herausgabe von Sagen und Märchen der Völker.

2) Georg, Politiker (SPD), * Northeim 2. 9. 1900, Apotheker und Volkswirt, wurde 1957 Sozialminister; 1961–70 MinPräs. in Niedersachsen.

Diefenbaker [-b´eikə], John, kanad. Politiker (Konservativer), * Grey County (Ontario) 18. 9. 1895, Rechtsanwalt, wurde 1940 Abg. im Bundesparlament, 1956 Vors. der Partei; löste als MinPräs. (18. 6. 1957 bis 8. 4. 1963) die langjährige Herrschaft der Liberalen ab.

Di´ego [span.], Jakob, wird nach San zu →Santiago (Heil. Jakob) zusammengezogen.

Di´ego Cend´oya, Gerardo, span. Lyriker, * Santander 3. 10. 1896, Hauptvertreter der »reinen« Poesie, ein Meister sprachlichklanglicher Nuancierung.

Di´ego Suarez [su´arεθ], Provinzhauptstadt auf Madagaskar, mit (1971) 42 600 Ew., kathol. Erzbischofssitz; Flottenstützpunkt; Trockendock.

Diehards [daihα:dz, engl. von to die ›sterben‹ und hard ›schwer‹], der rechte Flügel der engl. Konservativen.

Diehl, 1) Charles, Byzantinist, * Straßburg 4. 7. 1859, † Paris 4. 11. 1944, war Prof. in Paris, einer der vielseitigsten Vertreter der modernen Byzantinistik.

2) Karl, Nationalökonom, * Frankfurt a. M. 27. 3. 1864, † Freiburg i. Br. 12. 5. 1943, war Prof. in Halle, Rostock, Königsberg und Freiburg i. Br. Er gehörte der sozialrechtl. Richtung der Volkswirtschaftslehre an.

WERK. Theoret. Nationalökonomie, 4 Bde. (1916–33).

D´ie hod´i erno [lat.], am heutigen Tag.

D´iele [german. Stw.], 1) 2–3,5 cm starkes Brett, bes. für Fußböden; auch künstl. Brett: Gips-D., Zement-D. 2) niederd. **Däl, Däle, Deele,** im norddeutschen Bauernhaus der breite Flur, im Bürgerhaus als Werkstatt, Kaufmannsdiele oder als vornehmer Wohnraum *(Wohndiele)* eingerichtet, im niedersächs. Bauernhaus als Groß-D. der Kernraum des wirtschaftl. Betriebs (Tenne, Stallgasse) mit quer gelagertem Wohnteil am Ende.

Diël´ektrikum [grch. Kw.], ein Stoff, in dem ein statisches elektr. Feld auch ohne beständige Ladungszufuhr bestehenbleibt.

Diël´ektrizitätskonstante, genauer **relative** **D.,** eine Maßzahl dafür, wievielmal kleiner die elektr. Feldstärke in einem stofferfüllten

Raum ist als im leeren Raum (Vakuum) bei gleicher elektr. Erregung. Die relative D. ist das Verhältnis der *absoluten D. des betr. Stoffes* zur *absoluten D. des Vakuums*; letztere ist eine physikalische Konstante vom Wert $8,8543 \cdot 10^{-12}$ Asec/Vm.

Dielmann, Jakob Fürchtegott, Genre- und Landschaftsmaler, * Sachsenhausen 9. 9. 1809, † Frankfurt a. M. 30. 5. 1885, Mitgründer d. →Kronberger Malerkol. (1861).

Diels, 1) Hermann, klassischer Philologe, * Biebrich 18. 5. 1848, † Dahlem bei Berlin 4. 6. 1922, war Hochschullehrer in Berlin, verdient um das Verständnis der griech. Philosophie, Heilkunde und Technik; Herausgeber und Übersetzer: ›Die Fragmente der Vorsokratiker‹ (3 Bde., [11]1960/64), schrieb ›Antike Technik‹ ([3]1924).
2) Otto Paul Hermann, Chemiker, * Hamburg 23. 1. 1876, † Kiel 7. 3. 1954, Prof. in Berlin und Kiel, entdeckte die Grundskelett der Steroide und entwickelte die Dïen-Synthese, die für viele Zweige der chem. Industrie große Bedeutung gewann. Hierfür erhielt D. 1950 zusammen mit K. Alder den Nobelpreis für Chemie.

Di´em, ehem. Staatspräsident von S-Vietnam, →Ngo dinh-Diem.

Diem, Carl, * Würzburg 24. 6. 1882, † Köln 17. 12. 1962, 1920 Mitgründer der Dt. Hochschule für Leibesübungen, organisierte 1936 die XI. Olymp. Spiele in Berlin. 1938–45 war D. Leiter des Internationalen Olymp. Instituts in Berlin, 1947 gründete er in Köln die Sporthochschule und war 1950–52 Schriftführer des Nationalen Olymp. Komitees.
WERKE. Persönlichkeit u. Körpererziehung (1924/25), Olymp. Flamme, 3 Bde. (1942), Wesen u. Lehre des Sports(1949), Weltgesch. des Sports (1960).

D´ieme [Herkunft unsicher] *die, Diemen der, niederd.* Heu- oder Strohschober, Miete.

D´iemel, linker Nebenfluß der Weser aus dem Rothaargebirge; im Oberlauf Talsperre (20 Mill. cbm) bei Helminghausen.

D´iemen, Anton van, * Culemborg 1593, † Batavia 19. 4. 1645, war 1636–45 Gen-Gouv. von Niederländ.-Ostindien. Er sandte eine Expedition unter Abel Tasman aus, die 1642 die anfangs nach ihm **Vandiemensland** genannte Insel Tasmanien entdeckte.

D´iëm p´erdidi [lat. ›Ich habe einen Tag verloren‹] rief nach Sueton der röm. Kaiser Titus, als er daran dachte, daß er an einem Tage noch niemandem Gutes erwiesen hatte.

Diën Biën Phu, ehemaliger franz. Stützpunkt in N-Vietnam; wurde im Indochinakrieg 1953 durch franz. Fallschirmjäger den Vietmin entrissen, am 7. 5. 1954 von diesen wiedererobert.

Diënc´ephalon, Diënz´ephalon, Diënk´ephalon [grch.], Zwischenhirn, ein Abschnitt des Hirnstammes, →Gehirn.

Di´ene, Diolefine, Kohlenwasserstoffe mit zwei Doppelbindungen. D. mit konjugierten Doppelbindungen können Stoffe mit einfacher Doppelbindung unter Ringbildung anlagern (*Dien-Synthese*, →Diels 2).

D´ienende Brüder, Dienende Schwestern, in den Klöstern die Laienbrüder und -schwestern. Sie haben der Hausarbeiten zu verrichten.

D´ienerinnen des heiligsten Herzens Jesu, Kongregation für Armen- und Krankenpflege, gegr. 1866 in Paris. In Deutschland und Österreich ist der seit 1893 selbständige Zweig tätig; Mutterhaus in Wien.

D´iener Mariens, →Serviten.

Dienst, 1) Verrichtung der persönlichen, aufgetragenen Arbeitsleistung. Im wirtschaftlichen Sinne sind Dienste Tätigkeiten, die nicht der Gütererzeugung oder -verteilung dienen, sondern in persönl. Leistungen *(Dienstleistungen)* bestehen: Transport, Beherbergung, Erziehung, Heilbehandlung, Rechtsberatung u. a. Außenwirtschaftlich ist der *Dienstleistungsverkehr* für die Zahlungsbilanz von Bedeutung (»unsichtbare« Einfuhr und Ausfuhr). 2) freiwillige Helferschaft. 3) Gottesdienst, bes. Messe. 4) Berufstätigkeit des Beamten und Soldaten. Beim Militär umfaßt der *Außendienst* Exerzieren, Schießen u. a., der *Innendienst* bes. Verwaltungsarbeit, Unterricht u. a. *Offizier, Unteroffizier* usw. *vom Dienst,* Vorgesetzter, der tage- oder wochenweise bestimmte verwaltungsmäßige Dienstverrichtungen ausführt oder überwacht. Bei der Marine werden *Schiffe in Dienst gestellt.* 5) der mittelalterl. Baukunst, bes. in der Gotik, den Innenwänden oder Pfeilern vorgelegte oder eingebundene dünne Säulen, die entsprechend den von ihnen gestützten Gewölbebögen von größerem oder geringerem Durchmesser sind. Die stärkeren *(alte Dienste)* tragen Gurt- und Schildbögen, die schwächeren *(junge Dienste)* Gewölberippen (BILD Gotik).

D´ienstag, der zweite Tag der Woche. Der Name geht auf die ahd. Form Ziu des Namens des german. Kriegsgottes zurück (engl. Tuesday von altnord. Tyr). In Bayern heißt er *Ertag, Erchtag.*

D´ienst´alter, die im Beamten- oder Soldatenverhältnis zugebrachte Zeit, von der Besoldung, Beförderung und Versorgung (Ruhegehalt) abhängen.

D´ienstauszeichnung, in vielen Staaten eine meist mehrstufige Auszeichnung für Beamte, Polizei, Armee.

D´ienstbarkeit, latein. *Servitut,* das dingliche Recht zu beschränkter unmittelbarer Nutzung einer fremden Sache, im Unterschied zu den schuldrechtl. Nutzungsrechten (Miete, Pacht), die lediglich einen Anspruch auf Gestattung der Nutzung gewähren. *Grunddienstbarkeiten* sind Belastungen eines Grundstücks zugunsten des jeweiligen Eigentümers eines fremden, »herrschenden« Grundstücks (§ 1018 BGB). Sie können dem Eigentümer des herrschenden Grundstücks das Recht geben, das dienende Grundstück in beschränktem Umfang zu benutzen, z. B. darüber zu gehen (Wegerecht), oder die Vornahme bestimmter Handlungen (z. B. den Bau einer Fabrik) auf dem Grundstück zu

101

Dien

verbieten. Beschränkte *persönliche D.* stehen nicht dem Eigentümer eines Grundstücks zu, sondern einer bestimmten Person oder Personenmehrheit (§ 1090 BGB). Sie erlöschen spätestens mit dem Tod der Berechtigten (→Nießbrauch). Zur Begründung einer D. durch Rechtsgeschäft ist Einigung und Eintragung in das Grundbuch erforderlich (§ 873 BGB). – Ähnlich sind die D. in *Österreich* (§§ 472–530 ABGB) und in der *Schweiz* (Art. 730–781 ZGB) geordnet.

D′ienstbeschädigung, eine im öffentlichen oder im Wehrdienst eingetretene dauernde Gesundheitsschädigung; sie begründet Versorgungsansprüche (→Versorgung).

D′ienstbezüge, das Gehalt der Beamten, →Besoldung.

D′ienstboten, † Hausangestellte.

D′iensteid, →Amtseid.

D′iensteinkommen, das Einkommen auf Grund eines Dienstvertrags.

D′ienstentfernung, *Dienstentlassung,* eine im Dienststrafverfahren gegen einen Beamten oder einen Soldaten wegen schwerer Dienstvergehen ausgesprochene Entfernung aus dem Dienstverhältnis, die den Verlust aller Rechte zur Folge hat. Die D. eines Soldaten enthebt ihn nicht der Verpflichtung, Wehrdienst zu leisten.

D′ienstenthebung, die vorläufige, durch dienstl. Interessen gebotene Amtsenthebung eines Beamten; auf D. kann bei Einleitung eines Straf- oder Disziplinarverfahrens erkannt werden (→Dienststrafrecht); in Österreich *Suspendierung.*

D′iensterfindung, →Arbeitnehmererfindung.

d′ienstfähig, d′iensttauglich, für den Militärdienst gesundheitlich geeignet; in der dt. Bundeswehr →Tauglichkeitsstufen.

DIENSTGRADE I

Bundesrep. Dtl.		Dt. Dem. Rep.	
Heer u. Luftwaffe	*Marine*	*Heer u. Luftwaffe*	*Marine*
Offiziere			
1. Generale und Flaggoffiziere			
General	Admiral	Armeegeneral	
Generalleutnant	Vizeadmiral	Generaloberst	Admiral
Generalmajor	Konteradmiral	Generalleutnant	Vizeadmiral
Brigadegeneral (Generalarzt)	Flottillenadmiral (Admiralarzt)	Generalmajor	Konteradmiral
2. Stabsoffiziere			
Oberst (Oberstarzt)	Kapitän zur See (Flottenarzt)	Oberst	Kapitän zur See
Oberstleutnant (Oberfeldarzt)	Fregattenkapitän (Flottillenarzt)	Oberstleutnant	Fregattenkapitän
Major (Oberstabsarzt)	Korvettenkapitän (Marineoberstabsarzt)	Major	Korvettenkapitän
3. Hauptleute und Kapitänleutnants			
Hauptmann (Stabsarzt)	Kapitänleutnant (Marinestabsarzt)	Hauptmann	Kapitänleutnant
4. Leutnants			
Oberleutnant	Oberleutnant zur See	Oberleutnant	Oberleutnant
Leutnant	Leutnant zur See	Leutnant	Leutnant
		Unterleutnant	Unterleutnant
Unteroffiziere			
Oberstabsfeldwebel	Oberstabsbootsmann		
Stabsfeldwebel	Stabsbootsmann		
Hauptfeldwebel (Oberfähnrich)	Hauptbootsmann (Oberfähnrich z. S.)	(Oberwachtmeister)	Obermeister
Oberfeldwebel	Oberbootsmann	Oberfeldwebel	
Feldwebel (Fähnrich)	Bootsmann (Fähnrich zur See)	Feldwebel (Wachtmeister)	Meister
Stabsunteroffizier	Obermaat		Obermaat
Unteroffizier (Fahnenjunker)	Maat (Seekadett)	Unteroffizier	Maat
Mannschaften			
Hauptgefreiter	Hauptgefreiter	Stabsgefreiter	
Obergefreiter	Obergefreiter		
Gefreiter	Gefreiter	Gefreiter	Obermatrose
Soldat (Flieger, Kanonier usw.)	Matrose	Soldat	Matrose

D′ienstgeheimnis, →Amtsgeheimnis.

D′ienstgrad, Rangstufe beim Militär, ÜBERSICHT S 102. **Dienstgradabzeichen,** Rangabzeichen auf der Uniform.

D′ienstleistungen, →Dienst.

D′ienstleistungspflicht, →Arbeitspflicht. →Dienstverpflichtung.

D′ienstmädchen, † Hausangestellte.

D′ienstmann, 1) im MA. unfreier Ritter; *Mz.* Dienstmannen (→Ministeriale). **2)** ein Gewerbetreibender (GewO § 37), wie Gepäckträger, Stiefelputzer u. a.; mitunter auch Angestellten eines D.-Instituts. **D′ienstmarke,** Briefmarke, die nur von Behörden verwandt wird.

D′ienststrafrecht, Disziplinarrecht, 1) Bestimmungen, die für die Bestrafung von Dienstvergehen der Beamten und Soldaten gelten. In der Bundesrep. Dtl. sind für *Bundesbeamte* die Bundesdisziplinar-Ord-

DIENSTGRADE II

Schweiz	Österreich
Offiziere	
1. Generale und Flaggoffiziere	
General (nur einer im Kriegsfall)	General (der Infanterie, Artillerie usw.)
Oberstkorpskommandant	
Oberstdivisionär	
Oberstbrigadier	Generalmajor
2. Stabsoffiziere	
Oberst	Oberst
Oberstleutnant	Oberstleutnant
Major	Major
3. Hauptleute	**3. Oberoffiziere**
Hauptmann	Hauptmann (Rittmeister)
4. Leutnants	
Oberleutnant	Oberleutnant
Leutnant	Leutnant
Unteroffiziere	
Adjutant-Unteroffizier	*
Feldweibel	Stabswachtmeister (Stabsfeuerwerker)
Fourier	
Wachtmeister	Wachtmeister (Feuerwerker)
	Chargen
	Zugsführer
Korporal	Korporal
Mannschaften	
Gefreiter	Gefreiter (Vormeister)
	Wehrmänner
Soldat (Füsilier, Schütze, Kanonier usw.)	Infanterist (Jäger, Kanonier usw.)

* eine besondere Gruppe bilden in Österreich Fähnrich und Offiziersstellvertreter.

nung vom 28. 11. 1952/20. 7. 1967 und das Bundesbeamtengesetz in der Neufassung v. 17. 7. 1971 maßgebend. Für *Landesbeamte* sind das bundeseinheitl. Beamtenrechtsrahmen-Ges. i. d. F. v. 22. 10. 1965 und die verschiedenen Landesbeamtengesetze maßgebend. Für *Richter* gilt das Dt. Richtergesetz v. 8. 9. 1961/19. 4. 1972. Danach wird der Richter nicht mehr als Beamter betrachtet, sondern er erhält eine eigene Stellung als Vertreter der rechtsprechenden Gewalt. Ein *Dienstvergehen* liegt vor, wenn ein Beamter schuldhaft die ihm obliegenden Pflichten verletzt; ob einzuschreiten ist, liegt im pflichtgemäßen Ermessen der Behörde. *Disziplinarstrafen* sind: Warnung, Verweis, Geldbuße, die durch Dienststrafverfügung vom Dienstvorgesetzten verhängt werden können. Auf schwerere Disziplinarstrafen (Gehaltskürzung, Einstufung in niedrigeres Dienstalter, Versetzung, →Dienstentfernung, Dienstentlassung, Aberkennung oder Kürzung des Ruhegehalts) kann nur im förml. Dienststrafverfahren (*Disziplinarverfahren*), das sich an die Vorschriften der StPO anlehnt, von den Dienststrafgerichten (*Disziplinargerichten*) erkannt werden. Zuständig ist im Bund seit 1967 das Bundesdisziplinargericht (nachdem die Bundesdisziplinarkammern aufgelöst wurden) und in den Ländern entsprechende Disziplinargerichte und Disziplinarhöfe.

In *Österreich* (Dienstpragmatik vom 25. 1. 1914) und in der *Schweiz* (Bundesgesetz von 1943) ist das D. für Beamte ähnlich geregelt. **2)** Für *Soldaten* gelten das Soldatengesetz v. 19. 3. 1956, die Wehrbeschwerde-Ordnung v. 23. 12. 1956 (→Wehrrecht) und die Wehrdisziplinar-Ordnung, WDO, v. 15. 3. 1957. Der zuständige Disziplinarvorgesetzte (Kompaniechef, Bataillonskommandeur, Bundesverteidigungsminister) entscheidet nach pflichtgemäßem Ermessen, ob wegen eines Dienstvergehens einzuschreiten ist. Einfache Disziplinarstrafen kann der Disziplinarvorgesetzte verhängen: Verweis, strenger Verweis, Soldverwaltung, Geldbuße, Ausgangsbeschränkung, Arrest. Auf Laufbahnstrafen (Gehaltskürzung, Versagen des gehaltsmäßigen Aufstiegs, Einstufung in ein niedrigeres Dienstalter, Dienstgradherabsetzung, Entfernung aus dem Dienstverhältnis, Kürzung oder Aberkennung des Ruhegehalts) kann nur im disziplinargerichtl. Verfahren durch →Truppendienstgerichte erkannt werden. Beschwerde- und Berufungsinstanz sind die Wehrdienstsenate beim Bundesdisziplinarhof. Die Einleitung des Verfahrens und die Strafvollstreckung obliegen Wehrdisziplinaranwälten. Disziplinarstrafen sind in die Disziplinarbücher einzutragen.

diensttauglich, →Tauglichkeit.

D′ienstvergehen, →Dienststrafrecht.

D′ienstverpflichtung, die Verpflichtung der Staatsbürger zur Dienstleistung außerhalb der Wehrpflicht, in Deutschland unter dem Nat.-Soz. als *Dienstpflicht* am 13. 2. 1939 eingeführt (→Arbeitspflicht). In der Bundesrep. Dtl. ist ein Arbeitszwang im Rahmen einer herkömmlichen, allgemeinen, für alle Bürger gleichen öffentl. *Dienstleistungspflicht* zulässig (Art. 12, Abs. 2 GG), so die Nothilfepflicht bei Unglücksfällen, ziviler Ersatzdienst von Kriegsdienstverweigerern. Durch die Notstandsverf. vom 24. 6. 1968 wurde die D. erheblich erweitert (Art. 12a, Abs. 1, 3, 4, 5, 6 GG). Nach dem Bundesleistungsgesetz v. 19. 10. 1956 in der Fassung vom 27. 9. 1961 können (außer Sachleistungen) in beschränktem Umfang Werkleistungen angefordert werden. In der DDR können Dienstleistungen zur Vorbereitung und Sicherstellung der Verteidigung nach der VO v. 16. 8. 1963 in Anspruch genommen werden.

Dienstvertrag, Dienstmiete, ein Vertrag, durch den der eine Teil *(Dienstverpflichtete)* dem anderen Teil *(Dienstberechtigter, Dienstherr)* die Leistung von Diensten gegen eine Vergütung verspricht (§§ 611 ff. BGB). Er begründet ein Treueverhältnis zwischen den Parteien. Den Gegensatz zum D. bildet der *Werkvertrag*, bei dem durch die Dienstleistungen ein bestimmter Erfolg herbeigeführt werden soll. Ein großer Teil der Arbeitsverhältnisse untersteht nicht den Vorschriften des BGB über den D., sondern Sondergesetzen (→Arbeitsvertrag). In *Österreich* ist der D. in §§ 1151–1164 ABGB, in der *Schweiz* in Art. 319–362 OR geregelt.

Dienstweg, die von Behörden geforderte Innehaltung des Instanzenzugs bei Eingabe von Berichten an vorgesetzte Behörden; durch Verwaltungsverordnungen geregelt.

Dienstwohnung, die Wohnung, die einem Beamten oder einer Militärperson unter Anrechnung auf die Dienstbezüge zugewiesen wird.

Dientzenhofer, Baumeisterfamilie aus Aibling, tätig in Böhmen und Franken. 1) bis 4) sind Brüder.

1) **Christoph**, Vater von 5), * St. Margarethen 1655, † Prag 20. 6. 1722, war in Waldsassen unter A. Leuthner, dann in Böhmen tätig. Er übernahm Guarinis Gewölbedurchschneidungen mit sphärisch gekrümmten Gurten, die er in seine wuchtige Formensprache als entscheidende Neuerung für den Norden übertrug. WERKE. Stift Tepl (seit 1689), Langhaus u. Fassade von St. Nikolaus auf der Kleinseite in Prag (1703–11), Klosterkirchen Břevnov (1709–15) u. Woborschischt (1702–12), Klarissinnenkirche in Eger (1707–11).

2) **Georg**, * Aibling 1643, † Waldsassen 2. 2. 1689, das. mit 1) tätig, baute seit 1685 die Dreifaltigkeits-Wallfahrtskirche Kappel bei Waldsassen über symbol. Dreipaß-Grundriß und begann St. Martin in Bamberg in kräftigem röm. Jesuitenstil (1685–93).

3) **Johann**, * 1663, † Bamberg 20. 6. 1726, folgte 4) aus Böhmen nach Franken, war 1699 wahrscheinl. in Rom, baute 1704–12 den Dom zu Fulda in kraftvoller Umsetzung röm. Vorbilder. In der ihm sicher zugeschriebenen Klosterkirche Banz (1710–18) brachte er die von 1) eingeführten Gewölbeformen über gefalteten Gewände in rhythm. Verschiebung zu mächtiger Raumwirkung. Er war maßgebend beteiligt am Bau von Schloß Pommersfelden (1711–18), entwickelte eine bedeutende Tätigkeit im Sakral- und Zivilbau Frankens, die zu B. Neumann überleitet.

4) **Johann Leonhard**, * nach 1660, † Bamberg 26. 11. 1707, wo er seit 1687 tätig war und in trockenen, tüchtigen Formen die Neue Residenz (1695–1704), die Fassade und das Konventsgebäude von St. Michael baute. Er arbeitete auch in Ebrach, Banz und Schöntal und entwarf die Wallfahrtskirche Walldürn.

5) **Kilian Ignaz**, Sohn und Schüler von 1) * Prag 1. 9. 1689, † das. 18. 12. 1751, weiter gebildet bei Hildebrandt und in Paris, Architekt von europ. Rang, herrschte die Blütezeit des böhm. Spätbarocks. Seine zahlreichen Kirchenbauten bringen reife Lösungen der Durchdringung von Lang- und Zentralbau zu hochbewegter, durch reiches Ornament erhöhter Wirkung. Er vollendete die von 1) begonnene Nikolauskirche auf der Prager Kleinseite, die er mit Kuppel und Turm wirkungsvoll in das Stadtbild stellte. WERKE. Kirchen in Prag: St. Thomas (1723), St. Johann am Felsen (1731), St. Nikolaus-Altstadt (beg. 1732), St. Nikolaus-Kleinseite (1732–52); in Karlsbad St. Maria Magdalena (1733–36); Kloster Wahlstatt (1727–36). – Paläste, Zivilbauten (Villa Amerika) in Prag. LIT. O. A. Weigmann: Eine Bamberger Baumeisterfamilie (Straßburg 1902); H. G. Franz: Die Kirchenbauten der C. D. (Brünn 1942); H. W. Hegemann: Die dt. Barockbaukunst Böhmens (1943).

Dienzephalose [grch.], Erkrankung im Bereich des Zwischenhirns durch Geschwülste, Entzündungen u. a.

Diepenbeeck, Abraham van, niederländ. Maler, * Herzogenbusch 9. 5. 1596, † Antwerpen 1675. Nachahmer des späteren Rubens. Zeichner für Kupferstichwerke, auch vielfach als Glasmaler tätig.

Diepenbrock, Melchior Freiherr von, kath. Bischof, * Bocholt 6. 1. 1798, † Schloß Johannisberg (Österr.-Schles.) 20. 1. 1853, machte die Freiheitskriege mit, wurde 1845 Fürstbischof von Breslau, 1850 Kardinal; er war am Aufschwung des politischen Katholizismus i. J. 1848 führend beteiligt. WERKE. Heinrich Susos Leben u. Schriften (1829, [4]1884), Geistl. Blumenstrauß aus span. u. dt. Dichtergärten (1829, [4]1864), Gesammelte Predigten (1841, [3]1849), Hirtenbriefe (1853). LIT. W. Kosch: M. v. D. (1913); Kardinal M. v. D. u. d. Herzogin Dorothea v. Sagan Briefw., hg. v. H. Hoffmann (1931).

Diepholz, Kreisstadt des Kreises Grafsch...

D. im RegBez. Hannover, Niedersachsen, mit (1976) 14 200 Ew., an der Hunte, hat AGer., höhere Schule, Heimatmuseum; Renaissance-Schloß; verschiedene Industrie.

Dieppe [diɛp], Hafenstadt im franz. Dep. Seine-Maritime, am Ärmelkanal, mit (1968) 30 400 Ew.; gotische Kirche St-Jacques, Schloß; 19. 8. 1942 erfolgloser Landungsversuch der Alliierten.

D'ierauer, Johannes, schweizer. Historiker, * Bernegg (Kanton St. Gallen) 20. 3. 1842, † St. Gallen 14. 3. 1920, war dort Stadtbibliothekar.
WERK. Gesch. d. schweiz. Eidgenossenschaft, 5 Bde. (1887–1917; 1 ⁴1924; 2 ³1920; 3–5 ²1921–22; 6 v. H. Schneider 1931).

Di'eri *Mz.*, austral. Eingeborenenstamm östlich des Eyresees.

Dierig Holding AG, Augsburg, Holdinggesellschaft der westdt. Textilgruppe; 1972 aus der Christian Dierig AG entstanden. Produktionsgesellschaften: Chr. Dierig GmbH, Riedinger Jersey AG.

Diёr'villa, Pflanzengattung der Geißblattgewächse im östl. Asien und in Nordamerika; Sträucher mit lebhaft gefärbten Trichterblüten. Die asiat. Arten hießen früher *Weigelia*.

Dierx [diɛrks], Léon, franz. Dichter, * Ile de la Réunion 20. 10. 1838, † Paris 11. 6. 1912, steht mit seinen meist tief pessimistischen, teils jedoch ekstat. das Schöne verherrlichenden Gedichten, deren früheste noch Anklänge an die Romantik zeigen, zwischen den Schulen des Parnasse und des Symbolismus.

D'iёs [lat.] *der*, Tag. **d. acad'emicus**, vorlesungsfreier Feiertag der Hochschule; **d. ad quem**, Endtermin; **d. a quo**, Anfangstermin; **d. cineris et cilicii**, Aschermittwoch; **d. ramorum**, Palmsonntag; **d. viridium**, Gründonnerstag; **d. salutaris**, Karfreitag; **d. spiritus sancti**, Pfingsten; **d. supremus**, Jüngster Tag. →dies irae, dies illa.

D'iesel, 1) Eugen, kulturphilos. Schriftsteller, Sohn von 2), * Paris 3. 5. 1889, † Rosenheim 23. 9. 1970.

WERKE. Der Weg durch das Wirrsal (1926), Die Dt. Wandlung (1929), Das Land der Deutschen (1931), Rudolf D., der Mensch, das Werk, das Schicksal (1937, Neuaufl. 1948), Philosophie am Steuer (1952).
2) Rudolf, Maschineningenieur, * Paris 18. 3. 1858, † (ertrunken im Ärmelkanal) 30. 9. 1913. D. erhielt 1892 ein Patent auf eine Verbrennungskraftmaschine, gab 1893 die Schrift ›Theorie und Konstruktion eines rationellen Wärmemotors‹ heraus und entwickelte 1893–97 in Gemeinschaft mit der Maschinenfabrik Augsburg und der Fa. Friedr. Krupp den Dieselmotor (erstes Modell im Dt. Museum in München).

d'ieselelektrischer Antrieb, ein Bahn-, Schiffsantrieb, bei dem Dieselmotoren Gleichstromgeneratoren antreiben, die die Fahrmotoren speisen. Der Dieselmotor läuft immer mit der günstigsten Drehzahl, die Regelung ist stufenlos ohne Getriebe.

d'ieselhydraulischer Antrieb, ein Bahnantrieb, bei dem die Leistung des Dieselmotors über Flüssigkeitsgetriebe auf die Treibräder übertragen wird.

D'ieselmotor (TAFEL Verbrennungsmotor), nach Rudolf Diesel benannte Verbrennungskraftmaschine. In dem Zylinder wird vom Kolben reine Luft angesaugt und von dem rückkehrenden Kolben so hoch verdichtet (22–35 at), daß sie sich auf etwa 600° C erwärmt. In diese heiße Luft wird kurz vor dem oberen Totpunkt des Kolbens der Kraftstoff eingespritzt (Dieselöl, Schweröl, das höher siedet als Benzin, jedoch niedrigere Zündtemperatur hat). Er entzündet sich, seine heißen Gase treiben den Kolben nach unten und leisten so mechan. Arbeit. Beim Rückgang des Kolbens werden die verbrannten Gase ausgeschoben. Der D. kann im Zweitakt- und im Viertaktverfahren arbeiten. Wird der Kraftstoff direkt in den Verbrennungsraum gespritzt *(unmittelbare Einspritzung)*, so wird nur ungleichmäßige Mischung mit der Luft erreicht, weshalb die Motoren mit großem Luftüberschuß (etwa 60%) betrieben werden müssen. Bei *Vor-*

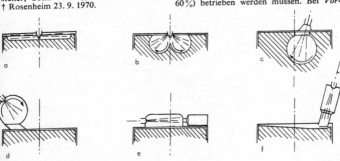

Dieselmotor:
Brennräume; a–c *direkte Einspritzung in den Zylinder:* a *ursprüngl. Form,* b *nach Saurer,* c *nach MAN;* d *Wirbelkammer (Ricardo);* e *Luftspeicher (Lanova);* f *Vorkammer*

Dies

kammer-D. u. *Wirbelkammer-D.* wird der Kraftstoff in Kammern gespritzt, die mit dem Hauptbrennraum durch Kanäle verbunden sind. Beim Übertritt des Gemisches in den Hauptbrennraum findet eine gute Durchmischung statt. Beim *Luftspeicher-D.* wird ein Teil der Luft in einer Kammer gespeichert. Der Kraftstoff wird so eingespritzt, daß ein Teil in die Kammer gelangt und dort verbrennt; das entstehende Gas wird auf den Kraftstoffstrahl hinausgeblasen, wodurch der Kraftstoff mitgerissen und im Brennraum verteilt wird. *Vielstoffmotoren* können außer mit Dieselöl auch mit leichtzündenden Kraftstoffen geringer Zündwilligkeit betrieben werden. – D. werden u. a. verwendet für Kraftwagen, Schiffe, Lokomotiven, Baumaschinen.

d'iës 'irae, d'iës 'illa [lat. ›Tag des Zornes, jener Tag‹], dreizeilige gereimte Sequenz der Totenmesse (→Requiem). Text bereits um 1200 bekannt, traditionelle Fassung seit dem 13. Jh. durch die Franziskaner verbreitet. ›Dies irae‹ ist auch der Titel eines Dramas v. A. Wildgans.

D'iesseits *das*, die dem Menschen durch Erfahrung zugängliche Welt, im Gegensatz zum →Jenseits. Seit der Renaissance wurde die Orientierung am D. in der abendländ. Kultur herrschend, endgültig in der Aufklärungszeit. Diese Tendenz verschärfte sich noch durch die rasche, in ihrem Tempo sich steigernde Entwicklung der Wissenschaft, vor allem der Naturwissenschaft und der Technik. Auf dem Gebiete des Rechts, der Moral und der Kunst führte sie zur Säkularisierung religiöser Gestalten und theologischer Begriffe. Die Kulturkritik seit F. Nietzsche hat diese Entwicklung analysiert. Nach einigen Geschichtsphilosophen ist die **D.-Kultur** ein typisches Stadium in der Entwicklung der einzelnen Kulturen (O. Spengler, A. J. Toynbee). Nach P. Sorokin lösen in der Geschichte D.-Kulturen (»Sinnen-Kulturen«) und dem Jenseits zugewandte Kulturen (»Ideen-Kulturen«) einander ab.

Dießen am Ammersee, Markt im Kr. Landsberg a. Lech, mit (1976) 6200 Ew., Fremdenverkehrsort, Kinderdorf (seit 1964). – Die Grafen von Andechs gründeten 1132 das Augustiner-Chorherrenstift. Ein barocker Neubau, zwischen 1720–28 entstanden, wurde zwischen 1732–39 von J. M. Fischer (Stuck von F. X. und J. M. Feichtmayr und J. G. Üblherr) vollendet.

D'iesterweg, Friedrich Adolf Wilhelm, Pädagoge, * Siegen in Westf. 29. 10. 1790, † Berlin 7. 7. 1866, Lehrer in Worms, Frankfurt a. M., Elberfeld, 1820 in Mörs, 1832–50 in Berlin Direktor des Lehrerseminars. Er trat entschieden für die Hebung des Lehrerstandes, bes. für die Lehrerbildung, sowie für die Ausgestaltung des Volksschulwesens im Geiste Pestalozzis ein. Als liberaler Schulpolitiker wandte er sich gegen den kirchl. wie auch gegen zu starken staatl. Einfluß im Schulwesen. Wegen seiner polit. Haltung wurde er 1850 in den Ruhestand versetzt. Die Ab-

schaffung der Raumer-Stiehlschen →Regulative geht wesentl. auf sein Wirken als preuß. Landtagsabgeordneter (seit 1858) zurück.

WERKE. Das pädagogische Deutschland 2 Bde. (1835/36), Pädagogisches Wollen und Sollen (1857), Ausgewählte Schriften, hg. v. E. Langenberg, 4 Bde. (²1890 ff.).

LIT. L. Rudolph: A. D., d. Reformator d. dt. Volksschulwesens (1890).

Diesterweg, Moritz, pädagog. Verlag in Frankfurt a. M., gegr. 1860; veröffentlicht Schul- und Unterrichtsbücher.

D'ietenberger, Johannes, Dominikaner, * Frankfurt a. M. um 1475, † Mainz 4. 9. 1537, war seit 1510 in Ordensämtern tätig, seit 1532 Prof. der Theologie in Mainz. D. verfaßte zahlreiche asketische und polemische Schriften, auch einen dt. Katechismus (1537). Seine dt. Bibelübersetzung (1534, rund 100 Ausgaben) fußt auf der Vulgata.

D'ieter, →Diether, Abk. von →Dietrich.

D'ieterich, Johann Christian, Verleger, gründete um 1760 in Göttingen die *Dieterich'sche Verlagsbuchhandlung*; frühe Verlagswerke: Göttinger Musenalmanach, Gottfried Aug. Bürger, Lichtenberg, Brüder Grimm.

Dieterle, William (Wilhelm), * Ludwigshafen 15. 7. 1893, † Ottobrunn 8. 12. 1972, Schauspieler bei Max Reinhardt, ging 1926 als Filmregisseur nach Hollywood (›Der Glöckner von Notre Dame‹, 1939); 1961 bis 1965 war D. Intendant der Hersfelder Festspiele.

D'iether, in der deutschen Heldensage jüngerer Bruder Dietrichs von Bern. Er fiel in der Rabenschlacht mit den zwei Söhnen Etzels im Kampf gegen Wittich.

D'iether von Isenburg, * 1412, † Aschaffenburg 7. 5. 1482, wurde 1459 Erzbischof von Mainz, verweigerte aber dem Papst die Pallingelder, wurde deshalb 1461 von Pius II. abgesetzt und mußte 1463 zugunsten Adolfs von Nassau verzichten. Nach dessen Tod (1475) wurde er wiedergewählt. 1477 stiftete er die Universität.

D'ietikon, Industrievorort von Zürich, a. d. Limmat, mit (1970) 22 700 Ew.

Dietl, Eduard, Generaloberst, * Bad Aibling 21. 7. 1890, † (Flugzeugunfall bei Graz) 23. 6. 1944, besetzte mit seinen Gebirgstruppen im April 1940 Narvik, drang im Sommer 1941 auf Murmansk vor und führte seit Januar 1942 die Armee Lappland in Nordfinnland.

D'ietleib, männl. Vorname, →Detlef.

Dietl'inde [ahd. ›Volksschild‹], weibl. Vorname.

D'ietmar [ahd. ›Volksheld‹], männl. Vorname.

Dietmar von Aist, Minnesänger (um 1140 bis 1170), aus einem ritterlichen Geschlecht Oberösterreichs. Die unter seinem Namen überlieferten Gedichte gehören z. T. zu den ältesten, noch nicht romanisch beeinflußten Minneliedern, darunter das erste deutsche Tagelied.

LIT. K. Rathke: D. v. A. (1932).

D'ietrich [ahd. aus Theoderich ›Volksherr-scher‹], männlicher Vorname.

D'ietrich [scherzhafte Übertragung des Vornamens], ein hakenförm. Draht zum Öffnen von Schlössern.

für Chubbschlösser   für Einsteckschlösser

für Kastenschlösser

Dietrich

D'ietrich, 1) **Adolf**, Maler, * Berlingen (Thurgau) 9. 11. 1877, † das. 4. 6. 1957, war Waldarbeiter und begann in seiner Freizeit zu malen. Er schuf naiv sachliche Landschaften und Stilleben, die ursprüngliche Empfindung ausdrücken.
Lit. M. Riess: Der Maler u. Holzfäller A. D. (Zürich 1937); K. Hoenn: A. D. (Frauenfeld 1942).

2) **D.**, Dietrici, Dietricy, **Christian Wilhelm Ernst**, Maler, * Weimar 30. 10. 1712, † Dresden 23. 4. 1774. Nach Ausbildung in Dresden und Italien ahmte er berühmte Meister in kleinerem Format nach, bes. Rembrandt und die Niederländer. 1741 wurde er Hofmaler, 1765 Akademieprof. Handzeichnungen von ihm wurden 1810 von Chr. Otto lithographiert.
Lit. P. Link: Monographie der von D. radierten, geschabten u. in Holz geschnittenen malerischen Vorstellungen, nebst Abriß einer Lebensgesch. (1846).

3) **Hermann Robert**, Politiker, * Oberprechtal (bei Emmendingen) 14. 12. 1879, † Stuttgart 6. 3. 1954, Jurist, 1919–33 MdR (Demokrat). D. war 1928–30 Reichsernährungs-, 1930 Reichswirtschafts-; dann bis 1932 Reichsfinanzmin., zugleich 1930–32 Vizekanzler; 1946/47 war D. Vorsitzender des Zwei-Zonen-Ausschusses für Ernährung und Landwirtschaft.
Werk. Auf der Suche nach Deutschland (1947).

4) **Marlene**, Schauspielerin und Kabarettsängerin, * Berlin 27. 12. 1901, seit 1922 am Deutschen Theater in Berlin und im Stummfilm, wurde 1930 durch den Film ›Der blaue Engel‹ weltbekannt und ist seither vorwiegend für den amerikan. Film tätig. Filme: Morocco (1930), Shanghai Express (1932), Destry Rides Again (1939), A Foreign Affair (1948), No Highway in the Sky (1951), Zeugin der Anklage (1957).

5) **Otto**, * Essen 31. 8. 1897, † Düsseldorf 22. 11. 1952, 1931 Pressechef der NSDAP, 1933 mit der ›Gleichschaltung‹ der Presse beauftragt, 1937 Pressechef der Reichsregierung und Staatssekretär im Propagandamin. 1949 im Wilhelmstraßenprozeß wegen Entfachung und Lenkung des Judenhasses verurteilt, 1950 entlassen.

6) **Veit**, evang. Theologe, * Nürnberg 8. 12. 1506, † das. 25. 3. 1549, war in Wittenberg ein Helfer Luthers und ein Freund Melanchthons, seit 1535 Prediger an St. Sebaldus in Nürnberg.

D'ietrich von Bern (d. i. Verona), Gestalt der germanischen Heldensage, unter der der Ostgotenkönig Theoderich d. Gr. weiterlebt. D. wird von Otacher (Odoaker) vertrieben, lebt 30 Jahre als Verbannter an Etzels Hof und erobert dann mit hunnischer Hilfe sein Reich zurück (so im Hildebrandslied). Später trat an Stelle Otachers ein älterer Gotenkönig, Ermanrich. In dieser Fassung der D.-Sage versucht D. in der Rabenschlacht vergebens, sein Land, aus dem ihn Ermanrich vertrieben hatte, zurückzugewinnen; das glückt ihm erst im Alter. Als Idealgestalt des christlich-ritterlichen Helden fand D. in das Nibelungenlied Aufnahme; er überwindet Gunther und Hagen. Seit dem 13. Jh. wurden ihm allerlei märchenhafte Züge angedichtet, Kämpfe mit Riesen, Zwergen und Drachen (Ecke, Fasolt, Laurin, Sigenot). Dabei hielt die Epengruppe, in deren Mittelpunkt der Kampf zwischen D. und Siegfried steht (Rosengarten, Biterolf) noch den Zusammenhang mit der histor. Sage. Vom Niederdeutschen aus drang die D.-Sage nach N. In der altnord. Thidrekssaga (um 1250) wurde D. zur Hauptgestalt der dt. Sagenüberlieferung.
Lit. H. Patzig: D. v. B. und sein Sagenkreis (1917); H. de Boor: Geschichte der dt. Literatur, 3, 1 (⁶1964).

Dietrich von Freiberg, Theodoricus Teutonicus, Dominikaner, * um 1250, † nach 1310, neigte zu einer vom Neuplatonismus, bes. von Proklos, beeinflußten Philosophie. Sie war von Einfluß auf die deutsche Mystik. Als Naturforscher erlangte D. bes. durch seine Erklärung des Regenbogens Bedeutung.

Dietrich von Nieheim (Niem), Publizist und Chronist, * Brakel (bei Höxter) nach 1340, † Maastricht 22. 3. 1418, seit 1370 im kurialen Kanzleidienst in Avignon und Rom tätig; 1395–99 ernannter Bischof von Verden. Während des Schismas und auf dem Konstanzer Konzil verfocht D. in zahlreichen Schriften die Einigung und Reform der Kirche.

Dietterlin, Wendel, eigentl. *Wendling Grapp*, Maler, * Pullendorf 1550/51, † Straßburg 1599. Seine Straßburger Fassadenmalereien und das Deckengemälde im Stuttgarter Lusthaus sind nicht erhalten; sein Ornamentstichwerk ›Architectura‹ (zuerst 1593/1594 erschienen), von überquellendem Erfindungsreichtum, wurde im deutschen Frühbarock stark ausgewertet.
Lit. K. Ohnesorge: W. D. (1893).

D'iettrich, Fritz, Schriftsteller, * Dresden 28. 1. 1902, † Kassel 19. 3. 1964, Lyriker, Dramatiker und Übersetzer.
Werke. Stern überm Haus (1932, ²1940), Der attische Bogen (1934, ³1940), Myth. Landschaft (1936), Der Flügel des Daidalos (Tragödie, 1941), Aus wachsamem Herzen (Ausw., 1946), Zug der Musen (1948).

Dietz, Tietz, **Ferdinand**, Bildhauer, * Eisenberg (Böhmen) 1709, † Memmelsdorf bei

Diet

Bamberg 17. 6. 1777, Schüler des Mathias Braun in Prag, arbeitete seit 1736 im Dienst der Familie von Schönborn in Würzburg und Bamberg, später in Brühl und Trier beim dortigen Fürstbischof. Seine Gartenskulpturen in den Schlössern Seehof (1747 bis 1749) und Veitshöchheim (1763–68) zeigen die geistvolle Anmut und musikal. Bewegtheit des deutschen Rokoko.
Lit. E. L. v. Stössel: F. T. (1920); H. K. Röthel: Der Figurenschmuck des Parkes von Veitshöchheim von F. D. (1943).

Dietze, Constantin von, Nationalökonom, * Gottesgnaden (bei Calbe, Saale) 9. 8. 1891, † Freiburg 18. 3. 1973, Prof. in Jena, Berlin, Freiburg i. Br.; 1955 bis 1961 Präses der Synode der EKD.

Dietze-Anleger, ein Dreheisen-Instrument mit angebautem Stromwandler, das zur Messung von Wechselströmen dient. Der Eisenkern des Stromwandlers ist wie eine Zange aufklappbar. Dadurch kann der Leiter, in dem der Strom gemessen werden soll, einfach umfaßt werden. Die Wirkungsweise des D. beruht auf dem Durchflutungs- und Induktionsgesetz.

Dietzenschmidt, Anton Franz, früher **Schmidt,** Schriftsteller, * Teplitz-Schönau 21. 12. 1893, † Eßlingen 17. 1. 1955, erhielt 1919 den Kleistpreis. Als Dramatiker wollte D. aus dem Geist der religiösen Großstadtjugend das Laienspielerneuern.
Werke. Die Vertreibung der Hagar (1916), Kleine Sklavin (1918), Christopher (1920), Regiswindis (1924), Vom lieben Augustin (1925, Neufass. 1937), Hinterhauslegende (1928), Der Verräter Gottes (1930).

Dietzfelbinger, Hermann, evang. Theologe, * Ermershausen (Unterfranken) 14. 7. 1908, 1955–75 Landesbischof der evang.-luther. Kirche in Bayern, war 1967–73 Vorsitzender des Rates der EKD.
Werke. Die Kirche in der Anfechtung (1953), Vom Wagnis der Diakonie (1954), Lehre, Dienst, Verkündigung (1955), Toleranz und Intoleranz zwischen den Konfessionen (1956).

Dietzgen, Joseph, sozialist. Philosoph, * Blankenberg bei Köln 9. 12. 1828, † Chicago 15. 4. 1888, vertrat eine empirist. Erkenntnislehre und Sozialethik in populärwissenschaftl. Schriften.
Werke. Das Wesen der menschl. Kopfarbeit (1869), Briefe über Logik, spez. demokrat.-proletar. Logik (1880–83), Die Religion der Sozialdemokratie (1895); Sämtl. Schriften, 3 Bde. (1911); Dietzgen-Brevier (1915).
Lit. H. Roland-Holst: J. D.s Philosophie (1910); A. Hepner: J. D.s philosoph. Lehren (²1922).

Dietzsch, Dietsch, Nürnberger Malerfamilie. Der Stammvater Joh. Israel (* 1681, † 1754) und fünf Söhne (Joh. Christoph, * 1710, † 1769, Joh. Sigmund, Joh. Jakob, Georg Friedrich und Joh. Albert) sowie zwei Töchter (Barbara Regina, * 1706, † 1783 und Margareta Barbara, * 1726, † 1795)

wurden als Darsteller von Vögeln, Insekten und Blumen bekannt.

Dieu et mon droit [djø e mõ drwa, franz.], »Gott und mein Recht«, der Wahlspruch der englischen Krone.

Dieu le veut [djø lə vø, frz.], »Gott will es«, der Kampfruf der Kreuzfahrer des ersten Kreuzzugs.

Dievenow [diweno:], 1) die D., der östl. Ausgang aus dem Stettiner Haff in die Pommersche Bucht, durchfließt den Camminer Bodden. 2) See-, Sol- und Moorbad an der Ostsee, auf der Nehrung am Ausfluß der D., hatte (1939) 1600 Ew.; seit 1945 unter poln. Verwaltung (Dziwnów).

Diez, Stadt im Rhein-Lahn-Kreis, Rheinland-Pfalz, an der Lahn unterhalb Limburgs, (1977) 9700 Ew.; altes Schloß, Pfarrkirche (13. Jh.), AGer., versch. Industrie; Garnison. Nahebei Schloß Oranienstein (erb. 1676).

Diez, 1) Friedrich, Gründer der romanischen Sprachwissenschaft, * Gießen 15. 3. 1794, † Bonn 29. 5. 1876, war das. seit 1823 Prof. Auf Anregung Goethes begann er die Erforschung der altprovenz. Literatur.
Werke. Die Poesie der Troubadours (1826, ²1883), Leben und Werke der Troubadours (mit Nachdichtungen, 1829, ²1882), Grammatik der roman. Sprachen, 3 Bde (1836 bis 1843, ⁵1882), Etymolog. Wörterbuch der roman. Sprachen (1853, ⁵1887).
Lit. D. Behrens: F. D. (1894); H. Breymann: F. D., Sein Leben und Wirken (1894).
2) Friedrich von, Orientalist, * Bernburg 2. 9. 1751, † Berlin 7. 4. 1817, war 1784 bis 1790 preuß. Geschäftsträger und Gesandter in Konstantinopel. Sein ›Buch des Kabus‹ (1811) und seine ›Denkwürdigkeiten aus Asien‹ (2 Bde., 1811–15) benutzte Goethe bei der Arbeit am ›West-östlichen Divan‹.
3) Julius, Maler, * Nürnberg 8. 9. 1870, † München 13. 3. 1957, war Prof. der Kunstgewerbeschule, dann der Akademie das., schuf Mosaiken, Glasfenster, Fresken (u. a. im Kurhaus zu Wiesbaden, in der Universität und im Deutschen Museum zu München).
Lit. R. Braungart: J. D. (1920).

Diez-Canedo, Enrique, span. Lyriker und bedeutender Übersetzer, * Badajoz 1879, † Mexiko 7. 6. 1944, dichtete teilweise in archaisierender Sprache, angeregt durch Literatur und Malerei.

Diezmann, Dietrich der Jüngere, Landgraf von Thüringen, * um 1260, † Leipzig 10. 12. 1307, der Sohn Albrechts des Entarteten und Margaretes, der Tochter Kaiser Friedrichs II., jüngerer Bruder Friedrichs des Freidigen, mit dem er gegen seinen Vater um sein Erbe kämpfte.

Diffamation [lat.], üble Nachrede, Verleumdung. **diffamieren,** verleumden.

Differdingen, franz. **Differdange** [diferdã₃], Gemeinde im Großherzogtum Luxemburg, mit (1970) 18000 Ew.; Stahlwerk, Eisenindustrie.

Differentialgeometrie, eine Anwendung

der Differentialrechnung auf die Geometrie der Kurven und Flächen.

Differenti′algetriebe, das →Ausgleichgetriebe.

Differenti′algleichung, eine Beziehung zwischen einer unbekannten Funktion und ihren Differentialquotienten in Form einer mathem. Gleichung, aus der diese unbekannte Funktion ermittelt werden kann. Diese Berechnung wird als *Integration* der D. bezeichnet.

Differenti′alrechnung, ein mathematisches Verfahren, das nicht die Werte einer Funktion in beliebigen Punkten, sondern die *Änderungen* dieser Werte von Punkt zu Punkt als Rechengrößen behandelt. Die Änderung einer Funktion beim Übergang von einem Punkt zu einem »unmittelbar« oder »unendlich« benachbarten Punkt, kurz die Änderung der Funktion »in einem Punkt«, wird dargestellt als Verhältnis zweier *Differentiale* df : dx; dabei bedeutet das Differential df die sehr kleine (»unendlich kleine«) Differenz zwischen den beiden Funktionswerten, dx die zu den beiden un die sehr kleine (»unendlich kleine«) Differenz dx verschiedenen Werten der Veränderlichen x gehören. Solche Verhältnisse, die man gewöhnlich als Bruch $\dfrac{df}{dx}$ (gesprochen »df nach dx«) schreibt und *Differentialquotient* oder *Ableitung* der Funktion f nennt, nehmen bei den physikalischen oder anderen Anwendungen der D. in der Regel bestimmte feste Zahlwerte an (streben dieses zu), wenn man die Differenzen nur beliebig klein werden (gegen Null gehen) läßt. Mit ihnen läßt sich daher rechnen wie mit Zahlen. Das Berechnen des Differentialquotienten heißt *Differenzieren* oder *Differentiation*. Die D. findet überall dort Anwendung, wo Gesetze zwischen stetig veränderlichen Größen aufgefunden und praktisch ausgewertet werden sollen (Physik, Biologie, Geldlehre u. a.).

GESCHICHTLICHES. Leibniz und Newton haben unabhängig voneinander Ende des 17. Jhs. die D. und Integralrechnung (zusammen **Infinitesimalrechnung**) geschaffen. Newton nannte den Differentialquotienten die **Fluxion**, den »Fluß« der Funktion, und bezeichnete ihn mit y. Durch das neue Hilfsmittel der D. und Integralrechnung machte die Mathematik im 18. Jh. große Fortschritte; Euler, die Brüder Bernoulli, Lagrange, Cauchy u. a. bauten die neuen Methoden weiter aus und lösten damit eine große Zahl schwieriger Probleme aus dem Gebiet der Geometrie, der größten und kleinsten Werte, der Reihen und der Mechanik. 1949 hat L. Schwartz in seiner Theorie der →Distributionen die D. dadurch wesentlich weiterentwickelt, daß er auch den nichtdifferenzierbaren Funktionen etwas Ähnliches wie eine Ableitung zuschreibt. – Heute beginnt jedes Studium der Mathematik mit einer Vorlesung über Differential- und Integralrechnung, die auch bereits in den Schulen betrieben wird.

LIT. H. v. Mangoldt u. K. Knopp: Einf. in die höhere Mathematik, 4 Bde. ([13–15]1967 bis 1974); G. Kowalewski: Die klass. Probleme der Analysis des Unendlichen ([2]1951).

Differenti′alschraube, eine Schraube für genaue Messungen kleiner Abstände (bis 0,01 mm). Auf ihrem Schaft sind zwei Gewinde mit verschiedener Ganghöhe eingeschnitten. Eine gegen Verdrehen gesicherte Mutter auf dem gröberen Gewinde verschiebt sich bei einer Umdrehung der Schraube um die Differenz der Ganghöhen.

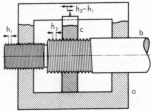

Differentialschraube: a Rahmen, b Gewindeschaft, c Mutter, h_1 kleinere, h_2 größere Ganghöhe, h_2-h_1 Weg der Mutter bei einer Umdrehung des Gewindeschafts

Differenti′alschutz, Schaltung zum Schutz elektr. Anlagenteile, bei der die Ströme vor und hinter der Anlage verglichen werden. Ein *Differentialrelais* schaltet bei Fehlern die Anlage ab.

Differenti′altarif, ein abgestufter Tarif, z. B. im Zollwesen je nach dem Herkunftsland (*Differentialzoll*), im Eisenbahnwesen je nach der Länge der Beförderungsstrecke.

Differentiati′on, →Differentialrechnung.

Differ′enz [lat. differentia ›Unterschied ‹], 1) Unterschied zweier Zahlen, der durch Abziehen (Subtraktion) erhalten wird. 2) † Meinungsverschiedenheit. **differ′ent**, abweichend. **differenz′ieren**, 1) verfeinern. 2) →Differentialrechnung. 3) unterscheiden.

Differ′enzgeschäft, ein auf Lieferung von Waren oder Wertpapieren gerichteter Vertrag, der aber nicht durch wirkliche Lieferung des Kaufgegenstandes erfüllt werden soll, vielmehr soll lediglich der Unterschied zwischen dem vereinbarten Preis und dem Börsen- oder Marktpreis der Lieferzeit beglichen werden. D. sind nur im Börsenhandel klagbar. Sonst fallen sie nach § 764 BGB unter den Begriff des Spieles.

Differenz′iergeräte, mathematische Geräte zum Bestimmen der Kurvenrichtung in einem Punkt einer gezeichneten Kurve. Das *Spiegellineal* liefert die Senkrechte zum Kurvenstrich, wenn man es so anlegt, daß der Kurvenstrich ohne Knick in sein Spiegelbild übergeht. Beim *Derivimeter* benutzt man ähnlich die Spiegelung an der Kittfläche einer in der Mitte geteilten Kugellupe. Der *Prismenderivator* enthält ein Glasprisma, in dem die Bilder zweier Kurvenäste nur dann ohne Sprung ineinander übergehen, wenn das

Prisma senkrecht zur Kurve eingestellt ist. Der *Differentiograph* liefert die Kurvenrichtung in einem Zuge, wobei die richtige Einstellung durch Integrieren mit einem Schneidenrad geprüft wird.

Differenz'ierung [zu Differenz], Herausgestaltung ungleichartiger Formen aus ursprünglich gleichartigen, begleitet von Arbeitsteilung; z. B. die D. der verschiedenen Gewebe eines Lebewesens aus den ersten gleichmäßigen Ei-Teilzellen oder den Zellen des Vegetationspunkts, auch die D. der Einzelwesen eines Tierstocks oder Tierstaats (Polymorphismus).

Differ'enzton, ein Ton, dessen Schwingungszahl gleich dem Unterschied der Schwingungszahlen zweier Töne ist.

differ'ieren [lat.], abweichen, anderer Meinung sein.

diff'icile est s'atiram non scr'ibere [lat.], »Schwer ist es, (darüber) keine Satire zu schreiben«, geflügeltes Wort aus Juvenals ›Satiren‹.

diffiz'il [lat., franz.], schwierig, heikel.

Diffrakti'on [lat.], *Optik:* die Beugung.

diff'us [lat. Kw.], zerstreut, allseitig; *diffuses Licht*, zerstreutes Licht ohne geordneten Strahlenverlauf, daher ohne Schlagschatten.

Diffusi'on [lat. ›Ergießung‹, ›Ausbreitung‹], die von selbst eintretende Vermischung von Gasen, Flüssigkeiten, Lösungen u. dgl., die unmittelbar miteinander in Berührung stehen. Ursache ist die Wärmebewegung der Moleküle. Auch feste Körper diffundieren, wenn auch sehr langsam, ineinander. Die Beschleunigung der D. durch Wärme wird beim *Diffusionsglühen* zur Verbindung von Metallen oder Legierungsschichten ausgenutzt.

D. nennt man auch das langsame Durchtreten von Flüssigkeiten und Gasen durch poröse Wände. Die *Diffusionstrennung* mittels kaskadenartig hintereinandergeschalteter Wände von Tonrohren benutzt man in größtem techn. Ausmaß, um natürliche Isotopengemische (z. B. Uran) in ihre Bestandteile zu zerlegen; sie beruht darauf, daß leichtere Atome oder Moleküle schneller diffundieren als schwerere.

Diffusi'onspumpe, die wirkungsvollste Pumpe zur Erzeugung niedrigster Drucke (bis 10^{-9} Torr) in abgeschlossenen Gefäßen, 1913 von W. Gaede erfunden. An die Pumpe wird oben das auszupumpende Gefäß (Rezipient), seitlich eine Vorvakuumpumpe angeschlossen. In einem meist elektrisch geheizten Siedegefäß wird das Treibmittel (Quecksilber oder Öl) verdampft. Die Dämpfe steigen nach oben und werden an der Haube a nach unten umgelenkt. Die von oben her aus dem Rezipienten eindringenden, abzupumpenden Gase werden in dem Spalt zwischen Kühlmantel und Haube von dem gasfreien Dampfstrom durch Diffusion aufgenommen und nach unten in Richtung zum Vorvakuum mitgeführt. Die Dämpfe des Treibmittels werden an der Wand des Kühlmantels wieder kondensiert, die Flüssigkeit fließt in das Siedegefäß zurück. Die verdichteten Gase werden von der Vorvakuumpumpe abgesaugt. Bei mehrstufigen D. sind in einem Gehäuse mehrere Pumpen hintereinandergeschaltet. Dabei arbeitet die Pumpe der 1. oder 2. Stufe als Vorvakuumpumpe der 2. oder 3. Stufe. Zur Erzielung eines Enddruckes kleiner als 10^{-3} Torr (Dampfdruck des Quecksilbers) muß durch Fallen, die mit flüssiger Luft gekühlt sind, der Übertritt von Dämpfen in das Vakuumgefäß verhindert werden.

Lit. Yarwood-Adam: Hochvakuumtechnik (^{3}1953).

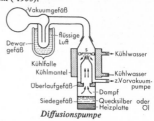

Diffusionspumpe

Diff'usor, allmählich sich erweiterndes Stück eines Strömungskanals zur Umsetzung von Geschwindigkeit in Druck, z. B. in Windkanälen.

Diff'uor|dichl'ormethan, CCl_2F_2, organ. Fluorverbindung, als *Frigen* oder *Freon* in Kältemaschinen verwendet.

Dig'allussäure, eine →Gerbsäure.

Dig'amma [›doppeltes Gamma‹] *das*, geschrieben *F*, das sechste Zeichen im ältesten griech. Alphabet, bezeichnet [w]. Der Laut ist in den altgriech. Mundarten zu verschiedenen Zeiten geschwunden, am frühesten im Jonischen und Attischen. Der Versbau der homerischen Gedichte nimmt noch auf ihn Rücksicht.

dig'en [aus griech. dis ›doppelt‹ und gennaein ›zeugen‹], zweigeschlechtig: *digene Fortpflanzung*.

Digen'is Akr'itas [grch.], der Held des nach ihm benannten byzantin. Nationalepos, dessen Kern wahrscheinl. ins 10. Jh. zurückgeht.

Digest [d'aid3est, engl. aus lat. digestae ›Geordnetes‹, ›Sammlung‹], 1) amerikan. Sammlungen von Gerichtsentscheidungen. 2) Sammlungen von Auszügen aus Veröffentlichungen, z. B. *Reader's D.*, *Literary D.*

Dig'esten [lat.], Hauptteil des →Corpus iuris civilis.

Digesti'on [lat. digerere, ›zerteilen‹], 1) Verdauung. 2) Herstellung von Auszügen aus Pflanzenstoffen bei 35–40° C (*diger'ieren*).

Digest'orium [lat. digerere, ›zerteilen‹], Abzug, im chem. Laboratorium meist an der Wand befindlicher, mit Glas umbauter Raum, in dem schlecht riechende oder schädliche Gase durch Abzugskanäle mittels Ventilatoren oder Gasflammen (Lock-flammen) abgeführt werden.

Digim'atik [grch.-lat.], Sachgebiet der Elektronik, in dem die Verfahren der elektronischen Zähltechnik angewandt werden, also das Zählen von Einzelvorgängen, das Übertragen, Verarbeiten, Speichern und das Darstellen der Zählergebnisse.

digit'al [von lat. digitus ›Finger‹], 1) mit den Fingern; Fingertechnik u. dgl.: zahlenmäßig, quantitativ (Gegensatz: analog). 2) ziffernmäßig.

Digit'alis [lat.], Pflanzengattung, →Fingerhut. **Digitalispräparate**, Glykoside aus den Blättern von *D. purpurea* (bes. Digitoxin) und *D. lanata* (Digilanid), Arzneimittel gegen Herzleiden; sie regeln die Herztätigkeit und verlangsamen den Puls.

Digitalo'ide, den Digitalis-Glykosiden in ihrer Wirkung verwandte Glykoside anderer Pflanzen.

D'igitus [lat., ›Finger‹, ›Zehe‹], altröm. Längenmaß (Daumenbreite). 1 D. = 2 bis 2,6 cm.

Digne [diɲ], Hauptstadt des franz. Dep. Basses-Alpes, mit (1968) 15 800 Ew.; Textilindustrie.

Dignit'ar [lat.], **Dignität** [frz.], 1) Würdenträger. 2) in der kath. Kirche der Inhaber eines höheren Kirchenamtes, einer **Dignität**, bes. Propst und Dekan.

Dig'orien, der von den **Digoren**, der westl. Gruppe der →**Osseten**, bewohnte Teil des Kaukasus.

Digressi'on [lat.], 1) Abschweifung. 2) der Winkel zwischen dem Vertikalkreis eines polnahen Sternes und dem Meridian.

D'igul, größter Fluß des S-Teils von W-Neuguinea, mit sumpfigem Delta, weithin schiffbar.

dig'yn [griech. ›zweiweibig‹], mit zwei Griffeln in der Blüte.

Dihybr'ide [griech.] *die* oder *der*, Mischling (Bastard), dessen Eltern sich in zwei Erbmerkmalen unterscheiden.

dii [lat.], Götter, *Mz.* von *deus.* 1) **diis manibus sacrum**, abgek. **D. M. S.** oder **D. M.**, Inschrift auf röm. Grabdenkmälern, »den verklärten Seelen (Verewigten) geweiht«. 2) **dii minorum gentium**, »Götter der geringeren Geschlechter«, nach Cicero niedere oder jüngere Gottheiten im Gegensatz zu den **dii maiorum gentium**, den höheren oder älteren Gottheiten.

Dijodtyros'in, ein Bestandteil des Hormons der Schilddrüse, das im Gegensatz zu Thyroxin den Stoffwechsel senkt. Anwendung bei Überfunktion der Schilddrüse.

Dijon [diʒõ], Hauptstadt des franz. Departements Côte d'Or (Ostfrankreich), mit (1968) 150 800 Ew., 245 m ü. M.; Universität, Rathaus aus dem 15. Jh. (ein Teil des früheren Palastes der Herzöge von Burgund), alte Kartause (Chartreuse de Champmol) mit Mosesbrunnen von Claus Sluter (1399), Notre-Dame-Kirche (1331 bis 1445 erbaut) mit einzigartiger Vorhalle in burgund. Spitzbogenstil; vielseitige Industrie (Maschinen, Kraftwagen, Textilien, pharmazeut. Betriebe). D., das röm. *Divio*, war im frühen MA. bekannt durch die 525 gegründete Abtei St-Bénigne. Die Grafsch. D., ursprüngl. ein Lehen des Bischofs von Langres, kam 1016 an das Hzgt. Burgund (Bourgogne), dessen Hauptstadt D. wurde. Mit Burgund kam es 1477 an Frankreich.

D'ikafett, Adika, Samentalg des westafrik. Simarubazeenbaums *Irvingia Barteri*, mit Schokoladenduft. Die Samen werden von den Negern zu dem Nahrungsmittel **Dikabrot** oder *Gabunschokolade* verarbeitet.

Dikast'erion [griech.], *Mz.* Dikast'erien, das altgriech. Volksgericht, bes. in Athen.

Aus dem einen, von Solon als Berufungsinstanz gegen Beamtensprüche eingerichteten Volksgerichtshof (→Heliäa) wurden seit etwa 500 v. Chr. mehrere in erster und einziger Instanz urteilende Gerichtshöfe. Seit auch die attischen Bündner häufig in Athen Recht suchen mußten, gehörten die D. mehrere tausend Athener an. Der ärmeren Bevölkerung ermöglichte Perikles durch Einführung von Diäten die Teilnahme. Den Vorsitz führte ein Beamter; abgestimmt wurde mit Stimmsteinen.

In der kath. Kirche sind *kirchliche Dikasterien* die zusammenfassende Bezeichnung für die Zentralbehörden der röm. Kurie, insbes. innerhalb der Vermögensverwaltung des Hl. Stuhles.

Lit. O. Schulthess: Das attische Volksgericht (Bern 1921).

D'ike [grch.], die Göttin der vergeltenden Gerechtigkeit. Urspr. die Sitte, dann das zukommende Weise, dann das Recht, bei Hesiod als Gerechtigkeit vergöttlicht und als Tochter des Zeus und der Themis personifiziert. Sie erhielt nie kultische Verehrung, sondern blieb eine jener abstrakt anmutenden Personifikationen, in denen sich die griech. Wirklichkeitsvorstellung sinnenfällig bezeugte. Dargestellt wurde D. anscheinend nur in der archaischen Kunst (Kypseloslade).

Lit. L. Petersen: Zur Gesch. d. Personifikation in griech. Dichtung u. bild. Kunst (1939); K. Kerényi: Die Mythologie d. Griechen, Bd. 1 (³1964).

dikl'in [grch.], eingeschlechtig; *d. Blüten* enthalten entweder nur Staubblätter oder nur Fruchtblätter.

Dikotyled'onen [grch.], Dikotylen, Pflanzengruppe, →Zweikeimblättrige.

Dikt'at [lat.; spätes MA.], 1) Nachschrift, Niederschrift nach Gesprochenem. 2) harter oder unabweislicher Befehl.

Dikt'ator [lat.] 1) im alten Rom ein außerordentlicher in Notstandszeiten von einem Konsul ernannter Beamter mit unbeschränkten Befugnissen, der mit seinem Gehilfen *(magister equitum)* spätestens nach 6 Monaten abtreten mußte. Nach dem 2. Punischen Krieg wurde kein D. mehr eingesetzt. Die späteren Diktaturen Sullas und Cäsars sind etwas völlig Neues. 2) mit ungewöhnlicher Macht ausgestattetes Staatsoberhaupt.

diktat′orisch, herrisch, keinen Widerspruch duldend.

Diktat′ur, 1) im alten Rom das Amt des →Diktators.

2) im *Deutschen Reich* bis 1806 und ähnlich noch auf dem Frankfurter Bundestag die förml. Mitteilung von Schriftstücken (die erst dadurch Teile des Reichs- oder Bundesakten wurden) durch das Reichsdirektorium (Bundespräsidium) an die Reichstags-(Bundestags-)Gesandtschaften.

3) im *neueren Staatsrecht* ist D. eine Staatsform, die auf der unbeschränkten Machtausübung eines einzelnen, einer Gruppe oder von Parteien beruht, in autoritären Staaten auch mit formaler, dem Schein dienender Aufrechterhaltung demokrat. Einrichtungen. Die D. kann aus einer Krise des demokrat. Staats entstehen und sich auf revolutionäre Massenbewegungen mit meist totalitärer Ideologie oder auf eine Militärgruppe stützen (Perón bis 1955 in Argentinien, Nasser in der Verein. Arab. Republik). Vielfach beruht sie auf einer Verbindung nationalist. Elemente mit sozialrevolutionären Bewegungen (Faschismus, Nationalsozialismus). In demokrat. Staaten kann es eine D. auf verfassungsrechtl. Grundlage als vorübergehende Ausnahmegewalt zur Verteidigung und Wiederherstellung des normalen Verfassungszustandes geben, z. B. in der Weimarer Republik die D.-Gewalt des Reichspräsidenten nach Art. 48 der Verfassung.

4) die **D. des Proletariats** ist nach marxist. Lehre die sozialrevolutionäre Herrschaftsform der organisierten Arbeiterschaft vom Zusammenbruch der bürgerlichen Ordnung bis zur Entstehung einer klassenlosen Gesellschaft; sie wurde im ›Kommunistischen Manifest‹ proklamiert (→Marxismus).

Dikt′iermaschine, Maschine zur Aufnahme und Wiedergabe von gesprochenen Mitteilungen, arbeitet′ mit magnetischer Aufzeichnung auf Platte, Draht oder Band nach dem Magnettonverfahren.

Dikti′on [lat.; Goethezeit], Ausdrucksweise, Schreibart, Stil.

Diktion′är [franz. dictionnaire] *das* oder *der*, Wörterbuch.

Dikt′onius, Elmer, finn. Schriftsteller, * Helsinki 1896, † das. 13. 9. 1961, modernistischer sprachschöpferischer Lyriker und Erzähler, gab der heimatl. Literatur bedeutende Anregungen.

D′iktum [lat.], *Mz.* Dikta, Ausspruch.

D′iktys von Knossos auf Kreta, soll als Teilnehmer am Trojanischen Krieg die Begebenheiten dieses Krieges in Form eines Tagebuchs aufgezeichnet haben: das ist die Einkleidung eines griech., im 1. Jh. n. Chr. gedichteten Romans vom Trojan. Krieg. Sein trojan. Gegenstück ist →Dares Phrygius. Beide Romane waren Hauptquellen für die mittelalterl. Darstellungen des Trojan. Krieges. Ausg. der lat. Bearbeitung des D. von F. Meister (1872), der griech. Reste das.

F. Jacoby in: ›Fragmente der griech. Historiker‹, Bd. 1 (1923).

LIT. G. Körting: D. u. Dares (1874); W. Greif: Die mittelalterl. Bearbeitungen d. Trojanersage (1886); O. Schissel v. Fleschenberg: Daresstudien (1908).

Dikumar′ol, Dikumar′in, Kumarinverbindung, die den Gehalt des Blutes an Prothrombin, der Vorstufe des Gerinnungsferments Thrombin, herabsetzt und deshalb angewendet wird, um nach Operationen u. dgl. die Bildung von Blutgerinnseln (Thromben) zu verhindern.

dilat′abel, dehnbar.

Dilatati′on [lat.], **1)** Ausdehnung eines Körpers durch äußere Kräfte oder durch Wärme. **2)** *Zeitdilatation*, die Verlangsamung des Zeitablaufs für bewegte Körper, gemessen von einem ruhenden Beobachter; wird merklich erst bei Geschwindigkeiten von der Größenordnung der Lichtgeschwindigkeit. **3)** krankhafte Erweiterung eines Hohlorgans sowie künstliches Erweitern oder Offenhalten von Fisteln oder Kanälen (so Harnröhre) mittels *Dilatatoren* (Metallstifte zunehmender Dicke, spreizbare Geräte oder Quellstifte).

Dilati′on [lat.; Lutherzeit], Aufschub. **dilat′orisch**, aufschiebend, verzögernd. **dilatorische Einrede**, eine die Fälligkeit eines Anspruchs hinausschiebende Einrede (z. B. Stundung).

Dilatom′eter [neulat. ›Ausdehnungsmesser‹], Gerät zur Messung der Ausdehnung von Körpern beim Erwärmen.

Dil′emma [griech. ›zweifelige Annahme‹], Zwangsentscheidung, Schwierigkeit der Wahl zwischen zwei Dingen, wenn für beide gleichwertige Gründe sprechen.

Dilett′ant [von ital. dilettare ›ergötzen‹; Goethezeit], Liebhaber einer Kunst oder Wissenschaft, der sich ohne schulmäßige Ausbildung und nicht berufsmäßig damit beschäftigt; dann auch sww. Pfuscher. **Dilettant′ismus**, die Art solcher Beschäftigung.

Dilich, Wilhelm, Chronist, Baumeister, Kartograph, Kupferstecher, * Wabern (Hessen) 1571 oder 1572, † Dresden 1650, veröffentlichte eine reich illustrierte ›Hessische Chronik‹ (1605) und Werke über Kriegs- und Festungsbaukunst. Von großem orts- und baugeschichtlichem Wert sind seine reizvollen, auch von Merian verwerteten Vedutenaufnahmen deutscher Städte und Burgen.

WERKE. Rhein. Burgen nach Handzeichnungen D.s (1607), hg. v. C. Michaelisu, m. Beitr. v. C. Krollmann u. B. Ebhardt(1900); W. D.s Federzeichnungen kursächs. u. meißnischer Ortschaften aus den Jahren 1626–29, hg. v. P. E. Richter u. C. Krollmann, 3 Bde. (1907).

Diligence [diližãs, franz. ›Eifer‹] *die*, † Eilpost.

Dilig′entia [lat.], Sorgfalt. *D. boni patris familias*, die Sorgfalt eines guten Familienvaters, die im Verkehr erforderliche Sorgfalt (§ 276 BGB). *D. quam in suis*, die Sorgfalt, die jemand in seinen eigenen Angelegenheiten anzuwenden pflegt; Maßstab für die Bestimmung der Fahrlässigkeit (§ 277 BGB).

Dilke [dilk], Sir Charles, engl. Politiker und Schriftsteller, * London 4. 9. 1843, † das. 26. 1. 1911, unternahm 1866/67 eine Reise um die Erde, deren Ergebnisse er in seinem ›Greater Britain‹ niederlegte; das Buch übte auf die imperialist. Bewegung eine große Wirkung aus, sein Titel wurde zum polit. Schlagwort. D. war 1880–82 Unterstaatssekr. des Auswärtigen. Im Unterhaus gehörte er zum radikalen Flügel der Liberalen.

WERKE. Greater Britain, 2 Bde. (1868), Problems of Greater Britain, 2 Bde. (1890), The British Empire (1899).

LIT. S. Gwynn u. G. M. Tuckwell: Life of Sir C. D., 2 Bde. (London 1917, abgek. 1925).

Dill [westgerman.], Till, Ille, Gurkenkraut (*Anethum graveolens*), einjähriger Doldenblüter aus Südeuropa; mit hellstreifigem Stengel, fein fiederteiligen Blättern und gelblichen Blütendolden; wegen seines ätherischen Öls Küchengewürz. TAFEL Gewürzpflanzen.

Dill, die, rechter Nebenfluß der Lahn, 68 km, fließt von der Haincher Höhe der südl. Rothaar nach SO und mündet bei Wetzlar.

Dill, Ludwig, Maler, * Gernsbach 2. 2. 1848, † Karlsruhe 31. 3. 1940, Mitbegründer der Münchner Sezession und der Gruppe ›Die Dachauer‹, seit 1899 Akademieprof. in Karlsruhe, malte, von A. Lier und der Schule von Barbizon ausgehend, tonige Seelandschaften und Ansichten von Venedig, später vor allem auch Bilder aus dem Dachauer Moos.

LIT. A. Roessler: Neu-Dachau (1905).

D'illenburg, Kreisstadt des Dillkreises in Hessen, 230 m ü. M., an der Grenze zwischen dem Westerwald und dem Marburger Hinterland, mit (1976) 14 100 Ew.; AGer., Bergamt, Landgestüt, Bergschule, Gymnasium; Bergbau, Eisenhütten, Stahlwerke, Holz-, Emaille-Industrie und Konfektionsbetriebe. – Burg D. 1240 erwähnt, Stadtrecht 1344; Stadtkirche (1490 begonnen), Rathaus (1724), alte Fachwerkbauten. – D. gehörte zum Stammbesitz der Grafen von Nassau, aus deren älterer Dillenburger Linie die Oranier hervorgingen; eine jüngere starb 1739 aus. Das Schloß, in dem Wilhelm und Moritz von Oranien geboren wurden, zerstörten 1760 die Franzosen; Oranisches Museum im Wilhelmsturm.

LIT. E. Becker: Schloß u. Stadt D. (1951).

Dill'enie, Rosenapfel, *Dillenia*, baum- und strauchförmige Pflanzengattung Südostasiens; die Kelchblätter umwachsen kohlkopfartig die Frucht (apfelähnliches Obst).

D'illens, Julien, belg. Bildhauer, * Antwerpen 8. 6. 1849, † St-Gilles bei Brüssel 24. 12. 1904, schuf bes. Bildwerke für belg. Monumentalbauten (z. B. für den Justizpalast in Brüssel).

D'illingen, 1) Kreisstadt im bayerischen RegBez. Schwaben, 435 m ü. M., an der Donau, (1977) 11 600 Ew., hat AGer., kath. Philos.-Theolog. Hochschule, Priesterseminar, Mutterhaus der D.er Franziskanerinnen, Taubstummenanstalt für Mädchen (mit Gehörlosenschule), höhere Schulen, mannigfaltige Industrie. Das Schloß (13. Jh.) war vom 15. Jh. bis 1803 Sitz der Bischöfe von Augsburg. D. hat mehrere Barockkirchen, war 1554–1804 Sitz einer Universität und kam mit dem Hochstift Augsburg 1803 an Bayern. D. war bis 1972 kreisfrei.

2) *D. an der Saar*, Stadt im Saarland, mit (1977) 21 400 Ew., 183 m ü. M.; höhere Schulen; Eisenhüttenwerke, Metallindustrie.

Dillis, Johann Georg von (geadelt 1808), Maler, Zeichner, Radierer, * Grüngiebing 26. 12. 1759, † München 28. 9. 1841, malte frisch empfindete realist. Landschaften, gehört zu den Vorläufern der späteren Münchener Stimmungslandschaft. Als Zentralgaleriedirektor (seit 1822) wirkte er entscheidend für die Entwicklung der Münchener Kunstsammlungen.

LIT. W. Lessing: J. G. v. D. (1951).

Dillkreis, Landkreis in Hessen, RegBez. Darmstadt. Kreisstadt ist Dillenburg.

Dillmann, August, Orientalist und prot. Theologe, * Illingen (Württemberg) 25. 4. 1823, † Berlin 4. 7. 1894, wurde 1854 Prof. in Kiel, 1864 in Gießen, 1869 in Berlin. Bleibende große Verdienste erwarb er sich durch seine Werke zur äthiop. Philologie und sein großes ›Lexicon linguae aethiopicae‹, 2 Tle. (1862/63). Er verfaßte auch eine Anzahl von Kommentaren zu Büchern des A. T.

Dil'olo, See in Afrika auf der Wasserscheide zwischen Kongo und Sambesi, 1080 m ü. M., 1864 von Livingstone entdeckt.

D'ilong, Rudolf, slowak. Lyriker, * Trstená 1. 8. 1905, kath. Priester, Franziskaner, Redakteur, emigrierte 1945 nach Argentinien. D.s Dichtungen sind von kath. Moderne, Poésie pure und Surrealismus geprägt.

Dilthey, Wilhelm, Philosoph, * Biebrich 19. 11. 1833, † Seis am Schlern 1. 10. 1911, war seit 1866 Prof. in Basel, Kiel, Breslau, seit 1882 in Berlin, wandte sich gegen die Auffassung der zeitgenössischen Psychologie, daß der Zusammenhang des Seelenlebens wie Kausalzusammenhänge der Natur erklärbar sei. Vielmehr sei er im Erleben ursprünglich und in seiner Ganzheit gegeben. Das Beschreiben und Zergliedern dieser Seelenstruktur, das *Verstehen*, sei die eigentümliche Methode der Psychologie; diese aber bilde eine der Grundlagen der Geisteswissenschaften. Diese Methode wurde bes. in den grundlegenden geistesgeschichtl. Darstellungen D.s wirksam. Von D. geht eine geisteswissenschaftl. orientierte Schule der Philosophie aus (Misch, Nohl, Spranger, Litt, Freyer). Geschichtsphilosoph. Motive sind in die Existenzphilosophie bei Jaspers und Heidegger eingegangen.

WERKE. Leben Schleiermachers (1870), Einl. in die Geisteswissenschaften (1883), Ideen über eine beschreibende und zergliedernde Psychologie (1894), Das Erlebnis und die Dichtung (1905), Weltanschauung und Analyse des Menschen seit Renaissance und Reformation (1913), Von dt. Dichtung und Musik (1933). Briefwechsel zw. D. und dem Grafen P. York v. Wartenburg (1923). Ges. Schriften, 17 Bde. (1913–36; Neuaufl. 1961–74).

LIT. A. Stein: Der Begriff des Verstehens bei D. (²1926); G. Misch: Lebensphilosophie und Phänomenologie (³1931); O. F. Bollnow: D. (³1967); H. Diwald: W. D. (1963).

Dil'uvium [lat. ›Überschwemmung‹, ›Wasserflut‹], neuerer Name Pleistozän, Abschnitt der Erdgeschichte, →Eiszeit. diluvi'al, auf das D. bezüglich.

dim., *Musik:* →diminuendo.

D'imapur, alte Hauptstadt der Katschari in Assam, 1536 zerstört. Die Ruinen sind durch rätselhafte Megalithe bedeutsam.

D'imasa, Stamm der →Bodo in Assam.

Dime [daim, engl.] *der*, USA: silbernes 10-Cent-Stück.

Dimensi'on [lat. ›Abmessung‹, 1) Ausmessung, Ausdehnung; Bereich. 2) eine Linie hat *eine* D. (Länge), eine Ebene *zwei* D. (Länge und Breite), ein Körper, also überhaupt der Raum, *drei* D. (Länge, Breite, Höhe). Gleichungen mit mehr als drei veränderlichen werden als Gebilde in einem abstrakten Raum mit mehr als drei D. gedeutet. 3) *Physik:* die Beziehung einer Größe zu den Grundgrößen eines Maßsystems; z. B. ist ›Länge/Zeit‹ (Zeichen: L/T) die D. der Geschwindigkeit.

Dimensi'onsanalyse, Dimensionsan'alysis, Verfahren, bei dem man aus Anzahl und Art der in einem physikal. Vorgang auftretenden veränderlichen und festen Größen das den Vorgang beherrschende Naturesetz zu erschließen sucht. Die D. findet bes. dort Anwendung, wo sehr verwickelte Gesetze herrschen, z. B. in der Strömungslehre.

dim'er [grch.], zweigliedrig.

Dimerisati'on, einfache gegenseitige Addition zweier monomerer Moleküle einer polymerisierbaren Verbindung.

D'imeter [griech.] *der*, antiker Vers, der aus zwei Metren besteht, z. B. der iambische D.: ◡–◡–/◡–◡– Das Wasser rauscht, das Wasser schwoll.

Dimeth'ylanil'in, organische Base, die durch Erhitzen des Anilins mit Methylalkohol und Salzsäure entsteht; dient zur Farbstoffdarstellung.

diminu'endo [ital.], Abkürzung **dim.**, *Zeichen:* ⟩——, *Musik:* allmählich leiser werdend.

Diminuti'on [lat.], *Musik:* 1) die Verkürzung eines Themas durch Verwendung kleinerer Notenwerte, →Verkleinerung. 2) die (oft bei der Ausführung improvisierte) variierende Verzierung eines Stückes durch Umspielung der Melodienoten, eine bis ins 19.

Jh. auch von Sängern und Instrumentalisten geforderte und geübte Fertigkeit, →Improvisation, 3) die Beschleunigung des Tempos durch Wertverminderung der Noten in der →Mensuralmusik. **diminu'ieren** [lat.], verkleinern, vermindern.

Diminut'iv, *Sprachlehre:* Verkleinerungsform.

Dimissi'on [lat.], Entlassung; zeitweiliger oder dauernder Ausschluß aus einer Studentenverbindung. **dimitt'ieren**, entlassen, ausschließen.

Dimissori'ale *Mz.* **Dimissorialien**, lat. *litterae dimissoriales*, Entlassungs- oder Erlaubnisschein; amtl. Erklärung einer zu bestimmten Amtshandlungen befugten Person, bes. in der kirchlichen Verwaltung, durch die sie ihre Befugnisse anderen Stellen überträgt.

Dim'itrij, russ. Vorname, →Demetrius.

Dimitrij'ević [-vitʃ], Dragutin, genannt **Apis**, serb. Offizier, * Belgrad 22. 8. 1877, † Saloniki 26. 6. 1917, spielte bei der Ermordung des Königs Alexander und seiner Gemahlin Draga 1903 eine führende Rolle, gründete 1911 den großserb. Geheimbund der Crna Ruka (→Schwarze Hand). D. organisierte das Attentat auf den österr.-ungar. Thronfolger Franz Ferdinand in Sarajewo (28. 6. 1914). Im 1. Weltkrieg wurde er eines Mordversuchs gegen den Prinzregenten Alexander beschuldigt und nach dem Saloniki-Prozeß erschossen.

LIT. Mord und Justizmord, in: Süddeutsche Monatshefte, 26, H. 5 (1929).

Dimitrow [dim'itrof], Georgi, bulgar. Politiker, * Radomir 18. 6. 1882, † Moskau 2. 7. 1949, nahm als Kommunist an bewaffneten Aufständen und Sabotageakten teil (Sofia 1925); danach emigriert, u. a. nach Berlin; 1933 wurde er vor dem Reichsgericht in Leipzig von der Anklage der Brandstiftung (→Reichstagsbrand) freigesprochen; 1933–42 GenSekr. der Komintern in Moskau, danach Führer der bulgar. KP; 1946–49 MinPräs.

Dim'itrowgrad, 1947 gegr. Industriestadt in Bulgarien, im Braunkohlengebiet nördl. der Mariza, mit (1968) 44 300 Ew.; Dampfkraftwerk, Stickstoffdüngemittel-, Zementind.

Dimona, Stadt in der Negeb-Wüste in Israel, gegr. 1959, mit (1972) 23 700 Ew.; Textilwerke, Atomforschungsinstitut.

Dimorph'ismus, [griech. zu *morphe* ›Gestalt‹], Zweigestaltigkeit. *Biologie:* die Erscheinung, daß Individuen oder Organe derselben Art verschiedene Formen ausbilden. Im Entwicklungsverlauf mancher Tiere und Pflanzen treten verschieden gestaltete Generationen auf: **Generationsdimorphismus**, z. B. bei Polyp und Meduse, Farnpflanze und Prothallium. Bei **Geschlechtsdimorphismus** zeigen Männchen und Weibchen der gleichen Tierart, männl. und weibl. Pflanze oder Blüte derselben Art, verschiedenes Aussehen. Bei manchen Würmern, z. B. →Bonellia, bestehen sehr bedeutende Größenunterschiede (»Zwergmännchen«). Bei manchen Schmetterlingen, wie z. B. beim Landkärtchen *(Arachnia prorsa oder levana)*, treten eine Sommer- und eine nach Farbe und Form deutlich unterschiedene Wintergeneration auf **(Saisondimorphismus).** Im Temperaturversuch lassen sich aus Puppen einer beliebigen Generation beide Formen und dazu alle Übergänge züchten. **dim'orph,** zweigestaltig.

DIN die, Din ...}, Abkürzung für: Das ist Norm, ursprünglich für:Deutsche Industrie-Normen. Sie sind vom Dt. Normenauss. aufgestellt und werden in Normblättern veröffentlicht. **Dinformat,** ein →Papierformat.

Dinan [dinã], westfrz. Stadt in der Bretagne, nordwestl. Rennes, mit (1968) 13 000 Ew.; Schloß, Festungsmauern; Textilindustrie.

Dinant [dinã], Stadt in der belgischen Prov. Namur, (1970) 9800 Ew., beiderseits der Maas; got. Notre-Dame-Kirche (13. und 15. Jh.). – D. gehörte seit der Stauferzeit zum Bistum Lüttich. Es war oft hart umkämpft (1466, 1554, 1675, 1914, 1940, 1944), bes. die Zitadelle auf einer 90 m über der Maas aufragenden Steilwand.

Din'ar [von Denar], Währungs- oder Münzeinheit in Jugoslawien (= 100 Para), Jordanien (= 1000 Fils), Irak (= 5 Rijals, = 20 Dirhams, = 1000 Fils), Iran (= $^{1}/_{100}$ Rial).

Din'arische Alpen, Gebirgszüge im W der Balkanhalbinsel, die von den Alpen bis Griechenland ziehen, bes. ein Teil dieses Gebirges an der bosnisch-dalmatischen Grenze, benannt nach der *Dinara*, 1831 m. **din'arische Rasse,** eine den →Europiden zugehörige Menschenrasse.

Diner [dine, franz.; Goethezeit] *das*, förmliches Essen mit Gästen. **din'ieren,** speisen.

D'inesen, Isak, Pseudonym der Schriftstellerin Karen →Blixen.

Ding [german. Stw.], 1) Gegenstand, Sache, Etwas.
2) *Philosophie:* seit Chr. Wolff Verdeutschung von →ens. **Ding an sich,** Grundbegriff →Kants; *volkstümlich,* in unscharfer Erweiterung des Kantschen Begriffs: die Wirklichkeit einer Sache im Unterschied zu ihrer äußeren Erscheinung.
3) D., nordgerman. **thing,** die german. Volks- und Gerichtsversammlung, in den skandinavischen Ländern noch heute für Volksvertretung gebräuchlich (z. B. Folketing, Storting, Althing), während sich die schweizer. Landsgemeinde, die dem Organ der direkten Demokratie am nächsten steht, nicht vom D. herleitet. Das D. wurde unter freiem Himmel, stets am Tage **(Tagding,** daher Taiding: Gericht, Verhandlung), an altgewohntem Ort **(Dingstätte, Malstätte, Dingstuhl)** abgehalten, wo sich die **Dinggenossen** (Dingleute, Dingmannen) versammelten. Die ›Hegung‹ des D., d. h. die Verkündung des **Dingfriedens** (Schweigegebot) unter Anrufung der Gottheit, verriet in ihren feierl. Formen noch lange den religiösen Ursprung. Waren anfangs alle

waffenfähigen freien Männer dingpflichtig, so kam in fränk. Zeit das ganze Dingvolk nur noch dreimal im Jahr beim **echten D.** des Grafen zusammen, während das in der Zwischenzeit abgehaltene oder von Fall zu Fall **gebotene D.** meist vom Schultheiß und den Schöffen allein besucht wurde. Auch als **Dingvogt (Dinger)** wurde der Vorsitzende bezeichnet; auf dem grundherrschaftl. **Dinghof** leitete der Meier oder Vogt das D. Es konnte 3 Tage oder noch länger dauern; die **Dingfrist** bis zur nächsten Tagung betrug z. B. 40 Nächte (fränkisch) oder 6 Wochen und 3 Tage (sächsisch) und war prozessual von Bedeutung (z. B. im Versäumnisverfahren). Der zwangsweise vorzuführende Missetäter wurde **dingfest** gemacht (in Haft gesetzt); es wurden **Dingzeugen** vernommen und über die Verhandlung ein bes. beweiskräftiges **Dingzeugnis** ausgestellt.

Im Lauf des MA. wurde die Dingpflicht mehr und mehr ständisch und sachlich differenziert, abgeschwächt und endlich verdrängt durch die obrigkeitl. Justiz der Territorialstaats. Als polit. Versammlung lebte das D. aber noch in den Landtagen der Stände fort.

D'ingelstädt, Stadt im Bez. Erfurt, auf dem Eichsfeld an der Unstrut, 336 m ü. M., mit (1964) 5100 Ew.; Zigarren- und Textilind.

D'ingelstedt, Franz Freiherr von, Schriftsteller und Theaterleiter, * Halsdorf (Bez. Kassel) 30. 6. 1814, † Wien 15. 5. 1881, stand den Jungdeutschen nahe und war ein Meister der polit. Satire; seit 1843, nach politischem Überzeugungswandel, Hofrat in Stuttgart, 1851 Intendant des Hoftheaters in München (von Max II. geadelt), 1857 Generalintendant in Weimar, 1867 Direktor der Oper, 1870 des Burgtheaters in Wien. D. machte sich durch Aufführung moderner Dramatiker (Hebbel) und der Klassiker (sämtl. Königsdramen Shakespeares in Weimar 1864) bes. verdient.
WERKE. Lieder eines kosmopolit. Nachtwächters (anonym, 1841), Die Amazone, 2 Bde. (1868), Künstlergeschichten (1877), Münchener Bilderbogen (1879). Sämtl. Werke, 12 Bde. (1877/78). Blätter aus seinem Nachlaß, m. Randbemerk. v. J. Rodenberg, 2 Bde. (1891).
LIT. K. v. Stockmayer: F. D., in: Schwäb. Lebensbilder, 2 (1941).

Dinggedicht, dem Epigramm verwandte lyrische Spätform, Gegentypus zum entwickelnden, subjektive Stimmungen festhaltenden Gedicht, beschreibt und deutet einen sinnlich faßbaren Vorwurf (Skulptur, Bild). Sein Werden ist von der poetischmoralischen Nutzanwendung eines Brockes über Mörike und C. F. Meyer zu Rilkes Deutung der Dinge zu verfolgen.
LIT. K. Oppert: Das D., in: Dt. Vierteljahrsschrift f. Lit.-Wiss. u. Geistesgesch., 4 (1926).

Dinghofer, Franz, österr. Politiker, * Ottensheim (Oberösterreich) 6. 4. 1873, † Wien 12. 1. 1956, seit 1911 im Reichsrat. Präs. der

Ding

Prov. Nationalversammlung (1918). In der Republik war er Führer der Großdeutschen Volkspartei, 1926/27 Vizekanzler und 1926 bis 1928 Justizmin. in der Regierung Seipel, danach bis 1939 Präs. des Obersten Gerichtshofs.

D'ingi [ostind.] *das*, das kleinste Beiboot auf Kriegsschiffen, zum Rudern oder Segeln durch einen Mann eingerichtet, trägt 2–3 Mann.

Dingler, Hugo, Philosoph, * München 7. 7. 1881, † das. 29. 6. 1954, Prof. in München und Darmstadt, suchte den Zusammenhang von Theorie und Experiment zu erklären als Realisieren von ideellen Forderungen (Hypothesen), deren letzter Geltungsgrund der Wille sei (Konventionalismus).
WERKE. Der Zusammenbruch der Wissenschaften (²1931), Grundriß der method. Philosophie (1949), Das physikal. Weltbild (1951).

d'ingliches Recht, Sachenrecht, Recht an einem körperlichen Gegenstand. Es gewährt seinem Träger ein unmittelbares Herrschaftsrecht über die Sache, z. B. Eigentum, Nießbrauch, Pfandrecht, und wirkt gegen jedermann (absolut). Gegensatz: Forderungs- oder Schuldrecht. **dingliche Klage**, eine Klage, mit der ein d. R. geltend gemacht wird.

Dinglinger, Johann Melchior, Goldschmied und Emailleur, * Biberach (Württemb.) 26. 12. 1664, † Dresden 6. 3. 1731, war seit 1698 Hofgoldschmied Augusts des Starken. Aus seiner Werkstatt sind zahlreiche barocke Prunkstücke, Tafelaufsätze und Kleinplastiken hervorgegangen (bis 1945 im Grünen Gewölbe in Dresden).
LIT. Erna v. Watzdorf: J. M. D. (1959).

D'ingo, **Warragal**, *Canis dingo*, ein verwilderter Haushund in Australien, schäferhundgroß, mit rotbraunem, an den Seiten schwärzlichem Fell; lebt in Rudeln und jagt nachts.

Dingo

D'ingolfing, Kreisstadt (D.-Landau), Niederbayern, 366 m ü. M., an der Isar, mit (1976) 13 300 Ew.; verschiedene Industrie (Textil, Auto); spätgot. Pfarrkirche (1467), Herzogsburg (15. Jh.); Isarstaustufe.

DIN-Grad, Maßeinheit für die Lichtempfindlichkeit von photographischem Negativmaterial (z. B. 18° DIN). Eine Erhöhung um 3° DIN bedeutet eine Verdoppelung der Empfindlichkeit (oder Halbierung der Belichtungszeit).

Dings, **Dingsda**, U Sache oder Mensch, deren Name einem nicht einfällt. ›Der Vetter aus Dingsda‹, Operette von E. Künneke. **Dingskirchen**, ein beliebiger Ort oder ein Ort, auf dessen Namen man nicht kommt.

D'ingwort, das →Hauptwort.

dining room [d'aining ru:m, engl.], Speisezimmer.

D'inka *Mz.*, Nilotenstamm am oberen Nil, Viehzüchter und Hackbauern; ihre Sprache ist eine Mischung des sudan. und hamit. Sprachtyps.

D'inkel [ahd. dinchel], **Spelz, Spelt, Fesen, Vesen, Schwabenkorn**, Weizenform, bei der die Hülsen (Spelzen) am Korn bleiben und die Ährchen an der Ährenspindel getrennt stehen. Unreife Körner verwendet man als Suppeneinlage (**Grünkern**). Verwandte tümliche Weizenformen sind: der *Emmer, Emer, Ammer, Ammelkorn*, mit zerfallender Ährenspindel, meist langgrannig, nicht winterhart; das *Einkorn, Peterskorn, Blicken, Schwabenkorn, Pferde-D.*, meist mit einkörnigen Einzelährchen, begrannt, vom östl. Mittelmeergebiet.

D'inkelsbühl, Stadt im Kr. Ansbach, Mittelfranken, Bayern, 441 m ü. M., im Tal der oberen Wörnitz an der alten Straße Augsburg–Würzburg (Romantische Straße), mit (1976) 10 000 Ew.; bis 1972 Kreisstadt. Landw.-Schule, Museum; vielseitige Industrie. D., 928 als fester Platz erwähnt, war schon vor 1273 bis 1803 Reichsstadt. Das mittelalterl. Stadtbild (Befestigungen, Fachwerk-Giebelhäuser, St.-Georgs-Kirche 1448 bis 1499) ist erhalten. Das Volksfest, die *Kinderzeche*, erinnert an die Eroberung D.s durch die Schweden (1632).

D'inklage, Gemeinde im Kreis Vechta, VerwBez. Oldenburg, Niedersachsen, mit (1976) 8300 Ew., Landwirtschaftsschule; Landmaschinenbau, Textil-, Möbelindustrie.

D'inner [engl.], die englische Hauptmahlzeit (zwischen 17 und 20 Uhr).

Dinoflagell'aten, Panzergeißelalgen, *Peridineen*, Gruppe kleiner, algenartiger Einzeller; meist mit siebartigem Zellstoffpanzer, 2 Rudergeißeln, Schwebefortsätzen; sie finden sich massenhaft im Meeresplankton und sind am Meeresleuchten beteiligt.

Din'okrates, **Deinokrates**, griech. Architekt am Hof Alexanders d. Gr., entwarf den Plan der Stadt Alexandria und den Scheiterhaufen für Hephästion; von ihm stammte ein oft genannter phantastischer Plan, den Berg Athos als Statue Alexanders zu gestalten.
LIT. W. Körte: D. u. d. barocke Phantasie, in: Die Antike, 13 (1937).

Din'ornis, gewaltige, flugunfähige, straußartige Vögel; sie lebten in Neuseeland noch zur Zeit der Ureinwohner und wurden von ihnen **Moa** genannt. Die größte Art erreichte eine Höhe von 3,5 m.

Dinos'aurier [griech. Kw.], *Dinosauria*, ausgestorbene, landbewohnende Kriechtiere des Erdmittelalters. Die fleischfressenden *Theropoden* von oft riesigem Wuchs (so der 11 m lange *Tyrannosaurus*) bewegten sich nur mit Hilfe der längeren Hinterbeine fort. Meist Pflanzenfresser waren die langhalsigen, auf vier säulenartigen Beinen schreitenden *Sauropoden*, zu denen die größten Landwirbeltiere gehören, wie *Atlantosaurus*, *Brontosaurus*, *Diplodocus* (bis 20 m lang), und die zusammen mit den Theropoden die Gruppe der Saurischier bilden. Pflanzenfresser waren auch die Ornithischier mit dem bis zu 10 m hohen *Iguanodon* und dem nashornähnlichen *Triceratops*. Die Ursachen des Aussterbens der D. gegen Ende der Kreidezeit sind nach wie vor ungeklärt. Skelette von D. sind bes. in Nordamerika, Ostafrika und Mittelasien gefunden worden, in der Wüste Gobi auch Eier.

1 *Dinosaurier (Iguanodon)*, 2 *Dinotherium-Schädel*

Dinoth'erium [griech. Kw.], ausgestorbene Elefantengattung der Tertiärzeit; bis 5 m hoch, mit rückwärts gebogenen unteren Stoßzähnen. Reste von D. finden sich im **Dinotheriensand**, tertiären Sanden des Mainzer Beckens.

Dinozer'aten, *Dinoceraten*, elefantengroße ausgestorbene Huftiere der älteren Tertiärzeit in Nordamerika; ihr Schädel hatte kleine Hirnhöhle und große paarige Knochenzapfen.

D'inslaken, Stadt im Kreis Wesel, RegBez. Düsseldorf, Nordrhein-Westfalen, (1976) 57 000 Ew., Industriestadt 3 km rechts des Niederrheins, hat AGer., höhere Schulen, Bergamt; Industrie: Steinkohlenbergbau, Stahl-, Walz-, Röhren-, Draht-, Nagelwerke, Ziegeleien, Apparatebau, Schuhherstellung.

D'inzeltag, im Volksbrauch ein Versammlungstag innerhalb der Zünfte mit Mahl und Tanz.

D'io C'assius, eigentl. **Cassius Dio Coccianus**, griech. Historiker, * Nikäa (Bithynien) um 155 n. Chr., † nach 229, war zweimal Konsul, außerdem Statthalter von Afrika, Dalmatien und Oberpannonien. Sein Geschichtswerk enthielt die röm. Geschichte von der Gründung Roms bis 229 n. Chr. in 80 Büchern. Erhalten sind nur Buch 36–60, das übrige in Auszügen (Joannes Xiphilinos, Zonaras). D. C.s Werk ist für die Geschichte der letzten Zeit der Republik und die der ersten Jahrhunderte der Kaiserzeit eine der wichtigsten Quellen. Dt. von Schöll und Tafel (16 Bde., 1831–44).

Di'ode *die*, eine Elektronenröhre mit 2 Elektroden, der Kathode und der Anode. Die geheizte Kathode sendet Elektronen zur Anode; die D. ist daher nur in der einen Richtung stromdurchlässig und wirkt als Gleichrichter. Sie ist ein häufig benütztes Schaltelement, bes. in der Hochfrequenztechnik.

D. zur Empfangsgleichrichtung in Rundfunkempfängern werden mit einer zweiten D. (Duodiode) oder mit einem Verstärkersystem in einem gemeinsamen Röhrenkolben zusammengebaut.

Diod'or, 1) *Diod'orus S'iculus*, griech. Geschichtsschreiber des 1. Jhs. v. Chr., * Argyrion (Sizilien), verfaßte die ›Historische Bibliothek‹, eine vielfach recht flüchtige Kompilation aus den verschiedensten Quellen, bes. aus Ephoros. Es bestand aus 40 Büchern und enthielt die Gesamtgeschichte der Völker des Altertums bis 54 v. Chr. Vollständig erhalten sind nur die Bücher 1–5 und 11–20; bedeutende Bruchstücke finden sich bei den byzantin. Historikern und in den Exzerptensammlungen des Konstantin Porphyrogenetos u. a. Ausg. v. F. Vogel u. C. Th. Fischer, 5 Bde. (1888 bis 1906).

Lit. E. Schwartz in: Real-Enc. d. klass. Altertums, 5 (1903).

2) Bischof v. Tarsus, † vor 394, Gründer und Hauptvertreter der Antiochenischen Schule.

Di'ogenes, 1) D. von Apollonia, griech. Philosoph im 5. Jh. v. Chr., vertrat einen ausgesprochenen Hylozoismus. Im Gegensatz zu Anaxagoras lehrte er die Einheit von Urstoff und Vernunft.

Lit. H. Diels: Fragm. der Vorsokratiker, 1 (⁴1952).

2) D. von Laerte in Kilikien, deshalb **Laertius** genannt, lebte wahrscheinlich in der 1. Hälfte des 3. Jhs. n. Chr. Sein Werk ›Über Leben, Ansichten und Aussprüche der berühmten Philosophen‹ (dt. v. O. Apelt, 1921) ist von größtem Wert als geschichtliche Quelle.

3) D. von Sinope am Schwarzen Meer, griech. Philosoph, † Korinth 323 v. Chr., der bekannteste Vertreter des Kynismus, der Lehre von der Bedürfnislosigkeit. Schüler des Antisthenes. Er zog als Wanderlehrer umher und versuchte diese Anschauung auch in seiner Lebensweise bis zum äußersten durchzuführen. D. ist durch viele Anekdoten bekannt und zeichnete sich durch schlagfertigen Witz aus (D. in der Tonne).

Lit. K. v. Fritz: Quellenuntersuchungen zu ... D v. S. (1926); F. Sayre: D. of S.

117

(Baltimore 1938). Die überlieferten 51 Briefe des D. bei R. Hercher: Epistolographi graeci (Paris 1873) sind unecht.

Di'ogeneskrebs, ein →Einsiedlerkrebs.

Diogn'etbrief, eine hochstehende Apologie in Briefform von einem unbekannten altchristl. Verfasser um 200, der die Fragen eines Heiden nach dem Wesen der christl. Gottesverehrung im Unterschied zu der jüd. und heidn. beantwortet.

Diokleti'an, Gaius Aurelius Valerius, mit dem Beinamen **Iovius,** röm. Kaiser (284–305 n. Chr.), * Dioklea (Dalmatien) um 243, † Salona 313 (316?). Er hieß urspr. Diokles, diente sich vom einfachen Soldaten zum Befehlshaber der kaiserl. Leibgarde empor und wurde nach der Ermordung Numerians 284 in Nikomedia von der Orientarmee zum Augustus proklamiert. Nach dem Sieg an der Morava (285) über Kaiser Carinus war er Alleinherrscher. Zum Schutz der bedrohten Grenzen ernannte er 285 seinen Kampfgenossen Maximian zum Cäsar, ein Jahr später zum Augustus und überließ ihm den Westen als Aufgabenbereich, ohne freilich selbst auf Aktionen in den Donau- und Rheingebieten zu verzichten. Als »Gehilfen« und Nachfolger der beiden Augusti ernannte er 293 die Kriegsgefährten »Constantius Chlorus und Galerius zu Cäsaren; im Rahmen dieser »Gesamtherrschaft« behielt er sich die oberste Leitung der Reichspolitik vor. Ein strenges Hofzeremoniell wurde eingeführt. Der Sicherung des Reiches und der Wiederherstellung der Rechts-, Wirtschafts- und Kultur-Einheit dienten die zahlreichen Reformen D.s. Die Sorge um die Wahrung der römischen Herrschaftstradition veranlaßte ihn auch zur Anwendung der strengen Disziplin des alten Rechts, zum Verbot der Manichäer und zur Verfolgung der Christen (seit 303). In Ägypten hatte D. 297 einen gefährlichen Aufstand niederzuschlagen; mit den Persern schloß er nach einer Niederlage des Galerius und einem erneuten kurzen Feldzug gegen Narses 298 einen Friedensvertrag, in dem der Euphrat als Grenze festgelegt wurde. Als D. ernsthaft erkrankte, beschloß er, zusammen mit Maximian abzudanken und die Augustus-Würde den beiden Cäsaren zu übertragen (305). Er zog sich in den großartigen Palast von Spalato (Split) zurück; auf der Konferenz von Carnuntum (308) griff er noch ein einziges Mal vergeblich in die Politik ein. Seine energische und umsichtige Verwaltungs-, Wirtschafts- und Heeresreform blieb bestehen und gab die Grundlage für das von Konstantin und seinen Nachfolgern weiterentwickelte System der Reichsverfassung.

Die **Diokletiansthermen** sind eine in Resten erhaltene kaiserzeitl. Bäderanlage in Rom.

Lit. K. Stade: Der Politiker D. und die letzte große Christenverfolgung (1926); J. Straub: Vom Herrscherideal in der Spätantike (1939).

Diolef'ine, →Diene.

Diom'edes, 1) König von Argos, Sohn des Tydeus und der Deipyle, Enkel des Oineus, Schwiegersohn des →Adrastos, mit dem er den Zug der Epigonen gegen Theben mitmachte, und sein Nachfolger in der Herrschaft über Argos. Liebling der Athene, zeichnete er sich vor Troja, bes. während Achills Abwesenheit vom Kampfe, durch seine stürmische, auch vor Ares und Aphrodite nicht zurückschreckende Kampfwut aus. Der 5. Gesang der Ilias, von vielen zu deren ältesten Bestandteilen gerechnet, ist sein Preislied. D. ist ein alter, auch kultisch, selbst durch Menschenopfer verehrter Heros, urspr. wohl mit dem thrakischen D. identisch.

2) Sohn des Ares, König in Thrakien, von Herakles seinen Menschenfleisch fressenden Rossen vorgeworfen.

Diom'edes-Inseln, zwei Felseninseln in der Beringstraße, die westl. (**Große D.-I., Ratmanow**) zur Sowjetunion, die östl. (**Kleine D.-I., Krusenstern**) zu den USA gehörend, dazw. die Datumsgrenze.

D'ion, Syrakusaner, Schwager und Schwiegersohn Dionysios' d. Ä., * 409, † 354 v. Chr., lernte in Syrakus 388 Platon kennen, dessen begeisterter Anhänger er wurde. Auf D.s Rat berief Dionysios d. J. Platon zur Umgestaltung der Tyrannis in eine gesetzl. Herrschaft (366), doch mußte D. selbst wegen bedenklicher Eigenmächtigkeiten nach Hellas in die Verbannung gehen. Er trat dort in enge Verbindung zur Akademie. Als Platon bei einem neuen Besuch in Syrakus (361) seine Rückkehr nicht erreichte, sammelte D. Söldner, mit denen er 357, von den Bürgern jubelnd empfangen, Syrakus bis auf die Inselburg gewann, die erst 355 fiel. Bestrebt, einen aristokrat. Gesetzesstaat im Sinne Platons zu begründen, scheiterte D. am Zwiespalt von Ideal und Wirklichkeit. 354 wurde D. auf Anstiften des Atheners Kallippos ermordet. Platon setzte ihm in seinem 7. und 8. Brief ein Denkmal. Biographien D.s schrieben Plutarch und Cornelius Nepos.

Lit. R. v. Scheliha: D. (1934).

Dion'aea, die →Venusfliegenfalle.

Dion Chrys'ostomos [grch. ›Goldmund‹], griech. Rhetor und Politiker, * Prusa in Bithynien um 40 n. Chr., † Rom um 117; war mit Vespasian befreundet, mußte aber unter Domitian Italien verlassen. Darauf machte er Reisen bis nach Südrußland. Nach der Thronbesteigung Nervas kehrte er nach Rom zurück; von Trajan hochgeschätzt. Als Philosoph vertrat er den kynischen Stoizismus. Die von ihm erhaltenen Texte sind die wichtigsten Quellen zur Kenntnis des Kynismus.

Lit. H. v. Arnim: Leben u. Werke des D. (1898).

Di'one, 1) griech. Göttin, deren Name von dem des Zeus (vom Genitiv Dios) herkommt, wurde in Dodona als Gemahlin des Zeus verehrt; auch auf der Burg von Athen hatte sie einen Kult. Bei Homer ist sie die Mutter der Aphrodite.

2) ein Mond des Saturn.

Dion'ysios, 1) D. I., der Ältere, Tyrann von Syrakus, * 430, † 367 v. Chr. Von bürgerl. Herkunft, zeichnete sich D. als Offizier im Krieg gegen die Karthager aus und erreichte durch demagog. Verdächtigung der Besitzenden, daß er 406 zum unbeschränkten Feldherrn ernannt wurde. Mit Hilfe von Söldnern gewann er die Tyrannis über Syrakus (404) und unterwarf sich auch die anderen Städte Ostsiziliens. Die Karthager, denen er 404 das westl. Drittel der Insel überlassen hatte, suchte D. seit 397 ganz zu vertreiben. Nach wechselvollen Kämpfen konnte er im Frieden von 392 zwei Drittel der Insel behaupten. Auch Süditalien bis über Kroton hinaus ward in dieses Reich einbezogen. Militärische Stützpunkte wurden sogar an der Adriaküste bis zur Pomündung angelegt. D. griff als Bundesgenosse Spartas gelegentlich auch in Griechenland ein. Daß er mehrere Tragödien verfaßte, zeugt von der Vielseitigkeit des außerordentlichen Mannes. Schiller setzte ihm in seiner ›Bürgschaft‹ (1798) ein Denkmal.

Lit. K. F. Stroheker: D. I. Gest. u. Gesch. d. Tyrannen v. Syrakus (1958).

2) D. II., der Jüngere, * um 396, † nach 337 v. Chr., ein unsteter, aber nicht unbedeutender Herrscher, folgte 367 seinem Vater, dessen Reich er zunächst behauptete. Seine Bewunderung für Platon, den er zweimal (366 und 361) berief, konnte ihm den Philosophen nicht gewinnen. Von →Dion gestürzt, hielt er sich seit 356 als Herr des unteritalischen Lokri, eroberte 347 Syrakus zurück, wurde 343 wieder vertrieben.

Dion'ysios, 1) D. Areopag'ita, Mitglied des Areopags in Athen, von Paulus bekehrt (Apostelgesch. 17, 34), soll als erster Bischof von Athen den Märtyrertod erlitten haben; in Frankreich später gleichgesetzt mit →Dionysius von Paris. Unter dem Namen D. A. verfaßte ein syr. Philosoph *(Pseudo-Dionysius Areopagita)* um 500 einige Schriften, in denen, unter dem Einfluß Proklos' und Plotins, das Christentum mit der neuplatonischen Philosophie verschmolzen wird. Sie waren eine der Hauptquellen mittelalterlicher Mystik (dt. in Ausw. von Stiglmayr, 2 Bde. 1911–33).

2) D. von Halikarn'aß, griech. Geschichtsschreiber, kam 30 v. Chr. nach Rom. Mit seinem Freund Caecilius von Calacte war er Haupt eines literarischen Zirkels und Vorkämpfer des Attizismus. Er veröffentlichte ›Antiquitates Romanae‹, eine röm. Geschichte von den Anfängen bis zum Beginn des 1. Punischen Kriegs (264).

3) D. Thrax [grch. ›der Thraker‹], griech. Grammatiker im 2. Jh. v. Chr., ein Schüler des Aristarch, lehrte in Rhodos. Er ist der Verfasser der ersten griech. Grammatik (hg. v. G. Uhlig, 1884).

dion'ysisch [von →Dionysos], rauschhaft, verzückt; aus dem Vorstellungskreis der Romantiker, insbes. Schellings, herkommender und durch Nietzsche bekannt gewordener Begriff, der das Irrationale, Rauschhafte im Welterlebnis oder im künstlerischen Gehalt bezeichnet. Gegensatz: apollinisch.

dion'ysische Techn'iten, dionysische Künstler, im Altertum Schauspieler, die sich in Athen und vielen Städten Griechenlands und Kleinasiens zu Vereinen und größeren Verbänden zusammenschlossen.

Dion'ysius, 1) D. Ex'iguus [lat. ›der Kleine‹], Mönch, lebte von etwa 500–545 in Rom. Seine Zeitrechnung galt bis zur Gregorian. Reform (→Kalender). Von ihm stammt die erste Sammlung von Konzilsbeschlüssen, Dekretalen u. ä.

Lit. B. Krusch: Studien z. christl.-mittelalterl. Chronologie (1938); H. Wurm: Studien u. Texte . . . (1939).

2) D. der Große, Schüler des Origenes, † um 264, Leiter der Katechetenschule und Bischof von Alexandrien; bedeutender, um den inneren Frieden der Kirche verdienter Seelsorger. (›Briefe‹, erhalten nur Fragmente). Heiliger; Tag: 17. 11.

Lit. Ph. Sh. Miller: Studies in D. the Great (Diss. Erlangen 1933).

3) D. der Karthäuser, Scholastiker und Mystiker, * Rijckel (Belg.-Limburg) 1402 oder 1403, † Roermond 12. 3. 1471; in ihm verbinden sich vielseitiges Wissen, Innigkeit und schriftstellerische Fruchtbarkeit.

4) D. der Periëget, griech. Schriftsteller zur Zeit Hadrians, aus Alexandria, schrieb ›Oikumenes periegesis‹ (Beschreibung der bewohnten Welt), ein geograph. Lehrgedicht in Hexametern nach älteren Quellen, das von Avienus im 4. und von Priscianus Anfang des 6. Jhs. n. Chr. in lat. Sprache metrisch übertragen, von Eustathios (vor 1175) erläutert, später auch mit Kartenskizzen ausgestattet wurde. Es ist das wichtigste geograph. Schulbuch des MA.s.

5) D. von Paris, franz. Nationalheiliger, Märtyrer, soll im 3. Jh. von Rom nach Paris gekommen und nach seiner Enthauptung, den Kopf in der Hand, bis zu dem nach ihm benannten St-Denis gewandert sein. D. ist einer der 14 Nothelfer. Tag: 9. 10.

Dion'ysius, portugies. Diniz, König von Portugal (1279–1325), * Lissabon 9. 10. 1261, † Santarem 7. 1. 1325, bekämpfte die Übermacht der Kirche, stiftete 1290 die Univ. Lissabon (seit 1307 in Coimbra) und machte sich auch als Liederdichter einen Namen.

Lit. H. R. Lang: Liederbuch d. Königs Denis v. Portugal (1894).

Di'onysos [grch. ›Sohn des Zeus‹], auch **B'akchos** [lyd.], **Bacchus** [lat.], griech. Gott der Fruchtbarkeit, besonders des Weinbaus, Sohn des Zeus und der thebanischen Königstochter Semele; vermutlich aber auch schon ein Gott der vorgriech. Bevölkerung. Sein Kult zeichnete sich durch Ausgelassenheit und Zügellosigkeit aus; als Gott der

Ekstase (daher der Beiname *Bromios*) war er der große Gegenspieler des Apollo. Religiös verwirklichte sich den Griechen in D. eine Grundkraft ihres Lebens, obgleich ihnen der Rausch, in dem D. sich bezeugte, unheimlich erschien. Apollo mußte sich in Delphi mit D. verbinden. Er und D. gleichermaßen schenkten den Menschen »das Gefühl für Rhythmus und Harmonie« (Platon), das zu seiner Tiefe erst im Innewerden des Ekstatischen kommt. Vielfältigste Überlieferungen sind Zeugnis der Fülle seiner Gottesgewalt. Sie überkam zunächst die Frauen. Fackeln, Thyrsen, Tympana schwingend, durchschwärmten sie den Bergwald. *Mänaden, Bakchen, Thyiaden* wurden die Rasenden genannt. Ihre Orgien feierten sie im Winter, oft unter härtesten Unbilden; ein Hauptschauplatz wurde der Parnaß. Erst seit der Zeit Hesiods beginnt D. der Gott des Weines zu werden. Eine große Rolle spielte in seinem Kult das *Phallische.* Als Begleiter des Gottes erschienen *Silene* und *Satyrn.* Doch D. war auch der Blütengott *(D. Anthios),* der den Frühling brachte und, übers Meer kommend, die Schiffahrt eröffnete. Mit der Frau des Archon Basileus von Athen feierte er, der sich Frauen, →Ariadne ausgenommen, sonst nicht verband, die geheimnisumwobene Heilige Hochzeit. In Delphi wies das Grab des D. befand, und auch anderen Orts hatte das D.-Kind *(D. Liknites)* einen besonderen Kult. Seine Hauptfeste waren in Athen im Winter die *Lenäen,* im Frühjahr die *Anthesterien,* denen im Monat Elaphebolion die wohl von Pisistratus begründeten **Großen Dionysien** folgten, deren Höhepunkt die Aufführungen der Tragödien und Komödien waren. Die Entstehung der Komödie und der Tragödie ist von D. und seinem Kult nicht zu trennen. Die Anthesterien, die mit der Weinweihe und dem Wett-Trinken, den *Pithoigien* und den *Choen,* begannen, endeten mit den *Chytren,* einem Totenfest, in dem die Bedeutung des D. für den Seelenglauben der Griechen offenbar wurde. Sie bekundete sich auch in den bis in die Kaiserzeit überaus verbreiteten *Mysterien* (Bacchanalien), wobei D. mit dem altröm. Gott Liber gleichgesetzt wurde. Die Zeit Alexanders d. Gr. brachte den Mythos von dem Siegeszuge des D. bis nach Indien auf. Von keinem anderen griech. Gott gibt es ein gleich eindrucksvolles Bild seiner Eroberung der ganzen Welt.

Das Kennzeichen des D. und der Mänaden war der Thyrsos, ein Stab mit einem Pinienzapfen. Außer dem Weinstock war ihm der Efeu heilig. Dargestellt wurde D. bis Ende des 5. Jhs. v. Chr. als bärtiger Mann mit Binde oder Efeukranz um das Haupt und einem Trinkgefäß in der Hand, später als Jüngling, mit dem Reh- oder Pantherfell bekleidet, oft mit dem Panther als Begleiter.

LIT. E. Rohde: Psyche, 2 Bde. (^{10}1925); Preller: Griech. Mythologie, Bd. 1 (^{4}1928);

120

H. Schrade: Götter u. Menschen Homers (1952); K. Kerényi: Die Mythologie der Griechen, 2 Bde. (^{3}1964, 1958).

Dioph′antos, griech. Mathematiker, lebte um 250 n. Chr. in Alexandria, schrieb das Werk ›Arithmetica‹, in 13 Büchern, von denen 6 erhalten sind. *Diophantische Gleichungen* sind Gleichungssysteme, bei denen die Anzahl der Veränderlichen größer ist als die Zahl der Gleichungen. Sie haben unendlich viele Lösungen; die ganzzahligen werden in der Zahlentheorie untersucht.
LIT. O. Becker u. J. E. Hofmann: Gesch. der Mathematik (1951).

Diops′id [grch.] *der,* Mineral, →Pyroxene.

Diopt′as [grch.] *der,* trigonal-rhomboedrisches, smaragdgrünes Mineral $CuSiO_3 \cdot H_2O$; Dichte 3,3, Härte 5; kommt auf Klüften in Dolomit in Afrika (Otavigebirge, Katanga) und in Amerika vor.

Di′opter [griech. Kw.] *das,* älter *der,* jede Vorrichtung, die dazu dient, eine Ziellinie (Visierlinie) auf einen bestimmten Punkt zu richten. Es besteht aus dem Okular- und dem Objektivteil, zwischen denen ein geeigneter Abstand liegt. Meist dient als Okular eine Metallplatte mit einer kleinen runden Öffnung, als Objektiv ein Fadenkreuz. Die Visierlinie ist durch die Mitte der Pupille, den Schnittpunkt des Fadenkreuzes und das Ziel bestimmt. **Diopterlineal,** ein etwa 25 cm langes Lineal, dessen Enden D. tragen. Verwendung bei einfachen graphischen →Triangulationen.

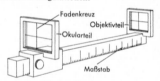

Diopter: Diopterlineal

Dioptr′ie [griech.], Maßeinheit für die brechende Kraft einer Linse oder eines opt. Systems, Kehrwert der in Metern gemessenen Brennweite; z. B. hat eine Linse von 10 cm Brennw. 10 Dioptrien. Die **Di′optrik** ist die Lehre von der Strahlenbrechung.

Dioptrogr′aph [grch.], Gerät zum Herstellen von Umrißzeichnungen, bes. von Knochen.

Dior [diɔr], Christian, franzö́s. Modeschöpfer, * Granville 21. 1. 1905, † Montecatini 24. 10. 1957, Vertreter der Haute Couture von Paris, Schöpfer des *New Look* (1948) und der *Tulpenlinie* (1953).
WERK. Je suis couturier (dt. Ich mache Mode, 1952).

Dior′ama [griech. Kw.], *Mz.* Dioramen, **1)** ein auf durchsichtigem Untergrund zweiseitig bemaltes Bild, dessen Darstellung sich ändert, wenn die Rückseite beleuchtet wird (Tages- und Abendlandschaft; Alpenglühen u. a.). **2)** eine zu Lehrzwecken meist in einem Schaukasten zusammengestellte plast. und gemalte Darstellung.

Dior'it, dunkelgrünes Tiefengestein, Gemenge von Plagioklas und Hornblende oder Biotit oder Augit. D. bildet Gänge und Stöcke (Brotterode, Kyffhäuser, Odenwald).

Dioscor'ea, →Yamswurzel.

Diósgyör [d'io:ʃdjo:r], Stadtteil der ungar. Stadt Miskolc (seit 1950), am Ostrand des Bükkgebirges; Braunkohlengruben, Mittelpunkt der ungar. Eisenindustrie.

Diosk'uren [grch. ›Söhne des Zeus‹], in der griech. Sage die auch **Tyndariden** (Tindariden) genannten unzertrennlichen Brüder *Kastor* und *Polydeukes (lat.* Castor und Pollux), Zwillingssöhne des Zeus oder des Spartanerkönigs Tyndareos und der Leda, Brüder der Helena und der Klytämnestra. Oft galt der sterbliche Kastor als Sohn des Tyndareos und der unsterbliche Polydeukes als Sohn des Zeus. Bei einem Streit mit einem andern Zwillingspaar, den Aphareiden (Idas und Lynkeus), um deren Bräute, die Leukippiden, oder um eine gemeinsam erbeutete Rinderherde tötete Idas den Kastor und Polydeukes den Lynkeus, worauf der Blitz des Zeus den Idas traf. Auf Bitten des Polydeukes ließ Zeus zu, daß die D. zusammen abwechselnd einen Tag im Olymp und den andern im Grab oder Hades zubrachten. Nach alter Sage eroberten die D. die von Theseus geraubte Helena zurück und begleiteten auch die →Argonauten. Als Hausgötter waren ihnen Schlangen heilig; sie erschienen als Jünglinge zu Roß, waren Götter der Freundschaft, Schirmherren der Jünglinge und der Ritterschaft und Beschützer der Kampfspiele: Kastor als Rossebändiger, Pollux als Faustkämpfer. Auch als Sterne, Helfer in der Schlacht und Retter in Seenot wurden sie verehrt. Aus dem griech. Unteritalien kam ihr Kult früh nach Rom; nach dem Sieg am See Regillus (angeblich 496 v. Chr.), der durch ihr Erscheinen entschieden worden war, wurde ihnen ein Tempel auf dem Forum erbaut, wo sie zu der Quellgöttin Juturna in Beziehung standen. Dargestellt wurden sie als Jünglinge mit ihren Rossen (Marmorskulpturen auf dem Quirinalsplatz in Rom, 5,6 m hoch, röm. Kopien nach griech. Werken).

Diosk'urides, Pedanios, griech. Arzt des 1. Jhs. n. Chr., aus Anazarbos (Kilikien), verfaßte eine Arzneimittellehre in fünf Büchern, die noch im MA. nachwirkte.

Di'ospolis [grch. ›Stadt des Zeus‹], **1)** in hellenist. Zeit Name der Stadt Lydda, Israel. **2) D. magna,** Groß-Diospolis, das altägypt. →Theben. **3) D. 'parva,** Klein-Diospolis, altägypt. Stadt, →Hu.

Diot'ima, der erdichtete Name der Priesterin zu Mantinea in Platons Dialog ›Symposion‹, von der Sokrates in einem fiktiven Gespräch die Gedanken über das Wesen der Liebe erfuhr; auch der Name, unter dem Hölderlin Susette Gontard, die Mutter seiner Schüler, verehrte; sie wird beim späteren Hölderlin zur mythischen Figur.

D'ioxyd, eine Sauerstoffverbindung, die zwei Atome Sauerstoff auf ein Atom eines anderen Elements enthält, z. B. Kohlendioxyd, CO_2.

Dioxyphen'ylalanin, Abkürzung **Dopa,** Oxydationsprodukt der Aminosäure Tyrosin.

Diöz'ese [griech.], **1)** im Röm. Reich seit Diokletian eine Verwaltungseinheit, Teilgebiet einer Präfektur.

2) *kath. Kirche:* der Amtsbezirk eines regierenden Bischofs (**Bistum**); sie ist die erste (untere) Instanz der ständigen Kirchenleitung und die Grundlage der kirchl. Territorialgliederung. Geschichtlich war die D. in den ersten christl. Jahrhunderten bischöfliche Stadtgemeinde, die sich dann mit fortschreitender Missionierung aufs umliegende Land ausdehnte. Aus diesen D. entwickelten sich seit dem 3. Jh. durch Zusammenfassung nach oben die größeren hierarch. Verbände und durch Teilung nach unten die Pfarreien. Diese Schlüsselstellung der D. und ihres monarch. Leiters, des Bischofs, wurde bald als apostolisch angesehen und als göttl. Recht verstanden; nur die einzelne D. und der einzelne Bischof (Berufung und Abberufung) hängen vom Papst ab.

Territorien, die keiner D. zugewiesen sind, heißen **Abtei** oder **Prälatur nullius** (dioecesis; keiner D. zugehörend) unter einem Abt bzw. Prälat. **Suffraganbistum:** eine D., die einer Kirchenprovinz angehört; **Exemtes Bistum:** eine D., die keiner Kirchenprovinz eingegliedert ist; **Titularbistum:** →Titularbischof. **Diözesankonsultoren** [lat.], Diözesanräte, 4–6 vom Diözesanbischof auf jeweils 3 Jahre berufene Geistliche, die in Diözesen ohne Domkapitel dessen Rechte und Pflichten übernehmen. **Diözesankurie, Ordinariat,** die Gesamtheit der kirchlichen Amtsträger, die dem Bischof bei der Regierung der Diözese Hilfe leisten. Die D. umfaßt gemeinrechtlich eine Verwaltungsbehörde unter dem Generalvikar, eine Gerichtsbehörde unter dem Offizial und eine Bürobehörde unter dem Kanzler, außerdem Synodalexaminatoren und Pfarrkonsultoren. **Diözesansynode,** den Bischof beratende Vertreterversammlung des Welt- und Klosterklerus einer Diözese, deren Mitgl. teils kraft Amtes (Stiftskapitel und Dekanatsvertreter) durch Wahl berufen sind. Sie soll alle 10 Jahre abgehalten werden. Die D. ist schon im 6. Jh. in der fränk. Kirche nachgewiesen, hat es aber trotz mehrfacher Bemühungen von Konzilien (4. Laterankonzil 1215; Tridentinum 1563) und Päpsten (Benedikt XIV.) nie zu bes. Bedeutung oder regelmäßiger Abhaltung gebracht.

3) *evang. Kirche:* D. war früher der Bezirk eines Superintendenten (Dekans).

Diöz'ie [aus grch. dis ›zwei‹ und oikos ›Haus‹], **Zweihäusigkeit,** Getrenntgeschlechtlichkeit, **1)** *Botanik:* Art der Geschlechterverteilung bei Pflanzen, →Blüte; **diözisch, zweihäusig. 2)** *Zoologie:* die Verteilung der männl. und weibl. Geschlechtsorgane auf zwei verschiedene Tierstöcke, z. B. bei einigen Rippenquallen (Siphonophoren), →Gonochorismus.

D'iphenyl, $C_6H_5 \cdot C_6H_5$, aromatische Verbindung aus dem Steinkohlenteer, dient zur Verhütung des Schimmelbefalls der Schalen von Apfelsinen, Zitronen u. dgl.

Diphenylars'inchlorid, Clark I, $(C_6H_5)_2AsCl$ und **Diphenylars'inzyanid, Clark II**, $(C_6H_5)_2$ $AsCN$, im 1. Weltkrieg verwendete chemische Kampfstoffe mit starken Reizwirkungen auf Nase, Rachen und Atmungsorgane (bereits in Mengen von weniger als 1 mg in 1 m³ Luft). →Blaukreuz.

D'iphosphat, Dikalziumphosphat, Futterkalk, Leimkalk, gefällter phosphorsaurer Kalk, ein Dünge- und Futtermittel.

Diphther'ie[griech. ›gegerbte Haut‹], **1)** *beim Menschen:* volkstüml. Bräune, Infektionskrankheit, hervorgerufen durch das 1884 von F. Löffler entdeckte *D.-Bakterium* und gekennzeichnet durch membranartigen Belag auf den Mandeln und der Rachenschleimhaut. Das von den D.-Bakterien gebildete hochgiftige *D.-Toxin* kann zu Herzmuskelschäden führen; aus ihm wird durch Entgiften das Anatoxin hergestellt, das zur Schutzimpfung dient und das zur Gewinnung des *D.-Heilserums* Pferden eingespritzt wird. Nach Übertragung durch Berührung, Wäsche, Spielzeug, Tröpfcheninfektion treten die ersten Krankheitserscheinungen meist 2–7 Tage später mit mäßigem Fieber und Schluckbeschwerden auf; dann bilden sich die vom Rachen bis Kehlkopf und Luftröhre absteigenden flächenhaften weißen Beläge aus. Bei der *toxischen D.* tritt nun eine starke Schwellung der äußeren Halsgegend, zunehmende Schwäche, Blässe, Erbrechen usw. hinzu; sie verläuft oft in wenigen Tagen tödlich. Diese gefährliche Form der D. ist selten. Die meisten Erkrankungen werden geheilt; auch die Herzmuskelschäden, Nierenschädigungen und Nervenlähmungen an Gaumenmuskeln, Gliedmaßen und Rumpf pflegen gut auszuheilen. Häufig ist die *Nasen-D.* bei Säuglingen und Kindern, die mit blutigem Nasenausfluß oft sehr hartnäckig verläuft. – Als Behandlung ist am wirksamsten die möglichst frühzeitige Injektion von D.-Heilserum. Die Chemotherapie hat noch keine sicheren Erfolge erzielt. Bei Erstickungsgefahr muß der Luftröhrenschnitt vorgenommen werden. Im übrigen sind Kreislaufbehandlung und sorgfältige Pflege nötig. Zur Vorbeugung hat sich die Schutzimpfung bewährt.

GESCHICHTE. Von den anderen Formen der →Mandelentzündung wurde die D. durch P. Bretonneau 1826 abgegrenzt, ihr Erreger von F. Löffler 1884 entdeckt. Sie war im 19. Jh. die Kinderkrankheit mit der höchsten Sterblichkeit, nahm dann um die Zeit der Einführung des D.-Heilserums durch E. von Behring 1893 erheblich ab, erreichte aber besonders 1934–37 und wiederum 1940–42 hohe Erkrankungs- und Todesziffern. – Die D. ist vor allem eine Krankheit der gemäßigten Zonen und der dicht besiedelten Gegenden, wo sie nie ganz verschwindet und sich in mehrjähr. Abständen epidemisch häuft. Unerklärt ist dabei ihr Erscheinungswandel: früher stand bei den Todesfällen der Kehlkopf-D. im Vordergrund, die heute seltener und von der toxischen Form abgelöst ist.

2) *D. der Haustiere*, durch verschiedene Erreger hervorgerufene, lediglich in ihrem Erscheinungsbild der D. des Menschen ähnliche Erkrankungen: *Kälberdiphtheroid, Geflügeldiphtherie.*

Diphth'ong [griech.], der Doppelselbstlaut (ei, au).

Diphyllob'othrium l'atum, der Fisch- oder breite →Bandwurm des Menschen.

Dipl.-, Abk. für: Diplom . . .: Dipl.-Ing., Diplom-Ingenieur.

Dipleg'ie [griech.], doppelseitige Lähmung.

Dipleidosk'op [griech.], ein optisches Gerät zur Zeitbestimmung, besteht aus drei, zu einem gleichseitigen Dreieck zusammengestellten Glasplatten. Bei entsprechender Anordnung im Raum entstehen zwei reflektierte Sonnenbilder, die beim Meridiandurchgang der Sonne zusammenfallen.

Dipl'exer, 1) eine Brückenschaltung zur Entkopplung zweier Sender, die eine gemeinsame Antenne speisen. **2)** eine opt. Einrichtung in den USA, die es ermöglicht, mit derselben Fernsehkamera Filme und Dias aufzunehmen.

Diplod'ocus, ein →Dinosaurier, dem *Brontosaurus* ähnlich; vollständige, etwa 20 m lange Skelette aus dem oberen Jura Nordamerikas.

diplo'id [griech.], mit doppelter Chromosomenzahl (→Vererbung). →haploid.

Diplok'okkus [griech.], *Mz.* Diplokokken, **Doppelkokkus**, kugeliges Bakterium; nach der Zellteilung verbleiben immer zwei nebeneinander.

Diplodocus (nat. Gr. etwa 20 m)

Diplom [griech.; Goethezeit], bei den Griechen ein aus zwei Täfelchen zusammengefügtes Schriftstück, bei den Römern ein von den Kaisern selbst oder von höheren Staatsbeamten ausgefertigtes Schreiben, durch das bestimmten Personen Vorrechte oder Vorteile zuerkannt wurden. Im Mittelalter wurde das Wort durch die Namen *charta, pagina, litterae, instrumentum* usw. ersetzt, dann im Deutschen mit Brief und später mit Urkunde bezeichnet. Erst bei den Streitigkeiten über die Echtheit einzelner Urkunden im 17. Jh. wurde das Wort wieder zum Leben erweckt, worauf es von Mabillon in den wissenschaftl. Sprachgebrauch eingeführt wurde. Seitdem die Diplomatik in deutscher Sprache bearbeitet und das lat. *diploma* durch das Wort Urkunde ersetzt wurde, erweiterte sich wieder der Begriff D. oder Urkunde, jedoch keineswegs in einheitlicher Richtung. Breßlau bezeichnet als Urkunden »schriftliche, unter Beobachtung bestimmter, wenn auch nach Verschiedenheit von Person, Ort, Zeit und Sache wechselnder Formen aufgezeichnete Erklärungen, welche bestimmt sind, als Zeugnisse über Vorgänge rechtl. Natur zu dienen«. Alle übrigen in den Archiven niedergelegten Schriftstücke sind →Akten. Gegenwärtig ist es für Urkunden gebraucht, durch die eine Auszeichnung verliehen wird (Adelsdiplom, Doktordiplom). In Deutschland wurde um 1900 an Techn. Hochschulen, nach dem 1. Weltkrieg auch an anderen Fachhochschulen sowie, für bestimmte wirtschafts- und naturwissenschaftl. Fächer, an Universitäten der D.-Grad als akademischer Grad eingeführt: Diplom-Ingenieur (Dipl.-Ing.), Diplom-Kaufmann, Diplom-Betriebswirt, Diplom-Volkswirt, Diplom-Landwirt, Diplom-Physiker, Diplom-Chemiker, Diplom-Psychologe u. v. a. Er wird meist nach 8 bis 10semestrigem Studium und bestandener Diplomhauptprüfung erworben.

Diplom'at [griech.], **1)** urspr. der Hersteller von Diplomen. **2)** der mit Vertretung der Interessen des eigenen Staats in fremden Ländern und bei internat. und supranat. Organisationen beauftragte höhere Beamte des Auswärtigen Dienstes als Missionschef oder diesem zugeteilter Beamter (→Botschafter, →Gesandter, Apostolischer →Nuntius); die →Konsuln gehören nicht zur Diplomatie. Die Missionschefs beginnen ihre Tätigkeit mit Überreichung des Beglaubigungsschreibens nach erteiltem →Agrément. D. genießen bestimmte Vorrechte: Unverletzlichkeit, Schutz des Dienstgebäudes, Befreiung von Zöllen und Steuern und von der Zivil- und Strafgerichtsbarkeit. Diese Vorrechte werden in steigendem Maß Beamten internat. und supranat. Organisationen eingeräumt, durch besondere Abmachung auch den Handelsvertretungen östl. Staaten.

In der Bundesrep. Dtl. besteht eine einheitliche Laufbahn des höheren Auswärtigen Dienstes. Voraussetzungen sind u. a. geeignete Persönlichkeit, abgeschlossenes wissenschaftl. Hochschulstudium, umfassende Allgemeinbildung, Kenntnisse im Recht (u. a. Völker-, Staats- und Verwaltungsrecht), in der Volkswirtschaft und der neueren Geschichte, gutes Können im Englischen und Französischen. Die nach einem Auswahlwettbewerb mit Fach- und Sprachprüfung zugelassenen Bewerber (Aufnahmealter höchstens 32 Jahre) kommen in den dreijährigen, für Volljuristen einjährigen Vorbereitungsdienst mit Lehrgängen in eigener Ausbildungsstätte des Auswärtigen Amts (Internat) in Bonn und Verwendung im In- und Ausland (Ausbildungs-Ordnung vom 21. 3. 1971). Nach Abschlußprüfung Anstellung im Auswärtigen Dienst als Attaché, Legationssekretär, Vizekonsul; Aufstiegsmöglichkeiten zum Konsul, Legations-, Botschaftsrat; Generalkonsul, Gesandten, Botschafter; Vortragenden Legationsrat, Ministerialdir., Staatssekr. Wirtschafts-, Sozial-, Kultur- und Pressereferenten sind oft Angestellte.

Diplomat'ie [griech.], **1)** die Pflege der Beziehungen zwischen den Staaten durch Verhandlung und die dabei angewandten Methoden; auch die Kunst der Verhandlung. Die Mittel der D. umfassen neben häufigen Zusammenkünften der Minister die schriftl. oder mündl. Verhandlung der diplomat. Vertreter mit dem Minister des Auswärtigen und seinen Beamten. Zur Unterstützung münd. Mitteilungen wird zuweilen eine Aufzeichnung (aide-mémoire) übergeben. Schriftl. wird durch Mitteilungen (Noten) von größerer oder geringerer (Verbalnote) Förmlichkeit verkehrt. Vereinbarungen werden als Abreden von geringerer Förmlichkeit (agrément, accord), als Verständigung auf Treu und Glauben (gentlemen's agreement) oder als formelle Verträge und Konventionen getroffen. Kurz befristete Aufforderungen werden als Ultimatum bezeichnet. Als Sprache der D. diente bis zum Westfälischen Frieden die latein., seitdem die franz., nach dem 1. Weltkrieg mehr und mehr die engl. Sprache. Für die Abfassung fremdsprachiger Mitteilungen und für den Dienst als Dolmetscher bei Konferenzen unterhalten die Außenministerien besondere Abteilungen (Sprachendienst). 2) die Gesamtheit der →Diplomaten. →Diplomatisches Korps.

Lit. P. Gerbore: Formen und Stile der Diplomatie (1964).

Diplom'atik [griech.], die →Urkundenlehre.

diplom'atisch, geschickt, vorsichtig, auf Umwegen arbeitend.

diplom'atische Ehen, die vor einem diplomat. Vertreter oder Konsul zwischen Staatsangehörigen des von ihnen vertretenen Staates nach dessen Recht geschlossenen Ehen.

Diplom'atisches Korps [-kɔːr], frz. **Corps diplomatique,** die Gesamtheit der bei einem Staat beglaubigten diplomat. Vertreter fremder Staaten. Das D. K. vertritt gegenüber dem Gaststaat die gemeinsamen Belange der fremden Vertreter, regelt Streitigkeiten der Angehörigen des D. K. untereinander und wird manchmal zu besonderen internationalen Aufgaben (Berichterstattung, Vermittlung) herangezogen. Der dienstälteste Diplomat wird als →**Doyen** (Dekan) bezeichnet.

D'ipnoer [griech.], die →Lungenfische.

Dipod'ie [griech.], in der lat. Verslehre eine Gruppe aus zwei gleichen Versfüßen: ◡◡‒◡◡‒.

D'ipol, Gebilde aus zwei gleich großen Ladungen entgegengesetzten Vorzeichens *(elektrischer D.)* oder zwei entgegengesetzten Magnetpolen *(magnetischer D.)* in bestimmtem Abstand. Natürliche elektrische D. sind infolge ihrer Ladungsverteilung viele Moleküle, natürliche magnetische D. die meisten Atomkerne. Der D. ist der einfachste **Multipol**, 4 Pole bilden einen Quadrupol, 8 einen Oktupol usw.

Dipolmoment, das Produkt aus Ladung (Polstärke) und Abstand. Beim *Hertzschen D.* ändern sich Abstand und Dipolmoment periodisch; kurze, gerade Antennen sind Hertzsche D., auch kurz D. genannt. Die Dipolforschung (seit P. Debye 1912) ist in der organ. Chemie wichtig für die Aufklärung von Molekülstrukturen.

Dipolmolek'ül, besteht aus einem positiven und negativen →**Ion**, die zusammen einen elektr. →**Dipol** bilden (Ionenbindung, polare Bindung). Bei organ. Molekülen, die vermöge ihrer Bindung keine Dipole bilden, entsteht durch Ersatz eines Atoms (meist: Wasserstoffatoms) durch eine *aktive Gruppe* ein Dipolmoment. Die Dipolforschung (seit P. Debye 1912) ist in der organ. Chemie wichtig für die Aufklärung von Molekülstrukturen.

Dippel, Johann Konrad, pietist. Schriftsteller, * Schloß Frankenstein bei Darmstadt 10. 8. 1673, † Berleburg 25. 4. 1734, war erst Theologe, dann Mediziner und Alchemist, erfand das *Berliner Blau* und *Dippels Öl.* Er wurde wegen seiner relig. und polit. Anschauungen dauernd verfolgt, bis er in der Gfsch. Wittgenstein 1729 Ruhe fand. Eine Sammlung seiner Schriften hat er u. d. T. ›Eröffneter Weg zum Frieden mit Gott und mit allen Kreaturen‹ unter dem Decknamen **Christianus Demokritus** (1709; [2]1747, 3 Bde.) veröffentlicht. D. vertrat eine mystische Wiedergeburt durch Christus, lehnte das Staatskirchentum und jede religiöse Organisation ab.

d'ippen [niederd.], **1)** flüchtig und nur wenig eintauchen. **2)** mit der Nationalflagge grüßen, indem man sie zur halben Höhe niederholt und wieder hißt (hᴣipt).

Dippoldisw'alde, Kreisstadt im Bez. Dresden, 355 m ü. M., im unteren östl. Erzgebirge an der Roten Weißeritz, oberhalb der *Malterer Talsperre,* mit (1964) 5900 Ew. D. entwickelte sich als mittelalterliche Bergbaustadt (Silber): Stadtkirche und Nikolaikirche (13. Jh.), Rathaus (15. Jh.), Schloß (16.–17. Jh.); Fachschule für Müllerei; Mühlen- und Holzindustrie.

Diproth'omo plat'ensis [grch.-lat.], eine von dem argentin. Paläontologen Fl. Ameghino

fälschlich angenommene, rein spekulative stammesgeschichtl. Vorstufe des Menschen in Südamerika.

Dipr'otodon [grch.], riesiges, fast rhinozerosgroßes Beuteltier aus dem Diluvium Australiens, dem heutigen →Wombat verwandt.

Dipsakaz'een, die Pflanzenfam. Kardengewächse.

Dipsoman'ie [grch. dipsos ›Durst‹, mania ›Sucht‹], in regelmäßiger Wiederkehr auftretende Trunksucht bei ›Quartalsäufern‹, die auf verschiedene Ursachen zurückzuführen ist. Manche Zyklothyme trinken nur in ihren depressiven Phasen. →zyklothym.

D'iptam [lat. Lw.], Pflanzengattung der Rautengewächse mit der einzigen Art *weißer D., Aschwurz* (Dictamnus albus), einer hohen Staude auf kalkig-trockenem Waldboden Europas und des gemäßigten Asiens, auch in Gärten; mit Fiederblättern und Trauben rötlicher Blüten. Der Wurzelstock ist Volksarznei gegen Magen- und Frauenkrankheiten.

Dipt'eren [griech.], Zweiflügler.

D'ipteros [griech.], griech. Tempel mit doppeltem Säulenumgang.

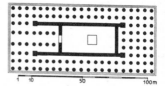

Dipteros: alter Artemistempel in Ephesus, 550 v. Chr.

D'iptychon [griech.] *das,* ein durch Gelenke verbundenes, zusammenklappbares Paar von Holz-, Elfenbein- oder Metalltäfelchen,

Diptychon: Elfenbein-D. mit den Aposteln Petrus und Paulus, byzantinisch um 1000 (Bamberg, Staatl. Bibliothek)

außen mit Reliefs, innen mit einer Wachsschicht zum Schreiben. Von röm. Konsuln wurden Elfenbein-D. mit ihrem Bildnis bei ihrem Amtsantritt verschenkt. In frühchristl. Zeit wurden D. zur Aufzeichnung kirchl. Namenslisten verwendet. Auch zweiflüglig gemalte Klapptafeln nennt man D.

Lit. R. Delbrück: D. Consulardiptychen u. verwandte Denkmäler (1929).

D'ipylon [grch. ›Doppeltor‹] *das*, Haupttor des alten Athen. In seiner Nähe lag seit Ende der myken. Zeit eine Begräbnisstätte, wo bis zu 2 m hohe Tongefäße mit Mustern und Figuren in geometrischem Stil ausgegraben wurden (*Dipylonvasen; Dipylonstil*).

Dirac [dir′æk], Paul Adrien Maurice, engl. Physiker, * Bristol 8. 8. 1902, Prof. in Cambridge, entwickelte 1928 eine relativistischquantenmechan. Theorie der Elektronen (*Diracsche Theorie*), die wegweisend für die Theorie der Elementarteilchen wurde; erhielt zusammen mit E. Schrödinger den Nobelpreis für Physik 1933.

Werk. The principles of Quantum Mechanics (1930, ³1948; dt. ²1935).

Direct Costing [dir′ekt k′ɔstiŋ, engl.], System der Kostenrechnung, bei dem, von der Erkenntnis ausgehend, daß in einem Mehrproduktunternehmen die fixen Kosten dem einzelnen Produkt nicht nach dem Verursachungsprinzip zurechenbar sind, die Kosten in den Kostenstellen in fixe und variable unterteilt und nur die variablen Kosten auf die Kostenträger weiterverrechnet werden. Die fixen Kosten werden kostenstellenweise gegliedert in die Betriebsergebnisrechnung übernommen.

Dipylon-Amphora, Mitte 8. Jh. v. Chr., 1,55 m hoch (Athen, Nat.-Museum)

Directoire [direktwa:r, franz.] *das*, 1) um 1795–99, in der Zeit des französ. →Direktoriums, entstandene Modetracht. Sie hat drei Hauptformen: die »antike« Staats-

Directoire-Tracht in Frankreich (zeitgenöss. Kupferstich)

tracht, die 1794 von dem Pariser Bildhauer Esperieux propagiert und schon im Konsulat wieder unterdrückt wurde; die bewußt lächerliche Kleidung der →Incroyables und →Merveilleuses; das gemäßigte, von beiden Extremen beeinflußte Kostüm, das unter Fortführung der schon vor der Französ. Revolution von England ausgegangenen Kleidungsreform den Beginn der modernen Kleidung einleitet: Rocktracht für Männer, Chemisentracht für Frauen, Fortfall der Polsterungen, lange, fließende Linien. 2) *Directoirestil*, in Frankreich der Übergangsstil vom Louis XVI. zum Empire, der, auf die Antike zurückgreifend, das Rokoko durch nüchterne Strenge zu überwinden suchte.

Dired′aua, Dire Dawa, Stadt in Äthiopien, an der Bahnlinie Dschibuti–Addis Abeba, 1206 m ü. M., rd. 60000 Ew.

dir′ekt [lat.; Lutherzeit], unmittelbar, geradeswegs, ohne Zwischenstufe.

direkte Methode, eine Lehrweise im neusprachl. Unterricht, die vom zusammenhängenden Text ausgeht und von Anfang an die fremde Sprache als Unterrichtssprache verwendet. Die d. M. steht im Gegensatz zur Übersetzungs- und grammatischen Methode, die der Methode des altsprachlichen Unterrichts nachgebildet ist.

direkte Rede, →Rede.

direkte Steuern, Steuern, die das Einkommen oder Vermögen des Steuerpflichtigen unmittelbar erfassen, im Gegensatz zu indirekten Steuern, die an sachliche Tatbestände anknüpfen (z. B. Umsatz, Verbrauch).

Direkti′on [lat.-franz.; Lutherzeit], 1) Leitung, 2) † Richtung.

Dire

Direkt'ive, Leitlinie, Verhaltungsregel.

Direkti'onskraft, →Richtgröße.

Dir'ektmandat, in der Bundesrep. Dtl. die mit den →Erststimmen direkt gewählten Kandidaten (die Hälfte der Abg. des Bundesgebiets); direkt gewählt ist, wer in einem Wahlkreis die meisten Erststimmen erhält (Bundeswahlges. i. d. Fass. v. 7. 7. 1972). Parteien, die nicht mindestens drei D. oder 5% aller Stimmen erlangen, erhalten keinen Sitz im Bundestag.

Dir'ektor [lat.], 1) Leiter; Mitglied eines →Direktoriums. *Generaldirektor,* Vorstandsvorsitzender großer Unternehmen. 2) Leiter von Fach-, Privat- und manchen Hochschulen (z. B. Kunsthochschulen). 3) *Funktechnik:* ein Draht bestimmter Länge; er wird im bestimmten Abstand vor einer Dipolantenne angebracht, um deren Richtwirkung zu erhöhen. Gegensatz: Reflektor.

Direktorfonds, in der DDR eine Einrichtung zur Finanzierung von Leistungsprämien, seit dem 11. 5. 1957 umbenannt in →Betriebsprämienfonds und →Kultur- und Sozialfonds.

Direkt'orium [neulat.], 1) Gemeinschaft von mehreren Personen, die zur Leitung eines Gewerbe- oder Handelsbetriebes oder einer wissenschaftlichen Anstalt berufen sind oder als politischer Ausschuß die Reg. ausüben. 2) **D.,** frz. **Directoire,** die oberste Regierungsbehörde Frankreichs nach der Verfassung vom 1. Vendémiaire (23. 9. 1795), bestand aus 5 Mitgliedern, die vom Rat der Alten in einer vom Rat der 500 aufgestellten Liste gewählt wurden. Die bekanntesten Direktoren waren Barras, Rewbell, Carnot und Sieyès. Der Staatsstreich Bonapartes vom 18. Brumaire (9. 11. 1799) machte dem D. ein Ende; an seine Stelle trat das Konsulat.

Lit. L. Sciout: Le Directoire, 4 Bde. (1895–97); G. Lefèbvre: Le Directoire (1946).

3) *kath. Liturgie:* Anweisung für Meßfeier und Breviergebet für alle Tage des Jahres. Das D. wird für alle Diözesen und für Klostergenossenschaften mit eigenem Kalendarium jährlich von den zuständigen Oberen zusammengestellt.

Direktrice [direktr'i:sə, aus franz.], leitende Angestellte. In der Bekleidungsindustrie insbes. unterscheidet man die **Modell-D.,** die die Modelle entwirft und die Schnittmuster aufstellt, und die **Betriebs-D.,** die die Fertigung einrichtet und überwacht. D. sind meist Schneiderinnen, die nach einer Industrietätigkeit auf Fachschulen die nötigen Kenntnisse erworben haben.

Dir'ektsendung, →Live-Sendung.

Dir'ektumwandler, Vorrichtung zur unmittelbaren Umwandlung einer Erscheinungsform der Energie in eine andere unter Vermeidung von Zwischenformen (*Höhere Energieumwandlung,* engl. Advanced Energy Conversion); insbesondere sollen Wärmeentwicklung und mechanisch bewegliche Teile vermieden werden. Gegenbeispiel:

thermisches Kraftwerk, bei dem die chemische Energie der Kohle-Oxydation über die Umwege der Wärme und mechan. Energie in elektr. Energie umgewandelt wird. D. von chem. in elektr. Energie sind →Brennstoffelemente, von Wärme in elektr. Energie thermion. Umwandler und thermoelektr. Generatoren, von elektr. Energie in Kälte →Peltierelemente, von Licht in elektrische Energie Photozellen usw. Auch in lebenden Organismen findet man allgemein die Direktumwandlung, z. B. in den Pflanzen die Umwandlung von Licht in chemische Energie, im Muskel diejenige von chemischer in mechanische Energie, in Nerven und bei elektrischen Fischen die von chemischer in elektrische Energie. Die Direktumwandlung in techn. Maßstab wird seit etwa 1960 mit großen Mitteln entwickelt.

Lit. E. Justi: Höhere Energieumwandlung, in: Die Naturwissenschaften, 48. Jg. (1961).

Dirh'em, 1) früheres türk. Handelsgewicht zu 3,214 g, →Oka. 2) alte arab. Silbermünze, eingeführt 695/696, im Mittelalter von Baktrien bis Spanien geschlagen. 3) *D., Dirham,* Münzeinheit im Irak (= $^1/_{20}$ Dinar).

Dirichlet [dirikle], Peter Gustav Lejeune, Mathematiker, * Düren 13. 2. 1805, † Göttingen 5. 5. 1859, arbeitete bes. über Zahlentheorie, Reihen, Integralrechnung, Potentialtheorie. Seine Werke wurden von Kronecker herausgegeben (2 Bde., 1890–97).

Dirig'ent [lat.], 1) musikal. Leiter einer Orchester-, Chor- oder Opernaufführung, der durch Zeichengebung mit oder ohne Taktstock Takt und Einsätze angibt und den Gesamtvortrag des Werkes geistig, technisch und klanglich bestimmt. Den D. im heutigen Sinn gibt es erst seit dem 18. und bes. 19. Jh.: eine Interpretenpersönlichkeit von großem musikal. Können, sicherem Einfühlungsvermögen in die Werke, ungewöhnlicher Gestaltungskraft, suggestiver und fortreißender Übertragungsfähigkeit. Bes. techn. Voraussetzungen sind das Partiturlesen und -hören, die Instrumentenkenntnis, die Beherrschung der Taktier- und Dirigiertechnik. Große Dirigenten fand man bes. früher unter den Komponisten: C. M. v. Weber, Berlioz, Mendelssohn, Liszt, Wagner, Mahler, Rich. Strauss, Pfitzner. Daneben bildete sich der heutige Typ des ausschließlich oder doch vorwiegend als Interpreten tätigen Dirigenten: Habeneck, H. v. Bülow, Mottl, Nikisch, Weingartner, Toscanini, Furtwängler, Knappertsbusch, C. Krauss, B. Walter, K. Böhm, H. v. Karajan.

Lit. R. Wagner: Über das Dirigieren (1870); H. Scherchen: Lehrbuch des Dirigierens (1929); A. Szendrei: Dirigierkunde (²1952); F. Busch: D. D., Geleitw. v. R. Kubelik (1961).

2) *seemänn.:* Besteder (Schiffsbauherr).

dirig'ieren [lat.], leiten. *Musik:* D. beruht auf dem stets vorhandenen inneren Zusammenhang zwischen Musizieren und Körperbewegung oder Gebärde. Schon früh findet man die Neigung zur Regelung des Zusammenspiels mehrerer Personen durch einen Leiter. Primitive oder volkstüml. Musikübung findet im allgemeinen ohne D. statt. Ihr fehlt die ausdrückliche Absicht der Präzision. Es genügt die gemeinsame musikal. Betätigung oder die Bewegung (Gehen, Tanz, Handlung). Der Übergang zum D. findet unmerklich statt, sobald das Musizieren oder die Gebärde eines einzelnen führend hervortritt. Die Cheironomie (Handgebärde) weist auf eine Dirigier-Betätigung schon im alten Ägypten und im griech. Altertum. Sie wurde auch in der byzantin. Kirchenmusik und in der Gregorianik angewendet. In der mehrstimmigen Musik pflegte man bis in das 18. Jh. das Zeitmaß durch hörbares Klopfen anzugeben. Diese Aufgabe übernahm seit dem 17. Jh. der *Maestro al cembalo.* Seit etwa der Mitte des 18. Jhs. war an der Führung auch der Konzertmeister (1. Geiger) beteiligt. Aus sinnen D. mit dem Violinbogen entwickelte sich das neuzeitliche D., bei dem meist ein Taktstock benützt wird. Das D. eines Chors a cappella findet meist ohne Taktstock statt.

Dirig'ismus [lat.], Form der Wirtschaftslenkung, bei der Marktwirtschaft und freies Unternehmertum weitgehend beibehalten werden.

Dirim'entien [lat.], trennende Ehehindernisse.

Dirk [niederd., Kurzform für Dietrich], männl. Vorname.

Dirk, 1) Tauende, das bei einem Gaffelsegel von der Mastspitze zum Ende des Baums läuft. 2) [dəːk, engl.], Dolchmesser der Schotten.

D'irke, in der griech. Sage die Gemahlin des theban. Königs Lykos. Weil sie die Antiope gepeinigt hatte, wurde sie von deren Söhnen Zethos und Amphion an die Hörner eines Stiers gebunden und durch den Bergwald geschleift, bis Dionysos sie in eine Quelle verwandelte.

Dirks, Walter Hugo, Schriftsteller, * Dortmund 8. 1. 1901, war vor dem 2. Weltkrieg Redakteur bei der ›Frankfurter Zeitung‹, nach dem Krieg Mitbegründer und -herausgeber der ›Frankfurter Hefte‹; 1956–67 Leiter der Hauptabt. Kultur des Westdt. Rundfunks.

Werke. Erbe und Aufgabe (1931), Die zweite Republik (1947), Die Antwort der Mönche (1952, ²1953), Bilder und Bildnisse (1954), Christi Passion. Erläut. (1956), Das schmutzige Geschäft? (1964).

Dirksen, Herbert von, Diplomat, * Berlin 2. 4. 1882, † München 19. 12. 1955, wurde 1923 Generalkonsul in Danzig, 1925 Ministerialdirektor der Ostabteilung im Auswärt. Amt; 1928 Botschafter in Moskau, 1933 in Tokio, 1938/39 in London.

Werk. Erinnerungen u. d. T.: Moskau, Tokio, London (1949).

D'irndl [von Dirne], **Dirndlkleid,** der alpenländ. Volkstracht entlehntes Kleid mit vorn geknöpftem Mieder, weitem Rock, Schürze, mit oder ohne Bluse getragen.

D'irne [german. Stw. ›Dienerin‹, 1) Freudenmädchen. 2) † Mädchen, bes. Magd.

D'irnitz, Dorntze, Dürnitz, Tirnitz, urspr. größeres, heizbares Gemach, seit dem 14. Jh. Wohnung der Dienstmannen auf Burgen und Schlössern; auch die Badstube.

D'irschau, poln. **Tczew,** Kreisstadt in der poln. Woiwodschaft Danzig, am linken Weichselufer, mit (1970) 40 900 Ew.; Hafen, Industrie (Maschinen, Zucker). D., 1198 erstmals erwähnt, erhielt 1260 lübisches Stadtrecht und kam 1308/09 an den Dt. Orden; 1466 wurde es polnisch, 1772 preußisch, 1919/20 wieder polnisch. D. ist bekannt durch seine 1850–57 und 1891 erbauten, 1945 gesprengten Weichselbrücken; beide führten mit 1019 m Länge auch über die breiten Stromauen hinweg.

Lit. Mehrtens: Zur Baugesch. d. alten Eisenbahnbrücke b. D. (1893).

Dirt Track [dəːt træk, engl. ›Dreckbahn‹] *das,* Motorradrennen auf besonderen Schlakkenbahnen.

Dirty Tone [engl. dˈøːti toun] *der,* Intonations-Form beim →Jazz, bes. von Negern gepflegt, ›schmutziger‹, unreiner Ton, urspr. beim Gesang (→Blues); auch instrumental.

dis, das **Dis,** *Musik:* das um einen halben Ton erhöhte D (D mit ♯).

dis ... [lat.], Vorsilbe bei Fremdwörtern: miß..., un..., zer...: *Disproportion,* Mißverhältnis.

Dis, Dis p'ater, der röm. Gott der Unterwelt, gleichgesetzt mit dem griech. Pluton. Sein Kult wurde 248 v. Chr. in Rom eingeführt, seine Hauptkultstätte war ein auf dem Marsfeld gelegener unterirdischer Altar.

Disagio [disˈadʒo, ital.] *das,* Minderwert bei Wertpapieren, →Agio.

Disciples of Christ [disˈaiplz əv kraist, engl. ›Jünger Christi‹], **Campbelliten,** Anhänger des kongregationalist. Predigers Alexander Campbell (* 1788, † 1866), die mit ihrem Namen alle sektiererischen Bezeichnungen der Christen als unbiblisch verwerfen wollten und eine Wiederherstellung des ursprüngl. Christentums erstreben. Sie trennten sich 1827 von den Baptisten. Die D. o. C. haben ein reiches Presse-, Schul- und Hochschulwesen (Bethany College in West-Virginia, Hiram College in Ohio, u. a.) entwickelt. Sie zählen in den USA und Kanada etwa 1,6 Mill. Mitgl. (Welt etwa 1,8 Mill.).

Discipl'ina cleric'alis, eine weitverbreitete Sammlung von 34 aus oriental. Quellen geschöpften Fabeln und moral. Erzählungen, Sprüchen und Gedichten, die zu Anfang des 12. Jhs. von Moses von Huesca (nach seiner Taufe Petrus Alfonsi) in lat. Sprache besorgt wurde. Ausgaben von A. Hilka und W. Söderhjelm, 2 Bde. (Helsingfors 1911, in kleiner Ausgabe Heidelberg 1911).

Disc Jockey [engl. disk dʒˈoki, engl.], der Plattenwechsler in der Diskothek, beim Rundfunk oder Fernsehen der Ansager in einer Schallplattensendung.

Discountladen [dˈiskaunt-, engl.], Vertriebsform des Einzelhandels mit niedrigeren Prei-

Disc

sen auf Grund von wenig Bedienung und Aufmachung.

Discoverer, →Erdsatellit.

Disengagement [dising'eid3mənt, engl.], Schlagwort für das Auseinanderrücken der Machtblöcke in Mitteleuropa (Schaffung eines militärischen und politischen Niemandslandes); auch für die Truppenentflechtung nach dem Nahostkrieg vom Oktober 1973 zwischen Israel und Ägypten bzw. Syrien.

D'isentis, roman. Mustér, Marktflecken und Kurort im Kanton Graubünden, Schweiz, am Vorderrhein, 1150 m ü. M., mit (1970) 2320 Ew., Benediktinerkloster. D. ist Endpunkt der Rätischen und der Furka-Oberalpbahn und der Lukmanierstraße. Die Benediktinerabtei D., um 720 gegr., erhielt 1048 die Reichsunmittelbarkeit. 1799 brannten die Franzosen D. nieder.

Diseur [dizœ:r, franz.] der, **Diseuse** [-zø:z], die, Vortragskünstler(in).

Disf'ul, Dezf'ul [pers. ›Brückenburg‹], Stadt im westl. Iran, am Dez, dem größten Nebenfluß des Karun, mit (1972) 9Ͻ000 Ew., Brückenfestung der Sassanidenzeit.

disharm'onisch [lat.-griech.], mißtönend; verhältniswidrig. **Disharmon'ie,** Uneinigkeit, Mißklang.

D'isis das, Musik: das um zwei Halbtöne erhöhte D (D mit ×).

Disjunkti'on [lat. ›Trennung‹], die Verknüpfung von Aussagen durch »oder«. **disjunktiv,** trennend, einander ausschließend.

Disk'ant [lat.] der, Musik: hohe Stimmlage, Oberstimme, Sopran; auch obere Tonlage des Klaviers. In der Zusammensetzung mit einem Instrumentennamen weist D. auf die hohe Tonlage des Instruments hin: Diskantviola, Diskantflöte usw. Der Name D., lat. Discantus, franz. Déchant, stammt aus der frühen mehrstimmigen Musik im 12. Jh. und bezeichnet eine frei kontrapunktierende höhere Gegenstimme zu einem Cantus firmus. Außerdem wurde in der Musiktheorie des MA.s auch die Gattung der mehrstimmigen Musik überhaupt Discantus genannt. Da die Gegenstimmen oft nicht notiert waren, sondern von den Sängern improvisiert werden mußten, bedeutet **diskantieren** auch improvisieren. **Diskantschlüssel,** der C-Schlüssel auf der untersten Linie des Liniensystems, die dadurch Sitz des c¹ wird; ist nicht mehr im Gebrauch.

Diskomed'usen, →Scheibenquallen.

Disk'ont [ital.; 30jähr. Krieg], bei der Gewährung von Kredit im voraus vom Nennbetrag abgezogener Zinsbetrag. Der Hauptfall ist der Ankauf von Wechseln, der als Diskontgeschäft ein wichtiges Bankgeschäft bildet. Die Banken diskont'ieren, d. h. kaufen Wechsel ihrer Kunden unter Abzug der Zinsen bis zum Verfalltage an. Die Wechsel (Diskonten) bleiben bis zum Einzug am Verfalltag in ihren liegen oder werden an die Zentralbank (Deutsche Bundesbank) weiterverkauft (rediskontiert). Der Diskontsatz, zu dem die Notenbank Wechsel dis-

kontiert, wird nach wirtschaftspolit. Gesichtspunkten festgelegt. Die anderen Banken diskontieren im allgemeinen zu einem über dem amtlichen Diskontsatz liegenden Satz. Die Diskontrechnung erfolgt nach den gleichen Grundsätzen wie die Zinsrechnung. Üblicherweise wird das Jahr zu 360 Tagen, der Monat zu 30 Tagen angesetzt, doch ist die Handhabung international verschieden. Beispiel einer Diskontrechnung: Eine Bank kauft einen Wechsel über 3000 DM 45 Tage vor Fälligkeit; der Diskontsatz ist 5%. Die Zinsformel lautet:

$$\text{Zinsen} = \frac{\text{Kapital} \times \text{Tage} \times \text{Zinsfuß}}{100 \times 360}$$

$$= \text{Zinszahl} \times \frac{\text{Zinsfuß}}{360}$$

Der Zinszahl entspricht in der Diskontrechnung (Diskontzahl (1% vom Kapital × Tage). Sie ergibt im vorliegenden Fall zu $\frac{3000}{100} \times 45 = 1350$. Der Diskont beträgt demnach $1350 \times \frac{5}{360} = 18,75$. Der Kredit (Wechsel) wird also mit 3000 DM – 18,75 DM = 2981,25 DM ausbezahlt. Die Banken berechnen ferner meist eine Provision sowie Spesen.

Die Festsetzung des Diskontsatzes (Diskontpolitik) ist das »klassische« Mittel der Notenbank zur Beeinflussung der Konjunkturlage: sie bewirkt eine Erhöhung oder Verminderung der umlaufenden Geldmenge (→billiges Geld). Weitere Möglichkeiten bieten die Mindestreserven- und die Offenmarktpolitik.

diskontinu'ierlich [lat. Kw.], 1) unterbrochen, unzusammenhängend. 2) d. sind Größen, die sich sprunghaft ändern, oder feste Größen, die nicht stetig ineinander übergehen.

Diskont'inuum, eine Menge mit abzählbar vielen Elementen, z. B. die Menge der ganzen Zahlen oder die Atome eines Kristallgitters. Gegensatz: Kontinuum. **Diskontinuitätsfläche, Unstetigkeitsfläche,** heißt eine Fläche, zu der sich senkrecht eine physikal. Größe oder Eigenschaft unstetig, sprunghaft oder auch nur relativ plötzlich ändert, z. B. die Grenzfläche zwischen festen, flüssigen und gasförmigen Stoffen oder bei Flüssigkeits- und Gasströmungen der Übergangsbereich zwischen zwei Strömungen verschiedener Geschwindigkeit und Richtung (der Entstehungsort von Wirbeln).

Diskord'anz [lat.], Nichtübereinstimmung, Mißklang, Uneinigkeit. **diskordant,** nicht übereinstimmend, uneinig. **diskordante Lagerung,** die Überlagerung älterer geolog. Schichten, die gefaltet oder zerbrochen sind, durch horizontal verlaufende jüngere Schichten.

D'iskos von Phaistos, kreisförmige Scheibe aus gebranntem Ton (Durchmesser etwa 16 cm, Dicke etwa 2 cm), beiderseits linksläufig im spiralförmiger Anordnung mit eingestempelten Zeichen einer sonst nicht bekannten Bilderschrift versehen. Gefunden im Palast von Phaistos (Kreta) in einer Schicht des 16. Jhs. v. Chr. Die Verwendung bewegl. Lettern ist sonst dem Altertum unbekannt.

Diskoth'ek [griech.], Sammlung von Schallplatten.

diskredit'ieren [lat. Kw.], verdächtigen, in Verruf bringen.

Diskrep'anz [lat.], Unstimmigkeit. **diskrepant,** nicht übereinstimmend.

diskr'et [franz.], 1) verschwiegen. 2) unauffällig. 3) *Mathematik:* nicht zusammenhängend. **Diskreti'on,** Urteilskraft, Umsicht; Gutdünken; Verschwiegenheit, Zartgefühl; **sich auf Diskretion ergeben,** sich auf Gnade und Ungnade ergeben.

Diskrimin'ante, Rechengröße aus den Koeffizienten einer algebraischen Gleichung, die zur Beurteilung der Lösungen der Gleichung herangezogen werden kann. Der D. einer quadrat. Gleichung kann man entnehmen, ob die Lösungen reell oder komplex sind, ohne die Lösungen selbst zu kennen.

Diskrimin'anz|anal'yse, Methode zum Gewinnen eines Maßes (Index), das erlaubt, zwei oder mehr Gruppen von statistischen Daten (mit mehreren Merkmalen) dann auseinanderzuhalten, wenn die Trennung auf Grund jeweils einzelner Merkmale nicht möglich ist. Die D. wurde 1938 von R. A. Fisher entwickelt.

Diskrimin'ator [lat.], 1) eigentlich Trenner, Unterscheider, eine Schaltung in Empfängern für die selbsttätige Scharfabstimmung, meist eine Gegentaktschaltung von zwei Dioden mit einem Bandfilter. Der im Rundfunkempfänger zum UKW-Empfang übliche *Verhältnis-Gleichrichter (Ratiodetektor)* ist ein D., der zugleich eine Amplitudenbegrenzung und damit Störbefreiung bewirkt. 2) elektronisches Gerät zur Sortierung von elektrischen Stromimpulsen nach ihrer Höhe.

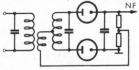

Diskriminator (NF = Niederfrequenz)

diskrimin'ieren [neulat.], 1) unterscheiden, trennen. 2) verdächtigen, herabsetzen, benachteiligen. →Diskriminierung.

Diskrimin'ierung, 1) *allgemein* das Verlächtigen oder Verächtlichmachen und damit die Ausscheidung eines Angehörigen iner Gruppe, so daß er keine oder nur wenige der Chancen, die den übrigen Gruppenmitgliedern durch Sitte oder Recht zustehen, im Verkehr mit diesen hat.

2) *Politik:* D. findet sich in allen Zeiten und bei fast allen Völkern. Im innerstaatl. Recht betrafen D. bes. die Anhänger von Konfessionen, die im Gegensatz zur offiziellen Kirche des Staates standen (z. B. die Protestanten in Frankreich, die Katholiken

in England). Durch den auf dem Grundsatz der Gleichheit vor dem Gesetz beruhenden bürgerl. Rechtsstaat wurde sie fast vollkommen zurückgedrängt. Heute gehört die D. zu den wichtigsten Mitteln der totalitären Staaten gegenüber innenpolit. Gegnern. Die in ihnen diskriminierten Gruppen bestimmen sich, je nach der herrschenden Ideologie, nach der Klassenzugehörigkeit (so in der Sowjetunion alle nicht-proletarischen Schichten), nach der Rassenzugehörigkeit (so unter dem Nationalsozialismus die Juden) oder nach der Zugehörigkeit zu (aufgelösten) gegnerischen Parteien. Neuerdings setzen sich D.-Maßnahmen auch in rechtsstaatl. Gemeinwesen durch gegenüber Angehörigen von Parteien, die die »rechtsstaatl.« Grundlage selbst bekämpfen (z. B. in den USA und der Bundesrepr. Dtl. gegenüber Kommunisten). Das Grundgesetz der Bundesrepr. Dtl. sieht solche Maßnahmen in Art. 18 vor.

Im Völkerrecht hat sich nach dem ersten Weltkrieg zunehmend die Tendenz zu einer D. des »Angreifers« bemerkbar gemacht, nachdem man wieder zwischen völkerrechtlich zulässigen und unzulässigen Kriegen zu unterscheiden begann. Diese Bestrebungen fanden ihre Stütze insbes. in den Satzungen des →Völkerbundes und der →Vereinten Nationen, im →Genfer Protokoll und dem →Kellogg-Pakt.

3) *Handelspolitik:* jedes im Vergleich zu Dritten benachteiligende – meist vertragswidrige – Verhalten eines Staates gegenüber Angehörigen, Gütern oder Leistungen eines anderen Landes. Die Gründe für eine D. sind meist wirtschaftl. Natur. So versucht man, Zahlungsbilanzschwierigkeiten mit bestimmten Währungsgebieten über die durch D. hervorgerufene Einfuhrrestriktion zu lösen. Diskriminierende Maßnahmen bestehen in unterschiedl. Zollsätzen auf gleiche Waren verschiedener Herkunftsgebiete, aus binnenwirtschaftl. Eingriffen (Verwendungsverbote, Luxussteuern), die oft eine D. unter formeller Aufrechterhaltung der →Meistbegünstigung u. ä. erlauben. – Weitgehend beschränken vertragl. Vereinbarungen diskriminierende Eingriffe der beteil. Staaten auf ernste Zahlungsbilanzschwierigkeiten. Repressalien sind untersagt.

diskur'ieren [lat.; Lutherzeit], reden, sich unterhalten. **Disk'urs,** Gespräch.

diskurs'iv, *Denklehre:* von einem Inhalt zum andern fortschreitend, begrifflich. Gegensatz: intuitiv, anschaulich.

D'iskus [lat.; griech. diskos], 1) *Sport:* urspr. die Wurfscheibe der Griechen und Römer. Bei Homer wird noch mit dem Steindiskus geworfen; die späteren D. sind aus Bronze und Blei, 17–30 cm im Durchmesser und etwa 2 kg schwer, z. T. mit feinen gravierten Darstellungen verziert. Diskuswerfer (grch. Diskoboloi) wurden in der antiken Kunst häufig dargestellt. Der moderne D. ist kreisrund, besteht aus einem Eisenkern mit Holzring, der von einem

Disk

Eisenring umschlossen ist. Durchmesser: 22 (für Frauen 18) cm; Gewicht: 2 (für Jugendliche 1,5, für Frauen 1) kg. Im Wettkampf wird dieser D. aus einem Ring von 2,50 m Durchmesser geworfen; ein Übertreten und Überfallen machen den Wurf ungültig. Im D.-Werfen gibt es die Phasen: Anschwung, Drehung, Wurf und Abfangen des Körpers. Allgemein üblich ist heute der Sprungwurf mit $1^3/_4$ Drehung.
2) *Anatomie:* bei Mensch und Wirbeltieren: Knorpelscheibe zwischen zwei Gelenkenden, die das Bewegen des Gelenks erleichtert, so D. im Kiefergelenk.
3) *Botanik:* Ringwulst der Blütenachse, der Nektar ausscheidet.
4) im Kultus der *morgenländ. Kirche* die Schale für das Brot der →Eucharistie; sie entspricht der →Patene in der lat. Kirche.

Diskussi'on [lat.; Lutherzeit], Erörterung, Verhandlung. **diskut'abel,** worüber sich reden läßt; annehmbar. **diskut'ieren,** erörtern, verhandeln.

Dislokati'on [lat. Kw.], 1) Verlagerung. 2) durch Muskelzug ausgelöste Lageveränderung eines Knochens nach Bruch oder Ausrenkung. 3) *Geologie:* durch Faltung oder Bruch entstandene Lagerungsstörung. 4) *Dislozierung,* räuml. Verteilung und Verlegung von Truppen.

D'ismas, apokrypher Name des rechten der beiden mit Jesus gekreuzigten Verbrecher.

Dismutati'on, chem. Vorgang, bei dem zwischen zwei gleichen oder nahe verwandten Molekülen Atome ausgetauscht werden. Der Zerfall sauerstoffhaltiger Verbindungen in sauerstoffreichere und sauerstoffärmere heißt *Disproportionierung.*

Disney [d'izni], Walt, Filmproduzent, * Chicago 5.12.1901, † Burbank 15.12.1966, Reklamezeichner, 1922 erste Filmversuche mit dem Zeichentrick, begann 1926 die *Mickey-Mouse*-Serie, die seinen Welterfolg begründete, und stellte seit 1934 auch Farbfilm-Serien her. Filme: Zeichentrickfilme: Schneewittchen und die sieben Zwerge (1937; erster abendfüllender farb. Zeichenfilm), Pinocchio (1939/40), Fantasia (1940/1941), Dumbo (1941), Bambi (1941/42), Cinderella (1950), Alice im Wunderland (1953). Kultur- und Dokumentarfilme: Die Wüste lebt (1953), Wunder der Prärie (1954), 20000 Meilen unter dem Meer (1955). **Disneyland,** von D. 1955 in der Nähe von Los Angeles errichtetes Wunder- und Abenteuerland für Kinder und Erwachsene.

Dispache [dispaʃ, franz.] *die,* Berechnung der Schadensverteilung bei Verlusten im Seeverkehr (Havarie), erfolgt meist durch einen gerichtlich bestellten Sachverständigen *(Dispacheur).*

dispar'at [lat.], nicht zueinander passend, ungleichartig. **Disparität,** Ungleichheit.

Dispatcher [disp'ætʃə, engl.], Absender, Abfertiger, in Großbetrieben auch Personen, die für einen reibungslosen Ablauf der Arbeitsvorgänge zu sorgen haben; in der DDR haben sie nach sowjet. Vorbild un-

mittelbares Anweisungsrecht über die Verwendung der Arbeiter; seit 1966 nur noch bei der Reichsbahn.

Disp'ens, *kath. Kirche:* →Dispensation 2).
Dispensati'on [lat.], **Disp'ens,** Befreiung vor einer Verpflichtung.
1) *Recht:* die Entbindung von der Gehorsamspflicht gegen eine Rechtsvorschrift für einen bestimmten Fall. Die praktisch wichtigsten Fälle sind der Erlaß von Abgaben, die Befreiung von Ehehindernissen, auch die Begnadigung und Abolition. Im absoluten Staat stand die D.-Gewalt dem Landesherrn zu. In Verfassungsstaaten ist eine D. nur insoweit statthaft, als Gesetz oder Gewohnheitsrecht sie zuläßt. In neueren Verwaltungsrecht wird die gesetzlich vorgesehene D. *Ausnahmebewilligung* (im Unterschied zur »Erlaubnis«) genannt.
2) *kath. Kirche:* jeder Ordinarius kann seine Untergebenen von seinen eigenen Gesetzen und, soweit er dazu ermächtigt ist auch von Gesetzen höherer Instanzen dispensieren; der Papst kann von allen kirchl Gesetzen dispensieren; einen Dispens vom »göttl. Kirchenrecht« gibt es nicht. Auch die *evang. Kirche* kennt den Dispens vor kirchl. Anordnungen; eine einheitl. Regelung der Zuständigkeit fehlt. *Dispensehe.* →Eherecht.
3) *Schule:* die Befreiung eines Schülers vom Unterricht auf Zeit oder von einem Teil des Unterrichts.

dispens'ieren, 1) befreien von. 2) *Heilkunde,* Arzneien zubereiten und abgeben. Dispensarium, *Armenapotheke* für unentgeltl Abgabe von Arzneien an Arme, eine Für sorgestelle.

disp'erse Gebilde, Dispersionen, stoffliche Gebilde, die sich aus dem gasförmigen oder flüssigen *Dispersionsmittel (Dispergens)* und der darin feinstverteilten *dispersen Phase* zusammensetzen. Zu ihnen gehören insbes. die Kolloide, z. B. Nebel, Emulsionen Schäume, Gallerte.

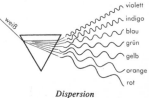

Dispersion

Dispersi'on [lat.], 1) die Abhängigkeit der Ausbreitungsgeschwindigkeit einer Welle von ihrer Frequenz (Wellenlänge), bei Lichtwellen damit von der Farbe. Die D. bewirkt daß Licht verschiedener Farbe wegen der Geschwindigkeitsabhängigkeit der Brechzahl verschieden stark gebrochen wird weißes Licht wird, z. B. durch ein Prisma in seine farbigen Bestandteile (Spektrum zerlegt. Im allgemeinen nimmt die Stärke der Brechung von rot nach violett, also ir

Richtung auf kürzere Wellenlängen, zu *(normale D.)* ; doch gibt es für jeden brechenden Stoff auch Wellenbereiche (für Glas z. B. im Ultrarot), in denen sich die Abhängigkeit umkehrt *(anomale D.)*. 2) →disperse Gebilde.

Displaced Persons [displ'eist p'ə:snz, engl. ›verschleppte Personen‹], **D. P.**, *Deportierte*, die unter dem Nationalsozialismus im 2. Weltkrieg aus ihrer Heimat weggeführten Ausländer, bes. Zwangsarbeiter aus Ost-Europa, die 1945 in Dtl. und den von Deutschen besetzten Gebieten von den Alliierten vorgefunden wurden, sowie alle Nichtdeutschen, die 1945 aus Furcht vor der sowjet. Besatzung ihre Heimat verließen, insges. rd. 11 Mill. Menschen; die heimatvertriebenen Deutschen wurden von den Alliierten nicht als D. P. anerkannt (→Vertriebene). Von den D. P. kehrten alsbald 8 Mill. in ihr Land zurück. Für die noch in Dtl., Österreich und Italien verbliebenen D. P. (am 31. 12. 1946: 1,04 Mill.), die in Sammellager kamen und deren Zahl sich später durch nichtdeutsche Flüchtlinge aus dem Osten ständig vermehrte, übernahm ab 1945 die →UNRRA, 1947–51 die →Internationale Flüchtlingsorganisation (IRO) die Sorge, danach der Hohe Kommissar der Verein. Nationen für Flüchtlinge. Aus den Lagern ließ sich nur ein kleiner Teil repatriieren, der Hauptteil wanderte wegen antikommunist. Gesinnung in überseeische Länder aus; etwa ¹/₅ bleibt in der Bundesrep. Dtl., wo sie mit den polit. Flüchtlingen die *heimatlosen Ausländer* bilden.

Dispon'enden [lat.], *Buchhandel:* →Konditionsgut.

Dispon'ent, Person, die über eine Sache verfügt (disponiert), z. B. ein Angestellter, der auf Grund einer Vertretungsmacht über einen Geschäftsbereich selbständig verfügen kann.

dispon'ibel [lat., frz.], verfügbar, frei; abkömmlich.

dispon'ieren [lat.; Lutherzeit], 1) verfügen. 2) ordnen, einteilen; *Buchhandel:* als Disponenden belassen. **dispon'iert,** 1) geneigt, gelaunt; bei Stimme. 2) empfänglich, bes. für Krankheiten.

Dispos'itio Achill'ea, das Hausgesetz des Kurfürsten →Albrecht Achilles, das für die Mark Brandenburg Primogenitur und Unteilbarkeit festlegte.

Disposi'tion [lat.], Einteilung, Entwurf, Gliederung, Plan; Neigung zu etwas, Stimmung, Laune. 1) *Recht:* allgemein svw. Festsetzung, Verfügung; **Dispositionsbefugnis,** Verfügungsbefugnis. **Dispositionsbeschränkung,** Verfügungsbeschränkung. **Die Stellung zur D.** (abgek.: z. D.) bezeichnet im Beamtenrecht die Versetzung in den einstweiligen →Ruhestand.
2) In der deutschen *Armee* bis 1918 hießen Offiziere z. D. die verabschiedeten höheren Offiziere, die, ohne Dienst zu tun, für den Fall einer Mobilmachung zur Verfügung des Kriegsministeriums standen, sowie diejeni-

gen, die in inaktiven Stellungen (z. B. als Bezirkskommandeure) Dienst taten.
3) *Medizin:* Krankheitsbereitschaft, eine ererbte oder erworbene Anlage, auf bestimmte schädigende Ursachen mit Krankheitserscheinungen zu antworten, die bei anderen Menschen nicht oder nicht mit gleicher Heftigkeit auftreten, z. B. →Allergie.
4) *Psychologie:* soviel wie Anlagen des Temperaments, Gedächtnisses, des Willens usw., in engerer Bedeutung die ruhende Fähigkeit zu einer bestimmten einzelnen Leistung, z. B. einer Erinnerung.
5) *Orgelbau:* urspr. die Kostenaufstellung für ein neues Werk mit Aufführung der vorgesehenen Register, Manuale und Spieleinrichtungen, daher in besonderem Sinn: Anzahl und Art der Register einer Orgel im Hinblick auf Kombinationsmöglichkeiten und Gesamtklang.

Dispositi'onsfähigkeit, Geschäftsfähigkeit.

Dispositi'onsfonds [-fɔ̃], Gelder, deren Verwendung in das freie Ermessen des Staatsoberhaupts, eines Ministers oder anderen Verwaltungsbeamten gestellt ist; auch in der Privatwirtschaft vorkommend.

Dispositi'onsmaxime, der Grundsatz des *Zivilprozesses,* daß die Parteien die Herrschaft über das Verfahren haben.

Dispositi'onspapiere, *Kreditgeschäft:* Warenpapiere, die als Unterpfand für einen Kredit dienen, bes. Frachtbrief, Lagerschein.

Dispositi'onsstellung, Zurverfügungstellung, die Weigerung, eine gelieferte Ware als Erfüllung des Kaufvertrags anzunehmen, z. B. bei Mängeln.

disposit'ives Recht [lat. ius dispositivum ›ergänzendes Recht‹], Rechtsvorschriften, von denen im Einzelfall durch Vertrag abgewichen werden kann. Gegensatz: zwingendes Recht.

D'isproportion [nlat.], Mißverhältnis.

disproportion'iert, in einem Mißverhältnis stehend.

Disproportion'ierung, →Dismutation.

Disp'ut [lat.; mhd.], Wortstreit. **disput'abel,** strittig. **disput'ieren,** 1) Meinungen austauschen, wobei jeder den anderen zu überzeugen sucht. 2) U streiten.

Disputati'on, gelehrtes Streitgespräch. Die öffentl. D. war früher sehr gebräuchlich; sie diente der Klärung wissenschaftlicher oder religiöser Meinungsverschiedenheiten (z. B. die D. Martin Luthers mit Eck in Leipzig 1519), dann auch zur Erlangung akademischer Grade und Würden.

Disqualifikati'on [neulat.], Untauglichkeitserklärung. Im Sport der Ausschluß vom Wettkampf bei Verletzen der Regeln oder der Disziplin. **disqualifiz'ieren,** ausschließen.

Disraeli [dizr'eili], 1) Benjamin, Earl of *Beaconsfield* (seit 1876), engl. Staatsmann und Schriftsteller, Sohn von 2), * London 21. 12. 1804, † das. 19. 4. 1881, machte sich durch romantisch-realist. Disraeli-romane einen Namen. 1837 gelangte er als Konservativer ins Unterhaus, vertrat den

Gedanken der »Torydemokratie« und gehörte 1846 zu den schärfsten Gegnern Peels in der Auseinandersetzung über die Schutzzölle; 1848 wurde er der Führer der Konservativen im Unterhaus. Als Schatzkanzler Lord Derbys führte er die Parlamentsreform von 1867 durch, die die Zahl der engl. Wählerschaft verdoppelte. Als MinPräs. (1868 und 1874–80) wurde er einer der bedeutendsten Staatsmänner des brit. Imperialismus. 1875 erwarb er die Mehrheit der Suezkanalaktien für England, 1876 veranlaßte er die Erhebung der Königin Viktoria zur Kaiserin von Indien, 1878 trat er auf dem Berliner Kongreß Rußlands Balkanplänen erfolgreich entgegen und erreichte die Abtretung Zyperns. Nach dem Sieg der Liberalen mußte er 1880 zurücktreten.

WERKE. Romane: Venetia (1837; dt. Der tolle Lord, 1930), Coningsby, 3 Bde. (1844; dt. 1845), Sybil, 3 Bde. (1845; dt. 1846, 1888), Tancred, 3 Bde. (1847; dt. 1917, 1936); Novels and tales (1881, neu hg. m. Einf. v. Ph. Guedalla, 12 Bde., 1926/27); Selected speeches, hg. v. T. E. Kebbel, 2 Bde. (1882).

LIT. J. A. Froude: Earl of Beaconsfield (²1911); W. F. Monypenny u. G. E. Buckle: The life of Benjamin D., 6 Bde. (London 1910–20; ²1929); E. Gosse: The novels of B. D. (1918); A. Maurois: Benjamin D. (franz. 1927; dt. 1928); B. R. Jerman: The young D. (1960).

2) Isaac, engl. Schriftsteller, * Enfield 11. 5. 1766 als Sohn eines aus Venedig eingewanderten Kaufmanns, † Bradenham House (Buckingham) 19. 1. 1848, schrieb histor. Werke u. Essays.

WERK. Curiosities of literature, 6 Bde. (1791–1834); Auswahl, hg. v. E. V. Mitchell (N. Y. 1932).

Diss'ens [lat.], beim Vertragsabschluß die objektive Nichtübereinstimmung der Erklärungen der Beteiligten. Folge: der Vertrag ist im Zweifel noch nicht zustande gekommen.

Dissenters [dis'entəz, engl. ›Andersdenkende‹, auch **Nonkonformisten**, in England die Dissidenten, bes. die nicht zur Anglikan. Kirche gehörenden Protestanten, z. B. Presbyterianer, Independenten, Methodisten.

Dissertati'on [lat.], **Inaugur'aldissertation**, wissenschaftliche Abhandlung zur Erlangung der Doktorwürde, auch Habilitationsschrift.

Dissid'ent [lat.; Goethezeit], **1)** Religionsloser. **2)** zu keiner Kirche Gehöriger.

Dissimilati'on [neulat. ›Entähnlichung‹], **1)** Ausstoßung oder Umwandlung eines von zwei benachbarten gleichen oder ähnlichen Lauten, z. B. ›Köder‹ aus mhd. kerder, »Kartoffel« aus ital. tartufolo. **2)** die Gesamtheit der Stoffwechselvorgänge, durch die aus zusammengesetzten organischen Verbindungen einfachere gebildet werden. Gegensatz: Assimilation.

Dissimulati'on [lat. ›Verheimlichung‹,

›Stillschweigen‹], **1)** *Medizin:* das Verheimlichen von Krankheitszeichen aus verschiedenen Beweggründen, z. B. zwecks Aufhebung der Entmündigung wegen seelischer Krankheit oder um aus der Heilanstalt entlassen zu werden. Gegensatz: →Simulation. **2)** *Recht:* Das Stillschweigen staatlicher und, in der *kath. Kirche,* kirchl. Behörden zu Gesetzesverletzungen.

Dissipati'on [lat.], Zerstreuung, Verschwendung, bes. in der *Physik* als **D. der Energie** der Übergang irgendeiner Energieform in Wärme oder von Wärme höherer Temperatur in Wärme niederer Temperatur.

dissol'ut [lat.], ungebunden, zügellos.

Disson'anz [franz.; spätes MA.], Auseinanderklang, Zwiespalt; in der *Musik* ein aus zwei und mehr Tönen bestehender Klang, der nicht eine spannungslose Klangeinheit, eine Konsonanz, bildet, sondern auseinanderstrebt und nach Auflösung drängt; umfaßt die Sekund-, Septimen- und sämtliche alterierten (übermäßigen und verminderten) Intervalle sowie alle Akkorde, die solche Intervalle enthalten. **Auffassungsdissonanz** (Scheinkonsonanz) tritt auf, wenn von Hause aus konsonierende Intervalle entweder enharmonisch verwechselt oder sonst in einem bestimmten Zusammenhang als D. verstanden werden. – Bis ins 14. Jh. galt auch die Terz als D. Eigentümlich war von jeher die Stellung der Quart, die im MA. als Konsonanz, später als milde D. (Palestrina) empfunden wurde und auch in der neueren Harmonielehre bes. behandelt wird. Die atonale Musik hebt den Unterschied von D. und Konsonanz auf.

Dissonanz

Dissoziati'on [lat.], **1)** Trennung, Auflösung. Gegensatz: Assoziation. **2)** der Zerfall von Molekülen in bestimmte Bestandteile, z. B. bei hohen Temperaturen *(thermische D.)* durch Zunahme der Wärmebewegung und der Heftigkeit der Zusammenstöße. In Lösung befindliche Moleküle von Salzen zerfallen *(dissoziieren)* teilweise in zwei elektrisch geladene Bestandteile entgegengesetzten Vorzeichens (Ionen), wodurch sich der osmotische Druck erhöht und die Lösung elektrisch leitend wird *(elektrochemische D.).* Auf der elektrochem. D. beruht die Elektrolyse, auf dieser Galvanotechnik und galvanische Elemente. **3)** *Psychologie:* →Hysterie.

dist'al [lat. distare ›entfernt sein‹, vom Mittelpunkt oder der Mittelebene eines Lebewesens entfernt gelegen; Gegensatz: proximal.

Dist'anz [lat.; Lutherzeit], Entfernung, Abstand. Beim Pferderennen die Rennstrecke; auch ein Punkt der Rennstrecke, der 200 m vor dem Ziel liegt. **Distanzfahrt,** ein Radrennen auf der Landstraße über lange Strecken. **Distanzkampf,** ein Boxkampf, bei dem der Mindestabstand der Kämpfer eine Armlänge beträgt. **Distanz-ritt**, Dauerritt. **distanz'ieren**, einen Gegner hinter sich lassen. **sich distanzieren**, von etwas abrücken; zeigen, daß man damit nichts zu tun haben will.

Dist'anzgeschäft, Fernkauf, Kaufgeschäft, bei dem die Ware laut Vertrag an einen anderen Ort zu übersenden ist. Gegensatz: Platzkauf.

Dist'anzwechsel, Wechsel, bei dem die Aus-stellung und Zahlung an verschiedenen Orten erfolgen.

D'istel [ahd. distila], verschiedene stach-lige Pflanzen, vorwiegend Korbblüter, bes. Gattung *Carduus* mit der *nickenden D.*, *Esels-D.* (C. nutans), Gattung *Cirsium* mit der schlanken, kleinköpfigen *Acker-*, *Brach-*, *Kratz-*, *Feld-*, *Korn-D.* (C. arvense), der rot-blühenden *Woll-D.* (C. eriophorum) und der gelblich blühenden Fettwiesenpflanze *Kohl-D.*, *Wiesen-D.* (C. oleraceum), Gattung *Krebs-* oder *Esels-D.* (Onopordon), bis 2 m hoch, Gattung *Gänsedistel* (Echinops), *Eberwurz*, *Wetterdistel*, *Silberdistel* (Carli-na), *Sterndistel* (Centaurea), *Benedikten-karde*, *Heil-* und *Bitterdistel* (Cnicus), *Fär-berdistel* (Carthamus), *Mariendistel* (Sily-bum); Gattungen anderer Familien: *Alpen-*, *Bach-* und *Stranddistel* (Eryngium), *Weber-* oder *Kardendistel* (Dipsacus), *Seedistel* oder *Krebsscherre* (Stratiothes).

D'istelfalter, *Pyrameis cardui*, ein rotbraun-schwarzweißer Eckflüglerschmetterling, des-sen bedornte Raupe an Brennessel und Di-stel lebt.

D'istelfink, der →Stieglitz.

D'isteli, Martin, schweizer. Karikaturen-zeichner, * Olten 28. 5. 1802, † Solothurn 8. 3. 1844, urspr. Jurist, schuf Buchillustra-tionen (Münchhausen 1840) und geistreiche polit. Karikaturen (Distelikalender seit 1839), die ihn volkstümlich machten.
Lit. G. Wälchi: M. D., Zeit, Leben, Werk Zürich 1943).

D'istelorden, **Andreasorden**, ehemal. schot-tischer, jetzt hoher englischer Orden, nach der Sage 787 gestiftet, erneuert 1687. Außer Mitgliedern des Königshauses und ausländ. Rittern gehören ihm höchstens 16 Ritter aus hohem schott. Adel (Peers) an.

D'istelrasen, Bergrücken an der oberen Kinzig, mit einem 3575 m langen Eisen-bahntunnel zw. Schlüchtern und Flieden (Strecke Bebra–Frankfurt).

Disth'en [griech. ›doppelkräftig‹], triklines, säulenförmig kristallisierendes Mineral, chemisch Aluminiumsilikat Al_2SiO_5. Es ist farblos, häufig blau gefärbt (*Zyanit*) oder grau (*Rhätizit*).

D'istichon [griech. ›Doppelvers‹] *das*, *Mz.* Distichen, Strophe aus zwei verschiedenen Versen; meist Zeilenpaar aus Hexameter und Pentameter, z. B. Schillers D. auf das D.:
Im Hexameter steigt des Springquells
           flüssige Säule.
Im Pentameter drauf fällt sie
           melodisch herab.

distingu'iert [lat. ›unterschieden‹], ausge-zeichnet, vornehm. **Distinkti'on**, Auszeich-nung; hoher Rang und Stand.

dist'inkt [lat.], unterschieden, deutlich, ver-ständlich.

D'istler, Hugo, Komponist, * Nürnberg 24. 6. 1908, † Berlin 1. 11. 1942, war Orga-nist, Chordirigent und Lehrer in Lübeck, Stuttgart und Berlin. D. schuf einen neuen Stil in der evangel. Kirchenmusik, in dem sich lineare Polyphonie und ausdrucks-starker Textvortrag verbinden.
Werke. Eine deutsche Choralmesse, 6st. (1931); Der Jahreskreis, 52 kl. Motetten (1933); Choralpassion f. 5st. Chor u. 2 Vor-sänger (1933); Geistl. Chormusik, 10 gr. Motetten (1934 ff.); Geistl. Konzerte f. Singstimme u. Orgel; Mörike-Chorlieder-buch (1939); Die Weltalter, Fragmente e. Oratoriums (1942). – Konzertante Sonate f. 2 Klav. (1930); Musik f. 4 Streichinstr. (1942). Schriften: Funktion. Harmonielehre (1941).
Lit. O. Söhngen: Am Grabe H. D.s, in: Musica (1948).

Distomat'ose [grch.], die →Leberegelkrankh.

Distom'een, mit zwei Saugnäpfen ausge-rüstete →Saugwürmer.

diston'ieren, **deton'ieren** [lat.], beim Gesang das Abweichen von der richtigen Tonhöhe durch z. B. Schwächung der Stimmorgane (Krankheit oder Überanstrengung) oder durch mangelhaftes musikalisches Gehör.

Distorsi'on [lat.], 1) Verstauchung. 2) *Op-tik:* Verzeichnung.

Distributi'on [lat.], Verallgemeinerung des Funktionsbegriffs, durch die ein Differen-tialquotient auch für nicht mehr differen-zierbare Funktionen definiert werden kann.
Lit. L. Schwarz: Théorie des distributions (1950/51).

Distributi'onsformel, die Spendeformel beim Abendmahl. Im *lat.-kath. Ritus* lautet sie: »Corpus domini nostri Jesu Christi custodiat animam tuam in vitam aeternam« [›Der Leib unseres Herrn Jesu Christi be-wahre deine Seele zum ewigen Leben‹], im Ritus der *ev.-lutherischen Kirche* meistens: »Nehmet hin und esset (trinket); das ist der Leib (das Blut) unseres Herrn Jesu Christi, für euch dahingegeben in den Tod (für euch vergossen zur Vergebung der Sünden); der (das) stärke und bewahre euch im Glauben zum ewigen Leben.« Zugrunde liegen die Einsetzungsworte Matth. 26, 26. Die kür-zeste (schwedische) Formel: »Christi Leib, für dich gegeben, Christi Blut, für dich ver-gossen« wird vom Empfänger mit Amen be-antwortet. Der *ref. Ritus* kennt nach Zwing-lis und Calvins Anordnung eine D. nicht.

distribut'iv, verteilend.

distribut'ives Gesetz, Grundgesetz, das durch die Rechenregel $2 \cdot (3 + 5) = 2 \cdot 3 + 2 \cdot 5$, allgemein $a (b + c) = ab + ac$ ausgedrückt wird.

District of Columbia [d'istrikt əv kɔl'ʌmbiə], der Bundesdistrikt der USA, →Columbia.

Distr'ikt [lat.; Lutherzeit], 1) Bezirk. 2) un-regelmäßige Forstabteilung; Gegens.: Jagen.

Distrĭ́to [span.], **Districto** [portug.], der Distrikt, Bezirk. **D. Federal**, der Bundesdistrikt, die den Provinzen oder Staaten gleichgestellten Verwaltungsbezirke von Argentinien (Buenos Aires), Venezuela (Caracas), Mexiko (Mexico City), Brasilien (Brasilia). Dem D. Federal entsprechen verwaltungsrechtl. die Stadtbezirke Lima (Peru) und Montevideo (Uruguay). In den USA →Columbia, District of.

Disziplín [lat.; mhd.], **1)** Zucht, gewahrte Ordnung. **2)** Fach, Unterrichtszweig. **disziplin′arisch**, die Dienstordnung, Strafgewalt betreffend; streng. **disziplin′ell**, dienstlich.

Disziplín′argewalt, das Recht des militär. Disziplinarvorgesetzten, besondere Leistungen eines Soldaten zur Aufrechterhaltung und Festigung der Disziplin durch förmliche Anerkennung zu würdigen und Handlungen gegen die militär. Disziplin zu bestrafen, sofern sie nicht unter die *Disziplinargerichtsbarkeit* (→Dienststrafrecht) oder unter das Strafgesetz fallen.

Disziplín′arrecht, →Dienststrafrecht.

Dit [di, frz. ›Spruch‹], kürzere mittelalterl. Versdichtung moralischer, satirischer, ernster oder heiterer Art. →Fabliaux.

Ditanakl′asis, von Matth. Müller 1800 in Wien erfundenes Hammerklavier, Vorläufer des →Pianino.

Dithe′ismus, eine christolog. Häresie vor dem 1. Konzil von Nicäa (325), die den Logos gegenüber dem Vater so verselbständigte, daß Christus als ›gewordener Gott‹ neben und unter ihm stand. Der D. entstand als Abwehr des Monarchianismus; besonders Hippolyt wurde dieser »Zweigötterlehre« beschuldigt.

D′ithmarschen, 1) geschichtl. Landschaft im westl. Holstein, 1360 qkm. D. war ein Gau des nordelbischen Sachsens, wurde von Karl d. Gr. unterworfen und gehörte dann meist zum Erzstift Bremen. Es wußte sich aber eine große Selbständigkeit zu sichern, so daß es im späten MA. als Bauernfreistaat gelten konnte. Die Geschlechterverbände (Kluften) gaben dem Lande einen festen Zusammenhalt. Die Eroberungszüge der Dänenkönige und Herzöge von Holstein scheiterten wiederholt (Schlacht bei Hemmingstedt, 17. 2. 1500); erst 1559 gelang die Unterwerfung. →Holstein. – *Eigw.* dithmarsisch.
Lit. Neocorus: Chronik des Landes D., hg. von F. C. Dahlmann, 2 Bde. (1827; Neudruck 1927–29); G. Marten und K. Mäckelmann: D. (1927); A. Kamphausen: D. (1946).
2) Kreis in Schleswig-Holstein, Kreisstadt Heide, wurde 1970 aus den ehem. Kreisen Norderdithmarschen und Süderdithmarschen gebildet.

Dithyr′ambos [griech.], altgriechisches Kultlied auf Dionysos, seit dem 6. Jh. v. Chr. auch auf andere Götter und Heroen, musikal. vorgetragen. Die kunstgerechte Form erhielt der D. von Arion. Weiter ausgebildet wurde er von Lasos von Hermione, Simonides, Pindar, Bakchylides u. a. In

Attika entwickelte sich aus der D. di[e] Tragödie. Gegen Ende des 5. Jhs. v. Chr[.] ist der »neue D.« entstanden, der durch Auf[-] lösung der stroph. Gliederung, Verselbstän[-] digung der musikal. Komponente, Neigun[g] zum Virtuosenhaften gekennzeichnet wird (Timotheos u. a.). **Dithyrambe**, Lobliod feierliches Gedicht. **dithyrambisch**, begei[-] stert, schwungvoll.

Ditlevsen, Tove, dän. Schriftstellerin[.] * Kopenhagen 14. 12. 1918, schildert kla[r] und kühl das Kopenhagen der Armen au[s] eigenem Erleben.
WERKE. Barndommens gade (1943; dt Straße der Kindheit, 1952), For barnet skyld (1946), Vi har kun hinanden (1954 Radioroman).

dito [ital. detto ›das Gesagte‹; altes Kauf mannswort], abgekürzt: **do.**, gleichfalls ebenso.

D′ittchen [ostniederd.] *das*, *ostpreußisc[h]* 10-Pfennig-Stück. →Düttchen.

Ditters von Dittersdorf, Karl, geadelt 1773 vorher *Ditters*, Komponist, * Wien 2. 11 1739, † Neuhof (Böhmen) 24. 10. 1799, wa[r] zuerst Geiger, wurde 1765 Kapellmeiste[r] des Bischofs von Großwardein und 1770 des Fürstbischofs von Breslau. Von Gluck und Haydn beeinflußt, wurde er bes. durc[h] volkstüml. Singspiele (Doktor und Apothe ker, Wien 1786) bekannt, die zu den wich tigsten Vorläufern der dt. komischen Ope gehören.
WERKE. Orchesterwerke (Auswahl), hg. v J. Liebeskind, 2 Bde. (1899) u. in: Denk mäler der Tonkunst in Österreich, Jg. 48 Bd. 81 (1936). Die 6 Streichquartette i[n] Eulenburgs Taschenpartituren. – Selbst biographie (1801, Neudruck 1940).

Dittes, Friedrich, Pädagoge, * Irfersgrü[n] (Vogtland) 23. 9. 1829, † Wien 16. 5. 1896 war seit 1865 Direktor des Lehrerseminar zu Gotha, 1868–81 Leiter des Wiener Päd agogiums. D. kämpfte für eine Umgestal tung der Volksschule im liberalen Sinne.
WERK. Schule der Pädagogik (1876).

Dittograph′ie [grch. ›Doppelschreibung‹] die fehlerhafte Wiederholung eines Buch stabens, einer Silbe oder eines Wortes i[n] einem Text; nach antikem Sprachgebrauc[h] svw. Doppellesart.

Ditzen, Rudolf, →Fallada, Hans.

Ditzingen, Stadt (seit 1966) im Kreis Lud wigsburg, Baden-Württemberg, (1976 21 400 Ew.; Kunststoff-, Möbel-, Stahl-Ind

D′iu, Insel vor der Südspitze der Halbinse Kathiawar, Indien, 38 qkm, rd. 21 100 Ew. seit Dez. 1961 ind. Unionsterritorium.

Diur′ese [griech.], Harnentleerung. *Diur′e tica*, →harntreibende Mittel.

Diurn′ale [lat.] *das*, ein Auszug aus dem Brevier; enthält die am Tage zu betenden Horen.

Diut′urnum [lat. ›täglich‹], Enzyklika ›Le ner lange Kampf‹ Leos XIII. vom 29. 6 1881 über die naturrechtliche Grundlage der staatl. Gewalt; eine Hauptquelle de[r] kath. Staatslehre.

div, Abk. für →Divergenz 4).

div., Abk. für 1) →divisi, 2) *auf ärztl. Rezepten:* divide [lat. ›teile‹].

D'iva [lat. ›die Göttliche‹], Titel der nach ihrem Tod zur Staatsgottheit erhobenen röm. Kaiserinnen. **Diva** [ital.], *Mz.* Diven, gefeierte Sängerin, Schauspielerin (Star).

Diverg'enz [lat.], das Auseinanderlaufen, die Meinungsverschiedenheit; **divergent** und **divergierend**, auseinanderlaufend.

1) *Abstammungslehre:* nach Darwin das Prinzip, nach dem anfangs wenig auffallende Unterschiede bei Nachkommen einer gemeinsamen Stammform später immer deutlicher hervortreten.

2) *Botanik:* der Winkel zwischen benachbarten Blättern.

3) *Meereskunde:* eine Strömungsgrenze, entlang der sich ein Strom aufspaltet, z. B. durch aufquellende kalte Wassermassen aus tieferen Schichten, die oft Nebel verursachen und fischreich sind. Gegensatz: **Konvergenz**, eine Strömungsgrenze, an der Oberflächenströme sich treffen und absinken.

4) D., abgek. div, *Vektorrechnung:* eine durch Differentiation der Komponenten eines Vektorfeldes gewonnene skalare Größe, welche die Ergiebigkeit einer im Feld vorhand. *Quelle* (z. B. einer Ladung im elektromagnet. Feld) angibt; in quellenlosen Feldern ist sie stets gleich Null.

5) *Analyse:* **Divergierende (divergente) Reihen** oder **Integrale** haben keinen endlichen →Grenzwert, sondern wachsen unbegrenzt an.

div'ers [lat.; Gottschedzeit], verschieden, allerlei. **Diversa (Diverse)** *Mz.;* **Diverses** *Ez.;* Vermischtes, Allerlei. **Diversi'on** ›Abweichung, Abweichung.

Divers'ant [von Diversion ›Abweichung‹], kommunist. Bezeichnung für Personen, die gegen die kommunist. Ordnung, bes. die Wirtschaftsordnung und die Verteidigungskraft, arbeiten.

Divert'ikel, lat. Diverticulum, kleine, blindsackartige Ausbuchtung der Wand von Hohlorganen. Krankhafte D. finden sich bisweilen am Verdauungstrakt (Speiseröhre, Darm), an der Harnblase und Harnröhre und können Beschwerden machen, die chirurg. Eingreifen erfordern.

Divertim'ento [ital.], **Divertissement** [divertismã, franz.], suitenartiges Instrumentalstück des 18. Jhs. für solistische oder größere Kammerbesetzung; Zwischenspiel in Opern. Fuge; Tanzeinlage in Opern.

d'ivide et 'impera [lat.], »trenne und herrsche«, d. h. schaffe Zwiespalt, um zu herrschen. Der Ausspruch wird auf Ludwig XI. zurückgeführt.

Divid'end [lat.], **Zähler**, →Division.

Divid'ende [lat. ›das zu Verteilende‹], 1) der in Prozenten zu berechnende Anteil der Gläubiger am Ertrag der Konkursmasse. 2) der Anteil eines Gesellschafters am Reingewinn d. Gesellschaft, meist ausgedrückt in Prozenten des Nennwertes der Aktie. Über die Verteilung beschließt die Haupt-(Gesellschafter-)Versammlung. *Dividendenpapiere*

sind Wertpapiere (Aktien) mit Anspruch auf Gewinnanteil; Gegensatz: festverzinsl. Wertpapiere (Obligationen). Der *Dividendenschein (Kupon)* berechtigt zum Bezug der Jahres-D.; er ist Zubehör der Aktie.

divid'ieren [lat.], teilen; →Division.

D'ivid'ivi *das*, Gerbmittel, Schoten der südamerikan. *Caesalpinia coriaria.*

Div'ina Comm'edia, →Göttliche Komödie, Epos von Dante Alighieri.

Divinati'on [lat.], Ahnung künftiger Ereignisse. **divinat'orisch**, seherisch. **divin'ieren**, ahnen.

Div'ini ill'ius mag'istri [lat.], Enzyklika Pius' XI. vom 31. 12. 1929 über die christl. Jugenderziehung.

Div'ini Redempt'oris, Enzyklika Pius' XI. vom 19. 3. 1937 gegen den »gottlosen Kommunismus«.

Divinit'ät [lat.], Göttlichkeit; Gottheit.

Div'ino affl'ante Sp'iritu [lat. ›Unter dem Anhauch des Heil. Geistes‹], Enzyklika Pius' XII. vom 30. 9. 1943 über die zeitgemäße Förderung der biblischen Studien.

Div'is [von lat. dividere ›teilen‹] *das*, Trennungszeichen; Bindestrich.

div'isi [ital.], abgek. div., Vorschrift in den Orchesterstimmen der Streichinstrumente, nach der mehrstimmig notierte Stellen nicht als Doppelgriffe, sondern ›geteilt‹ auszuführen sind; von den beiden Spielern an jedem Pult übernimmt einer die obere, der andere die untere Partie.

divis'ibel [lat.], teilbar.

Divisi'on [lat. ›Teilung‹], 1) die vierte Grundrechnungsart, durch die ermittelt wird, wievielmal eine von zwei Zahlen, der *Div'isor*, in der andern, dem *Divid'enden*, enthalten ist; die Ausführung dieser Rechnung heißt *dividieren*. Die Zahl, die hierbei gefunden wird, heißt der *Quoti'ent*. Bezeichnet wird die D. entweder durch den Doppelpunkt, z. B. 15:6, oder durch einen waagerechten oder schrägen, zwischen Dividenden und Divisor gesetzten Strich, z. B. $\frac{15}{6}$ oder 15/6.

2) militär. Rahmenverband, dem eine wechselnde Anzahl von Brigaden unterstellt werden kann; wird nach der Haupttruppengattung bezeichnet: Panzergrenadier-, Panzer-, Gebirgs- oder Luftlandedivision. Mehrere D. werden unter Korpsstäben (Korpskommandos) zu Armeekorps zusammengefaßt. Die D. wird in der Regel von einem Generalmajor als *Divisionskommandeur* befehligt, dem der *Divisionsstab* (Generalstabsoffiziere und Spezialoffiziere, z. B. Divisionsarzt, Divisionsgeolog) unter Leitung eines Chefs des Stabes zur Seite steht. *Divisionsartillerie*, die gliederungsmäßig zu einer D. gehörende Artillerie (z. B. das Feldartillerieregiment einer Panzergrenadier-D. oder das Panzerartillerieregiment einer Panzer-D.). *Divisionstruppen*, die gliederungsmäßig zu einer D. gehörenden sonstigen Unterstützungstruppen (z. B. Pionier-, Flak-, Fernmeldebataillon, Feldjägerkompanie).

135

Divi

3) in der Kriegsmarine Unterabteilung eines Geschwaders, etwa 4 Schiffe; auf einem Kriegsschiff Untergliederung der Besatzung, etwa der Kompanie entsprechend.

Division'är, † Führer einer Division.

Oberstdivisionär, schweizer. Dienstgrad (ÜBERSICHT Dienstgrade II, Schweiz).

División Azul [aðˈul], →Blaue Division.

Div'isor [lat.], **Teiler,** →Division 1).

Di Vitt'orio, Giuseppe, italien. Gewerkschaftler und Politiker (Kommunist), * Cerignola (Prov. Foggia) 11. 8. 1892, † Lecco 3. 11. 1957, seit 1924 Mitgl. der kommunist. Partei, nahm am Span. Bürgerkrieg teil und war seit 1945 Generalsekretär der Gewerkschaft CGIL, die er zu einer rein kommunist. Organisation umbildete; war seit 1949 Präsident des Weltgewerkschaftsbundes.

Div'ortium [lat.], *röm. Recht:* die Ehescheidung, auf Einverständnis oder auf einseitiger Willenserklärung beruhend.

D'ivus [lat.], der Gottgewordene, in der röm. Religion ein Mensch, der nach dem Tode zu einer Staatsgottheit erhoben wurde; so die meisten röm. Kaiser. Als erster erhielt Cäsar diesen Titel: als D. Julius.

LIT. G. Wissowa: Rel. u. Kultus der Römer (³1912); L. R. Taylor: The divinity of the Roman emperor (London 1931).

Diw'ali, Devali, Lampenfest, zu Ehren der Göttin Lakschmi in Nordindien gefeiert.

D'iwan [pers.], **1)** Polsterliege. **2)** im islam. Orient ursprünglich Rechnungsbücher, dann Regierungskanzlei; auch der für Empfänge bestimmte Teil der Residenz mit dem Thronsaal. **3)** Gedichtsammlung islam. Dichter (danach Goethes ›West-östlicher D.‹).

Diw'arra, Zahlungsmittel auf Neubritannien (Bismarck-Archipel): auf Rottangstreifen aufgereihte Scheibchen aus Schneckenschalen.

Dix, Otto, Maler, * Gera 2. 12. 1891, † Singen bei Konstanz 25. 7. 1969, stellte Krieg, Nachkriegselend und die abstoßenden Seiten des Großstadtlebens mit krassem Naturalismus dar, malte schonungslose Bildnisse und, nachdem er sich zeitweilig altdeutschen Vorbildern angeschlossen hatte, Landschaften, auch religiöse Bilder.

LIT. O. Conzelmann: O. D. (1959); F. Löffler: O. D. (1960).

Dix'elius, Hildur, schwed. Erzählerin, * Nederkalix (Norrbotten) 14. 10. 1879. – Romantrilogie: Prästdottern, Prästdotterns son, Sonsonen (1920–22; dt. Sara Alelia, 1929).

Dixence [disãs], großes Stauwerk im Val d'Hérémence, Schweiz, mit einem See von 400 Mill. cbm Gesamtfassungsvermögen; die Staumauer ist mit 284 m eine der höchsten der Erde.

d'ixi [lat.], »Ich habe gesprochen«, Formel für den Schluß einer Rede. **d. et salvavi animam meam,** »Ich habe gesprochen und meine Seele gerettet«, d. h. ich bin schuldlos, wenn meine Warnung in den Wind geschlagen wird, sprichwörtl. nach Hesekiel 3, 19.

Dixieland [dˈiksilænd], **Dixie,** die südlichen USA (nach →Mason and Dixon Line).

Dixieland-Jazz [dˈiksilænd dʒæz], eine Form des →Jazz.

Dixmuiden, Diksmuide(n) [diksmˈœydə(n)], franz. **Dixmude** [dismyd], Bezirksstadt in der belg. Provinz Westflandern, an der Yser, mit 3200 Ew. Im 1. Weltkrieg war D. im Herbst 1914 ein Brennpunkt des Kampfes.

Diy'arbakir, Di'arbekr, Kara Amid, Stadt in der Türkei, am Tigris, mit (1970) 138700 Ew., Schnittpunkt wichtiger Handelsstraßen (nach Aleppo, Mosul, Bitlis); lebhafter Handel. – D., an der Stelle des antiken *Amida* erbaut, war seit etwa 230 röm. Kolonie; 1515 eroberte Sultan Selim I. die Stadt.

Dizyandiam'idharze, Kunstharze zur Herstellung von Preßmassen.

d. J., Abk. für **1)** der Jüngere. **2)** dieses Jahres.

Djajapura, →Sukarnapura.

Djak'arta, bis 1950 **Batavia,** Hauptstadt von Indonesien, auf Java, mit (1973) 4,65 Mill. Ew., wichtigster Handelsplatz im Malaiischen Archipel; hat Akademie der Wissenschaft. – D. wurde 1619 von den Holländern gegründet und war 1811–16 von den Engländern, 1942–45 von den Japanern besetzt.

Djakarta

Djak'un, die →Jakudn.

Djaluit [dʒalˈuːt], die Insel →Jaluit.

Djaus [Sanskrit], in der indischen Göttersage der Gott des Himmels.

Dj'avebutter, talgartiges Fett der Djavenuß, des Samenkerns des Njabibaums (Mimusops djave).

DJH, Abk. für Deutsche Jugendherberge (→Jugendherberge).

Djibarra [dʒibˈarɑ, abessin.], eine baumartige →Lobelie Afrikas.

Djibouti [dʒib'uti], →Dschibuti.

Dj'ilas, Milovan, jugoslaw. Politiker, * Polja bei Kolašin (Montenegro) 12. 6. 1911, enger Mitarbeiter Titos, maßgebl. Theoretiker der KP und Generalsekretär, befürwortete den Bruch mit Moskau (1948) und forderte später die Beseitigung der Parteibürokratie und die Zurückdrängung der Funktionärskaste; 1954 wurde er wegen Abweichung von der Parteilinie seiner Ämter enthoben, 1957–61 war er im Gefängnis, 1962 erneut auf 5 Jahre, 1966 begnadigt.
WERKE. Die neue Klasse (New York 1957; dt. 1958), Gespräche mit Stalin (New York 1962; dt. 1962), Die Exekution (dt. 1966).

Djogjak'arta, Stadt in Indonesien, Mittel-Java, mit (1971) 342000 Ew. Von D. ging die indones. Selbständigkeitsbewegung aus.

Dj'umbir, tschech. **Dumbier**, höchster Gipfel der Nied. Tatra (ČSSR), 2045 m hoch.

DKP, Abk. für →Deutsche Kommunistische Partei.

DKW, Automarke der →Auto-Union.

dl, Abkürzung für Deziliter.

d. L., Abkürzung für: der Landwehr, z. B. Hauptmann d. L.

D. L., Abkürzung für Deutsche Landsmannschaft, →studentische Verbindungen.

dm, Abkürzung für Dezimeter; dm^2 für Quadrat-, dm^3 für Kubikdezimeter, neben *qdm* und *cdm*.

d. m. [ital.], *Musik:* Abkürzung für destra mano, rechte Hand. →

DM, D-Mark, →Deutsche Mark.

D-Mark-Eröffnungsbilanz, die nach dem Ges. v. 21. 8. 1949 von allen Kaufleuten der Bundesrep. Dtl. bis 30. 6. 1951 aufzustellende Bilanz, die mit der Umstellung von RM auf DM eine Neubewertung der Kapitalverhältnisse ermöglichte.

Dm'itrij, Dimitrij, russ. Vorname, →Demetrius.

Dm'owski, Roman, poln. Politiker, * Warschau 9. 8. 1864, † Drozdowo 2. 1. 1939, wirkte seit Ende 1915 in Westeuropa für die Abtretung des ganzen dt. Ostens an Polen. 1919 vertrat er Polen auf der Pariser Friedenskonferenz und hatte den größten Anteil an der Grenzziehung Polens. Innenpolitisch unterlag er seinem Gegner Piłsudski. 1926 zog er sich zurück.

D. M. S., auch nur **D. M.**, auf Grabdenkmälern Abk. für **Diis manibus sacrum** [lat.], d. h. den verklärten Seelen geweiht.

Dnjepr, im Altertum *Borysthenes*, seit dem 4. Jh. *Danapris*, nächst der Wolga der größte Strom Osteuropas, 2285 km lang, entspringt auf den Waldaihöhen, mündet in den D.-Liman des Schwarzen Meeres; Hauptnebenflüsse: von rechts die Beresina und der Pripet, von links die Desna. Er ist 240 (Oberlauf) bis 285 Tage im Jahr (Unterlauf) schiffbar; wichtigste Häfen: Kiew, Dnjepropetrowsk. Die Stromschnellen von Saporoschje wurden durch einen gewaltigen Stausee (mit Schleusen und großem Kraftwerk, *Dnjeproges*) beseitigt. Ein weiterer großer Stausee bei Kachowka. Der D. ist durch Kanäle mit Düna, Memel und Weichsel verbunden.

Dnjeprodsersch'insk, bis 1936 **Kamenskoje**, Industriestadt in der Ukrainischen SSR, am Dnjepr, mit (1972) 235000 Ew.; hat das zweitgrößte Hüttenwerk der Sowjetunion (nach Magnitogorsk).

Dnjepropetr'owsk, bis 1917 Jekaterinoslaw, Hauptstadt des Gebiets D. der Ukrainischen SSR, mit (1972) 903000 Ew., beiderseits des Dnjepr an der Mündung der Samara; Industriestadt mit Stahl-, Walz- und Hüttenwerken (Eisenerz von Kriwoi Rog, Kohle vom Donezbecken, Mangan von Nikopol), Lokomotiv-, Waggon-, Aluminium-, Papier-, Textilindustrie, Stickstoffwerken; außerdem ist D. ein wichtiges Kulturzentrum. D. wurde 1783 von Potemkin gegründet.

Dnjestr, rumän. *Nistru*, im Altertum *Tyras*, Strom in der Sowjetunion, 1370 km, Grenzfluß zwischen der Ukraine und Bessarabien, entspringt in den Waldkarpaten und mündet mit dem D.-Liman ins Schwarze Meer. Hauptnebenflüsse: von rechts Stryj, von links Sereth und Sbrutsch.

DNS, Desoxyribonukleinsäure (→Nukleinsäuren).

DNVP, Abk. für →Deutschnationale Volkspartei.

do., Abk. für →dito.

Do, ital. und franz. Name für den Ton C; in der Solmisation und Tonika-Do-Lehre der jeweilige Grundton einer Tonleiter; verdrängte den zu dumpfen älteren Namen *ut*.

d. O., Abk. für der Obige, der Obenunterzeichnete.

Do'ab, das Gebiet zwischen Dschamna und Ganges, einer der bestbewässerten und fruchtbarsten Landstriche Indiens.

D. Ö. A. V., Deutscher und Österreich. Alpenverein (→Alpenvereine).

D'oebbelin, Karl Theophilus, Schauspieler und Theaterleiter, * Königsberg i. d. Neumark 24. 4. 1727, † Berlin 10. 12. 1793, begann 1750 bei der Neuberin, gründete 1756 eine eigene Gesellschaft, kam damit 1775 nach Berlin, wo seine Bühne 1786 zum Kgl. Nationaltheater erhoben wurde.
LIT. G. Born: Die Gründung d. Berliner Nationaltheaters ... (Diss. Erlangen 1934).

D'öbel, Dickkopf, Eitel, Schuppfisch, *Squalius cephalus*, karpfenartiger, breitköpfiger, grätenreicher Süßwasserfisch.

D'öbeln, Kreisstadt im Bez. Leipzig, an der Freiberger Mulde, 170 m ü. M., mit (1973) 27600 Ew.; Bahnknoten, Industrie (landwirtsch. Maschinen, Tabakwaren, Seife, Nahrungsmittel), Zuckerfabrik.

Dober'an, Bad D., Kreisstadt und Mineralbad im Bez. Rostock, mit (1973) 12800 Ew.; Fachschulen; radioaktive Stahlquelle. Die Marienkirche ist ein got. Backsteinbau. – 6 km nordwestlich liegt das zu D. gehörende Ostseebad *Heiligendamm*, das älteste Seebad Deutschlands (gegr. 1793).

D'öbereiner, 1) Christian, Musiker, * Wunsiedel 2. 4. 1874, † München 14. 1. 1961,

Vorkämpfer für die Pflege älterer Instrumentalmusik (etwa 1650–1770) und die Einführung historischer Instrumente (Gambe, Cembalo) in den heutigen Konzertsaal.

2) Johann Wolfgang, Chemiker, * Bug bei Hof 13. 12. 1780, † Jena 24. 3. 1849, Prof. in Jena. D. entdeckte die Entzündlichkeit des Wasserstoffs durch Platinschwamm *(Döbereiner Feuerzeug)*; vielfach Goethes Berater in chemischen Fragen.
Lit. A. Mittasch: D., Goethe und die Katalyse (1951).

D'öberitz, Truppenübungsplatz im Bez. Potsdam, westlich von Spandau.

D'oberlug-Kirchhain, Stadt im Kr. Finsterwalde, Bez. Cottbus, an der Kleinen Elster, 100 m ü. M., mit (1964) 9100 Ew., nach dem 2. Weltkrieg aus den Städten Doberlug und Kirchhain gebildet; Bahnknoten, Lederindustrie. D., bis 1937 *Dobrilugk,* hat Schloß (1661) und die Ruinen eines Zisterzienserklosters (gegr. 1164, aufgehoben 1540) mit gut erhaltener roman. Kirche (1228).

D'obermann, ein großer Pinscher (→Hunde).

Dobi, István, ungar. Politiker, * Szony 1898, † 24. 11. 1968, war Mitglied der Partei der Kleinen Landwirte (1947 deren Präsident), 1948–52 MinPräs. D. war 1952–67 Vors. des Präsidialrats der Nationalversammlung (Staatsoberhaupt). 1959 wurde er in die KP aufgenommen.

D'öblin, Alfred, Schriftsteller, * Stettin 10. 8. 1878, † Emmendingen bei Freiburg 28. 6. 1957, Nervenarzt in Berlin, emigrierte 1933 nach Frankreich, 1940 in die USA, kehrte 1945 nach Deutschland zurück. D. begann 1910 als Mitgründer der expressionist. Zeitschrift ›Der Sturm‹, wurde bes. bekannt durch den sozialkritischen, von James Joyce beeinflußten Roman ›Berlin Alexanderplatz‹ (1929). Sein Werk verbindet Sachlichkeit und Phantasiereichtum. Sein Weltbild wandelte sich von der Bejahung der Massenseele, von der Anschauung einer von blinden Trieben erfüllten Lebenschaotik zum Bekenntnis des christlichen Gottes (Übertritt vom Judentum zum kathol. Christentum).
Werke. *Romane:* Die drei Sprünge des Wang-lun (1915), Wadzeks Kampf mit der Dampfturbine (1918), Der schwarze Vorhang (1919), Wallenstein, 2 Bde. (1920), Berge, Meere und Giganten (1924, Neufassung: Giganten, 1932), Berlin Alexanderplatz (1929), Die babylon. Wanderung (1934), Südamerikatrilogie (Das Land ohne Tod, Der blaue Tiger, Der neue Urwald; dt. Ausg. 1947/48), November 1918 (Trilogie: Verratenes Volk, Heimkehr der Fronttruppen, Karl u. Rosa; 1948–50), Hamlet oder Die lange Nacht nimmt ein Ende (1956). *Essays:* Das Ich über das Natur (1927, fortgesetzt: Unser Dasein, 1933), Jüd. Erneuerung (1933), Flucht u. Sammlung d. Judenvolkes (1935), Der unsterbl. Mensch (1946), Die literar. Situation (1947), Die Dichtung (1950). Ausgewählte Werke in Einzelbänden (1960ff.). Autobiogr.: Im Buch, zu Hause u. auf der Straße (mit O. Loerke, 1928), Schicksalsreise (1949).
Lit. K. Müller-Salget: A. D. (1971).

D'öbling, der XIX. Bezirk von Wien.

Dobra [d'ovra, portug.], bis zum 18. Jh. eine der span. Dublone entsprechende Goldmünze zu 2 Escudos; doch gab es auch D. zu 4 und 8 Escudos, seit 1722 nur das Stück zu 8 Escudos. Die halbe D. hieß Peça oder Johannes.

D'öbraberg, der höchste Berg des Frankenwaldes, 795 m.

Dobrão [dubr'äu], eine seit 1722 geprägte portug. Goldmünze.

Dobretsberger, Josef, österr. Politiker, * Linz 28. 2. 1903, 1929/30 GenSekr. des österr. Bauernbundes, 1934 Prof. in Graz, 1935/36 Min. für soziale Verwaltung, 1938 bis 1941 Prof. in Istanbul, 1942–46 in Kairo, sprach dort in brit. Diensten im Rundfunk. Nach seiner Rückkehr wieder Prof. in Graz; Obmann der linksgerichteten Demokrat. Union.

Dobrogea [dobr'odʒa], rumän. Name der →Dobrudscha.

Dobrolj'ubow, Nikolas Alexandrowitsch, russ. Schriftsteller, * Nischnij-Nowgorod (Gorki) 5. 2. 1836, † Petersburg 29. 11. 1861, demokratischer Publizist und scharfer Kritiker. Bes. wichtig sind seine Aufsätze über Ostrowskijs Dramen u. d. T. ›Das dunkle Reich‹ und über Gontscharows ›Oblomow‹. ›Werke‹ 4 Bde. (1911, mit Biographie von Lemke), 6 Bde. (1934).

D'obrovský, Josef, Gründer der slawischen Philologie, * Gyermet bei Raab (Ungarn) 17. 8. 1753, † Brünn 6. 1. 1829, Priester, gab die erste wissenschaftliche Darstellung des Kirchenslawischen (Institutiones linguae slawicae dialecti veteris, Wien 1822).

Dobr'udscha, rumän. Dobrogea, Landschaft in Rumänien, zwischen dem Schwarzen Meer, dem Unterlauf der Donau und ihrem Delta; Hauptstadt ist die Hafenstadt Constanta. Die D. war bis 1880 eine Natursteppe, sie wurde seitdem in Ackerland verwandelt. Als Zugang zum Schwarzen Meer ist sie für Rumänien von großer Bedeutung. Zwischen Constanta und Cernavoda besteht ein Großschiffahrtsweg. Parallel der Bahnlinie Constanta–Cernavoda läuft eine Erdölleitung. – Seit dem 7. Jh. v. Chr. wurden am Schwarzen Meer griech. Kolonien angelegt; außerdem war die D. nacheinander von Skythen, Geten, Dakern, Goten bewohnt; seit 29 v. Chr. gehörte sie zur röm. Prov. Moesia. 679 kam die D. unter die Herrschaft der Bulgaren, 1396 an die Türkei und 1878 an Rumänien. Die *Süd-D.* (Hauptstadt Baltschik) kam 1913 (nach dem 2. Balkankrieg) von Bulgarien an Rumänien, 1918 (Frieden von Bukarest) an Bulgarien, 1920 (Frieden von Neuilly) an Rumänien, 1940 (Vertrag von Craiova) wieder an Bulgarien, wo sie auch nach dem Frieden von Paris 1947 verblieb. Die dt. Kolonisten wurden seit 1940 ins Reich umgesiedelt.

d'obsche [poln.], gut, ausgezeichnet.

Dobson [d'ɔbsn], **1)** Henry Austin, engl. Dichter und Literarhistoriker, * Plymouth 18. 1. 1840, † Ealing 2. 9. 1921. Seine Gedichte sind erlesene Wortkunst, zierliche Porzellanpoesie; seine literarische Kritik galt vornehmlich dem 18. Jh.

WERKE. Vignettes in rhyme (1873), Proverbs in porcelain (1877), Eighteenth century vignettes (1892–96), Complete poetical works (London 1924).

2) William, engl. Bildnismaler, * London 1610, † das. Okt. 1646, seit etwa 1635 in der Werkstatt van Dycks, nach dessen Tod 1641 »Maler des Königs«.

Dobzhansky [dɔbʒanski], Theodosius, Biologe, * Rußland 25. 1. 1900, 1929–40 Prof. in Pasadena, danach in New York. Von D. stammen wichtige genetische Untersuchungen an der Taufliege.

WERK. Genetics and the origin of species (N. Y. ³1951), Die Entwicklung zum Menschen. Evolution, Abstammung und Vererbung, hg. v. F. Schwanitz (1958).

Doce, Rio [d'ɔsɛ], Fluß in Ost-Brasilien, 977 km lang, mündet im Staat Espírito Santo in den Atlantik.

Doc'endo d'iscimus oder **Docendo discitur** [lat.], »Durch Lehren lernt man«, sprichwörtl. Ausdruck nach dem 7. Brief des jüngeren Seneca.

Dochm'iasis, die Ankylostomiasis der Tiere: Erkrankung durch den →Hakenwurm.

Docht [german. Stw.], derjenige Teil einer Lampe oder Kerze, der der Flamme den Leuchtstoff durch Kapillarwirkung zuführt. Er besteht aus Baumwollfäden. *Dochtkohle,*

Brennkohle für Bogenlampen, die im Innern mit einem Kern aus Metallsalzen versehen ist.

D'öchting *das, niederd.* Töchterchen.

Dock [niederd.; Herkunft ungewiß], Anlage, in der ein Schiff völlig trockengestellt wird, so daß es an der Unterwasserseite ausgebessert werden kann. Ein *Schwimmdock* besteht aus einem rechteckigen Schwimmkörper aus Stahl, der an beiden Stirnseiten offen ist. Boden und Wände sind wasserdicht unterteilt. Wenn ein Schiff gedockt werden soll, wird der Behälter gesenkt, indem Boden und Seitenwände mit Wasser gefüllt werden. Ist das Schiff eingefahren, wird das Wasser wieder herausgepumpt; der Schwimmkasten hebt sich, bis der Boden über die Wasseroberfläche ragt, und das Schiff befindet sich im Trocknen. Die Betriebsanlagen (Pumpen, Werkstätten u. a.) sind in den Wänden, oben stehen die Krane. Ein *Trockendock* ist ein schleusenartiges betoniertes und ausgemauertes Becken, das durch eine Art Schleusentor abgeschlossen wird. Nach der Einfahrt des Schiffes wird das Tor geschlossen und das in dem Becken befindliche Wasser herausgepumpt. Das Schiff senkt sich dann auf die Kielstapel. BILD S. 140.

D'ocke [roman. Lw.] *die,* Mütze, Haube, hoher Kopfputz.

D'ocke [westgerman. Stw.], **1)** Puppe, Bündel, etwas Zusammengedrehtes, z. B. zopfartig in Strähnen gelegtes Garn, zu Haufen geschichtete Getreidegarben (Getreidepuppe). **2)** ein walzenförmiges Stück, Klotz, Zapfen, z. B. eine kleine gedrehte Säule aus

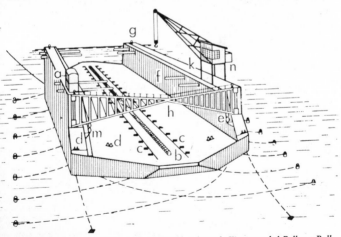

Dock: Schwimmdock; a *Schaltraum,* b *Kielstapel,* c *bewegl. Kimmstapel,* d *Poller,* e *Rollfender,* f *Stützen zum Ausrichten des Schiffes,* g *Spill,* h *Verbindungsbrücke,* k *Laufstege,* m *Treppen,* n *fahrbarer Torkran*

Dock

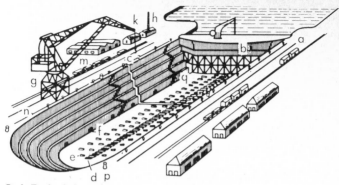

Dock: Trockendock; a *Dockhaupt,* b *Docktor (Ponton),* c *Zwischenhaupt (zur Unterteilung des Docks für kleinere Schiffe),* d *Kielstapel,* e *Kimmstapel (-schlitten),* f *Wasser-Ein- und -Auslauf,* g *fahrbarer Wippkran,* h *Kesselhaus,* k *Pumpenhaus,* m *Werkstätten,* n *Poller,* p *Spill,* q *Treppen*

Holz oder Stein (Baluster). 3) beim *Kielklavier:* ein Zapfen am hinteren Ende der Taste.

Döcker, Richard, Architekt, * Weilheim (Teck) 3. 6. 1894, † 1968, war bis 1966 Prof. für Städtebau, Wiederaufbau und Entwerfen an der TH Stuttgart, 1946 Generalbaudirektor der Stadt Stuttgart.
WERKE. Kaufhaus Union Stuttgart (1928 bis 1952), Schule Trossingen (1924), Krankenhäuser in Waiblingen (1926) u. Maulbronn (1928), Siedlungen u. Wohnbauten (z. B. in der Weißenhofsiedlung Stuttgart, 1927), Bauten der Techn. Hochschl. Stuttgart (seit 1949), Universitätsbibl. und Universität Saarbrücken (seit 1952). – Schriften: Terrassentyp (1929), 42 Wohnhäuser von 8000–30000 RM (1932), Das Formbild der Planfiguren (1950).

D´ockhafen, gegen Flutbewegung durch Schleusen abgeschlossener Hafen; Gegensatz: Tidehafen.

D´octa ignor´antia [lat. ›gelehrtes Nichtwissen‹], das erste philos. Hauptwerk des Nikolaus von Kues. Es lehrt, daß der Mensch die Unendlichkeit Gottes mit seinem begriffl. Wissen nicht erfassen kann, weil Gott die Einheit aller Gegensätze darstellt.

D´octor [lat.], *Mz.* Doctores, urspr. für Doktor. **Doctor** eccl´esiae, der →Kirchenlehrer, Ehrentitel für hervorragende Theologen. **D´octor l´egum,** Doktor der Gesetze, mittelalterl. Standesbezeichnung für einen Prof. der Rechte, urspr. mit dem persönl. Adel verbunden, später nur Titel.

Documenta, Ausstellung internat. moderner Kunst in Kassel. D. I (1955) zeigte fast ausschließl. europ. Kunst, D. II (1959) bezog amerik. Maler ein. D. III (1964), D. IV (1968) auch Kinetik, Popart und Environment, D. V (1972) setzte die neuen realist. Strömungen durch.

document humain [dɔkymã hymɛ̃, franz. ›menschliches Zeugnis‹], ein auf Taines Balzac-Essay zurückgehendes Programm-Wort der Naturalisten (Goncourt, Zola); sie forderten, daß ein Kunstwerk, das das Leben schildert, ebenso dokumentiert sein müsse wie eine historische oder naturwissenschaftliche Arbeit.

Dodd, William Edward, amerikan. Geschichtsforscher und Diplomat, * Clayton (North Carolina) 21. 10. 1869, † Roundhill (Virginia) 9. 2. 1940, war 1908–33 Prof. der Geschichte in Chicago, 1933–37 Botschafter der USA in Berlin.
WERK. Ambassador Dodd's Diary 1933–37 (1941).

d´odeka [griech.], zwölf.

Dodeka´eder [griech. ›Zwölfflächner‹] *das,* von 12 ebenen Vielecken begrenzter Körper. Zu den regelmäßigen Körpern gehört das von 12 gleichseit. Fünfecken begrenzte *Pentagon-D.*

Dodekaeder: a *Rhomben-D.,* b *Deltoid-D.,* c *Pentagon-D.*

Dodekan´es [griech. ›Zwölfinseln‹] *der,* Gruppe der südl. Sporaden vor der Südwestküste Kleinasiens, zwölf größere Inseln und etwa vierzig kleine Eilande und Klippen. Die größeren Inseln sind Patmos, Lipsos, Leros, Kalymnos, Kos, Astropalia (Astypalaia), Nisyros, Telos, Syme, Chalke, Karpathos, Kasos. Vielfach wird auch Rhodos dazugezählt. Die Inseln sind gebirgig; auf Nisyros dauert vulkan. Tätigkeit in Solfataren an. Der D. wurde samt Rhodos 1912 von Italien besetzt, 1924 formell italienisch, 1947 griechisch. Die meist griechischen Bewohner des D. treiben Öl-, Wein-, Tabakbau, Seidenraupen-, Bienen-, Viehzucht, Gerberei, Töpferei, Teppichweberei.

Dodekaphon'ie, die →Zwölftonmusik.

D'oderer, Heimito von, Schriftsteller, *Weidlingau bei Wien 5.9.1896, † Wien 23.12. 1966. In seinen Wiener Romanen ›Die Strudlhofstiege‹ (1951) und ›Die Dämonen‹ (1956) geht es D. um die Begegnung und die Auseinandersetzung des Einzelmenschen und der Gesellschaft mit dem Unberechenbaren, Dämonischen, um das »Jenseits im Diesseits«. Nach seiner Romantheorie ›Grundlagen und Funktion des Romans‹ (1959) ist es Aufgabe des epischen Dichters, ein Weltbild zu geben.
WERKE. Der Fall Gütersloh (1930), Ein Mord den jeder begeht (1938), Ein Umweg (1940), Die erleuchteten Fenster (1950), Die Peinigung der Lederbeutelchen (1959), Die Merowinger oder Die totale Familie (1962), Roman Nr. 7. Tl. I: Die Wasserfälle v. Slunj (1963), Tangenten, Tagebuch eines Schriftstellers 1940–1950 (1964), Unter schwarzen Sternen (1966), Repertorium (1969).
LIT. N. Langer, in: Dichter aus Österreich, 3. F. (1958); H. Spiel: Welt im Widerschein (1960); A. Holzinger: Zeitgesch. u. Roman bei D., in : Wort u. Wahrheit, 15 (1960).

Döderlein, Albert, Gynäkologe, * Augsburg 5. 7. 1860, † München 10. 12. 1941, Prof. in Groningen (Niederlande), Tübingen und München, verdient um die Kenntnis der bakteriellen Scheidenflora, die Verhütung des Kindbettfiebers, den technischen Ausbau der operativen Gynäkologie und der Strahlentherapie, bes. des Krebses.

Dodgson [d'ɔdʒsən], Charles Lutwidge, engl. Erzähler, →Carroll, Lewis.

Dodo [dud'o, portug.] *der,* ausgestorbene Vogelart, →Dronte.

Dodoma, Stadt in Tansania, mit rd. 25000 Ew.; wurde 1973 zur Hauptstadt ernannt.

Dod'ona, altgriech. Heiligtum des Zeus, in Epirus, mit einer schon bei Homer berühmten Wahrsagestätte. In der ältesten Zeit entnahm man die Schicksalssprüche dem Rauschen der heil. Eiche, später dem Klingen eines ehernen Kessels. 219 v. Chr. wurde die Stätte von den Ätolern verwüstet, bestand aber noch in der röm. Kaiserzeit.

Doelenstück [d'u:lən, von niederländ. doele ›Ziel‹], **Schützenstück,** →Gruppenbild von Mitgliedern holländ. Schützengilden.

Does [du:s], Jacob van der, holländ. Maler, * Amsterdam 4. 3. 1623, † Sloten bei Amsterdam 17. 11. 1673; an Moeyaert und 1644–50 in Roman P. van Laer anschließend, malte er in Amsterdam und im Haag dunkeltonige Landschaften.

Doesburg [du:s-], Theo von, eigentlich Christian E. M. Küpper, holländ. Maler, * Utrecht 30. 8. 1883, † Davos 7. 3. 1931, gründete 1917 mit P. Mondrian u. a. die Zeitschrift ›Stijl‹ und verfocht deren Ideen in Schriften, Vorträgen und persönl. Ver-

bindung mit anderen Künstlern und Gruppen, bes. auch dem Bauhaus. Er malte gegenstandslose, sich meist auf rechtwinklige Gitterformen beschränkende Bilder, die denen Mondrians ähnlich, später aber weniger streng sind.

Dogar'essa, die Gemahlin des Dogen (→Doge).

Dogcart [dɔgkɑ:t, engl. ›Hundekarren‹], leichter, zweirädriger Einspänner, meist mit Rücksitz für den Bedienten; Gegensatz: Cabcart.

Doge [d'o:ʒə, ital. d'o:dʒe; mundartl. zu Duce, von lat. dux ›Führer‹, ›Herzog‹], der Inhaber der höchsten ausübenden Gewalt in *Venedig* (seit 697). Als byzantin. Beamte waren die D. durch die Vereinigung der militär. und richterl. Zuständigkeiten fast Alleinherrscher. Der Versuch, ihre Herrschaft erblich zu machen, mißlang 1032 und führte zur dauernden Einschränkung ihrer Gewalt; der D. war nur noch der Vorsitzende und ausführende Beamte der Signoria. Die Wahl (auf Lebenszeit) geschah durch Mitglieder des Adels in einem kunstvollen Wahlverfahren. 6 Tribunen überwachten den D. im Amt, ferner wurde 1310 der Rat der Zehn (Dieci Inquisitori di Stato) eingerichtet, der als oberste richterl. Behörde der Rep. auch über den D. Strafgewalt hatte (1355 Hinrichtung des Marino →Falieri). 5 Correttori prüften nach dem Tode des D. seine Amtsführung und übertrugen etwaige Strafen auf seine Angehörigen. – Auch in *Genua* wurde nach venezian. Vorbild 1339 ein D. eingesetzt; seit 1528 folgten dort einander die D. alle 2 Jahre. – 1797 wurde das Amt des D. in Venedig und Genua aufgehoben.
LIT. H. Kretschmayr: Gesch. v. Venedig, 3 Bde. (1905–34); L. M. Levati: Dogi di Genova 1669–1797, 4 Bde. (Genua 1912–16); R. Cessi: Venezia ducale 1 (Venedig 1940).

Doge: Doge Leonardo Loredano (Gemälde v. Giovanni Bellini; London, Nat. Gall.)

Dogenmütze, die zur Amtstracht des →Dogen von Venedig gehörende Kopfbedeckung, aus dem Herzogshut entwickelt, seit dem 14. Jh. ein Metallstirnreif mit einer versteiften phryg. Mütze aus Goldbrokat.

D'ogge [von engl. dog ›Hund‹], große, schwere Rasse der →Hunde.

D'ogge, *Edelsteinschleiferei:* →Doppe.

D'oggenhai, Fisch, →Hai.

D'ogger, eine Schichtfolge der →Juraformation.

D'oggerbank, große Sandbank in der Nordsee, 300 km lang, 100 km breit, im Mittel 30 m tief (flachste Stellen 13 m), an der Stelle der eiszeitl. Rheinmündung; ergiebiges Fischgebiet. Am 24. 1. 1915 fand hier das erste Seegefecht zwischen deutschen und engl. Schlachtkreuzern statt.

D'ögling [niederd.], Wal, →Pottwale.

D'ogma [griech. ›Meinung‹, ›Verfügung‹, ›Lehrsatz‹] *das, Mz.* Dogmen, **1)** die lehrhafte Formulierung von Grundwahrheiten; christlicher Glaubenssatz; auch das gesamte christl. Lehrsystem. Nach *katholischer* Auffassung ist D. jede von Gott in der Hl. Schrift oder der Überlieferung geoffenbarte Wahrheit, soweit sie und in der Form, in der sie vom kirchl. Lehramt verkündet wird; diese Verkündigung begründet die Glaubenspflicht (→Glaube). Ähnlich ist die Anschauung der *östl. orthodoxen Kirche,* allerdings gilt dort als D. in diesem Sinne nur die Lehrentscheidungen der ersten sieben ökumenischen Konzilien (325–787). Nach *evangelischer* Auffassung ist D. »das Maximum und Minimum des Sachgehaltes, in dem alle öffentliche Verkündigung übereinzustimmen hat« (Elert). Das D. enthält eine Lehrverpflichtung, aber keine Glaubensverpflichtung und ist zum →Bekenntnissen zusammengefaßt, die als Bekenntnisse zum Evangelium verstanden werden. – In den *nichtchristl.* Religionen gibt es D. in diesem betonten Sinne kaum, wohl aber ihnen mehr oder minder nahekommende lehrhafte Formulierungen.

Lit. Kath.: L. de Grandmaison: Le dogme chrétien. Sa nature, ses formules, son développement (1928); A. Deneffe: D., Wort u. Begriff, in: Scholastik 6 (1931); B. Poschmann: Wesen u. Bedeutung des D., in: Die Kirche in d. Welt. Ein Loseblatt-Lex., Jg. 2 (1949). – Evang.: W. Elert: Der christl. Glaube – Dogma, ³1956 hg. v. E. Kinder); P. Althaus: Die christl. Wahrheit, 2 Bde. (⁸1972).

2) *im übertragenen Sinn:* eine Grundüberzeugung, die man gegen Zweifel nicht durch Beweise, sondern durch autoritative Erklärungen sichert.

Dogm'atik, die wissenschaftliche Darstellung der christlichen Glaubenslehre, ein Teilgebiet der Systematischen →Theologie. Sie fand erste Ansätze schon bei dem Apostel Paulus, ihren Höhepunkt in der katholischen Kirche bei Thomas von Aquin. Vorlage der kathol. D. ist dabei die kirchl. Lehrverkündigung; Vorlage der evangel. D. ist die Bibel mit den Bekenntnis-

schriften, erster klassischer Vertreter: Melanchthon.

Lit. Evang.: K. Barth: Kirchl. D., Bd. 3, T. 4 (³1969); E. Brunner: D. 3 Bde. (Zürich ²/⁴1964–72); O. Weber: Grundl. der D., 2 Bde. (1955–62); weiteres →Dogma. – Kath.: L. Lercher: Institutiones Theologiae Dogmaticae, Bd. 1–4 (³1939–1950); F. Diekamp: Kath. D. nach den Grunds. des hl. Thomas, Bd. 1 (1⁰. ¹¹1949), Bd. 2 f. hg. v. K. Jüssen (¹⁰1952 ff.); M. Premm: Kath. Glaubenskunde. Ein Lehrb. d. D., Bd. 1 u. 2 ff. (1951 ff.); J. Pohle: Lehrb. d. D., neubearb. von J. Gummersbach, 3 Bde. (¹⁰1952); M. Schmaus: Kath. D., 5 Bde. (neub. Aufl. 1958–64).

dogm'atisch, 1) ohne Prüfung der Voraussetzungen. **2)** lehrhaft. **3)** innerhalb eines vorgegebenen Systems.

dogm'atische Gewißheitsgrade bezeichnen die verschiedenen Stufen der Sicherheit einer kirchl. Lehre, die amtlich durch das kirchl. Lehramt, nichtamtl. durch die Theologen in folgenden Formeln unterschieden werden: *De fide divina* besagt, daß eine Wahrheit unzweifelhaft von Gott geoffenbart ist, ohne daß sich die Kirche ausdrücklich über den Offenbarungscharakter der Wahrheit ausgesprochen hat. *De fide divina et catholica* besagt, daß der Offenbarungscharakter einer Wahrheit sicher feststeht und dieser auch von der Kirche endgültig gelehrt wird. Geschieht die Verkündigung in feierl. Form durch den Papst (Kathedralentscheidung, ›ex cathedra‹) oder ein allgemeines Konzil, so nennt man den d. G. *de fide definita.* Alle drei Stufen werden auch einfachhin mit *de fide* bezeichnet. *Fidei proxima* besagt, daß eine Wahrheit höchstwahrscheinl. geoffenbart und in diesem Sinn von der Kirche, wenn auch noch nicht endgültig, gelehrt wird. *Theologice certa* heißt eine Wahrheit, die in innerem Zusammenhang mit einer Offenbarungswahrheit steht, daher als sicher, wenn auch nicht auf Grund göttl. Autorität, anzunehmen ist, *sententia communis* eine Wahrheit, die wenigstens unter stillschweigender Gutheißung der Kirche von den Theologen übereinstimmend gelehrt wird, wogegen eine *sententia probabilis* mit guten Gründen gestützt ist, aber unter den Theologen weiter frei erörtert werden darf.

Lit. S. Cartechini: De Valore Notarum Theologicarum et de Criteriis ad eas dignoscendas (Rom 1951); J. Pohle: Lehrbuch der Dogmatik, 3 Bde. (¹⁰1952).

dogm'atische Tatsachen, *im engeren Sinn* die vom kirchl. Lehramt festgestellte Tatsache, daß eine bestimmte Schrift rechtoder irrgläubige Lehren enthält; z. B. die Tatsache der häret. Charakters gewisser Sätze des →Jansenius. *Im weiteren Sinn* sind d. T. solche Tatsachen, die zwar nicht geoffenbart sind, aber mit einem Dogma so eng zusammenhängen, daß ihre Leugnung die Leugnung des Dogmas zur logischen Folge hätte; z. B. beruht das Dogma von der päpstl. Unfehlbarkeit auf der d. T., daß das Vatikanum rechtmäßig war.

dogm'atische Zensuren bezeichnen den Grad der Abweichung einer der kath. Lehre entgegenstehenden Meinung und deren entsprechende Verurteilung durch das kirchl. Lehramt. Der Grad der Abweichung ergibt sich aus den →dogmatischen Gewißheitsgraden. Die hauptsächlichsten d. Z. sind: *erronea in fide divina* (irrig im göttl. Glauben) als Gegensatz zum Gewißheitsgrad de fide divina, *haeretica* (häretisch) als Gegensatz zu den beiden Gewißheitsgraden de fide divina et catholica und de fide definita.

Dogmat'ismus, 1) das unkritische, ohne vorangehende Prüfung der Erkenntnisbedingungen vorgehende Philosophieren. Gegensatz: Kritizismus. **2)** das Behaupten von Sachverhalten auf Grund allgemeiner Sätze ohne Rücksicht auf die jeweiligen tatsächlichen Umstände.

D'ogmenentwicklung, *kath. Lehre:* die theologische Entfaltung des Offenbarungsinhaltes. Nach kath. Lehre ist die öffentliche und für alle verbindliche Offenbarung mit dem Tode der Apostel abgeschlossen, so daß es keinen Offenbarungszuwachs durch neue göttliche Offenbarungen mehr gibt. Die trotzdem vorhandene historische Entwicklung wird nicht aus menschlichen Zutaten und Umdeutungen erklärt; vielmehr besteht nach der Lehre der Kirche die D. darin, daß sich in ihr in oft lange dauernden, tog. und existentiell-vitalen Prozessen Wahrheitszusammenhänge aus der vorgegebenen Offenbarung entfalten, die zwar ursprüngl. mitgesetzt, aber sozusagen eingeschlossen waren. Hauptursache dieses Ausfaltungsprozesses ist der die gesamte Kirche innerlich leitende personale Gottesgeist, der sich des Glaubenssinnes, der theolog. Forschung und letztl. entscheidend des →kirchlichen Lehramtes bedient, das schließlich die entwickelte Wahrheit in einer →Definition vorlegt, die mit der theologisch noch unentwickelten, ursprünglichen Offenbarung inhaltlich unfehlbar gleich ist. Die Einheit von Offenbarung und Dogma wurde früher mehr abstrakt-logisch, begrifflich gefaßt; heute hingegen deuten manche Theologen, so die »Neue Theologie« (H. de Lubac, H. Rondet, H. U. v. Balthasar u. a.), den Weg der D. überwiegend konkret-vital unter Berufung auf J. A. Möhler und J. H. Newman. Die kirchliche Auffassung der D. ist seit der Aufklärung auch innerhalb des Katholizismus oft bestritten worden. Insbesondere hat der →Modernismus sie abgelehnt und die D. als das Ergebnis zeitbedingter, wechselnder Einkleidungsversuche des religiösen Erlebnisses ohne gültigen Wahrheitsgehalt aufgefaßt; er ist von Pius X. verurteilt worden. *Evangel. Lehre:* die innerlich notwendige, allmähliche Auseinanderfaltung der Kirche eingestifteten Wahrheit. Da die christl. Erkenntnis nicht Mitteilung einer sachlichen Wahrheit, sondern personhafte Begeg-

nung Gottes mit dem Menschen ist, enthält zwar jedes Dogma die gesamte christl. Wahrheit unter einem besonderen Gesichtspunkt, eine D. vollzieht sich aber im Miteinander von Erfassung der Offenbarung und von Bildung, Wissenschaft und Kultur. So erscheint D. als die Überfremdung und Umdeutung des reinen Evangeliums durch griech. Philosophie und Mysterienkulte (Harnack), aber auch als die Bildung des gültigen Ausdrucks des auf der Schrift ruhenden Glaubens der Kirche (Thomasius, R. Seeberg).

LIT. Kath.: J. H. Newman: An Essay on the Development of Christian Doctrine (London ²1878, dt. v. Th. Haecker: D. Entwickl. d. christl. Lehre u. d. Begriff der Entwicklung 1922); Pius X.: Enzyklika →Pascendi dominici gregis (1907); A. Rademacher: Der Entwicklungsgedanke in Religion und Dogma (1914); F. Marin-Sola: L'évolution homogène du Dogme cath., 2 Bde. (Fribourg ²1924); J. R. Geiselmann: Geist d. Christentums u. d. Katholizismus (1940); M. Schmaus: Beharrung u. Fortschritt im Christentum (1951); Vorträge ü. D., geh. an d. päpstl. Universität zu Rom, in: Gregorianum 33 (1952) Heft 1; Bindung u. Freiheit d. kath. Denkens, hg. v. A. Hartmann (1952). – Nichtkath.: Lehrbücher d. →Dogmengesch.; M. Werner: D. Entstehung d. christl. Dogmas, problemgeschichtl. dargestellt (1941); F. Heiler u. F. Siegmund-Schultze in: Oekumen. Einheit 2 (1951) Heft 2 und 3.

D'ogmengeschichte, Geschichte der kirchlichen Glaubenslehre, die Erforschung und Darstellung der →Dogmenentwicklung. In der *katholischen Kirche* handelt es sich um die Geschichte der in der Kirche durch das unfehlbare Lehramt sich vollziehenden fortschreitenden Deutung der abgeschlossenen Offenbarung. Im *Protestantismus* stellt die D. die Entwicklung der kirchlichen Lehrbildung in den verschiedenen Kirchen bis an die Schwelle der Neuzeit oder noch allgemeiner die Geistesgeschichte des Christentums dar.

LIT. Kath.: J. v. Bach: Die D. des MA.s, 2 Bde. (Wien 1873–75); R. Schultes: Introductio in historiam dogmatum (Paris 1922); Handbuch der D., hg. v. M. Schmaus, J. Geiselmann, H. Rahner (1951 ff.). – Evang.: A. v. Harnack: Lehrb. d. D., 3 Bde. (⁴1909 f.); R. Seeberg: Lehrb. d. D., 4 Bde. (³1922–33); O. Ritschl: D. d. Prot., 4 Bde. (1908–27); E. Hirsch: Gesch. d. neueren evang. Theol., 4 Bde. (³1964); F. Looß: Leitfaden z. Studium d. D., hg. v. K. Aland (⁴1959); A. Adam: Lehrbuch d. D., 3 Bde. (1965 ff.).

Dogon, Fulbename **Habbe,** Einzahl **Kado,** Hirsebauern auf dem Plateau von Bandiagara u. in den Homboribergen (Mali); Holzschnitzer (Masken, Kultfiguren).

LIT. D. Paulme: Organisation sociale des Dogons (Paris 1940); M. Leiris: La langue secrète des Dogons (Paris 1948).

Dohl

D'ohle [ahd.], *Coloeus monedula*, ein über Europa verbreiteter taubengroßer Rabenvogel, schwarz und grau, gesellig, nistet gern auf Türmen.

Dohle

Dohm, 1) Ernst, Schriftsteller, * Breslau 24. 5. 1819, † Berlin 5. 2. 1883, seit 1849 Redakteur des ›Kladderadatsch‹, polit. Satiriker, schrieb das Libretto zu Offenbachs ›Schöner Helena‹.
2) Hedwig, Frauenrechtlerin, Frau von 1), * Berlin 20. 9. 1833, † das. 4. 6. 1919, schrieb ›Der Frauen Natur u. Recht‹ (1876).

D'ohna, edelfreies Geschlecht, 1156 mit der Burggrafschaft D. bei Pirna belehnt, später in Ostpreußen ansässig. – Burggraf und Graf *Alexander* zu Dohna-Schlobitten (* 1771, † 1831) war 1808–10 preuß. Minister des Innern und wirkte 1813 bei der Aufstellung der ostpreuß. Landwehr mit; Graf *Heinrich* zu Dohna-Schlobitten (* 1882, † 1944) wurde nach dem 20. Juli 1944 hingerichtet. – Burggraf und Graf *Nikolaus* zu Dohna-Schlodien (* 1879, † 1956) wurde im 1. Weltkrieg als Kommandant des Hilfskreuzers ›Möwe‹ bekannt.

Dohnányi [d'oxnɑːɲi], **1)** Ernst von, ungar. Musiker, * Preßburg 27. 7. 1877, † New York 9. 2. 1960, wurde als Klavierpädagoge, Dirigent und gemäßigt moderner Komponist bekannt; seit 1945 in den USA.
2) Hans von, Jurist, Sohn von 1), * Wien 1. 1. 1902, † (hingerichtet, KZ Sachsenhausen) April 1945, seit 1933 im Reichsjustizministerium, seit 1938 Reichsgerichtsrat, schloß sich 1934 der Widerstandsbewegung an, im April 1943 verhaftet.
3) Klaus von, Politiker (SPD), Sohn von 2), * Hamburg 23. 6. 1928, Jurist, 1968–69 im Wirtschaftsministerium, seit 1969 im Ministerium, 1972–74 Minister für Bildung und Wissenschaft.

D'ohne [mhd.; verwandt mit dehnen], **1)** Schlingen aus Pferdehaar an Bäumen (Steck-D.) oder am Boden (Lauf-D.), mit Ebereschen beködert, zum Fangen von Krammetsvögeln *(Dohnenstieg)*. Aufstellen von D. ist seit 1908 in Dtl. gesetzlich verboten. **2)** Balkendecke.

Dohrn, Anton, Zoologe, * Stettin 29. 12. 1840, † München 26. 9. 1909, erbaute und leitete die Deutsche Zoologische (Meeres-) Station in Neapel (1874 eröffnet), die für die Entwicklung der Biologie große Bedeutung gewann. Außerdem arbeitete D. auf dem Gebiet der vergleich. Anatomie.

Doinā, lyrisches Lied der bäuerl. rumän. Bevölkerung mit stark elegischem Einschlag.

Doisy, Edward Adelbert, amerikan. Biochemiker, * Hume (Ill.) 13. 11. 1893, Prof. in Washington und St. Louis. D. erhielt (zus. mit H. C. P. Dam) den Nobelpreis für Medizin 1943 für die Konstitutionsaufklärung des Vitamins K.

Do it yourself [du it jɔːs'elf, engl. ›mach's selber‹], in den USA aufgekommener Brauch, handwerkl. Arbeiten im Haus selber auszuführen.

Doket'ismus [von grch. dokein ›scheinen‹], die im christl. Altertum bes. von Gnostikern und Manichäern vertretene, von der Kirche stets bekämpfte Lehre, daß Gott nur *scheinbar* in Jesus Mensch geworden sei. Die Wurzel des D. war die Beurteilung der Materie als niedrig und böse, so daß die Menschwerdung Gottes als unwürdig und unmöglich erschien.

Dokimas'ie [grch.], **1)** im alten Athen die Prüfung der Beamten und Ratsherren vor dem Amtsantritt, der ›Epheben vor der Aufnahme in die Demenliste.
2) Probierkunde, Untersuchung. **Dokimastische Analyse** ist ein Schmelzverfahren bes. zur Bestimmung und Trennung von Edelmetallen, bei dem man die Substanz mit Kohle und Blei im Muffelofen reduziert. Der entstandene Bleiregulus wird auf der →Kupelle abgetrieben und das zurückbleibende Edelmetallkorn gewogen.

D'okkum, alte Stadt in den nördl. Niederlanden, mit (1969) 9800 Ew., Wallfahrtsort. In der Nähe von D. wurde 754 Bonifatius erschlagen.

D'oktor [lat. doctor ›Lehrer‹], Abk. **Dr.,** höchster akadem. Grad. **Doktorand,** Prüfling in der D.-Prüfung.
Im MA. war D. eine abwechselnd mit Scholasticus und Magister gebrauchte Bezeichnung für Lehrer überhaupt. Den Übergang zum Gebrauch des Wortes als Titel bildet die Bezeichnung der Kirchenväter als →Doctores ecclesiae; seit dem 12. Jh. erhielten berühmte Scholastiker diesen Titel mit auszeichnenden Beiwörtern, z. B. Thomas von Aquin: D. angelicus (universalis). Mit dem Aufkommen der Universitäten im 12. und 13. Jh. wurde zugleich mit dem untersten akadem. Grad (Bakkalaureus) beschränkte, mit dem höheren des Magister und dem höchsten des D. unbeschränkte Unterrichtserlaubnis verliehen (licentia, ›Lizentiat‹). In besonderen Ansehen stand damals der theolog. D.-Grad, so daß im Sprachgebrauch des 15. u. 16. Jhs. D. einen Theologen bedeutete, während seit dem 17. Jh. der Volksmund die Bezeichnung D. für einen Arzt verwendet ohne Rücksicht auf den tatsächlichen Besitz des D.-Diploms. In Deutschland verschwand allmählich der

Bakkalaureus. Die Grade des Magisters und des D. verschmolzen zu dem des D. (vgl. ÜBERSICHT); damit sank die wissenschaftl. Bedeutung des D.-Grades, dem schließlich auch die Lehrberechtigung verlorenging. An die Stelle der Magisterprüfung trat seit Beginn des 20. Jhs. als Vorstufe der D.-Prüfung in bestimmten Lehrgebieten die Diplomprüfung (→Diplom), nach deren Bestehen ein neugeschaffener akadem. Grad (Diplom-Ingenieur, Diplom-Volkswirt usw.) verliehen wird. Die Lehrberechtigung an Hochschulen (venia legendi) muß seit Beginn des 19. Jhs. durch ein besonderes Verfahren der →Habilitation erworben werden. An den Hochschulen Englands und der USA blieben Bakkalaureus *(Bachelor)* und Magister *(Master)* als untere akadem. Grade erhalten, an den Päpstlichen Hochschulen der *Baccalaureus*, dem an Stelle des Magister der *Licentiatus* folgt; im zarist. Rußland, in Estland, der Sowjetunion und Schweden trat an Stelle des Bakkalaureus der *Candidatus*, während der Magister teils erhalten blieb, teils (in Schweden) durch den Licentiatus ersetzt wurde.

Die Verleihung der Doktorwürde *(Promotion)* erfolgt durch den Dekan (an kleineren Hochschulen durch den Rektor) nach Annahme der →Dissertation durch die Fakultät und nach Bestehen der mündlichen Prüfung *(examen rigorosum)*. Die früher übliche öffentl. Verteidigung der Dissertation (D.-Disputation) und die Zeremonie der Verleihung des D.-Hutes sind in den meisten Ländern weggefallen, geblieben ist aber an einigen Hochschulen der feierliche D.-Eid, mit dem der **Doktorand** die Erfüllung der mit der D.-Würde verbundenen Pflichten beschwört. Auf Grund besonderer Verdienste um die Wissenschaft kann der D. ehrenhalber ohne Studium und Prüfung verliehen werden (Dr. h. c. oder **Dr. e. h.**). Das Ergebnis der Doktorprüfung wird nach vier Gradabstufungen beurteilt: rite (›ordnungsgemäß‹) = bestanden; cum laude (›mit Lob‹) = gut; magna cum laude (›mit hohem Lob‹) = sehr gut; summa cum laude (›mit höchstem Lob‹) = mit Auszeichnung. Der Doktortitel ist für die Laufbahn als Hochschullehrer Vorbedingung (→Habilitation). Der D.-Grad ist in vielen Ländern staatlich geschützt (→Titel).

LIT. Dt. Hochschulführer (jährl.).

DOKTOR: DIE GEBRÄUCHLICHSTEN DOKTORGRADE IN
a) Deutschland [D], Österreich [Ö], Schweiz [S]

D. theol. *(theologiae)*, D. der Theologie; nur für den Ehrendoktor gebräuchlich [D, Ö]; vgl. Dr. theol.

Dr. agr. *(agronomiae)*, D. der Landwirtschaft [D, Ö]

Dr. e. h. (ehrenhalber), auf Grund besonderer Verdienste [D, Ö]

Dr. rer. forest. *(rerum forestalium)*, D. der Forstwissenschaft [D]

Dr. h. c. *(honoris causa)*, Ehrendoktor wie Dr. e. h. [D, Ö, S]

Dr. habil. *(habilitatus)*, an einer Fakultät habilitiert (→Habilitation) [D 1935–45]

Dr.-Ing., Doktor-Ingenieur [D]

Dr. iur./jur. *(iuris, juris)*, D. der Rechtswissenschaft [D, Ö, S]

Dr. med. *(medicinae)*, D. der Heilkunde [D, S]

Dr. med. univ. *(medicinae universae)*, D. der gesamten Heilkunde [Ö]

Dr. med. dent. *(medicinae dentariae)*, D. der Zahnheilkunde [D, S]

Dr. med. vet. *(medicinae veterinariae)*, D. der Tierheilkunde [D, Ö, S]

Dr. (rer.) mont. *(rerum montanarum)*, D. der Bergbauwissenschaften [Ö]

Dr. oec. *(oeconomiae)*, D. der Betriebswirtschaft [D]

Dr. oec. publ. *(oeconomiae publicae)*, D. der Volkswirtschaft [D]

Dr. pharm. *(pharmaciae)*, D. der Pharmazie [S]

Dr. phil. *(philosophiae)*, D. der Philosophie [D, Ö, S]

Dr. phil. nat. *(philosophiae naturalis)*, D. der Naturwissenschaften [D]

Dr. rer. nat. *(rerum naturalium)*, D. der Naturwissenschaften [D]

Dr. rer. oec. *(rerum oeconomicarum)*, D. der Wirtschaftswissenschaften [D]

Dr. rer. pol. *(rerum politicarum)*, D. der Staatswissenschaften [D, Ö, S]

Dr. (rer.) techn. *(rerum technicarum)*, D. der technischen Wissenschaften [Ö]

Dr. sc. techn. *(scientiarum technicarum)*, D. der technischen Wissenschaften [S]

Dr. sc. math. *(scientiarum mathematicarum)*, D. der mathematischen Wissenschaften [S]

Dr. sc. nat. *(scientiarum naturalium)*, D. der Naturwissenschaften [S]

Dr. theol. *(theologiae)*, D. der Theologie (rite erworben im Gegensatz zum Ehrendoktor *D. theol.*) [D, Ö, S]

b) Großbritannien

D. D. *(Divinity Doctor)*, D. der Theologie (nur ehrenhalber)

D. Litt., D. Lit., Litt. D. *(literarum)*, D. der Geisteswissenschaften

D. M. oder **M. D.** *(Medicine)*, D. der Heilkunde

D. Mus. oder **Mus. D.** *(Music)*, D. der Musik

D. Phil. oder **Ph. D.** *(Philosophy)*, D. der Philosophie

LL. D. *(Laws)*, D. der Rechtswissenschaft

D. Sc. oder **Sc. D.** *(Sciences)*, D. der Naturwissenschaften

c) Verein. Staaten

D. Ed. oder **Ed. D.** *(Education)*, D. der Erziehungswissenschaft

D. Eng. oder **Eng. D.** *(Engineering)*, D. der Ingenieurwissenschaft

D. M. D. *(Dental Medicine)*, D. der Zahnheilkunde

D. M. L. *(Modern Languages)*, D. der modernen Sprachen

D. S. S. *(Social Science)*, D. der Sozialwissenschaften

J. C. D. *(iuris canonici)*, D. des Kirchenrechts

J. D. oder **Iur. D.** *(iuris)*, D. der Rechtswissenschaft

Litt. D. *(litterarum)*, D. der Geisteswissenschaften

LL. D. *(Laws)*, D. der Rechtswissenschaft

M. D. *(Medicine)*, D. der Heilkunde

Mus. D. *(Music)*, D. der Musik

Ped. D. *(Pedagogy)*, D. der Erziehungswissenschaft

Ph. D. *(Philosophy)*, D. der Philosophie

S. D. *(Science)*, D. der Naturwissenschaft

Th. D. *(Theology)*, D. der Theologie

V. M. D. *(Veterinary Medicine)*, D. der Tierheilkunde

d) Frankreich

1) staatl. Grade (nur f. Inländer, mit Berufsberechtigung)

Docteur en Droit, D. der Rechtswissenschaft

Docteur en Médecine, D. der Heilkunde

Docteur ès-Sciences, D. der Naturwissenschaften

Docteur ès-Lettres, D. der Geisteswissenschaften

Docteur en Pharmacie, D. der Pharmazie

2) Universitätsgrade (für In- und Ausländer, z. T. unter leichteren Bedingungen und ohne Berechtigung)

Docteur d'Université de Paris (de Lyon usw.)

Doktor Eisenbart, →Eisenbart.

Doktrin [lat.; 30jähr. Krieg], 1) wissenschaftl. Lehre. 2) einseitige, zum vorgefaßten Grundsatz verhärtete Meinung. 3) in der Politik die programmat. Festlegung der Richtlinien von Parteien, Staaten oder Machtgruppen (z. B. Monroe-D., Truman-D.), die auch völkerrechtlich Erkenntnisquelle sein kann (z. B. Grundsätze von der Freiheit der Meere, der Offenen Tür).

doktrin'är, vorurteilsvoll, alles nach einer Lehrmeinung beurteilend.

In Frankreich erhielt während der Restauration eine parlamentar. Oppositionsgruppe, die die Weiterbildung des konstitutionellen Systems nach engl. Vorbild verfocht, den Namen **Doktrinäre**; sie kam unter der Julimonarchie Louis Philippes, geführt von Guizot, zu beherrschender Geltung.

Dokum'ent [lat. ›Beweis‹], 1) Urkunde. 2) Probe, Beweis. **dokument'ieren,** beweisen, deutlich zeigen.

Dokument'arfilm, →Kulturfilm.

Dokumentati'on, die Sammlung, Ordnung und Nutzbarmachung von Dokumenten, d. h. aller Gegenstände, die zu Studium, Belehrung und Beweisführung dienen, z. B. Zeitungen, Briefe, Akten, Urkunden, Filme, Schallkonserven, Modelle. *Dokumentationsstellen* sind Bibliotheken, Archive, Museen, Literaturnachweis- und Auskunftsstellen, soweit sie das Verfahren der D. anwenden. Aufgabe der D. ist demnach, möglichst rationelle Methoden, Normen und Richtlinien für die Organisation und Technik der geistigen Arbeit zu entwickeln und anzuwenden, sowohl allgemein wie auf einzelnen Fachgebieten. Sie befaßt sich mit der zweckmäßigen Erfassung und Ordnung des Wissens- und Erfahrungsgutes in allen Fachgebieten der Technik und Wissenschaft, der Einrichtung von Bibliographien, Registern,

Referatblättern, Referatkarteien zur Erschließung des Zeitschrifteninhalts, mit Reproduktionsverfahren für vergriffene oder schwer zugängliche Dokumente (Photokopie, Mikrofilm), mit Ordnungssystemen (→Dezimalklassifikation), bürotechn. Hilfsmittel usw. Die *automatische* D. bedient sich der informationsverarbeitenden Maschinen (Lochkartenverfahren, elektronische Datenverarbeitung in programmgesteuerten Rechenautomaten). Probleme ergeben sich laufend aus Forschung und Praxis, an ihrer Lösung wirken als **Dokumentalisten** (werden neuerdings auch als *Dokumentare* bezeichnet) nicht nur die Sammlungsbetreuer, sondern im Erfahrungsaustausch auch die Sammlungsbenutzer mit.

Besondere Bedeutung hat die D. für die Rechtsprechung u. Gesetzgebung, für die Naturwissenschaften, die Medizin, die Technik und die Wirtschaft. Die rasch und vollständig über das bisher Geleistete in allen Einzelfragen zu unterrichten, führt zwangsläufig zur D. im Sinne von ›Belegbereitschaft‹, wie Frank die D. gedeutet hat.

Die Anregung zur planmäßigen internationalen Zusammenarbeit auf dem Feld der D. ging von dem seit 1895 bestehenden *Internationalen bibliographischen Institut* in Brüssel aus, dessen Gründer P. Otlet und H. Lafontaine um 1908 den Begriff D. im heutigen Sinn prägten. Das aus dem Brüsseler Institut 1931 hervorgegangene *Internationale Institut für D.* wurde 1937 umgewandelt zum *Internationalen Verband für D.* (Fédération Internationale de Documentation, FID) im Haag. Deutschland ist durch den Deutschen Normenausschuß dort vertreten.

Deutsche Gesellschaft für D., gegr. 1941; Institut für Dokumentationswesen (gegr. 1960) in Frankfurt a. M.; UNESCO-Komitee für D. der Naturwissenschaften, Sitz Paris.

LIT. O. Frank: Literaturverzeichnis zur D. 1955–58' (1959). Zeitschriften: Revue de la documentation (Den Haag, 1934 ff.), Nachr. f. D. (Frankf. 1950 ff.).

Dokum'entenpapier, bes. haltbares Papier aus Lumpenstoffen für Urkunden, Aktien und sonstige für lange Dauer bestimmte Schriftstücke.

Dolant'in, Handelsname des salzsaure Salz des Methylphenyl-piperidin-carbonsäureäthylesters, ein stark schmerzlinderndes und krampfstillendes Mittel, das vielfach das Morphium ersetzen kann. Da Suchtgefahr besteht, unterliegt es dem Betäubungsmittelgesetz.

dolce [d'oltʃə, ital.], *Musik:* sanft, weich, zart. **dolce far niente,** süßes Nichtstun. **dolce vita,** süßes Leben.

Dolce [d'oltʃe], Lodovico, italien. Dichter, * Venedig 1508, † das. wahrscheinl. 1568, war ein sehr fruchtbarer Vielschreiber auf fast allen literar. Gebieten. Von literarhistorischem Interesse sind nur seine an Machiavelli anschließenden Lustspiele.

Dolce stil nu'ovo [d'oltʃə-, ›süßer neuer Stil‹], neue Richtung der italien. Liebesdichtung in Bologna und der Toskana im 13. Jh. (Cavalcanti, Dante, Guittone d'Arezzo, Guinizelli); sie löste mit ihrer intellektuell-mystischen Auffassung der Liebe die Minneauffassung der Provenzalen ab.

Dolch [aus lat. dolo], kurze, meist zweischneidige Stoßwaffe, seit den ältesten Zeiten im Gebrauch, zunächst aus Knochen und Stein, später aus Bronze und Eisen. Seit dem 13. Jh. gehörte der D. zur ritterl. Bewaffnung. Später war er auch Waffe des Bürgers. Die Landsknechte trugen den *Schweizerdolch.* Mit dem 17. Jh. verschwand der D. als Kriegswaffe. In der deutschen Reichsmarine trugen alle Dienstgrade vom Fähnrich aufwärts einen D. in goldmetallener Scheide. Von 1935 an konnte auch im deutschen Heer und in der Luftwaffe als kurze Offizierseitenwaffe ein D. anstatt des Säbels getragen werden.

Dolchpflanze [nach der Blattform], die →Yucca.

D'olchstab, Waffe der ältesten Bronzezeit in N-Europa, eine dolchförmige, rechtwinklig an einem Schaft befestigte Klinge.

D'olchstoßlegende, eine nach dem 1. Weltkrieg von nationalist. Kreisen verbreitete Darstellung der Ursachen des dt. Zusammenbruchs 1918: ein politisch linksstehender Teil der Heimatbevölkerung sei »dem im Felde unbesiegten Frontheer in den Rücken gefallen«, die Niederlage sei also nicht aus militärischen und wirtschaftl. Gründen erfolgt. Die Wendung »Dolchstoß« geht u. a. auf ein Gespräch des engl. Generals Sir Neil Malcolm mit Ludendorff (Mitte Nov. 1918) zurück, in dem dieser von der mangelhaften Haltung der Reichsregierung und des Volkes in der Heimat sprach und auf des Engländers Frage »Sie meinen also, daß Sie von rückwärts erdolcht wurden?« lebhaft zustimmte. Das Schlagwort wurde von den Rechtsparteien und bes. vom Nationalsozialismus ausgenutzt. Daher bestanden 1945 die Alliierten auf der verantwortl. Unterschrift der Kapitulationsurkunde durch die

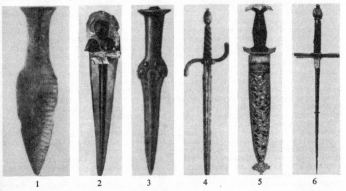

Dolch: 1 Feuersteindolch aus Norddeutschland, um 2000 v. Chr. **2** Bronzene Dolchstabklinge (40 cm) mit Goldblechbeschlag und glockenförmigen Zierbuckeln; aus der Oder, Bronzezeit, 1. Hälfte 2. Jahrt. v. Chr. (früher Pomm. Landesmus. Stettin). **3** German. D. aus einem Depotfund von Spandau; mittlere Bronzezeit, 2. Hälfte 2. Jahrt. v. Chr. **4** D., 16. Jh. (Zürich, Schweizer Landesmus.). **5** ›Schweizerdolch‹ mit reichverzierter Scheide, 16. Jh. **6** Stilettartiger D. aus dem 16. Jh. (Abb. 1, 3 Berlin, Staatl. Mus. für Vor- und Frühgeschichte; 5, 6 Nürnberg, German. Nat.-Mus.)

dt. militär. Befehlshaber. – Von einem *coup de poignard dans le dos* war bereits in der franz. polit. Literatur nach der Niederlage von 1870/71 die Rede.

Lit. Die Ursachen des dt. Zusammenbruchs. Werk des Untersuchungsausschusses IV. Reihe, 12 Bde. (1925–29); H. v. Zwehl: Der Dolchstoß in den Rücken des siegreichen Heeres (1922); Dolchstoß-Prozeß in München, Okt.–Nov. 1925 (1925); S. A. Kaehler: Neuere Geschichtslegenden und ihre Widerlegung, in: Vorurteile und Tatsachen (1949).

D'olchwespen, Stechimmen, bes. in den heißen Ländern, z. T. über 5 cm lang, grell bunt, sehr schmerzhafter Stich.

Dolchwespen: 1 *aus Borneo (Scolia procer, Flügelspannweite 60 mm),* 2 *aus Europa (Tiphia femorata, Flügelspannweite 25 mm)*

Dolci [d'oltʃi], 1) Carlo, italien. Maler, * Florenz 25. 5. 1616, † das. 17. 1. 1686, malte süßliche Heiligenbilder (orgelspielende Cäcilia; Dresden, Galerie).

2) Danilo, italien. Sozialreformer und Schriftsteller, * Sesana 28. 6. 1924, setzt sich ein, rückgreifend auf das Urchristentum, für eine Erneuerung des Sozialismus und die Lösung der sozialen Probleme, bes. Italiens, Sardiniens und Siziliens.

Werke: Banditi a Partinico (1955), Inchiesta a Palermo (1956; dt. Umfrage in Palermo, 1959), Poesie (1956).

3) Giovannino di Pietro de', italien. Baumeister und Bildhauer, *Florenz, † Rom vor 26. 2. 1486, arbeitete Schnitzereien und Intarsien für den Vatikan und leitete seit 1473 den Bau der Sixtinischen Kapelle; auch Festungsbaumeister.

D'olcian, →D'ulzian, früher für →Fagott.

D'olde [dt. Stw.], **Döldchen,** Blütenstandsform und Teil davon (Tafel Blüte). *D'oldenrispe,* rispig verzweigter Blütenstand, *D'oldentraube, Ebenstrauß,* traubig verzweigter Blütenstand mit doldenähnlich in einer Fläche stehenden Blüten.

D'oldenblüter, Dolden-, Schirmgewächse, *Umbelliferen,* große krautige, zweikeimblättrige Pflanzenfamilie mit hohem Stengel, Blattscheiden am Stielgrund der meist zerteilten Blätter, zu Dolden angeordneten, strahligen Blüten, zwei unterständigen Fruchtknoten und einer Spaltfrucht, die in je zwei Teilfrüchte je an einem Fruchtträger zerfällt.

D'oldenhorn, vergletscherter Gipfel der westl. Berner Alpen, 3647 m hoch.

D'oldenrebe, *Ampelopsis,* strauchige Pflanzengattung der Weinstockgewächse; als Zierstrauch dient bes. die ostasiat. *verschiedenblättrige D.* (A. heterophylla).

D'older, *das* oder *der,* Stammast, Krone.

Doldrums [d'ʌldrəms, engl.], →Kalmen.

D'ole [ahd.]*die,* Abwasserleitung, Durchlaß.

Dôle [do:l], 1) *La D.,* Bergrücken des Waadtländer Jura in der Schweiz, 1680 m hoch. 2) *D.,* Kreisstadt im französ. Dep. Jura, mit (1968) 28800 Ew., am Doubs und am Rhein-Rhone-Kanal, 205 m ü. M.; chem. Industrie. D. gehörte zur Freigrafschaft Burgund und kam mit dieser 1678 an Frankreich.

dol'endo, dol'ente [ital.], *Musik:* klagend.

Doler'it [von griech. doleros ›trügerisch‹], körnige Form des Basalts.

Doles, Johann Friedrich, Kirchenkomponist, * Steinbach-Hallenberg (Kr. Schmalkalden) 23. 4. 1715, † Leipzig 8. 2. 1797, Schüler von J. S. Bach; seit 1756 Stadtkantor an der Thomasschule und Musikdirektor an beiden Hauptkirchen in Leipzig.

Dolet [dole], Étienne, franz. Humanist, * Orléans 3. 8. 1509, † Paris 3. 8. 1546, gründete 1536 eine Druckerei in Lyon, wurde wegen Verbreitung und Übersetzung häretischer Schriften als Ketzer verbrannt.

Dolgor'ukij, Dolgorukow, fürstl. Familie in Rußland, die ihren Ursprung von Rurik ableitete. *Wassili Wladimirowitsch* (* 1667, † 1746), Berater Peters d. Gr., wurde 1718 als Anhänger des Zarewitsch Aleksej verbannt, von Katharina I. begnadigt, von Anna wieder verbannt, unter Elisabeth Vorsitzender des Kriegskollegiums. *Wassili Lukitsch* (* 1670, † 1739), wirkte unter Peter II. als Mitglied des Geheimen Rats. 1730 wurde auf seinen Vorschlag Anna Iwanowna unter Verzicht auf wesentliche Herrscherrechte zur Kaiserin erhoben. Nach der Thronbesteigung wurde D. verbannt und später auf Veranlassung Birons in Nowgorod enthauptet. *Wassili Michailowitsch* (* 1722, † 1782), eroberte 1771 die Krim und erhielt den Beinamen *Krymski.*

Dolich'enus, syr. Gott, urspr. ein vorderasiat. Baal, Wetter- und Kriegsgott; dann Beiname des Zeus **(Jupiter D.)** der Stadt *Doliche* in Nordsyrien (heute Dülük). Sein Kult breitete sich seit Vespasian bes. unter den röm. Legionen aus; Reste seiner Heiligtümer in den Donauländern (Carnuntum).

d'olicho ... [griech.], lang ..., *Anthropologie:* **dolichokeph'al,** langköpfig; **dolichokr'an,** langschädlig.

Dolichop'ithecus [grch.], fossile Gattung der Meerkatzenartigen (Affen) aus dem Pliozän.

D'olichos [grch.], Dauerlauf beim altgriech. →Agon, bis höchstens 24 Stadien (etwa 4,5 km).

Dol'ine [slowen. ›Tal‹], rundliche Vertiefung in Kalkgebieten, sehr häufig z. B. an der Oberfläche des Karstes, meist durch Auslaugung des Kalksteins entstanden.

Dolivo-Dobrow'olski, Michail, Elektrotechniker, * St. Petersburg 2. 1. 1862, † Heidelberg 15. 11. 1919, seit 1909 techn. Direktor der AEG. D. schuf den praktisch brauchbaren Drehstrommotor (1889), war bahnbrechend für die Energieübertragung durch Drehstrom.

Dollar [engl. aus deutsch ›Taler‹], abgek. **$**, Währungseinheit der USA (seit 1792) = 100 Cents. Auch Kanada, Äthiopien, Liberia, Taiwan, Hongkong, Malaysia haben D.-Währungen (vgl. Übersicht Währung). – Der US-$ wurde auf der Konferenz von Bretton Woods 1944 zur Leitwährung der westl. Welt erklärt (d. h. feste Gold- bzw. Dollarparitäten). Die Vorrangstellung des D. wurde bis Mitte der fünfziger Jahre von einem D.-Mangel der Schuldnerländer (D.-Lücke) begleitet. Als Folge steigender Wettbewerbsfähigkeit, insbes. der westeurop. Länder und Japans, sowie erhöhter Auslandsverpflichtungen der USA (wirtschaftl. und militär. Hilfe) verlor der D. jedoch im Laufe der sechziger Jahre an Stärke. Um eine weitere Schwächung zu verhindern, wurde im März 1968 die Pflicht, den D. in Gold einzulösen, auf Zentralbanken eingeschränkt, was eine Spaltung des Goldpreises zur Folge hatte. Da die Goldabflüsse trotz dieser Maßnahme anhielten, hoben die USA am 15. August 1971 die Konvertibilität des D. in Gold auf. Im Rahmen einer vorläufigen Neufestsetzung der wichtigsten Währungsparitäten wurde im Dezember 1971 schließlich der D. auf 38 US-$ je Troy-Unze Feingold abgewertet. Nach einer Währungskrise Anfang 1973 wurde der D. erneut abgewertet (um 10%).

Dollart *der*, Meerbusen an der Emsmündung zwischen Ost- und Westfriesland, durch Einbruch der Nordsee im 13. Jh. entstanden.

Dolle [niederd.], gabelförmige, drehbare Halterung beim Ruderboot zur Aufnahme der Riemen (Ruder). **Dollbord**, der verstärkte obere Rand am Ruderboot.

Dollfuß, Engelbert, österr. Politiker, * Texing (Niederösterr.) 4. 10. 1892, † (von Nationalsozialisten im Bundeskanzleramt erschossen) Wien 25. 7. 1934, wurde 1931 Landwirtschaftsminister, im Mai 1932 Bundeskanzler. Er schuf die Grundlagen eines völligen Umbaus des Staats in autoritärer, ständischer und christlicher Richtung (Verfassung v. 1. 5. 1934) und regierte unter Ausschaltung des Parlaments. – Reden hg. v. E. Weber (Wien 1935).

Lit. J. Messner: D. (²1935); Ch. A. Gulick: Österreich von Habsburg zu Hitler (1950).

Dollinger, Werner, Politiker (CSU), * Neustadt (Aisch) 10. 10. 1918, Diplomkaufmann, MdB seit 1953, 1961/62 Vors. der bayer. Landesgruppe der CSU im Bundestag, Dez. 1962 Bundesschatzmin., 1966 bis 1969 Bundespostminister.

Döllinger, Ignaz von, kath. Kirchengeschichtsforscher, * Bamberg 28. 2. 1799, † München 10. 1. 1890, seit 1826 Prof. in München, vertrat als Mitglied der Frankfurter Nationalversammlung (1848/49) die Unabhängigkeit der Kirche vom Staat und trat 1869 gegen das neue Dogma von der päpstl. Unfehlbarkeit auf. Er wurde 1871

exkommuniziert; unterstützte die Altkathol. Kirche, ohne ihr formell beizutreten.

Werke. Lehrb. der Kirchengesch., 2 Bde. (²1843), Die Reformation, 3 Bde. (1846–48), Luther (1851; Neudr. 1890), Papstfabeln des Mittelalters (1863, ²1890), Der Papst und das Konzil (1869, ² 1890), Erklärungen über die Vatikanischen Dekrete (1890, ² 1893).

Lit. L. v. Kobell: I. v. D. (1891); E. Michael: I. v. D. (1892, ³1894); J. Friedrich: I. v. D., 3 Bde. (1899–1901); Loesch: D. und Frankreich (1955).

Dollmann, Georg von, Baumeister, * Ansbach 21. 10. 1830, † München 31. 3. 1895, Schüler Klenzes, baute als Oberbaudirektor König Ludwig II. dessen Schlösser Linderhof (1869–78), Herrenchiemsee und die Burg Neuschwanstein (1872–84).

Dollo, Louis, belg. Paläontologe, * Lille 7. 12. 1857, † Uccle b. Brüssel 19. 4. 1931, war Prof. in Brüssel, Schöpfer der neuzeitl., biologisch eingestellten Paläontologie. D. stellte das Irreversibilitätsgesetz **(Dollosches Gesetz)** auf, wonach die stammesgeschichtliche Entwicklung von Lebewesen oder ihren Organen nicht umkehrbar ist.

Dolman, **1) Doliman** [türk.], in der alttürk. Tracht der eigentl. Leibrock des Mannes. **2) Dolmany** [ungar.], reichverschnürte, kurze Jacke ohne Schöße, urspr. ungarische Nationaltracht, dann Uniformstück der Husaren, im 19. Jh. hier meist durch die längere Attila ersetzt.

Dolmar, **Großer**, Basaltberg im südwestl. Vorland des Thüringer Waldes, 739 m hoch, bei Meiningen.

Dolmas als *Mz.*, mit stark gewürztem Reis und Hammel- oder Hühnerfleisch gefüllte Wein-, Feigen- oder Kohlblätter, ein türk. Nationalgericht.

Dolmen [kelt. ›Steintisch‹] *der*, Form der Megalithgräber, eine aus dicken, rohen Steinplatten oder -blöcken erbaute Kammer.

Dolmetscher [mhd., aus türk. über ungarisch], Dolmetsch, Sprachkundiger, der die Verständigung zwischen Menschen verschiedener Sprache in Industrie, Handel, Verkehr usw. vermittelt. Vereidigte D. sind im auswärtigen Dienst und bei anderen Behörden tätig. Die *D.-Institute* an den Universitäten Heidelberg und Mainz bilden D. in 4–6 Semestern in einer Hauptsprache und mehreren Nebensprachen aus und führen zum akademisch geprüften Übersetzer oder zum Dipl.-D. Daneben gibt es von Industrie- und Handelskammern eingerichtete D.-Institute, private D.-Schulen oder Fachlehrgänge an Sprach- und Handelsschulen.

dolo malo [lat.], mit böswill. Vorsatz, arglistig.

Dolomit [nach dem franz. Mineralogen Dolomieu, * 1750, † 1801] *der*, *Bitterkalk*, **1)** *Dolomitspat*, kalzium- und magnesiumhaltiges Mineral, äußerlich dem Kalkspat ähnlich. **2)** ein wesentlich aus D. bestehendes marmorähnliches Gestein, höhlenreich (Thüringen, Fränkische Schweiz), z. T. wild zerklüftet (Südtirol).

Dolom′iten, Teil der Ostalpen, das Kerngebiet des Südtiroler Hochlands, bis (Marmolata) 3342 m hoch. Sie bestehen vorwiegend aus Kalkstein und sind durch Verwitterung in Klötze, Türme, Zinnen und Nadeln aufgelöst.

Dolomitenstraße, die 1915-18 erbaute Straße von Bozen durch das Eggental, über den Karerpaß (1753 m) ins Fassatal und nach Canazei, mit Anschluß an die 1901–09 erbaute Straße über das Pordoijoch (2239 m) und den Falzaregopaß (2105 m) nach Cortina d'Ampezzo. Anschlußstrecken führen nach Predazzo, ins Grödnertal sowie nach Misurina und Schluderbach-Toblach.

Dol′ore [ital.], Schmerz; **con d., doloroso,** *Musik:* mit Schmerz, traurig.

Dol′ores [span. ›die Schmerzensreiche‹], weibl. Vorname.

Dolor′osa [lat.], →Mater dolorosa.

dol′os [lat.], 1) heimtückisch. 2) vorsätzlich.

D′olus, *Recht:* →Arglist, →Vorsatz.

Dolzflöte, alte, seitlich angeblasene Blockflöte.

Dom [von lat. domus ›Haus‹, mhd. tuom, später Thum], 1) Bischofskirche (→Kathedrale) oder größere Stiftskirche, deren Geistliche urspr. ähnlich den Mönchen ein gemeinsames Leben führten, daher oft auch →Münster genannt. Wichtigstes bauliches Kennzeichen außer den meist sehr stattlichen Turmbauten ist der ausgedehnte →Chor als Sitz der Domherren beim Gottesdienst. 2) *niederd.* Weihnachtsmarkt (am Domplatz).

Dom [griech. ›Söller‹] 1) Dach: *Himmelsdom.* 2) Kappe auf Dampfkesseln, aus der der Dampf entnommen wird, soll das Mitreißen von Flüssigkeitstropfen verhindern.

Dom [portug. ›Herr‹], portug. Titel, entspricht dem span. →Don.

Dom, höchster Gipfel der Mischabelhörner, im Kanton Wallis, Schweiz, 4545 m.

Dom, eine der niedrigsten Kasten in N-Indien, bes. in der unteren Gangesebene, Vertreter der vorarischen Bevölkerung. Sie leben z. T. nomadisch, z. T. in Dörfern angesiedelt, vor allem aber als Korbflechter, Mattenweber, Straßenkehrer, Tänzer und Musiker. Die Eigenbezeichnung Rom der europ. Zigeuner entspricht vielleicht dem Kastennamen Dom.

D. O. M., Abk. für **Deo Optimo Maximo** [lat.], »dem besten, höchsten Gott« (nämlich Jupiter) geweiht, Inschrift an röm. Tempeln, Altären u. ä.

D′omagk, Gerhard, Bakteriologe, * Lagow (Prov. Brandenburg) 30. 10. 1895, † Burgberg (Schwarzwald) 24. 4. 1964, förderte die Chemotherapie, bes. der Tuberkulose und des Krebses; erhielt 1939 den Nobelpreis für Medizin.

Dom′äne [mittellatein. domanium ›Herrschaft‹; 30jähr. Krieg], 1) land- oder forstwirtschaftliches Grundstück im unmittelbaren Eigentum des Staates oder Landesherrn. Die D. waren im MA. die wesentlichste, oft einzige regelmäßige Einnahmequelle des Staates. Die südt. Herzöge, de Langobardenkönig, vor allem das Fränk Reich besaßen D. (Krongut, Königsgu Reichsgut) beträchtl. Umfangs, das zu End der Merowingerzeit den Hausmeiern unter stand. Die Verwaltung der riesigen Be sitzes ordnete Karl d. Gr. in seinem de rühmten *Capitulare de villis* (812) neu, da nicht nur genaue Vorschriften für de Wirtschaftsbetrieb enthielt, sondern die D auch aus der polit. Einteilung und Verwal tung der Gfsch. loslöste und in eigenen D. Verwaltungs-Bez. (→Fiskus) zusammenfaßte Seit dem 10. Jh. entstand aus diesem D.-Am die domaniale Gfsch. (Reichsvogtei). Gleich zeitig aber wurden nun die D. zur Ausstat tung der Kirchen und zur Belehnung de Adels oder als Kreditunterlage (Verpfän dung) verwendet und gingen später der Reich mit der Erblichkeit der Lehen prak tisch zum größten Teil verloren.

Dagegen erstarkte der landesherrl. D.-Be sitz, der durch die Säkularisationen (nac 1521 und nach 1802) abermals vermehr wurde. Dennoch verschob sich das Schwer gewicht der Staatseinnahmen von den Ein künften aus den D. zu anderen Einkunfts arten; ledigl. Brandenburg-Preußen hatt bis in die Gegenwart einen großen und gu verwalteten D.-Besitz, der hohe Erträge ab warf. Als Nutzungsform der D. war bis i die 2. Hälfte des 17. Jhs. die Selbstverwal tung üblich, später die Verpachtung meist i Zeitpacht, seltener in Erbpacht. Eine scharfe Trennung zwischen Staatsvermöge und fürstl. Hausgut (*Kammer-, Schatul oder Tafelgut*) gab es nicht. Als es im Lauf der Verfassungsbewegung des 19. Jhs. zu Vermögenstrennung kam, wurden die D teils zu Staatsgut erklärt (so in Preußen Bayern, Sachsen), teils zwischen dem Staa und dem Fürstenhaus aufgeteilt, teils unte Abgabepflichten dem letzteren belassen Nach 1918 kam es darüber zu Ausein andersetzungen (Fürstenenteignung), di erkennen ließen, wie unsicher die Eigen tumsgrenzen bis dahin vielfach noch waren 1940 waren von den rd. 2000 D. in Dtl. nu 32 in staatl. Selbstverwaltung. Nach 194 wurden die D. in der sowjet. Besatzungszon bis auf wenige (Versuchsgüter) aufgeteilt; i der Bundesrep. unterstehen sie dem Land wirtschaftsmin. der Länder; von besondere Bedeutung sind sie als Versuchsgüter.
2) Arbeitsgebiet.

Domat [doma], Jean, französ. Jurist * Clermont-Ferrand 1625, † Paris 1696 Freund Pascals und Vorkämpfer des Jan senismus. Sein Werk ›Les lois civiles dan leur ordre naturel‹ (1689–94) wurde eine de wichtigsten Quellen des Code civil.

Lit. F. Wieacker: Privatrechtsgeschicht der Neuzeit (1952).

Dom′atium [grch.], nach Lundström jed besondere Bildung an Pflanzen, die ander Lebewesen als Wohnstätte dient; von den Gallen dadurch verschieden, daß sie nor mal, nicht pathologisch ist. Am bekannte sten sind die **Akarodomatien** (Milbenhäuschen), die z. B. an der Unterseite der Lindenblätter von den bräunlichen Bärten der Nervenachsen gebildet werden, ferner die **Myrmekodomatien** (die von Ameisen bewohnten Stellen an Ameisenpflanzen) und die **Mykodomatien** (nach Lundström die Wurzelknöllchen der Leguminosen).

LIT. A. N. Lundström: Pflanzenbiol. Studien, 2 (Uppsala 1887).

Dombr'owski, poln. **Dabrowski,** Jan Henryk, poln. General, * Pierszowice (bei Krakau) 29. 8. 1755, † Winagora 6. 6. 1818, nahm 1794 am Aufstand Kościuszkos teil, ging nach der 3. Teilung zu Bonaparte und bildete in Italien poln. Legionen. Im Nov. 1806 entfesselte D. im Auftrag Napoleons den Aufstand gegen Preußen.

Domenchina [-tʃ'ina], Juan José, span. Dichter, * Madrid 18. 5. 1898, † Mexiko 1959, lebte in der Emigration. Seine intellektuelle, in der Form virtuose Lyrik zeigt Einflüsse von J. R. Jiménez und der span. Klassiker; Rilke-Übersetzer.

WERKE. Del poema eterno (1917), Las interrogaciones del silencio (1918), La corporeidad de lo abstracto (1929), Destierro (1942), Exul umbra (1948), La sombra desterrada (1950). Romane: La túnica de Neso (1929), Dédalo (1932). – Poesías completas (1936).

Domenichino [domenik'ino], eigentlich **Domenico Zampieri,** italien. Maler, * Bologna 21. 10. 1581, † Neapel 6. 4. 1641, Schüler Calvaerts, später der Carraccis, war 1621 bis 1623 in Rom Architekt des Vatikans. 1630–34 und 1635–38 malte D. in Neapel Fresken in der Capella del Tesoro im Dom. Von Annibale Carracci angeregt, malte er Landschaften mit histor. oder mytholog. Darstellungen.

WERKE. Fresken in Rom: S. Gregorio Magno (1608), S. Luigi de' Francesi, S. Andrea della Valle (1624–28, Evangelisten u. Szenen aus der Gesch. des hl. Andreas); in Grottaferrata: Kapelle des hl. Nilus (1609–10). Tafelbilder: Kommunion des hl. Hieronymus, 1614 (Vatikan); Diana mit ihren Gefährtinnen, nach 1617 (Rom, Gal. Borghese).

LIT. L. Serra: D. Zampieri (Rom 1921); H. Voss: Malerei des Barock in Rom (1925); J. Pope-Hennessy: The drawings of D. at Windsor Castle (London 1948).

Dom'enico di B'artolo, italien. Maler, * Asciano um 1400, † Siena vor Febr. 1447, tätig das., wurde von der Florentiner Frührenaissance beeinflußt.

WERKE. Mad. m. Engeln, 1433 (Siena, Pinakothek), Kaiser Sigismund thronend, 1434 (ebd., Fußboden-Intarsia im Dom), Altarwerk, 1434 (Perugia, Galerie), Fresken aus der Gesch. des Hospitals, 1440–43 Siena, Ospedale della Scala).

LIT. H. J. Wagner: D. d. B. (Das Dompavinent von Siena u. s. Meister, Diss. Göttingen 1898); C. Brandi: Quattrocentisti Senesi (Mailand 1949).

Domesday Book [d'u:mzdei buk, engl. ›Buch des Jüngsten Gerichts‹], **Doomsdaybook,** Liber iudiciarius Angliae, das 1083 bis 1086 unter Wilhelm dem Eroberer für 34 engl. Grafschaften angelegte Grundbuch. Es enthält ein Verzeichnis des Grundbesitzes und die Zahl der Einwohner nach Einkünften und Abgaben; amtlich gedruckt erst 1783 (2 Bde. mit Nachträgen).

LIT. A. Ballard: The Domesday-Inquest (1906); J. Hatschek: Engl. Verfassungsgesch. (1913); F. M. Stenton: Anglo-Saxon England (Oxford ²1947); A. L. Poole: From D. to Magna Charta (1951).

Domes'näs, lett. **Kolkarags,** Kap in Lettland, Nordspitze Kurlands, ragt als schmales Riff 8 km in die Ostsee hinein. 6 km davor im Meer ein Leuchtturm.

Dom'estici [lat. ›Hausgenossen‹], *Spätantike:* 1) Beamte, die bei den höchsten Staatswürdenträgern eine Vertrauensstellung einnahmen; 2) **protectores d.,** die kaiserliche Leibgarde.

Domestikation [von lat. domus ›Haus‹], der Zustand der Haustiere und Kulturpflanzen gegenüber wildlebenden Arten. **domestizieren** heißt, pflanzl. und tier. Wildformen in den Hausstand zur Nutzung durch den Menschen überführen.

Durch Darwin wurde allgemein bekannt, daß domestizierte Formen von Wildarten abzuleiten sind und daß sich in der D. eine ganz außerordentliche Wandlungsfähigkeit in Form und Leistung offenbart. Gestützt auf ein umfassendes Studium der Haustiere und Kulturpflanzen, gewann Darwin wesentliche Grundlagen für seine allgemeinen Vorstellungen über den Artenwandel (→Darwinismus).

Die D. begann in der Übergangszeit von der mittleren zur Jungsteinzeit. Kulturpflanzen sind etwas älter als Haustiere. Die erste D. von Tieren wird in die Zeit der Linear-Bandkeramik verlegt. Durch die D. wurden wichtige Grundlagen für die weitere Kulturentwicklung geschaffen. Auch in neuester Zeit werden noch Tiere domestiziert, z. B. Nerz und Silberfuchs. Am Beginn der D. ist die Schnelligkeit der Umwandlung auffällig. Doch von der Mitte der Steinzeit bis zum Beginn des 18. Jhs. wandelt sich nur wenig; erst im 19. Jh. bahnt sich die heutige Formenfülle an, teils durch schärfere und bewußtere Auslese, teils durch Kreuzung.

Die Wildformen zeigen noch nicht die für die Haustiere und Kulturpflanzen kennzeichnenden Eigenschaften; Wildgetreide z. B. liefert nicht die hohen Erträge der Kultursorten, Wildschafe haben keine Wolle und Rinder nur wenig Milch usw. Die wirtschaftlich wichtigen Besonderheiten bilden sich erst im Laufe der D. heraus und können nicht vorausgesehen werden. Heute kann als gesichert gelten, daß die D. nicht von einer Stelle der Erde ausging, sondern – unabhängig voneinander – von mehreren Zentren in Europa, Asien, Südamerika aus;

Dome

das Rind wurde im Zweistromland und in Europa domestiziert.

Die Bedingungen primitiver D. weichen wenig von denen des Wildzustandes ab. Zunächst ist nur die Härte des Kampfes ums Dasein vermindert und die Zuchtauslese verändert. Trotzdem stellt sich sehr rasch eine erbbedingte Formenvermannigfaltigung ein. Dieser Formenreichtum bietet die Möglichkeit zum Herauszüchten vielgestaltiger und sehr voneinander abweichender D.-Rassen mit oft bei Wildformen unbekannten Besonderheiten (**Domestikationsmerkmale**). Bemerkenswert ist, daß in der D. trotz der Unterschiedlichkeit der Arten überall die gleichen Abwandlungen auftreten: Riesen und Zwerge, bestimmte Proportionsveränderungen, höhere Fruchtbarkeit sind von Tier und Pflanze in der D. bekannt. Bei Tieren fallen ähnl. Veränderungen verschiedenster Arten in Körper- und Augenfarbe, Haarbeschaffenheit, Hautfaltenbildung, Ohrlänge, Fettansatz, an Sinnesorganen, Hormondrüsen und Gehirn auf.

Manche menschl. Rassenmerkmale (so Unterschiede der Färbung, des Haarkleides, der Kopfform) sowie einige allgemeinmenschl. Eigenschaften (wie verlängerte Jugend, Gebißrückbildung) erweisen auch den Menschen als D.-Form, die jedoch durch unbewußte *Selbst-D.* entstand.

Lit.: Ch. Darwin: Das Variieren der Tiere und Pflanzen im Zustande der D., 2 Bde. (1868); E. Fischer: Die Rassenmerkmale des Menschen als D.-Erscheinungen, in: Ztschr. f. Morphol. u. Anthropol., 18 (1914); W. Herre: Neue Ergebnisse zoolog. D.-Forschung, in: Verhandl. Dt. Zool. 1949 (1950); B. Klatt: Die Entstehung d. Haustiere, in: Hb. d. Vererbungswiss. 3 (1927); H. Nachtsheim: Vom Wildtier zum Haustier (²1949); E. Schiemann: Entstehung d. Kulturpflanzen, in: Hb. d. Vererbungswiss., 15 (1932).

Domest'ike [lat.], † Dienstbote.

D'omfreiheit, in den Städten mit Domstiften der dem Dom zunächst gelegene Raum, der im MA. unter der Gerichtsbarkeit des Domstifts stand.

Domgraf-Fassbaender, Willi, * Aachen 19. 2. 1897, Opern- und Konzertsänger.

D'omherr, Mitglied des →Domkapitels.

Dom'in, Hilde, Lyrikerin, * Köln 27. 7. 1912, kehrte 1954 aus der Emigration nach Dtl. zurück.

Werke: Nur eine Rose als Stütze (1959), Rückkehr der Schiffe (1961), Hier (1964).

D'omina [lat.], Herrin; Kloster- oder Stiftsvorsteherin, Äbtissin.

Domin'ante, *Musik:* beherrschender, bestimmender Ton. **Oberdominante**, der 5. Ton einer Dur- oder Molltonleiter, also die Oberquinte des Grundtons der Tonika, und der über dieser Quinte errichtete Dreiklang (**Dominantdreiklang**). **Unterdominante**, **Subdominante**, ist der 5. Ton einer Tonleiter abwärts oder der 4. aufwärts, also die Oberquarte oder Unterquinte der Tonika und

der auf ihm errichtete Dreiklang (**Unterdominantdreiklang**). Tonika, D. und Unterdominante bestimmen die Tonart.

Dominante:
a *Tonika von D-Dur mit Dreiklang*, b *Dominante von D-Dur mit Dreiklang*, c *Unterdominante von D-Dur mit Dreiklang*

Domin'anz [lat.], die vorherrschende Wirkung von Erbanlagen bei der Vererbung. **domin'ant**, vorherrschend bei der Merkmalsausprägung.

Domin'at [lat. dominus ›Herr‹] *der* und *das*, im Gegensatz zum Prinzipat des Augustus das absolute Kaisertum seit Diokletian.

D'omine, quo v'adis? [lat.], →Quo vadis?

Dom'inica [lat., *dies dominica* ›Tag des Herrn‹], Sonntag (weil Christus an einem Sonntag auferstand).

Dom'inica, die größte Insel der Kleinen Antillen in Westindien, 750 qkm mit (1970) 74 000 Ew., eine der Windward Islands; Hauptstadt: Roseau. – D., am 3. 11. 1493, an einem Sonntag (daher der Name), von Kolumbus entdeckt, war im 18. Jh. zwischen Frankreich und England umstritten; seit 1783 britisch. Gehört seit 1967 zu den Assoziierten Westind. Staaten.

domin'ieren [lat.], beherrschen, überragen.

D'ominik [lat. Dominicus ›dem Herrn gehörig‹], männl. Vorname.

D'ominik, Hans, Schriftsteller, * Zwickau 15. 11. 1872, † Berlin 9. 12. 1945, schrieb populärwissenschaftliche Bücher über Technik und technische Zukunftsromane.

Werke. Im Wunderland der Technik (1922), Die Macht der Drei (1922), Die Spur des Dschingis-Khan (1923), Atlantis (1925), Der Brand der Cheopspyramide (1926), Das Erbe der Uraniden (1927), Kautschuk (1930), Atomgewicht 500 (1935), Vistra (1936), Himmelskraft (1937), Treibstoff SR (1940); Vom Schraubstock zum Schreibtisch. Lebenserinnerungen (1942).

Dominik'aner, auch **Predigerorden**, lat. **Ordo fratrum praedicatorum**, abgek. **O. P.**, in Frankreich auch **Jakobiner**, vom heiligen →Dominikus 1216 in Toulouse gestifteter Mönchsorden. Er erhielt das Recht, überall Beichte zu hören und zu predigen, wurde 1220 zum Bettelorden erklärt und bes. durch seine führende Betätigung in der Inquisition zum einflußreichsten Orden des MA.s. Im Wettstreit mit den Franziskanern erlangten die D. zahlreiche Lehrstühle an den Universitäten; bedeutende Gelehrte und Prediger wie Albertus Magnus, Thomas von Aquin Eckhart, Tauler, Seuse, Cajetanus gehörten dem Orden an. Seit seiner Erneuerung im 19. Jh. ist der Orden wieder von besonderer Bedeutung für das katholische Leben. Er ist in 40 Provinzen eingeteilt und hat (1972) 9400 Professen. An der Spitze steht der General in Rom. Ordenskleidung: weißer Rock

1 *Vorderdeckel des Codex aureus aus St. Emmeram, 9. Jh.
(München, Staatsbibl.).* **2** *und* **3** *Goldschnittverzierung
eines Einbandes von Jakob Krause, 1581 (Darmstadt,
Landesbibl.)*

DEUTSCHE WAPPEN UND FLAGGEN I

Deutsche Wappen: **1** Provinz Mark Brandenburg (histor.). **2** Mecklenburg (bis 1952). **3** Sachsen (bis 1952). **4** Thüringen (1921–33). **5** Danzig. **6** Ostpreußen. **7** Grenzmark Posen-Westpreußen. **8** Pommern. **9** Schlesien. **10** Oberschlesien. **11** Bundesrepublik Deutschland. **12** Deutsche Demokratische Republik

DEUTSCHE LANDESFLAGGEN (nach 1945)

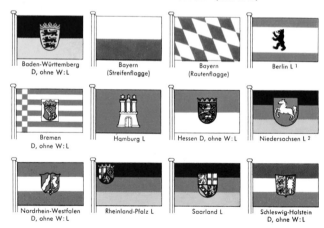

¹ Bär im gekrönten Wappenschild: D. ² In den vier ehemaligen Ländern (Hannover Oldenburg, Braunschweig, Schaumburg-Lippe) werden die alten Landesfarben bei regionalen Belangen neben der niedersächsischen Flagge geführt.

N = Nationalflagge, K = Kriegsflagge, H = Handelsflagge, D = Dienstflagge, L = Landesflagge, W = Wappen

EDELSTEINE

1 *Chrysopras (Frankenstein/Schles.)*. 2 *Türkis (Persien, Mexiko)*. 3 *Aquamarin (Brasilien, Madagaskar)*. 4 *Granat (Böhmen, Südafrika, Ceylon)*. 5 *Malachit (Ural, Belg. Kongo)*. 6 *Nephrit (China, Neuseeland, Schlesien)*. 7 *Topas (Ural, Brasilien, Madagaskar)*. 8 *Saphir (Indien, Ceylon, Kaschmir, Australien)*. 9, 10 *Zitrin, 9 hell, 10 dunkel (Brasilien, Uruguay)*. 11 *Lapislazuli (Afghanistan, Chile)*. 12 *Turmalin (Brasilien, Madagaskar, Südafrika)*. 13 *Rubin (Burma, Ceylon, Siam)*. 14 *Achat (Idar-Oberstein, Brasilien, Uruguay)*. 15 *Amethyst (Brasilien, Madagaskar)*. 16 *Opal (Australien, Mexiko)*. 17 *Smaragd (Kolumbien, Ural, Südafrika, Indien)*. 18 *Tigerauge (Südafrika)*. 19 *Zirkon (Ceylon, Hinterindien)*. 20 *Jade (China, Neuseeland, Burma)*. 21 *Mondstein (Ceylon)*

1 *Regenbogenforelle, Salmo trutta iridea (25–50 cm)*. **2** *Elritze, Phoxinus laevis (7–14 cm*
3 *Hecht, Esox lucius (40–100 cm)*. **4** *Dreistacheliger Stichling, Gasterosteus aculear*
(4–10 cm). **5** *Äsche. Thymallus vulgaris (20–50 cm)*. **6** *Blaufelchen, Coregonus wartmar*
(30–50 cm)

mit Skapulier und weißer Kapuze, schwarzer Mantel; Laienbrüder: schwarzes Skapulier, schwarze Kapuze. Ein 1219 gestifteter weiblicher Zweig des Ordens, die **Dominikanerinnen**, beschäftigt sich mit körperlicher Arbeit und Jugenderziehung. Ordenskleidung: weißes Gewand mit schwarzem Mantel und Schleier. Die D. haben auch einen dritten Orden (Tertiarier) mit leichteren Gelübden, die **Brüder und Schwestern von der Buße des hl. Dominikus**.
LIT. Heimbucher: Die Orden und Kongregationen der kath. Kirche, I (³1933).

Dominik´aner, 1) verschiedene fremdländische Stubenvögel, so der *Dominikanerkardinal*, ein Fink aus Brasilien. 2) nordamerikan. Landhuhn.

Dominik´anische Republik, amtl. span. *República Dominicana*, Staat auf der Ostseite der Insel Hispaniola (HAITI), 48734 qkm mit (1975) 4,697 Mill. Ew.; Hauptstadt: Santo Domingo.
Landesnatur →Haiti. Die *Bevölkerung* besteht zu zwei Dritteln aus Mulatten. Landessprache ist Spanisch, daneben im Westen auch Kreolen-Französisch. Größere Städte sind (1975): Santo Domingo (922500 Ew.), Santiago (110000 Ew.). Es herrscht Religionsfreiheit, rd. 95% sind röm.-katholisch.
Wirtschaft, Verkehr. Haupterwerbszweig ist die Landwirtschaft, vor allem Anbau von Zuckerrohr, Kaffee, Kakao, Tabak, Reis, Bananen und Obst; bedeutende Viehzucht (Rinder, Schweine). Die Industrie verarbeitet landwirtschaftl. Erzeugnisse (Zuckerfabriken); ferner Herstellung von Textilwaren, Zement, Furfurol, Papier, Düngemitteln u. a. Abbau von Eisenerz, Kupfer, Nickel, Salz, Marmor, Gips. In den Bergwäldern werden trop. Nutzhölzer gewonnen. Haupthandelspartner sind die USA.
Das Straßennetz umfaßt (1970) rd. 10300 km, davon sind rd. 4700 km asphaltiert. Von den rd. 1500 km Bahnlinien sind die meisten im Besitz der Zuckerplantagen; die 220 km staatlichen Linien dienen ausschließlich dem Güterverkehr. Größter Hafen: Santo Domingo (nahebei ist der Hafen Río Haina zur Entlastung im Bau). Internat. Flughafen: Santo Domingo.
Staat. Die Verfassung vom 28. 11. 1966 ist nach nordamerikan. und franzöz. Vorbild aufgebaut. Die Mitglieder des Senats (27 Abg.) und des Abgeordnetenhauses (74 Abg.) werden für fünf, der Staatspräsident und der Vizepräs. für vier Jahre gewählt. Der Staatspräs. übt die Exekutive aus, ernennt und entläßt die Regierung. Wahlpflicht für alle Bürger über 18 Jahre. Einteilung in 26 Provinzen und den Nationaldistrikt.
Wappen: TAFEL Wappen III, Flagge: TAFEL Flaggen I. Maße und Gewichte metrisch. Währungseinheit ist der dominikanische Peso zu 100 Centavos.
Rechtsprechung nach franzöz. Vorbild; Oberster Gerichtshof in Santo Domingo.
Die kathol. Kirche ist in einer Kirchenprovinz mit dem Sitz der Erzbischofs in der Hauptstadt organisiert. Die allgem. *Schulpflicht* (vom 7. bis 14. Lebensjahr) erfaßt nur einen Teil der Schulpflichtigen (mangelnder Ausbau des Schulwesens); rd. 40% der Erwachsenen sind Analphabeten (1970). Von den drei Universitäten ist die 1538 in Santo Domingo gegr. die älteste Amerikas.
GESCHICHTE. Die Osthälfte der Insel Haiti war bis 1795 und wieder 1808–21 spanisch. Dann schloß sie sich der in der Westhälfte entstandenen Negerrepublik Haiti an; 1844 wurde sie als D. R. wieder unabhängig (1861 bis 1865 noch einmal spanisch). Die seitdem andauernden Machtkämpfe und Revolutionen führten 1905/07 zur Finanzaufsicht, 1916 zur bewaffneten Intervention durch die USA, die bis 1924, und in Form eines Protektorats bis 1929, andauerte. 1917 (ebenso 1941) brach die D. R. die diplomat. Beziehungen zu Dtl. ab. Durch den Staatsstreich von 1930 übernahmen die Brüder Trujillo die diktator. Gewalt, General Rafael Trujillo wurde Staatspräsident (mit Unterbrechungen 1938–42); 1952–60 war es sein Bruder Hector. Aug. 1960 setzten die Trujillos den bisherigen Vize-Präs. Joaquín Balaguer als Staatspräs. ein. Am 30. 5. 1961 wurde der den Staat tatsächlich beherrschende Rafael Trujillo ermordet. Machtkämpfe unter den Trujillos und polit. Unruhen schlossen sich an. Balaguer setzte sich (Ende 1961) durch. Nach einem Militärputsch (Jan. 1962) Rücktritt Balaguers. Nachfolger wurde von Febr. 1963 bis Sept. 1963 J.Bosch, danach von 1963–65 D. R. Cabrol. Putschende Militärs verursachten einen Bürgerkrieg, in den US-Truppen und eine Friedensstreitmacht der OAS eingriffen. Im Sept. 1965 kam es zu einem Kompromiß; Garcia Godoy wurde provisor. Präs. Seit den Neuwahlen vom 1.6.1966 ist J.Balaguer neuer Staatspräs. – Die D. R. ist Gründermitgl. der Verein. Nationen, Mitgl. der OAS und, seit 1967, des MCLA (Gemeinsamer Markt Lateinamerikan. Länder).

Dom´inikus, Stifter des Dominikanerordens, * Caleruega (Altkastilien) 1170, † Bologna 6. 8. 1221. Seit etwa 1199 Kanonikus und Sekretär des Bischofs Diego von Osma, übernahm D. 1207 die Leitung der Missionsstation Prouille bei Toulouse, die Diego zur Bekehrung der Albigenser 1206 errichtet hatte; D. wandelte sie 1217 in ein Augustinerinnenkloster um. Schon 1206 begann D. bekehrte Albigenser zu einer Genossenschaft zu sammeln und gründete bald auch einen Orden zur Bekehrung der Albigenser, aus dem 1216 der sich rasch ausbreitende Dominikanerorden entstand (→Dominikaner). Mit Talent für Organisation und Menschenführung begabt, von klugem Verstand und herzenswarmer Frömmigkeit, wurde D. das Muster eines Seelsorgers und ein sehr fruchtbarer Erneuerer der kirchl. Lebens im geistig aufgewühlten 13. Jh. 1234 heiliggesprochen; Tag: 4. 8. Dargestellt als Prediger, Ordensgründer und Rosenkranzstifter

153

mit verschiedenen Attributen (Lilie, Buch, Stern, Hund mit Fackel als Sinnbild des wachsamen Predigers).

Lit. Quellen z. Lebensgesch.: B. Altaner: D. hl. D., Untersuchungen u. Texte (1922); Monumenta hist. S. Dominici, 2 Bde. (Paris-Rom 1933–35); M. C. Nieuwbarn: Verherrlichung d. hl. D. in d. Kunst (1906).

Dominion [dəm'injən, engl. ›Herrschaftsgebiet‹], im englischen Staatsrecht urspr. jede überseeische Besitzung, seit 1917 auf die sich selbst regierenden Länder des Brit. Reichs (Kanada, Austral. Bund, Neuseeland, Südafrika) und die Reichsteile beschränkt, die eine diesen Ländern gleichberechtigte Stellung *(D.-Status)* gegenüber dem Mutterland erhalten hatten (Indien, Pakistan, Ceylon); im →Commonwealth durch die Bezeichnung *Country of the Commonwealth* (Land des Commonwealth) ersetzt.

Dom'inium [lat.], Eigentum, das begrifflich nicht beschränkte Herrschaftsrecht über eine körperl. Sache. **D. directum**, Obereigentum; **D. utile**, eigentumsähnliche Befugnis des Erbpächters im röm. Recht, wörtl. nutzbares Eigentum. *Deutsche Rechtsgesch.:* **D. altum**, die öffentl., »hoheitl. Gewalt« des Territorialherren; **D. humile**, die private, »niedere Gewalt« des Eigentümers an Grund und Boden (→Patrimonialstaat). *Staatskirchenrecht:* **D. eminens**, das bes. vom →Josephinismus beanspruchte landesherrliche Obereigentum am Kirchengut.

Dom'inium m'aris b'altici [mlat. ›Herrschaft über das baltische Meer‹], die Ostseeherrschaft, als Schlagwort zuerst 1563 von Sigismund II. von Polen gebraucht, tatsächlich schon von den Wikingern, den Dänen, der Hanse, später von den Schweden bis 1720/21 verwirklicht.

D'omino [aus lat. ›Herr‹], **1)** der *D.*, in Italien und Spanien ein Wetterkragen mit Kapuze für die Geistlichen; seit dem 16. Jh. ein langer, weitärmeliger Seidenmantel als Maskenkostüm. **2)** das *D.*, *Dominospiel*, Gesellschaftsspiel mit rechteckigen Steinen, die in zwei Felder geteilt sind. Jedes Feld trägt 0–6 Punkte (Augen) in allen möglichen Verbindungen. Die Steine werden abwechselnd so zusammengesteilt, daß nur Felder mit gleicher Augenzahl aneinanderkommen. Gewonnen hat, wer zuerst seine Steine abgesetzt hat.

D'ominus [lat.], Herr, Gebieter; **D., Domine**, *schweiz.* Pastor. **Dominus ac redemptor noster** [lat. ›Unser Herr und Erlöser‹], Anfang des Breve, durch das Klemens XIV. am 21. 7. 1773 den Jesuitenorden aufhob. **Dominus vobiscum** [lat. ›Der Herr sei mit euch‹], im kath. Gottesdienst der Gruß des Priesters an die Gemeinde, die darauf antwortet: Et cum spiritu tuo [›Und mit deinem Geiste‹].

Domiti'an, Titus Flavius, römischer Kaiser (81–96 n. Chr.), Sohn des Vespasian und der Flavia Domitilla, * Rom 24. 10. 51, † (ermordet) das. 18. 9. 96, Nachfolger seines

Bruders Titus; durch Majestätsprozesse und Philosophenvertreibungen (89 und 95) verfolgte er die konservativ-stoische Reaktion. Er stützte sich auf die Ritter, mit deren Hilfe er die Provinzialverwaltung ausbaute, und die Soldaten, die ihm zum Ruhm eines unbesiegbaren Feldherrn verhelfen sollten (im Krieg gegen die Chatten 83, in den erfolglosen Dakerkriegen gegen Decebalus, 85–89). Nach der Beseitigung des rebellierenden Statthalters von Obergermanien, L. Antonius Saturninus (88), und nach dem Triumph über die Daker (89) verschärfte er sein despot. Regiment; seine kostspieligen Bauten (Kaiserpalast, Villa Albana, Jupitertempel auf dem Kapitol), sein Auftreten als hellenist.-oriental. Gottkönig steigerten den Unwillen der Opposition; einer Verschwörung, der sich auch seine Frau anschloß, fiel D. zum Opfer.

Lit. B. W. Henderson: Five Roman emperors (Cambridge 1927); E. Kornemann: Röm. Gesch., 2 (1939, ⁵1963); Cambridge Ancient History, 11 (Cambridge 1936).

Domit'illa, Heilige, Gattin des Konsuls T. Flavius Clemens, soll von Kaiser Domitian als Christin verbannt worden sein. Die **D.-Katakombe** kann nicht vor Ende des 2. Jhs. entstanden sein. Tag: 12. 5.

D'ömitz, Stadt im Bez. Schwerin, (1964) 4000 Ew., an der Mündung des Kanals Neue Elde in die Elbe (Hafen); ehemal. Festung, in der Fritz Reuter den Rest seiner Haft verbrachte.

Domiz'il [lat.], Wohnsitz. **Domizilwechsel, domizil'ierter Wechsel**, ein Wechsel, bei dem der Zahlungsort *(D.)* ein anderer ist als der Wohnort des Bezogenen oder des Ausstellers.

D'omkapitel, in der *kath. Kirche* das Kollegium der Kanoniker, Kapitularen, Domoder Chorherren an einer bischöflichen oder erzbischöflichen Kirche. Liturgisch obliegt ihm der feierl. Gottesdienst (auch gemeinsames Chorgebet), verwaltungsmäßig die Teilnahme an der Diözesanregierung. Bei besetztem Stuhl ist es der Senat des Bischofs, den dieser in vielen Fragen um Rat, manchmal (z. B. bei gewissen vermögensrechtl. Fragen) sogar um Zustimmung angehen muß. Bei Sedisvakanz bestellt es den Kapitularvikar und ist bis dahin der Jurisdiktionsträger; außerdem wirkt es vielfach durch Vorschlagslisten bei der Auswahl des neuen Bischofs mit. In Diözesen, wo ein D. fehlt, treten an seine Stelle die Diözesankonsultoren. Zum D. gehören die →Dignitäre, in Deutschland meist Dompropst und Domdechant, und die Kanoniker, von denen einer als Kapitelstheologe die Aufgabe theolog. Lehrtätigkeit in der Kirche oder im Priesterseminar innehat, ein anderer als →Poenitentiar fungieren soll; angegliedert sind Hilfsgeistliche (**Domvikare**); alle drei Gruppen sind Benefiziaten. **Ehrenkanoniker** haben nur die Ehrenrechte der wirklichen; im ehemal. Preußen gibt es außerdem **nichtresidierende Kanoniker**, die ei der Bischofswahl mitwirken, im übrigen ber nur Ehrenkanoniker sind. Gemein- echtl. ist für die Ernennung der Dignitäre er Papst, für die der Kanoniker und Hilfs- eistlichen der Bischof zuständig; konkor- atsrechtl. ist in Dtl. bei der Auswahl der erson vielfach das D. mitbeteiligt.

GESCHICHTE. Seit dem Ende des 4. Jhs. inden sich als Fortbildung des frühkirchl. resbyteriums Zusammenschlüsse von tadtgeistlichen zur Pflege des kanon. tundengebetes und einer kanon., d. h. nach en kirchl. Canones ausgerichteten Lebens- altung (Vita canonica). Die organisator. Vereinigung dieser »Canoniker« zu Kol- egien mit gemeinsamem Vermögen und eben wurde im Frankenreich 816 nach dem Vorbild der Regel Chrodegangs allgemein orgeschrieben. Die so seit dem 8. Jh. ent- tandenen Kapitel, unter denen die an den Bischofskirchen als D. bes. hervorragten, eßen jedoch schon im 10./11. Jh. meist das emeinsame Leben verfallen und teilten das Kapitelsgut in einzelne Benefizien auf; aus em Versuch der gregorian. Kirchenreform, eides rückgängig zu machen und die Ka- itel zu mönchischem Leben nach der Augustinerregel zu veranlassen, entstanden war die Regel »regulierter Chorherren«, edoch lehnten die meisten Kapitel, insbe- ondere die D., das Klosterleben ab und lieben weltliche Säkularkapitel, die sich als Korporationen gegenüber dem Bischof ver- elbständigten. Die D. gewannen allmählich uch Anteil an der Diözesanregierung, bes. eit dem 12. Jh. das alleinige Bischofswahl- echt und die Leitung der Diözese während er Sedisvakanz; gleichzeitig bildeten sich ie z. T. noch jetzt vorgesehenen Ämter aus. Die machtmäßige Bedeutung der D. wurde och gesteigert durch ihren Anteil an der andesregierung und in der bischöfl. Territo- ien, den sie durch Wahlkapitulationen anmäßig festigten; ihr oft reicher Eigen- esitz gab ihnen außerdem eine starke irtschaftl. Stellung. Hieraus erklärt sich uch das ständige, vielfach bis zu statutar. estlegung gehende Bestreben des Adels, eine von Anfang an vorhandene Vorherr- chaft in den D. zu wahren und auszudeh- en; erst im 19. Jh., seit der Zurückdrän- ung der D. auf ihren geistl. Bereich durch ie Säkularisation, verschwand sie.

Evang. Kirche: Die bis in die neuere Zeit rhalten gebliebenen Kapitel der evang. omstifte Brandenburg, Naumburg, Mer- eburg sowie das Kollegiatstift Zeitz, das omstift Meißen und das Kollegiatstift Vurzen dienten zur Belohnung und Ver- orgung hochgestellter Staatsdiener, neuer- ngs nur noch zur Erhaltung der Dom- und iftsgebäude.

LIT. Ph. Hofmeister: Bischof u. D. (1931); [. E. Feine: Kirchl. Rechtsgesch. 1 (1950); . Eichmann u. K. Mörsdorf: Lehrb. d. .irchenrechts, 1 (⁹1959).

Domkloster, ein Kloster an Bischofskir- hen des frühen MA.s in german. Ländern;

kann als Vorläufer des →Domkapitels gelten.

Domlesch *das,* roman. *Domliaschga* oder *Tomiliasca,* die unterste der drei Talstufen des Hinterrheins.

D'omnarvet, Ort in Dalarna, →Borlänge.

D'omnus [lat. ›Herr‹, Abk. für **Dominus,** *kath. Liturgie:* in der Vokativ-Form *Domne* Anrede an den Priester; **Domnus apostolicus,** der Papst.

Domod'ossola, Stadt in Piemont (Ober- italien), mit (1970) 19000 Ew.; Ausgangs- punkt der Simplonstraße und der Simplon- bahn.

Domostr'oj [russ. ›Hausordnung‹] *der,* russ. Sammlung von Anweisungen zu mora- lischer Lebensführung, wohl um 1560 von dem Mönch Silvester zusammengestellt; erstmalig hg. 1849; franz. Übers. m. Komm. v. Duchesne (1910).

Domow'ina *die,* die kommunistisch gelei- tete Heimatbewegung der Sorben.

Domow'oi [von russ. dom ›Haus‹], im russ. Volksglauben guter Hausgeist, der das Glück der Familie schützt.

D'ompfaff, der Singvogel →Gimpel.

Dompteur [dõtœːr, dɔmptœr, frz.], Tier- bändiger; weibl. die **Dompteuse** [dõtøz].

Domrémy-la-Pucelle [dõremi lɑ pysɛl], Ge- burtsort der Jungfrau von Orléans (la Pucelle, →Jeanne d'Arc) in Ostfrankreich, an der Maas, mit 280 Ew.; Geburtshaus der Jungfrau mit Museum.

Domschulen, Kathedr'alschulen, Stiftsschu- len, im 8.–12. Jh. von Dom- und Stifts- kapiteln unterhaltene Schulen zur Heranbil- dung der Geistlichen und vornehmer Laien- kinder. Im 13. Jh. verfielen sie. An ihre Stelle traten seit dem Konzil zu Trient die Priesterseminare.

d'omus [lat.], das altrömische Haus.

Don [ital. und span., von lat. dominus ›Herr‹], ein Ehrentitel, der in *Italien* ur- sprünglich dem Papst, dann der hohen Geistlichkeit und schließlich allen Priestern beigelegt wurde; außerdem führen ihn viele Adelige. In *Spanien* ist D. jetzt nur ein Höf- lichkeitstitel, der in Verbindung mit dem Vornamen (ohne Familiennamen) gebraucht wird. Die Form **Dom** ist in Portugal für Adelige, bes. für die Mitgl. der früheren königl. Familie, in Frankreich und Belgien für die Priester des Benediktiner-, Zister- zienser- und Kartäuserordens gebräuchlich. Die weibl. Formen sind ital. **Donna,** span. **Doña,** portugies. **Dona.**

Don, 1) im Altertum **Tanais,** nach Wolga und Dnjepr der drittgrößte Fluß des europ. Rußland, 1967 km lang, entspringt auf der Mittelruss. Platte, mündet unterhalb von Rostow in das Asowsche Meer. Haupt- nebenflüsse: rechts der Donez, links Choper und Manytsch. Im Mittellauf ist der D. mit der Wolga durch den →Wolga-Don-Kanal verbunden.
2) Fluß in N-England, 112 km, mündet bei Goole in den Ouse.
3) Fluß in Schottland, 132 km, entspringt in den Cairngorms und mündet bei Aberdeen.

Dona

Doña [d'ɔna, span.], Frau, Fräulein; *unsere D.*, H unser Dienstmädchen.

Donald [d'ɔnld], schottische Könige, die vier ersten sind sagenhaft; der fünfte, **D. Macalpin**, König der Pikten und Skoten, starb 864. **D. Bane** ‹der Weiße›, † 1098, bekämpfte und verdrängte den von England unterstützten Duncan II. (1094). Ein jüngerer Neffe, Edgar III., stürzte ihn.

Donalitius, →Duonelaitis.

D'onar [ahd. Form von Donner], altsächs. **Thunar,** altnord. **Thor,** einer der wichtigsten altgermanischen Götter, bes. in Norwegen und auf Island verehrt. D. war der Gott des Donners; ihm war der Donnerstag (d. i. Donarstag) geweiht. Er galt als kräftiger Mann, mit großem Bart, unbesiegbar. D. weihte die Ehen und bewirkte durch seinen Hammer Fruchtbarkeit der Geschöpfe und der Erde. Geweiht war ihm die Eiche und zur Römerzeit bes. ein Hain am rechten Weserufer. An bestimmten Tagen des Jahres wurden ihm Tieropfer gebracht. In der nord. Götterdichtung spielt er eine große Rolle; die heidnischen Skalden dichteten Loblieder auf ihn, und für die Liedpoesie der Edda ist er eine Lieblingsgestalt. Neben dem Preislied ist es bes. der Götterschwank, der D. in den Mittelpunkt stellt und seine Erscheinung allmählich vom Heroisch-Erhabenen ins Derb-Humoristische, Groteske wandelt; so in den Eddaliedern von *Thrym* und *Hymir* sowie in den ›Zankreden‹ *Lokis.* Ganz heroisch zeigt seine Wesensart die *Völuspa:* im letzten großen Götterkampf tötet er den Unhold, fällt aber selbst.

Donat'ar [lat.], Beschenkter. **Donati'on,** Schenkung. **Don'ator,** Schenker, Stifter.

Donat'ello, eigentl. Donato di Niccolo di Betto Bardi, italien. Bildhauer, * Florenz 1386, † das. 13. 12. 1466, der bahnbrechende

Donatello: Kopf des Gattamelata

Meister der italien. Plastik der Frührenaissance, schuf in seiner Frühzeit vor allem Marmorstandbilder (Nischenfiguren des

heil. Markus, 1411/12, und des heil. Georg 1416–20, für die Fassade von Or San Michele in Florenz; Nischenfiguren des Abraham, 1421, Jeremias, 1423–26, u. a. am Campanile des Florentiner Doms) und wandte sich dann auch dem Bronzeguß zu (David, um 1430; Florenz, Bargello). Nach einem Aufenthalt in Rom entstanden ein Verkündigungs-Relief in S. Croce zu Florenz (um 1435), die Sängertribüne mit der Puttenreigen für den Florentiner Dom (1433–39) und die Außenkanzel des Doms in Prato (1433–38). 1443–53 war D. in Padua tätig, wo er die Bronzebildwerke für den Hochaltar des Santo und das Bronzedenkmal des Gattamelata schuf, das erste profane Reiterdenkmal seit der Antike. Zu seinen Spätwerken gehören die Bronzegruppe der Judith mit Holofernes vor dem Palazzo Vecchio in Florenz (um 1455) und das Bronzestandbild Johannes des Täufers im Dom zu Siena (1457).

LIT. H. Kauffmann: D. (²1936); L. Planiscig: D. (Wien 1940); L. Goldscheider: D. (1941).

Don'atio Constantini [lat.], die →Konstantinische Schenkung. **D. Pippini,** die Pippinische Schenkung (→Kirchenstaat).

Donat'isten, 1) kirchliche Partei im 4. bis 7. Jh. in Nordafrika; benannt nach dem Bischof **Donatus d. Gr. von Karthago.** Die D. forderten besonders Sittenreinheit und strenge Kirchenzucht. Sie verweigerten dem Bischof Caecilian die Anerkennung, weil er durch Männer geweiht sei, die in der Verfolgungszeit versagt hätten, und weil die von solchen Todsündern gespendeten Sakramente ungültig seien. Konstantin versuchte vergeblich auszugleichen (Synoden von Rom 313, Arles 314). Die D. wurden erst vorübergehend, seit 414 in großem Stil als Ketzer verfolgt. Dabei verschmolz ihr rigorist. Opposition mit national-punischer, sozial-revolutionären Tendenzen. Ihr schwärmenden Haufen *(Circumcellione oder Agonistiker)* veranlaßten Unruhen. Doch besaßen die D. auch bedeutende Theologen wie Ticonius und Parmenian. Auf der andern Seite entwickelten Optatus und vor allem Augustin gegen die D. den kath. Kirchen- und Sakramentsbegriff: die Heiligkeit der Kirche hängt auf Erden nicht von der Heiligkeit ihrer Mitglieder ab, und die Sakramente wirken unabhängig von der Würdigkeit des Spenders. —

LIT. Urk. z. Entstehungsgesch. des Donatismus, hg. v. H. V. Soden (²1950); W. H. C. Frend: The Donatist Church (Oxford 1952).

2) die fortgeschrittenen Schüler an der mittelalterl. Lateinschulen, die bereits die Grammatik des Aelius →Donatus benutzten im Unterschied zu den Leseschülern (Legsten).

Donat'ivum [lat.], ein außerordentliches Geldgeschenk, das die röm. Kaiser bei feierl. Anlässen an ihre Soldaten verteilten.

Don'atus [lat. ›der (von Gott) Geschenkte‹], nicht näher bekannter Heiliger, dessen Gebeine 1652 aus einer röm. Katakombe nach Münstereifel übertragen wurden. Im Rheinland und Luxemburg Patron gegen Feuer und Ungewitter. Nebenpatron des Domes zu Meißen. Tag: 30. 6. oder 7. 8. **Donatgebet**, volkstüml. Gebet beim Sommersonnenwend- und beim Johannisfeuer.

Don'atus, Aelius, römischer Grammatiker um 350 n. Chr., Lehrer des hl. Hieronymus, schrieb zwei im MA. viel benutzte latein. Grammatiken (ars minor und ars maior). Im Anschluß an D. nannte man auch die lateinische Elementargrammatik den **Donat**. Der ›Donatus‹ gehörte zu den frühesten gedruckten Schriftwerken. Doch sind nur Bruchstücke der Drucke erhalten **(Donatfragmente, Donaten)**, die für die Geschichte des Buchdrucks von großer Bedeutung sind.

D'onau, ungar. **Duna**, tschech. **Dunaj**, serb., bulg. **Dunava**, rumän. **Dunarea**, nächst der Wolga der längste Strom Europas, 2850 km lang, im Altertum **Danubius** (im Unterlauf **Ister**), Hauptzufluß des Schwarzen Meeres. Die D. entspringt auf der Ostseite des südl. Schwarzwalds mit den Quellbächen Brigach und Breg, die sich bei Donaueschingen zur eigentl. D. vereinigen. Bei Immendingen verliert sie den größten Teil ihres Wassers durch Versickerung in Kalkklüften (zur Radolfzeller Aach und damit zum Rhein). Sie durchbricht die Schwäbische Alb, fließt am Nordrand der Oberdeutschen Hochebene entlang, verläßt bei Passau Deutschland, erreicht bei Krems das Tullner Feld, bei Wien das Wiener Becken und bei Preßburg die oberungar. Tiefebene. Nach ihrem Durchbruch durch das ungar. Mittelgebirge durchfließt sie unterhalb von Budapest das große ungar. Tiefland (Alföld). Im Kasanpaß und Eisernen Tor durchbricht sie das Banater Gebirge und betritt das rumän. Tiefland (Walachei), das sie in breiter, sumpf- und seenreicher Aue (Balta) am Rand der bulgar. Tafel und der Dobrudscha durchfließt. Bei Galatz wendet sie sich nach Osten und mündet mit einem 4300 qkm großen sumpfigen Delta und 3 Hauptarmen, dem Kilia (Chilia), Sulina und St.-Georgs-Arm, ins Schwarze Meer. Nebenflüsse: von rechts aus den Alpen Iller, Lech, Isar, Inn, Traun, Enns, Ybbs, Traisen, Leitha, Raab, Drau, Save, aus den Balkangebirgen Morawa, Isker; aus links Wörnitz, Altmühl, Naab, Regen, Kamp, die March aus Mähren, von den Karpaten Waag, Gran, vor allem der Theiß mit ihren Zuflüssen, Alt und kurz vor dem Delta Sereth und Pruth. Ihr Stromgebiet umfaßt 817000 qkm. Die Verkehrsbedeutung der D. ist groß; sie wird nach der Fertigstellung des →Rhein-Main-Donau-Großschiffahrtsweges noch gesteigert werden. Bei Passau ist die D. 200 m, bei Wien 300, bei Budapest 560 und bei Galatz 900 m breit.

Zur Regelung und Überwachung der Schiffahrt bestanden 1856–1914 die *Europäische Donaukommission* (für das Mündungs-

gebiet) und die ständige *Kommission der Donau-Uferstaaten*. 1919–40 war die D. von Ulm ab internationalisiert und einer *Internationalen Donaukommission* unterstellt (Sitz Wien, seit 1938 Belgrad). Das Abkommen von Belgrad v. 18. 8. 1948 setzte eine neue *Donaukommission* ein (Sitz Galatz); es wurde von den Westmächten nicht anerkannt. Die dt. D.-Schiffahrt ist seit dem Abkommen mit der Sowjetunion v. 28. 10. 1957 wieder bis zur Mündung möglich.

Lit. A. Penck: Die D. (1891); Heiderich: Die D. als Verkehrsstraße (1916); W. Wegener: Die internat. D. (1951).

Donau-Dampfschiffahrts-Gesellschaft, **Erste**, abgek. *DDSG*, Wien, gegr. 1829, ehemals größte Binnenschiffahrtsges. der Welt, wurde 1945 als »D. Eigentum« von den Alliierten beschlagnahmt, die in den östl. Donaustaaten gelegenen Anlagen enteignet. Das in Österreich befindliche Vermögen wurde 1955 dem österreich. Staat übergeben.

Donau'eschingen, Stadt im Schwarzwald-Baar-Kr., Baden-Württemberg, mit (1976) 17600 Ew., 680–825 m ü. M., im Schwarzwald, Kurort am Zusammenfluß von Brigach und Breg, die nach Aufnahme der im Schloßhof entspringenden »Donauquelle« die Donau bilden. D. hat Institut für Höhlandwirtschaft, AGer., höhere und Fachschulen. *Donaueschinger Musiktage* für zeitgenöss. Tonkunst. Brauerei, Textil- und feinmechanische Industrie, Bürsten- und Schuhfabrik. – Die aleman. Siedlung *Esgingea* kam an die Zähringer und 1488 an die Grafen von Urach, die sich später Fürsten von Fürstenberg nannten. Im 18. Jh. wurde D. ihre Residenz. Das 1722 angelegte Schloß wurde 1893 ff. völlig erneuert. Im benachbarten Karlsbau (1868) die bedeutende fürstl. Gemäldegalerie (u. a. Holbein d. Ä. und Grünewald) und naturkundl. Sammlungen. Hofbibliothek und Archiv mit Handschriftensammlung (darunter der Codex C des Nibelungenliedes und ein Schwabenspiegel von 1287). 1806 wurde D. badisch.

Lit. G. Tumbült: Die fürstlich Fürstenberg. Residenzstadt D. (⁴1922).

Donauföderati'on, bis zur Mitte des 19. Jhs. (Kossuth) zurückgehender Name für den wirtschaftl. Zusammenschluß der Nachfolgestaaten Österreich-Ungarns, der Ende 1918 entstand. Der bes. von Benesch und den Franzosen geförderte Plan erstrebte eine Wirtschafts- und Zolleinheit in südöstl. Mitteleuropa und sollte der deutsch-österr. Anschlußbewegung entgegenwirken.

D'onaufürstentümer, →Moldau, →Walachei.
D'onaulachs, der Fisch →Huchen.
D'onaumonarchie, →Österreich-Ungarn.
D'onaumoos, seit 1796 trockengelegte Moorniederung südlich der Donau zwischen Neuburg und Ingolstadt, etwa 350 m ü. M.; Kartoffelanbaugebiet.
D'onauraum, seit Friedrich Ratzel übliche

Dona

geograph. und polit. Bezeichnung für die Länder an der mittleren und unteren Donau: Österreich, Tschechoslowakei, Ungarn, Jugoslawien, Rumänien, Bulgarien.

D'onauried, moorige Niederung an der Donau zwischen Gundelfingen und Donauwörth, teilweise entwässert.

D'onauschule, eine Richtung der bayerischdonauländischen Malerei in der 1. Hälfte des 16. Jhs., deren Hauptmeister A. Altdorfer in Regensburg und W. Huber in Passau sind. Kennzeichnend für den zuerst bei L. Cranach und J. Breu begegnenden Stil der D. ist ihr Sinn für die Landschaft und die märchenhaft-romantische Stimmung ihrer Bilder, in denen sich Natur- und Menschendarstellung zur Einheit verbinden. Auch in der Plastik als Begriff verwendet. TAFEL Deutsche Kunst IV, 4; BILD Cranach.

D'onauschwaben, die deutschen Siedler an der mittleren Donau in Ungarn, Jugoslawien und Rumänien, die trotz stammesmäßig verschiedener Herkunft als »Schwaben« bezeichnet werden (→Deutsche IV.).

Donau-Schwarzmeer-Kanal, 1953 fertiggestellter, 70 km langer Kanal von Cernavoda bis nördl. Constanta. Er verkürzt den Wasserweg um 280 km.

Donaustil, →Donauschule.

Donauw'örth, Kreisstadt (Kreis Donau-Ries) im RegBez. Schwaben, Bayern, 406 m ü. M., an der Mündung der Wörnitz in die Donau, mit (1976) 17100 Ew., hat Bibliothek der pädagog. Stiftung Cassianeum, Heimatmuseum; Waggon- und Maschinenbau, Käthe-Kruse-Puppen-Fabrik. Nach den Luftangriffen 1945 blieben von bedeutenden Bauwerken erhalten: die Stadtpfarrkirche (1444–67), die Kirche Heiligkreuz (1717–41), das alte Rathaus und einige Giebelhäuser. D., anfangs *Wörth,* später *Schwäbisch-Wörth* genannt, wurde 1301 Reichsstadt, in der Reformationszeit evangelisch, kam 1607 in die Reichsacht und wurde durch Herzog Maximilian von Bayern mit Gewalt unter die bayer. Landeshoheit gebracht und rekatholisiert.

D'onawitz, Stadtteil von →Leoben.

Donbas, →Donez-Rücken.

Don B'osco, kath. Priester, →Bosco.

Don C'arlos, span. Prinzen, →Carlos.

Doncaster [d'ɔŋkəstə], Stadt im östl. England, mit (1970) 83 600 Ew.; Lokomotiven- und Wagenfabrik.

D'ondo, der Albino (→Albinismus).

Donegal [dɔ'nigə:l], irisch **Dún na ngall,** Grafschaft im N der Republik Irland, 4830 qkm mit (1971) 108 000 Ew.; Hauptstadt ist Lifford.

D'onegal *der,* englischer, grobfädiger, oft noppiger Sportmantelstoff, ähnlich →Homespun.

Don'ellus, Hugo, eigentl. **Doneau,** Rechtsgelehrter, * Chalon-sur-Saône 25. 12. 1527, † Altdorf 4. 5. 1591, wurde 1551 Prof. in Bourges, 1573 in Heidelberg, 1579 in Leiden, 1588 in Altdorf. Er schuf das erste umfassende System des röm. Privatrechts.

Donez [dɔnj'ɛts ›kleiner Don‹], **Nördlicher D.,** Nebenfluß des Don, 1050 km lang, Steppenfluß.

Don'ezk, seit 1961 neuer Name für →Stalino.

Donez-Rücken, Höhenzug in der Ukraine, bis 367 m hoch, mit wichtigstem Kohlenrevier der Sowjetunion *(Donezbecken,* russ. *Donbas)* ; Schwerindustrie.

Dongen, Kees van, holländ. Maler, * Delfshaven 26. 1. 1877, † Monte Carlo 28. 5. 1968, malte neoimpressionist. Landschaften, später Porträts. Mitbegr. des Fauvismus (→Fauves).

Dönges, Theophilus E., südafrikan. Politiker, * Klerksdorp (Transvaal) März 1898, † Kapstadt 10. 1. 1968, 1948–58 Innenmin., 1958–67 Finanzmin.; sein Amt als Staatspräs. (28. 2. 1967) konnte er wegen Krankheit nicht antreten.

Don Giovanni [- dʒov'ani, ital. Form des Namens →Don Juan], Oper von Mozart. Originaltitel: **Il dissoluto punito ossia il D.G.,** **Dramma giocoso in due atti.** Text (italien.) von Lorenzo →Da Ponte. Der D. G. wurde am 28. 10. 1787 in Prag beendet und am Tag darauf mit größtem Erfolg aufgeführt. Wiener Erstaufführung 7. 5. 1788. Handschrift im Conservatoire de Musique, Paris.

Dönhoff, westfäl. Uradelsgeschlecht, aus der Grafschaft Mark, 1282 zuerst erwähnt. Im 14. Jh. zog ein D. nach Livland. Die Familie war 1633 reichsgräfl. Familie war in Ostpreußen begütert. *August Hermann* Graf von D. (* 1797, † 1874) war 1848 preuß. Außenmin. *Sophie Julie* Gräfin von D. (* 1767, † 1834) wurde 1790 morganat. Gemahlin Friedrich Wilhelms II. von Preußen, 1793 vom Hofe verwiesen; ihr Sohn war der spätere Min.-Präs. Graf von Brandenburg.

Dönhoff, Marion Hedda Ilse Gräfin, Publizistin, * Friedrichstein (Ostpr.) 2. 12. 1909, seit 1961 stellvertretende, 1968–72 Chefredakteurin, seit 1972 Herausgeberin der Wochenzeitung ›Die Zeit‹; erhielt 1971 den Friedenspreis des Dt. Buchhandels, schrieb u. a. ›Namen die keiner mehr nennt. Ostpreußen – Menschen und Geschichte‹ (1962).

D'oni, Antonio Francesco, ital. Drucker, Verleger u. Schriftsteller, * Florenz um 1513, † Monselice bei Padua 1574, gründete mit den beiden Bänden *Prima* und *Seconda libreria* (1550/51) die ital. Bibliographie.

D'onie, *D'onia,* **Prachtnelke, -wicke,** Schmetterlingsblütergattung Australiens mit großen, eigenartig gestalteten Blüten.

D'önitz, Karl, dt. Großadmiral (1943), * Berlin-Grünau 16. 9. 1891, wurde 1936 Befehlshaber der U-Boot-Waffe, Jan. 1943 Oberbefehlshaber der Kriegsmarine. Am 2. 5. 1945 bildete D. als von Hitler bestimmter Nachfolger in Plön eine neue Reichsregierung (seit 3. 5.) in Mürwik bei Flensburg; in seinem Auftrag unterzeichnete das OKW am 7. 5. die Gesamtkapitulation in Reims, am 8. 5. in Berlin-Karlshorst. D. wurde am 23. 5. von den Engländern verhaftet, 1946 in Nürnberg zu 10 Jahren Gefängnis verurteilt, 1956 aus Spandau entlassen. Er schrieb ›10 Jahre und 20 Tage‹ (1958; Bericht über 1935–45).

Doniz′etti, Gaetano, ital. Komponist,* Bergamo 29. 11. 1797, † das. 8. 4. 1848 (in geistiger Umnachtung), wurde neunjährig Schüler von Simon Mayr, dann bei Pilotti und Mattei in Bologna, schrieb Kirchenmusik und wandte sich nach dem Erfolg seiner Erstlingsoper ›Heinrich von Burgund‹ (Venedig 1818) ganz dem Opernschaffen zu; 1835 erregte er mit seiner ernsten Oper ›Lucia di Lammermoor‹ großes Aufsehen in Neapel, wo er eine Professur für Komposition erhielt. 1839 ging er nach Paris, 1842 wurde er kaiserl. Hofkompositeur und Kapellmeister in Wien. Er schrieb 70 Opern, von denen die komischen wertvoller sind. D. steht wie Bellini als Opernkomponist zwischen Rossini und Verdi. Frische, unmittelbar ansprechende Melodik zeichnet sein Werk aus. Briefe hg. v. F. Cecchi (1892), A. Garielli (1892), A. de Eisner-Eisenhof (Bergamo 1897).

WERKE. Opern: Der Bürgermeister von Saardam (1827), Der Liebestrank (1832, bearb. v. F. Mottl 1907), Lucrezia Borgia (1834), Die Favoritin (1840, bearb. v. R. Wagner), Die Regimentstochter (1840), Linda von Chamonix (1842), Don Pasquale (1843), Catarina Cornaro (1844). – 2 Messen, Requiem für Bellini, Oratorium, Hymnen, Miserere, Quartette, Gesangswerke mit Klavier.

Donjon [dõʒõ, franz.] *der*, Wartturm; Wohnturm einer normannischen Burg.

Don Juan [dɔn xuˈan, span. ›Johann‹], Gestalt der neueren Dichtung, Wüstling, Frauenverführer, Sinnbild ewig ungestillter sinnlicher Leidenschaft. Das Urbild ist Don Juan Tenorio, der Held des span. Dramas *El burlador de Sevilla y convidado de piedra* ›Der Spötter von Sevilla und der steinerne Gast‹ (gedr. 1630; hg. Straßburg 1921; dt. 1896), das nicht unbestritten als Werk des Gabriel Téllez (Tirso de Molina, † 1648) gilt. Die Sage knüpft an einen Wüstling Juan de Tenorio an, der den Komtur von Sevilla ersticht, weil dieser ihn an der Entführung seiner Tochter hindert. Als er später die Statue des Komturs zum Gastmahl einlädt, wird er von dem wirklich erscheinenden steinernen Gast der Hölle überliefert. Danach bedeutet der Name D. J. auch allgemein einen skrupellosen Frauenverführer. Geschichtlich an dem Stoff sind nur die Namen des Helden und der adligen Gegenspieler; einzelne Züge sind früher nachzuweisen; jenes Drama hat aber zuerst die verstreuten Züge vereinigt und den typisch menschl. Charakter des D. J. geschaffen. In Italien verlor er die dem span. Urbild eigenen religiösen Züge; Cicognini (*Il convitato di pietra*, vor 1650), Giliberto (1652) und die *Commedia dell'arte* bearbeiteten ihn unter Betonung des Komischen. Auf franz. Bearbeitungen beruhen Molières D. J. (1665), in dem der Stoff zum Sittenbild wurde und dem weitere Bearbeitungen in Frankreich und England (Shadwell) folgten. Nach Deutschland kam D. J. seit Ende des 17. Jhs. zunächst aus Frankreich; er wurde in *Hauptaktionen* und bis ins 19. Jh. in Puppenspielen bearbeitet. Das 19. Jh. hat ihn zum Ausdruck der Sehnsucht nach dem weibl. Ideal gemacht und dabei der Faustsage angenähert oder gar mit ihr verschmolzen: ›Don Juan und Faust‹, Trauerspiel von Grabbe (1829). Byrons Epos, Schillers Balladenentwurf behalten vom urspr. D. J. fast nichts bei. Weitere Don-Juan-Dichtungen schrieben Lenau (1851), Heyse (1884), Sternheim (1910), Jelusich (1931), M. Frisch (1953), in England G. B. Shaw (1903), in Rußland Puschkin (1830), in Portugal Guerra Junqueiro (1874). Musikal. Bearbeitungen: Ballett von Gluck (1761), Oper von P. Graener (1914), sinfonische Dichtung von R. Strauss (1889), bes. aber die Oper →*Don Giovanni* von Mozart (1787).

LIT. Th. Schröder: Die dramat. Bearbeitungen der D. J.-Sage (1912); O. Rank: Die D. J.-Gestalt (1924); G. Marañón: D. J. (⁴Madrid 1947).

Don Juan d'Austria [-xuˈan-, span.], →Johann von Österreich.

Donker, Anthonie, eigentl. Nicolaas Anthonie Donkersloot, niederländ. Schriftsteller, * Rotterdam 8. 9. 1902, † Amsterdam 24. 12. 1965, führender Kritiker, seit 1936 Prof. der Lit. in Amsterdam.

WERKE. Grenzen (1928), Kruistochten (1929), Fausten en Faunen (1930), Schaduw der Bergen (1935), Karaktertrekken der Nederl. letterkunde (1946); Übers.: Goethes Faust I (1931).

D'onkosaken, Zweig der →Kosaken. **D.-Chor**, 1920 von *Serge Jaroff* (* 1896) aus Angehörigen der russ. Weißen Armee gebildet.

Dönme [türk. ›Abtrünnige‹], jüd.-mohammedan. Mischsekte in Saloniki, gegr. von den zum Islam übergetretenen Anhängern des falschen Messias →Sabbatai Zewi. Die D. spielten in der türk. Revolution von 1908 als Angehörige der Jungtürk. Partei eine Rolle. Reste von ihnen gab es bis in Saloniki bis 1940.

LIT. E. Carlebach: Exot. Juden (1932); G. Scholem u. G. Gershom: Major trends in Jewish mysticism (N. Y. ²1946).

D'onna [ital.], Frau, Fräulein.

Donndorf, Adolf von (geadelt 1910), Bildhauer, * Weimar 16. 2. 1835, † Stuttgart 20. 12. 1916, war das. 1877–1910 Prof., schuf viele Denkmäler.

Donne [dʌn, dɔn], John, engl. Geistlicher und Dichter, * London 1573, † das. 31. 3. 1631, trat 1615 zur anglikan. Kirche über und wurde als Dekan der St.-Pauls-Kathedrale ein bekannter Prediger. D. gehört zu den Vertretern der »metaphysical poetry«, die in geistreichen Gedankengängen und weit hergeholten Bildern *(conceits)* die barocken Spannungen zwischen Geist und Sinnlichkeit, Ewigkeit und Vergänglichkeit darstellten; neben Liebeslyrik und religiösen Gedichten schrieb er Satiren.

WERKE. Poems (hg. v. H. J. C. Grierson,

Donn

2 Bde., Oxford 1912), The Sermons, hg. G. R. Potter u. E. M. Simpson (10 Bde., 1953 bis 1962). Complete poetry and selected prose, hg. v. J. Hayward (1930), Metaphys. Dichtungen (engl.-dt., 1961).

Lit. E. Gosse: Life and letters of J. D.(London 1899); J. B. Leishman: The monarch of wit (London 1951); E. Spörri-Sigel: Liebe und Tod in der Dichtung J. D.s (Diss. Zürich 1946); H. Faerber: Das Paradoxe in der Dichtung v. J. D. (Diss. Zürich 1950).

Donnelly, Walter Joseph, amerikan. Politiker, * New Haven (Conn.) 9. 1. 1896, Jurist, seit 1927 im diplomat. Dienst, wurde im Aug. 1950 Hochkommissar der USA in Österreich (seit Dez. 1951 in der Eigenschaft eines Botschafters), August 1952 bis Januar 1953 in der Bundesrep. Dtl.

D′onner [germ. Stw.], ein dem Blitz bei einem Gewitter folgendes rollendes oder krachendes Geräusch. Der D. entsteht durch die plötzliche Ausdehnung der vom Blitz erhitzten Luft und breitet sich mit Schallgeschwindigkeit aus (333 m/sec). Zählt man die Anzahl der Sekunden zwischen Blitz und D. und teilt sie durch 3, so erhält man angenähert die Entfernung des Gewitters in km. Nur selten kann man den D. von Gewittern, die über 20 km entfernt sind, noch hören. Die lange Dauer des D., bes. bei entfernten Gewittern, entsteht wie der Nachhall durch Reflexion an Wolken und der Erdoberfläche (→Echo).

D′onner, 1) Georg Raphael, Bildhauer, * Eßling bei Wien 24. 5. 1693, † Wien 15. 2. 1741, tätig bes. in Wien, Salzburg und Preßburg. Die Vorliebe D.s gehörte dem Bleiguß; er schuf Bildwerke, deren harmonisch klarer Stil sich schon dem Klassizismus nähert, in seiner Anmut aber dem Rokoko verbunden bleibt.

Werke. Marmorfiguren der Prachttreppe von Schloß Mirabell in Salzburg (1726); um 1732 die bewegte Gruppe des hl. Martin für den Dom zu Preßburg; Bleigußfiguren des Brunnens auf dem Neuen Markt in Wien (1737–38; Originale im Barockmuseum); Beweinung Christi, Bleigußgruppe im Dom zu Gurk (1741).

Lit. K. Blauensteiner: G. R. D. (Wien 1944).

2) Johann Jakob Christian, klass. Philologe, * Krefeld 10. 10. 1799, † Stuttgart 28. 3. 1875, 1827 Gymnasialprof. in Ellwangen, 1843 in Stuttgart. Seine Übersetzungen griech. und lat. Dichter (Terenz, Sophokles, Äschylos, Euripides) waren im 19. Jh. beliebt.

D′onnerbart, Pflanzenarten: **1)** eine Hauswurz. **2)** die große Fetthenne.

D′onnerbüchse, Geschütz des 14. und 15. Jhs. zum Verfeuern von Steinkugeln.

D′onnerbusch, →Hexenbesen.

D′onnerkeil, Donnerstein, 1) →Belemnit. **2)** vorgeschichtl. Steinbeil, das durch Blitzschlag oder Donnern entstanden und zauberkräftig sein soll.

Donnermaschine, grch. **Bronteion,** Theater-

vorrichtung zur Nachahmung des Donners, ein paukenähnl. Gerät, dessen Schlegel elektrisch oder mit der Hand bedient werden. Auch das **Donnerblech** wird verwandt, eine an Seilen aufgehängte, am unteren Ende rasch hin- und herbewegte Blechtafel.

D′onnersberg, Gebirgsstock aus Porphyr im Nordpfälzer Bergland, 687 m hoch, mit großer frühgeschichtl. Wallanlage.

Donnersbergkreis, Landkreis in RegBez. Rheinhessen-Pfalz; Rheinland-Pfalz; Kreisstadt: Kirchheimbolanden.

D′onnersmarck, →Henckel von Donnersmarck.

D′onnerstag, der vierte Tag der Woche, benannt nach dem Gott Donar.

Don Quijote und Sancho Pansa (Gemälde von H. Daumier)

Don Quijote, Don Quixote [kix′otə], französiert **Don Quichotte** [dɔkiʃɔt], »Ritter von der traurigen Gestalt«, Held des Romans von →Cervantes (1605–15). D. Q., ein armer Landjunker, dessen Geist durch das Lesen von Ritterromanen verwirrt ist, zieht auf Abenteuer aus; er hält Bauernschenken für Ritterburgen und kämpft gegen Windmühlen, die er für Riesen hält. Seine Gestalt ist dabei lächerlich und ergreifend zugleich, denn hinter seiner Phantasie verbirgt sich ein Mensch, der einer nüchternen Welt zum Trotz an seinen Illusionen festhält. Im bäuerlichen Sancho Pansa mit seiner Erdgebundenheit, Treue und Schläue ist dem edlen Narren eine wirkungsvolle Kontrastfigur beigegeben. – Sinfonische Dichtung von Rich. Strauss(1898). – Opern von Massenet (1898), Kienzl (1910). **Donquichotter′ie,** **Donquichotti′ade,** eine dem Wesen D. Q.s entsprechende Handlung oder die Erzählung einer solchen.

Lit. Miguel de Unamuno: Das Leben D. Q.s und Sanchos (1905; dt. 1933); A. Rüegg: M. de Cervantes u. sein D. Q. (1949); A. Portmann: D. Q. u. Sancho Pansa (²1964);

. de Madariaga: Über D. Q. (1926; dt. 965).

D'önse, Dönz, Dörns [ahd. turniza, slaw. _w.]die,_ heizbare Wohnstube im niedersächs. Bauernhaus.

d'onum [lat.], _Mz._ dona, Gabe, Geschenk. **donum dedit,** abgek. **d. d.,** er hat geschenkt.

Doppelanastigmat

D'oolaard, A. den, eigentl. Cornelis Spoel-stra, niederländ. Schriftsteller, * Zwolle 7. 2. 1901. In seinen Romanen mit ihrer fesseln-den Darstellung fremder Milieus schöpft er aus seinen Reiseerfahrungen.

WERKE. De druivenplukkers (1931), Orient Expreß (1934; dt. 1935), De bruiloft der zeven zigeuners (1939; dt. Die Hochzeit der 7 Zigeuner, 1956), Het verjaagde water 1947; dt. Besiegtes Wasser 1949), De vier ruiters (Nimwegen 1948), Kleine mensen in le grote wereld (1953; dt. 1954), Het land achter Gods rug (1956; dt. 1957), Het leven van een landloper (Autobiogr., 1958).

Doolittle [d'u:litl], Hilda, Pseudonym H. D., amerikan. Lyrikerin, * Bethlehem (Pa.) 10. 9. 1886, † Zürich 27. 9. 1961, begründete mit E. Pound den Kreis der →Imagisten, hei-atete den engl. Schriftsteller R. Aldington; ebte in England und der Schweiz.

WERKE. Collected poems (N. Y. 1925, 1940), eine dramat. Trilogie (The walls do not fall, 1944, Tribute to the angels, 1945, The flowering of the rod, 1946), By Avon river (1949; dt. Avon, 1955), Selected poems 1957), Bid me to live (1960), Tribute to Freud with unpublished letters by Freud to the author (1956), Euripides-Übersetzungen, z. B. Ion (1937).

Doorn, Gemeinde in der Provinz Utrecht, Niederlande, mit _Huis te D.,_ dem Wohnsitz 1920–41) Kaiser Wilhelms II.

D'oornijk, Doornik, Stadt in Belgien, →Tournai.

D'oornkaat, wasserheller Kornbranntwein mit Wacholdergeschmack.

d'open [aus dem Engl.], unerlaubte Ver-vendung von Erregungsmitteln **(Doping)** im Sport, bes. bei Rennpferden, um die Lei-stungsfähigkeit zu erhöhen.

Döpfner, Julius, Kardinal (1958), * Hausen (Unterfranken) 26. 8. 1913, † München 24. 7. 1976, wurde 1948 Bischof von Würz-burg, 1957 Bischof von Berlin, 1961 Erz-bischof von München-Freising; war seit 1965 Vors. der Fuldaer Bischofskonferenz.

D'opolav'oro, Opera Nazionale Dopo-lavoro, Abk. O. N. D. [ital. ›Nationalwerk

nach Feierabend ‹], Volksbildungsbewegung des →Faschismus in Italien.

D'oppe, eine Fassung, in die Edelsteine während ihrer Bearbeitung eingeschmolzen werden.

Doppel, 1) vollwertige Abschrift. **2)** Wett-kampf (z. B. im Tennis) zweier Spieler gegen zwei andere (Herren-, Damen-, gemischtes D.).

D'oppeladler, _Wappenkunde:_ →Adler.

D'oppelanastigm'at, ein symmetrisch auf-gebautes photograph. Objektiv, dessen beide Hälften aus je 3 miteinander verkitteten, für sich korrigierten Linsen bestehen (→Anastig-mat).

D'oppelaxt, urspr. aus Stein gefertigtes Werkzeug der vorgeschichtlichen Kulturen des Vorderen Orients und auf Kreta; in der minoischen Kultur Kultsymbol, z. T. aus Gold oder aus dünnem Bronzeblech gefer-tigt. Der vorgriech. Name _Labrys_ hat sich in Karien gehalten, wo in geschichtl. Zeit die D. das Attribut an den griech. Zeus an-geglichenen Gottes von Labranda war. Das kret. Wort _Labyrinthos_ scheint damit stammverwandt zu sein. Die meisten stei-nernen und bronzenen D. in den vorge-schichtl. Kulturen Europas sind offenbar unter mehr oder weniger mittelbarem ägäischem Einfluß entstanden.

LIT. M. P. Nilsson: The Minoan-Myce-naean Religion (²1950).

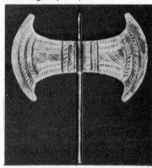

Goldene Doppelaxt von Arkalochóri, Kreta (9 cm hoch)

D'oppel-b, | |, _Musik:_ ein Versetzungszei-chen, erniedrigt um zwei Halbtöne.

D'oppelbecher, ein im 16. und 17. Jh. be-liebtes, meist silbernes Trinkgefäß aus zwei einander zugekehrten Schalen, deren obere den Deckel der unteren bildet.

D'oppelbesteuerung, die mehrfache Inan-spruchnahme desselben wirtschaftl. Tat-bestandes oder Objekts durch verschiedene Steuern; z. B. unterliegen Einkommen aus Kapitalgesellschaften durch die von der Ge-sellschaft zu zahlende Körperschaftsteuer und die vom Aktionär auf die ausgeschüt-tete Dividende zu zahlende Einkommensteuer einer D. (wird durch eine Ermäßigung der Körperschaftsteuer gemildert). Zur Verhinderung der D. bei Auslandsvermögen oder -einkommen werden internat. *D.-Abkommen* geschlossen; danach wird das Vermögen nur in dem Land besteuert, in dem die Vermögensgegenstände liegen, das Arbeitseinkommen dort, wo die Tätigkeit ausgeübt wird.

Lit. R. Korn u. G. Dietz: D. ([5]1974).

D'oppelbildung entsteht in der embryonalen →Entwicklung durch unvollständige Teilung des Bildungsgewebes od. einer ganzen →Anlage; sie ist möglich, weil in frühen Entwicklungsstadien noch nicht das Schicksal sämtlicher Anlagenteile fest bestimmt ist und eine Anlage im allgemeinen viele Möglichkeiten der Entwicklung besitzt, über deren Verwirklichung innere und äußere Einwirkungen entscheiden. Angeschnittene Vegetationspunkte von Pflanzen können verdoppelte Blätter hervorbringen. Niedere Tiere, wie Würmer und Hohltiere, mit einem großen Regenerationsvermögen am ganzen Körper, behalten zeitlebens die Fähigkeit zur Verdoppelung der Körperachse bei.

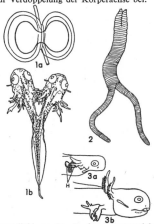

Doppelbildung: 1a *Ei des Wassermolches (Triton), Einschnürung mittels Kinderhaares;* 1b *dadurch entstandene vordere Doppelbildung der Larve (nach Spemann).* 2 *Regenwurm, Doppelbildung vorn und hinten (nach Korschelt).* 3 *Axolotl-Larven;* 3a *Einheilung eines Stückes ortsfremden Gewebes (dunkel) zwischen den beiden Hälften (H) der künstlich gespaltenen Vorderbeinknospe;* 3b *dadurch hervorgerufene Vorderbeinverdoppelung (nach Swett)*

D'oppelboden, bei einem Schiff der Raum zwischen Außenhaut und innerem Boden, ist in wasserdichte Abteilungen getrennt, die mit Ballastwasser und Brennstoff gefüllt sind. Der D. soll verhindern, daß das Schiff voll Wasser läuft, wenn es auf Grund fährt und dabei die Außenhaut aufgerissen wird.

D'oppelbogen, eine Bogenschußwaffe (zusammengesetzter →Bogen), deren auswärts gekrümmter Bogenstab durch Bespannen mit der Sehne nach innen gekrümmt wird. Der D. hat eine größere Schnellkraft als der gewöhnliche Bogen.

D'oppelbrechung, die Eigenschaft aller nicht regulären Kristalle, einen Lichtstrahl in zwei Teile zu zerlegen. Beide Strahlen sind senkrecht zueinander polarisiert; nur der *ordentliche Strahl* befolgt das gewöhnliche Brechungsgesetz, während die Richtung des *außerordentlichen Strahls* durch verwickeltere Gesetze bestimmt ist.

Nichtkristalline Körper können durch mechan. Spannung *(Spannungsdoppelbrechung)*, durch elektr. oder magnet. Felder, organische Flüssigkeiten mit langgestreckten Molekülen beim Strömen doppelbrechend werden. Die D. wurde 1669 von Erasmus Bartholinus am isländischen Doppelspat entdeckt.

D'oppelbürgerschaft, die doppelte →Staatsbürgerschaft.

D'oppelchor, *kirchliche Baukunst:* seit dem 8. Jh. erhielten größere Stiftskirchen einen zweiten Chor, oft statt einer zweiten Kirche oder Kapelle, deren Altar in die Hauptkirche verlegt wurde. Der zweite Chor wurde am Ende des Langhauses, dem Hauptchor gegenüber, angelegt. Er war sehr verbreitet in der deutsch-roman. Kunst (Dome in Mainz, Worms, Naumburg), selten in Frankreich, ungewöhnlich in Italien.

D'oppeldecker, Flugzeug mit zwei übereinanderliegenden Tragflügeln.

D'oppeldrucke, Zwitterdrucke, Drucke, die durch Änderungen am Satz, nachdem schon ein Teil der Auflage gedruckt war, Abweichungen auf einzelnen Seiten und Lagen aufweisen. Sie sind gewöhnlich reicher an Druckfehlern als die Originalfassungen. Besonders häufig sind D. in der Flugschriftenliteratur der Reformationszeit und in den Ausgaben der dt. Klassiker (z. B. Goethe, Wieland).

Lit. bei K. Löffler u. J. Kirchner: Lexikon des gesamten Buchwesens, 1 (1935).

D'oppelehe, die →Bigamie.

D'oppelendball, Übungsgerät für Boxer.

D'oppelfehler, zweimaliger fehlerhafter Aufschlag beim Tennis, bedeutet Punktegewinn für den Gegner.

D'oppelflinte, Schußwaffe mit zwei glatten Läufen für Schrotschuß zur Jagd und zum Sportschießen.

D'oppelfokusgläser, die Bifokalgläser, →Brille.

D'oppelgänger, 1) eine Person, die einer zweiten zum Verwechseln ähnlich ist. **2)** im Volksglauben und im Okkultismus ein durch zeitweilige Trennung vom Körper ermöglichtes Sichtbarwerden der Seele od. d. →Astralleibes. Die Erscheinung des D. ist ein dichterisch vielfach behandelter Stoff, so von

E. T. A. Hoffmann (Der Doppelgänger, 1822) und von Dostojewski (Der Doppelgänger, 1889).

LIT. W. Krauss: Das D.-Motiv in der Romantik (1930).

D'oppelgewebe, Stoffe aus zwei Gewebelagen, von denen sich Kette und Schuß und eine beliebige Bindung haben kann. Die Verbindung der Gewebelagen wird erreicht durch Warenwechsel oder durch Übergreifen von Kett- oder Schußfäden in die andere Lage.

D'oppelgriff, gleichzeitiges Spielen zweier oder mehrerer Töne auf einem Musikinstrument.

D'oppelhaken, 1) schweres Gewehr des 16. und 17. Jhs., das auf einem Gestell ruhte. 2) ankerförmiger Angelhaken.

Doppelhelix, die Doppelspirale der DNS, →Molekulargenetik.

D'oppel-Ich, von Dessoir eingeführter Name für die Spaltung der Persönlichkeit. Gegensätze innerhalb des Seelenlebens sind in jedem Menschen wirksam. Ausgeprägtes D.-I. als abnorme seel. Erscheinung nennt man *Depersonalisation;* sie ist noch kein Krankheitszeichen. →Schizophrenie.

LIT. M. Dessoir: Das Doppel-Ich ([2]1896).

D'oppelkapelle, Kapelle aus zwei gewölbten Stockwerken übereinander, meist mit einem Altar in jedem Geschoß; älteste Form die Aachener Pfalzkapelle: im Obergeschoß der Thron des Kaisers, das Erdgeschoß für den Hof bestimmt; danach üblich in Pfalzen, Burgen und Palästen.

Im MA. wurden in Deutschland beide Geschosse durch eine mittlere Öffnung verbunden: Pfalzkapellen in Goslar, Eger und Nürnberg, Bischofskapelle am Mainzer Dom u. a. In Frankreich blieben sie stets völlig getrennt: Sainte-Chapelle in Paris, erzbischöfl. Kapelle in Reims u. a. In der Renaissance und im Barock wurden für den gleichen Zweck Emporenkapellen gebaut: Hofkapellen in München und Würzburg, Schloßkapelle in Versailles; schließlich beschränkte man sich auf eine fürstl. Loge: Schloßkapellen in Rastatt, Ludwigsburg.

D'oppelkolbenmotor, ein Zweitakt-Verbrennungsmotor, bei dem zwei Kolben in einem Verbrennungsraum arbeiten. Die Kolben sind durch eine gegabelte oder zwei Pleuelstangen mit der Kurbelwelle verbunden. Ein Kolben steuert den Auslaß, der andere den Überströmungsvorgang. Der Junkers-D. hat zwei gegenläufige Kolben. Das Prinzip des D. wurde zuerst 1893 von Oechelhäuser und Junkers an einem Zweitakt-Großgasmotor entwickelt. 1907 erhielt Junkers ein Patent auf einen Dieselmotor unter Anwendung der Doppelkolbenbauart. 1914 war der D. mit unmittelbarer Kraftstoffeinspritzung entwickelt.

LIT. A. Nägel: Der Junkersmotor, in: Hugo Junkers, Festschr. z. 70. Geburtstag (1929).

D'oppelkopf, →Schafkopf.

D'oppelkreuz, *Musik:* ein Versetzungszeichen ×, erhöht um zwei Halbtöne (z. B. c mit × = cisis, f mit × = fisis).

D'oppellaut, griechisch *Diphthong,* →Doppelselbstlaut.

d'oppeln, 1) *Spinnerei:* →dublieren. 2) *Schuhherstellung:* die Sohle oder Zwischensohle an den Rahmen oder die Sohle an die Zwischensohle annähen.

D'oppelnelson, ein doppelter Nackenhebel beim Ringen.

D'oppelpaddel, ein Paddel mit 2 Blättern für Faltboot und Kajak.

D'oppelposten, ein Posten von 2 Mann.

D'oppelpunkt, 1) D., Kolon, Satzzeichen (:). 2) *Geometrie:* →Singularitäten.

D'oppelquarz, eine Platte, die zur Hälfte Rechts-, zur Hälfte Linksquarz (→Quarz) ist und zur Bestimmung geringer Drehungen der Polarisationsebene dient.

D'oppelrahmenpeiler, ein Peilgerät, bei dem die um eine senkrechte Achse drehbare Peilantenne aus zwei, in 1 bis 2 m Abstand parallel zueinander angeordneten Peilrahmen besteht. Die aufgenommenen Peilspannungen werden gegeneinander geschaltet, ihre Differenz dem Empfänger zugeführt. Der D. ist frei von den durch den Nachteffekt (→Dämmerungseffekt) verursachten Fehlern.

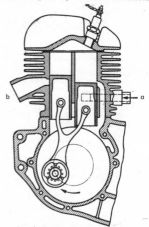

Doppelkolben-Zweitaktmotor:
a *Einlaß,* b *Auspuff*

D'oppelsalze, Verbindungen aus zwei verschiedenen Salzen; in wäßriger Lösung zerfallen D. leicht in ihre Bestandteile und dissoziieren zu Ionen. Viele D. haben in den Bestandteilen gemeinsames Anion, z. B. Alaun, $K_2SO_4 \cdot Al_2(SO_4)_3 \cdot 24\ H_2O$, manche gemeinsames Kation, z. B. das D. $MgCl_2 \cdot MgSO_4$, manche keine gemeinsamen Ionen, z. B. Kainit, $KCl \cdot MgSO_4 \cdot 3\ H_2O$.

D'oppelscheiben aus Glas, fabrikmäßig hergestellte Kombinationen aus zwei normalen

Dopp

Glastafeln, die durch einen *Verbundrand* unverschieblich in 1–20 mm Abstand vereinigt sind. Dieser muß dauernd hermetisch verschlossen sein, um Beschlag oder Schwitzwasserbildung innen zu verhüten. Der Zwischenraum ist mit vorgetrockneter Luft gefüllt oder mit feinem Glasgespinst oder mit 2–4 Lagen Kunststoff-Folie; die beiden letzten Arten sind nur durchscheinend. D. haben vorzügliche Wärme- und Schalldämmung. D. ohne Zwischenraum nennt man Verbundglas (→Glas).

D′oppelschicht, zwei unmittelbar aneinandergrenzende elektrische oder magnetische Schichten entgegengesetzten Vorzeichens.

D′oppelschlag, ital. **Gruppetto,** frz. **Doublé,** engl. **turn,** *Musik:* Verzierung eines Tones durch eine umspielende Figur, die Ober- und Untersekunde berührt: in der Notenschrift durch das Zeichen ∾ (meist über der Note) gefordert. Soll einer der beiden Ziertöne chromatisch verändert werden, wird ♯, ♭ oder ♮ über oder unter das Zeichen gesetzt.

Doppelschlag:
oben Notierung, unten Ausführung

D′oppelschlußmaschine, Gleichstrommaschine mit einer Hauptschluß- und einer Nebenschlußwicklung.

D′oppelsehen, Diplopie, binokulares D., krankhafte Erscheinung, die dadurch entsteht, daß die Eindrücke beider Augen nicht miteinander verschmolzen, sondern getrennt wahrgenommen werden. D. tritt ein, wenn die Bilder eines Gegenstandes nicht auf einander entsprechende Netzhautstellen fallen, so wenn bei Lähmung äußerer Augenmuskeln ein Auge nicht auf den Gegenstand gerichtet werden kann, z. B. bei Trunkenheit. D. verschwindet, sobald man ein Auge schließt. Aber auch beim einäugigen Sehen kann D. auftreten (**monokulares D.**), wenn durch Linsentrübungen, Linsenverlagerung oder Veränderungen in der Hornhaut der einfallende Strahlenkegel im Pupillengebiet geteilt wird und so zwei Bilder auf der Netzhaut entstehen. Durch Linsentrübungen kommt es gelegentlich zum Vielfachsehen ferner Gegenstände (z. B. des Mondes).

D′oppelselbstlaut, die Verbindung zweier verschiedener Selbstlaute in derselben Silbe, z. B. ai, au (Diphthong).

D′oppelsitz, Sitz einer Handelsgesellschaft an verschiedenen Orten; nach herrschender Ansicht zulässig.

D′oppelspat, Mineral, →Kalkspat.

D′oppelsterne, zwei sehr nahe beieinander stehende Sterne, die nur mit Fernrohren oder überhaupt nicht getrennt gesehen werden können. *Optische* oder *scheinbare Doppelsterne* erscheinen nur als solche und stehen in Wirklichkeit weit hintereinander in der gleichen Richtung. Die *physischen* oder *wirklichen D.* laufen um den gemeinsamen Schwerpunkt. Bei den *visuellen D.* ist die Ortsveränderung sichtbar. Die *spektroskopischen D.* sind so eng, daß die Sterne nicht getrennt gesehen werden können; ihre Bahnbewegung kann aber gemessen werden mit Hilfe der (durch d. →Doppler-Effekt verursachten) in regelmäßigen Zeitabständen wiederholten Verschiebung ihrer Spektrallinien. Zu ihnen gehören der Polarstern, Algol, Spica, Mizar. Die *Umlaufzeiten* der D. bewegen sich zwischen wenigen Stunden bei manchen spektroskopischen D. und mehr als 10 000 Jahren bei den weitesten visuellen D. Bei den ersteren sind die Halbachsen der *Umlaufbahnen* sehr klein, andererseits kommen Halbachsen von einigen 100 astronom. Einheiten (1 astronom. Einheit = Entfernung Erde–Sonne = 149 500 000 km) vor. Die einzelnen Sterne der D. heißen *Komponenten.* Die hellste Komponente wird jeweils als *Hauptkomponente,* der andere Stern als *Begleiter* bezeichnet. In einigen Systemen wurden Begleiter entdeckt, die so lichtschwach und massenarm sind, daß sie unsichtbar bleiben und sich nur durch ihre schwache Beeinflussung des Ortes der Hauptkomponente verraten. Sie nehmen mit 0,1 bis 0,01 Sonnenmassen eine Zwischenstellung zwischen den uns bekannten Planeten und normalen Fixsternen ein.

Etwa 10–20 % aller Sterne sind D. Viel seltener als die D. sind die **mehrfachen Systeme,** die oft aus einem engen D. und einem Begleiter mit großer Halbachse bestehen. Die D. sind wichtig für die Berechnung der Sternmassen. Zur Entstehung der D. gibt es die *Einfang-* und die *Teilungshypothese.* Für letztere spricht, daß D. bekannt sind, deren Komponenten nicht völlig voneinander getrennt sind und die gegenseitig Masse austauschen und von einem gemeinsamen Gasnebel eingeschlossen werden.

Die ersten systemat. Beobachtungen von D. stammen von Chr. Meyer in Mannheim († 1783), aber erst W. Herschel erkannte um 1800 die physische Natur der D. Der erste spektroskopische D. wurde von E. C. Pickering 1889 und die Doppelsternnatur der Bedeckungsveränderlichen im gleichen Jahr von H. C. Vogel in Potsdam entdeckt.

D′oppelstockbühne, Bühnensystem mit zwei übereinandergelagerten Spielflächen, die beide für die Zuschauer sichtbar gemacht werden können.

D′oppelstrom, eine Betriebsart beim Telegraphieren, bei der im Ruhezustand der Strom in der einen Richtung fließt, bei Signalgabe in entgegengesetzter, meist in gleicher Stärke. Gegensatz: Einfachstrom.

d′oppelte Buchführung, →Buchführung.

d′oppelte Moral, die Anwendung doppelter sittlicher Maßstäbe für die gleichen Handlungen, je nachdem, von wem und in welchem Lebensbereich sie begangen werden (z. B. Künstler – »Bürger«, Staatspolitik – Privatleben). Sie wird von der christl. Ethik abgelehnt, in der philosoph. Ethik z. B. für die Befreiung der Staatsräson von den Forderungen der Individualmoral nicht selten vertreten. Heute vielfach auf die Diskrepanz zwischen offiziellen Lippenbekenntnissen (religiöser, ethischer, politischer Art) und tatsächlichem Verhalten angewendet.

d′oppelte Wahrheit, die seit dem Hoch-MA. immer wieder vertretene Lehre von der Unvereinbarkeit der (arabischen) Philosophie mit der (überlieferten) Theologie. Die Hochscholastik lehrt, daß zwischen Philosophie und Theologie ein Unterschied, aber kein Widerspruch bestehe. Die Harmonie zwischen (richtiger) Philosophie und Theologie ist seit dem 5. Laterankonzil (1513) ein kath. Dogma.

d′oppeltkohlensaure Salze, →Kohlensäure.

d′oppeltwirkend sind Kolbenmaschinen, bei denen der Kolben abwechselnd von der einen und der anderen Seite einen Antrieb erhält. Gegensatz: einfachwirkend.

D′oppelung, 1) *Blechverarbeitung:* durch flachgewalzte Schlacken oder Gaseinschlüsse verursachte Erscheinung, die beim Biegen und Ziehen von Blechen dazu führt, daß diese reißen und dann ein Riß aussieht, als ob zwei Bleche übereinandergezogen oder -gebogen worden wären.
2) D. von *Musikinstrumenten* liegt dann vor, wenn zwei urspr. eintonige Instrumente von einem Spieler gleichzeitig verwendet werden. Sie dient, bes. bei Blasinstrumenten, zweistimmigem Spiel mit und ohne →Bordun (z. B. →Aulos, →Dvojnice, →Arghul, →Zummara). In einem primitiven Stadium sollte damit oft nur eine symbolisch gegensätzliche Tönung nach »hell und dunkel« erreicht werden, die unbewußt heute noch in unserem Paukenpaar fortlebt. Schließlich ist D. häufig auch der Anfang einer →Reihung, durch die Einton-Instrumente melodiefähig werden.

D′oppelverdienst, das durch die Erwerbstätigkeit mehrerer Familienmitglieder gebildete Einkommen, bes. das von Mann und Frau. Bei betriebsbedingten Kündigungen kann D. ein sozialer Gesichtspunkt für die Auswahl sein. Steuerlich →Ehegattenbesteuerung, →Haushaltsbesteuerung.

D′oppelverhältnis, das Verhältnis zweier bestimmter Streckenverhältnisse zwischen 4 Punkten einer Geraden oder zweier bestimmter Winkelverhältnisse zwischen 4 Geraden durch einen Punkt; eine wichtige Größe der projektiven Geometrie.

D′oppelversicherung, mehrfache, bei verschiedenen Versicherern gegen die gleiche Gefahr laufende Schadenversicherung, →Überversicherung.

D′oppelvierer, →rudern.

D′oppelvorschlag, *Musik:* eine Verzierung, die aus zwei kurzen Tönen vor der Hauptnote besteht.

D′oppelwährung, ein Währungssystem, bei dem Gold- und Silbermünzen nebeneinander als gesetzl. Zahlungsmittel umlaufen **(Bimetallismus).** Verändert sich das Wertverhältnis der beiden Geldarten im freien Verkehr gegenüber der gesetzl. festgelegten Relation, pflegt das »gute«, d. h. gesetzlich zu niedrig bewertete Geld aus dem Umlauf zu verschwinden **(Greshamsches Gesetz).** D. bestand in den USA von 1790–1900, in Frankreich von 1803–78. Eine Abart der D. ist die »hinkende Währung«, bei der neben den Zahlungsmitteln der eigentl. Währung (Goldmünzen) noch einzelne im Zahlungsverkehr eingebürgerte Münzen einer früheren Währungsordnung gesetzl. Zahlungsmittel bleiben (Taler im Dt. Reich bis 1907, Lateinische Münzunion 1865). In den USA wird von den Silberinteressenten der Südstaaten immer wieder die Rückkehr zur D. gefordert, um den Silberpreis zu heben.

D′oppelwendel, Wendel aus gewendeltem Draht, bes. bei Glühlampen, wo sie eine höhere Lichtausbeute als Langdraht und Einfachwendel liefert.

D′oppelzentner, abgek. **dz,** der metrische Zentner = 100 kg.

D′oppelzünder, abgek. **Dz.,** Zünder von Artilleriegeschossen mit Aufschlag- und Zeitzündeinrichtung.

D′oppelzunge, Zungenschlag, eine Blastechnik bei Blasinstrumenten, bes. bei der Flöte, um schnelle Stakkato-Passagen leicht ausführen zu können.

d′oppelzüngig, falsch, nach Bedarf sich widersprechend.

D′oppelzweier, →rudern.

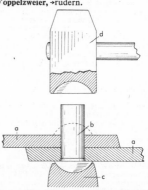

Döpper: Herstellung einer Nietverbindung: a *zu verbindende Bleche,* b *Niet,* c *Gegenhalter,* d *Döpper (Schellhammer)*

Döpper, ein Werkzeug zum Nieten, wirkt entweder als Hammer oder als Amboß, hat eine der Form des Nietkopfs entsprechende Vertiefung.

D′oppik, doppelte Buchführung.

D′opplereff′ekt, ein bei allen Wellenvor-

Dopplereffekt:
Schallwellen der Huptöne eines herannahenden und eines hinwegfahrenden Kraftwagens

gängen beobachtbarer Effekt, wenn Quelle und Beobachter sich relativ zueinander bewegen, 1842 entdeckt von dem österr. Physiker Chr. Doppler (* 1803, † 1853): Bewegt sich die Quelle auf den Beobachter zu, so treffen in der Zeiteinheit mehr Wellen bei ihm ein, die Frequenz wird höher, als wenn die Quelle relativ zu ihm ruht oder sich von ihm entfernt *(longitudinaler D.)*. Die Relativitätstheorie verlangt eine Vergrößerung der Wellenlänge auch, wenn sich Quelle und Beobachter in senkrechter Richtung zu ihrer Verbindungslinie bewegen. Dieser *transversale*, mit der zweiten Potenz der Geschwindigkeit wachsende D. ist ebenfalls experimentell (an Kanalstrahlen) beobachtet worden. In der *Akustik* ist der Ton eines an einem Beobachter vorüberfahrenden hupenden Autos oder einer pfeifenden Lokomotive beim Herankommen höher als danach, wenn sich die Tonquelle entfernt. In der *Optik* ist der D. die Ursache der →Rotverschiebung der sich von uns entfernenden Spiralnebel und der Verbreiterung der Spektrallinien durch die Wärmebewegung der leuchtenden Atome. Der D. wird benutzt zur Geschwindigkeitsmessung bewegter Ziele (Flugzeuge, Meteore) und zur Trennung verschieden schnell bewegter Objekte (Flugzeuge und Boden- oder Störzeichen).

Doppler-Navigationsverfahren, auf dem Dopplereffekt beruhendes Navigationsverfahren der Luftfahrt, das von Bodenstationen unabhängig ist. Von zwei Richtstrahlantennen an Bord des Flugzeugs werden elektromagnet. Wellen unter bestimmtem Winkel zur Flugrichtung schräg nach unten gestrahlt. Aus der Dopplerfrequenz der reflektierten Wellen kann der Standort und dem Kurs des Flugzeugs kann der Standort abgeleitet werden.

Dopsch, Alfons, Historiker, * Lobositz 14. 6. 1868, † Wien 1. 9. 1953, war seit 1900 Prof. das.; suchte die Kontinuität der Antike mit dem MA. nachzuweisen.
WERKE. Die Wirtschaftsentwicklung d. Karolingerzeit, 2 Bde. (²1921/22), Wirtschaftl. u. soziale Grundlagen d. europ. Kulturentwicklung aus der Zeit von Cäsar bis auf Karl d. Gr., 2 Bde. (²1923/24), Naturalwirtschaft und Geldwirtschaft in der Weltgesch. (1930), Herrschaft und Bauer in der dt. Kaiserzeit (1939).

Dor, Milo, eigentlich Milutin **Doroslovac**, Schriftsteller, * Budapest 7. 3. 1923, lebt in Wien.
WERKE. Unterwegs (1947), Tote auf Urlaub (1952); mit R. Federmann: Und einer folgt dem andern (1953), Romeo und Julia in Wien (1954), Othello von Salerno (1956), Das Gesicht unseres Jahrhunderts (1960).

Hg.: Es ist nicht leicht, ein Mann zu sein (1955), Der politische Witz (1964).

D′ora [von Dorothea], weibl. Vorname.

D′ora, frz. **Doire**, zwei linke Nebenflüsse des Po. 1) D. B′altea, 160 km, entspringt am Montblancmassiv, mündet bei Crescentino. 2) D. Rip′aria, 125 km, entspringt in den Cottischen Alpen, mündet bei Turin.

Dor′ade [franz.], Fische: *echte D.* (Chrysophrys aurata) im Mittelmeer und Ostatlantik; *unechte D.*, die Goldmakrele; die Gattung *Doras*, südamerikan. Welse.

Dor′ado, 1) **D.**, auch **Eldorado** [span. el dorado ›der Vergoldete‹], sagenhaftes Goldland im Innern des nördl. Südamerikas, im 16. und 17. Jh. von spanischen Eroberern gesucht. Sage und Name gehen auf einen religiösen Brauch der Chibcha in Kolumbien zurück, wonach der Kazike von Guatavita, an ganzen Körper mit Goldstaub überzogen, auf den heil. See von Guatavita hinausfuhr, den Goldstaub im Wasser des Sees abwusch. 2) Sternbild, →Schwertfisch.

Dor′ant, Orant [wohl vom griech. Pflanzennamen orontion] *der*, verschiedene Pflanzen, so Enzian, Andorn.

Dorat [dɔra], 1) Claude Joseph, franz. Dichter, * Paris 31. 12. 1734, † das. 29. 4. 1780, begründete das *Journal des Dames* und schrieb Trauer- und Lustspiele, Gedichte im Zeitgeschmack, erot. und beschreibende Verserzählungen, Fabeln, Episteln.
WERKE. L'idée de la poésie allemande (als Vorwort zu der Wieland nachgeahmten Dichtung *Sélim et Sélima*, 1768), Les baisers (1770, neue Ausg. 1947).
2) D., auch **Daurat**, lat. **Auratus**, Jean, französischer Humanist, * Limoges 1508, † Paris 1. 11. 1588, wurde 1547 Direktor des Collège von Coqueret in Paris, später Prof. für Griechisch am Collège Royal; Lehrer von Du Bellay, Ronsard und J. A. de Baïf, dadurch geistiger Vater der →Plejade.
WERKE. Erkl. griech., lat. u. ital. Dichter.

dörch, *niederd.* durch. **Dörchläuchting**, Durchlaucht, in Fritz Reuters Erzählung (1866) der Herzog Adolf Friedrich IV. von Mecklenburg-Strelitz (1738–94).

Dorchester [dɔ:tʃistə], Hauptstadt der südengl. Gfsch. Dorset, mit (1971) 13700 Ew.; Viehhandel. In der Nähe D.s, der antiken *Durnovaria*, liegt **Maumburg Ring**, ein gut-erhaltenes röm. Amphitheater, und **Maiden Castle**, ein verschanztes Lager der Keltenzeit.

Dordogne [dɔrdɔɲ], 1) *die* D., rechter Nebenfluß der Garonne in Südwestfrankreich, 470 km lang, entspringt unter dem Namen *Dore* 1720 m ü. M. am Puy de Sancy (Mont-Dore) und nimmt nach ihrer Vereinigung mit der Dogne den Namen D. an. Sie erreicht bei Bourg-sur-Gironde die Garonne, die von hier ab Gironde heißt. 2) Departement im südwestl. Frankreich, 9224 qkm mit (1970) 370100 Ew.; Hauptstadt ist Périgueux.

D'ordrecht, abgek. Dordt, Stadt in den südl. Niederlanden, mit (1972) 101 700 Ew., eine altertümliche, von Kanälen durchzogene Stadt, mit Toren und vielen Häusern des 16.–18. Jhs. sowie die 1339 begonnene, 1547 nach Brand erneuerte got. Große Kirche mit mächtigem, unvollendetem Turm. D. besitzt mehrere Gemäldegalerien. 1018 gegründet, ist es die älteste Stadt der Gfsch. Holland und war seit dem 13. Jh. der bedeutendste Rheinmündungshafen, zugleich Hansestadt (Dordrechter Stapel), um 1400 größte Stadt Hollands. Seit 1572 war D. ein Mittelpunkt der Aufstandsbewegung gegen die Spanier. 1618/19 fand hier die →Dordrechter Synode statt. Im späteren 17. Jh. unterlag es dem aufblühenden Rotterdam. Nach langer Stagnation entwickelte sich ein neuer kleiner Seehafen; reger Holzhandel, Schiffbau-, Stickstoff- und fettverarbeitende Industrie.

D'ordrechter Synode, internat. Generalsynode der reform. Kirchen (13. 11. 1618 bis 29. 5. 1619) zum Schlichten der Streitigkeiten zwischen Remonstranten (→Arminianer) und den streng orthodoxen Calvinisten über die Prädestination (→Gomarus); endete nach 180 Sitzungen mit der Verurteilung der Remonstranten und der Absetzung von mehr als 200 Predigern. Hinter den letzt. Eiferern stand die einer absolutist. Monarchie zustrebende Staatsgewalt. Die Folge der D. S. war der dogmatische Abschluß des Calvinismus, jedoch haben gerade die Remonstranten, seit 1630 toleriert, unter Zurückstellung der strengen Lehrformen wesentlich zur Ausbildung des modernen Geisteslebens (Grotius, Vossius) und zur freiheitlichen Gestaltung des engl. und amerikan. kirchlichen Lebens beigetragen.

D'ordschiew, Agwang, Lama, * in Transbaikalien 1853 als russ. Staatsangehöriger, † Werchne-Udinsk 1938, kam 1873 nach Tibet, wo er Berater des 13. Dalai-Lama wurde. D. vertrat eine rußlandfreundl. Politik Tibets und war zuletzt der geistl. Führer der russ. Lamaisten.

LIT. W. A. Unkrig: Aus d. letzten Jahrzehnten d. Lamaismus in Rußland (1926).

Dore [do:r], 1) rechter Nebenfluß des Allier im franz. Zentralmassiv, 135 km lang, mündet bei Ris. 2) →Dordogne 1).

Doré, Gustave, franz. Zeichner und Maler, * Straßburg 6. 1. 1832, † Paris 23. 1. 1883, schuf Zeichnungen vor allem für Buchholzschnitte, von denen die frühen geistreich und frisch in Erfindung und Strichführung sind (Rabelais: Gargantua, 1854; Balzac: Contes drôlatiques, 1855); die ganzseitigen späteren, für Prachtausgaben in Tonstich ausgeführt, überschreiten die Grenzen der Illustration (Dante: Hölle, 1861; Perrault: Märchen, 1862; Cervantes: Don Quichotte, 1863; Bibel: 1865; Lafontaine: Fabeln, 1866).

LIT. A. Rümann: G. D., Bibliogr. d. Erstausg. u. Biogr. (1921); G. F. Hartlaub: D. (1924).

D'orer, Dorier, griech. Volksstamm von starker Eigenart, die sich in Sprache, Musik, Dichtung und in der Baukunst (dorischer Stil) ausprägte. Die D. waren ursprünglich im N Griechenlands, wohl im Pindosgebiet, ansässig. Im Verlauf der *Dorischen Wanderung* besetzten sie seit etwa 1150 v. Chr. im Peloponnes die Landschaften Argolis, Lakonien und Messenien, auch einen Teil der Küste des südl. Kleinasiens (→Doris) und einige Inseln des Ägäischen Meeres (Kythera, Thera, Rhodos und Kreta). Von Korinth und von Lakonien aus wurden in Westgriechenland, auf Sizilien und in Unteritalien Niederlassungen gegründet. Am schroffsten hat sich die dorische Stammeseigenart in →Sparta ausgeprägt.

Dorestad, Handelsplatz des 7.–9. Jhs. nördl. von Wijk bij Duurstede, an der Gabelung des Niederrheins in die Lek und den Krummen Rhein, ein Mittelpunkt des Handels nach England und Nordeuropa.

Dorf [german. Stw.], ländliche Siedlung, aus mehr oder minder nahe beieinander liegenden bäuerlichen Gehöften bestehend. Das D., in Deutschland heute in der Regel mit etwa 200–1000 Ew., ist in seiner Lage und Form abhängig von natürlichen Voraussetzungen (Landschaft, Klima, Boden, landwirtschaftl. Nutzung) und der geschichtl. Entwicklung (Zeit der Gründung, Herkunft der Siedler). Man unterscheidet: mit unregelmäßiger Form Weiler, Haufendorf und

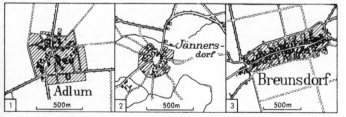

Dorf: 1 Haufen- oder Gewanndorf. 2 Rundling. 3 Straßendorf

Dorf

Streusiedlung; mit runder Form Rundling, Rundangerdorf, Rundweiler und Platzdorf; mit länglicher Form Sackgassen-, Straßen-, Straßenanger-, Zeilen- und Reihendorf (Marsch- und Waldhufendorf). Der Fluraufteilung nach unterscheidet man Dörfer mit Gemengelage, die Gewanndörfer, und die deutschen Kolonialdörfer, bei denen Hof und zugehöriges Land beisammenliegen.

Die älteren deutschen D. waren meist Markgenossenschaften mit eigener Gerichtsbarkeit, den Bauerngerichten. Die Versammlung der Dorfgenossen tagte unter Vorsitz des Dorfvorstehers (Bauermeister, Heimburge, Zender, Dorfschulze). In der Neuzeit wurden die Dörfer aus Lebens- und Wirtschaftsgemeinschaften mehr und mehr zu bloßen Verwaltungseinheiten. Die herkömmliche soziale Gliederung (→Bauer) wurde von der industriellen Entwicklung bes. seit etwa 1900 stark erschüttert, dörfliches Brauchtum durch die *Verstädterung* eingeengt oder aufgegeben. In ganzen Landstrichen verwandelten sich alte D. in Industrie- und Arbeiterdörfer, die →Pendelwanderung zeigt die Trennung von Wohn- und Arbeitsstätte. Nach 1945 veränderte sich die soziale Struktur des D. weiterhin durch die Eingliederung von Heimatvertriebenen und Flüchtlingen.
Lit. L. v. Wiese (Hg.): Das D. als soziales Gebilde (1928); W. Christaller: Die ländl. Siedlungsweise im Dt. Reich (1937); E. G. Hoffmann: Der soziol.-ökonom. Umschichtungsprozeß auf dem Dorf (1951); G. Wurzbacher: Das D. im Spannungsfeld industrieller Entwicklung (²1961).

D'orfgerichte, 1) im MA. Niedergerichte, vielfach mit Aufgaben der bäuerl. Selbstverwaltung. 2) Hilfsorgane der Freiwill. Gerichtsbarkeit im früheren Geltungsbereich des Preuß. Allgem. Landrechts auf Grund von Art. 104 des preuß. Ges. v. 21. 9. 1899. Aufgaben: Sicherung von Nachlässen, freiwill. Versteigerung bewegl. Sachen.

D'orfgeschichte, Erzählung, die bäuerliche Verhältnisse in dörflicher Umwelt behandelt. Die eigentliche Heimat der D. ist die Schweiz (J. H. Pestalozzi, J. Gotthelf, G. Keller). In Dtl. entwickelte sich die D. (Immermann, H. Kurz, B. Auerbach, Otto Ludwig) im 19. Jh. zum Heimatroman (→Heimatkunst, →Bauerndichtung).

D'orfkirche, die zu einer Dorfgemeinde gehörende, von ihr oder dem Grundherrn, in älteren Zeiten auch von einem Kloster erbaute Kirche. Sie war urspr. stets von dem Friedhof umgeben, wurde oft inmitten des Dorfs, meist aber auf einem Hügel am Ortsrand errichtet, in gefährdeten Grenzgebieten, z. B. in Siebenbürgen, als →Wehrkirche oder Kirchenburg. In der Regel sind die D. einschiffige Saalbauten, flachgedeckt und erst in jüngerer Zeit gewölbt, mit Altarhaus in Form einer Apsis oder eines kleinen Rechteckbaus. Stellung und Form des Turms sind landschaftlich sehr verschieden. Als Baustoff wurde je nach der Landschaft Stein oder Ziegel, im Osten oft auch Holz verwendet, das urspr. allgemein üblich war. Die norddeutschen D. sind im allgemeinen massig und gedrungen, mitteldeutsche etwas beweglicher in den Formen; die süddeutschen haben, zumal in den Gebirgsgegenden, einen schlanken Turm mit reichgeformter Kuppelhaube.

D'orfkirchenbewegung, die Bestrebungen zur Pflege der bodenständigen Eigenart und zur Erneuerung des geistigen Lebens der Dorfgemeinschaft aus den Kräften des Evangeliums. Die einzelnen Dorfkirchenkreise haben sich 1925 zum Deutschen Dorfkirchenverband zusammengeschlossen. Nach 1945 lebte die D. in der *Arbeitsgemeinschaft für dorfkirchlichen Dienst innerhalb der EKD* fort. Die *Kathol. Landvolkbewegung Deutschlands* arbeitet ähnlich wie die D.
Lit. Zeitschriften: Kirche im Dorf (1953 ff.; evangel.); Das Dorf (1949 ff.; kath.).

Dörfler, 1) Anton, Schriftsteller, * München 2. 8. 1890, dem bäuerlichen und kleinstädtischen Leben verbundener Erzähler (Der tausendjährige Krug, 1935).
2) Peter, Erzähler, * Untergermaringen (Schwaben) 29. 4. 1878, † München 10. 11. 1955 als Direktor einer Erziehungsanstalt und päpstl. Hausprälat. D.s Romane und Erzählungen nehmen ihre Stoffe meist aus seiner schwäbischen Heimat und dem frühen Christentum.
Werke. Judith Finsterwalderin (1916), Die Papstfahrt durch Schwaben (1923), Die Schmach des Kreuzes (geschichtl. Roman, 2 Bde., 1927/28), Apollonia-Trilogie (1930 bis 1932), Allgäu-Trilogie (1934–36).

D'orftestament, die vereinfachte Form des öffentl. →Testaments, in der der Erblasser vor dem Bürgermeister der Aufenthaltsgemeinde und zwei Zeugen testieren kann, wenn zu besorgen ist, er sterbe, ehe er ein ordentl. Testament errichten kann; das D. wird ungültig, wenn der Erblasser drei Monate nach Errichtung noch lebt (§ 2249 BGB).

D'orfschule, →Landschule.

Dorgelès [dɔrʒəlεs], eigentl. **Lecavelé,** Roland, französ. Schriftsteller, * Amiens 15. 6. 1886, † Paris 18. 3. 1973, schilderte in ›Les Croix de Bois‹ (1919; dt. die hölzernen Kreuze, 1930) das Kriegserlebnis. Er schrieb ferner Montmartregeschichten, z. B. ›Montmartre, mon pays‹ (1928; dt. Ich hab' dich sehr geliebt, Vivette, 1948).

D'oria, eines der ältesten genuesischen Adelsgeschlechter, heute weit verzweigt.
1) Andrea, Admiral und Staatsmann, * Oneglia 30. 11. 1466, † Genua 25. 11. 1560, wurde 1528 Doge von Genua und gab dem Freistaat eine streng aristokratische Verfassung. Im Dienst Kaiser Karls V. kämpfte er erfolgreich gegen die Türken. Der Kaiser ernannte ihn zu seinem obersten Seeadmiral und verlieh ihm das Fürstentum Melfi. Gestalt in Schillers Drama ›Fiesco‹.

Lit. A. v. Czibulka: A. D., der Freibeuter u. Held ([2]1926).

2) Giovanni Andrea, Großneffe von 1), * 1539, † 1606, seit 1556 in span. Diensten, befehligte die genues. Flotte, z. B. bei Lepanto (1571).

D'orier, griech. Volksstamm, →Dorer.

Dorigny [dɔriɲi], Sir Nicolas, franz. Kupferstecher und Maler, * Paris 1658, † das. 1. 12. 1748, bekannt bes. durch seine Stiche nach Werken Raffaels (Teppichkartons in Hampton Court, Farnesinafresken).

Doriot [dɔrjo], Jacques, franz. Politiker, * Bresles (Dep. Oise) 16. 9. 1898, † (Luftangriff) Memmingen 22. 2. 1945, Metallarbeiter, zuerst als Kommunist Bürgermeister von Saint-Denis, gründete nach seinem Bekenntnis zum nationalen Sozialismus (1934) den Parti Populaire (1936). Er befürwortete 1940 eine engere Anlehnung der Vichy-Regierung an Deutschland. Im Sommer 1941 gründete er die franz. Freiwilligen-Legion *(Légion Tricolore)*, mit der er 1941/42 und 1943/44 an der Ostfront kämpfte.

Doris [von Dorothea], weibl. Vorname.

D'oris, 1) die kleinste der selbständigen altgriech. Landschaften im inneren Mittelgriechenland, von →Dorern bewohnt; sie nahm die oberste Talstufe des Kephisos nebst den Ostabhängen des Pindos und den Südabhängen des Öta ein.

Lit. A. Philippson u. E. Kirsten: Die griech. Landschaften 1 (1950–52).

2) *D.,* *dorische Hexapolis* (Sechsstädtebund), der von Dorern besiedelte südlichste Teil der kleinasiat. Westküste mit den vorgelagerten Inseln, im 4. Jh. v. Chr. ein Kultverband um das Poseidon-Heiligtum auf Kap Triopion bei Knidos.

d'orischer Stil, →Griechische Kunst, →Säulenordnung.

d'orische Tonart, die erste der mittelalterlichen Kirchentonarten; z. B. die Tonleiter d–d' ohne Vorzeichen.

Dorische Wanderung, →Dorer, →Griechische Geschichte.

Dorkasgazelle, eine →Antilope.

D'orking, Stadt im SO Englands, mit (1970) 22 700 Ew.; Zuchtstätte des *Dorkinghuhns,* eines der besten Fleischhühner.

D'ormagen, Stadt (seit 1969) im Kreis Neuß, Nordrhein-Westfalen, mit (1976) 54 400 Ew. Kunstseidenindustrie, Maschinenbau. Vogelschutzgebiet.

Dormeuse [dɔrmœːz, franz.] *die,* **1)** bequemer Stuhl. **2)** † Reisewagen mit Liegeplatz. **3)** eine Schlaf- und Negligéhaube, von der Mitte des 18. bis in die Mitte des 19. Jhs. Teil der weibl. Kleidung.

Dorm'itio Beatae Mariae V'irginis [lat. ›Ruhestätte der heil. Jungfrau Maria‹], die Stätte des Todes der Mutter Jesu, nach der Legende Haus des Evangelisten Markus und seiner Mutter Maria in Jerusalem (Apostelgesch. 12, 12). An der vermuteten Stätte ist heute eine Benediktinerabtei.

Lit. C. Mommert: Die D. und das dt. Grundstück auf dem traditionellen Sion (1899).

Dormit'orium [mlat. Abk. für lat. cubiculum d.] *das,* der Schlafsaal im Kloster. Gemeinsames D. wird schon in frühen Ordensregeln strikte vorgeschrieben und stets im Obergeschoß des Ostflügels (→Kloster) angeordnet. Die Aufteilung in Einzelzellen beginnt bei den älteren Orden erst im 14. Jh., bei den Bettelorden war sie von vornherein üblich.

Dorn [german. Stw.], **1)** stechender, starrer, holziger Pflanzenteil, der nicht (wie der →Stachel) nur der Oberhaut entstammt, sondern durch Umwandlung eines Sprosses (so beim Weißdorn), eines Blattes oder einer Wurzel entsteht. **2)** dürrer Strauch; Sinnbild der Unfruchtbarkeit. **3)** runder, meist kegelförmiger Stift, der zum Aufweiten von Löchern, Biegen von Stäben u. dgl. dient. **4)** Stift (Schnalle, Türangel).

Dorn: 1 *Wurzeldorn der Dornwurzelpalme* (Acanthorrhiza), 2 *Sproßdorn* (Weißdorn), 3 *Nebenblattdorn* (Robinie), 4 *Stachel* (Rose); etwa $^2/_5$ nat. Gr.

D'ornach, Hauptort des Bezirks Dorneck, Solothurn, Schweiz, mit (1970) 5260 Ew.; Ruine der Burg Dorneck, Wein- und Obstbau; Heimatmuseum Schwarzbubenland. In der Nähe das Goetheanum (→Anthroposophie).

D'ornapfel, →Datura.

D'ornauszieher, Bronzebildwerk eines sitzenden Knaben, der sich einen Dorn aus der Fußsohle zieht, wohl aus dem 1. Jh. v. Chr. (Rom, Konservatoren-Palast).

Dornaw'atra, Dorna Vatra, rumän. Badeort, →Vatra Dornei.

D'örnberg, Wilhelm Freiherr von, * Hausen (bei Hersfeld) 14. 4. 1768, † Münster 19. 3. 1850, hessen-kasselscher Offizier, war 1809 die Seele des Aufstands gegen das Kgr. Westfalen, diente 1812/13 im russ. Heer und

Dorn

führte bei Belle-Alliance als General die deutsche Legion.

D'ornbirn, Stadt in Vorarlberg, Österreich, mit (1971) 34 800 Ew., 430 m ü. M. D., 957 erstmals erwähnt, ist aus 4 Dörfern zusammengewachsen (Stadtrecht 1901). D. wurde Mittelpunkt der Textilindustrie Österreichs (jährl. Textilfachmesse, Bundestextilschule); Maschinenbau.

D'ornburg an der Saale, Stadt im Landkr. Jena, Bez. Gera, mit (1964) 1 300 Ew. D., 937 als Burgsiedlung gegr., kam von den thüring. Landgrafen 1345 an die Wettiner, 1485 an die albertin., 1547 an die ernestin. Linie, 1691 an Sachsen-Weimar. D. ist bekannt durch seine 3 Schlösser. Die Hauptteile des alten Schlosses sind roman. und spätgot., das mittlere Schloß ließ Ernst August I. erbauen (1736–47), das jüngere ist ein Bau der Spätrenaissance (1608), 1824 von Karl August erworben und von Goethe oft besucht.

LIT. A. Wahl: Die D.er Schlösser (1923).

D'orndreher, die Vogelart rotrückiger →Würger.

D'orneidechse, der →Schleuderschwanz.

D'orner, 1) Hermann, * Wittenberg 27. 5. 1882, † Hannover 6. 2. 1963, konstruierte 1907 sein erstes Flugzeug, mit dem er 1908 Gleitflüge hinter dem Pferde ausführte, 1909 sein erstes Motorflugzeug (18 PS). Sein Segelflugzeug ›Vampyr‹ von 1921/22 ist der Urtyp aller späteren.
2) Isaak August, evang. Theologe, * Neuhausen ob Eck (Württ.) 20. 6. 1809, † Wiesbaden 8. 7. 1884, seit 1861 Prof. in Berlin. Seine Lebensarbeit galt der Christusfrage, die er spekulativ zu lösen versuchte. Vertreter der Vermittlungstheologie.

WERKE. Entwicklungsgesch. d. Lehre v. d. Person Christi (1839; ²1845–56), Gesch. d. prot. Theologie (1867), System d. christl. Glaubenslehre (1879–81; ²1886–88).

LIT. K. Barth: D. in: D. prot. Theologie im 19. Jh. (²1952).

Dornfortsatz, *Processus spinosus,* der unpaare nach hinten gerichtete Wirbelfortsatz, →Wirbelsäule.

D'orngrundel, Fisch, →Schmerle.

D'ornhai, *Acanthias vulgaris,* ein lebendgebärender Stachelhai der Fam. *Spinacidae* mit kräftigem Stachel vor jeder Rückenflosse. Der D. wird 1 m lang und 10 kg schwer; er ist in den europ. Meeren sehr häufig.

Dornier [dɔrnje] Claudius, Flugzeugbauer, * Kempten 14. 5. 1884, † Zug (Schweiz) 5. 12. 1969, gründete 1914 bei Friedrichshafen eine Flugzeugwerft, entwickelte bes. das Flugboot, z.B. Dornier-Wal (1922), Dornier-Superwal (1926), ›DO X‹ (1929). 1945 wurde D. Alleininhaber der *Dornier Metallbauten GmbH* (1960 Lindauer D. GmbH, 1966 D. GmbH, Friedrichshafen).

D'orno-Strahlung, nach dem Davoser Klimaforscher Carl Dorno (* 1865, † 1942) benannter Teil der ultravioletten Strahlung (→Ultraviolett).

D'ornpresse, ein Werkzeug zum Verbinden von Metallteilen im Preßsitz, z. B. eines Dornes oder einer Buchse in eine Bohrung, oder zum Trennen der Teile.

Dornr'öschen, im Märchen eine schöne Königstochter, die mit dem ganzen Hofe ihres Vaters in einen hundertjährigen Schlaf fällt und von einem Prinzen, der die um das Schloß gewachsene Dornenhecke durchdringt, erlöst wird. Das Märchen ist roman. Ursprungs; der Stoff ist in der Volksüberlieferung nahezu unbekannt. Das Grimmsche Märchen geht nachweislich auf die Fassung Perraults (1696) zurück. Ein ähnliches Motiv findet sich in der nordischen Heldensage (→Brunhilde). – Oper von Humperdinck (1903), Ballett von Tschaikowski (1890).

LIT. W. Golther: D., in: Hwb. d. dt. Märchens, hg. v. L. Mackensen, 1 (1930–33).

Dörns, Dörnsch *die,* Nebenform zu →Dönse.

D'ornschuh, →Rennschuh.

D'ornteufel, Echse, →Moloch.

D'ornzikade, eine der →Buckelzirpen.

Dorosh'enko, ukrain. Geschlecht. *Petro D.* (* 1627, † 1698) war Hetman (1665–76) während der Lösung der Ukraine von Polen. *Dmytro D.* (* 1882, † 1951) war 1917 Mitglied des Ukrain. Zentralrats, 1918 Außenmin. der Hetmanregierung

Doroslovac, Milutin, →Dor, Milo.

Doroth'ea [griech. ›Gottesgabe‹], weibl. Vorname.

Doroth'ea, 1) Heilige, aus Cäsarea in Kappadokien, Märtyrerin unter Diokletian; Patronin der Gärtner. Tag: 6. 2. Attribute: Blumen, Früchte.
2) Selige, Patronin Preußens und des deutschen Ritterordens; * Montau a. d. Weichsel 6. 2. 1347, † Marienwerder 25. 6. 1394 als Klausnerin; stigmatisierte Mystikerin. Tag: 25. 6. oder 30. 10.

LIT. P. Nieborowski: Die sel. D. v. Preußen (1933); A. Olbrisch: Die Bedeutung v. Bußsakrament u. Eucharistie im Vollkommenheitsstreben d. sel. D. (Diss. Teildr. Rom 1941. Vollst. u. d. T.: Das Vollkommenheitsstreben d. sel. D. v. P.).

Doroth'eum, österreich. Staatsinstitut in Wien, gegr. 1707, betreibt das Pfandleihgeschäft und führt öffentl. Versteigerungen, bes. auch Kunstauktionen, durch (Filialen auch in den Bundesländern).

D'orpat, russ. **Tartu,** russ. **Jurjew,** Stadt in der Estn. SSR, (1972) 94 000 Ew., einst bedeutend durch seine 1632 gegr. Universität, die bis 1889 als Mittelpunkt des balt. Deutschtums weithin wirkte; seit 1919 estn. Universität. Holz-, Eisen-, Lederindustrie.
Die estn. Ansiedlung Tartu wurde 1030 von den Russen aus Nowgorod unterworfen, die hier die Feste Jurjew gründeten; 1224 vom Schwertbrüderorden erobert, wurde D. eine deutsche Stadt, Sitz eines Bischofs und Mitglied der Hanse. 1558–82 war D. in russ. Händen, kam dann an Polen, 1629 an Schweden, 1721 an Rußland, 1918 an Estland, 1940 an die Sowjetunion. Am 2. 2. 1920

wurde zwischen Estland und Sowjetrußland der **Frieden von D.** geschlossen.

Lit. R. Otto: Zur Ortsbeschreibung und Entstehungsgesch. von Burg und Stadt D. (1918); H. v. Engelhardt: Die dt. Universität D. (1933).

D'örpfeld, 1) Friedrich Wilhelm, Pädagoge, * Wermelskirchen 8. 3. 1824, † Ronsdorf 27. 10. 1893, machte die philos. Grundlagen Herbarts für die Volksschularbeit fruchtbar und ist der geistige Führer der evang. Schulgemeindebewegung.

Werke. Die freie Schulgemeinde auf dem Boden der freien Kirche (1863), Der didaktische Materialismus (1879), Ges. Schriften, 12 Bde. (1894–1901).

Lit. A. Carnap: F. W. D. (²1903).

2) Wilhelm, Archäologe, Sohn von 1), * Barmen 26. 12. 1853, † auf Leukas 25. 4. 1940, Mitarbeiter Schliemanns, seit 1877 Architekt bei den Ausgrabungen in Olympia, 1887–1911 Dir. des Dt. Archäolog. Instituts in Athen, begründete bei den von ihm geleiteten Ausgrabungen eine neue Technik.

Werke. Troja und Ilion, 2 Bde. (Athen 1902), Die Heimkehr des Odysseus, 2 Bde. (1924), Alt-Ithaka, 2 Bde. (1927), Alt-Olympia, 2 Bde. (1935), Alt-Athen und seine Agora, 2 Bde. (1937–39). – Schriftenverzeichnis: P. Goessler: Jahrb. d. Dt. Archäolog. Inst., Archäol. Anzeiger, Bd. 65/6 (1950/51).

Dorpmüller, Julius, * Elberfeld 24. 7. 1869, † Malente-Gremsmühlen 5. 7. 1945, anfangs im preuß., 1908–17 in chines. Eisenbahndienst tätig, wurde 1926 Generaldirektor der Dt. Reichsbahn. 1937–45 war er zugleich Reichsverkehrsminister.

Dörrobst, Backobst, durch Trocknen bei 60–130° C – auch im Vakuum – haltbar gemachtes Obst ʹmit 10–30 % Wassergehalt. Größere Früchte werden zerteilt und Kerne und Steine entfernt. Äpfel, Birnen, Pfirsiche, Aprikosen, die sich verfärben, werden mit schwefliger Säure gebleicht.

dors'al [lat.], rückenseitig, den Rücken betreffend. Gegensatz: ventral.

Dorsch [niederd.], *Fisch:* junger ›Kabeljau.

Dorsch, Käthe, Schauspielerin, * Neumarkt (Oberpfalz) 29. 12. 1890, † Wien 25. 12. 1957, trat zuerst 1906 in Nürnberg auf, kam 1919 nach Berlin, wo sie in Rollen wie Gretchen, Rose Bernd große Erfolge errang; wirkte seit 1939 am Wiener Burgtheater.

Dorset [dʹoːrsit], Grafschaft im südlichen England, an der Kanalküste, 2532 qkm, mit (1971) 361 200 Ew.; seit 1. 4. 1974 neue Grenzziehung.

dorsiventr'al [aus lat. dorsum ›Rücken‹ und venter ›Bauch‹] heißen Lebewesen, bei denen Rücken- und Bauchseite verschieden sind.

dorsoventr'al, bei Tieren: vom Rücken zum Bauch hin abgeplattet.

Dorst, Tankred, Schriftsteller, * Sonneberg (Thür.) 19. 12. 1925, schreibt Theaterstücke, Essays; Übersetzungen (Diderot, Molière).

Werke. Gesellschaft im Herbst (1960), Die Kurve (1960), Freiheit für Clemens (1960), Große Schmährede an der Stadtmauer (1961), Die Mohrin (1964), Toller (1967).

D'orsten, Stadt im Kr. Recklinghausen, Nordrhein-Westfalen, mit (1976) 65 700 Ew., an der Lippe, Bahnknoten, hat AGer., höhere Schulen; Steinkohlenbergbau, Eisen-Dachpappen-, chemische, Elektro-, Möbel-, Baustoff- u. a. Industrie. D., seit dem 9. Jh. besiedelt, ist seit 1251 Stadt.

D'ortmund, Stadt im RegBez. Arnsberg, Nordrhein-Westfalen, mit (1976) 631 000 Ew. die größte Stadt Westfalens; (Wappen Tafel Städtewappen). D. liegt an der obereren Emscher, 65–250 m ü. M., im Ruhrkohlengebiet, auf dessen Reichtum an Bodenschätzen sich seine bedeutende Industrie gründet: Kohlenbergbau, Eisenverarbeitung, Maschinenbau, Brücken-, Feld- und Industriebahnbau, Bierbrauereien. Die Bedeutung als Handelsstadt wurde durch den Bau des Dortmund-Ems-Kanals mit seinem großen Hafen in D. stark gefördert. Bauwerke: Marienkirche (12. Jh.), Reinoldikirche (13. Jh.), Propsteikirche (14. Jh.), Petrikirche (14. Jh.) im Wiederaufbau, neue Synagoge (1956); die 1952 wiederaufgebaute Westfalenhalle ist die größte Sporthalle Europas. D. hat Oberpostdirektion, Oberbergamt, Landeseichdirektion, LdGer., mehrere Amtsgerichte, ArbeitsGer., Industrie- und Handels-, Handwerkskammer, wissenschaftl. Institute, darunter Max-Planck-Institute für Arbeitsphysiologie und für Ernährungsphysiologie, Sozialforschungsstelle der Univ. Münster, Spektralanalyt. Institut, Institut für Ultraschallprüfungen. Westfäl. Wirtschaftsarchiv, Pädagog. Akademie, Sozialakademie, Theater, Stadtbibliothek, Bergschule, Staatl. Ingenieurschule, höhere Schulen.

Geschichte. Aus einem karoling. Königshof entstand, urkundlich zuerst 885 erwähnt, D., die einzige Freie Reichsstadt Westfalens; sie wurde einer der bedeutendsten Fernhandelsplätze und Mitglied der Hanse. In D. stand einer der höchsten Freistühle des westfäl. Femgerichts. Der wirtschaftl. Niedergang des alten D., der um 1400 eingesetzt hatte, wurde durch den Dreißigjähr. Krieg vollendet. 1803 verlor D. die Reichsfreiheit und kam 1815 an Preußen (1816: 4800 Ew.).

Lit. v. Winterfeld: Gesch. der freien Reichs- und Hansestadt D. (1934).

D'ortmund-Ems-Kanal, 269 km lang, verbindet Dortmund und damit das westfäl. Industriegebiet unter Benutzung der Ems mit der Nordsee, seit 1899 in Betrieb. Der Kanal ist für Schiffe bis 1350 t befahrbar.

Dortmunder Rezeß, Dortmunder Vertrag, abgeschlossen zwischen dem Kurfürstan Johann Sigismund von Brandenburg und dem Pfalzgrafen Philipp Ludwig von Neuburg am 10. 6. 1609 im Rathaus der Reichsstadt Dortmund im Verlauf des Jülich-Klevischen Erbfolgestreits.

Dortmunder Union-Schultheiss Brauerei AG,

Dortmund/Berlin, Brauereikonzern; 1972 durch Fusion der *Dortmunder Union Brauerei AG* mit der *Schultheiss-Brauerei AG* entstanden.

Dortmund-Hörder Hüttenunion AG, Dortmund, Unternehmen der westdt. Eisen- und Stahlindustrie, gegr. 1852; wurde 1970 auf die Hoesch AG umgewandelt.

Doryph′oros [griech. ›Speerträger‹], Bronzestandbild eines nackten Jünglings von Polyklet (um 450 v. Chr.); nur durch Marmorkopien bekannt.

Dos [lat.], Mitgift; 1) *röm. Recht:* ein Beitrag der Frau oder deren Familie zu den ehel. Lasten. Der Mann wird Eigentümer der D., kann aber über **Dotalgrundstücke** nur beschränkt verfügen und muß die D. nach Lösung der Ehe herausgeben. Das **Dotalsystem** wurde das eheliche Güterrecht des Gemeinen Rechts. 2) *kathol. Kirchenrecht:* die Aussteuer einer Klosterfrau, die Ausstattung einer kirchl. Stiftung, Anstalt.

dos à dos [dozado, franz.], Rücken an Rücken. Dos à dos, leichter jagdwagenartiger Viersitzer mit Quersitzen, die einander den Rücken zukehren.

Dos′age [doza:ʒ, franz.] *die,* Zusatz zum Schaumwein, meist aus gelöstem Zucker.

D′ose [niederländ.; spätes MA.], 1) kleine eckige oder zylindrische Büchse oder Schachtel mit Deckel, hergestellt aus Metall, Holz, Glas, Alabaster, Elfenbein, Schildpatt, Perlmutter u. dgl. 2) genormter Behälter für Obst-, Fleisch-, Milch- und Gemüsekonserven aus a) Schwarzblech mit aufgebrannter Schutzlackschicht, b) Schwarzblech mit Schutzüberzug aus Eisenphosphat, auf das ein Schutzlack aufgebrannt ist, c) Schwarzblech mit Metallüberzug, meist Zinn (Weißblech), das höchstens 1% Blei enthalten darf, d) Aluminium. Die D. werden maschinell durch Umbördeln des mit einem Gummiring versehenen Deckels verschlossen. 3) →Dosis.

Dosenschildkröten, nordamerikan. Schildkröten der Gatt. *Terrapene,* mit hoch gewölbtem Rücken- und bewegl. Bauchpanzer, dessen Vorderteil zum weiteren Schutz der Weichteile hochgeklappt werden kann.

dos′ieren, eine bestimmte Menge zuteilen.

Dosim′eter [Kw. griech.], Gerät zur Bestimmung der Strahlendosis von Strahlungen verschiedener Art, enthält eine Ionisationskammer oder ein Zählrohr; auch in Kleinstform als *Taschendosimeter.*

D′osis [griech. ›Gabe‹; Lutherzeit], **Dose,** bestimmte Menge (einer Arznei), die auf einmal zu nehmen ist; Einzelgabe.

Dos′itheos, 1) griech. Grammatiker wohl des 4. Jhs. n. Chr., verfaßte eine lat. Grammatik mit griech. Übersetzung (hg. v. Tolkiehn, 1910). Mit dieser zusammen überliefert, aber von einem anderen Verfasser (»Pseudo-D.«), ist ein griech.-lat. Sprachführer für Schulzwecke (*Hermeneumata,* ›Verdolmetschungen‹; hg. v. Goetz in: Corpus Glossariorum Latinorum, Bd. 3, 1892).

2) griech.-orthodoxer Patriarch von Jerusalem (seit 1669), * Arachobe bei Korinth 31. 5. 1641, † Jerusalem (?) 7. 2. 1707, berief 1672 eine Synode nach Jerusalem, die eine noch gültige Erklärung der morgenländ. Kirche gegen die Protestanten beschloß.

Dos Passos [dɔs p′æsəs], John Roderigo, amerikan. Schriftsteller portugies. Abstammung, * Chicago 14. 1. 1896, † Baltimore 28. 9. 1970, sozialistischer Gesellschaftskritiker, wandte sich seit dem 2. Weltkrieg vom Kommunismus ab. In seinen Romanen suchte er unter dem Einfluß von James Joyce und der Filmtechnik das chaotische und gehetzte moderne Großstadtleben durch Zusammenfügen von Kurzszenen, Zeitungs-, Reklametexten usw. zu spiegeln.

WERKE. Three soldiers (1921; dt. 1922), Manhattan Transfer (1925; dt. 1927), USA (Trilogie: The 42nd parallel (N. Y. [5]1930; dt. Der 42. Breitengrad, 1930), Nineteen nineteen (London 1932; dt. Auf den Trümmern, 1932), The big money (London 1936; dt. Das große Geld, 1939; u. d. T. Die Hochfinanz, 1962), Adventures of a young man (N. Y. 1939; dt. 1939), The ground we stand on (1941), The grand design (Boston 1949; dt. Das hohe Ziel, Zürich 1950), Chosen country (N. Y. 1951), The man who made the nation (1954), Great days (1958; dt. Die großen Tage, 1960), Midcentury (1961).

LIT. J. H. Wrenn: J. D. P. (1961).

D′osse *die,* rechter Nebenfluß der Havel, entspringt im südl. Endmoränengebiet Mecklenburgs, mündet, im Unterlauf kanalisiert, unweit von Vehlgast; 120 km lang.

D′ossi, 1) Battista, eigentl. di **Lutero,** italien. Maler, Bruder von 2), † Ferrara 1548, führte zahlreiche Werke gemeinsam mit seinem Bruder aus.

2) Dosso, eigentl. Giovanni **di Lutero,** auch **Dosso Dossi** gen., italien. Maler, * um 1489, † Ferrara kurz vor 27. 8. 1542, wahrscheinl. Schüler von Lorenzo Costa, wurde von der venezian. Malerei, bes. von Giorgione, beeinflußt und war der Hauptmeister der ferrares. Schule im 16. Jh. Er schuf religiöse und mytholog. Bilder von romant. Stimmung, in denen das Landschaftliche und Atmosphärische stark hervortritt. Seine Farbgebung ist von satter Pracht und oft von eigenwilliger Phantastik.

WERKE. Sebastiansaltar, 1522 (Modena, Dom), Die Fee Melissa (fälschl. Kirke genannt), um 1513 (Rom, Gall. Borghese), Apollo (ebd.).

LIT. W. C. Zwaziger: D. D. (1911); H. Mendelsohn: Das Werk der D. (1914); A. Venturi: Storia dell'arte italiana IX, 3 (Mailand 1928).

Dossier [dɔsje, franz.] *das,* Aktendeckel, Aktenstoß; alle zu einer Angelegenheit gehörigen Akten.

Doss′ierung [franz.], **Abdachung, Straßenbau:** Querneigung der Fahrbahnen und Wege. Eine D. anlegen heißt **dossieren.**

Dost [ahd. dosto, tosto, mhd. doste, toste] *der*, *Origanum*, majoranartige Lippenblütergattung, vorwiegend im Mittelmeergebiet. Der *gemeine D.* (Origanum vulgare), auch *brauner D.*, *roter D.*, *Frauendost*, *Wohlgemut*, *Bade-*, *Lungenkraut*, *wilder Majoran*, *Bergminze*, *Orant*), eine Staude mit Majorangeruch, mit braunroten Hochblättern und fleischfarbenen Blütchen, wächst in Europa, West- und Mittelasien in lichten Wäldern. Sein Kraut gibt Volksarznei. Eine Spielart, *Stauden-* oder *Wintermajoran*, ist Gewürzkraut.

Dost: Origanum vulgare; a und b Blüten in verschiedener Ansicht. (Hauptbild ²/₅ natürl. Größe)

D'ostal, Nico, Komponist, * Korneuburg bei Wien 27. 11. 1895, erfolgreich vor allem mit Operetten (Clivia 1933).

Dostoj'ewski, Feodor Michailowitsch, russ. Dichter, * Moskau 11. 11. 1821, † Petersburg 9. 2. 1881; entstammte einem verarmten Adelsgeschlecht, litt seit seiner Jugend an Epilepsie. Belinski erregte D.s Interesse am atheist. Sozialismus. Wegen Teilnahme an den Treffen des sozialist. Petraschewski-Kreises wurde D. 1849 zum Tode verurteilt und auf der Richtstätte zu vierjähriger Zwangsarbeit begnadigt, die er in Sibirien abbüßte. Erst 1859, nach Dienstjahren als Soldat, kehrte er nach Petersburg zurück. Während der in einem ›Aufzeichnungen aus einem Totenhause‹ (1861/62) dargestellten Leidensjahre kam D. zu der Überzeugung, daß allein das Volk die christliche Wahrheit unverfälscht hüte, während sie den Intellektuellen durch Anschluß an die westeurop. Entwicklung verlorengegangen sei. Reisen nach Westeuropa (seit 1862) und ein durch drohendes Schuldgefängnis erzwungener Westeuropaaufenthalt 1867–71 bestärkten ihn darin. Er setzte sich für einen idealen patriarchalischen Zarismus und panslawistische Ideen ein.

D.s Romane, formal beeinflußt von Balzac, V. Hugo und G. Sand, sind breit angelegte, anfangs an christl. Denkschemen, später vorwiegend an religionsphilosoph. Problematik orientierte Auseinandersetzungen. Stofflich und stilistisch neigen seine Romane, in denen er mit großer psycholog. Eindringlichkeit die Menschen schildert, zur Trivialliteratur (insbes. Kriminalgeschichte). Bes. in seinem Spätwerk wird die vom utop. Sozialismus übernommene Idee eines goldenen Zeitalters zentrales Motiv.

WERKE. Romane: Arme Leute (1846), Die Erniedrigten und Beleidigten (1861), Verbrechen und Strafe (1867; deutsch auch u. d. T. Schuld und Sühne, Raskolnikow), Der Idiot (1868), Dämonen (1871, richtiger Die Teufel), Die Brüder Karamasow (1879/80, mit der Legende ›Der Großinquisitor‹). – Tagebuch eines Schriftstellers (seit 1873; dt. 1922/23), Ges. Briefe 1833/1881 (hg. von F. Hitzer 1966 f.). Sämtl. Romane und Erzählungen (dt., 18 Bde., 1927 ff.).

LIT. A. Gide: D. (1923; dt. 1952); E.Thurneysen: D. (⁵1937, Zürich 1948); Th. Steinbüchel: F. M. D. (1947); R. Guardini: Religiöse Gestalten in D.s Werk (1947); F. Stepun: D. (1950); R. Lauth: Die Philosophie D.s (1950).

Dôtaku [jap.], Bronzen in Glockenform von 30–180 cm Höhe aus vorgeschichtl. Funden in Japan. Zweck und Ursprung sind ungewiß; ein Zusammenhang mit südchines. Kulturen wird vermutet.

Dotati'on [von lat. dos ›Mitgift‹], **1)** öffentl. Recht: Zuwendung von Geldmitteln oder Gütern, insbes. die Ausstattung von Stiftungen und Anstalten; in neuerer Zeit die Ausstattung von Selbstverwaltungskörpern, z. B. einer Gemeinde, mit Geldmitteln durch den Staat. **2)** Güterverleihung an eine Person als Belohnung für Verdienste um den Staat. **Dot'ale**, † Zinsbauer. **3)** bürgerl. Recht: die Aussteuer. **4)** kath. Kirchenrecht: die vermögensmäßige Ausstattung einer kirchl. Stiftung, Anstalt oder Pfründe. **5)** Staatskirchenrecht: →Staatsleistungen.

dot'ieren, *Halbleitertechnik:* Einbauen von Fremdatomen (durch Einlegieren oder Eindiffundieren) in reines Halbleitermaterial (z. B. in Germanium oder Silizium) zur Herstellung von p-n-Zonen in Halbleiterdioden (→Transistor).

D'otter [dt. Stw.] *das* oder *der*, **1)** *Nahrungsdotter*, Bau- und Vorratsstoffe in den Eiern der meisten Tiere für die Entwicklung des Keimlings, z. B. die Hauptmasse des Eigelbs (BILD Ei). **2)** *Bildungsdotter*, das Protoplasma der Eizelle. **3)** *Camelina*, *Dötter*, *Lein-* oder *Flachsdotter*, *Rill-*, *Rüllsaat*, *Butterraps*, *Buttersame*, Kreuzblütergattung Europas und Westasiens; einjährige Kräuter mit pfeilförmigen Blättern, blaßgelben, traubig gestellten Blüten. In Deutschland wird *Camelina sativa* wegen ihres Samenöls angebaut.

D'otterblume, verschiedene dottergelb-blü-

Dott

hende Pflanzen: 1) *Caltha*, Gattung der Hahnenfußgewächse, in Europa, Nordasien und Nordamerika vertreten durch die *Sumpf-D.*, *Butterblume* (C. palustris), eine herz- bis nierenförmig belaubte Staude mit bis 3 cm breiten Blüten, auf feuchten Wiesen. Die Knospen dienten früher als Ersatz für Kapern. 2) Trollblume, Löwenzahn u. a.

D'otteröl, Öl aus den Samen des namentlich in Holland angebauten Leindotters.

D'ottersack, nährender Dotter in einem blasigen Darmanhang bei Wirbeltierkeimlingen, der z. B. bei Fischbrut auffällig am Bauch hängt.

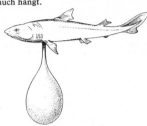

Dottersack:
junger Haifisch mit anhängendem D.

Dott'ore [ital.], Doktor, Gestalt der Commedia dell'arte (→Commedia), der komische Gelehrte aus Bologna mit riesigem Hut, später auch mit Spitzenkragen.

Dou, Douw [dau], Gerard, holländ. Maler, * Leiden 7. 4. 1613, † das. begraben 9. 2. 1675, Schüler Rembrandts, malte genau ausgeführte Genrebilder und Studienköpfe.
LIT. W. Martin: G. D. Des Meisters Gemälde (1913).

Douai [due], Stadt in Nordfrankreich, mit (1968) 51700 Ew., an der Scarpe, Bahnknoten; Steinkohlen-, Metallindustrie.
Im MA. gehörte D. zu Flandern und 1309 bis 1369 zur franz. Krondomäne. Seit 1384 burgund., teilte es nach 1477 die weiteren Schicksale des nun habsburg. Flanderns und kam 1668 an Frankreich.

Douane [duɑːnə, franz. aus pers.] *die*, Zoll; Zollamt. **Douanier** [duanje], Zollbeamter.

Douaumont [duomɔ̃], im 1. Weltkrieg die 1916 schwer umkämpfte stärkste Panzerfeste bei Verdun.

Double [dubl, franz., auch engl. dʌbl], 1) *Film:* Ersatzperson für den Darsteller. 2) *Musik:* in den Suitenwerken des 17. und 18. Jhs. oft anzutreffende Variation eines Satzes durch auflockernde Umspielung der Stimmen, Akkordbrechungen und reichere Verzierung bes. der Oberstimme (→Diminution).

Double [dubl, franz.], 1) Gewebe mit einer Kett- und zwei Schußlagen *(Schuß-D.)* oder zwei Kett- und einer Schußlage *(Kett-D.)*. 2) Stoff aus Streichgarn mit Ober- und Unterware.

Doublé, doubl'ieren, urspr. Schreibung für →Dublee, dublieren.

Doubs [du], 1) *der* D., größter Nebenfluß der Saône im östl. Frankreich, 430 km lang, entspringt 935 m ü. M. am Fuß des Mont-Noir im Juragebirge und mündet bei Verdun-sur-le-Doubs. 2) Departement in Ostfrankreich, 5260 qkm mit (1970) 437500 Ew.; Hauptstadt: Besançon.

Douceur [dusœːr, franz.] *das*, Geschenk; Trinkgeld. **douc'ieren**, mildern.

Douffet [dufɛ], Gerard, niederländ. Maler, * Lüttich 5. 6. 1594, † das. 1660, lernte in Lüttich, angeblich auch bei Rubens und bildete sich in Italien (1614–21) aus. Seine großformatigen Altarbilder zeigen das Helldunkel der röm. Nachfolger des Caravaggio, doch sind sie strenger im Aufbau.

Doughty [d'auti], Charles Montague, engl. Forscher und Schriftsteller, * Theberton Hall (Suffolk) 19. 8. 1843, † Sissinghurst (Kent) 20. 1. 1926, sein hervorragender Reisebericht ›Travels in Arabia deserta‹ (1888) beeinflußte Morris und T. E. Lawrence.

Douglas [d'ʌɡləs], Hauptstadt der engl. Insel Man, an der SO-Küste, (1971) 20400 Ew.; Fremdenverkehr.

Douglas [d'ʌɡləs] 1) Alfred Bruce, Lord, engl. Dichter, * Ham Hill 22. 10. 1870, † Hove (Sussex) 20. 3. 1945, Freund Oscar →Wildes.
2) George Norman, Schriftsteller, * Schloß Tilqubillie on Deeside (Schottl.) 8. 12. 1868, † Capri 9. 2. 1952, vielgereist, zeitweilig in diplomat. Dienst; schrieb neben naturwissenschaftl. und kulturkrit. Schriften Reisebücher und einen gesellschaftskritischen Roman voll beißender Ironie.
WERKE. Fountains in the sand (1912), South wind (1917; dt. Sirokko, 1937), How about Europe? (1929), Late harvest (1946).
LIT. H. M. Tomlinson: N. D. (London 1931).
3) Keith, engl. Dichter, * Tunbridge Wells 24. 1. 1920, † (gefallen) Normandie 9. 6. 1944, schrieb schwermütige Lyrik.
WERK. Collected poems (1951).
4) Kirk, amerikan. Filmschauspieler, * Amsterdam (N. Y.) 9. 12. 1916. Filme: Die Glasmenagerie (1950), Odysseus (1954), Vincent van Gogh (1956), Stadt ohne Mitleid (1960/61).
5) Lloyd Cassel, amerikan. Schriftsteller, * Columbia City (Indiana) 27. 8. 1877, † Los Angeles 13. 2. 1951, urspr. Pfarrer, seit 1933 nur noch Schriftsteller, schrieb erfolgreiche, spannende Romane mit christl.-moral. Hintergrund.
WERKE. Magnificent obsession (1929; dt. Wunderbare Macht, 1938), Disputed passage (1939; dt. Rauhe Laufbahn, 1947), The robe (1942; dt. Das Gewand des Erlösers, 1946).

Douglas [d'ʌɡləs], eins der bekanntesten Geschlechter des schott. Hochadels. – *James D.* († 1330), der »gute Lord« oder der »schwarze D.« genannt, führte viele Grenzkämpfe gegen die Engländer; er sollte das lerz des schott. Königs Robert Bruce zur Bestattung ins Heilige Land bringen, fiel aber unterwegs in Spanien im Kampf gegen die Mauren (Ballade von Graf Strachwitz, 847). – *Archibald D.* († 1557) war Vormund König Jakobs V., wurde später von ihm verbannt (Ballade von Fontane, 1851; vertont von Loewe). – *James D.* († 1581) führte die protestant. Lords gegen die Königin Maria Stuart, deren Heer er 1568 bei Langside schlug. 1573–78 war er Regent Schottlands. Wegen angebl. Mitschuld an der Ermordung Darnleys wurde er hingerichtet.

Douglas-Home [d´ʌgləs hju:m], Sir Alexander F., brit. Politiker (Kons.), * 2. 7. 903; 1931–45 und 1950–51 Mitgl. des Unterhauses, 1960 bis Okt. 1963 Außenmin.; nach Verzicht auf den Adelstitel (Lord Home) war er 1963–64 Premierminister, 963–65 Führer der konservat. Partei; war 970–74 Außenmin.

Douglasscher Raum [d´ʌgləs-], eine von dem Londoner Arzt James Douglas d. Ä. (*1675, 1742) 1730 beschriebene, vor dem Mastarm und hinter der Gebärmutter im kleinen Becken der Frau gelegene Bauchfelltasche. Nach Blinddarm-, Gebärmutter- oder Eierstockentzündungen sammelt sich hier leicht Eiter an (**Douglasabszeß**).

Douglaskop´ie [d´ʌgləs-], Kuldoskopie, ein endoskopisches Verfahren zum Besichtigen des Beckeninnenraums der Frau von der Scheide aus.
Lit. K. Thomsen u. G. Uhlmann in: Fortschritte der Medizin, 75 (1957).

Douglastanne [d´u-, nach dem schott. Botaniker David Douglas], **Douglasfichte**, *Pseudotsuga douglasii*, **Dougl´asie**, Nadelbaum des westl. Nordamerikas (zwischen 2° und 43° n. Br.) mit langen, rauhen Nadeln. Es gibt zwei Rassen: die *grüne Küstendouglasie* (viridis) mit der blaugrauen Form (caesia), an Seeklima angepaßt, und die *blaue Koloradodouglasie* (glauca), widerstandsfähiger gegen Trockenheit. Die D. liefert ein wertvolles Holz mit festem rotem Kern und schmalem Splint.

Douhet [due], Giulio, italien. General, * Caserta 30. 5. 1869, † Rom 15. 2. 1930, wurde durch sein Werk ›Il dominio dell´ aria‹ (1921; dt. Luftherrschaft, 1935) bekannt. Seine Kriegslehre: kriegsentscheidender Angriff in der Luft, Verteidigung zu Lande und zu Wasser (**Douhet´ismus**).

Doumer [dumɛ:r], Paul, 13. Präs. der franz. Republik (Radikalsozialist), * Aurillac (Dep. Cantal) 22. 3. 1857, † (von russ. Emigranten erschossen) Paris 7. 5. 1932, seit 895 mehrmals Min., Mai 1931 Präs. der Republik.

Doumergue [dumɛrg], Gaston, 12. Präs. der franz. Republik (Radikalsozialist), Aigues-Vives (Dep. Gard) 1. 8. 1863, † das. 18. 6. 1937, 1902–17 wiederholt Minister, 1913/14 (und 1934) MinPräs.; 1924 bis 931 Präsident der Republik.

Dourine [durin, franz.], die →Beschälseuche.

Douro [d´oru], portug. für →Duero.

Doussie, dunkelbraunes, hartes, witterungsfestes, ziemlich säureresistentes Holz von *Afzelia*-Arten (Äquatorialafrika); Verwendung im Innen-, Außen- und Wasserbau, Parkett; chem. Behälter.

do, ut des [lat. ›Ich gebe, damit du gibst‹], *röm. Recht:* Formel für Austauschgeschäfte, insbesondere den Tauschvertrag.

D´ouvermann, Henrick, Bildschnitzer, in der 1. Hälfte des 16. Jhs. am Niederrhein tätig, schuf die Marienaltäre in St. Nikolaus zu Kalkar (1522) und in St. Viktor zu Xanten (1535/36), die sich durch die Phantasiefülle des spätgot. Ornaments und virtuose Schnitztechnik auszeichnen.
Lit. C. Louis: H. D. (Diss. Münster 1936); R. Hetsch: Die Altarwerke von H. D. (Diss. München 1937).

Dover [d´ouvə], **1)** D., frz. **Douvres** [duvrə], der röm. *Dubris portus*, befestigte Hafenstadt Südenglands, am Ärmelkanal, mit (1970) 35400 Ew., Überfahrtsort nach Calais und Ostende. Die **Straße von D.**, engl. *Strait of D.*, franz. *Pas de Calais*, ist der engste Teil des Kanals, zwischen D. und Kap Gris Nez 32 km breit und bis 72 m tief; sie beiderseits von hohen Kreidekliffen eingefaßt, deren Verbindung erst nach der Eiszeit zerstört worden ist, und wird von starken Gezeitenströmen (Tidenhub 5–6 m, Geschwindigkeit bis 5 Seemeilen in der Stunde) durchzogen. Seit 1805 wurden verschiedene Projekte ihrer Untertunnelung ausgearbeitet, die aber stets am Widerstand des engl. Kriegsministeriums scheiterten. Die Straße von D. wurde 1875 von dem Engländer Captain Webb zum erstenmal durchschwommen, 1909 von dem Franzosen Louis Blériot zum erstenmal mit einem Flugzeug überflogen.
2) Hauptstadt (seit 1777) von Delaware, USA, hat (1970) 17500 Ew.

D´ovesches Gesetz, Drehungsgesetz des →Windes, von dem Berliner Physiker Heinr. Wilh. Dove (* 1803, † 1879) aufgestellt.

D´ovifat, Emil, Zeitungswissenschaftler, * Moresnet b. Aachen 27. 12. 1890, † Berlin 8. 10. 1969, 1928–59 Prof. in Berlin; Mitgründer der CDU und der Freien Universität Berlin. 1960 gründete er in Düsseldorf das Dt. Institut für publizist. Bildungsarbeit.
Werk. Zeitungslehre, 2 Bde. (1931, ⁵1967), Allgemeine Publizistik (1968).

D´ovrefjell, kahle Hochfläche im südl. Hochgebirge Norwegens, mit einzelnen Kuppen (höchste der Snöhetta, 2286 m); zur alten *Krönungsstraße* über das D. kam 1921 die Bahnlinie Oslo–Drontheim.

Dow Jones Index [dau dʒounz-], ein →Aktienindex.
Der D. J. I. wird neben einem Index der Kurswerte von Eisenbahnaktien seit 1897 und einem Index der Aktienkurse von Versorgungsunternehmen seit 1929 von der Firma Dow, Jones & Co. aus den Schlußwerten täglich berechnet und als repräsentativer Indikator der Börsenstimmung in den USA angesehen.

Dowland [d'aulənd], John, engl. Komponist, * Westminster 1562, † London 1626, einer der bedeutendsten Musiker des Elisabethan. Englands, seit 1612 königl. Lautenist in London. Lieder, Arien, Lautenstücke.

Dowlas [d'auləs, engl.] *das*, starkes, leinwandbindiges Baumwollgewebe für Bettwäsche und Schürzen.

down [daun, engl.], 1) nieder! leg dich! 2) niedergeschlagen.

Down [daun], östlichste Grafschaft Nordirlands (Ulster), 2465 qkm mit (1971) 310600 Ew.; Hauptstadt ist Downpatrick.

Downing Street [d'auniŋ striːt], nach einem engl. Diplomaten des 17. Jhs. benannte Straße im Londoner Stadtteil Whitehall, in der verschiedene Regierungsgebäude liegen; Nr. 10 ist der Amtssitz des Premierministers.

Downs [daunz] *Mz.*, 1) Kreidekalkhügel im südl. England, südl. der Themse. Man unterscheidet die *North Downs*, 200 km lang, im Leith Hill 294 m hoch, und die *South Downs*, 130 km lang, 248 m hoch. 2) Reede an der Südostküste Englands, vor der Stadt Deal.

Dowsch'enko, Alexander P., Dokumentar- und Spielfilmregisseur, Drehbuchautor und Schriftsteller, * Sosniza (Ukraine) 11. 9. 1894, † Moskau 25. 11. 1956, » Lyriker« der frühen russ. Schule. Filme: Früchte der Liebe (1926), Iwan (1932), Aerograd (1935), Schtschors (1939), Befreiung (1940), Die Schlacht um die Ukraine (1945), Die Welt soll blühen (1948), Gedicht des Meeres (1959).

Dowson [d'ausən], Ernest, engl. Dichter, * Belmont Hill (Kent) 2. 8. 1867, † Catford 23. 2. 1900, ist der bezeichnendste Vertreter der dem franz. Symbolismus verpflichteten *Dekadenz* in England.

WERKE. Collected poems (hg. v. A. Symons 1905), Poetical works (hg. v. D. Flower 1934).

LIT. M. Longaker: E. D. (Philadelphia 1944).

D'oxa [grch.], die überweltliche Majestät Gottes; wurde zu einem Kernbegriff der urchristl. Theologie und einem zentralen Element der christl. Liturgie.

LIT. J. Schneider: D. (1932); H. Kittel: Die Herrlichkeit Gottes (1934).

Doxogr'aphen [griech.], antike Schriftsteller, die die Lehrmeinungen *(doxai)* berühmter Denker nach Problemen geordnet sammelten, z. B. Theophrast in den ›Physikon doxai‹. Aus diesen stammen durch Zwischenglieder die Plutarch zugeschriebenen ›Placita philosophorum‹.

LIT. Doxographi Graeci, hg. v. H. Diels (1879, ³1958).

Doxolog'ie [griech.], Lobpreisung Gottes, bes. das kleine und das große →Gloria. Die Psalmbücher des A. T. schließen mit einer D. Die jüd. Sitte, Gebete oder die Erwähnung des Namens Gottes mit einer D. zu beantworten, findet ihren mannigfaltigen Niederschlag im N. T., so auch am Ende des Vaterunsers. Sie ist an dieser Stelle bis heute

in der orthodoxen Liturgie und im evang. Gottesdienst üblich, während in der kath. Messe die 7. Bitte als responsum (Antwort) gesungen wird.

Doyen [dwajɛ̃, franz. von lat. decanus], das Mitglied eines Diplomatischen Korps, das am längsten bei einer Regierung beglaubigt ist; seit 1815 beansprucht der Hl. Stuhl für den Nuntius die Stellung des D. Der D. ist Wortführer der übrigen Diplomaten und hat besondere Vorrechte.

Doyle [dɔil], Sir Arthur Conan, engl. Schriftsteller und Arzt, * Edinburgh 22. 5. 1859, † Crowborough (Sussex) 7. 7. 1930, schuf im *Sherlock Holmes* eine weltbekannt gewordene Detektivfigur.

WERKE. The adventures of Sherlock Holmes (1892), The hound of the Baskervilles (1902), The casebook of Sherlock Holmes (1927), The complete Sherlock Holmes, 2 Bde (1930; viele dt. Übers.), The great Boer War (1900; dt. 1902), The land of mist (1926; dt. 1926).

LIT. J. Lamond: A. C. D. (London 1931); V. Starrett: The private life of Sherlock Holmes (N. Y. 1933); J. D. Carr: A. C. D. (1949).

Doz'ent [von lat. docere ›lehren‹], Lehrer an einer Hochschule oder hochschulähnlichen Einrichtung (z. B. Fachschule); im engeren Sinne heißen D. die Hochschullehrer, die keine Professur innehaben: *Privatdozenten* und als außerplanmäßige Beamte besoldete *Diätendozenten*. Voraussetzung zur Erlangung einer *Dozentur* ist die →Habilitation.

DP, Abkürzung 1) für →Deutsche Partei. 2) für →Displaced Persons.

D/P, d/p [engl.], Abk. für *document against payment*, ein Handelsausdruck, der im Unterschied zu D/A bestimmt, daß die Verladepapiere nur gegen Bezahlung der Tratte ausgeliefert werden.

dpa, Deutsche Presse-Agentur GmbH, Hamburg, die führende Nachrichtenagentur der Bundesrep. Dtl., 1949 aus der Fusion *DENA* (Dt. Nachrichten-Agentur), *SÜDENA* (Süddt. Nachr.-Agentur) mit *dpd* (Dt. Presse-Dienst) entstanden; Funk-, Übersee-, Bild-Klischeedienst u. a.

DPS, Abk. für →Demokratische Partei Saar.

dptr., Abkürzung für →Dioptrie.

Dr., Abkürzung für →Doktor.

d. R., Abkürzung 1) für: der Reserve: *Hauptmann d. R.* 2) in Österreich für: des Ruhestands.

Drab'enderhöhe, Gemeinde in Nordrhein-Westfalen, wurde 1960 in →Bielstein umbenannt.

Drac'aena, →Drachenbaum.

Dr'ache [griech. drakon ›Schlange‹; ahd. **Drachen**, 1) schlangen- oder echsenartiges, oft geflügeltes Fabeltier, in der *Mythologie* vieler Völker eine Mischgestalt, zumeist Vogel und Schlange od. Löwe und Vogel, mehrköpfig, feuerspeiend; möglicherweise geht er auf vorzeitliche Saurierformen zurück. In den Schöpfungsmythen verkörpert er die gottfeindl. Mächte; hält die fruchtbringenden Wasser zurück, will Sonne und Mond verschlingen, bedroht die Mutter des heilbringenden Helden oder Gottes und muß getötet werden, damit die Welt entstehen oder bestehen kann. Sein dabei sich verströmendes Blut gilt als fruchtbringend, wie auch der Genuß des D.-Herzens oder -Blutes (Blut als Sitz des Lebens) überirdische Kräfte vermittelt. – Spuren solcher D.-Mythen finden sich auch im A. T. (Gen. 1, 21; Jes. 27, 1); der D. tritt hier unter den Namen: *Tannin, Leviathan, Rahab, Behemot* auf, bald Verkörperung riesiger Meerestiere, aber auch der Israel feindl. Geschichtsmächte (Babylon, Perser, Meder, Alexanderreich) wie im persönl. Lebenskampf (Ps. 91, 13). Damit wird er in den Endzeitmythos aufgenommen. Denn der D. ist jetzt nicht mehr getötet, er schläft und bedroht, aufgeweckt, als der große Gegenspieler Gottes, *Belial,* in der Gestalt heidn. gottloser Weltreiche die sich bildende Gemeinde Gottes auf Erden (Dan. 7). Sein Kampf gegen diese und seine schließl. Überwindung durch das Gottesreich wird als das Thema der Weltgeschichte verstanden. – Die Offenbarung Joh. nimmt den D.-Mythus im 12. Kap. noch einmal auf und formt bis in die Gegenwart hinein in Kunst und Verkündigung myth. Endzeitvorstellungen und verbindet sie mit dem immer wieder erwarteten oder schon gegenwärtig gesehenen »Tier aus dem Abgrund«.

In der german.-nord. Mythologie und noch in der skandinav. Dichtung tritt der D. (**Wurm, Lindwurm,** bayer.-österr. **Tatzelwurm**) als Ungeheuer von sagenhafter Gestalt häufig auf. So bekämpft der Gott Thor den *Midgard-*(Erden-)Wurm und besiegt ihn; und das Weltuntergangsbild der Edda zeigt zum Schluß den Drachen *Nidhögg.* In der german. Heldensage ist die Erlegung des D. der bevorzugte Erweis des Heldenmuts. Der älteste dieser Drachentöter ist Sigmund; den höchsten Ruhm als Wurmbezwinger erntet sein Sohn Siegfried; hochgepriesen werden auch die Drachenbezwinger Dietrich von Bern und Wolfdietrich. In der Heldendichtung und in deutschen Ortssagen erscheint der Lindwurm auch als Schätzehüter. Als Drachenbezwinger gelten die Heiligen Michael, Georg, Longin, Margareta.

In Ostasien ist der D. ein wohltätiges und glückbringendes Wesen, bes. verbunden mit allem Wasser (in Wolken, Brunnen, Quellen), sowie Sinnbild des männl. Prinzips; als Gegenstück erscheint der in Dickichten und Niederungen lebende Tiger. Über die Phasen der myth. Entwicklung besteht Unklarheit; seit der späten Tschou-Zeit wird er in der Kunst dargestellt und später ein beliebtes Motiv auch im Kunstgewerbe. Der D. oder das D.-Paar, das um die »Wunschperle« spielt, ebenfalls ein geläufiges Dekorationsmotiv, nimmt buddhist. Vorstellungen auf.

LIT. H. Gunkel: Schöpfung u. Chaos in Ur- u. Endzeit (1895, ²1921); E. Siecke: D.-Kämpfe (1907); M. Witzel: Der D.-Kämp-

fer Ninib (1920); H. Schmidt: Jona (1907); W. Bousset: Die Religion d. Judentums (³1926); B. Renz: Der oriental. Schlangen-D. (1930); M. W. de Visser: The Dragon in China and Japan (Amsterdam 1913).

2) einfaches Fluggerät: eine Tragfläche aus leichtem Holzgerüst, mit Papier oder Stoff bespannt, wird durch eine Schnur vom Boden aus gehalten. Eine Beschwerung am unteren Ende (Schwanz) stellt den D. schräg. Durch die relative Bewegung zwischen D. und Wind entsteht der Auftrieb, der den D. in der Schwebe hält. Der *Kastendrachen* (1890 von dem austral. Ingenieur Hargrave erfunden) besteht aus zwei gleich großen, hintereinanderliegenden Zellen. Die vordere Zelle liefert den Auftrieb; die hintere wirkt als Leitwerk.

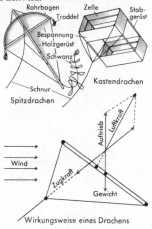

Wirkungsweise eines Drachens

Drache

Das Steigenlassen von D. wurde in Ostasien erfunden und bürgerte sich nach dem 16. Jh. als Kinderspiel über Holland im Abendland ein. Bekannt ist der D.-Versuch von B. Franklin (1752) zum Nachweis der Gewitterelektrizität.

3) D., lat. *Draco,* Sternbild des nördl. Himmels.

4) *Heraldik:* Seit dem 11. Jh. erhält der D., zweibeinige Schlange genannt, Fledermausflügel, seit dem 16. ein zweites Beinpaar; seitdem werden Lindwurm (2 Beine) und D. (4 Beine) unterschieden. Zusammen mit dem Greif als Sinnbild des Windes redendes Bild für die Wenden und daher im Ostseeraum häufiges Wappenbild. Als Feldzeichen oriental. Ursprungs in Westeuropa bis ins 11. Jh. ohne Flügel üblich, in England bis 1485 gebraucht (erhalten im D. als Wappen von Wales).

LIT. G. E. Smith: The Evolution of the Dragon (London 1919).

5) →Wikingerschiff.

6) **Drachen**, *Fischerei:* Scherbrett, das das Schleppnetz beim Ziehen durchs Wasser offenhält.

7) **D. zu Babel, Bel zu Babel**, ein apokrypher oder deuterokanon. Zusatz zum Danielbuch (Dan. 14, →Daniel); er hat einen göttlich verehrten Drachen getötet, ist dafür in den Löwenzwinger geworfen, aber durch Jahwes Hilfe gerettet worden. Die Legende ist wie ihre Vorlage in Dan. 6 angeregt durch die babylon. Drachenmythen.

8) **Drachen**, Bootsklasse beim Segeln, 20 qm Segelfläche, intern. Kielbootklasse und olymp. Klasse.

Dr'achenbaum, *Dracaena*, Gattung der Liliengewächse in den wärmeren Gegenden der Alten Welt, palmenartig, mit schwertförmigen Blättern und Rispen weißlicher Blüten. Der *echte D.* (Dracaena draco) der Kanarischen Inseln bildet ein an der Luft erhärtendes rotes Harz *(Drachenblut, Drakorubin)*, das Firnis sowie Farbe und Politur für Holz und Marmor gibt. Verschiedene D.-Arten sind Zierpflanzen.

Drachenbaum

Dr'achenblut, 1) Harz von Drachenbaum und Rotangpalme. 2) rheinischer Rotwein vom Drachenfels.

Dr'achenfels, steile, 324 m hohe Trachytgruppe des Siebengebirges am Rhein, mit einer 1117 erbauten Burg (Ruinenrest). Der Trachyt, schon von den Römern ausgebeutet, lieferte im 13. und 14. Jh. das Baumaterial für den Kölner Dom. In der *Drachenhöhle* soll nach der Sage der Drache gehaust haben, den Siegfried tötete.

Dr'achenfische, *Trachinidae*, Seefische mit Giftdrüsen an der Rückenflosse.

Dr'achenkopf, 1) *Dracocephalum*, Lippenblütergattung der nördl. gemäßigten Zone. Zierpflanze ist der violettblütige *türkische D.* (D. moldavica) mit gezähnten Blättern. 2) *Astronomie:* der aufsteigende Knoten der Mondbahn; der absteigende heißt *Drachenschwanz. Drachenlinie,* die Verbindungslinie der Knoten. *Drachenmonat* oder *drakonitischer Monat,* die Zeit zwischen zwei Durchgängen des Mondes durch den gleichen Knoten. 3) *Baukunst:* beliebtes Motiv im altgerman. Hausbau z. B. zur Verzierung des Dachfirstes, das im Bauernhaus fortlebte. Dann übertragen auf Ausgußmündungen

von Dachrinnen oder Endungen von Luftheizungskanälen, z. B. im Arbeitszimmer Friedrichs d. Gr. im Potsdamer Stadtschloß (1945 zerstört).

Dr'achenköpfe, Seefische der Fam. *Scorpaenidae,* Abt. *Panzerwangen,* mit Stacheln an Kopf und Flossen. Die ersten stachelförmigen Strahlen der Rücken-, Brust- und Bauchflossen sind meist freistehend und besitzen Giftdrüsen, wie z. B. beim **Meereber** *(Scorpaena scrofa)* im Mittelmeer und Atlantik und dem **Zauberfisch** *(Synanceia verrucosa)* der Südsee.

Dr'achenloch, Höhle im Drachenberg über dem Taminatal, Kanton St. Gallen, Schweiz, 2455 m ü. M. Im D. wurden 1917–23 Kulturschichten mit Skelettresten von Höhlenbären aus der letzten Zwischeneiszeit gefunden, auch Anhäufungen von Bärenschädeln. Auf Grund neuerer Ausgrabungen kam man zu dem Schluß, daß es sich um natürl. Schichtung, nicht um kult. Deponierung handelt.

Dr'achensaat, Saat der Zwietracht, nach einer von Kadmos erzählenden Fabel des Hyginus.

Dr'achenwurz(el), mehrere Pflanzen wie Kalla, Schlangenknöterich.

Dr'achmann, Holger, dän. Dichter, * Kopenhagen 9. 10. 1846, † Hornbæk (auf Seeland) 14. 1. 1908, begann als Marinemaler führte ein unruhiges Leben auf Reisen, gab in Märchenspielen, Romanen, Novellen Reiseschilderungen, Seemannsgeschichten und Melodramen seine Eindrücke farbenreich und lebendig wieder. Hauptthema seiner Lyrik ist das Meer. Ins Plattdeutsche übertragen von O. Ernst, 1899: ›Hamburger Schippergeschichten‹.

Dr'achme [griech. ›das Gefaßte‹] *die,* 1) Gewicht und Währungseinheit im alten Griechenland. 1 Talent waren 6000 D. (1 Talent zu 60 Minen zu 100 D. zu 6 Obolen). Alle griech. Währungen bauten auf der D. oder dem Stater = 2 D. auf, das Gewicht der D. war aber verschieden. Stark vertreten waren die doppelte D. **(Didrachmon)** und insbesondere die vierfache D. **(Tetradrachmon)** Bekannt war die von Athen = 17,44 g mit dem Athenakopf und der Eule als Rückseite, ferner die Alexanders d. Gr. mit Herakleskopf und Zeus des Phidias, eine Weltmünze geprägt in allen Orten seines Reiches. Ver einzelt gab es auch achtfache D. **(Oktodrachmon)** und zehnfache D. **(Dekadrachmon)**, eine der größten und in Stil und Technik vollendetsten Münzen des Altertums (TAFEL Münzen). 2) im MA. wurde D. und halbe D. aus Silber von den Kreuzfahrern in Akkon geprägt. 3) die Währungseinheit (seit 1833) im heutigen Griechenland = 100 Lepta. 4) altes dt. Apothekergewicht *(drachm, dr)* = $^1/_8$ Unze = 3,73 g.

Drac'ontius, Blossius Ämilius, lat. Dichter, lebte Ende des 5. Jhs. n. Chr. unter der Regierung Gunthamunds in Karthago. Wegen eines (verlorenen) Lobgedichts an Kaiser Leo II. kam er ins Gefängnis und schrieb von hier aus um 490 seine ›Satisfactio‹

dann ein größeres Epos ›Laudes dei‹ über den Zorn und die Gnade Gottes.
Werke. Ausgaben von F. Arevalo (Rom 1791) und F. Vollmer in den Monum. Germ. hist. (Berlin 1905) und in den Poetae Latini minores, Bd. 5 (²1914).

Dr'age *die*, poln. **Drawa**, rechter Nebenfluß der Netze, 165 km lang, entspringt bei Polzin (Hinterpommern), mündet bei Kreuz.

Dragée [dra3e, franz.] *das*, Frucht, Pille, Zuckerkorn u. ä. in einem Überzug aus Staubzucker und Gummi- oder Gelatine-lösung.

Dr'äger, Alexander Bernhard, Ingenieur, * Howe (Vierlande) 14. 6. 1870, † Lübeck 12. 1. 1928, gründete 1902 mit seinem Vater *Heinrich* (* 1847, † 1917) das *Drägerwerk* (Lübeck) für Gasschutz- und Sauerstoffgeräte, erfand Gasschutz-, Atemschutz-, Taucherapparate, Operationsgeräte, Schweiß- und Schneidbrenner.

Dr'agge [niederd.] *die*, ein Schiffsanker, →Anker.

Dr'ago-Doktrin, der vom argentin. Außenminister *Louis M. Drago* (* 1859, † 1921) aufgestellte, auf der Haager Konferenz (1907) gebilligte Grundsatz, daß Gewaltanwendung eines Staates gegen einen anderen zur Durchsetzung von vertraglichen Ansprüchen seiner Bürger ohne Anrufung eines Schiedsgerichts völkerrechtlich unstatthaft ist.

Dr'agoman [arab.], früher Dolmetscher im Nahen Osten; Fremdenführer.

Dragon'ade [frz.], grausame Zwangseinquartierung; Zwangsmaßnahmen Ludwig XIV. und seines Min. Louvois zur Bekehrung der franz. Protestanten. Diese wurden mit doppelter Einquartierung von Dragonern belegt, denen man Mißhandlungen und Plünderungen gestattete.

Drag'oner [von franz. dragon ›Drache‹, einer mit einem Drachenkopf verzierten Feuerwaffe], **1)** eine im 16. Jh. in Frankreich aus den Arkebusieren (→Arkebuse) hervorgegangene Gattung der Reiterei, deren Hauptwaffe das Gewehr war und die daher als berittene Infanterie vornehml. zu Fuß kämpfte. Allmählich trat das Fußgefecht in den Hintergrund. Von der Mitte des 18. Jhs. an wurden die D. voll als Kavallerie verwendet. Im preuß.-dt. Heer hatten sie wie die Husaren leichtere Pferde als Kürassiere und Ulanen. Die Schweiz löste die letzten drei D.-Regimenter erst 1973 auf. – D. hießen früher auch die schmalen Tuchklappen zum Festhalten der Schulterbandeliere, die bes. bei den D. üblich waren.
2) eine →Feuerwaffe.

Dragow'itschen, früher in Thrakien und westl. des Wardar in Südmakedonien ansässiger slaw. Stamm.

Draguignan [draginã], Hauptstadt des franz. Dep. Var, mit (1968) 18400 Ew.; Seidenspinnereien und Olivenölgewinnung.

Dragut, eigentl. **Torgud Reis, Thorgu**, bekannter Seeräuber, * bei Mentesche 1485, † St. Elmo (Malta) 23. 7. 1565, plünderte unter Cheireddin von Algier die italien. Südküsten, entriß 1551 den Maltesern Tripolis; wurde vom Sultan zum Bei von Tripolis ernannt.

Draht [von drehen], **1)** fortlaufender Metallstrang von meist rundem Querschnitt, einige hundertstel bis 12 mm stark. Drähte über 5 mm werden durch Walzen hergestellt, dünnere durch Ziehen. Der dicke D. wird hierbei auf der Ziehbank durch ein *Zieheisen*, d. i. eine Stahlplatte mit kegeligen Löchern, gezogen. Sehr feine Drähte werden durch einen *Ziehstein* aus Hartmetall oder Diamant gezogen. *Form-, Fasson-* oder *Dessin-D.* ist D. mit viereckigem, halbrundem oder sonstigem Querschnitt. Außer D., die ganz aus einem Metall bestehen, gibt es solche, deren Kern aus anderem Metall ist als die Außenschicht, z. B. *Doublee-D.* mit Kern aus Kupfer oder Silber, Außenschicht Gold, *zementierter D.* mit Kern aus Kupfer, Außenschicht Messing, oder *Seelen-Elektronen-D.* zum Schweißen. Redensart: *wie auf D. gezogen*, steif (wie künstlich gesteifte Blumen). **2)** mit Schusterpech eingeriebener Hand-Nähfaden des Schuhmachers.

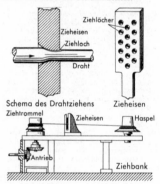

Draht (Herstellung)

Drahtemail [-emaj] tritt erstmalig um 1000 v. Chr. in Cypern auf. Silberdrahtschlingen, die auf eine Platte aufgelötet werden, bilden das Netz, in das eine dünne Emailschicht eingeschmolzen wird, so daß die Drahtkonturen hervortreten. In der Spätgotik war das D. bes. in Italien und Ungarn beliebt, seit dem 17. Jh. in der russ. Volkskunst.

Drahtextensi'on, Verfahren bei der Behandlung von Knochenbrüchen mit Verschiebung: ein rostfreier Stahldraht wird durch den Knochen gebohrt und mit einem Spannbügel gespannt. Durch den am Spannbügel angebrachten Zug wird allmählich die Verschiebung des Bruches ausgeglichen. Der Vorteil der D. vor den übrigen →Zugverbänden besteht darin, daß der Zug direkt am Knochen und nicht, wie z. B.

Drah

beim Heftpflasterzugverband, an den Weichteilen angreift. – Die D. wurde von dem Chirurgen R. Klapp (* 1873, † 1949) erfunden und von M. Kirschner (* 1879, † 1942) verbessert.

Dr´ahtfunk, die Übertragung von Rundfunksendungen über Leitungen, meist Fernsprech-, seltener Lichtleitungen, auf verschiedenen Trägerfrequenzen (160–270 kHz, 1875–1110 m), seit etwa 1930 in Dtl. entwickelt. Wegen Einführung des UKW-Rundfunks stellte die Dt. Bundespost zum 30. 6. 1963 (außer West-Berlin) den D. ein. In Europa ist der D. bes. in Belgien, den Niederlanden, der Schweiz und Österreich entwickelt.

Dr´ahtgeflechte werden auf automatisch arbeitenden Maschinen, meist im Sechseckmuster, geknüpft, Breite bis 2 m.

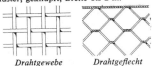

Drahtgewebe   *Drahtgeflecht*

Dr´ahtgewebe, Metall- oder **Siebtuch,** auf Drahtwebstühlen hergestellte Gewebe in Leinwand- oder Köperbindung aus Eisen-, Messing-, Phosphorbronze-, Tombak-, Aluminium-, Nickel- oder Platindraht, insbes. für Siebe.

Dr´ahtglas entsteht durch Einwalzen von Drahtgewebe oder Drahtgeflecht in Gußglas auf maschinellem Wege. D. ist sehr widerstandsfähig, bietet Sicherheit gegen Splittergefahr und Einbruch. Es wurde 1886 von Friedr. Siemens erfunden.

Dr´ahthaar, das straffe Haar rauhhaariger Hunde.

Dr´ahthindernis, Drahtverhau, Hindernisanlage vor militär. Stellungen: kreuz und quer verspannter Stacheldraht, auch in Form von *Drahtwalzen* und *Spanischen Reitern.*

Dr´ahtlehre, Blech mit keilförmigem Ausschnitt und einer Maßeinteilung zum Messen der Drahtstärken.

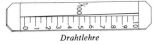

Drahtlehre

Dr´ahtnachrichtentechnik, die Technik der drahtgebundenen Nachrichtenübermittlung, umfaßt die Herstellung und Verlegung der Leitungen (Kabel und Freileitungen) und der Aufnahme-, Übertragungs- und Wiedergabeapparate (Mikrophon, Verstärker, Telephon). Zur Vermeidung oder zum Ausgleich von Rückwirkungen der Übertragungskanäle aufeinander sind besondere Schaltungen nötig, gegen Störungen von außen ist die Drahtübertragung wenig anfällig. – Die D. diente in ihren Anfängen zuerst allein der Telegraphie (1833), nach der Erfindung des Telephons durch Philipp Reis (1861) und Graham Bell (1876) errang die Telephonie immer größeres Gewicht und schließlich ein entscheidendes Übergewicht; besonders als es nach Erfindung der →Pupinspule 1902 und des Elektronenröhrenverstärkers (1907) gelang, auch größere Entfernungen mit Kabelleitungen zu überbrücken. Erst in neuester Zeit begannen die drahtlosen Richtfunkverbindungen auch auf diesem Gebiet zu konkurrieren.

Dr´ahtputzdecke, eine Leichtdecke aus Rundstahl-Drahtgerippe mit Drahtgewebe als Putzträger und dem Putzmörtel. Sie ist mit Rundstahlabhängern aufgehängt. Ähnlich sind *Drahtputzwände,* die zwischen Decken und Massivwänden gespannt werden.

Drahtschmiele, *Deschampsia flexuosa,* eine Grasart, die wild hei uns auftritt, zuweilen auch angebaut wird; die Rispen tragen violettbraune Blütenährchen an geschlängelten Stielen.

Dr´ahtseil, ein aus Stahldrähten zusammengedrehtes (geschlagenes) Seil. Die einfachste Art ist das aus Rund- oder Profildrähten zusammengedrehte *Spiralseil* (BILD a und b). Die nächsthöhere D. sind die *Litzenseile* (BILD c), die durch Zusammendrehen von Spiralseilen kleinerer Durchmessers (Litzen) um eine Hanf- oder Draht-

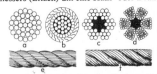

Drahtseil: a *Spiralseil,* b *verschlossenes Seil,* c *Rundlitzenseil,* d *Dreikantlitzenseil,* e *Kreuzschlagseil,* f *Längsschlagseil*

seele hergestellt werden. Meist gibt man den Drähten in den Litzen einen zu dem der Litzen im Seil entgegengesetzten »Schlag« (*Kreuzschlagseile,* BILD e), weil solche Seile geringere Neigung zum Aufdrehen unter Last haben als die *Gleichschlag-* oder *Längsschlagseile* (BILD f), denen aber eine größere Haltbarkeit zugeschrieben wird. Bei den *Rundlitzenseilen* liegen nur wenige Außendrähte auf, daher gibt man zur Vermeidung starken Verschleißes den Litzen länglichen oder dreieckähnlichen Querschnitt (*Flachlitzen-* und *Dreikantlitzenseile,* BILD d) oder formt die Einzeldrähte auch so vor, wie sie später im Seilverband liegen *(Tru-Lay-Neptun-* oder *Pawo-Union-Seile).* Solche D. sind drallfrei, gebrochene Drähte springen nicht heraus.

Herstellung. Das »Schlagen« der Drähte zum Seil geschieht durchweg auf **Verseilmaschinen:** Ein drehbarer *Verseilkorb* trägt eine gewisse Anzahl Drahthaspeln, von denen die Drähte durch den *Verseilkopf* (eine Scheibe mit entsprechender Anzahl von Löchern) zum *Lager* laufen; die aus

em Lager auslaufende fertige Drahtlitze
ird auf einem Haspel aufgewunden.
Durch das Zusammenwirken von Zug an
er Litze und Drehung des Verseilkorbs
ommt die Verseilung zustande. Mit ähnl.
Maschinen werden die Litzen zum Seil
geschlagen«. – D. mit ständiger Wechselbe-
nspruchung im Betrieb (Kranseile) werden
ach DIN 41 30 auf Zug mit etwa 5- bis
10facher Sicherheit berechnet. Sie werden in
er Fördertechnik, im Brücken- und Inge-
ieurbau u. a. verwendet.

Dr´ahtseilbahn, →Seilbahn.

Dr´ahtspanner, in seiner gebräuchlichsten
Form ein längl. Metallring mit einer kleinen
Welle, um die der Draht gewickelt wird.
Ein Sperrad verhindert das Zurückdrehen
er Welle. Verwendung bei Drahtzäunen
Obstspalieren u. dgl.

Dr´ahtstifte, Drahtnägel, werden aus run-
em oder vierkantigem Eisen-, Messing-
der Kupferdraht auf *Drahtstiftmaschinen*
ergestellt.

Dr´ahtwurm, Schädling, Larve der →Schnell-
äfer.

Dr´ahtziegelgewebe, Drahtgeflecht mit Ton-
örpern, die an den Kreuzungspunkten auf-
epreßt und dann gebrannt sind; dient als
´utzträger.

Dr´ahtzieher, 1) Drahtmacher. **2)** einer, der
uppen am Draht bewegt; *übertragen:* wer,
hne selbst an die Öffentlichkeit zu treten,
einen Willen durch andere ausführen läßt.

Drain [engl. drein, franz. drɛ̃], **Drainage**
[drænaʒ], →Drän, →Bodenentwässerung.

Drais´ine [franz. Ausspr. drɛsin], **1)** von
em bad. Forstmeister Karl Freiherr von
Drais (* 1785, † 1851) erfundene Lauf-
naschine (1817); Vorläufer des Fahrrads.
) leichtes, durch Menschenkraft oder Mo-
or betriebenes Eisenbahnfahrzeug.

Drake [dreik], Sir Francis, engl. Seehold,
Crowndale (Devonshire) um 1540, † vor
Portobello (Panama) 28. 1. 1596, unternahm
eeräuberzüge nach Westindien und um-
egelte die Erde auf Kriegsfahrten gegen die
panier (1577–80); 1588 kämpfte er vor
´ádiz und im Kanal gegen die span. Arma-
a. 1585 führte D. in England die Kartoffel
in. Nach D. heißt die breite, stürmische
Meeresstraße zwischen Südamerika und den
üd-Shetland-Inseln *D.-Straße.*

LIT. H. Damm: F. D. als Freibeuter in
pan.-Amerika (1924); J. A. Williamson:
he age of D. (1938).

Dr´akensberge, Kathlamba-Gebirge, öst-
ches Randgebirge Südafrikas; höchste Er-
ebungen: Thabana Ntlenyana (3482 m)
nd Cathkin Peak (3181 m).

LIT. E. Obst u. K. Kayser: Die große Rand-
ufe auf der Ostseite Südafrikas u. ihr Vor-
and (1949).

Dr´akon, athen. Gesetzgeber, der um 621
. Chr. die erste Aufzeichnung des Strafrechts
ornahm und wegen der Strenge seiner Ge-
etze berüchtigt war; daher *drak´onisch,*
berstreng. Auf D. geht die Unterscheidung
on Mord und Totschlag zurück.

LIT. G. Busolt u. H. Swoboda: Griech.
Staatskunde, 2 Tle. (1920–26).

Drakon´iden, ein →Sternschnuppen-Schwarm.

drakon´itischer Monat, Drachenmonat,
→Drachenkopf.

Drakont´iasis [griech.], Erkrankung durch
den Medinawurm.

Drall, 1) Drehung, Drehbewegung. **2)** Verdrehung, z. B. beim Wendelbohrer die Verdrehung um die Längsachse. **3)** Windung
der in das Rohr (Lauf) von Feuerwaffen eingeschnittenen Züge. Die beim Ziehvorgang
stehengebliebenen Teile (Felder) schneiden
sich in die Führungsbänder oder -flächen ein.
Die vorstehenden Teile der
Führungsbänder oder -flächen gleiten in den
Zügen und geben den Geschossen eine
Drehbewegung um ihre Längsachse. Die
Drehbewegung verhindert ein Überschlagen
der Geschosse während des Fluges (drall-
stabilisierte Geschosse). Nach der Drehrichtung unterscheidet man Rechts- und Links-
drall. Zur allmählichen Steigerung der Um-
drehungsgeschwindigkeit dient der nach
der Mündung hin »zunehmende D.« (Pro-
gressivdrall). **4)** *Spinnerei:* die Anzahl der
Drehungen eines Fadens auf eine bestimmte
Länge.

Dr´alon, Handelsname für eine Polyakryl-
nitrilfaser, auch für Gewebe aus dieser Faser,
gemischt mit Wolle.

Dram [dræm, engl.], ehem. (bis 1971) angelsächs. Gewicht = $^{1}/_{16}$ Unze = 1,772 g.

Dr´ama [griech. ›Handlung‹], **1)** das
→Schauspiel. **2)** bewegtes Geschehen.

Dram´atik, Spannung; † Bühnendichtung.

Dram´atiker, Schauspieldichter. **dramatis´ie-
ren,** einen Stoff zum Schauspiel verarbeiten.

dram´atisch, auf das Schauspiel bezüglich
oder in der Art des Schauspiels, z. B. Dichtung mit Wechselrede, leidenschaftlich bewegter Handlung; dramatisch werden im
übertragenen Sinn auch Werke der Musik,
der Malerei sowie Reden, Berichte oder Ereignisse genannt, die mit Leidenschaft oder
Spannung erfüllt sind.

Dr´ama, Stadt in Makedonien, Griechenland, mit (1971) 30 600 Ew., orthodoxer Bischofssitz; Tabakanbau.

Dramat´urg, Angestellter an größeren Thea-
tern, der bei der Auswahl und maßgebenden
Auffassung der Stücke mitwirkt, sie für die
Bühne einrichtet und ihren Gehalt den Schau-
spielern nahebringt.

Dramaturg´ie [grch. ›ein Drama ins Werk
setzen‹], **1)** Lehre von Wesen, Wirkung und
Formgesetz des Dramas; ein Teilgebiet der
→Poetik. Die ältere deutsche D. knüpft an
die ›Poetik‹ des Aristoteles und die ›ars
poetica‹ des Horaz an und ist vielfach beeinflußt von den Schriften der Franzosen
(Boileau ›L´art poétique‹, 1674). Für die
spätere Zeit wurde Lessings ›Hamburgische
D.‹ (1767) grundlegend. Von Lessing zum
»Sturm und Drang« blieben franz. Theoretiker (Diderot, Mercier) wichtig, bis die
dt. Klassik, bes. Schillers Schriften zu Drama
und Tragödie, eine eigene normative Lehre

vom Drama begründete. In Anknüpfung an sie und in Auseinandersetzung mit ihr entwickelte das 19. Jh. die Theorie des Dramas und der Tragödie weiter, zunächst in Hegel und seinem Schüler Rötscher, in Grillparzers und Hebbels Tagebüchern und Schriften, in O. Ludwigs Versuchen, Schiller durch Rückgriff auf Shakespeare zu überwinden, in G. Freytags einseitiger und vereinfachender ›Technik des Dramas‹, in P. Ernsts Bestrebungen zur Erneuerung eines klass. Dramentyps bis zu den jüngsten Versuchen J. Babs, B. Diebolds, H. Bahrs, B. Brechts, T. S. Eliots u. a., Art und Aufgabe des Dramas in der Gegenwart zu bestimmen. 2) die Tätigkeit des →Dramaturgen. Lit. R. Petsch: Dt. D. von Lessing bis Hebbel (²1921); ders.: Dt. D. der Gegenwart (1945); M. Dietrich: Europ. D. im 19. Jh. (1961); R. Froning: Das D. des Mittelalters (1891/92); P. Szondi: Theorie des modernen D.s (⁹1973).

Dramburg, ehemal. Kreisstadt in Pommern mit (1946) 5100 (1939: 8100) Ew. D. erhielt 1297 brandenburg. Stadtrecht; seit 1945 unter poln. Verwaltung *(Drawsko).*

Dr'ammen, Hafenstadt in Norwegen an einer Abzweigung des Oslofjords, mit (1973) 50 200 Ew.; Holz- und Papierindustrie.

Dramol'ett [franz.], kurzes Schauspiel.

Drän, Drain [engl. ›Abflußröhre‹ *der,* 1) Gummiröhrchen, das in Wunden, Fisteln, Hohlräume des Körpers eingelegt wird *(Dränage, Drainage),* um Wundflüssigkeit, Eiter oder Blut abzuleiten. 2) Abflußrohr der Dränage, →Bodenentwässerung.

Drang, Trieb, heftige Sehnsucht; *seelenkundlich:* eine elementare Form seelischen Strebens, z. B. Daseinsdrang, Tätigkeitsdrang. M. Scheler nennt D. das dem Geist entgegengesetzte Prinzip.

Drangi'ane, antike Landschaft im östl. Persien am Unterlauf des Erymanthos (Hilmend) und um den See Hamun, das Stammesgebiet der Sarangen, von Alexander d. Gr. 330 v. Chr. erobert, später zum seleukid., baktrischen und parthischen Reich gehörig.

Dransfeld, Hedwig, Gründerin der deutschen kath. Frauenbewegung, * Hacheney (Kr. Hörde) 24. 2. 1871, † Werl (Westf.) 13. 3. 1925, seit 1912 Vorsitzende des Kath. deutschen Frauenbundes.

Drap [dra, *Mz.*], tuchartiges Gewebe mit sehr dichter Kette. *D. croisé,* ein Köpertuch. *D. de dames* [-dam], ein leichtes, feines Damentuch mit Strichappretur. *D. de soie* [swa], ein schwerer, kräftiger Seidenköper, glatt oder auch gemustert. *D. d'argent* [-darʒã], *D. d'or* [-dɔ:r], ein mit Silber- oder Goldfäden broschiertes Seidengewebe. *D. cuir* [-kyir], *Ledertuch, Tuchleder,* ein Gewebekunstleder, dessen Grundgewebe aus Baumwolle, Flachs oder Jute besteht und dessen lederähnlicher Charakter durch Beschichten mittels Kautschuk oder Kunststoffen mit nachfolgendem Prägen (Narben) erzielt wird.

Dr'apa *die, Mz.* Drapur, in der altnord Dichtung das kunstvoll gebaute, in dre Teile gegliederte Lobgedicht (10.–13. Jh.) Die D. wurde teils zum Lobe einzelner Per sonen (so die Olafsdrapa, Knutsdrapa Eiriksdrapa), teils zur Verherrlichung gan zer Stämme (so die Jomsvikingadrapa, d Islendingadrapa) gedichtet.

Drapé [frz. ›Tuch‹], stückgefärbter, meis schwarzer Herrenanzugstoff oder wollfarbi ges Offizierstuch mit feinen, flach verlaufen den Rippen, entweder aus Kammgarn ode mit Kammgarnkette und feinem Streich garnschuß.

Draper [drei'pə], Henry, amerikanische Astronom, * New Edward County (Va 7. 3. 1837, † New York 20. 11. 1882, arbeite te bes. über Photographie der Himmelskö per und ihrer Spektren, photographierte a erster das Sonnenspektrum, gab den *D Katalog* heraus, der die Spektren aller Sterr bis 9,5 Größe (etwa 270000) enthält.

Draper'ie [von franz. drap ›Tuch‹; Gott schedzeit], Stoffdekoration, malerische Ar ordnung von Gewändern; Faltenwur **drap'ieren,** in Falten legen, raffen.

drappfarbig, sandfarbig (von Stoffen).

Draeseke, Felix, Komponist und Kompos tionslehrer, * Coburg 7. 10. 1835, † Dresde 26. 2. 1913.

Werke. 4 Sinfonien, Ouvertüren, groß Chorwerke, das vierteilige Mysterium ›Christus‹, ein Requiem, Opern, Kamme musik, Klavierstücke, Lieder.

Lit. O. zur Nedden: Felix D. (Diss. Ma burg 1925); E. Roeder: Felix D., 2 Bde (²1937).

Dr'astica [grch. drastikos ›wirksam‹], star wirkende →Abführmittel.

dr'astisch [griech.; Bismarckzeit], 1) star wirksam. 2) derb-anschaulich.

Drau, Drave *die,* slowen. Drava, rechte Nebenfluß der Donau, 720 km lang, en springt auf dem Toblacher Feld (Dolomiten durchfließt Osttirol und Kärnten, bildet wei weise Grenzfluß zwischen Jugoslawien un Ungarn und mündet unterhalb Esseg. Di D. wird in Österreich und Jugoslawien zu Energiegewinnung benutzt.

Das Gebiet um die D. oder *Drava,* la *Dravus* [aus pannonisch; zu altind. drava ›läuft‹], wurde unter Augustus von de Römern unterworfen und gehörte zu de Provinzen Noricum und Pannonien. A der D. lagen die röm. Städte Teurnia un Poetovium (Pettau).

Dr'aufgabe, 1) Angeld, Draufgeld, Hand geld, Anzahlung, die bei Eingehung eine Vertrages zum Zeichen des Vertragsab schlusses geleistet wird, gilt im Zweifel nic als Reugeld oder Zugabe (§ 336ff. BGB anders in *Österreich* (§ 908ff. ABGB) un der *Schweiz* (Art. 158 OR). 2) Zugabe de Händlers an den Kunden.

Dr'aupnir [altisländ. ›Tropfer‹, *nor Mythos:* ein Ring, von dem jede neunt Nacht acht gleich treffliche Ringe träufel Der D., ein Kunstwerk der Zwerge, befan sich bald im Besitz Odins, bald im Besitz Freyrs.

Dr'ausensee, See in Ostpreußen, südöstl. von Elbing, 18 qkm groß.

Drava, slaw. Name des Flusses →Drau.

Draw'änen, Drewj'anen, [slaw. ›Wäldler‹], die in der Landschaft **Drawehn** in Ostniedersachsen wohnenden Reste der Elbslawen, die vollständig eingedeutscht sind. Slawische Anklänge finden sich in der Tracht. Ihre slawische Sprache ist seit dem Anfang des 18. Jhs. ausgestorben.
LIT. A. Th. Hilferding: D. sprachl. Denkmäler d. Drevjaner u. Glinjaner Elbslaven (aus d. Russ. 1857); P. Rost: Die Sprachreste der Draväno-Polaben im Hannöverschen (1907).

Dr'awida, Dravida, große Sprachgruppe (etwa 80 Mill. Menschen) in Mittel- und Südindien, mit vielen Einzelsprachen, z. B. *Tamil, Malajalam, Telugu, Kannada, Gond,* ferner *Brahui* in Belutschistan. Die Völker mit D.-Sprachen sind rassisch und kulturell äußerst verschieden. Ob sie vom NW her vor oder nach den Ariern einwanderten, ist umstritten.
LIT. W. Koppers: Zum Rassen- und Sprachenproblem in Indien, in: Festschr. f. W. Havers (Wien 1949).

Drayton [dreitn], Michael, engl. Dichter, * Hartshill (Warwick) 1563, † London 23.12. 1631, verfaßte in gewandten Versen Eklogen und Episteln, histor. und geograph. Epen.
WERKE. Poems, 5. Bde., hg. v. J. W. Hebel (Oxford 1931–41). 2 Bde., hg. v. Buxton (1953).
LIT. B. H. Newdigate: M. D. and his circle (Oxford 1941).

Dreadnought [dr'ednɔːt, engl. ›Fürchtenichts‹] *die,* engl. Linienschiff von 1906 (22 500 t), das erste moderne Schlachtschiff.

Dreber, Heinrich, genannt **Franz-Dreber,** Maler, * Dresden 9. 1. 1822, † Anticoli di Campagna 3. 8. 1875, malte Landschaften aus der Umgeb. Roms, wo er seit 1843 lebte.

dr'echseln [ahd.; verwandt mit drehen], Holz, Horn u. ä. auf der Drehbank bearbeiten.

Dr'echsler, Handwerker, der Möbelteile und Gebrauchsgegenstände, Galanteriewaren usw. auf der Drehbank mit Hilfe schneidender Werkzeuge herstellt. Außer Holz werden bes. Horn, Elfenbein, Bernstein, Bein, Perlmutter und Kunststoffe verarbeitet. Die Ausbildung erfordert eine 3jährige handwerkliche Lehrzeit. Nach der Gesellenprüfung kann zur Vorbereitung auf die Meisterprüfung die Fortbildung erfolgen an Innungs-, Fach-, Kunstgewerbe-, Handwerkerschulen. Beschäftigung in Drechsler-, Bau-, Möbeltischlerwerkstätten, Knopf-, Schmuck- und Stockfabriken, hier mit Aufstiegsmöglichkeit zum Werkmeister, Betriebsleiter, Holztechniker. Selbständige Gewerbeausübung ist häufig.

Dredge [dredʒ, engl.], **Dredsche, Dregge** *die,* Schleppnetz für Austernfang u. a., auch besonderes Schleppnetz zum Fang der Meeresbodentiere für wissenschaftliche Zwecke.

Drees, Willem, niederländ. Politiker (Sozialist), * Amsterdam 5. 7. 1886, war während der dt. Besetzung in der Widerstandsbewegung tätig; seit Juni 1945 Sozialminister, 1948–58 (mit mehrfachen Unterbrechungen) MinPräs.

Dreesch, Dreisch, Driesch [niederd. ›brach‹] *der,* der bei Feldgraswirtschaft (Koppelwirtschaft) jeweils auf einige Jahre als Weide benutzte Feldflurteil.

Dregow'itschen, altslaw. Volksstamm in Westrußland.

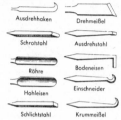

Ausdrehhaken	Drehmeißel
Schrotstahl	Ausdrehstahl
Röhre	Bodeneisen
Hohleisen	Einschneider
Schlichtstahl	Krummeißel

Drechslerwerkzeuge

Dr'ehbank, eine Werkzeugmaschine für die spanabhebende Formung von Werkstücken durch Drehen. Das *Drehbankbett,* ein Stahlgestell, trägt alle festen und bewegl. Teile. In dem *Spindelkasten* ist die *Spindel* gelagert, sie wird über ein Wechselgetriebe für verschiedene Drehzahlen angetrieben. Das Werkstück wird eingespannt entweder in ein *Spannfutter* oder auf eine *Planscheibe,* die in der Spindel sitzen, oder zwischen zwei Körnerspitzen, von denen auch eine in der Arbeitsspindel, die andere in der bewegl. *Pinole* auf dem Bett verschiebbaren *Reitstockes* sitzt. Lange Werkstücke werden durch eine oder mehrere *Lünetten (Setzstöcke)* gegen Durchbiegen geschützt. Das Drehwerkzeug, der *Drehmeißel,* wird mit dem *Support* geführt, der mit dem *Bettschlitten* auf dem Drehbankbett gleitet und im Meißelhalter das Werkzeug trägt. Der Support erhält seine Vorschubbewegung durch die über ein Getriebe angetriebene *Zugspindel.* Die parallel zu dieser laufende *Leitspindel* vermittelt den Vorschub beim Gewindeschneiden. Besondere Bauarten sind die *Karussell-D.* mit waagerecht liegender Planscheibe, die *Revolver-D.* mit mehreren Werkzeugen in einem drehbaren Revolverkopf, der *Drehautomat,* eine automat. D., die *Kopier-D., Nachform-D.,* bei der ein Fühlstift an der Urform entlanggleitet und die Bewegungen des Werkzeuges steuert.

GESCHICHTLICHES. Die älteste erhaltene Darstellung der D. stammt etwa aus dem Jahre 300 v. Chr. von einem ägypt. Grabrelief. Bei dieser primitiven Form der D., die in nicht-industriellen Ländern bis in die Neuzeit gebräuchlich ist, wird um das Werk-

Dreh

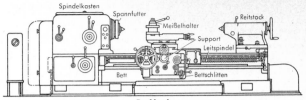

Drehbank

stück eine Schnur geschlungen, die von Hand oder mit einem Fiedelbogen hin- und herbewegt wird. Im mittelalterl. Europa wurde durch Erfindung der *Wippendrehbank* der Antrieb verbessert: das obere Ende der um das Werkstück geschlungenen Schnur wurde von einer Blattfeder nach oben gezogen, das untere Ende war an einem Fußhebel befestigt. Erst gegen Ausgang des MA.s setzte sich der Räderantrieb durch.

LIT. D. H. Bruins: Werkzeugmaschinen für spanabhebendes Formen (^{6}1972); K. Wittmann: Die Entwicklung der D. (1941).

Die *Holz-D.* ist wie die Metalldrehbank, nur leichter, gebaut. Kleine Werkstücke werden meist von Hand bearbeitet, für größere ist ein Support mit Handkurbel oder Leitspindelbewegung zur Aufnahme des Drehmeißels vorhanden.

Dr'ehbleistift, Taschenbleistift mit herausdrehbarer Schreibmine.

Dr'ehbuch, das Manuskript für einen →Film.

Dr'ehbühne, Bühnenkonstruktion mit kreisförmiger drehbarer Fläche des Bühnenbodens (neuerdings meist aufgelegte Drehscheibe), auf der mehrere Szenenbilder nebeneinander aufgebaut werden. Dieses bereits den japan. Kabukitheater im 18. Jh. bekannte System wurde 1896 von K. Lautenschläger (München) neu erfunden.

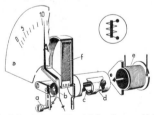

Dreheiseninstrument, Meßwerk: a *Nullpunktrücker,* b *Gegendrehmomentfeder,* c *Dreheisen,* d *festes Eisen,* e *Spule,* f *Dämpfung;* oben rechts Meßwerksymbol

Dr'eheiseninstrument, früher *Weicheiseninstrument,* Strom- und Spannungsmesser für Gleich- und Wechselstrom, beruht darauf, daß zwei gleichpolig magnetisierte Eisen einander abstoßen. In einer vom Meßstrom durchflossenen Spule sind ein fester und ein an der drehbaren Meßwerksachse befestig-

ter Eisenkern; letzterer übt eine vom magnetisierenden Strom abhängige Einstellkraft aus.

dr'ehen, *Fertigungstechnik:* Verfahren der spanenden Formung zur Herstellung und Weiterbearbeitung vornehmlich von Rotationskörpern aus Metall, Holz, Stein, Kunststoffen u. dgl. auf der →Drehbank. Von dem Werkstück wird mit Hilfe eines →Drehmeißels als Werkzeug ein Span (Drehspan) abgeschält. Das Werkstück (u. U. auch das Werkzeug) rotiert dabei um eine feste Achse (Hauptschnittbewegung), während der Drehmeißel gleichzeitig am Werkstück entlang oder in dieses hinein bewegt wird (Vorschub). Beim *Außendrehen* wird das Werkstück außen, beim *Innendrehen (Ausdrehen)* innen bearbeitet (BILD). Beim *Langdrehen* zur Bearbeitung der Mantelfläche von Zylindern liegt die Vorschubrichtung parallel zur Drehachse. Beim *Plandrehen* zur Bearbeitung der Stirnflächen von Drehteilen liegt sie senkrecht zu ihr. *Abstechen* heißt das Abtrennen von Stücken, z. B. von Stangen, durch D. Beim *Formdrehen* hat der Formmeißel an der Schneide die Form der Mantellinie des Rotationskörpers. Das *Kegeldrehen* dient zur Bearbeitung der Mantelfläche von Kegeln. Beim *Nachformdrehen (Kopierdrehen)* wird der Drehmeißel unmittelbar oder mittelbar durch ein Modell gesteuert (→nachformen). Nicht-Rotationskörper z. B. mit Vierkant- oder Ovalquerschnitt können durch *Unrunddrehen* bearbeitet werden, indem der Drehmeißel entsprechend der zu erzielenden Querschnittsform vor- und zurückbewegt wird. In entsprechender Weise geht das *Hinterdrehen* vor sich, mit dem beispielsweise die Zähne von Fräsern und Sperrädern bearbeitet werden. Je nach der Stärke des abgeschälten Spanes unterscheidet man zwischen *Schruppen,* der rauhen Vorbearbeitung des Werkstückes, und *Schlichten,* der glättenden Nachbearbeitung, an die sich noch Schleifen, Polieren oder andere Feinbearbeitungsverfahren anschließen können. Durch die Trennarbeit der Meißelschneide (Zerspanung) wird Wärme entwickelt, die bei großen Zerspanungsleistungen recht bedeutend ist. Die Drehspäne sind fast stets mehrere 100°C heiß. Um ein Abstumpfen der Werkzeugschneiden bei den hohen Temperaturen zu vermeiden, wird oft unter Zufuhr von Kühlflüssigkeit (Öl, Emulsion) gearbeitet.

GESCHICHTLICHES →Drehbank.
LIT. A. Michalik u. L. Eberman: Spanabhebende Metall-Bearbeitg. (Zürich ²1945); E. Brödner: Zerspanung u. Werkstoff (²1950).

Dr'eher, 1) Metallfacharbeiter an der Drehbank. Ausbildung: 3jährige Lehrzeit in einem Handwerks- oder Fabrikbetrieb, anschließend Gesellenprüfung. Fortbildung auf Fach- und Maschinenbauschulen. Bei handwerklicher Betätigung kann die Meisterprüfung abgelegt werden. Beschäftigung in der Maschinenindustrie, Aufstiegsmöglichkeit zum Werkmeister, nach besonderer Weiterbildung zum Techniker und Betriebsingenieur. 2) *Tanz:* Ländler. 3) Triebrad, Kurbel,

Dr'ehergewebe, in Dreher- oder Schlingbindung gewebte Stoffe mit durchbrochenem Muster für Gardinen und Vorhänge. Zwei oder mehrere Kettfäden werden miteinander verschlungen und die Fadenkreuzung durch den Schuß festgehalten.

Dr'ehfeld, durch elektrische Ströme erzeugtes magnetisches Kraftfeld, das sich um eine feste Achse dreht; eine frei drehbar im D. aufgehängte Magnetnadel dreht sich daher dauernd. Beim *Kreisdrehfeld* ist die Feldstärke der Größe nach konstant, beim *elliptischen D.* ändert sie sich periodisch. In der Technik wird das von drei mit Drehstrom gespeisten Wicklungen oder das von einem rotierenden Polrad erregte D. angewendet.

Dr'ehfeuer, eine sich dauernd drehende Quelle für sichtbares Licht oder hochfrequente elektromagnetische Wellen *(Funkfeuer)* bestimmter →Kennung; kennzeichnet in Luft- und Seefahrt den Flug- oder Fahrweg.

Dr'ehflügler sind Flugzeuge mit verstellbaren Flügeln, die sich zur Erzeugung von Auftrieb um eine senkrechte Achse drehen, z. B. *Hubschrauber, Schraubenradflugzeug.*

Dr'ehfrucht, *Streptocarpus,* Pflanzengattung der Gesneriengewächse in Afrika; Kräuter mit behaarten Blättern, fünflappigen Trichterblüten und schraubig gedrehten Fruchtkapseln; Zierpflanzen.

Dr'ehgestell, zwei- oder dreiachsiges Fahrgestell für Schienenfahrzeuge, ist um einen Drehzapfen in der Mitte schwenkbar und ermöglicht daher leichten Lauf in Gleiskrümmungen, hat die besten Führungseigenschaften für die Fahrt mit höchsten Geschwindigkeiten. Das *Krauss-Helmholtzsche D.* für Lokomotiven vereinigt eine im Bogen bewegliche Laufachse und eine nur parallel verschiebliche angetriebene Achse.

Dr'ehherz, ein an der Drehbank benutztes Werkzeug, das auf das zwischen Spitzen gelagerte Werkstück geklemmt wird und die Drehbewegung der Spindel vom Mitnehmer auf das Werkstück überträgt.

Dr'ehimpuls, bei einem sich drehenden starren Körper das Produkt aus Winkelgeschwindigkeit und Trägheitsmoment um die Drehachse. Bei Fehlen von äußeren Kräften bleibt ein einmal vorhandener D. unverändert erhalten (Erhaltungssatz des D.).

Dr'ehkäfer, der Taumelkäfer (→Schwimmkäfer).

Dr'ehkolbenmotor, ein Verbrennungsmotor mit rotierendem Kolben. Bei dem von F. Wankel entwickelten *Wankelmotor,* der als einziger D. techn. Bedeutung erlangte, erzeugen die Verbrennungsgase unmittelbar die Drehbewegung des Kolbens. Dieser »Drehkolben« (in Form eines Bogendreiecks) läuft exzentrisch zur Triebwelle in einer zylindr. Kammer mit dem Querschnitt eines etwas plattgedrückten Kreises um. Während der Drehbewegung liegen die drei Kolbenkanten stets dicht an den Kammerwänden. Die

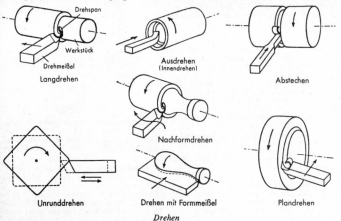

Drehspan / Werkstück / Drehmeißel
Langdrehen

Ausdrehen (Innendrehen)

Abstechen

Nachformdrehen

Unrunddrehen

Drehen mit Formmeißel

Plandrehen

Drehen

185

Dreh

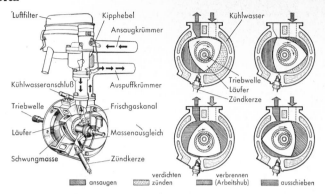

Luftfilter · Kipphebel · Ansaugkrümmer · Kühlwasser · Triebwelle · Läufer · Zündkerze · Kühlwasseranschluß · Auspuffkrümmer · Frischgaskanal · Triebwelle · Läufer · Massenausgleich · Schwungmasse · Zündkerze

verdichten · verbrennen
ansaugen · zünden · (Arbeitshub) · ausschieben

Drehkolbenmotor

zwischen Kolben und Kammerwand gebildeten drei Arbeitsräume wechseln in ihrer Größe; in ihnen vollziehen sich die Arbeitsphasen eines Viertaktmotors (Ansaugen, Verdichten und Zündung, Verbrennung, Ausschieben). Die Kolbendrehung wird über eine Innenverzahnung auf die Triebwelle übertragen. Der D. ist gegenüber dem Hubkolbenmotor wesentlich kleiner und leichter.

Dr'ehkondensator, ein Kondensator mit kontinuierlich veränderlicher Kapazität zum Abstimmen von Schwingungskreisen.

Drehkrankheit, Drehsucht, eine durch den *Gehirnblasenwurm (Drehwurm, Gehirnquese)* hervorgerufene Gehirnkrankheit der Wiederkäuer, bes. der Schafe. Sie entsteht durch die Aufnahme von Eiern des beim Schäferhund schmarotzenden Bandwurms (Polycephalus multiceps), die im Gehirn zu Blasenwürmern heranwachsen. Die erkrankten Schafe zeigen Zwangsbewegungen; sie bewegen sich z. B. im Kreis oder um einen Fuß oder fallen nach der Seite um.

Dr'ehkreuz, um einen Zapfen drehbares Kreuz zum Durchlaß von je einer Person, an Fußwegen, Schaltern usw., oft mit selbständigem Zählwerk.

Dr'ehkristall-Meth'ode, Verfahren zur Untersuchung von Röntgenspektren und damit von Kristallstrukturen; beruht auf der Reflexion von Röntgenstrahlen an den Netzebenen eines sich langsam drehenden Kristalls, die nur unter bestimmten Winkeln stattfindet und dann photographisch festgehalten wird; wurde von W. H. Bragg 1913 entwickelt.

Dr'ehleier, Bauern-, Bettlerleier, volkstümliches Musikinstrument, mit einer oder zwei gleichgestimmten Melodiesaiten, auf denen die Töne durch tastenartige Schieber gegriffen werden, und mit zwei Begleit- oder Brummsaiten in gleichbleibendem Quintabstand; alle Saiten werden gleichzeitig zum Erklingen gebracht durch ein streichen-

des Rad, das mit einer Kurbel gedreht wird. Die D. ist seit dem 10. Jh. bekannt, bes. häufig im 18. Jh.

Dr'ehling, der →Austernpilz.

Dr'ehmagn'etinstrument, Strom- und Spannungsmesser für Gleichstrom, beruht darauf, daß eine von zwei Magnetfeldern beeinflußte Magnetnadel sich auf die Resultierende beider Felder einstellt. Auf der Zentralachse sitzt eine magnetisierte Scheibe; ein konstantes Magnetfeld wird von einem feststehenden Richtmagneten, das andere von der stromdurchflossenen Spule geliefert. Der Zeigerausschlag wechselt mit der Stromrichtung.

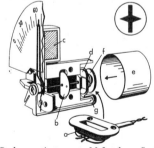

Drehmagnetinstrument, Meßwerk: a *Spule,* b *Drehmagnet,* c *Dämpfung,* d *Richtmagnet,* e *Abschirmkappe,* f *magnet. Nebenschluß,* g *Nullpunktrücker; oben rechts Meßwerksymbol*

Dr'ehmeißel, früher **Drehstahl,** ein Werkzeug zum Drehen, aus Stahl, Hartmetall, Diamant.

Dr'ehmoment, bei drehbaren Körpern (z.B. Rädern, Wellen) das Produkt aus der Größe der angreifenden Kraft und der Senkrechten von der Drehachse auf die Kraftrichtung.

Dr'ehmomentverstärker, ein Hilfsgerät in mathemat. Instrumenten, Regelgeräten u. a., um das schwache, von Meßgeräten abgebbare Drehmoment verstärkt weiterzuleiten. Beim *mechan. D.* ist um eine umlaufende Trommel lose ein Band geschlungen; ein geringer, vom Eingangsrad am ablaufenden Bandende erzeugter Zug (kleines Drehmoment) bewirkt, bei genügender Reibung zwischen Band und Trommel, am auflaufenden Bandende eine viel größere Kraft, die als großes Drehmoment am Ausgangsrad wirksam wird.

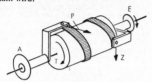

mechan. Drehmomentverstärker (schematisch): T umlaufende Trommel, E Eingangsrad, Z Zug, P Kraft, A Ausgangsrad

Dr'ehmomentwandler, ein Getriebe, bei dem sich Ein- und Ausgangsdrehmoment umgekehrt wie die Drehzahlen verhalten, z. B. Zahnradgetriebe, Flüssigkeitsgetriebe oder Kombinationen beider.

Dr'ehmoos, *Funaria,* Laubmoosgattung mit gedrehten Sporenkapselstielen, die sich bei Feuchtigkeit einrollen; in kühlen Gebieten sehr verbreitet.

Dr'ehofen, Drehrohr, Drehrohrofen, ein industrieller Ofen, verwendet als Reaktions- oder Trockenapparat für rieselfähige Stoffe. Diese durchwandern infolge der Schrägstellung unter dauernder Umwendung den D.; Anwendung z. B. für Braunkohlenschwelung, Schwefelkiesröstung.

Dr'ehorgel, Leierkasten, eine trag- oder fahrbare Klein-Orgel mit Lippen- oder Zungenpfeifen. Die Stifte einer Melodiewalze, die mit einer Kurbel gedreht wird, öffnen die Ventile der Pfeifen, die dann durch den eintretenden, von der Kurbeldrehung erzeugten Wind erklingen. Statt der Walze werden auch gelochte Scheiben verwendet.

Dr'ehregler, Drehtransformator, ein Drehstromtransformator, mit dem man Spannungen beliebig in ihrer Phasenlage verschieben kann. Dem Aufbau nach ist der D. ein Asynchronmotor mit Schleifringen. Der Läufer wird festgehalten, er kann in seiner Win-

kellage aber verstellt werden. Die in den Wicklungen des Läufers induzierten Spannungen sind dem Betrag nach konstant, ihre zeitliche Phasenlage hängt aber von dem eingestellten Drehwinkel des Läufers ab, da ein zwischen Ständer und Läufer umlaufendes magnet. Drehfeld die Induzierung bewirkt.

Drehmoos: a sporenkapseltragender Ast, Kapselstiel gedreht (etwa 2fach vergr.)

Dr'ehrost, Krankheit der Kiefer durch den Rostpilz *Melampsora pinitorqua;* die Zweige sterben einseitig ab und krümmen sich dadurch krückenförmig.

Drehscheibe: Lokomotiv-Drehscheibe (26 m Durchmesser, 350 t Tragkraft, auf Betonfundament, 16-Rollen-Fahrwerk)

Dr'ehscheibe, 1) Vorrichtung zum Drehen und Schwenken von Schienenfahrzeugen; sie besteht aus einem brückenartigen Träger mit Gleisen, der in einer runden Grube um einen mittleren Zapfen, den *Königsstuhl,* leicht drehbar ist. Das Drehen erfolgt durch ein Windwerk, wobei ein kleines Zahnrad

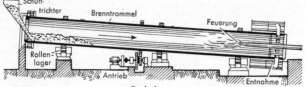

Drehofen

Dreh

auf einem Zahnkranz abrollt, der am Rand der Grube fest eingebaut ist. Für große und schwere Fahrzeuge (Lokomotiven) verwendet man die elektr. betriebene *Gelenk-D.* mit den normalen Durchmessern von 23 und 26 m. Die Last ruht bei ihr auch auf einem äußeren, kreisförmig in der Grube liegenden Schienenstrang. 2) *Töpferscheibe*, die durch Fußantrieb in Umdrehung versetzt wird; sie dient dazu, eine Tonmasse in kreisrunde Form zu bringen.

Dr'ehscheinwerfer, ein der Luftnavigation dienendes, eine bestimmte Stelle der Erdoberfläche bezeichnendes, in regelmäßiger Drehung wiederkehrendes Scheinwerfersignal.

Dr'ehspiegel, ein sich rasch drehender Mehrflächenspiegel, der schnell veränderliche Vorgänge bequemer beobachtbar macht, indem er sie flächenhaft ausbreitet. Der D. findet Verwendung beim Schleifenoszillographen, bei Zeitlupe und Fernsehen.

Dr'ehspulinstrument, Strom- und Spannungsmesser mit Dauermagnet für Gleichstrom, beruht auf der Kraftwirkung, die eine stromdurchflossene Spule in einem Magnetfeld erfährt. Die auf ein Metallrähmchen gewickelte Spule ist drehbar im Luftspalt zwischen den Polschuhen des Magneten und dem Weicheisenkern gelagert. Der Strom wird der Spule durch Spiralfedern zugeführt, die das Gegendrehmoment liefern. Das Magnetfeld im Luftspalt ist homogen; die Ablenkung der Spule entspricht dem Meßstrom, der Ausschlag ist von der Stromrichtung abhängig.

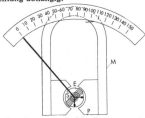

Drehspulinstrument: M *Dauermagnet,* E *Weicheisenkern,* S *Stromspule,* P *Polschuh*

Dr'ehstahl, † →Drehmeißel.

Dr'ehstrom, Dreiphasenstrom, dreiphasiger Wechselstrom, eine Verkettung von drei um 120° phasenverschobenen Wechselströmen. Er entsteht, wenn in einem System mit drei in einer Ebene um 120° versetzten Spulen, die in Dreieckschaltung oder in Sternschaltung geschaltet sind, ein Dauermagnet gedreht wird. Wird eines dieser Spulensysteme mit dreiphasigem Wechselstrom gespeist, so wird ein magnet. Drehfeld erregt, daher der Name D. D. wird heute bei der Erzeugung großer elektr. Energien, ihrer Übertragung auf weite Entfernung und ihrer Verteilung fast ausschließlich verwendet.

Dr'ehstrommotor, ein →Elektromotor.

Dr'ehsucht, die →Drehkrankheit.

Dr'ehtür, Windfangtür mit 2, 3 oder 4 um eine Achse angeordneten Flügeln. Sie drehen sich in einem kreisrunden Windfanggehäuse und gewährleisten durch Anpressen eines Bürstenstreifens an die Gehäusewand zugdichten Abschluß.

Dr'ehung, Rotation, die Bewegung eines Körpers um eine feste Achse oder um einen festen Punkt. Bei D. um eine im Körper liegende Achse *(Drehungs-* oder *Rotationsachse)* bleiben sämtliche Achsenpunkte in Ruhe, während alle anderen Punkte des Körpers um diese Achse Kreise beschreiben.

Dr'ehungsdispersi'on, Rotationsdispersion, bei optisch aktiven Verbindungen die Abhängigkeit des Drehvermögens für polarisiertes Licht von der Wellenlänge.

Dr'ehvermögen, 1) *magnetisches D.* →Faraday-Effekt. 2) *optisches D.* →Polarisation.

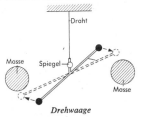

Drehwaage

Dr'ehwaage, Torsionswaage, Gerät zum Messen von Gravitations- oder elektromagnet. Kräften. Ein an einem Faden waagerecht hängender Stab wird beim Annähern eines Körpers oder einer elektr. Ladung aus der Ruhelage gedreht. Die Drehung gibt ein Maß der Kraft. D. konstruierten →Coulomb und →Eötvös.

Dr'ehwähler, ein Schaltwerk im Fernsprechamt, →Wähler.

Dr'ehwurm, Erreger der →Drehkrankheit.

Dr'ehwurz, 1) eine Orchideenart, Spiranthes. 2) die Ackerwinde (→Winde).

Dr'ehzahl, Anzahl der Umdrehungen eines Maschinenteils in der Zeiteinheit (meist Minute). Zum Messen der D. dient der **Drehzahlmesser.** Beim mechanischen *D.-Messer* werden die Umdrehungen während eines bestimmten Zeitraums gezählt, also mit einem Uhrwerk verglichen; häufiger jedoch benutzt man den Ausschlag eines mitgedrehten pendelartigen Körpers (oder auch einer Flüssigkeit) zur Anzeige, der sich durch die Fliehkraft, also abhängig vom Quadrat der Drehzahl, verlagert. Der Ausschlag wird auf einen Zeiger oder Schreibstift (Drehzahlschreiber) übertragen. Der *elektrische D.-Messer* beruht als *Zeiger-D.-Messer* darauf, daß die Spannung eines elektr. Generators drehzahlabhängig ist. Die Welle, deren D. zu messen ist, treibt einen kleinen Generator mit an, der mit einem in *U/min* geeichten Spannungsmesser verbunden ist. Wechselt die Drehrichtung, so verwendet man einen Gleichstromgenerator mit Drehspulinstrument (Nullpunkt in Skalenmitte), wenn nicht, Wechselstromgenerator und Drehspulinstrument mit Gleichrichter. Elektr. *Zungen-D.-Messer* sind praktisch →Frequenzmesser. Der **D.-Regler** ist ein Gerät, das eine willkürlich gewählte D. einer Maschine bei Veränderung von Laufbedingungen (Belastungszu- oder -abnahme) konstant erhalten soll. Der D.-Regler muß also die D. *messen* und bei jeder Abweichung von einer gewählten D. die *Steuerung* der zu regelnden Maschine im Sinne einer Gleichhaltung der D. *beeinflussen.* Die Beeinflussung der Steuerung kann unmittelbar vom Meßgerät aus erfolgen, wenn dessen Kraft dazu ausreicht, oder bei großen Steuerkräften mit Hilfe eines Kraftverstärkers. →Servomotor. Die D.-Regler sind meist →Fliehkraftregler (BILD). Die auseinandergehenden Gewichte verschieben dabei über ein Hebelsystem eine Muffe, die mit dem Regelorgan der Maschine verbunden ist. Die gewünschte D. wird durch Zusammendrücken der Feder eingestellt.

drei [german. Stw.], erste ungerade Primzahl. Eine ganze Zahl ist durch 3 teilbar, wenn ihre Quersumme, d. h. die Summe ihrer Ziffern, durch 3 teilbar ist.

Dr'eibein, →Dreischenkel.

Dr'eiberg, in Wappen ein aus drei Wölbungen bestehender Hügel mit erhöhter Mittelwölbung.

Dr'eiblatt, 1) Pflanzen: Bitterklee, Giersch, Rotklee. **2)** Baukunst: got. →Maßwerk.

Dr'eibund, das am 20. 5. 1882 auf fünf Jahre abgeschlossene geheime Verteidigungsbündnis zwischen dem Deutschen Reich, Österreich-Ungarn und Italien. Falls einer der Verbündeten von zwei oder mehr Großmächten angegriffen würde, mußten die beiden anderen ihm unbedingt helfen. Das Deutsche Reich und Österreich-Ungarn hatten unter sich bereits den Zweibund von 1879 abgeschlossen, 1883 wurde Rumänien durch Sonderverträge mit dem Deutschen Reich und Österreich-Ungarn dem D. angegliedert, ohne ihm beizutreten. Bei der ersten Verlängerung (1887) wurde der D. durch zwei Sonderverträge ergänzt: zwischen Österreich-Ungarn und Italien (Kompensation bei Territorialveränderung auf dem Balkan) und zwischen Deutschland und Italien (deutsche Hilfe bei einem Konflikt mit Frankreich im westl. Mittelmeer). Diese Zusätze fanden bei der zweiten Verlängerung (1891) im Hauptvertrag Aufnahme. Der D. wurde 1896 stillschweigend, 1902 ausdrücklich, 1907 wieder stillschweigend und 1912 wieder ausdrücklich verlängert. Die Dreibundverträge waren geheim; ihr Wortlaut ist erst nach dem Weltkrieg bekannt geworden. Der D. wurde durch die zunehmende Entfremdung Italiens, das 1902 einen Geheimvertrag mit Frankreich schloß, unterhöhlt und im 1. Weltkrieg 1915/16 durch die italien. Kriegserklärung an die bisherigen Verbündeten gesprengt.

LIT. H. Oncken: Das Deutsche Reich und die Vorgesch. des Weltkriegs, 2 Bde. (1933).

Dr'eidecker, 1) Segelschiff mit drei Batteriedecks, im 17.–19. Jh. Typ des Linienschiffs. 2) Flugzeug mit 3 Tragflächenpaaren.

dr'eidimensionaler Film, 3-D-Film, Verfahren zur Aufnahme und Wiedergabe von Bildern und Filmen, bei dem jedem Auge (z. B. durch entsprechende Brille) nur das ihm zugehörige Teilbild vermittelt wird, wodurch ein räuml. Eindruck entsteht. →Raumbildverfahren.

dr'eidimensionaler Ton, die Tonwiedergabe über mehrere Lautsprecher, die im Raum ebenso angeordnet sind wie die Mikrophone bei der Aufnahme. →Stereophonie.

Dr'eieck, 1) eine von 3 Punkten und ihren Verbindungslinien gebildete Figur. *Ebene D.* werden von drei geraden Linien (Seiten) gebildet. Die Lote von den Ecken auf die gegenüberliegenden Seiten heißen Höhen (Höhenlinien). Die Innenwinkel zwischen je zwei Seiten (Schenkeln) werden durch die Winkelhalbierenden halbiert. Die in den Mittelpunkten der Seiten errichteten Senkrechten heißen Mittelsenkrechte oder Mittellote, die Verbindungsgeraden zwischen Ecken und Seitenmittelpunkten Mittellinien oder Seitenhalbierende. Drei Höhen schneiden einander in *einem* Punkt, ebenso die 3 Winkelhalbierenden im Mittelpunkt des Inkreises, die 3 Mittelsenkrechten im Mittelpunkt des Umkreises, die 3 Mittellinien im Schwerpunkt des D. Man unterscheidet gleichseitige (3 gleiche Seiten), gleichschenklige (2 gleiche Seiten), ungleichseitige D. (alle Seiten verschieden), ferner spitzwinklige (alle Winkel kleiner als 90°), rechtwinklige (ein Winkel 90°), stumpfwinklige D. (ein Winkel größer als 90°). Die Summe aller Winkel eines ebenen D. beträgt 180°. Die Fläche eines D. ist gleich dem halben Produkt aus einer Seite und der auf ihr senkrecht stehenden Höhe. Im *rechtwinkligen D.* heißt die dem rechten Winkel gegenüberliegende Seite *Hypotenuse,* die beide ihm anliegenden Seiten heißen *Katheten.* Für rechtwinklige D. gilt der berühmte **Satz des Pythagoras,** daß der Flächeninhalt des Quadrates über der Hypotenuse gleich der Summe der Flächeninhalte der Quadrate über den Katheten ist. Die Summen der Längen zweier Seiten eines D. sind stets größer als die Länge der dritten Seite (**Dreiecksungleichung**). Ein *sphärisches* oder *Kugel-D.* ist ein Teil der Kugeloberfläche, der von drei Bögen größter Kugelkreise begrenzt wird.

LIT. →Mathematik.

2) *Zeichengerät:* Reißdreieck (→Reißfeder). **3)** *Symbolik:* in vorgeschichtl. Zeit oft Symbol der weibl. Scham, bei den Griechen, Indern aber auch des Phallus. Den Pythagoreern erschien das D. als formbildendes Prinzip des Weltalls. Platon nahm diese Vorstellung auf. In der späten Antike spielte das D. im Amulett- und Zauberwesen eine große Rolle, wurde jedoch auch Gottheitszeichen, zumal bei den Ägyptern, die es

Drei

trinitarisch deuteten. Christl. Gnostiker, dann vor allem die Manichäer übernahmen es als Trinitätssymbol. Augustin trat ihm so wirksam entgegen, daß es erst seit dem 11. Jh. wieder erschien, auch nicht allein, sondern in Verbindung mit der Hand, später dem Haupt, zuletzt dem Namen oder Auge Gottes. – Die vielerörterte Bedeutung des D. für die *Architektur* (Triangulation) und die Figuration des MA.s ist grundsätzlich zu bejahen, im Einzelfall oft unsicher.
Lɪᴛ. G. Stuhlfauth: Das D. Die Gesch. eines relig. Symbols (1937).

4) Triangulum, nördl. und südl. Sternbild.

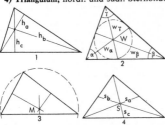

Dreieck: 1 Höhenlinien (ha, hb, hc). 2 Win-kelhalbierende (wα, wβ, wγ); W Mittelpunkt des Inkreises. 3 Mittellote; M Mittelpunkt des Umkreises. 4 Mittellinien (sa, sb, sc); S Schwerpunkt des Dreiecks

Dr'eiecksaufnahme, die →Triangulation.

Dr'eieckschaltung, Schaltungsart für Dreh-stromgeneratoren und -verbraucher, bei der die Wicklungen oder Belastungszweige so geschaltet sind, daß immer das Ende des einen mit dem Anfang des nächsten Zweiges verbunden ist. Die Zuleitungen werden an den drei Eckpunkten angeschlossen.

Dr'eiecksmuschel, *Dreissensia polymorpha,* eine an Steinen und Pfählen festsitzende Süß-wassermuschel, die sich während der letzten 150 Jahre von SO her über Mitteleuropa verbreitete.

Dr'eiecksrechner, ein Rechengerät zur Ermittlung der im Flugbetrieb wichtigen Größen, z. B. Grundgeschwindigkeit, Vor-haltewinkel, Brennstoffverbrauch.

Dr'einigkeit, Dreifaltigkeit, lat. Trinit'ät, **1)** christl. Kirchenlehre von der Dreiheit der göttlichen Personen (Vater, Sohn, Heiliger Geist) in der Einheit des göttlichen Wesens. Sie unterscheiden sich so, daß der Sohn vom Vater, der Heil. Geist von Vater und Sohn ausgeht; diese Dreiheit in der Einheit wurde schon im 3. Jh. gegen die →Monarchianer festgelegt. Die Einheit in der Dreiheit besteht darin, daß die drei Personen ihrer göttl. Natur oder Substanz nach nur ein einziger Gott sind, so daß sie gleich ewig sind und sich gegenseitig durchdringen (Peri-chorese). Der häret. Gegensatz hierzu war der →Arianismus, der Sohn und Heil. Geist als nicht gleichen Wesens mit dem Vater die-sem unterordnete (Subordinatianismus) und damit ihre volle Gottheit leugnete. Die Lehre von der D. wurde auf den Kirchenversamm-lungen von Nicäa (325) und von Konstan-tinopel (381) verkündet und von allen größe-ren christl. Kirchengemeinschaften aner-kannt. Nur die Lehre vom Ausgang des Heil. Geistes auch vom Sohn ist abendländ. Sondergut und hat zur Trennung beider Kirchen sehr beigetragen (→Filioque). Die Häresie des →Tritheismus blieb stets verein-zelt. Nach *evangel.* Glaubenslehre wird die D. im Glauben als Selbsterschließung Got-tes erfahren. Die gedankliche Reflexion ent-faltet in der Lehre von der D. das biblische Zeugnis (z. B. Matth. 28, 19), wonach Gott dem Menschen als Schöpfer, Erlöser und Heiligender begegnet.
Lɪᴛ. Lehrbücher der Dogmatik, Kirchen- und Dogmengeschichte. – J. Rabeneck: Das Geheimnis des dreipersönl. Gottes (1950); G. Kretschmar: Studien zur früh-christl. Trinitätstheologie (1955).
2) *Religionsgeschichte:* →Triade.
3) In der *bildenden Kunst* können Darstel-lungen nur Versuche der Hindeutung auf das ungestaltbare Geheimnis der Dreieinig-keit sein. Symbole konnten sein: das Drei-eck (von Augustinus bekämpft); drei inein-andergezeichnete Kreise; das einem Kreis einbeschriebene Dreieck; drei Kugeln; drei einander zugeordnete Tiere (Hasen, Löwen, Adler, Fische u. a.); der leere Gottesthron mit Taube und Kreuz (Etimasia) u. a. Symbolisch, aber gestalthaft sind die seit frühchristl. Zeit erscheinenden Darstellun-gen des Besuchs Abrahams durch die drei Männer (im MA. als Engel gekennzeichnet). Von diesen Bildern führt ein Weg zu den seit karoling. Zeit vorkommenden Darstel-lungen der D. in Gestalt von drei gleichge-bildeten Personen, wie sie seit dem 12. Jh. bei Schöpfungsdarstellungen auftreten. Daß diese Bilder polytheist. Vorstellungen aus-lösen konnten, ist nicht von der Hand zu weisen. Ins »Monströse« (Kardinal Bell-armin) irrte die Kunst ab, wenn sie die D. dreiköpfig verkörperte. Unangefochten blie-ben die Darstellungen, in denen Gottvater und Christus als unterschiedliche Personen, der Hl. Geist als Taube erscheint. Vom Spät-MA. bis zum Barock wurde die D. wohl am häufigsten in der Form des →Gna-denstuhls wiedergegeben.
Lɪᴛ. W. Braunfels: Die Hl. Dreifaltigkeit (1954); H. Schipperges: Dreifaltigkeit (1954); V. H. Elbern: Die Dreifaltigkeits-miniatur im Book of Durrow, in: Wallraf-Richartz-Jb., 17 (1955).

Dr'eier, vom 16.–18. Jh. geprägte silberne, später kupferne dt. Dreipfennigstücke (bis 1873).

Drei Exen, Burgruinen im Elsaß, →Egis-heim.

Dreif'altigkeitsfest, Trinit'atisfest, Fest der heiligen Dreieinigkeit, der Sonntag nach Pfingsten. Das D. kam im 10. Jh. auf und wurde 1334 auf die ganze Kirche ausge-dehnt. Die Sonntage nach dem Trinitatisfest bis zum ersten Advent werden in der evang. Kirche als **Trinitatissonntage** gezählt (→Kirchenjahr). **Dreifaltigkeitssäulen** wurden gleich den Marien- und Heiligensäulen aus besonderen Anlässen errichtet, wie die Wiener Dreifaltigkeitssäule am Graben zum Dank für das Ende der Pest 1679 (daher auch *Pestsäule* genannt) oder zum Gedenken des Siegs der Gegenreformation. Dreifaltigkeitssäulen waren in Österreich, Böhmen und Mähren sehr verbreitet.

Dreif′altigkeitsorden, →Trinitarierorden.

Dr′eifarbendruck, Druckverfahren, bei dem durch Übereinanderdrucken dreier Druckplatten, von denen die eine in Blau, die andere in Gelb und die dritte in Rot eingefärbt ist, ein farbiger Druck entsteht. Die drei Farbplatten werden nach Farbauszugnegativen für die entsprechenden Farben angefertigt. Die verschiedenen Farbtöne kommen durch *subtraktive Mischung* der übereinandergedruckten Farbelemente zustande; D. kommt auch als Offset- und Tiefdruck vor. Lediglich bei Farbenautotypien liegt daneben auch eine additive Mischung vor, da zur Vermeidung von →Moirébildung die Autotypieraster bei der Aufnahme einzelner Farbnegative verschieden liegen und die farbigen Rasterpunkte sich nur teilweise decken.

Dreif′eldwirtschaft, Bewirtschaftung einer Flur in 3jährigem Wechsel, früher: Winter-, Sommergetreide, Brache, heute an Stelle der Brache: Hackfrüchte oder Futterpflanzen.

Dr′eifuß, grch. *tripus,* ein Gestell mit drei Füßen, das dazu bestimmt ist, ein Gefäß zu tragen, das nicht auf der Boden stehen soll oder kann. Im chines. Altertum Gestell mit Opferschale; aus der griech. Antike sind bes. die auf dreibeinigem, oft kunstvollem Gestell ruhenden Kessel bekannt, die im Kult und öffentl. Leben eine große Rolle spielten, als wertvolle Kampfpreise schon in homerischer und in der Frühzeit der olymp. Spiele, später als Preise für Chöre bei Wettkämpfen an Dionysosfesten. Der bekannteste D. war der Pythia in Delphi.

Dr′eigespann, →Troika.

dr′eigestrichen nennt man in der *Musik* die dritte Oktave, vom Mittelton c¹ nach oben gerechnet (→Tonbezeichnung).

Drei Gl′eichen, Burgen in Thüringen, →Gleichen.

Dreigliederung des sozialen Organismus, 1917–20 von Rudolf →Steiner entwickelte Idee der Gliederung des Gesellschaftslebens in ein jeweils selbständiges Geistes-, Wirtschafts- und Rechtsleben. LIT. G. Wachsmuth: Dreigliederung des soz. Organismus (1937).

Dreigr′oschenoper, von Bert →Brecht, Musik von Kurt Weill (1928); frei nach ›The beggar's opera‹ von John Gay und J. C. Pepusch (1728, →Ballad-opera).

Dr′eigröscher, poln.Trojak, eine von König Sigismund I. von Polen 1526 eingeführte Silbermünze von 2,34 g Silbergehalt, die

sehr bald große Verbreitung fand; in Preußen →Düttchen genannt.

Dreih′errnspitze, 3499 m hoher Gipfel der Venedigergruppe in den Hohen Tauern. An ihr stießen im MA. die Länder der Erzbischöfe von Salzburg, die Grafen von Tirol und der Grafen von Görz zusammen. Seit 1919 führt über sie die österreich.-italien. Grenze.

Dr′eiholz, der →Galgen.

Dreik′aiserbündnis, Dreikaiserverhältnis, das polit. Einvernehmen zwischen dem Deutschen Reich, Rußland und Österreich-Ungarn, das 1872 bei der Berliner Zusammenkunft der drei Kaiser öffentlich in Erscheinung trat. Es wurde seit 1876 durch den österreichisch-russ. Balkangegensatz schwer erschüttert. Ein Neutralitätsvertrag zwischen den drei Mächten, den Bismarck 1881 zustande brachte, und ein neues Kaisertreffen in Skierniewice (1884) konnten den endgültigen Zerfall des D. in der Balkankrise 1886 nicht verhindern.

Dreik′aiserschlacht, die Schlacht bei →Austerlitz.

Dr′eikampf, *Leichtathletik:* 100-m-Lauf, Weitsprung und Kugelstoßen; *Gewichtheben:* Drücken, Stoßen, Reißen (nach 1972 nur noch Zweikampf: Stoßen und Reißen); *Kraftsport-Rasendreikampf:* Gewicht-, Hammerwerfen, Steinstoßen.

Dr′eikant, Ecke eines Körpers, an der drei Kanten zusammenstoßen. **Dreikanter,** →Sandschliff.

Dreikap′itelstreit, die teilweise bis ins 7. Jh. dauernden Streitigkeiten innerhalb der latein. Kirche um die nachträgliche kirchl. Verurteilung der zum Nestorianismus neigenden Theologen Theodor von Mopsuestia, Theodoret von Cyrus und Ibas von Edessa († 457), deren verurteilte Schriften als die »drei Kapitel« (Kapitel sonst = Verdammungsurteil) bezeichnet wurden. Die Verurteilung erfolgte auf Betreiben Justinians I. durch das 5. allgemeine Konzil (Konstantinopel 553); Papst Vigilius stimmte nach langem Widerstand zu.

Dreiklang: a C-Dur-D., b c-Moll-D., c *verminderter D.,* d *übermäßiger D.,* e *Oktavlage (mit Verdopplung des Grundtons),* f *Terzlage (weite Lage),* g *Quintlage (mit Verdopplung des Grundtons),* h *Sextakkord,* k *Quartsextakkord*

Dr′eiklang, aus drei Tönen bestehender Akkord. Der *Durdreiklang* besteht aus Grundton, großer Terz und reiner Quinte, der *Molldreiklang* aus Grundton, kleiner Terz und reiner Quinte. Abarten: der *verminderte D.*

Drei

aus Grundton, kleiner Terz und verminderter Quinte, der *übermäßige D.* aus Grundton, großer Terz und übermäßiger Quinte. Die Versetzung des Grundtons verändert den Charakter des Akkords: der Sextakkord hat die Terz als Baß, der Quartsextakkord die Quinte. Die Hauptdreiklänge sind: *Tonikadreiklang*, D. über dem Grundton; *Dominantdreiklang*, D. über dem 5. Ton, der Dominante; *Unterdominantdreiklang*, D. über dem 4. Ton, der Unterdominante.

Dreikl'assenwahlrecht, das 1849/50 eingeführte Wahlrecht des preuß. Abgeordnetenhauses. Es war eine indirekte Wahl, bei der die Urwähler zunächst die Wahlmänner, diese die Abgeordneten wählten. Die Urwähler jeder Gemeinde wurden in drei Abteilungen geteilt je nach den von ihnen aufgebrachten Steuern: auf jede Abteilung fiel ⅓ der Gesamtsumme der Steuerbeträge; die wenigen Höchstbesteuerten wählten also genau so viele Wahlmänner wie die größere Zahl der mittleren Schichten und die große Masse der gering besteuerten Bürger. Die »Osterbotschaft« Wilhelms II. vom 7. 4. 1917 stellte die Beseitigung des D. in Aussicht, die aber erst durch die Revolution von 1918 eintrat.

Dreiklaue, eine Weichschildkröte (→Schildkröten).

Drei Könige, Heilige Drei Könige, die »Weisen aus dem Morgenland«, von denen Matth. 2 berichtet, sie seien, von einem Stern aus dem Osten geführt, zur Anbetung des Jesuskindes gekommen; seit dem 5. Jh. hat man sie sich, von der Dreizahl der Gaben her, in der Dreizahl und – nach Psalm 71 (72), 10 – als Könige vorgestellt. Spätere Legende gab ihnen seit dem 6. Jh. die Namen **Caspar, Melchior** und **Balthasar** (→C + M + B). Die Anschauung, daß einer, meist Caspar, ein Mohr sei, verbreitete sich erst im 14. Jh. Da ihre Ankunft in Bethlehem als ein erstes Aufleuchten der Gottesherrlichkeit (grch. *epiphaneia)* den neugeborenen Erlösers verstanden wurde, wird in der Kirche seit alters Matth. 2 als Evangelium am Fest der Erscheinung des Herrn (6. 1., →Epiphanias) gelesen; mittelalterl. Volksfrömmigkeit mißverstand das Herrenfest als Heiligentag und nannte ihn *Dreikönigstag.* Die D. K. werden in der kath. Kirche als Schutzheilige der Reisenden und Fallsüchtigen verehrt. Rainald von Dassel brachte 1164 für den Kölner Dom Heiligenleiber aus Mailand mit, die man dort für die Gebeine der D. K. hielt; der Kölner **Dreikönigsschrein** (um 1200 in der Werkstatt des Nikolaus v. Verdun gearbeitet) wurde Mittelpunkt der bes. in Deutschland blühenden Dreikönigsverehrung. Die Anbetung der D. K. gehörte bis zu Rubens und Rembrandt zu den beliebtesten Gegenständen der *Kunst.* Sie kommt schon in frühchristl. Zeit vor, oft zusammen mit der Geburt Christi und den Hirten auf dem Felde. Die Anbetenden, die Gaben darbringen, wurden bis zum MA. als persische Magier charakterisiert.

LIT. H. Kehrer: Die Hl. D. K. in Lit. u. Kunst (1908); H. Künstle: Ikonographie der christl. Kunst, 1 (1928); K. Meisen: Die Hl. D. K. (1949).

Dreik'önigsfest, Dreikönigstag, →Epiphanias.

Dreik'örperproblem, Mehrkörperproblem, die Aufgabe, die Bewegung von drei oder mehr Körpern bei gegebenen Anfangslagen und -geschwindigkeiten zu berechnen, wenn zwischen je zweien der Körper Kräfte nach Art der Schwerkraft wirken. Das D. ist nur unter sehr speziellen Annahmen exakt gelöst (Lagrange 1772); in allen allgemeinen Fällen (*Astronomie:* Sonnensystem; *Atomphysik:* Heliumatom und höhere Atome) sucht man durch Störungsrechnung Näherungslösungen zu gewinnen (→Störungen). Im Gegensatz zum D. ist das **Zweikörperproblem** für beliebige Anfangsbedingungen lösbar (→Kepler-Problem).

Dreikreuzer, →Groschen.

Dreikr'onenkrieg, Nordischer siebenjähriger Krieg (1563–70), äußerlich veranlaßt durch den dän. Anspruch, das schwed. Wappen (3 Kronen) zu führen. →Nordische Kriege.

Dr'eiling, 1) silbernes Dreipfennigstück des →Wendischen Münzvereins, das von der Elbe bis zur Oder vom 14. bis zum 18. Jh. geprägt wurde. 2) altes österr. Weinmaß = 13,58 hl.

Dreim'ächtepakt, der am 27. 9. 1940 in Berlin vom Dt. Reich, Italien und Japan auf 10 Jahre abgeschlossene Vertrag, der zum Ziel hatte, eine »neue Ordnung« in Europa und im »Großasiatischen Raum« zu schaffen; er wurde nachträglich dahin eingeschränkt, daß durch ihn der zur Sowjetunion bestehende Status nicht berührt werden sollte. Dem D. traten bei: 1940 Ungarn, Rumänien, Slowakei, 1941 Bulgarien, Kroatien, Jugoslawien (wenige Tage später durch den Staatsstreich von General Simović wieder gekündigt). Der Pakt wurde nach Ausbruch des Krieges mit der Sowjetunion durch ein Abkommen (11. 12. 1941) ergänzt, nach dem kein Staat einen Waffenstillstand oder Frieden ohne Einverständnis mit den übrigen Vertragspartnern abschließen durfte. Der D. wurde durch das am 18. 1. 1942 zwischen den drei Hauptmächten abgeschlossene *Militärbündnis* vertieft. Am 6. 5. 1945 bezeichnete den japan. Regierung die dt. Kapitulation als Bruch des D.

Dreim'äderlhaus, Singspiel von H. Berté mit Melodien von F. Schubert.

drei Männer im feurigen Ofen, nach der bibl. Erzählung Dan. 3, 1 ff. drei mit Daniel am Hofe Nebukadnezars erzogene jüd. Jünglinge, die sich weigerten, vor einem Götzenbild niederzufallen. Sie wurden in einen glühenden Ofen geworfen, blieben aber durch den Beistand eines Engels unversehrt, wodurch der König zur Verehrung Jahwes bewogen wurde.

LIT. C. Kuhl: Die d. M. im Feuer (1930).

Dreimarkstück, deutsche Silbermünze, →Taler.

Dr′eimaster, 1) Segelschiff mit drei Masten: Fock-, Groß- und Besan- oder Kreuzmast. **2)** →Dreispitz.

Dreim′eilenzone, die bisher von den meisten Ländern anerkannte Hoheitsgrenze eines Küstenstaates im Meer, 3 Seemeilen (5556 m) von der Niedrigwassergrenze an gerechnet; sie ist meist zugleich *Fischereigrenze.* Sonderregelungen gibt es für Buchten, Meerengen, Archipele. Seit 1921 beansprucht die Sowjetunion eine Ausdehnung auf 12 Seemeilen *(Zwölfmeilenzone);* ihr folgten später andere Staaten, so Island und Dänemark (für die Färöer) seit 1958 für die Fischereigrenze. Manche südamerikan. Staaten dehnen ihre Ansprüche auf 200 Seemeilen aus, um die Naturschätze des →Kontinentalsockels ihrer Hoheit zu unterstellen (Erdöl, Wale). Die Verein. Staaten haben darüber hinaus Sperrzonen für Atombombenversuche festgelegt. Auf den Genfer Seerechtskonferenzen (1958 und 1960) kam es zu keiner Einigung. Island dehnte 1972 seine Hoheitsgewässer auf 50 Seemeilen aus, was zum Konflikt bes. mit Großbritannien führte.

Lit. C. J. Colombos: The international law of the sea (London ⁴1959; dt. hg. v. W. Schätzi 1963); M. S. McDougal u. W. T. Burke: The public order of the oceans (New Haven/London 1962).

Dr′eipaß, eine aus drei Kreisbögen zusammengesetzte Maßwerkfigur, die einem Kreis oder Dreieck einbeschrieben ist (→Maßwerk); schon mehrfach in der spätroman. Baukunst am Niederrhein verwendet.

Drei-Perioden-System, die Gliederung der Vorgeschichte in drei durch den Werkstoff gekennzeichnete Hauptabschnitte: Stein-, Bronze- und Eisenzeit. Das von dem Dänen C. J. Thomsen nach 1830 bei der Ordnung der vorgeschichtl. Altertümer des Nationalmuseums in Kopenhagen entwickelte System hat sich als Grundlage für die relative Chronologie der Vorgeschichte bewährt.

Dreiph′asenstrom, der →Drehstrom.

Dr′eiruderer, →Triere.

Dr′eisatz, Regeldetri, Rechenverfahren, um aus drei gegebenen Größen einer Proportion die vierte zu finden. Beispiel: 5 kg einer Ware kosten 28 DM; was kosten 6 kg? Ausführung: da 5 kg 28 DM kosten, beträgt der Preis für 1 kg den fünften Teil = 5,60 DM und für 6 kg das Sechsfache hiervon = 33,60 DM.

Dr′eischenkel, Dreibein, lat. *Triquetrum,* ein sinnbildliches Zeichen mit drei in gleicher Richtung gebogenen Schenkeln, das im Altertum bereits in Mykenä vorkommt, im MA. auch als Wappen verwendet wurde (Füssen; Insel Man, Tafel Wappenkunde).

Dr′eischlag, im Reit- und Rennsport eine unvorschriftsmäßige Gangart (unreiner Trab), wobei das Pferd ein Vorderbein stärker vorschleudert als das andere.

Dreischusterspitze, Hauptgipfel der Sextener Dolomiten in Südtirol (3162 m).

Dr′eiser, Theodore, amerikan. Schriftsteller, * Terre Haute (Ind.) 27. 8. 1871, † Hollywood 28. 12. 1945; ursprünglich Arbeiter, dann Journalist, wurde der Bahnbrecher des Naturalismus in Amerika. D. schildert scheinbar parteilos den Untergang menschlicher Existenzen im modernen Großstadtleben, in dem sich nur die brutale Stärke behauptet. Seine sozialistischen Zukunftshoffnungen mündeten in die religiöse Mystik seines Spätwerks. Stil und Struktur seiner Romane sind vielfach roh, von hohem psycholog. Einfühlungsvermögen getragen.

Werke. Sister Carrie (London 1901; dt. Schwester Carrie, Wien 1929, 1954), Jennie Gerhardt (London 1911; dt. Wien 1928 u. ö.); Trilogie: The Financier (London 1912), The Titan (1914), The Stoic (1947), die ersten beiden Werke der Trilogie dt. u. d. T. Der Titan, Trilogie der Begierde (Wien 1928), das dritte dt. u. d. T. Der Unentwegte (1953); The Genius (N. Y. 1915; dt. 2 Bde., Wien 1929), Meisterwerk: An American Tragedy (London 1925; dt. Eine amerikanische Tragödie, 1927 u. ö.), The Bulwark (London 1946; dt. Solon, der Quäker, Zürich 1948). – Kurzgeschichten: Dt. Auswahl: Die besten Novellen, hg. v. H. Fast (Wien 1950).

Lit. T. O. Matthiessen: Th. D. (New York und London 1951).

Dreis′esselberg, 1330 m hoher Berg im südl. Böhmerwald in Bayern, an der tschechoslowakischen Grenze.

Dr′eispitz, Dreimaster, Hutform mit dreiteilig nach oben geklappter Krempe, um 1690 aus dem breitrandigen Hut des 17. Jhs. entstanden; bestimmte mit dem →Zopf das Männerkostüm des 18. Jhs., bes. der Offiziere und des Adels. Anfang des 18. Jhs. wurde er, um die Perücke nicht in Unordnung zu bringen, zum →Chapeau bas. Um 1720 fand der D. Eingang in die bürgerl. Kleidung, wo er sich bis Anfang des 19. Jhs. hielt; aus der militär. Tracht verschwand er nach 1786. →Zweispitz.

Dr′eisprung, Weitsprung, bei dem der Boden mit den Füßen dreimal berührt wird. Gesprungen wird zweimal mit dem gleichen Bein und anschließendem Schlußsprung oder mit Beinwechsel und Schlußsprung.

Dr′eißigeramt, Messe für einen Verstorbenen am 30. Tag nach dem Tod oder dem Begräbnis.

Dreißigjähriger Krieg, eine Reihe von mehr oder minder zusammenhängenden Feldzügen zwischen 1618 und 1648, die aus den religiösen Gegensätzen in Deutschland und dem polit. Widerstand der Reichsstände gegen den habsburg. Absolutismus entstanden und durch die Einmischung außerdeutscher Mächte Deutschland zum verwüsteten Schauplatz der krieger. Auseinandersetzungen der großen europ. Machtkreise machten.

Vorgeschichte. Die erneute Verschärfung des Religionsstreites nach dem Augsburger Religionsfrieden (1555) durch die Gegenreformation sowie polit. Gegensätze unter

Drei

den Reichsständen führten 1608/09 zur Bildung konfessioneller Bündnisse, der protestantischen →Union und der katholischen →Liga, die auch den Reichstag sprengten. Fragwürdige Rechtsakte entflammten die Gemüter in beiden konfessionellen Lagern, so die Achterklärung gegen die Reichsstadt Donauwörth, die Verletzung des Majestätsbriefs Rudolfs II. Zumal in Böhmen erreichte die Erbitterung eine Höhe, die sich bes. gegen zwei kaiserl. Beamte richtete und schließl. zum »Prager Fenstersturz« (23. 5. 1618) führte. Dieser zunächst örtliche Anlaß entfesselte schließlich den Krieg zwischen dem Haus Habsburg und den böhm. Ständen.

1) Der Böhmisch-Pfälzische Krieg, 1618–23. Die Böhmen wählten Friedrich V. v. d. Pfalz, den Führer der Union, zum König (August 1619) und gewannen Bethlen Gabor von Siebenbürgen, die Stände der übrigen kaiserl. Erblande und Karl Emanuel von Savoyen. Während ein span. Einfall in die Rheinpfalz die Kräfte der Union spaltete, schlug der Feldherr der Liga, Tilly, den Führer der Böhmen, Christian von Anhalt, am Weißen Berg bei Prag (8. 11. 1620). Der »Winterkönig« verlor den böhm. Thron; die pfälzische Kurwürde und die Oberpfalz fielen 1623 an Bayern; der Protestantismus und die ständ. Verfassung wurden in den österr. Erblanden fortan unterdrückt. Nach einer Niederlage gegen Mansfeld bei Mingolsheim (22. 4. 1622) besiegte Tilly die Verbündeten des Winterkönigs Markgraf Georg Friedrich von Baden-Durlach (bei Wimpfen 6. 5. 1622) und Herzog Christian von Braunschweig-Wolfenbüttel (bei Höchst 20. 6. 1622) und festigte in der Schlacht bei Stadtlohn (6. 8. 1623) gegen Christian den Sieg des Kaisers.

2) Der Niedersächsisch-Dänische Krieg, 1623–30. Katholisierungsversuche in Norddeutschland und das Übergewicht Habsburgs im Reich veranlaßten Christian IV. von Dänemark, verbündet mit den niedersächs. Kreisständen, unterstützt von England und den Generalstaaten, in den Krieg einzugreifen. →Wallenstein stellte dem bedrängten Kaiser ein Heer auf, schlug Mansfeld an der Dessauer Brücke (25. 4. 1626) und unterstützte Tilly, der den Dänenkönig bei Lutter am Barenberge (27. 8. 1626) besiegte. Die Besetzung Jütlands zwang Christian zum Rückzug auf die dän. Inseln. Obwohl Wallensteins Plan, den Krieg zur See fortzusetzen, am Widerstand Stralsunds scheiterte, mußte Christian IV. im Frieden von Lübeck schließen (12. 5. 1629). Der siegreiche Kaiser erließ, vermeintl. auf dem Höhepunkt seiner Macht, das →Restitutionsedikt (6. 3. 1629), das den deutschen Protestantismus zu vernichten drohte, opferte aber Wallenstein 1630 der Eifersucht der kath. Fürsten.

3) Der Schwedische Krieg, 1630–35. Beunruhigt durch die kaiserl. Machtstellung an der Ostsee und die Niederlage der deutschen Protestanten landete König Gustav Adolf von Schweden mit einem kleinen Heer am 4. 7. 1630 auf Usedom. Durch die unentschlossene Haltung Brandenburgs konnte er Magdeburg vor Tilly zwar nicht mehr retten (20. 5. 1631), schlug diesen aber mit sächs. Hilfe (Hans Georg v. →Arnim) bei Breitenfeld entscheidend (17. 9. 1631). Im Frühjahr 1632 gewann Gustav Adolf, von Mainz vorstoßend, den Lechübergang bei Rain (15. 4. 1632; Tilly tödlich verwundet) und nahm Augsburg und München. In dieser höchsten Gefahr berief der Kaiser Wallenstein zurück und mußte ihm mit nahezu unbeschränkter Vollmacht ausstatten. Dieser zwang Gustav Adolf zur Aufgabe Süddeutschlands. In der Schlacht bei Lützen (16. 11. 1632) fiel der Schwedenkönig. Axel Oxenstierna, der Leiter der schwed. Politik, faßte die süddeutschen Kreise zum Heilbronner Bund zusammen (23. 4. 1633), konnte aber die Spaltung der militär. Führung unter Horn, Banér, Bernhard von Weimar, der Regensburg nahm (14. 11. 1633), nicht hindern. Erst die Ermordung Wallensteins (25. 2. 1634), der, obwohl bei Steinau in Schlesien (13. 10. 1633) über die Schweden siegreich, eigenmächtige Verhandlungen mit den Feinden des Kaisers begonnen hatte, belebte die kaiserl. Kriegführung. Sie gewann mit dem Sieg über Bernhard von Weimar und Horn bei Nördlingen (6. 9. 1634) Süddeutschland zurück. Der Sonderfriede von Prag (30. 5. 1635) versöhnte Sachsen und die meisten prot. Stände mit dem Kaiser und vereinbarte die Säuberung des Reichs von fremden Truppen, die jedoch nicht gelang.

4) Der Schwedisch-Französische Krieg, 1636–48. Frankreich, schon seit dem Vertrag von Bärwalde (23. 1. 1631) der Geldgeber Schwedens, griff nun in den Kampf ein, um der drohenden Übermacht des Hauses Habsburg zu begegnen. In seinem Auftrag stellte Bernhard von Weimar ein Heer auf. Im N. schlug Banér die Kaiserlichen bei Wittstock (4. 10. 1636), Bernhard von Weimar diese bei Rheinfelden (3. 3. 1638); nach langer Belagerung nahm er Breisach (17. 12. 1638), starb aber bereits 1639. Torstenson, Banérs Nachfolger, siegte bei Breitenfeld (2. 11. 1642) und auf dem Marsch nach Wien bei Jankau (6. 3. 1645); doch wurde die Kaiserstadt nicht erreicht. Umgekehrt besiegten die bayerischen Generale Jan von Werth und Mercy die Franzosen bei Tuttlingen (24. 11. 1643); aber 1646 fielen die franz. Feldherr Turenne und der schwed. Feldherr Wrangel vereint in Bayern ein, das im Waffenstillstand von Ulm (14. 3. 1647) vorübergehend den Kampf aufgab. Nachdem Maximilian von Bayern den Waffenstillstand mit den Schweden gebrochen hatte, wurde für die letzten beiden Jahre des Krieges im wesentl. die Linie Schweinfurt-Donauwörth zum Kriegsschauplatz. Die letzten größeren Waffentaten waren im Sommer 1648 der franz.-schwed. Sieg bei Zusmarshausen über die Bayern und die

Einnahme der Prager Kleinseite durch die Schweden. Die allgemeine Erschöpfung brachte am 24. 10. 1648 den allseits ersehnten, schon seit 1644 angebahnten →Westfälischen Frieden zu Münster mit den Franzosen, zu Osnabrück mit den Schweden.

Das Ergebnis des D. K. waren die Bestätigung der Machtlosigkeit von Kaiser und Reich gegenüber den Landesfürsten, das Übergewicht ausländ. Einflüsse im dt. Staats- und Kulturleben, aber auch die Gleichberechtigung der relig. Bekenntnisse. Das dt. Volk war durch die furchtbaren Verwüstungen der Söldnerheere, die nur wenige Gegenden verschont hatten, etwa um ein Drittel gemindert und völlig verwildert und verarmt. In Europa beendete der Krieg das von mittelalterl. Geist bestimmte Zeitalter der Religionskriege und brach der neuzeitl. Idee überkonfessioneller Staatsräson die Bahn, wie sie namentl. die franz. Politik bereits befolgte. Damit war erst eigentl. die Epoche des europ. Staatensystems heraufgezogen.

LIT. M. Ritter: Deutsche Gesch. im Zeitalter d. Gegenreformation und des D. K., Bd. 3 (1908); R. Huch: Der große Krieg in Deutschland, 3 Bde. (1912–14); G. Franz: Der D. K. und das deutsche Volk (²1943); F. Dickmann: Der Westfälische Frieden (²1965); F. Schiller: Geschichte d. dreißigjährigen Kriegs (1793). Kulturgeschichte: C. v. Grimmelshausen: Der abentheuerl. Simplicissimus teutsch (1668; Ges. Werke, hg. v. H. H. Borcherdt, Bd. 4, 1961).

Dreißigste *der*, das Vorrecht der Hinterbliebenen, ungestört von Erben und Gläubigern noch 30 Tage im Haus eines Verstorbenen zu bleiben (§ 1969 BGB).

dreißig Tyrannen, 30 Männer, die als Regierungskörperschaft 404 v. Chr. in Athen durch Lysander eingesetzt wurden und ein Gewaltregiment führten. Sie wurden bereits 403 gestürzt. Auch die unter den röm. Kaiser Gallienus (253–268 n. Chr.) auftretenden Usurpatoren wurden, wiewohl nicht 30 an Zahl, d. T. genannt.

Dreist'adiengesetz, *Soziologie:* das von →Comte nach Turgot aufgestellte Gesetz, wonach die Entwicklung des Individuums wie der Wissenschaft und der am Erkenntnisstand ablesbaren Geschichte der Menschheit zunächst eine ›theologische‹ (magisch-fetischistisch-religiöse), danach eine ›metaphysische‹ (oder ›kritisch-revolutionäre‹) und schließlich die endgültig ›positive‹ (oder wissenschaftliche) Stufe durchlaufe. Diesen drei Stadien entsprechen jeweils bestimmte politisch-soziale Organisationsformen. Ähnliche Einteilungen waren bereits vor Comte häufig (so bei Lessing: Erziehung des Menschengeschlechts, 1780).

Dreist'ufentheorie, die Lehre, daß die Menschheit in ihrer wirtschaftl. Entwicklung die Stufen des Jägers, des Hirten und des Ackerbauers nacheinander durchlaufen habe (vgl. Schiller: *Das Eleusische Fest*). Sie wurde von Eduard Hahn widerlegt.

LIT. E. Hahn: Von der Hacke zum Pflug (1919).

Dreit'agefieber, Pappatacifieber, eine im Mittelmeergebiet bes. im Sommer auftretende Viruskrankheit mit grippeähnlichem Verlauf, Bindehautrötung, Kopf- und Gliederschmerzen. Überträger ist die Mücke *Phlebotomus pappatasii.*

Dr'eiverband, Tr'ipelentente, das dem Dreibund entgegengesetzte polit. Einvernehmen zwischen Frankreich, England und Rußland, das sich auf das russisch-franzöz. Bündnis von 1894, die englisch-franzöz. Entente von 1904 und das englisch-russ. Abkommen von 1907 gründete. Militär. Verabredungen gab es zwischen England und Frankreich und zwischen Rußland und Frankreich; eine feste Verpflichtung zu gegenseitiger Waffenhilfe bestand der Form nach nicht, kam aber beim Ausbruch des 1. Weltkriegs zur Auswirkung.

Dr'eizack, lat. *Tridens*, dreizinkiger Speer, Kennzeichen des Poseidon, Sinnbild der Herrschaft über das Meer; ursprüngl. wohl ein Werkzeug des Fischfangs (teilweise auch heute noch).

Dr'eizack [nach der Fruchtform einer Art], *Triglochin*, einkeimblättrige, grasähnl. Pflanzengattung mit grünen Blüten. Der *Strand-D.*, *Röhlk* (T. maritima) ist eine charakteristische Salzpflanze.

Dr'eizahn, *Triodia*, eine Grasgattung mit graugrünen, rauhhaarigen Blättern und hellgrünen, eiförmigen Blütenähren.

Dreizahn (etwa ¹/₃ nat. Gr.)

Dr'eizehn, Primzahl, die häufig als Unglückszahl gilt; im A. T. ist sie Glückszahl. (→Zahlensymbolik).

Dreizehn Gemeinden, italien. **Tredici Comuni**, ehemals deutsche Sprachinsel in Italien, am Südhang der Lessinischen Alpen, nördl. von Verona, umfaßte zahlreiche Dörfer in früher 13, neuerdings 8 Gemeinden mit 20 000 Ew. Heute wird nur noch in Giazza (700 Ew.) deutsch gesprochen. Die D. G. bildeten bis 1797 einen kleinen Freistaat unter dem Schutz Venedigs.

Drei

Dreizehn (alte) Orte, →Schweiz, Geschichte.

Drei Zinnen, Gipfelgruppe der Südtiroler Dolomiten, 2881–3003 m hoch.

Drell [zu drei: mit drei Fäden gewebt], **Drill, Drillich, Zwillich,** sehr dicht und fest gearbeitetes Leinwand-, Halbleinen- oder Baumwollgewebe in Köper- oder Atlasbindung.

Dr'empel [niederd.] *der,* 1) *Kniestock,* kurzes Stück Wand, entsteht durch Anheben des Dachfußes bis 1,50 m über die Geschoßdecke; der D. ergibt größeren und besser nutzbaren Dachraum, ist aber teuer und unwirtschaftlich. 2) bei Schiffsschleusen ein Vorsprung in der Sohle, gegen den sich das geschlossene Tor lehnt.

Dr'ente, auch **Drenthe,** Provinz im NO der Niederlande, 2649 qkm mit (1972) 380000 Ew.; Hauptstadt: Assen.

Dr'epanum, das heutige →**Trapani** an der Westküste Siziliens, Hafen der alten Bergfestung →**Eryx.**

dr'eschen [german. Stw.], die Gewinnung der Körner des Getreides aus den Ähren und der Hülsenfrüchte aus den Schoten mit dem →Dreschflegel oder mit →Dreschmaschinen.

Dr'escher, *Papierfabrikation:* ein Apparat zum Reinigen von Lumpen und Altpapier. Der Rohstoff wird in geschlossenen Kammern geschüttelt, gekreiselt und geklopft, die leicht schwebenden Teile werden abgesaugt, die schweren fallen zu Boden.

Dr'eschflegel, kaum noch angewandtes Handgerät zum Dreschen.

Dr'eschmaschine, eine Maschine zum Ausdreschen der Körner aus Getreide und Hülsenfrüchten. Die Garben werden über den Selbsteinleger der *Dreschtrommel* zugeführt. Diese trägt entweder *Schlagleisten* oder *Schlagstifte,* der *Dreschkorb,* in dem die Trommel läuft, ebenfalls Leisten oder Stifte *(Schlagleisten-* und *Schlagstiften-D.).* Langstroh, Kurzstroh, Sand und Unkrautsamen und Spreu werden auf gesonderten Wegen die D. Die Körner werden nach Entfernung der Grannen, zweimaliger Reinigung und Sortierung abgesackt. Das modernste Erntedruschverfahren ermöglicht der *Mähdrescher.*

Dr'eschschlitten, im Orient zum Ausdreschen des Getreides verwendete Holzplatte, die unten mit Steinen, eisernen Zähnen oder geriffelten Walzen besetzt ist und über das ausgebreitete Getreide gezogen wird.

Dr'esden, 1) Bezirk der DDR, 1952 aus dem Osten des Landes Sachsen mit einem kleinen Teil von Schlesien gebildet (KARTE Deutschland, Verwaltungseinteilung).

2) Hauptstadt des Bezirks D., im 1952 des Landes Sachsen, mit (1973) 505 400 (1939: 630200) Ew. (Wappen TAFEL Wappenkunde). D. liegt beiderseits der hier 130 m breiten Elbe, 106 m ü. M., in geschützter Bekkenlage inmitten der langgestreckten Elbtalweitung, an wichtiger West-Ost-Straße. Es ist Behördensitz, hat Techn. Univers. (mit Arbeiter- und Bauernfakultät), Militär-

akademie, Hochschulen für Musik und Theater, für Verkehrswesen, Akademie der bildenden Künste, Medizin. Akademie, Pädagog. Institut, Zentralinstitut für Kernforschung in D.-Rossendorf, Oberschulen, Fachschulen, Museen (Gemäldegalerie, Hygienemuseum), Theater.

Kreise	qkm	Einw.[1]	
		1964[2]	1972[2]
Bautzen	693	131,5	129,4
Bischofswerda	317	74,0	71,3
Dippoldis-			
walde	458	50,7	48,1
Dresden	226	503,9	505,4
Dresden	356	128,7	124,6
Freital	314	98,4	93,5
Görlitz	26	88,8	86,4
Görlitz	359	35,3	33,7
Großenhain .·	453	46,2	44,1
Kamenz	617	63,7	64,0
Löbau	396	110,4	107,3
Meißen	506	132,1	128,6
Niesky	521	41,5	41,3
Pirna	521	123,7	126,4
Riesa	368	93,2	102,5
Sebnitz	351	55,0	55,5
Zittau	256	107,2	101,8
Bezirk D. . . .	6738	1884,3	1863,8

[1] in 1000. [2] am 31. 12.

D. war bis in das 19. Jh. hinein vorwiegend Hof- und Beamtenstadt; Industrie und Handel waren kräftig entwickelt, gefördert von der Nähe der (jetzt fast erschöpften) Steinkohlenlager im Plauenschen Grund und der günstigen Verkehrslage. Bedeutend waren bes. Zigaretten-, Photo- und Kino-, optische, feinmechan., chem. und Maschinenindustrie, Herstellung von Orgeln, Möbeln, Steingut, ferner Textil-, Nahrungs- und Genußmittelindustrie, in Dresden-Übigau die Schiffswerft. Nach der Demontage 1945–48 durch die Sowjets erfolgt der Wiederaufbau bes. der Elektro-, feinmechan.-, Maschinen- und Bekleidungsindustrie; ein Schwerpunktbetrieb ist das Transformatoren- und Röntgenwerk.

Den Ruhm D.s als einer der schönsten dt. Städte (»Elbflorenz«) begründeten die Bauten der wettinischen Landesherren. Dem Umbau des Schlosses im 16. Jh., dem Johanneum (1586–89), dem Großen Garten mit seinem Palais (1676–80) folgten, bes. gefördert durch August den Starken und seinen Nachfolger, die (1945 zerstörten) Bauwerke des Taschenbergpalais (1711–15), des Japan. Palais (1715), der Frauenkirche (1726–43, von G. Bähr), der Kath. Hofkirche (1739–54, von Chiaveri; 1957 wiederhergestellt), des Alten Rathauses (1741 bis 1745), des Palais Cosel (1744). Erhalten sind einige Barockhäuser am W-Rand der Altstadt, die Kreuzkirche (1764–92), die Annenkirche (1763–69), das Neustädter Rathaus (1754) und der »Fürstenzug« (an der Ruine des Johanneums). Der Zwinger ist wieder aufgebaut (→Dresdner Zwinger). Späteren Zei-

Dresden: Frauenkirche, Ständehaus, Hofkirche, Schloß (von links; Vorkriegsaufnahme)

ten gehören die Gemäldegalerie (1847–56, von Semper), das Opernhaus (1871–78); die Akademie (1886–93), das Ständehaus (1901 bis 1907) und das Neue Rathaus (1905–10) an. – D. war während der Romantik und in der Folgezeit Sammelpunkt von Malern, Dichtern und Musikern, seine Bühnen waren berühmt. Von den reichen Schätzen seiner Kunstsammlungen gilt ein Teil von denen des Grünen Gewölbes und des Johanneums als verloren; der Gemäldegalerie, einer Sammlung mit Weltruf, wurden 1955 750 Gemälde von der Sowjetunion zurückgegeben, wohin sie 1945 verbracht worden waren. 1959 wurde das Histor. Museum (u. a. Prunkwaffensammlung) wiedereröffnet.

GESCHICHTE. D. (slaw. ›die Sumpfwaldleute‹) ist aus zwei slaw. Fischerdörfern und einer 1206 zuerst erwähnten markgräfl. meißenschen Burg entstanden, an die sich eine deutsche Stadt anschloß (1216 Magdeburger Stadtrecht). 1485 wurde D. der dauernde Regierungssitz der albertin. Landesherren von Meißen-Sachsen. Im 17.–18. Jh. war D. unter der Regierung Johann Georgs II., Augusts des Starken und Augusts III. die Stätte eines prunkvollen Hoflebens. Der **Dresdner Friede** vom 25. 12. 1745 beendete den 2. Schlesischen Krieg. Im Siebenjährigen Krieg war D. 1756–59 von den Preußen besetzt; 1760 suchte Friedrich d. Gr. vergeblich, die Festung D. zurückzuerobern; die Beschießung richtete schweren Schaden an. In den Freiheitskriegen besiegte Napoleon I. in der *Schlacht bei D.* (26./27. 8. 1813) die Hauptarmee der Verbündeten unter Schwarzenberg, die sich nach Böhmen zurückziehen mußte. Ein republikan. Aufstand führte zu den blutigen Straßenkampf vom 3. bis 9. 5. 1849.

Das einst weltbekannte Stadtbild wurde am 13./14. 2. 1945 durch brit. und amerik. Bomberverbände vollständig vernichtet. Die Zerstörung (über 12 000 Gebäude mit 80 000 Wohnungen, Trümmerfeld auf 3 km Länge nach O hin) übertraf alles, was sonst deutsche Städte im 2. Weltkrieg erlitten. Die Zahl der Opfer in der mit oberschles. Flüchtlin-

gen überschwemmten Stadt wird auf ca. 60 000 geschätzt. Am 8. 5. 1945 wurde D. von der Sowjetarmee besetzt. Umfangreiche neue Wohnviertel entstanden in Johannstadt-Striesen, der Süd- und Seevorstadt. Die Techn. Hochschule wurde baulich stark erweitert.

LIT. Bau- und Kunstdenkmäler d. Kgr. Sachsen, bearb. v. C. Gurlitt, Heft 21–24 (1900–04); Führer durch die staatl. Sammlungen zu D. (^{16}1924); F. Löffler: Das alte D. (^{2}1956); A. Rodenberger: Der Tod von D. (^{7}1960); D. J. Irving: Der Untergang D.s (dt. 1964).

Dresdner Bank AG, Filialgroßbank, Frankfurt a. M., früher Dresden, mit vielen Zweigstellen (hervorgegangen 1872 aus dem Bankgeschäft Michael Kaskel). 1931 übernahm sie die Darmstädter und Nationalbank. 1948 wurde die D. B. durch VO der Militärregierung dezentralisiert (11 Nachfolgebanken); diese schlossen sich 1952 zu 3 Regionalbanken zusammen (Hamburger Kreditbank, Rhein-Ruhr Bank, Rhein-Main Bank). 1957 vereinigten sie sich wieder zur D. B.

Dresdner Friede, 25. 12. 1745, →Schlesische Kriege.

Dresdner Zwinger, die nach dem Zwinger des ehemaligen Festungsgeländes benannte Platzanlage in Dresden, die D. Pöppelmann 1711–22 im Auftrag Augusts des Starken für Hoffestlichkeiten schuf, ein nahezu quadratischer, an zwei gegenüberliegenden Seiten durch halbkreisförmig schließende Flügel erweiterter Hof, dessen umgebende Bauten an drei Seiten von Pöppelmann stammen. Die festlich-heitere, von B. Permoser mit Bildwerken geschmückte Architektur entfaltet sich am reichsten in den drei die Mittelachsen betonenden Pavillons (TAFEL Barock I, 3). Die offengebliebene vierte Seite wurde 1847–54 durch den Bau der Gemäldegalerie von G. Semper geschlossen. 1945 wurde der D. Z. zerstört; der Wiederaufbau wurde 1964 abgeschlossen.

Dress [engl.] *der*, Anzug, bes. der seidene Anzug (Jacke, Kappe) des Jockeis im Rennen, heute auch jede Sportkleidung. *Full D.*, der Gesellschaftsanzug. *Dressing-Gown*

[-gaun], der Schlafrock des Herrn und der Morgenrock der Dame.

dress'ieren [franz.; Gottschedzeit], 1) abrichten (Tiere), →Dressur. 2) gefällig anrichten (Speisen). 3) Filzhüte auf der Hutpresse (Dressiermaschine) pressen. 4) *Spinnerei:* Schappeseide mit der Dressingmaschine kämmen. 5) *Blechbearbeitung:* Bleche nach dem Warmwalzen auf Kaltwalzgerüsten strecken.

Dressman [dr'esmæn, engl.], führt Herrenkleidung auf Modeschauen vor, dem Mannequin entsprechend.

Dress'ur [franz.], das Abrichten von Tieren, z. B. von Hunden und Pferden; ebenso die Bändigung und Zähmung von wilden Tieren. Schon im Altertum war die Vorführung abgerichteter Tiere durch Dompteure bekannt. Die ersten D. wilder Tiere in Europa wurden 1800 in Menagerien gezeigt.

Vergleichende Verhaltensforschung: Die Möglichkeit der D. beruht auf der Entstehung von bedingten Reflexen sowie auf der Fähigkeit höherer Tiere, durch Versuch, Irrtum und häufige Wiederholung neue erfolgbringende Bewegungsweisen zu erlernen. Beide Formen des Lernens haben ein Gedächtnis des Tieres zur Voraussetzung, und beide spielen sowohl im natürlichen Leben des Tieres (**Selbst-D.**) als auch bei seiner absichtlichen Beeinflussung durch den Menschen eine große Rolle. In beiden Fällen sind es Erfolg und Mißerfolg, durch die das Tier lernt, einen erstrebten Reiz zu erreichen oder einen störenden zu vermeiden. Schon niedere Tiere, wie der Regenwurm, lernen es, in einem Y-förmigen Rohr stets nach links zu kriechen, wenn rechts ein elektrischer Schlag droht. Bienen können auf Farben und Gerüche, ja auf Unterscheidung einfacher und regelmäßiger Formen dressiert werden, Vögel und Säugetiere sogar auf die Unterscheidung von Anzahlen. Liegt bei Nicht-Wirbeltieren der Hauptbereich der D. auf dem Gebiet des Rezeptorischen, so kommt bei höheren Wirbeltieren dazu noch der Erwerb neuer Arten der Motorik. Dabei kommt dem →Spiel und der »Jugendzeit« eine wichtige Rolle zu. Gerade die vom Menschen bei Pferd und Hund absichtlich bewirkten D. sind meist nur an jungen Tieren zu erreichen.

Lɪᴛ. W. H. Thorpe: The types of learning (1949); K. Lorenz: Über tierisches und menschliches Verhalten, 2 Bde. (¹⁴1971); K. v. Frisch: Aus dem Leben der Bienen (⁸1969); C. Hagenbeck: Von Tieren und Menschen (³⁴1940).

Dretschu, Dritschu, der Oberlauf des Jangtsekiang in Ost-Tibet.

Drevet [drǝvɛ], franz. Kupferstecherfamilie des 17. und 18. Jhs., die den Linienstich zu höchster technischer Vollendung entwickelte.

1) **Pierre,** * Loire (Rhone) 20. 7. 1663, † Paris 9. 8. 1738, Schüler der Audrans, doch stärker beeinflußt von Nanteuil, stach bes. Repräsentationsbildnisse von Rigaud und Largillière.

2) **Pierre Imbert,** Sohn und Schüler von 1), * Paris 22. 6. 1697, † das. 27. 4. 1739, oft mit seinem Vater verwechselt, dem er in der Meisterschaft nicht nachsteht, stach religiöse Bilder nach Restout und Coypel, später wandte er sich ganz dem Bildnisstich zu.

Lɪᴛ. A. Firmin-Didot: Les D. (Paris 1876).

Dr'ewenz *die,* rechter Nebenfluß der Weichsel, 238 km lang, entspringt im südl. Ostpreußen, durchfließt den 9 qkm großen *Drewenzsee,* mündet oberhalb von Thorn.

Drews, Arthur, Philosoph, * Uetersen 1. 11. 1865, † Achern 19. 7. 1935, seit 1898 Prof. an der TH Karlsruhe. D. kämpfte unter dem Einfluß Ed. v. Hartmanns für eine monistische Weltanschauung, die jeglichen Jenseitsglauben ablehnte. Als Anhänger des theolog. Radikalismus bestritt er das geschichtl. Dasein Jesu.

Wᴇʀᴋᴇ. Die deutsche Spekulation seit Kant, 2 Bde. (1893), Das Lebenswerk Ed. v. Hartmanns (1907; neubearb. 1924), Christusmythe, 2 Bde. (1909–11), Die Entstehung des Christentums aus dem Gnostizismus (1924).

Dreyer, 1) Benedikt, Bildnisschnitzer in Lübeck, † nach 1555, schuf Holzbildwerke, in denen sich niederdeutsche Überlieferung mit der Bewegtheit süddeutscher Plastik verbindet: Antonius-Altar, 1522 (Lübeck, Museum); 7 Lettnerfiguren der Lübecker Marienkirche, um 1520 (1942 zerstört).

2) **Carl Theodor,** dän. Dokumentar- und Spielfilmregisseur, * Kopenhagen 3. 2. 1889, † das. 1968. Filme: La passion de Jeanne d'Arc (1927), Vampyr (1932), Dies Irae (1943), Ordet (1955), Gertrud (1964).

3) **Max,** Schriftsteller, * Rostock 25. 9. 1862, † Göhren auf Rügen 27. 11. 1946, Erzähler, plattdeutscher Lyriker (›Nah Huus‹, 1904). Seine z. T. heiteren Stücke hatten großen Bühnenerfolg.

Wᴇʀᴋᴇ. Dramen: Der Probekandidat (1899), Tal des Lebens (1902, verfilmt), Die Siebzehnjährigen (1904); Erzählungen: Ohm Peter (1908), Das Himmelbett v. Hilgenhöh (1928).

Lɪᴛ. P. Babendererde: M. D. (1942).

Dreyfus [drɛfys], Alfred, franz. Offizier, * Mülhausen i. E. 9. 10. 1859, † Paris 11. 7. 1935, jüd. Herkunft, wurde wegen angeblichen Landesverrats 1894 auf die Teufelsinsel bei Cayenne verschickt. Aber seitdem 1898 Zola öffentlich für ihn eingetreten war (Brief ›J'accuse‹ in der Zeitschrift ›L'Aurore‹ vom 13. 1. 1898), forderte die Linke die Wiederaufnahme des Verfahrens; 1899 wurde D. begnadigt und schließlich 1906 freigesprochen und rehabilitiert. Der Verrat militärischer Geheimnisse an das Deutsche Reich, den man D. zugeschrieben hatte, fällt nicht ihm, sondern dem Major Walsin-Esterhazy zur Last. Die Dreyfus hauptsächlich belastenden Dokumente waren Fälschungen. Die **Dreyfusaffäre,** an der Frankreich leidenschaftlichen Anteil nahm, gab den Anstoß zur Sammlung der Linken, die 1899 zur Macht gelangte und im Kampf gegen die kath. Kirche, in der sie die Hauptstütze der nationalistischen Rechten sah, die Trennung von Staat und Kirche 1901–05 durchführte. D. schrieb: Briefe aus der Gefangenschaft (dt. 1899), Fünf Jahre meines Lebens (dt. 1901). Th. →Herzl.

Lit. E. Zola: Die Affäre D. (dt. 1901); M. v. Schwartzkoppen: Die Wahrheit über D. (1930); B. Weil: Der Prozeß des Hauptmanns D. (⁸1931); K. Leusser: Die Affäre D. (1949); S. Thalheimer: Die Affäre D. (1963).

Dreyse, Johann Nikolaus von (seit 1864), Waffentechniker, * Sömmerda 20. 11. 1787, † das. 9. 12. 1867, arbeitete von 1809–14 in der Werkstätte des Waffendirektors Pauli, Paris, der schon damals ein von hinten zu ladendes Gewehr mit neuartiger Patrone und Zündung konstruierte. Hiervon ausgehend erfand D. 1827 das Zündnadelgewehr (→Gewehr), zunächst als →Vorderlader, 1836 als →Hinterlader.

Lit. F. Pflug: N. v. D. u. d. Gesch. d. preuß. Zündnadelgewehrs (1866, m. Portr.); W. Eckardt: Vor 100 Jahren wurde das Hinterladungsgewehr geschaffen, in: Zeitschr. f. Heeres- u. Uniformkde. 100 (1937).

DRGM, Abk. für Deutsches Reichsgebrauchsmuster, →Gebrauchsmuster.

Dr. h. c., Abk. für Doctor honoris causa (→Doktor).

dr'ibbeln [engl.], *Fußball:* den Ball mit kurzen Stößen vor sich hertreiben.

Dr'iburg, Bad D., Stadt im Kreis Höxter, Nordrhein-Westfalen, mit (1977) 17 600 Ew., 220 m ü. M., Stahl- und Moorbad im Eggegebirge, →Heilquellen; Glas- und Porzellanumschlagplatz; Steyler Missionshaus; Museum. Bei D. die Reste der sächs. *Iburg,* die Karl d. Gr. 775 eroberte.

Driesch, Hans, Philosoph und Biologe, * Bad Kreuznach 28. 10. 1867, † Leipzig 16. 4. 1941, Zoologe, später Prof. der Philosophie in Köln und Leipzig, hat auf Grund seiner Tierversuche den →Vitalismus im Zusammenhang einer ganzheitlich eingestellten Philosophie neu begründet. Seit 1924 galt sein Interesse auch der Parapsychologie. Seine Bedeutung liegt in erster Linie in der von ihm geschaffenen Verbindung von biolog. Experiment, theoretischer Biologie und Naturphilosophie.

Werke. Philosophie des Organischen (1909, ⁴1928), Ordnungslehre (1912, ²1923), Wirklichkeitslehre (1917, ³1930), Parapsychologie (1932). Selbstbiogr. in: Philosophie der Gegenwart in Selbstdarstellungen, 1 (1923), Lebenserinnerungen (1951).

Lit. H. D., hg. v. A. Wenzl (1951).

Dr'iesen, Stadt in der Neumark, ehem. Prov. Brandenburg, im Netzebruch, hatte (1939) 5700 Ew.; kam 1945 unter poln. Verwaltung *(Drezdenko).*

Drieu la Rochelle [driø la rɔʃɛl], Pierre, franz. Schriftsteller, * Paris 3. 1. 1893, † (Selbstmord) das. 16. 3. 1945. Zur Mystik neigend, Macht und Kraft bewundernd, geriet D. unter den Einfluß des National-

sozialismus. In den zerrissenen Gestalten seiner Romane zeichnete er sich selbst.

Werke. Le feu follet (1931; dt. Das Irrlicht, 1968), Gilles (1939; dt. Die Unzulänglichen, 1966).

Drift, Trift, Driftströmung, →Meeresströmung.

Dr'ifteis, das →Treibeis.

Dr'ifter, kleiner, vorwiegend in England gebauter Fischdampfer, der vor seinen Netzen reitet. Gegensatz: Trawler.

Dr'iftröhre, bei Linearbeschleunigern die röhrenförmigen Hochfrequenzelektroden, zwischen denen die Teilchen beschleunigt werden. In den Röhren selbst sind die Teilchen gegen das beschleunigende elektrische Feld abgeschirmt, die Teilchen *driften* darin mit konstanter Geschwindigkeit. Die Länge der D. ist so auf die jeweilige Geschwindigkeit der Teilchen abgestimmt, daß diese im richtigen Augenblick an der nächsten Beschleunigungsstrecke ankommen, nämlich dann, wenn die Hochfrequenz die richtige für die Beschleunigung notwendige Polarität hat.

Dr'ifttheorie, die überholte Lehre Lyells, daß die eiszeitl. Ablagerungen Nordeuropas durch schwimmende Eisberge von N herbeigedriftet seien.

Drill [german. Weiterbildung von drehen], 1) straffe militärische Ausbildung. 2) →Drell.

Dr'illbohrer, Bohrgerät, besteht aus einer Triebstange mit steilem Gewinde, die durch Aufundabbewegen einer die Stange umfassenden Nuß in Drehbewegung versetzt wird.

Dr'illich, →Drell. **D.-Anzug,** Bekleidung, die in der dt. Wehrmacht beim Exerzier-, Arbeits- und Innendienst getragen wurde.

Dr'illing, 1) →Drillinge. **2)** dreispitziger Angelhaken. 3) Jagdgewehr mit drei Läufen, gewöhnlich zwei Schrotläufen und einem Kugellauf. Drillingsturm, Panzerturm mit 3 Geschützen auf Kriegsschiffen.

Dr'illinge, drei gleichzeitig im Mutterleib entwickelte Kinder. D. können ein-, zwei- oder dreieiig sein.

Dr'illingsnerv, Trigeminus, der 5. Gehirnnerv, →Gehirn.

Dr'illmaschine, landwirtschaftliche Maschine für Reihensaat. Bei *Gespann-D.* trägt der Hinterwagen auf 2 großen Rädern den Saatvorratskasten; von einem der Räder wird über Getriebe die Säwelle angetrieben, auf der sich Löffel-, Wühl- oder Schubräder befinden, die das Saatgut durch die Saatleitungsröhren den Drillscharen zuführen. Die Drillscharen ziehen Furchen, in die das Saatgut hineingelangt, Zustreifer bedecken die Samen mit Erde. Bei manchen Samen wird durch Druckrollen die Erde angedrückt. Wird der Fluß der Samenkörner zeitweilig unterbrochen, so erhält man statt der gleichmäßigen *Drillsaat* die *Dibbel-* oder *Horstsaat.* Bei Einzelkornsämaschinen gelangt immer nur ein Korn in die Reihe. Bei neueren D. wird das Saatgut den Drillscharen pneumatisch oder durch Zentrifugalkraft zugeführt.

Dr'illung, Torsion, Verdrehung, Verformung eines stabförmigen Körpers durch Drehkräfte senkrecht zur Längsachse.

Drin, alban. **Drini** *der,* Hauptfluß Nordalbaniens, 300 km lang, mündet ins Adriat. Meer; seine Quellflüsse sind der aus den Nordalban. Alpen kommende *Weiße D.* und der dem Ochridasee entströmende *Schwarze D.*

Dr'ina *die,* rechter Nebenfluß der Save in Jugoslawien, rd. 400 km lang, entsteht aus den montenegrin. Flüssen Tara und Piva und durchfließt das bosnisch-serb. Gebirgsland nach Norden; rechter Nebenfluß ist der Lim, der oberhalb von Višegrad in die D. mündet.

Dr'inkwater [-wɔːtə], John, engl. Dichter, * Leytonstone (Essex) 1. 6. 1882, † London 25. 3. 1937, begann mit lyrischen Gedichten und kurzen Versdramen in der Art Swinburnes, schrieb bes. Dramen über histor. Persönlichkeiten.

Dr'itte Kraft, in Frankreich 1947 die von Léon Blum ausgesprochene Forderung auf Wiederherstellung einer demokrat. Mitte, die als D. K. das Erbe der Franz. Revolution gegen die beiden Extreme von Kommunismus und Gaullismus verteidigen sollte; danach auch eine Mächtegruppe, die sich neben oder zwischen zwei übergroßen Parteien oder Staaten behaupten kann.

Dritte Republik, der franz. Staat zwischen dem Sturz des 2. Kaiserreichs am 4. 9. 1870 und der Errichtung des État Français mit dem Verfassungsges. v. 10. 7. 1940.

Dritter Orden, lat. **Terti'arier,** in der kath. Kirche Vereinigungen von Weltleuten beiderlei Geschlechts, die eine Erziehung zur religiös-sittlichen Vollkommenheit erstreben und sich an bestehende Männer- oder Frauenorden (erste und zweite Orden) anschlossen. Die Mitglieder legen die Klostergelübde nicht ab und bleiben außerhalb des Klosters. Am wichtigsten ist der D. O. der Franziskaner.

Dritter Stand, franz. **Tiers-État** [tjɛːrzeta], in der mittelalterlichen Ständeordnung den Bürgertum, das den dritten Platz nach Adel und Geistlichkeit einnahm. Seit der Franz. Revolution von 1789 erkämpfte es sich die völlige Rechtsgleichheit. Der Begriff wurde dann im verengten Sinne für das besitzende Bürgertum im Unterschied zum Proletariat, dem Vierten Stand, gebraucht.

Dritter Weg, polit. Schlagwort, unter dem eine sozialist. Gesellschaftsordnung angestrebt wird, die auf einen ›demokratischen‹ und ›humanen‹ Sozialismus gründet; wendet sich in gleicher Weise gegen den totalitären Kommunismus und den bürgerl. Kapitalismus.

Drittes Programm, ein Rundfunk- oder Fernsehprogramm, das an bestimmte Gruppen der Hörer oder Zuschauer gerichtet ist, u. a. auch an fremdsprachige Arbeitnehmer. Die Bezeichnung wird seit 1956 für zweite Programme des UKW-Hörfunks und seit 1964 für die regional ausgestrahlten Bildungs- und Schulprogramme der ARD-Anstalten im Fernsehen verwandt.

Drittes Reich, in der christlichen Prophetie und Geschichtsphilosophie des MA.s (z. B. bei Joachim von Floris) eine Weltperiode, in der der Zwiespalt von Ideen und Wirklichkeit aufgehoben sein soll; später oft abgewandelt (z. B. von Lessing, Schelling, Ibsen). Zum polit. Schlagwort wurde es durch Moeller van den Brucks Buch ›Das D. R.‹ (1923), von wo es 1933 zeitweilig vom Nationalsozialismus übernommen wurde.

Dritte Welt, polit. Schlagwort, das die betont neutrale Stellung von Staaten in Asien, Afrika und Europa gegenüber der westl. und der kommunist. Staatenwelt bezeichnet. Darüber hinaus wird der Begriff D. W. auf alle wirtschaftlich unterentwickelten Staaten angewandt, die den hochentwickelten westl. und kommunist. Industriestaaten gegenüberstehen.

Dr'ittschuldner, der Schuldner des Vollstreckungsschuldners (→Zwangsvollstreckung).

Drittwiderspruchsklage, Interventionsklage, eine Klage, mit der geltend gemacht wird, daß der Beklagte (Gläubiger) durch die von ihm gegen seinen Schuldner betriebene Zwangsvollstreckung (Pfändung von Sachen) in die Rechte des Klägers (meist: Eigentum an den gepfändeten Sachen) eingegriffen habe (§ 771 ZPO).

Dr. iur. utr., Abk. für **Doctor iuris utriusque,** Doktor beider Rechte, des weltlichen und des geistlichen.

Drive [draiv, engl.], bei Golf und Tennis: Treibschlag. **Driver** [dr'aivə], Golfschläger (Holz), Reichweite bis 250 m.

DRK, →Rotes Kreuz.

Dr'ogden, der enge Teil des Öresunds zwischen den dän. Inseln Amager und Saltholm.

Dr'oge [arab.; Lutherzeit], Erzeugnis aus dem Pflanzen- und Tierreich, das arzneilich oder technisch verwendet wird, im engeren Sinn bes. pflanzlicher Stoff. Neuerdings bes. Rauschmittel.

Droger'ie, Handelsbetrieb, in dem Drogen, Chemikalien, Parfüme, Gesundheits- und Körperpflegemittel, photograph. Waren sowie Farben und Lacke verkauft werden.

Drogheda [dr'ɔːədə], irisch **Droichead Atha,** Stadt in der Rep. Irland, mit (1971) 19 700 Ew., am Boyne; Textilindustrie, Zementwerke. In der Nähe der Stadt siegte 1690 Wilhelm III. über das irisch-französ. Heer des vertriebenen Jakob II. (Schlacht am Boyne).

Drog'ist, Inhaber oder Angestellter einer Drogerie. Die Ausbildung erfordert eine dreijährige Lehrzeit in einer Fachdrogerie und dreijährigen Besuch einer D.-Fachschule. Abschluß: D.-Gehilfenprüfung. Fortbildung durch laufende Lehrgänge und Besuch der D.-Akademie in Braunschweig, staatl. Abschlußprüfung.

Drog'obytsch, poln. **Drohóbycz,** Stadt in der Ukrain. SSR, am Rand der östl. Beskiden, mit (1972) 60 000 Ew.; Erdöl- und Erdgasgewinnung, Erdölraffinerie, Eisengießereien, chem. Ind.

Dr'ohne [niederd.] *die*, die männliche Biene; Sinnbild des Nichtstuers, der von der Arbeit anderer lebt. *Drohnenschlacht*, Tötung der Drohnen durch die Arbeitsbienen.

Dr'ohung, Androhung, Bedrohung, die Ankündigung eines Übels, das bestimmt und geeignet ist, die Willensfreiheit des Bedrohten zu beschränken und dessen Entschließung zu beeinflussen. Ein durch D. zustande gekommener Vertrag ist anfechtbar (§§ 123, 124 BGB). Im Strafrecht ist die D. Tatbestandsmerkmal der verschiedensten Delikte (z. B. Nötigung, Erpressung, Raub, Notzucht). Als selbständige Straftat wird sie beim Landzwang (§ 126 StGB) und bei der Bedrohung eines andern mit einem Verbrechen (§ 241 StGB) unter Strafe gestellt. Ähnlich in *Österreich* (bes. §§ 107, 269, 275 StGB) und der *Schweiz* (Art. 156, 180, 285 StGB).

Droit [drwa, frz.], Recht; **D. féodal**, Lehnsrecht; **D. écrit**, das geschriebene Recht; **D. de suite**, Verfolgungsrecht; **D. de visite**, Durchsuchungsrecht.

Droit humain, Le [lə drwa ymɛ̃, frz. ›Das Menschenrecht‹], von den franz. Großlogen nicht anerkannter schott. Großloge, die in Paris ihren Zentralsitz hat; sie nimmt auch Frauen auf und wird oft als »gemischte Freimaurerei« bezeichnet. War vor dem 2. Weltkrieg in 18 Ländern mit rund 600 Logen verbreitet.

LIT. A. G. Mackey: Encyclopedia of Freemasonry (³1950).

Droler'ie [franz.], 1) schnurrige Komik. 2) Darstellung komischer Szenen.

Drolshagen, Stadt (seit 1477) im Kr. Olpe, Nordrhein-Westf., mit (1977) 9400 Ew.

Drôme [dro:m], **1)** Alpenfluß in Frankreich, 110 km lang, mündet in die Rhône.
2) Departement in den franz. Alpen, 6525 qkm mit (1972) 365700 Ew.; Hauptstadt ist Valence.

Dromed'ar [griech. ›Lauftier‹] *das*, eine Art der →Kamele, stammesgeschichtl. aus dem zweihöckerigen K. entstanden.

Dr'ömling der, Sumpfniederung im SW der Altmark, 900 qkm, etwa 60 m ü. M., durch Trockenlegung, mit der Friedrich der Große 1766 begann, in Wiese und Weide (Pferde-, Rinderzucht) umgewandelt.

Dromm'ete, D Trompete.

Dr'omos [grch. ›Lauf‹], Wettlauf beim →Agon.

Dronne [drɔn] *die*, Fluß im SW Frankreichs, 180 km, entspringt in den Bergen des Limousin und mündet in die Isle, einen Nebenfluß der Dordogne.

Dr'onte die oder der, **Dodo**, *Raphus cucullatus* (TAFEL Aussterben), eine seit dem Ende des 17. Jhs. ausgerottete, flugunfähige Riesentaube der Insel Mauritius, die zwischen 1605 und 1638 wiederholt lebend nach Europa verschifft und dort von Künstlern (vor allem von Roelandt Savery) gemalt wurde. Die Bilder zeigen einen plum-

pen kurzbeinigen Vogel, weit größer als ein Truthahn und mit grauen zerschlissenen Federn bedeckt. Aus damaliger Zeit sind Kopf und Fuß im Universitätsmuseum von Oxford und je ein Kopf in Kopenhagen und Prag erhalten geblieben. Viele Skeletteile wurden seit 1865 auf Mauritius zutage gefördert. Eine verwandte Riesentaube ist der **Solitär** *(Pezophas solitarius)*, der bis zum Beginn des 18. Jhs. auf der Insel Rodriguez lebte, wo vollständige Skelette aufgedeckt worden sind.

Dr'ontheim, die Stadt →Trondheim in Norwegen.

Drop [engl. ›Tropfen‹] *das* oder *der*, Fruchtbonbon. *Mz.* **Drops**.

Dr'oschke [russ. Diminutiv ›droschki‹ von ›drogi‹ = Fuhrwerk], urspr. die in Rußland gebrauchten leichten zwei- und vierrädrigen Pferdefahrzeuge zur Beförderung von 1–4 Personen. In Deutschland wurde D. als Bezeichnung von Mietwagen aus Warschau übernommen, zuerst in Berlin 1814. →Taxi.

Dr'osera [griech. ›tauig‹], die Pflanzengattung →Sonnentau.

Dros'inis, Georgios, neugriechischer Dichter, * Athen 21. 12. 1859, † das. 1. 1. 1951, verhalf mit Kostis Palamas der Dichtung in der Volkssprache zum Sieg über die »Reinsprachler«.

Drosom'eter [griech.], der Taumesser, →Tau.

Dros'ophila, Gatt. der →Taufliegen.

Drosoph'yllum, die Pflanzengatt. →Taublatt.

Dr'ossel [german. Stw.], *Turdidae*, Gruppe der Singvögel, benannt nach der Gattung *Turdus*, die in vielen, meist durch lauttönenden Gesang ausgezeichneten Arten über die ganze Erde verbreitet ist. Diese *echten* D. suchen einen Teil ihrer Nahrung (Erdwürmer, Schnecken) am Erdboden; daneben bevorzugen sie Beeren. Das napfförmige Nest ist bei manchen Arten innen mit eingespeicheltem Holzmulm u. dgl. verschmiert. Die bekannteste D. ist die →**Amsel.** In Wäldern und Gärten Europas häufig ist die 21 cm lange **Singdrossel** *(Turdus ericetorum* oder *philomelos)*, mit ockerfarbenen Körperseiten, oben olivbraun, unten weiß mit kleinen schwarzbraunen Tropfenflecken. Sie flötet abwechslungsreich und meist abgerissen. Den Winter verbringt sie in Südeuropa. Sehr ähnlich gefärbt, aber reichlicher gefleckt und um ein Drittel größer ist die **Misteldrossel** *(Turdus viscivorus)*, die spärlich in großen Nadelwaldungen vorkommt, in NW-Deutschland aber neuerdings auch ins Gartenland einwandert. Sie verbreitet mit ihrem Kot die Mistel. In der Knieholzzone der Gebirge, bes. der Alpen und des Schwarzwaldes, brütet die **Ringdrossel** *(Turdus torquatus)*, Männchen schwarz mit breitem weißem Halbmond an der Kehle. Im Unterschied zu diesen Arten brütet bei uns kolonieweise und wandert stets gesellig die **Wacholderdrossel** *(Turdus pilaris)*, auch **Krammetsvogel** genannt, mit aschgrauem Kopf und kastanienbraunem Rücken. Sie gibt ein würziges Wildbret. Im Herbst und

Dros

Frühjahr ist auf dem Durchzug nach Skandinavien in Mitteleuropa häufig die singdrosselgroße **Rotdrossel** *(Turdus musicus* oder *iliacus)*, ähnlich der Singdrossel, aber mit rostrotem Streifen unter dem Flügelrand. Verwandte der echten D. sind das in Mitteleuropa ausgerottete **Steinrötel** *(Monticola saxatilis)* und die südeurop. **Blaumerle** *(Monticola solitarius)*, zwei Felsbewohner; das Männchen der letzteren ist dunkelgraublau.

Drossel: Singdrossel

Dr'ossel [ahd. drozza ›Kehle‹] *die,* 1) Luftröhre des Wildes; **Drosselknopf,** dessen Kehlkopf. 2) die →Drosselspule.

Dr'ossel, schweiz. die Grünerle, →Erle.

Dr'osselader, Drosselvene, 1) *Vena jugularis,* die paarige, große, vorn am Hals herablaufende Blutader. Bei Umschnüren des Halses (Drosselung) schwellen die D. infolge Blutstauung an und führen zu gefährlicher Blutüberfüllung des Gehirns. 2) Blutadern mit muskulösen Sperrvorrichtungen für den Blutstrom, z. B. in den Nebennieren.

Dr'osselbart, König D., *Märchen* (veröffentlicht von den Brüdern Grimm): Von einer hochfahrenden Prinzessin verhöhnt und als Freier verschmäht, beschließt K. D., die Stolze zu demütigen. Als Spielmann verkleidet, heiratet er sie, zwingt sie zu niedrigsten Arbeiten und bricht so ihren Hochmut. Erst dann gibt er sich zu erkennen.

Dr'osselbeere, Pflanzenarten: 1) Eberesche *(Sorbus).* 2) Schneeball *(Viburnum opulus).*

Dr'osselkette, ein elektr. Filter aus längsgeschalteten Drosselspulen und quergeschalteten Kondensatoren; er sperrt Wechselströme oberhalb einer Grenzfrequenz.

Drosselkette

Dr'osselklappe, innerhalb einer Rohrleitung befindliche, von außen verstellbare Klappe, mit der man den freien Leitungsquerschnitt und somit auch die durchströmende Flüssigkeits- oder Gasmenge ändern kann; sie wird z. B. beim Kraftwagen zur Gasregulierung angewandt.

Dr'osselmaschine, *Throstle, Ringdrossel, Watermaschine,* eine Feinspinnmaschine zur Herstellung festgedrehter Kettgarne, →Spinnerei.

drosseln, 1) *Strömungstechnik:* Druckminderung in strömender Flüssigkeit durch Verengen des Querschnitts an der Drosselstelle; die im engsten Querschnitt auftretende größere Geschwindigkeit bewirkt eine bleibende Druckabnahme, da sie in der anschließenden Rohrstrecke nur zum Teil als Druck wiedergewonnen wird. Zum D. werden Ventile, Schieber, Klappen und →Drosselscheiben benutzt. Bei *Pumpen* und *Verdichten* kann die Förderhöhe der Anlage durch D. vergrößert und der Förderstrom in gewünschten Grenzen gehalten werden (**Drosselregelung**). Dazu werden Drosselorgane in der Druck-, bei Verdichtern auch in der Saugleitung angeordnet. 2) *Elektrotechnik:* einen elektr. Strom durch einen Widerstand schwächen, →Drosselspule.

Dr'osselscheibe, Drosselblende, in eine Rohrleitung fest eingebaute Scheibe mit scharfkantigem unveränderlichem Durchflußloch zur Drosselung. Bei größeren Druckunterschieden werden mehrere D. zu einer **Kaskadendrossel** zusammengebaut.

Dr'osselspule, Drossel, *Elektrotechnik:* Spule zur Schwächung (Drosselung) eines Wechselstromes; Gleichstrom wird ohne Schwächung durchgelassen. Die Drosselung wird bewirkt durch den induktiven Widerstand der Spule, sie ist fast ohne Leistungsverlust. *Niederfrequenz-D.* haben einen Kern aus geschichteten Eisenblechen, *Hochfrequenz-D.* haben keinen Kern oder einen Eisenpulver- oder Ferritkern.

Dr'ossen, Stadt in der ehemaligen Prov. Brandenburg, mit (1939) 5700 Ew. D. hat eine vollständig erhaltene Stadtmauer (14. Jh.) mit Weichhäuser und Türme), spätgot. Jakobikirche (1298) mit Resten eines frühgot. Granitquaderbaus und kath. Kapelle um 1200. Seit 1945 unter poln. Verwaltung *(Ośno Lubuskie),* rd. 4200 Ew. (1966).

Dross'inis, Georgios, neugriech. Dichter, →Drosinis, Georgios.

Drost [mhd. drohtsate ›Truchseß‹] *der,* **Droste,** in Niedersachsen früher Verwalter einer Vogtei. *Landdroste,* 1822–85 die Präsidenten der hannoverschen Regierungsbezirke *(Landdrosteien).*

Droste-H'ülshoff, Annette Freiin von, Dichterin, Kusine von Klemens August →Droste zu Vischering, * Hülshoff bei Münster i. W. 10. 1. 1797, † Meersburg 24. 5. 1848, lebte im Münsterland erst auf der Wasserburg Hülshoff, seit 1826 im Rüschhaus bei Nienberge, in den vierziger Jahren mehrfach auf der Meersburg bei ihrem Schwager, dem Germanisten Jos. von Laßberg. Freundschaft verband sie mit dem

202

Schriftsteller Levin Schücking. Ihr dichterisches Werk ist nicht umfangreich, aber mannigfaltig (Heidebilder, Balladen, Versepen, die Novelle ›Judenbuche‹, 1842). Religiöse Jugendgedichte wurden u. d. T. ›Das geistliche Jahr‹ erst nach ihrem Tode herausgegeben. Ihre Dichtung verbindet Herbheit und frauliche Empfindung, Hellsicht für das Kleinste und für das Ganze der Natur mit ihrem Untergrund des Unheimlichen. D.s Werk kündigt sich eine neue Schärfe und Sachlichkeit der Beobachtung an. D. gilt als bedeutendste deutsche Dichterin des 19. Jhs.

WERKE. Sämtl. Werke, hg. von Cl. Heselhaus (⁶1970). Werke, hg. v. R. Ibel (1959). Auswahl (1959); Briefe (hg. 1950).

LIT. L. Schücking: A. v. D. (1862, ⁴1964); H. Hüffer: A. v. D. (²1911); Th. Steinbüchel: A. v. D. (1950); E. Staiger: A. v. D. (1962); Mary Lavater-Sloman: Einsamkeit. Das Leben der A. v. D. (⁶1969).

Annette von Droste-Hülshoff
Gemälde (Ausschnitt) von H. Sprick, 1838

Droste zu Vischering, Klemens August Freiherr von, * Münster 21. 1. 1773, † das. 19. 10. 1845, war Weihbischof in Münster, seit 1835 Erzbischof von Köln. Er unterdrückte den Hermesianismus und forderte kathol. Kindererziehung bei Mischehen (→Spiegel, Ferdinand August von), geriet dadurch in Konflikt mit der preuß. Regierung, wurde 1837 abgesetzt und bis 1839 auf der Festung Minden in Haft gehalten (→Kölner Wirren).

LIT. Schrörs: Die Kölner Wirren (1927).

Dr'ottkvaett, *das,* beliebteste Strophenform der nordischen Skalden, aus 8 sechssilbigen Zeilen mit Stabreim und Silbenreim.

Drottningh'olm [›Königininsel‹], Sommerschloß der schwed. Könige auf der Mälarinsel Lovö, 10 km westl. von Stockholm, von N. Tessin d. Ä. 1662 begonnen, von seinem Sohn vollendet.

Drouet [druε], Minou (Marie-Noelle), * 1947, erregte als »Wunderkind« Aufsehen mit ihren Gedichten (›Arbre, mon ami‹, 1956).

LIT. A. Parinaud: L'affaire D. (Paris 1956).

Drouyn de l'Huys [druε dǝ lyi], Édouard, franz. Politiker, * Paris 19. 11. 1805, † das. 1. 3. 1881, von konservativer und klerikaler Gesinnung, schloß sich 1848 Louis Napoleon, dem späteren Napoleon III., an und war zwischen 1848 und 1866 viermal Außenminister.

Droysen, Johann Gustav, Historiker und Politiker, * Treptow a. d. Rega 6. 7. 1808, † Berlin 19. 6. 1884, Prof. in Kiel, Jena und Berlin, beteiligte sich an der dt. Bewegung in Schleswig-Holstein und gehörte in der Frankfurter Nationalversammlung von 1848/49 zu den Führern der erbkaiserlichen Partei. Er trat für Preußens Aufgehen in Deutschland ein. In seinen Werken vertrat er später einen preußisch-kleindeutschen Standpunkt.

WERKE. Geschichte Alexanders d. Gr. (1833; neu hg. v. H. Berve, 1931), Geschichte des Hellenismus, 2 Bde. (1836–43, neue Aufl. 1952), Das Leben des Feldmarschalls Grafen Yorck von Wartenburg, 3 Bde. (1851/52; 11. Aufl., 2 Bde., 1913), Geschichte der preuß. Politik (bis 1756), 14 Bde. (1855–86), Grundriß der Historik (1868; neu hg. v. R. Hübner, ⁶1971), Polit. Schriften, hg. v. F. Gilbert (1933).

LIT. G. Droysen (Sohn): J. G. D., 1 (1910); F. Gilbert: D. u. d. preuß.-dt. Frage (1931).

Droz [dro], Henri-Louis **Jaquet-Droz,** Mechaniker, * La Chaux-de-Fonds 13. 10. 1752, † Neapel 18. 11. 1791, konstruierte, wie sein Vater *Pierre Jaquet-Droz* (* 1721, † 1790), Uhren und Automaten (Museum zu Neuchâtel).

LIT. A. Chapuis et É. Gélis: Le monde des automates, 2 Bde. (1928).

DRP, Abk. für →Deutsche Reichspartei.

DRP, Abk. 1) für →Deutsches Reichspatent, 2) Deutsche Reichspost (1924–45).

Druck, 1) *Physik:* die auf die Flächeneinheit wirkende Kraft. Maßeinheiten für den D. sind das →Atmosphäre 2), das Bar (b), das Torr und die Einheiten N/m^2 (Newton pro m^2) oder Pa (Pascal) und dyn/cm^2. Umrechnungen: $1\ N/m^2 = 10\ dyn/cm^2 = 0,00001\ b.\ 1\ b = 0,987\ atm = 1,020\ at = 750,06\ Torr.$ Osmotische D., →Osmose. 2) die Art der Beanspruchung eines Körpers, bei der er in der Kraftrichtung zusammengepreßt wird. Der Widerstand, den der Körper diesem Zusammendrücken entgegensetzt, ist die *Druckfestigkeit* (→Druckversuch). 3) der Druckvorgang (Buch- und Akzidenzdruck) 4) Erzeugnis des Buchdrucks: alte Drucke. *Druckfehler,* Irrtum beim Setzen von Buchstaben.

Dr'ückbank, eine Werkzeugmaschine für das Formen von Blechen durch Drücken.

Dr'uckbleistift, Druckfüllstift, ein Taschenbleistift, bei dem die Mine durch Druck auf einen Knopf um ein kleines Stück vorgeschoben wird. BILD S. 204.

Druckdifferenzverfahren, ein von F. Sauerbruch (* 1875, † 1951) entwickeltes Verfahren, um bei Operationen an den Organen der

Druc

Brusthöhle ein Zusammensinken der Lungen beim Öffnen der Brusthöhle zu vermeiden. Beim *Unterdruckverfahren* befinden sich Operateur und Kranker in einer luftdicht schließenden Kammer, in der der Luftdruck um etwa 7 mm Quecksilber herabgesetzt ist. Nur der Kopf des Kranken befindet sich außerhalb der Kammer. Beim *Überdruckverfahren* werden Nase und Mund des Kranken durch eine luftdicht schließende Maske bedeckt, Sauerstoff und Narkosemittel unter Druck zugeleitet und ebenso die Ausatmungsluft gegen einen bestimmten Druck abgeleitet.

Schnitt durch einen Druckbleistift (Pelikan)

dr'ucken, →Druckerei, →Druckverfahren.

dr'ücken [german. Stw.], 1) *Blechbearbeitung:* ein Verfahren zur Herstellung runder, hohler Gegenstände, bei dem die umzuformende Blechscheibe in eine Dreh- oder **Drückbank** eingespannt und unter gleichzeitigem Rotieren mit einem **Drückstahl** oder einer **Drückrolle** gegen ein der Form entsprechendes Modell gedrückt wird. Die Drückstähle sind gehärtete und polierte Stahlstäbe mit abgerundetem Ende. 2) *Fliegersprache:* die Bewegung des Steuerknüppels nach vorn, um den Auftrieb des Höhenleitwerks zu vermehren, dadurch das Flugzeug nach vorn zu kippen und die Flugbahn steiler nach unten zu richten (Gegenteil: ziehen). 3) *Jagd:* ruhige Jagdart mit wenigen Treibern (**Drückjagd**), im Hochgebirge *riegeln* genannt. 4) *Kartenspiel:* weglegen.

Dr'ücken, (bis 1972) ein aus der Schulterhöhe beginnendes langsames Strecken der Arme zum Hochbringen des Gewichtes beim Gewichtheben.

Dr'ucker, bei der Strichführung von Zeichnungen und graph. Blättern eine durch stärkeres Aufdrücken betonte Stelle.

Drucker'ei 1) Unternehmen zur Ausführung von Druckarbeiten. 2) Herstellung von Schrift- oder Bildabzügen mit Hilfe einer Druckform. Der Vorgang besteht im wesentlichen darin, daß die Druckform eingefärbt wird und die Farbe dann durch starken Preßdruck auf das Papier übertragen wird (→Druckverfahren).

GESCHICHTLICHES. Bereits vor Gutenberg wurde in Asien und Europa von eingefärbten Stempeln und Platten auf Stoffe und Papier gedruckt. Ebenso waren die Herstellung von Metallmatrizen und der Guß (sogar von Lettern) aus festen Formen schon im 15. Jh. bekannt. Neu aber war Gutenbergs Gedanke (um 1450), die einzufärbende Druckform aus bewegl. Metalltypen zusammenzusetzen, die in beliebiger Zahl, aber völlig gleicher Gestalt mit Hilfe von Stempel, Ma-

trize und Gießinstrument angefertigt wurden. Die Verbindung eines metalltechn. Verfahrens mit der Praxis des Farbdrucks war Gutenbergs eigentliche Erfindung. Während die →Blockbücher das handgeschriebene Buch nicht verdrängen konnten, rief Gutenbergs Buchdruck in kurzer Zeit eine Umwälzung in der Buchherstellung hervor; an die Stelle des Einzelexemplars der Handschrift trat die gedruckte Vielzahl der »Auflage«.

Der Rationalisierungsprozeß in der Herstellung des Buchs veränderte die Struktur des Berufsstandes: an Stelle des »Druckverlegers«, der sein eigener Schriftschneider und Schriftgießer war, traten die Berufe des Schriftgießers, Druckers und Verlegers. Die Anfänge dieser Berufsgliederung reichen bis ins 15. Jh. zurück.

Schon im 15. Jh. war Italien neben Deutschland ein führendes Land des Buchdrucks (Aldus Manutius). Auch in Frankreich und den Niederlanden kam es zu ausgezeichneten Leistungen (Schriftschneider Garamond in Frankreich, Offizin von Plantin und Moretus in Antwerpen, Buchdruckerfamilie der Elzevier in Leiden). Das 18. Jh. ist reich an klassischen Werken des Schriftgusses und Buchdrucks (Fournier, Didot in Frankreich, Caslon, Baskerville in England, Bodoni in Italien, Breitkopf und Unger in Dtl.). Im 19. Jh. eröffneten technische Neuerungen dem Buchdruck ganz neue Möglichkeiten: Erfindung der Schnellpresse durch F. Koenig (1811), der Setzmaschinen Linotype durch Mergenthaler (1884) und Monotype durch Lanston (1897). →Buch, →Schriften.

Lit. H. Barge: Gesch. der Buchdruckerkunst (1940); G. A. E. Bogeng: Gesch. der Buchdruckerkunst, 2 Bde. (1930 bis 1940); H. Hadert: Druck-Lex. (1956); Hb. d. Bibliothekswiss. I (²1952); S. H. Steinberg: Die schwarze Kunst (o. J.)

Drückerfische, Fam. *Balistidae*, besitzen dicht aneinander liegende, bewegliche Hautknochenplatten. Die erste Rückenflosse besteht aus 3 aufricht- und feststellbaren Stacheln; die Bauchflosse fehlt oder ist nur durch einen Stachel angedeutet. Ein D. ist der *Schweinsfisch*.

Druckerhöhungspumpe, eine in der Druckleitung angeordnete Kreisel- oder Kolbenpumpe, die den Druck im nachgeschalteten Leitungsteil erhöhen soll. D. werden verwendet für Wasserversorgung hoher Gebäude, in Zwischenstationen bei langen Rohrleitungen (Erdölleitungen), zur Überwindung des Höhenunterschiedes und der Reibungsverluste in Stufen (Herabsetzung des Leitungsdrucks).

Druckerlaubnis, kirchliche, →Bücherzensur.
Druckerschwärze, schwarze →Druckfarbe.
Druckersprache, →Standessprachen.
Dr'uckerzeichen, Büchermarke, Sign'et, Verlegerzeichen, früher am Schluß eines Druckwerks, dann auch auf dem Titelblatt angebrachtes ornamentales Zeichen, durch das ein Drucker oder Verleger in sinnfälliger,

ft sinnbildlicher Weise ein Buch als Erzeugnis seiner Presse oder seines Verlages kennzeichnet. Die älteste D. (das früheste ist das Allianzwappen von Fust und Schöffer 1462) und in der Art und an Stelle von Siegeln verwendet, die wohl das Vorbild für den neuen Brauch abgaben. Schon im 15. Jh. sind über 600 verschiedene D. bekannt. Neben der Wappenform begegnen »redende« Signete, die bildlich auf den Namen des Druckers anspielen, oder es werden die Initialen des Druckernamens oder die Hausmarke des Druckers für das Signet benutzt. Im 16. Jh. bevorzugt man für die D. die emblematische Darstellung, die durch Sinnbild und beigefügte Devise Eigenart und Tendenz des Verlages dem Betrachter vor Augen halten soll. In neuester Zeit hat das Verlagssignet wieder erhöhte Beachtung und künstlerische Pflege gefunden.
Lit. L. C. Silvestre: Marques typographiques (1867); A. Meiner: Das dt. Signet (1922); E. Weil: Die dt. Druckerzeichen des 15. Jhs. (1924); R. Juchhoff: Drucker- u. Verlegerzeichen des 15. Jhs. in den Niederlanden, England, Spanien . . . (1927); 1. J. Husung: Die Drucker- und Verlegerzeichen Italiens im 15. Jh. (1929); H. Grimm: Dt. Buchdrucker-Signete d. 16. Jhs. (1963).

Druckerzeichen von Fust und Schöffer (1457)

Dr′uckfarben bestehen aus Leinölfirnis, dem die Farbstoffe beigemischt sind. Für Leitungsrotations-, Tief- und Anilinfarbendruck benutzt man dagegen Farben, die durch Verdunsten des Lösungsmittels auf dem Papier fest werden (Benzin, Benzol, Xylol, Toluol, Spiritus), oder solche, bei denen eine feste Farbschicht durch Polymerisation entsteht.

Dr′uckfestigkeit, →Druckversuch.

Dr′uckform, jeder Druckträger, von dem ein Abdruck gemacht werden kann: im Buchdruck die festgeschlossene *Satz-* oder *Bilderform,* im Offset- und Bogentiefdruck die *Druckplatte,* im Rotationsdruck beim Hochdruck die *Stereoplatte,* beim Tiefdruck der *Formzylinder.* Im Buchdruck wird die Bild. Darstellung auch →Klischee genannt. Man unterscheidet starre Metall- oder Kunststoff-D. und elastische Gummi-D.

Dr′uckguß, Gußteile herstellen durch Einspritzen des flüssigen Metalls in gekühlte Stahlformen.

Dr′uckholz, →Rotholz.

Dr′uckjagd, *Jagd:* →drücken.

Dr′uckkabine, in Flugzeugen ein nach außen luftdicht abgeschlossener und klimatisierter Raum; ermöglicht das Fliegen in großer Höhe ohne Atmungsgerät. Der in der D. herrschende Druck entspricht dem Luftdruck in etwa 2400 m ü. M.

Dr′uckknopf, 1) Verschlußvorrichtung für unsichtbare Kleiderverschlüsse, bei dem ein Unterteil mit kugelförmigem Kopf in der Mitte von den Federn des Oberteils gehalten wird. Der D. wurde 1885 von Heribert Bauer in Pforzheim erfunden. **2)** Schaltvorrichtung z. B. bei der elektrischen Klingel oder beim *Druckknopfschalter* zum Ein- und Ausschalten des Stroms.

Dr′ucklähmung, eine Lähmung durch Druck auf Nerven, so bei tiefem Schlaf oder im Gipsverband.

Dr′uckleitung, eine Leitung, in der Flüssigkeiten oder Gase durch Überdruck transportiert werden; Gegensatz: →Freispiegelleitung. Das an jedem Punkt der Leitung verfügbare Arbeitsvermögen der Flüssigkeit oder des Gases liegt über dem Arbeitsbedarf zur Durchführung der Bewegung, deshalb liegt die →Energielinie hier über der Leitung. Wegen der Beanspruchung durch den Überdruck kommt nur Rohmaterial in Frage, das die entstehenden Zugspannungen in den Rohrwandungen aufnehmen kann. D. werden auch als *Druckstollen* zur Zuführung des Triebwassers bei →Wasserkraftwerken gebaut; sie haben kreisförmigen Querschnitt, Durchmesser bis zu mehreren m, Längen bis zu mehreren km. Bei senkrechter oder fast senkrechter Richtung der Stollenachse wird der Druckstollen zum *Druckschacht.*

Drucklib′elle, Gerät zum Messen des statischen Drucks in strömenden Flüssigkeiten; im wesentlichen ein geschlossenes Rohr mit seitlichen Schlitzen, das in Strömungsrichtung eingestellt und in dessen Innern der Druck gemessen wird.

Dr′uckluft, Preßluft, verdichtete Luft, wird erzeugt mit Verdränger- oder mit Kreiselkompressoren, Druck bis 200 atü; Verwendung zum Antrieb von Druckluftwerkzeugen, Fahrzeugen (z. B. Druckluftlokomotiven), zum Betätigen von Bremsen, zum Reinigen von Gußstücken in der Gießerei mit Hilfe von Sandstrahlgebläsen u. a. – Die erste größere D.-Anlage wurde 1859 beim Bau des Mont-Cenis-Tunnels verwendet.

Dr′uckluftbremse, eine →Eisenbahnbremse.

Dr′uckluftgründung, eine Art der Fundamentierung, wird angewandt für →Gründungen unter Wasser. Durch Druckluft wird aus dem Senkkasten das Wasser herausgedrückt.

Dr′uckluftkrankheit, Preßluftkrankheit, Caissonkrankheit, Taucherkrankheit, eine Krankheitserscheinung, die bei Tauchern und Arbeitern im →Caisson auftritt, wenn der Überdruck beim Auftauchen oder Ausschleusen zu schnell nachläßt. Stickstoff, der unter dem erhöhten Druck in den Geweben gebunden war, wird dabei frei und erscheint als Gasbläschen in Blut, Geweben und Gelenken; er kann Blutgefäße verstopfen und so Lähmungen, Embolie u. a. verursachen.

Druc

Um der D. vorzubeugen, muß der Druck im Caisson langsam in Stufen entlastet werden. Die D. ist eine meldepflichtige Berufskrankheit.

Dr'uckluftwerkzeuge, mit Druckluft betriebene Geräte zum Bearbeiten von Metallen, Gestein, Erde u. a., angewandt insbes. dort, wo kein elektr. Strom zur Verfügung steht: *Schlagwerkzeuge,* wie Niethämmer, Meißel, Rammen, Stampfer, Rüttelwerkzeuge; *Werkzeuge mit Drehbewegung,* so Bohr- und Schleifmaschinen mit besonders hoher Drehzahl (bis 20000 Umdr./min.); *Düsenwerkzeuge,* z. B. Farbspritzpistolen, Sandstrahlreiniger. Die Luft wird in fahrbaren oder ortsfesten Kompressoren auf ≈ 6 at verdichtet und in druckfesten Schläuchen den D. zugeführt. Der Luftverbrauch liegt je nach der Art des D., Größe und Arbeitsgeschwindigkeit zwischen 0,2 und 1,75 m³/min. Vorzüge: einfache Bauweise, wenig bewegliche Teile, geringes Gewicht, geringe Unfallgefahr: Nachteile: geringer Wirkungsgrad (15–50%), hohe Anschaffungskosten der gesamten Druckluftanlage.

Dr'uckmaschinen, die für die verschiedenen →Druckverfahren verwendeten Maschinen als Flachform- und Rotationsmaschinen: Hochdruck-, Offsetdruck-, Tiefdruck-Maschinen.

Dr'uckmeßdose, Gerät zum Messen von starken Drucken, z. B. bei der Metallbearbeitung. Als Meßprinzipien werden verwendet die Kapazitätsänderung eines Plattenkondensators bei Annäherung der Platten, die Widerstandsänderung mit Kohle, die piezoelektr. Spannungserzeugung bei bestimmten Kristallen.

Dr'uckmesser, Gerät zum Messen des Druckes von gasförmigen oder flüssigen Körpern, →Manometer.

Dr'uckminderungsventil, Reduzierventil, setzt den Druck einer ausströmenden Flüssigkeit oder eines Gases auf den eingestellten Wert durch Drosselung herab. Das D. wird von einem Kolben (oder einer Membrane) verstellt, auf dessen eine Seite der reduzierte Druck und auf dessen andere Seite der Luftdruck und die Einstellfeder wirken.

Dr'uckmittelgetriebe, eine Getriebeart, bei der meist Gase oder Flüssigkeiten benutzt werden, um den Druck weiterzuleiten. Bei *pneumatischen Getrieben* wirken unter Druck stehende Gase oder Luft auf Kolben als Arbeitsglieder. *Flüssigkeitsgetriebe, hydraulische Transformatoren* oder *hydraul. Wandler* bestehen aus Pumpe zur Förderung des Druckmittels (meist Öl), Rohrleitungen zur Fortleitung und Rückführung und Turbine oder Kolben als Abtriebsorganen. Ein *D. mit festen Körpern* als Druckmittel ist z. B. eine Reihe sich gegenseitig berührender Kugeln, die in einem beliebig gebogenen Rohr geführt sind.

Dr'uckpapier, alle in Druckereien verwendeten Papiersorten. Für Steindruck muß das D. vollkommen eben sein, für Offsetdruck darf es nicht stauben, für Tiefdruck muß es weich sein. Für Hochdruckpapier sind die Bedingungen nicht so eindeutig, da die hochstehenden, eingefärbten Druckelemente Ungleichheiten zum Teil ausgleichen. Für Zeitungen wird meist das zu 90% aus Holzschliff bestehende, poröse *Zeitungs D.* verwendet, für Bücher, die dünn ausfallen sollen, das sehr dichte *Dünndruckpapier* für Illustrationsdruck das besonders ausge rüstete *Kunstdruckpapier* mit glatter Ober fläche. *Dickdruck-* oder *Federleichtpapie* ist stark auftragend.

Druckphosph'en, Druckfigur, Lichterschei nung von verschiedenster Form und kalei doskopartigem Wechsel, die bei Druck au den Augapfel durch mechan. Reizung de Sehelemente der Netzhaut entsteht und i das Gesichtsfeld projiziert wird.

Druckprivil'egium, das dem Drucker fü einzelne Drucke erteilte Privileg zum Schut vor Nachdruck. Das D. ist der Vorläufe der *Urheberrechtsgesetzgebung.* Das erst Privileg wurde 1469 in Venedig Johann vor Speyer erteilt.

Dr'uckpunkt, 1) Stellung, in die bei moder nen Handfeuerwaffen der Abzug vor der Schießen zunächst zurückgezogen wird fühlbar durch einen kleinen Widerstand soll eine ruhige, zielsichere Abgabe de Schusses erleichtern. **2)** *Flugmechanik:* der Angriffspunkt der Luftkraft an einem Trag flügel, meist abhängig vom Anstellwinkel Bei Tragflügelprofilen, die in dem gewöhn lichen Anstellwinkelbereich von –5° bi +15° einen festen Druckpunkt habe (druckpunktfeste Profile), ist meist da hintere Tragflügelende leicht nach oder gebogen.

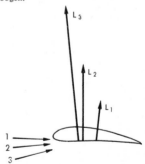

Druckpunkt: resultierende Luftkraft L be, Anblasung des Profils aus den Richtunger 1, 2, 3

Dr'uckregler, Vorrichtung, die bei Strömungsanlagen das Überschreiten des Druckes über eine bestimmte Grenze verhindert und einen stoßfreien Betrieb ermöglicht. **1)** bei *Gasleitungen* kesselartige Vorrichtung, um hohen Zuführungsdruck auf niedrigeren Verbrauchsdruck

DIE WICHTIGSTEN DRUCKVERFAHREN
(Fl: Flachdruck, H: Hochdruck, T: Tiefdruck)

Bezeichnung	Art der Plattenherstellg.	Besonderheiten
Abziehbilderdruck, *Fl*	meist Lithographie, farbig	Druck in verkehrter Reihenfolge, ›Abziehen‹ z. B. auf Porzellan oder Metall
Anilindruck, Gummidruck, *H*	Gummiklischee, Stereoplatten	Druck mit spirituslösl. Anilinfarbe auf Rollenpapier
Banknotendruck, meist *T*	verschieden	Übereinanderdruck vieler Platten (z. B. von farbigen Guillochen) auf Papier mit Wasserzeichen, Faser-, Metallstreifen-, Leuchtfarbeneinlagen
Blechdruck, *Fl*	Lithographie, Übertragung mittels Gummiplatte	auf Weißblechtafeln für Verpackungsmaterial u. dgl.
Blinddruck, *H*	Metallstempel	ohne Farbe, zum Einprägen in das Material
Blindendruck, *H*	Lettern	Prägung
Buchdruck, *H*	Lettern, hochgeätzte Klischees	verbreitetstes Druckverfahren
Buntdruck, *H, T, Fl,* bes. Drei- u. Vierfarbendruck	bes. photomechanisch	mehrere Farbdruckplatten
Fahrkartendruck, *H*	Lettern und Galvanos	kl. Rotationsmaschine mit Numerierwerken
Farbenlithographie, *Fl*	photomechanisch	früher Steindruck, jetzt Offsetdruck
Glasdruck, Zellglasdruck, *Fl, H*	photomechanisch oder Typen	Übertragung mittels Gummituch oder Kupferzylinder
Keramischer Druck, *Fl*	Lithographie	Abziehbilder z. spät. Übertragung auf Porzellan u. ä.
Kupferdruck, *T*	photomech. od. Handarbeit	Kupferplatten, vielfach Originalverfahren, Ätzung
Lichtdruck, *Fl*	photomechanisch	Gelatinequellrelief; Belichtung und anschl. Quellen der lichtempfindl. Chromatgelatine
Lithographie, *Fl*	Handzeichnung	älteste Form des Flachdruckes
Manuldruck, *Fl*	photomechanisch	Übertragung von Druckschr., Strichbildern, Reflexverfahren
Notenstich, Notendruck, Musikaliendruck, *Fl, T, H*	Gravur und Einschlagen, anschl. Übertragung auf Zinkplatte oder Musiknotensatz	Notenlinien mit fünfzähnigem Rastrale gezogen, Notenköpfe usw. mit Stempeln eingeschlagen, veränderl. Zeichen eingraviert
Offsetdruck, *Fl*	photomechanisch, Umdruck	der Drucksatz wird nicht unmittelbar von der Druckform, sondern über ein Gummituch auf das Papier gebracht
Printogravüre, *Fl*	photomechanisch	Herstellung von Karten und Plänen
Rakeltiefdruck, *T*	photomechanisch	überflüss. Farbe wird durch Rakel abgestreift; auch mehrfarbig
Rotationsdruck, *H, Fl, T*	Typen und photomechanisch	Druck von rotierenden Zylindern auf Rollenpapier und Bogen
Siebdruck, Schablonendruck	Stanzen, Schneiden	Farbe wird durch Schablone und Sieb, die übereinander liegen, auf das Papier gebracht, für Leuchtfarbendrucke, Plakate usw. (flächig)
Steindruck, *Fl*	photomechanisch oder Handarbeit	Lithographensteine oder präp. Blech, wird vom Offsetdruck verdrängt
Steingravur, *T*	Hand- und Maschinengravur	vor Auflagedruck umgedruckt; für Karten und Pläne
Tapetendruck, *H*	Handarbeit	von rotierender Walze (Gummi, Holz u. Messingumrandung) auf lange Papierbahnen
Zeugdruck, *T*	Handarbeit	Druck auf Textilien; Vorläufer des Rakeltiefdrucks auf Papier

herabzusetzen oder letzteren auf gleichmäßiger Höhe zu halten. Der D. wird hinter dem Hauptabsperrschieber beim Eintritt der Leitung ins Gebäude eingebaut. Das hochgespannte Gas strömt im D. durch die geöffnete Sperre in die Verbrauchsleitung so lange, bis der dort entstehende Druck über eine Membran die Sperre hebt, so daß die Gaszufuhr gedrosselt oder ganz unterbrochen wird. 2) bei *Wasserturbinen* hält der D. ein Ventil, das bei zu schnellem Schließen der Turbine sich öffnet und einen Teil des Wassers ins Unterwasser abfließen läßt; die Schließgeschwindigkeit des D. kann so eingestellt werden, daß unzulässige Drucksteigerungen in der Leitung vermieden werden.

Dr′ucksache, zu ermäßigter Gebühr beförderte Postsendung in Gestalt einer Vervielfältigung auf Papier oder papierähnlichem Stoff, die durch Druck oder ein ›ähnliches Verfahren, durch Belichtung, Stempel oder Umdruck hergestellt ist, die Aufschrift ›D.‹ tragen muß und im Inlandsverkehr bis 500 g wiegen darf. Hand- oder maschinenschriftliche Zusätze sind nicht zugelassen. Die Drucksachen müssen offen aufgeliefert werden, so daß ihr Inhalt leicht geprüft werden kann, und freigemacht sein. Die **Drucksache zu ermäßigter Gebühr** ist für den Auslandsversand bestimmt, es dürfen Bücher, Broschüren, Notenblätter und Landkarten, sowie Zeitungen und Zeitschriften als D. z. e. G. ins Ausland versandt werden. Im innerd. Verkehr gibt es die **Büchersendung** als besonders gebührenbegünstige Versandart für gedruckte Bücher, Broschüren, Notenblätter und Landkarten.

Dr′uckschrift, 1) *Buchdruck:* →Schriften. 2) *Recht:* jede zur Verbreitung bestimmte Vervielfältigung von Schriften und bildlichen Darstellungen, ferner von Musikalien mit Text oder Erläuterungen.

Druckschwankungen, Druckstöße in Wasserrohrleitungen treten bei Geschwindigkeitsänderungen *(nichtstationärer Strömung)* auf. Wird die Ausflußöffnung verkleinert und die fließende Wassersäule abgebremst, so tritt eine Drucksteigerung auf, die das Wasser komprimiert und das Rohr dehnt. Sie läuft als Welle mit der *Druckfortpflanzungs-Geschwindigkeit* (zwischen 1000 und 1300 m/sec) gegen den Leitungsanfang, wird dort reflektiert und läuft als Druckminderungswelle zurück. Dieser Vorgang wiederholt sich periodisch, bis er unter dem Einfluß der Reibung abklingt. Bei langen Rohren entspricht einer Geschwindigkeitsabnahme von 1 m/sec ein Druckanstieg von rd. 10 at. D. müssen bei der Bemessung von Rohrleitungen berücksichtigt werden. Bei Wasserturbinen können sie durch Verlängerung der Schließzeit oder bei Francis-Turbinen durch →Druckregler in zulässigen Grenzen gehalten werden. Bei Pumpen treten sie bei plötzl. Ausbleiben des Antriebes auf. D. sind oft die Ursache schwerer Rohrbrüche.

Dr′uckstock, das →Klischee.

Dr′uckstufenstrecke, von Schopper und Schumacher entwickelte Anordnung für den Einschuß intensiver Teilchenstrahlen in Gase hohen Drucks. Aus dem Hochvakuum von 0,0001 Torr wird der Elektronenstrahl durch zwei Vorkammern von 1,5 Torr und 30 Torr in die freie Atmosphäre geschossen, wobei infolge günstigster Abmessungen der Durchtrittsöffnungen bis zu 0,3 mm groß sein können, ohne daß die Aufrechterhaltung des Hochvakuums Schwierigkeiten macht.

Dr′ucktelegraph, ein Telegraphenapparat, der die übermittelte Nachricht in Druckschrift wiedergibt. Ein älteres System dieser Art stammt von David Edward Hughes. Auch der früher weitverbreitete Schnelltelegraph von Siemens arbeitete nach diesem Prinzip. →Fernschreiber.

Dr′uckverband, *Heilkunde:* ein →Verband.

Dr′uckverfahren, alle Verfahren zur Herstellung beliebig vieler, gleichmäßiger Abdrucke von einer Druckform, die mit Druckfarbe versehen ist. Zu unterscheiden ist zwischen Druckelementen (z. B. Lettern) und Druckform. Diese kann eben oder zylindrisch sein. Beim **Hochdruck** sind die druckenden Elemente erhaben, die Form ist bei Buchdruck *(Flachformdruck)* eben, beim Rotationsdruck zylindrisch. Beim **Flachdruck** liegen druckende und nichtdruckende Elemente in einer Ebene; er beruht auf der Unvermischbarkeit und gegenseitigen Abstoßung von Wasser und fetter Druckfarbe. *Lithographie (Steindruck)* hat ebene, *Offsetdruck* zylindrische Druckform. Beim **Tiefdruck** liegen die druckenden Elemente tief, die überflüssige Farbe wird durch eine ›Rakel‹ von der eingefärbten Druckform so abgenommen, daß sie nur in den Näpfchen bleibt *(Rakeltiefdruck)*. Sie wird von dem durch den Druckzylinder angepreßten Papier angesaugt. Beim **Siebdruck** *(Durchdruck)* wird durch eine Form gedruckt, die aus einer Schablone aus farbdurchlässigem Material besteht.

Dr′uckversuch, ein Werkstoffprüfverfahren für spröde Stoffe (Gußeisen, Beton, Steine). Zylindrische oder würfelförmige Körper werden bis zum Bruch belastet; der dabei erreichte Höchstlast, bezogen auf den ursprünglichen Querschnitt, ergibt die *Druckfestigkeit.*

Dr′ude [mhd.] *die,* **Drute, Trude,** im altdeutschen Volksglauben ein böser weiblicher Nachtgeist, vereinzelt auch ein guter, schöner Geist, der zum Gefolge der Göttin Holda (Perchta) gehört. Der Glaube an sie ist am meisten verbreitet in Bayern, Tirol, Österreich und Siebenbürgen.

Dr′udenfuß, eine Art Fünfstern (→Pentagramm), nach dem Volksglauben bietet er Schutz vor Druden. Schon bei den Pythagoreern galt er als Zeichen der Gesundheit, gewann dann große Bedeutung in der Gnosis und wurde im MA. oft als Zauberformeln gebraucht. BILD bei Druse.

Drudenkraut, volkstüml. Name für Kolbenbärlapp, →Bärlapp.

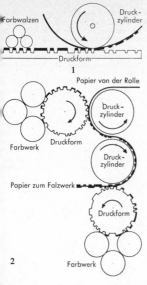

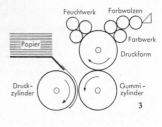

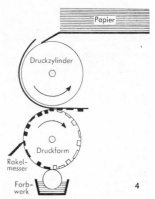

Druckverfahren. Hochdruck: **1** *Flachformdruck,* **2** *Rotationsdruck (übersteigert dargestellt),* **3** *Offsetdruck (Flachdruck),* **4** *Tiefdruck (übersteigert dargestellt)*

Dr′udenstein, 1) Berg der Drude. **2)** im Wasser rund geschliffener Stein mit natürl. Loch; zauberisches Schutzmittel gegen die Druden.
Drugstore [dr′ʌgstər, engl. ›Drogerie‹], in den USA ein Gemischtwarengeschäft mit Imbißecke.
Dru′iden, [lat. Druides, irisch druid ›die Eichenkundigen‹], altheidn. Priester bei den kelt. Völkern. Als Vertreter einer bereits indogerman. Priesterkaste entsprechen sie den ind. Brahmanen. In Gallien bildeten sie zu Cäsars Zeit einen geschlossenen Stand, der mit dem der Ritter (dem Adel) die Herrschaft über das übrige Volk teilte und an dessen Spitze ein oberster D. stand. Als Priester bewahrten sie die religiöse Geheimlehre, übten die Kunst der Weissagung und waren zugleich Richter, Heil- und Sternkundige. Der Kult der Eiche spielte eine bes. wichtige Rolle. Die Söhne der Vornehmen drängten sich zu ihrem Unterricht, der nur mündlich erteilt wurde und bis 20 Jahre währen konnte. Sie lehrten ein neues Leben nach dem Tode und die Seelenwanderung. Kaiser Claudius hob den druidischen Gottesdienst auf, weil er mit Menschenopfern verbunden war, vor allem aber, weil die D. die einzigen wirklichen Träger des kelt. Nationalgefühls waren. Nach dem 1. Jh. n. Chr. verschwand ihr Name; im 3. Jh. wurden gallische Wahrsagerinnen als **Druidinnen** bezeichnet. Als Ursprungsland der D. galt Britannien. In der irischen Heldensage erscheinen sie noch als Zauberer, Wahrsager und Ärzte.
LIT. Cäsar: Der Gall. Krieg; T. D. Kendrick: The Druids (London 1927); F. le Roux: Les druides (1961).
Dru′idenaltar, -stein, -tempel, † für Megalithgrab.
Dru′idenorden, eine 1781 in England gegründete freimaurerähnl. Organisation; 1872 nach Deutschland verpflanzt und 1908 zur Internationalen Weltloge der Druiden vereinigt. Die Ordenslegende bezieht sich auf das altkelt. Druiden- und Bardentum; daher wird die einzelne Loge meist als »Hain« bezeichnet. Der Orden besteht aus 3 Graden, die Erkenntnis und Wissen, Kunstverständnis und Wollen, Beschließen und Handeln vermitteln. Über diesen 3 Graden besteht noch ein Hochgrad, das Hoch-Erz-Kapitel. An der Spitze der Haine steht der »Hochhain«, der in Distrikts-Großhaine zerfällt. Die Bestrebungen der Ordensmitglieder zielen auf gegenseitige Hilfe, Humanisierung der Menschheit und Völkerfrieden.
Drumlins [dr′ʌmlins, irisch], Hügel von ellipt. Form, bis 1 km lang, in Gebieten ehemal. Vereisung; durch erneute Eisvorstöße

Drum

in eine alte Moränenlandschaft aus Moränenmaterial geformt.

Dr'umme, *oberd.* hölzerne Wasserrinne über abschüssige Wege.

Drummond [dr'ʌmənd], 1) William, schottischer Dichter, * Hawthornden 13. 12. 1585, † das. 4. 12. 1649, humanist. gebildet, mit Ben Jonson befreundet; schrieb fein empfundene Sonette.
WERKE. Poetical Works, hg. v. L. E. Kastner, 2 Bde. (Manchester 1913).
2) Sir Eric, brit. Diplomat, →Perth.

Drummondscher Brenner [dr'ʌmənd-, nach dem engl. Ingenieur Th. Drummond, 1826], ein Kalkzylinder, der sich in einer Knallgasflamme langsam dreht, in starkes Glühen gerät und blendend weißes Licht ausstrahlt.

Drums [drʌms, engl. ›Trommeln‹], die Schlaginstrumente der Jazzband, gespielt vom *Drummer* (Schlagzeuger), meist 1 große Trommel (durch Fußmaschine bedient), 1 kleine Trommel (mit Stöcken oder dem Jazzbesen gespielt), dazu 1 Charleston (zwei Becken übereinander) u. a.

Drumstick [dr'ʌmstik, engl.], **Trommelschlegel**, ein tropfenförmiges Anhängsel des Zellkerns; kommt bei der Frau zu etwa 3 % in den weißen Blutkörperchen mit mehrgliedrigem Kern (Segmentkern) vor, zur →Geschlechtsbestimmung herangezogen.

DRUPA, Kurzwort für *Dru*ck und *Pa*pier. Internationale Messen Druck und Papier alle 4 Jahre (seit 1954) in Düsseldorf.

Drury [dr'uəri], Allen, amerikan. Schriftsteller, * Houston (Texas) 2. 9. 1918, schrieb den Roman ›Advise and consent‹ (1959; dt. Macht und Recht. Wo bleibt das Gewissen, Herr Präsident?, 1961), mit der Fortsetzung ›A shade of difference‹ (1962).

Druschina [druʒ'ina, russ. ›Genossenschaft‹], im alten Rußland die Gefolgschaft der Fürsten. Sie bestand anfangs aus Warägern, erst später aus Slawen, die dem Fürsten Treue schwuren und von ihm Ausrüstung und Unterhalt empfingen. Man unterschied eine ältere D., in der die Bojaren dienten, und eine jüngere, die aus Hofleuten und Kriegern bestand.

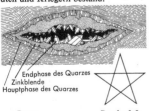

Endphase des Quarzes
Zinkblende
Hauptphase des Quarzes

Druse   *Drudenfuß*

Dr'use [ahd. druos], 1) **Strengel**, bei Pferden, bes. bei Fohlen vorkommende, durch ein Bakterium hervorgerufene eitrige Entzündung der Nasen- und Rachenschleimhaut und der Kehlgangslymphknoten; sie

kann auf andere Körperteile übergreifen. Behandlung: Öffnen der Eiterherde; Wärmeanwendung, Arzneimittel. 2) *Geologie:* Aggregat gleichartiger, die Innenwand eines Gesteinshohlraums bedeckender Mineralindividuen, die nach innen meist wohlausgebildete Kristallflächen aufweisen. Die schönsten Drusen sind die des Amethysts in Achatmandeln.

Dr'üse [ahd. druos], lat. *Glandula*, bei Mensch und Tieren ein Organ, das flüssige oder talgförmige Stoffe (Sekrete) absondert, wie Schweiß, Speichel, Magensaft, Galle. Eine D. *mit Ausführungsgang* ist ein zur Oberfläche ihr offenes Hohlgebilde, dessen Wand das Sekret bildet. Einfachste D. sind Becherzellen, die schleimige oder körnige Stoffe abgeben *(einzellige D.),* so D. in der Darmschleimhaut. Bei mehrzelligen D. unterscheidet man schlauchförmige *tubulöse*

Drüse: 1, 2 Schema der D.-Formen (die sekretabsondernden Endstücke und Teile der Ausführungsgänge sind geöffnet). 1 tubulöse D.; a kurze, gerade Form, b tubulöse Knäuel D. 2 alveoläre D. 3 verzweigte alveolo-tubulöse D. 4 azinöse D. mit spaltförmiger Lichtung

D., bläschenförmige *alveoläre D.,* beerenförmige *azinöse D.* sowie *alveolo-tubulöse D.,* deren Schlauch mit seitlichen Bläschen besetzt ist oder bläschenartige Endstücke hat. Die *verästelten D.* haben an einem Ausführungsgang mehrere Einzeldrüsen, die *zusammengesetzten D.* viele Ausführungsgänge mit verästelten D. an einem Hauptstamm. Es gibt D. der äußeren Haut *(ektodermale D.)* und D. der Schleimhaut *(entodermale D.);* letztere enthält bes. der Verdauungskanal. Die Absonderung der Sekrete wird durch das vegetative Nervensystem geregelt. – Über *D. ohne Ausführungsgang (Hormondrüsen)* →innere Sekretion. 2) äußerlich dem tierischen D. ähnl. Pflanzenteile, die flüssige oder feste Stoffe aus dem Pflanzenkörper oder in ihn absondern, so *Drüsenhaare, Drüsenschuppen,* Nektarien *(Honigdrüsen),* Ölzellen, Harzgänge.

Dr'usen, Anhängige aus dem schiitischen Islam hervorgegangene Sekte im südl. Libanon, seit dem 18. Jh. auch in Hauran (der deshalb Dschebel Drus, ›Drusengebirge‹, genannt wird). Ihr Name D arab. Durus, *Ez.* Darasi) geht auf einen gewissen Darasi zurück, der den Fatimidenkalifen Hakim (996–1021) als göttlich erklärte und deshalb von Ägypten nach Syrien fliehen mußte. Die D. haben eine feudalpatriarchalische Verfassung. Ihre Glaubenslehre wird von einem kleinen Kreis von Eingeweihten geheimgehalten. Um die Mitte des 19. Jh. waren die D. an den Christenmassakern in Syrien, 1926/27 am Aufstand gegen die französ. Mandatsherrschaft beteiligt.

Dr'usen *Mz.*, Bodensatz, Hefe, Treber.

Drusenbranntwein, aus den D. des Weins bereiteter Branntwein.

Dr'üsenfieber, **Pfeiffersches D.**, eine von dem Wiesbadener Arzt Emil Pfeiffer 1889 zuerst beschriebene ansteckende, vermutlich durch einen Virus erregte, meist gutartige Kinderkrankheit mit Fieber, Lymphknotenschwellungen, Vermehrung bestimmter weißer Blutkörperchen.

Dr'üsengeschwulst, *Aden'om*, eine meist abgekapselte Neubildung aus Drüsengewebe; kann bösartig entarten.

Dr'usenkopf, *Conolophus subcristatus*, pflanzenfressender, bis 1 m langer Leguan der Galapagosinseln.

Dr'usenöl, **Weinbeeröl**, **Weinöl**, **Önanthäther**, ein durch Destillation frischer Drusen gewonnenes Öl von betäubendem, scharfem Geruch.

Dr'üsenträger, *Adenophora*, Pflanzengatt. der Glockenblumengewächse, ausdauernde, blaublütige Kräuter.

Dr'usus, 1) **Nero Claudius D.**, Sohn des Tiberius Claudius Nero und der Livia, jüngerer Bruder des Kaisers Tiberius, * 38 v. Chr., † 9 v. Chr., Gemahl der Antonia d. J. Mit Tiberius unterwarf D. 15 v. Chr. die Räter und Vindeliker. Als Statthalter der gall. Provinzen (seit 13 v. Chr.) führte er dauernd Krieg gegen die Germanen, fuhr mit der Flotte durch den von ihm gebauten Kanal, den Drususgraben (fossa Drusiana), durch den Niederrhein mit der Yssel und der Zuidersee, drang bis zur Weser (11 v.Chr.) und Elbe (9 v.Chr.) vor, wo er durch die Erscheinung einer Frauengestalt vor weiterem Vordringen gewarnt worden sein soll. Auf dem Rückmarsch stürzte er vom Pferd und starb. – Durch die Anlage von Kastellen am Rhein und im freien Germanien (Borken, Aliso an der Lippe, Artaunum bei Höchst) hatte D. die Basis für die künftigen Operationen gegen die Germanen geschaffen.
2) **D. Iulius Cäsar**, einziger Sohn des Kaisers Tiberius und der Vipsania Agrippina, * etwa 15 v. Chr., † 23 n. Chr., mußte zunächst hinter Germanicus, der von Tiberius auf Befehl des Augustus adoptiert worden war, zurückstehen; er unterdrückte 14 n.Chr. den Aufstand der pannon. Legionen und war Statthalter in Illyricum. Nachdem er im Jahr 22 durch die Verleihung der *tribunicia potestas* zum Thronfolger bestimmt worden war, wurde er von seiner Frau Livilla auf Betreiben Sejans vergiftet.

dry [drai, engl. ›trocken ‹], *bei alkohol. Getränken:* herb, ohne Zucker.

Dry'aden [griech., von drys ›Eiche ‹], *griech. Mythologie:* die Baumnymphen. Wie bei den Germanen (Holzweibchen) u. a. Völkern findet sich auch bei den Griechen manchmal die Vorstellung, daß die Dryade mit ihrem Baum lebt und stirbt (daher *Hamadryaden:* grch. hama ›zugleich ‹).

Dry'ander, Ernst von, evang. Geistlicher, * Halle 18. 4. 1843, † Berlin 4. 9. 1922, war seit 1898 Oberhofprediger in Berlin und bis 1918 Vizepräsident des Oberkirchenrats. Er stand dem Kaiserhaus nahe und hatte durch seine gehaltvollen Predigten weitreichenden Einfluß.

Dr'yas, →Silberwurz.

Dryden [draidn], John, engl. Dichter, * Aldwinkle All Saints in Northampton 9. 8. 1631, † London 1. 5. 1700, versuchte die engl. Bühnendichtung dem ›heroischen ‹ frz. Schauspiel zu nähern. Seine Lustspiele spiegeln die Sittenlosigkeit der Zeit wider. Er schrieb ferner Fabeln, zwei von Händel vertonte Cäcilienoden, polit. Satiren und krit. Abhandlungen.

WERKE. Dramatic Works, hg. v. M. Summers, 6 Bde. (London 1931/32); Poetical Works, hg. v. J. Sargeaunt (Oxford 1910, ²1935); Essays, hg. v. W. P. Ker, 2 Bde. (Oxford 1900, ²1926); Letters, hg. v. C. E. Ward (Durham 1942).

LIT. H. MacDonald: J. D., a bibliography (Oxford 1939); D. N. Smith: J. D. (Cambridge 1950); W. Mann: D.s heroische Tragödien (Diss. Tübingen 1932).

Dryfarming [drai-, engl.], ein Ackerbauverfahren.

Dryg'alski, Erich von, Geograph, * Königsberg i. Pr. 9. 2. 1865, † München 10. 1. 1949, seit 1906 Prof. das., leitete wissenschaftl. Expeditionen nach den Polargebieten. Nach ihm wurden der **D.-Fjord** der Insel Südgeorgien und die **D.-Insel** vor Kaiser-Wilhelm-II.-Land benannt.

WERKE. Grönland-Expedition der Ges. f. Erdk. zu Berlin, 2 Bde. (1897); Zum Kontinent des eisigen Südens (1904). Hg.: Die Deutsche Südpolarexpedition 1901–03, 20 Bde. u. 2 Atl. (1905–31).

Dryopithec'inen [grch. ›Baumaffen ‹], eine fossile Unterfam. der ›Menschenaffen im Tertiär Afrikas, Europas und Asiens, mit der Gatt. **Dryopithecus**. Die primitivsten Formen (Gatt. Proconsul) aus dem unteren Miozän von Kenia (Ostafrika) und spätere Gliedmaßenfunde zeigen, daß die D. noch keine →Brachiatoren waren. Das Gebiß war kennzeichnend menschenäffisch, z. T. mit Annäherung an menschl. Verhältnisse. Bekannt sind die Funde aus der Schwäb. Alb (Bohnerzzähne), aus dem Pariser Becken und den Sivaliks (Indien). Die Struktur der Zahnkronen der unteren Mahlzähne ist als Dryopithecusmuster von stammesgeschichtl. Bedeutung. Ein asiatischer D. ist →Bramapithecus. Aus dem D.-Kreis gingen die heutigen Menschenaffen hervor; an ihre

Basis sind vermutlich auch die →Hominiden anzuschließen.
LIT. O. Abel: Die Stellung des Menschen i. Rahmen d. Säugetiere (1931); E. A. Hooton: Up from the Ape (New York 1947); W. K. Gregory: Evolution emerging, 2 Bde. (das. 1951).

Dry'opteris, die Pflanzengattung →Schildfarn.

d. s., *Musik:* Abk. für →dal segno.

Dsaudschikau, →Ordschonikidse.

D. Sc., engl. und amerikan. Abk. für Doctor of Science, →Doktor.

Dsch'abalpur, engl. **Jubbulpore**, Stadt in Madja Pradesch, Indien, mit (1971) 441 400 Ew., an der Bahn Bombay-Allahabad, 398 m ü. M.; hat Universität; Textilindustrie; in der Nähe reiche Bauxitlager. In der an Seen und Felstälern reichen Umgebung mächtige Lager fossiler Knochen gigantischer Säuger.

Dschab'arti, arab. Geschichtsschreiber, * Kairo 1754, † das. 1825/26, Mitglied des von Napoleon einberufenen Rates ägypt. Notabeln. Seine Chronik erschien 1888–94 in franz. Übersetzung. Sie hat für die Zeit von 1776 an den Wert eines zeitgenöss. Tagebuchs.

Dschab'ir, arab. Gelehrter, →Geber.

Dschagann'ath [Sanskrit ›Herr der Welt‹], Beiname des →Krischna, unter dem er in Puri verehrt wird.

Dschagat'ai, Sohn Tschingis Chans, →Tschagatai.

Dsch'agga, **Djaga**, Bantunegerstamm (etwa 350000) im Kilimandscharo-Gebiet, Tansania; sie waren ursprünglich Hackbauern. Neben ihren alten Kulturpflanzen (Bananen, Bohnen, Mais) bauen sie seit Jahrzehnten auch Kaffee an. Die D. nahmen früh mod. Bildungsgut auf u. sind stark an Verwaltung und Wirtschaft beteiligt.
LIT. B. Gutmann: Dichten u. Denken d. D. (1908), Das Recht d. D. (1926), Die Stammeslehren d. D. 1/2 (1932–35); E. Müller: Wörterbuch d. Djaga-Sprache (1947).

Dschahang'ir, **Dschehangir** [persisch ›Welteroberer‹], ind. Großmogul, * 1568, † 1627, Sohn Akbars, folgte ihm 1605; er war ein kluger und tatkräftiger Herrscher. Seine Hauptgemahlin, die Perserin Nur-Dschahan (›Weltleuchte‹), und ihr Bruder Asaf-Chan hatten großen Einfluß auf seine Regierung. Zuletzt mußte D. gegen seinen Sohn Churram kämpfen, der ihm unter dem Namen →Schahdschahan folgte.

Dsch'aina, **Jaina** [von Dschina (Jina), Sanskrit ›Sieger‹], Angehörige einer indischen Religion, als deren Stifter Mahawira, ein Zeitgenosse Buddhas, gilt, der letzte in der Reihe der von den D. verehrten Heiligen (Dschinas). Mahawira (›großer Held‹), eigentl. Wardhamana (›der Wachsende‹), war ein Königssohn aus der heutigen Landschaft Bihar. Mit 31 Jahren entschloß er sich, als Asket Erkenntnisse zu suchen. Nach 13 Jahren trat er als Religionsstifter auf († Pawa vor 477 v. Chr.).

Die D. sind bes. an das Gebot der *ahimsa*, des Nichtverletzens von Lebewesen, gebunden, sind deshalb Vegetarier. Nach der Lehre der D. irren die mit materielle[n] Leibern umkleideten ewigen Seelen ent sprechend ihren guten und bösen Taten a[ls] vergängliche Götter, Menschen, Tiere, Höl[-] lenwesen umher. Sittliches Handeln, Askes[e] und Meditation führen zur Läuterung i[n] unzähligen Wiedergeburten und, wenn all[e] Materie aus der Seele geschwunden ist, zu[r] Erlösung. Auf Grund der Predigten Maha[-] wiras verfaßten seine Schüler viele heilig[e] Schriften (*Anga*, d. h. Glieder) in der mitte[l] ind. Prakrit-Sprache. Meinungsverschieden[-] heiten unter den Gläubigen führten zur Ent stehung der zwei Richtungen: der *Schwe[-] tambaras*, deren Mönche »weiße Gewände[r] tragen«, und der *Digambaras*, deren Askete[n] »den Luftraum« zum Kleid haben, d. h. nackt gehen (kommt heute nur noch selte[n] vor). Die D. verbreiteten sich schnell übe[r] ganz Indien. Sie schufen eine hohe Kuns[t.] Seit 1200 n. Chr. setzte eine Rückentwick[-] lung ein, jedoch üben sie auch heute noc[h] einen über ihre Zahl (etwa 1,5 Mill.) we[it] hinausgehenden Einfluß aus.
LIT. W. Schubring: Die Lehre der Jaina[s] (1935).

Dsch'aintia, engl. **Jaintia**, ind. Volksstamm[m] in Assam, →Sinteng.

Dsch'aintia-Berge, engl. **Jaintia Hills**, Bergland im NO Indiens, im Staat Assam[.]

Dsch'aipur, engl. **Jaipur**, **Jeypore**, Haupt[-] stadt von Radschastan, Indien, mit (1971[)] 613 100 Ew., 428 m ü. M., in ihrer Mitt[e] Palast mit bekannter Sternwarte; Textil[-] industrie, Herstellung von Emaille- un[d] Metallarbeiten, Edelsteinschleiferei. – Da[s] Reich von D. oder *Amber* wurde um 115[0] die neue Residenz D. 1728 von Sawa[i] Dschai-Singh II. (erbaute die Sternwarte[n)] gegründet. 1818 begab sich D. unter bri[t.] Schutz.

Dschajad'ewa, Name mehrerer ind. Dich[-] ter, bes. des Verfassers des *Gitagowind[a]* (1. Hälfte des 12. Jhs. n. Chr.), das in [12] Gesängen die Liebe Krischnas und de[r] Radha schildert; von den Indern als Sinn[-] bild der Beziehung zwischen Gott und Seel[e] gedeutet.

Dsch'alandhar, engl. **Jullundur**, Stadt i[n] Staat Pandschab, Indien, mit (1971) 296 10[0] Ew., Metall-, Holz- und Lederindustrie[;] Sanskrit- und Hindi-Abteilung der Pan[-] dschab-Universität. – D. war einst Haupt[-] stadt des altind. Königreichs D. ode[r] Trigarta. 1811 kam sie an das Sikhreich mit diesem 1846 unter brit. Herrschaft.

Dschal'ut, das größte Atoll der Marshall[-] inseln, →Jaluit.

Dschambul, **Dshambul**, Gebietshauptstad[t] in der Kasach. SSR, Sowjetunion, (197[2]) 205000 Ew., neuer Industrie- und Verkehrs[-] mittelpunkt Kasachstans, Sitz der Akade[-] mie der Wissenschaften der Kasach. SSR[.] Superphosphatherstellung, Baumateria[l-] kombinat.

Dsch'ami, Maulana Nuro'd-Din'Abd' or-Rahman, pers. Dichter, Gelehrter, Mystiker (Sufi), * Dscham (Chorassan) 1414, † Herat 1492, verfaßte nahezu 50 Werke, darunter 3 Diwane, 7 romant. oder didakt. Großgedichte und viele Abhandlungen über islam. Theologie, Mystik, Prosodie, arab. Grammatik u. a. D. war der Dichterkönig seiner Zeit; vergebl. suchte der Sultan ihn nach Stambul an seinen Hof zu ziehen. In D. fand das mystische, pantheist.-lyrische Gedankengut Persiens seinen reifsten Ausdruck. WERKE. Diwane, Auswahl dt. v. M. Wikkerhauser u. d. T. Liebe, Wein u. mancherlei (1855); Jussuf u. Suleicha (1483; dt. Wien 1824, frz. Paris 1927); Leila u. Madschnun (1484; dt. Amsterdam 1807); Beharistan (dem Golestan v. Sa'di nachgebildete Anekdoten u. Aphorismen; dt. Wien 1864).

Dsch'ammu, engl. Jammu, der südliche Teil des Staates Kaschmir, Indien.

Dsch'amna die, engl. Jumna, der bedeutendste Nebenfluß des Ganges in Vorderindien, 1400 km lang. Der den Hindus heilige Fluß entspringt 6000 m ü. M. im Himalaja und mündet bei Allahabad in den Ganges.

Dsch'amnagar, engl. Jamnagar, Stadt in Indien, auf der Halbinsel Kathiawar, mit (1971) 214900 Ew. – D. wurde 1540 gegründet.

Dschamrud, engl. Jamrud, Grenzfestung am Eingang zum Khaibar-Paß in N-Pakistan, in vielen Kämpfen wichtig, bes. 1836/37, 1878/79, 1897/98.

Dschamsch'edpur, engl. Jamshedpur, Stadt in Indien, westlich von Kalkutta, mit (1971) 340600 Ew.; Mittelpunkt der indischen Schwerindustrie mit Hochöfen, Eisen- und Stahlwerken (Tata Iron and Steel Company), Eisenbahnwerkstätten, Maschinenfabriken. – D. wurde 1909 gegründet.

Dschamsch'id, sagenhafter König von Iran, der im goldenen Zeitalter herrschte und die besten Menschen, Tiere und Pflanzen seiner Zeit durch Überführen in den »Wara« (eine mythische Burg) vor der Vernichtung rettete.
LIT. J. Hertel: Sonne und Mithra im Awesta (1927).

Dschamun'a, engl. Jamuna, Wasserlauf in O-Bengalen, Pakistan, verbindet den unteren Brahmaputra mit dem Gangesdelta.

Dschan'iden, türk. Dynastie in Buchara (1599–1785), benannt nach ihrem Gründer *Dschan Sultan*, dem Sohn eines 1544 vor den Russen aus Astrachan geflohenen Chans; danach heißen die D. auch **Astrachaniden** oder **Aschtarchaniden**. Dschans Sohn Baki Mohammed bemächtigte sich 1599 Bucharas; seine Nachkommen wurden erst 1785 durch die Dynastie →Mangit gestürzt, als Buchara seine polit. und kulturelle Bedeutung bereits verloren hatte.
LIT. W. Barthold: 12 Vorlesungen zur Geschichte der Türken Mittelasiens (1935).

Dsch'ansi, engl. Jhansi, Stadt im Staat Uttar Pradesch, Indien, mit (1971) 173300 Ew. – Die Festung D. wurde 1613 gegr.,

1742 von den Marathen erobert. Um 1770 bildete sich ein selbständiger Staat. 1853 kam das Gebiet unter brit. Herrschaft.

Dscharab'ub, Oase in der Libyschen Wüste, war 1856–95 Hauptsitz der Senussiordens; 1926–47 gehörte es zur italien. Kolonie Cyrenaica.

Dscharmo, vorgeschichtl. Fundstätte im NO-Irak mit der ältesten bisher bekannten Bauernkultur der Erde (um 6500 v. Chr. Lehmhäuser, Getreidebau, Großviehhaltung).

Dsch'arrabaum, westaustralischer Eukalyptusbaum (→Eukalyptus).

Dschat, engl. Jat, arische Stammeskaste von Landbesitzern in NW-Indien (etwa 8 Mill.), bes. im Pandschab.

Dsch'ataka [Sanskrit und Pali »zur Geburt gehörig«] *das*, D.-Buch, Jataka, bei den Buddhisten eine Erzählung, die eine frühere »Geburt«, d. h. Existenz Buddhas behandelt, bes. eine Sammlung von 547 Erzählungen in Pali, die dem buddhist. Kanon (Tipitaka) angehört (älteste Quelle vieler Fabeln u. Erzählungen).
LIT. vollständige dt. Übers. v. J. Dutoit, 7 Bde. (1908–21); Auswahl v. E. Lüders: Buddhist. Märchen aus dem alten Indien (1921).

Dsch'auhari, Abu Nassr Ismail ibn Hammad, arab. Lexikograph türk. Abkunft, † 1002; sein Wörterbuch ist die wichtigste Quelle für den klass.-arab. Wortschatz.

Dscheb'eil, alte syr. Hafenstadt, →Byblos.

Dsch'ebel [arab.], Berg, Gebirge.

Dsch'ebel-al-Tarik, →Gibraltar.

Dsch'ebel Drus, engl. Jebel Druze oder Jebel ed Druz [»Drusengebirge«], zu Syrien und Jordanien gehörige Erhebung des Ostjordanlandes (1839 m), durchgängig Lavaformation und daher fruchtbar. Die Bevölkerung (→Drusen) baut Weizen, Tabak, Südfrüchte und Mais an.

Dschehang'ir, ind. Großmogul, →Dschahangir.

Dscheh'ennem [arab.], die Hölle. →Dschennet.

Dscheh'ol, Jehol, 1) frühere Provinz im SW der Mandschurei, China, mit 114000 qkm, 5,161 Mill. Ew.; Hauptstadt Tscheng-teh. 1933–45 gehörte es zu Mandschukuo. 1955 wurde es auf die Provinzen Hopei und Liaoning und die Innere Mongolei aufgeteilt. 2) früherer Name der Stadt →Tscheng-teh.

Dschelada, Affe, →Paviane.

Dschel'al ed-Din Moh'ammed, ind. Großmogul, →Akbar.

Dschel'al ed-Din R'umi, persischer Dichter, * Balch (Afghanistan) 30. 9. 1207, † Konia (Anatolien) 17. 12. 1273, wohin sein Vater ausgewandert war. Nach seiner zweiten Heimat erhielt den Beinamen ›Rumi‹ (= Anatolier). Er stiftete den Derwischorden der Mewlewije (von den Europäern tanzende →Derwische genannt). Sein ›Diwan‹ (dt. Ausw. von v. Rosenzweig-Schwannau 1838) gilt als das schönste Werk der

Dsch

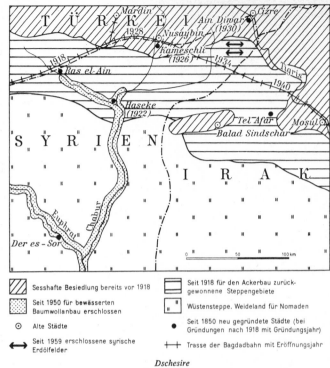

⧄ Sesshafte Besiedlung bereits vor 1918	▭ Seit 1918 für den Ackerbau zurück-gewonnene Steppengebiete
⣿ Seit 1950 für bewässerten Baumwollanbau erschlossen	॥ Wüstensteppe. Weideland für Nomaden
⊙ Alte Städte	● Seit 1850 neu gegründete Städte (bei Gründungen nach 1918 mit Gründungsjahr)
⟷ Seit 1959 erschlossene syrische Erdölfelder	╀╀ Trasse der Bagdadbahn mit Eröffnungsjahr

Dschesire

pers. Mystik. Sein ›Mesnewi‹ enthält in 6 Büchern 40000 Distichen lehrhaft-allegor. Art (z. T. deutsch von G. Rosen, neu hg. 1913).

Lit. A. Schimmel: Die Bildersprache D.s (1949).

Dschellah [arab.] *die*, hemdart. Übergewand der Araber, mit Kapuze und langen Ärmeln, aus rauhem Wollstoff, braun-grau, grau-schwarz gestreift. Ähnlich die *Djellaba* in Marokko und Algerien, mit kurzen unbenutzten Ärmeln und Armschlitzen.

Dschem, Sohn des türk. Sultans Mohammed II., * 1459, † (vergiftet) Capua 24. 2. 1495, empörte sich 1481 gegen seinen Bruder Bajesid, mußte aber nach Rhodos fliehen, von wo er an Frankreich und Papst Alexander VI. ausgeliefert wurde. D. spielte dann als möglicher Prätendent eine Rolle.

Lit. H. Pfeffermann: Die Zusammenarbeit der Renaissance-Päpste mit d. Türken (Winterthur 1946).

Dschem'al ed-Din al-Afgh'ani, Schriftsteller, Gründer des islam. Modernismus, * Asádabad bei Kabul (Afghanistan) 1838

oder 1839, † Konstantinopel 9. 3. 1897, lebte in Konstantinopel und Kairo, von wo er 1879 ausgewiesen wurde, dann in Indien, Amerika, Europa, Persien und seit 1892 in Konstantinopel. Er verfocht die Befreiung der islam. Staaten von europ. Bevormundung und forderte freiheitl. Einrichtungen sowie den Zusammenschluß zu einem einheitl. Islamreich. Er war somit einer der Hauptvertreter des *Panislamismus.*

Dsch'emdet Nasr, Hügelgruppe nordöstl. der altbabylon. Stadt Kisch, von St. Langdon 1925/26 teilweise ausgegraben. Die Funde, bes. Tontafeln mit altertüml. Form der Keilschrift und bemalte Keramik, bezeugen erstmals eine Entwicklungsstufe der babylon. Frühgeschichte (etwa 2800–2700 v. Chr.).

Dschen Min Piao [chines. ›Volksbank-Dollar‹], Währungseinheit der Volksrep. China (ÜBERSICHT Währung).

Dsch'ennet [arab.], bei den Mohammedanern das Paradies, im Gegensatz zu *Dscheh'ennem,* der Hölle.

Dsch'erba, franz. **Djerba,** fruchtbare Insel

in der Kleinen Syrte (N-Afrika), zu Tunesien gehörend, 514 qkm mit etwa 66000 Ew.

Dschesire, Provinz in NO-Syrien, seit 1940 aus Steppe in Ackerfluren umgewandelt; Erdölfelder.

Dschib'uti, franz. **Djibouti, 1)** Hauptstadt von 2), dem ehem. französ. Territorium der Afar und Issas, ehem. Französ.-Somaliland, (1970) 62000 Ew., mit Bahn nach Addis Abeba.

2) seit 1977 Name für ehem. →Französisch-Somaliland.

Dsch'idda, engl. **Jidda,** Hafenstadt in Saudi-Arabien, am Roten Meer, 70 km von Mekka, mit (1971) 400000 Ew., wichtigster Landehafen für die Mekkapilger; Omnibusverkehr nach Er-Rijad.

Dschig'ethen, abchasischer Stamm am Ostrand des Schwarzen Meeres.

Dschig'iten, berittene Krieger, früher vor allem in Nordkaukasien.

Dschih'ad [arab.] **der,** im Islam der →Heilige Krieg.

Dschihl'am, Dschhelam, engl. **Jhelum** oder **Jehlam** **die,** im Altertum **Hydaspes,** im Sanskrit **Vitasta,** westlichster der fünf größeren Flüsse im Pandschab, Vorderindien, 720 km lang, entspringt in Kaschmir und mündet in den Tschinab; wichtig für die Bewässerung.

Dsch'ina, Stifter der ind. Sekte der →Dschaina.

Dsch'ingis Chan, →Tschingis Chan.

Dschinn [arab.] **der,** im Volksglauben der Mohammedaner und schon im vorislam. Arabien Teufel, böser Geist, Dämon. In Volkserzählungen spielen die D. eine beträchtl. Rolle, bes. in 1001 Nacht.

Dsch'innah, engl. **Jinnah,** Mohammed Ali, mohammedan. Politiker in Indien, * Karatschi 25. 12. 1876, † das. 11. 9. 1948, wurde 1916 Präsident der →Moslem-Liga, trennte sich 1937 aus relig. Gründen von Gandhi und forderte einen eigenen mohammedan. Staat in Indien, der 1947 gebildet wurde (→Pakistan); er wurde dessen erster Generalgouverneur.

Dschiu-Dschitsu, →Judo.

Dsch'odhpur, engl. **Jodhpur,** Stadt in Radschastan Indien, am Rand der Wüste Thar, mit (1971) 318900 Ew.; siebentor. Stadtmauer, alte Tempel, Elfenbeinschnitzerei, Lackwaren-, Messing-, Eisen-Ind.; Luftwaffenakademie. – D. wurde 1459 gegr.; die Dynastie, aus dem Radschput-Klan der Rathor, bestand bereits seit Anfang des 13. Jhs. Mal-dev (1532–69) mußte sich Akbar unterwerfen; Dschaswant-Singh (1638–78) zeichnete sich unter Aurangseb als Heerführer aus. 1818 wurde die engl. Oberherrschaft anerkannt.

Dsch'ofra, ital. **Giofra,** Oasengruppe in Libyen, mit etwa 7000 Ew.; Hauptort Sokna 249 m ü. M.

Dschoh'or, engl. **Johore, 1)** Staat des Malaiischen Bundes, im S der Halbinsel Malakka, 19062 qkm mit (1970) 1,3 Mill. Ew. **2)** D. Bharu, Hauptstadt von 1), mit (1970)

135900 Ew., an der S-Spitze der Halbinsel Malakka, gegenüber der Insel Singapur (Damm von 12 km).

Dsch'onke, Dschunke [malaiisch] **die,** ein bes. in China gebräuchliches Segelschiff mit plumpem Rumpf, Decksaufbauten und rechteckigen, waagerecht geschienten Mattensegeln; Tragfähigkeit bis 500 t.

Dsch'uba, Fluß in Ost-Afrika, →Juba.

Dsch'ubbe(h), im Orient das dunkelfarbige, ungegürtete Straßenüberkleid der Männer.

Dschugaschw'ili, Familienname (georgisch) von →Stalin.

Dschum'a [arab.], im Islam Gemeindeversammlung, die jeden Freitagmittag zur Anhörung der →Chutba stattfindet.

Dsch'ungel, Dschangel, engl. **Jungle** [neuind.] **der,** ursprünglich der gras- und schilfreiche Buschwald des subtrop. Indiens, der hochwüchsige subtrop. Urwald Vorder- und Hinterindiens, allg. für Sumpfdickicht in d. Tropen.

Dsch'unke, →Dschonke.

Dschurdsch'ura, französ. **Djourdjoura,** Gebirgsstock im Tell-Atlas in Algerien, über 2300 m hoch, an einigen N-Hängen Zedernbestände; Korkeichenhaine.

Dsersch'insk, bis 1929 **Rastjapino,** Industriestadt an der Oka, Russ. SFSR, (1972) 228000 Ew.; Technikum, medizin. Institut; chem. Industrie, Baumaterialien, Möbelfabrik.

Dserschinskij [dzjerʒ'inskij], poln. **Dzierżyński,** Felix Edmundowitsch, sowjet. Politiker, * Wilna 11. 9. 1877, † Moskau 20. 7. 1926, war von Beruf Ingenieur, seit 1895 für die sozialdem. Propaganda tätig und wurde mehrfach verbannt. Seit Dez. 1917 war er Vorsitzender der →Tscheka; daneben Volkskommissar für das Eisenbahnwesen 1924 bis 1926.

Dshambul, Stadt in der Sowjetunion, →Dschambul.

Dsungar'ei, Landschaft in Innerasien im N der Prov. Sinkiang, NW-China, eine tekton. Senke zwischen dem Mongolischen Altai und dem östl. Tienschan, im O in die Gobi übergehend, im W vom **Dsungarischen Bergland** begrenzt, zwischen dessen einzelnen Ketten wichtige Völkerpforten, wie im N das Irtyschtal, im S das Ilital, die D. mit Sowjet.-Zentralasien (Kasachstan) verbinden. Das Innere ist vorwiegend Sandwüste, die an den Rändern in Salzsteppe mit Salzseen (Ulungur-nor, Ebi-nor, Sairam-nor) übergeht; auch die Gebirgsumrahmung ist überwiegend kahl, nur stellenweise mit offenem Wald bedeckt. Im S zieht am Gebirgsrand entlang eine Oasenreihe mit den Städten Urumtschi und Kuldscha und wichtiger Handelsstraße.

GESCHICHTE. Die D. war ein vielumkämpftes Durchgangsland, aus dem mehrfach Völkerwellen (Hunnen, Uiguren, Mongolen) nach W aufbrachen. Die westmongol. **Dsungaren** beherrschten im 17. und 18. Jh. große Teile Innerasiens. Unter Galdan († 1697) eroberten sie 1678/79 ganz Ostturkistan und um 1690 die westl. Mongolei, aus der sie 1696 durch die Chinesen wieder verdrängt wurden. 1717–20 befand sich Tibet unter dsungar. Herrschaft. Erst 1754 bis 1757 wurde ihr Stammgebiet am Ili endgültig dem chines. Reich einverleibt. Die um 1616 nach der unteren Wolga ausgewanderten Torgut (Kalmücken) unterstellten sich 1771 z. T. wieder chines. Schutz, um der Unterdrückung durch die Russen zu entgehen, und wurden im Ili-Gebiet angesiedelt.

LIT. L. Petech: China und Tibet in the early 18th Century (Leiden 1950).

Dsung′aren, die Westmongolen (Kalmücken); insbes. auch ein westmongol. Stamm, →Dsungarei, Geschichte.

DT, Schnelltriebwagen.

D-Tag, D-Day [Debarkation-D.], im engl.-amerik. Sprachgebrauch der Tag der alliierten Landung in der Normandie (6. 6. 1944).

DTB, Dt. Turnerbund, →turnen.

d. t. d., auf ärztl. Rezepten: da tales doses [lat.], gib solche Dosen!

Dtzd., Abk. für Dutzend.

d. U., der Unterzeichnete.

Du′al *der, Sprachlehre:* Zweizahl (im Unterschied zur Mehrzahl).

Du′ala, Bantustamm in Kamerun.

Du′ala, wichtigste Hafenstadt von Kamerun, mit (1975) 345 000 Ew., an der Mündung des Kamerunflusses.

Dual′ismus [aus lat. dualis ›zweifach‹, 1) eine Lehre, die zwei voneinander unabhängige, meist gegensätzliche Prinzipien annimmt, im Unterschied etwa zum →Monismus und zum →Pluralismus. In der *Philosophie* heißt D. seit Chr. Wolff insbes. die Auffassung, daß Gegensätze wie Leib–Seele, Einheit–Vielheit, Geist–Materie, Denken–Anschauung gedanklich unüberwindbar seien. Als klassischer *Dualist* gilt Descartes. In der *Religionsgeschichte* kam der D. im Glauben an widerstreitende Mächte oder Prinzipien wie Licht–Finsternis (Parsismus, Manichäismus), Yin–Yang (in China) zur Ausprägung. 2) *Geschichte, Politik:* der Gegensatz zweier nahezu gleich mächtiger Staaten in einem Staatenbund, so derjenige Preußens und Österreichs im Deutschen Bund 1815–66 oder der beiden Reichshälften →Österreich-Ungarns 1867–1918 (→Ausgleich). 3) *D. von Wellen und Teilchen,* die Feststellung, daß jede Strahlung sich sowohl als Wellenvorgang als auch als Strom von Teilchen beschreiben läßt. Die Experimente, die zur Wellenauffassung, und diejenigen, die zur Teilchenauffassung führen, schließen einander aus. Am bekanntesten ist der D. von Lichtwellen und Lichtquanten. Eine schärfere Erfassung dieses D. versuchte Bohr durch den Begriff der →Komplementarität.

Dualit′ät [von lat. duo ›zwei‹], *Mathematik:* die wechselseitige Zuordnung zweier Begriffe, bei deren Vertauschung richtige Sätze wieder in richtige Sätze übergehen. Duale Begriffe sind z. B. in der projektiven Geometrie der Ebene ›Punkt‹ und ›Gerade‹

(Ponceletsches Prinzip). In dieser Geometrie gibt es daher zu jedem Satz über Punkte und Geraden einen *dualen* Satz, der aus jenem durch Vertauschung der Begriffe Punkt und Gerade hervorgeht. So entspricht dem Satz, daß zwei Geraden einen Punkt bestimmen, dual der Satz, daß zwei Punkte eine Gerade bestimmen.

Du′alsystem, dyadisches System, Dyadik, Zahlensystem mit der Grundzahl 2, baut mit Hilfe von nur 2 Zahlzeichen (0 und 1) alle Zahlen aus Potenzen von 2 auf; z. B. ist 9 im D. $= 1 + 0 \cdot 2 + 0 \cdot 2^2 + 1 \cdot 2^3$, geschrieben 1001. Das D. ist für die Zahlentheorie und für die modernen Rechenautomaten wichtig. Auf theoret. Vorteile des D. haben schon J. Caramuel in seiner ›Mathesis biceps‹ (1670) und Leibniz hingewiesen.

Duane [dj′uən], William, amerikan. Physiker, * Philadelphia 17. 2. 1872, † Devon (Pa.) 7. 3. 1935, Schüler von W. Nernst, sechs Jahre in Paris bei M. Curie, seit 1913 Prof. der Biophysik an der Harvard University, arbeitete bes. über Radioaktivität, Röntgenstrahlung und Quantenphysik. Gemeinsam mit F. L. Hunt stellte er 1915 das *Duane-Huntsche Gesetz* auf.

LIT. D., in: Dictionary of Americ. Biography, Vol. 21 (Suppl. 1, New York 1944).

Du′arte, Dom D. Nuño, Herzog von Braganza, * Seebenstein (Niederösterr.) 23. 9. 1907, Thronprätendent der portugies. Monarchisten; 1953 wurde ihm die Rückkehr nach Portugal erlaubt.

Dub′ai, 1) Emirat der Verein. Arab. Emirate an der arab. Küste des Pers. Golfs, rd. 3800 qkm, (1972) 80 000 Ew.; Erdöllager. 2) Hauptstadt von 1), mit (1970) 60 000 Ew., wichtigster Hafen und Handelsplatz der Verein. Arab. Emirate.

Dubarry [dybari′], Marie Jeanne, geborene Bécu, Geliebte Ludwigs XV. von Frankreich, * Vaucouleurs 19. 8. 1743, † Paris 8. 12. 1793, anfangs Modistin und Freudenmädchen, wurde vom König mit einem Grafen D. verheiratet und 1769 bei Hofe eingeführt. Sie veranlaßte 1770 den Sturz des Ministers Choiseul. 1774 wurde sie vom Hof verbannt. Robespierre ließ sie hinrichten.

Du Bartas [dy bartas′], Guillaume de Salluste, Seigneur, franz. Dichter, * Montfort (Gascogne) 1544, † Paris 1590, war als Protestant im militär. und diplomat. Dienst Heinrichs IV. Bekannt wurde sein 6000 Alexandriner umfassendes Schöpfungsepos ›La semaine ou création du monde‹ (1579), oft nachgeahmt und übersetzt.

Dubček, Alexander, tschechoslowak. Politiker, * 1921, wurde 1963 Nachfolger Baćíleks im Politbüro der tschechoslow. KP und Erster Sekr. der slowak. KP; war 1968–69 Erster Parteichef der KPČSSR, danach Parlamentspräsident, dann Botschafter in Ankara. Im Juli 1970 wurde D. aus der KP ausgeschlossen.

D′übel, Döbel, Dippel [german. Stw.], eingesetzter Pflock zur festen Verankerung von Nägeln oder Schrauben oder zur Verbindung von Bauteilen aus Holz *(D.-Verbindungen)*. Zur Verbindung von Nadelholzteilen dienen *Einpreß-D.*, die in das Holz eingetrieben werden; *Einlaß-D.* werden in vorbereitete Vertiefungen eingesetzt. D.-Verbindungen müssen durch nachspannbare Schraubenbolzen zusammengehalten werden.

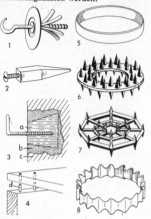

Dübel: 1 Spreizdübel. 2 Stahldübel. 3 Wanddübel, a Dübel, b Gipsfüllung, c Wand. 4 Dübel als Holzverbindung, d Holzdübel. 5 Einlaß-Ringkeildübel. 6–8 Einpreßdübel

Du Bellay [dy bɛlɛ], Joachim, franz. Dichter, * Liré (Anjou) 1522, † Paris 1. 1. 1560, neben Ronsard der bedeutendste Vertreter der →Plejade, deren Poetik ›Défense et illustration de la langue française‹ (1549) er verfaßte. In den ›Antiquitez de Rome‹ (1558) zeigt er frühes und fundiertes Verständnis der Antike. Der ›Poète courtisan‹ (1559) des vom Hofleben Enttäuschten wird zur ersten klass. Satire in Frankreich. D. schrieb auch lat. ›Poemata‹ und übersetzte Teile der ›Aeneis‹.

D'üben, Bad D., Stadt an der Mulde, Bezirk Leipzig, (1964) 6200 Ew., am W-Rand der *Dübener Heide* (Wald auf Endmoränenboden); Eisenmoorbad.

D'übendorf, Dorf im Kanton Zürich, Schweiz, mit (1970) 19 600 Ew., Militärflugplatz.

Dubhe [arab.], Stern 2. Größe, α im Gr. Bären.

Dubinsky, David, amerikan. Gewerkschaftler, * Brest-Litowsk 22. 2. 1892, war Bäcker, flüchtete 1911 aus Sibirien in die USA. 1934 stellv. Präs. der AFL (→American Federation of Labor).

dubi'os, dubi'ös [von lat. dubium ›Zweifel‹], zweifelhaft. **Dubiosen**, unsichere Außenstände. im d'ubio, im Zweifelsfall.

D'ubischverfahren, →Teichwirtschaft.

Dubl'ee, Doublé [franz.] *das*, mit Gold überzogene Kupferlegierungen für Schmuckwaren u. dgl.

Dubl'ette [franz.], 1) Doppelstück. 2) eine Edelsteinnachahmung.

Dublin [d'ablin], irisch **Baile Atha Cliath, 1)** Grafschaft der Republik Irland, an der mittleren Ostküste Irlands, 922 qkm, (1971) 849 500 Ew. 2) Hauptstadt von 1) und der Republik Irland, in der Mitte der Ostküste Irlands, mit (1971) 568 800 Ew. (einschließl. der Vororte); Wappen **TAFEL** Städtewappen I. D. gilt nächst Edinburgh als die schönstgelegene Stadt der Brit. Inseln. Sie liegt im Hintergrund der seichten Dublin-Bai beiderseits der Mündung des Liffey, den die Hafenanlagen umsäumen. D. ist Sitz aller Regierungsbehörden sowie des kath. und des anglik. Erzbischofs. Unter den Bildungsanstalten stehen an erster Stelle das 1591 von Königin Elisabeth gegr. Trinity College mit wertvoller Bücherei und die 1909 errichtete Nationaluniversität. Unter den gelehrten Gesellschaften sind die bedeutendsten die 1786 gegr. Irish Academy zur Förderung der Wissenschaften und Altertumskunde und die 1731 gegr. Dublin Society zur Förderung des Ackerbaus und des Gewerbes. Industrie: bes. Brauereien und Brennereien, Zigaretten-, Glas-, Papier-, Süß- und Backwarenherstellung. – D., vielleicht das *Eblana* des Ptolemäus, altirisch Dubhlin ›schwarzes Wasser‹, um 450 durch den heiligen Patrick zum Christentum bekehrt, wurde im 9. Jh. Sitz der dänischen Wikinger, die sich trotz wiederholter Siege der Iren (1014 bei Clontarf) behaupteten. 1038 wurde D. Bistum. Die engl. Herrschaft begann 1172; seitdem bildete D. eine besondere Gfsch. und gewöhnl. den Ausgangspunkt der polit. und kirchl. Opposition gegen die engl. Regierung. Das weitläufige Schloß aus dem 13. Jh., die einstige engl. Zwingburg und der Sitz der Landesbehörden, ist jetzt Justizpalast. In seiner Nähe die eindrucksvollen Kathedralen Christ Church (gegr. 1038; nach 1871 gänzlich erneuert) und St. Patrick (1190 erbaut; um 1370 verändert). Der Sitz der heutigen Regierung und des Parlaments (Dail Eireann) ist das Leinsterhouse im SW der Stadt in der Nähe der großen Museen für Kunst und Naturwissenschaften. Im SW liegen auch die Gebäude des Dublin College und des Alexandra College für Frauen, ganz im W der Phönix-Park, einer der größten der Welt, mit zoolog. Garten und Wellington-Monument, einem 62 m hohen Obelisk. Die 41 m hohe Nelsonsäule ist das Wahrzeichen der Stadt.

LIT.: J. T. Gilbert: Hist. of the city of D., 3 Bde. (1854–59); S. L. Gwynn: D. old and new (1938); C. E. Maxwell: D. under the Georges 1714–1830 (²1946).

Dubl'one [span. ›Doppelstück‹] *die*, frühere spanische Goldmünze (seit dem 16. Jh.), ursprünglich 2 Escudos = 1 Pistole.

Dubn'a, 1956 gegr. Stadt nördlich von Moskau, an der Mündung der D. in die Wolga, Kernforschungszentrum.

Dubo

Dubois [dybwa], 1) Eugène, holländ. Anatom, * Eysden (Prov. Limburg) 28. 1. 1858, † Halen 16. 12. 1940, entdeckte 1890/91 bei Trinil (Java) Reste des ersten →Pithecanthropus und erforschte die stammesgeschichtl. Entwicklung des Säugetiergehirns.
2) Guillaume, Kardinal, * Brive (Auvergne) 6. 9. 1656, † Versailles 10. 8. 1723, Erzieher, dann Vertrauter des Regenten Herzog Philipp von Orléans, ein Meister der Geheimdiplomatie. D. bewirkte 1718 zur Erhaltung des Utrechter Friedens die Quadrupelallianz zwischen Frankreich, England, Holland und dem Deutschen Reich gegen Spanien (→Alberoni); daraufhin wurde er Min. des Äußeren, 1721 Kardinal und 1722 Erster Minister.
3) Pierre, latinisiert Petrus de Bosco, franz. Publizist der Zeit Philipps des Schönen (um 1300), energischer Parteigänger der kgl. Politik gegen Papst und Templerorden.
Lit. E. Zeck: Der Publizist P. D. (1911); F. Baethgen in: Mitt. des Inst. f. österr. Geschichtsforschung, 58 (1950).

Du Bois-Reymond [dy bwa-remõ], Emil, Naturforscher, * Berlin 7. 11. 1818, † das. 26. 12. 1896, war Prof. der Physiologie in Berlin. Er machte grundlegende Untersuchungen über elektrische Erscheinungen an Muskeln und Nerven. Von ihm stammt das Wort →ignoramus et ignorabimus.

Du Bos [dy bɔs], Charles, franz. Schriftsteller, * Paris 27. 10. 1882, † Celle-St-Cloud 5. 8. 1939, suchte in literarischen Studien sowohl die Beziehungen eines Werkes zur übrigen geistigen Welt als auch seine Einmaligkeit in den verborgensten Stilerscheinungen aufzudecken. Tiefe Religiosität – Du B. kehrte 1927 zum kathol. Glauben zurück – prägte sein Werk.
Werke. Approximations 1–7 (1922–37; dt. Auszüge in: Der frz. Geist, 1938, und Neues Europa 2, 1947); Le dialogue avec A. Gide (1929, neue Ausg. 1947; dt. 1961); François Mauriac et le problème du romancier catholique (1933); Qu'est-ce que la littérature (1938; dt. 1949); Grandeur et misère de Benj. Constant (1946); Commentaires (1946); Goethe (1949). Briefe: Lettres de Charles du Bos et réponses d'André Gide (1950).
Lit. M.-A. Gouhier: Ch. Du B. (1951, Vorw. v. F. Mauriac).

Dubreuil [dybrœj], Toussaint, franz. Maler, * Paris 1561, † das. 22. 11. 1602, malte mytholog. Zyklen in den königl. Schlössern, bes. in Fontainebleau. Unter Heinrich IV. war er Direktor der Teppichmanufaktur.

Dubr'ovnik, italien. **Rag'usa**, Stadt in Dalmatien, Jugoslawien, mit (1971) 31 100 Ew., auf einer Halbinsel, mit der 2 km nordwestlich gelegenen Stadt *Gruz* verwachsen. Aus dem 15. Jh. sind gewaltige Stadtmauern, Türme, Bastionen, der Dom u. a. erhalten, als die Stadt als »Königin der Adria« die Nebenbuhlerin Venedigs war. Durch schöne Lage, mildes Klima und subtrop. Pflanzenwuchs hat D. bedeutenden Fremdenverkehr. Vor D. liegt die 2 qkm große Insel Lokrum mit subtrop. Naturpark. – D., im 7. Jh. v. Chr. durch Griechen gegr., war bis 1204 byzantinisch, dann Freistaat unter der Oberhoheit Venedigs, 1358 Ungarns, 1526 der Türkei. Seit dem Erdbeben von 1667 ging die Bedeutung der Stadt zurück. 1806–14 von Frankreich besetzt, kam D. 1815 an Österreich, 1919 an Jugoslawien.
Lit. Monumenta Ragusina, hg. v. Gelciek, 5 Bde. (Agram 1879–97); C. Jireček: Die Bedeutg. v. Ragusa in d. Handelsgeschichte des MA.s (Wien 1899).

Dubuffet [dybyfɛ], Jean, franz. Maler, * Le Havre 1901. Hauptvertreter der franz. abstrakten Kunst. Er nannte seine Kunst »Art brut«; ihr Wesen: »Reaktion gegen jede formale Tradition, vermischt mit viel Humor und etwas Poesie« (M. Brion).

Dubuque [dabj'u:k], Stadt am Mississippi in Iowa, USA, mit (1970) 62 300 Ew., kathol. Erzbischofssitz, Universität; Schiffswerften.

Duc [dyk, franz.], **D'uca** [ital.], Herzog, der nächst dem Prinzen (Fürsten) höchste französische und italienische Adelsrang; (in England →Duke).

Duca, Ion, rumänischer Politiker, * Bukarest 26. 12. 1879, † (ermordet) Sinaia 29. 12. 1933, war mehrfach Min. in Brătianu-Kabinetten. Bei der Rückkehr und Thronbesteigung Carols II. (1930) wurde D. Führer der Liberalen, 1933 MinPräs. Er wurde von einem Mitglied der →Eisernen Garde ermordet.

Du Camp [dy kã], Maxime, franz. Schriftsteller, * Paris 8. 2. 1822, † Baden-Baden 8. 2. 1894, begleitete Flaubert auf dessen Orientreise. Gegner des *l'art pour l'art*, verherrlicht er in seinen Gedichten Naturwissenschaft und Technik. Er veröffentlichte ferner meist autobiogr. Romane, Reiseberichte und historisch wichtige sozialpolit. Arbeiten.

Du Cange [dy kãʒ], eigentl. Charles Dufresne, Sieur D. C., franz. Geschichtsforscher und Philologe, * Amiens 18. 12. 1610, † Paris 23. 10. 1688. Seine mittellatein. und mittelgriech. Lexika sind noch heute unentbehrlich.

Ducat'one, **Dukaton**, ital. Scudo d'argento, 1) eine talerartige Münze, zuerst 1551 von Kaiser Karl V. in Mailand geprägt. 1 D. = 100 Soldi. Im 16. Jh. in Mailand häufig neu ausgegeben, ferner lange Zeit in Savoyen. 2) seit 1618 in den span. Niederlanden im Wert von 3 Gulden *(Dicke Tonne)*. Münzbild ein »silberner Reiter«, danach so benannt. 1659–1792 auch von den Verein. Niederlanden und für den ostind. Handel geprägt.

Duccio [d'utʃo], eigentlich **D. di Buoninsegna**, italien. Maler, * Siena (?) um 1255, † das. 1319. D. der erste bedeutende Meister der sienesischen Malerei, schuf Bilder von blühender Farbigkeit, die noch byzantinisch streng, doch von zarter Empfindung erfüllt sind. Sein Hauptwerk ist das für den Hochaltar des Doms zu Siena gemalte Altarbild

(1308–11; ebd. Dom-Museum) mit der thronenden Madonna, Engeln und Heiligen sowie vielen frisch und anschaulich erzählten kleinen Bildern auf der Predella, Bekrönung und Rückseite. Ein Frühwerk ist das große Madonnenbild für S. Maria Novella in Florenz (1285; ebd. Uffizien).

Duce [d'u:tʃe, ital. ›Führer‹], *D. del fascismo*, seit 1922 Titel Mussolinis.

Ducerceau [dysɛrso], eigentl. **Androuet**, franz. Baumeisterfamilie, bes. *Jacques*, * um 1510, † um 1584, studierte in Italien die Baudenkmäler der Antike und der Renaissance. In vielen Veröffentlichungen und Stichfolgen lieferte er neben theoret. Unterweisungen eine bildl. Darstellung der Architekturlehre. Sein graph. Werk umfaßt über 800 Zeichnungen und 2800 Stiche. Sein Sohn *Baptiste* (* um 1544, † 1590) war Hofbaumeister Heinrichs III. u. IV.

Duchamp [dyʃã], Marcel, franz. Künstler, Bruder von Raymond Duchamp-Villon, Halbbruder von Jacques Villon, * Blainville (bei Rouen) 28. 7. 1887, † Paris 2. 10. 1968. D. begann als Maler und setzte sich mit dem Kubismus auseinander, den er, wohl angeregt vom Futurismus, durch Einbeziehung des Elements der Bewegung erweiterte (Akt eine Treppe hinabschreitend, 1912). Um 1914 gab er die Malerei auf und wurde zum Vorläufer des Dadaismus und Anreger des Surrealismus. 1914 stellte er handelsübliche Gegenstände *(ready mades)* wie Kunst aus, seit 1920 fabrizierte er bewegliche Glasgebilde. Seine geistreich-verrückten Einfälle gaben immer wieder neue Impulse. Sie drückten nicht nur das Unbehagen am modernen Kunstbetrieb und einen Protest gegen traditionelle Auffassungen aus, sondern ironisierten ganz allgemein die moderne Zivilisation.

Lit. R. Lebel: M. D. (1962).

Duchamp-Villon [dyʃã-vilõ], Raymond, franz. Bildhauer, * Damville (Eure) 5. 11. 1876, † Cannes 7. 10. 1918, Bruder von Marcel Duchamp, schloß sich um 1910 den Kubisten an und wurde Mitbegründer der Section d'Or *(Orphismus)*. Bei zunehmendem Verzicht auf Detailmodellierung vereinfachte er die Formen und erzeugte Spannung nicht mehr durch Darstellung körperlicher Bewegung, sondern durch das Spiel konkaver und konvexer Formen. In seinem ›Pferd‹ (1914; 3 Fassungen), das von nachhaltigem Einfluß war, verkörperte er die Energie der Bewegung durch nahezu gänzlich abstrakte, fast technisch anmutende Formen.

Du Châtelet [dy ʃatle], Gabrielle-Émilie, Marquise, geb. Le Tonnelier de Breteuil, * Paris 17. 10. 1706, † Lunéville 10. 9. 1749, ›la belle Émilie‹ Voltaires, mit dem sie über 15 Jahre zusammenlebte. Mit ihrer Schrift über Leibniz (Institutions de physique, 1740) und einer Übersetzung von ›Principia‹ Newtons (1756) erregte sie Aufsehen.

Lit. A. Maurel: La Marquise Du C. (1930).

Duchcov [d'uʧsɔf, tschech.] →Dux.

D'uche *der*, Getreidegras, →Hirse.

Duchenne [dyʃɛn], Guillaume Benjamin Armand, auch **D. de Boulogne** genannt, franz. Mediziner, * Boulogne-sur-Mer 17. 9. 1806, † Paris 15. 9. 1875, führte die moderne Elektrotherapie und Elektrodiagnostik ein.

Duchennesche Lähmung, die chronische, progressive Bulbärparalyse.

Lit. P. Guilly: D. de Boulogne (1936).

Duchesne [dyʃɛːn], 1) André, latinisiert **Chesnius, Duchenius, Quercetanus**, franz. Geschichtsforscher, * Isle-Bouchard (Touraine) im Mai 1584, † Paris 30. 5. 1640, wurde unter Richelieu kgl. Historiograph. 2) Louis, kath. Kirchenhistoriker, * Saint-Servan 13. 9. 1843, † Rom 21. 4. 1922, 1877 Prof. am Institut Catholique in Paris, 1895 Direktor des franz. Instituts in Rom, 1910 Mitglied der franz. Akademie. D. hat große Verdienste um die alte Kirchengeschichte durch ihre histor.-krit. Bearbeitung und durch eine zu einem stilist. Kunstwerk gewordene Gesamtdarstellung. Wegen seiner Überordnung des wissenschaftl. Urteils über kirchl. Traditionen machte ihm die Kirche Schwierigkeiten.

Werke. Ausg. des Liber Pontificalis, 2 Bde. (1886–92), Origines du culte chrétien (1889, ⁶1925), Histoire ancienne de l'Église, 3 Bde. (1906–10; auf dem Index), Bd. 4, hg. v. H. Quentin (1925).

Duchesnea [dyʃ'ɛnea], Pflanzengattung der Rosengewächse; die *Erdbeer-D.* (D. indica), mit erdbeerähnl. Früchten, ist Zierpflanze.

Duchesse [dyʃɛs], 1) Herzogin, weibl. Form von →Duc. 2) ein sehr dichter, reinseidener Kleiderstoff in Atlasbindung; auch ein Futterstoff mit Reyonkette und Baumwollschuß. 3) **Duchesses**, kleine Gebäckkugeln aus Mandeln, Nüssen, Zucker, Schokolade und Eiweiß.

Duchob'orzen, Duchob'orzy [russ. ›Geisteskämpfer‹], eine durch die Quäker beeinflußte Glaubensgemeinschaft in Rußland und Kanada. Ihre Anhänger verwerfen die kirchliche Glaubenslehre, Eid und Kriegsdienst. Die D. wurden Mitte des 18. Jhs. von S. Kolenikow unter Einfluß des abendländ. spiritualist. Protestantismus gegründet; in Rußland mehrfach verfolgt und umgesiedelt, wanderten sie zum großen Teil mit Unterstützung von L. Tolstoi um 1900 nach Kanada aus.

Lit. L. N. Tolstoi: Christenverfolgung in Rußland 1895 (Berlin 1896).

Ducht [german. Stw.] *die*, 1) Stütz-Querbalken auf Flußkähnen. 2) Sitz- und Ruderbank in Kähnen. 3) kleines Verdeck am Vorderteil in Ewern und offenen Kähnen.

Ducht, Duft [verwandt mit Docht] *die*, Litze, geteerte und zusammengedrehte Kabelgarne aus Hanf, Teil eines Taus.

D'učić [dutʃitʃ], Jovan, serb. Dichter und Diplomat, * Trebinje 5. 2. 1874, † Gary (USA) 7. 4. 1943, verfeinerte unter dem Einfluß der franz. Parnassiens und Symbolisten Vers und Sprache der Lyrik; auch Reisebriefe und Essays.

Duci

Ducis [dysis], Jean François, franz. Dramatiker und Dichter, * Versailles 22. 8. 1733, † das. 31. 3. 1816, bearbeitete nach vorhand. Übersetzungen Shakespeare-Dramen, indem er den Realismus daraus verbannte, die Handlungen durch Berichte ersetzte und die Einheit der Zeit wahrte, um sie dem klass. Geschmack anzupassen.

LIT. J. Jusserand: Shakespeare en France (1898).

D'uckdalbe, Dückdalbe [niederd. zu diek ›Deich‹ und dalb ›Pfahl‹] *die*, Pfahlbündel zum Festmachen von Schiffen. BILD Dalbe.

D'ucker, Schopfantilope, Gruppe kleiner afrikanischer Antilopen.

Ducker (Schulterhöhe 55 cm)

D'uckmäuser [spätmhd. tockelmusen ›Heimlichkeit treiben‹], Hinterlistiger, Heimlichtuer, Kopfhänger.

Duclos [dyklo], 1) D., eigentl. Pinot (Pineau), Charles, * Dinan 12. 2. 1704, † Paris 26. 3. 1772, war ständiger Sekretär der Académie Française, an deren Wörterbuch er mitarbeitete, königl. Historiograph und Romanschriftsteller.

2) Jacques, franz. Politiker, * Louey (Dep. Hautes-Pyrénées) 2. 10. 1896, † Paris 25. 4. 1975, 1920 Mitgl. der Kommunist. Partei, 1926–32 und seit 1936 Abg. D. war Mitgründer des Kominform; er wurde neben Thorez der führende Kopf der franz. Kommunisten. Seit Okt. 1950 zeitweilig Gen.-Sekretär, 1946–59 Abg. der Nationalversammlung, wurde 1959 Senator und Vors. der kommunist. Senatsfraktion.

Ducommun [dykɔmœ̃], Elie, schweizer. Schriftsteller, * Genf 19. 2. 1833, † Bern 7. 12. 1906, seit 1868 Mitglied des Zentralkomitees der internat. Friedensliga, dann Leiter des internat. Friedensbureaus in Bern. 1902 Friedensnobelpreis zus. mit Gobat.

Ducos du Hauron [dyko dy orɔ̃], Louis, franz. Phototechniker, * Langon (Gironde) 1837, † Agen 1920, erfand (1868) im Anschluß an Ideen Maxwells (1855) ein Verfahren der Dreifarbenphotographie und des photograph. Dreifarbendrucks.

D'uctus [lat.] *der, Anatomie:* Gang, Kanal, z. B. *D. choledochus,* der Gallengang. *Schrift:* → Duktus.

Dud, Fliegenlarven, →Fessanwurm.

Duddell [dʌd'el], William du Bois, engl. Physiker, * 1872, † 4. 11. 1917, erfand 1894 die »sprechende Bogenlampe«, die Grundlage für die Entwicklung des Lichtbogensenders in der drahtlosen Telegraphie.

Du Deffand [dy dɛfã], Marie Anne, Marquise, geb. de Vichy-Chamrond, * Schloß Chamrond 1697, † Paris 23. 9. 1780, versammelte in ihrem Salon jahrelang die führenden Geister Frankreichs und des Auslands (Briefe an Voltaire, Horace Walpole u. a.).

LIT. G. Rageot: Mme. Du D. (1937); V. Giraud: Pastels féminins (1939).

Düdelingen, franz. Dudelange, Industriestadt in Luxemburg, mit (1971) 14 600 Ew., Hüttenwerke, Walzwerk, Haushaltwaren-, Stahlbauindustrie; Fernsehsender.

D'udelsack, Sackpfeife, Bock, altes aus Asien stammendes Volksmusikinstrument, besteht aus einem ledernen Windsack mit mehreren Zungenpfeifen, und zwar einer Spiel- oder Melodiepfeife und 2–3 unveränderlich klingenden Begleitpfeifen, den Brummern. Der Windsack wird durch ein Mundrohr mit Luft gefüllt und zwischen Körper und Oberarm eingeklemmt. Bei der Musette treten an Stelle des Mundrohrs kleine unter den Arm gepreßte Schöpfbälge. Der D. wird heute noch von den schott. Militärkapellen und als Volksmusikinstrument bes. in Irland, Schottland, auf dem Balkan gespielt.

D'uden, Konrad, Sprachforscher, * auf dem Gut Bossigt bei Wesel 3. 1. 1829, † Sonnenberg bei Wiesbaden 1. 8. 1911, war Gymnasiallehrer und -direktor, schuf mit seinem ›Orthographischen Wörterbuch der deutschen Sprache‹ (1880, seither viele Neubearbeitungen) das Rechtschreibebuch für die dt. Druckereien.

LIT. A. Hübner in: Kleine Schriften z. dt. Philologie (1940).

D'uderstadt, Stadt im Kreis Göttingen, Niedersachsen, mit (1976) 23 300 Ew., am Nordrand des Eichsfelds, 172 m ü. M., eine altertüml. Stadt mit Stadtumwallung, Rathaus (älteste Teile 1250); hohere Schulen; Industrie. – Bis 1802 gehörte D. mit dem Eichsfeld zum Erzbistum Mainz und kam 1815 an Hannover.

LIT. H. Sauerteig: Stadtgeogr. von D. (1940).

Dudevant [dydvã], George und Maurice, →Sand.

Dud'inka, Hafenstadt im Gau Krasnojarsk, Russische SFSR, im Mündungsgebiet des Jenissej, mit (1972) 21 000 Ew.; hat Bahnverbindung mit Norilsk.

Dud'inzew, Wladimir Dmitrijewitsch, russ. Schriftsteller, * Kupjansk (Charkow) 29. 7. 1918. Sein Roman ›Der Mensch lebt nicht vom Brot allein‹ (1956; dt. [17]1958) wurde wegen seiner Kritik an Mißständen des sowjet. Systems im Westen beachtet, in der Sowjetunion kritisiert.

D'udith, Andreas, ungar. Humanist, * Ofen

220

16. 2. 1533, † Breslau 23. 2. 1589, Bischof von Fünfkirchen, trat auf dem Tridentiner Konzil für eine gemäßigte Reform ein. Protestant geworden, lebte er in Breslau. Seine Korrespondenz ist geistesgeschichtlich bedeutend.

Dudley [d'ʌdli], Stadt in England, im Industriebezirk von Birmingham, mit (1971) 185 500 Ew.; Kohlengruben, Maschinenbau, Eisen- und Messinggießereien, Glasindustrie.

Dudley [d'ʌdli], engl. Adelstitel, abgeleitet von Schloß und Landschaft D. in Staffordshire; ihn führte seit 1321 die Familie **Sutton**, seit 1697 die Familie **Ward** (seit 1860 Earls of D.). Bekannt sind John D., der spätere Herzog von →Northumberland und sein Sohn Robert D., Earl of →Leicester.

Dudo, Dekan von Saint-Quentin, † vor 1043, verfaßte das bis zum Tod Herzog Richards I. (996) reichende Werk ›De moribus et actis primorum Normanniae ducum‹ (hg. v. Lair 1865), eine wichtige Quelle für die Entstehung der Normandie und ihre Geschichte im 10. Jh.

Dudok, [d'ydɔk], Willem Marinus, holländischer Architekt, * Amsterdam 6. 7. 1884, seit 1915 Stadtbaumeister von Hilversum. Seine Bauten sind vorbildliche moderne Architektur.

D'udweiler, ehem. Stadt (1962–73) im Kr. Saarbrücken, mit (1973) 28 600 Ew.; Steinkohlenbergbau, Eisenindustrie; gehört seit 1. 1. 1974 zu Saarbrücken.

d'ue [ital.], zwei; **d.volte** zweimal; **a d. voci** [v'otʃi], für zwei Stimmen, zweistimmig.

Duecento [duetʃ ɛnto], →Dugento.

Du'ell [lat.; Lutherzeit], →Zweikampf.

Du'enna [span.], Dame, bes. Anstandsdame.

Du'erne [von lat. duo ›zwei‹], *Buchherstellung:* eine Lage von zwei ineinandergesteckten und mit entsprechenden Seitenzahlen versehenen Bogen.

Du'ero, portug. **D'ouro,** lat. *Durius,* Fluß der Pyrenäenhalbinsel, 925 km lang, entspringt am Pico de Urbión im östl. Randgebirge Altkastiliens, durchzieht die weite Hochebene von Altkastilien, im Unterlauf das weinreiche portug. Berg- und Hügelland und mündet in den Atlant. Ozean.

Du'ett, ital. **duetto,** Verkleinerungsform von **Duo,** Komposition für zwei selbständig geführte Gesangstimmen mit Instrumentalbegleitung (Duo). Der unbegleitete zweistimmige Satz heißt bis ins 16. Jh. hinein →Bicinium. Das konzertante Kirchen- und Kammerduett stand im 17. und 18. Jh. in hoher Blüte. Von bes. Bedeutung ist das D. in der Oper.

Dufay [dyf'aj], Guillaume, niederländ. Komponist, * Chimay (Hennegau) um 1400, † Cambrai 27. 11. 1474. Hauptmeister der mehrstimmige Vokalmusik des 15. Jhs. Er wirkte um 1419 am Hof der Malatesta zu Pesaro und Rimini; 1427–33 und 1435–37 diente er in der päpstl. Kapelle in Rom. Seit 1450 lebte er als geistl. Würdenträger in Cambrai. D. war das Haupt der burgund.

Schule im Zeitalter Philipps des Guten. Er schuf Messen, Motetten, Magnifikats, geistliche und weltliche Lieder, Chansons für Gesang und mehrstimmiges Instrumentalspiel.

D'üffel [nach einem Ort in Belgien] *der,* tuchähnliches Halbwollgewebe.

Dufflecoat [dʌflkout, engl.] *der,* kurzer sportl. Mantel mit Knebelverschluß, oft mit Kapuze.

Dufhues [-hu:s], Jos. Hermann, Politiker (CDU), * Castrop-Rauxel 11. 4. 1908, † Rheinhausen 26. 3. 1971, Jurist, 1958–62 Innenmin. von Nordrhein-Westfalen, 1962 bis 1966 Geschäftsführender Vors. der CDU, 1966 Landtagspräs. von Nordrhein-Westfalen, 1967–69 stellvertr. Parteivorsitzender.

Dufour [dyfu:r], Guillaume Henri, schweizer. General, * Konstanz 15. 9. 1787, † Contamines (bei Genf) 14. 7. 1875, machte die letzten Feldzüge Napoleons I. mit, wurde 1831 Chef des eidgenöss. Generalstabs und führte 1847 den Oberbefehl im Feldzug gegen die Sonderbundskantone. 1864 war er Mitbegründer des Roten Kreuzes. Als Leiter der schweizer. Landesvermessung schuf er 1832–64 die ›Topograph. Karte der Schweiz‹ (1:100000, 25 Blatt), die **D.-Karte,** die für Gebirgskarten beispielhaft wurde.

LIT. F. Wartenweiler: Führende Schweizer . . . General D. (1934).

Dufourspitze [nach dem General Dufour], höchster Gipfel des Monte Rosa, 4634 m.

Dufresne [dyfrɛ:n], 1) Charles, →Du Cange.
2) Jean, Schachmeister, * Berlin 14. 2. 1829, † das. 15. 4. 1893, schrieb ›Großes Schachhandbuch‹ (1871, mit Zukertort), ›Kleines Lehrbuch des Schachspiels‹, das verbreitetste Schachbuch (²¹1963, von J. Mieses, jetzt von R. Teschner, bearbeitet).

Dufresnoy [dyfrɛnwa], Charles Alphonse, franz. Maler und Dichter, * Paris 1611, † Villiers-le-Bel 16. 1. 1668, malte mytholog. und histor. Wand- und Tafelbilder und verfaßte ein latein. Lehrgedicht über die Malerei (De arte graphica, 1668, bald in viele Sprachen übersetzt), auf das sich die für das Recht der Farbe eintretenden Rubens-Anhänger in ihrem Kampf gegen die Poussin-Anhänger beriefen.

LIT. H. Fegers: Das polit. Bewußtsein i. d. franz. Kunstlehre des 17. Jhs. (Diss. Heidelberg 1943, gekürzt).

Dufresny [dyfreni], Charles, genannt **Rivière,** franz. Dramatiker, * Paris 1648, † das. 6. 10. 1724, schrieb z. T. schlecht gebaute, aber an Einfällen und witzigen Dialogen reiche Komödien.

Duft [german. Stw.], 1) zarter Geruch. 2) →Ducht.

D'uft|organe, bei Schmetterlingen u. a. Insekten, auch bei männl. Säugetieren drüsige Organe *(Duftdrüsen),* die →Duftstoffe zum Anlocken des anderen Geschlechts absondern (→Sexuallockstoffe).

D'uftstoffe, 1) *bei Pflanzen:* Unter d.Bakterien erzeugen die Fäulniserreger die kennzeichnenden widerlichen D., andere Gerüche nach Ananas und Erdbeeren; der »Erdgeruch« geht z. T. von Bodenbakterien aus. Die Veilchensteinalge *(Trentepohlia iolithus)* hat Veilchengeruch. Bei Pilzen sind sehr häufig: Geruch nach frischem Mehl, Rettich, Knoblauch, Anis, Zimt, Nelken, Waldmeister, Orangen, Hyazinthen, Moschus, Hering, Wanzen, Fäkalien. Von Flechten wird die Bandflechte *(Evernia prunastri)* zur Parfümgewinnung verwertet. Einige Moose haben Geruch nach Fäkalien, andere eine Mischung von Fruchtaroma und Ekelgeruch. Die außerordentlich verschiedenen D. der Blütenpflanzen sind meist Harze und ätherische Öle. Eine Bedeutung der pflanzl. D. für die Pflanzen liegt im Anlocken von Insekten zur Verbreitung der Sporen, des Pollens und der Samen. Widerliche Gerüche schrecken vielleicht Feinde ab.

2) *bei Tieren:* D. finden sich bei Insekten und Wirbeltieren mit gutem Geruchsvermögen. Biolog. Bedeutung: a) Verständigung der Artgenossen. Das Duftorgan der Bienen markiert mit fruchtätherart. Duft eine Futterquelle; Ameisenarbeiterinnen hinterlassen auf ihren Straßen Duftspuren von Ameisensäure. b) Anlockung der Geschlechter. Manche Schmetterlingsweibchen erzeugen in Duftorganen Stoffe, die die Männchen über kilometerweite Entfernungen heranführen. c) Erregung des Geschlechtspartners. Duftdrüsen sind bei Säugermännchen, bes. in der Brunst, stark entwickelt, z. B. ›Brunstfeige‹ des Gemsbocks, Moschusbeutel des Moschustiers, Vorhautdrüse des Bibers. d) Abschreckungsmittel gegen Feinde. Das Stinkdrüsensekret der Stinktiere wird weit herausgespritzt; Wanzen und Küchenschaben scheiden widerliche D. ab.

Dufy [dyfi], Raoul, franzöz. Maler, * Le Havre 3. 6. 1877, † Forcalquier (Dep. Basses-Alpes) 23. 3. 1953, schloß sich den →Fauves an und malte mit ungebrochenen Farben in der Art von Matisse. Später wurden seine Bilder unter dem Einfluß Cézannes strenger im Aufbau. In den 20er Jahren gelangte er zu einem eigenen, heiter dekorativen Stil, in dem er die Umwelt zeichenhaft naiv schilderte und ihre Atmosphäre allein durch die Farbe einfing. D. hat auch Wandmalereien, Illustrationen, Keramiken und Entwürfe für Stoffe geschaffen.

Lıt. J. Lassaigne: R. D. (Genf 1954).

Du Gard [dy gaːr], Roger Martin, franz. Dichter, →Martin du Gard, Roger.

Dugento [dudʒʹento, ital. ›zweihundert‹, für 1200], **Duecento**, ital. für das 13. Jh. und seinen Stil.

Dughet [dygɛ], Gaspard, franz. Maler, →Poussin.

Dugi Otok, ital. **Isola lunga** oder **grossa**, schmale norddalmatin. Insel, 124 qkm, bis 338 m hoch, gehört zu Kroatien (Jugoslawien); Wein-, Feigen-, Olivenbau.

D'ugong [malaiisch dujong], Meeressäugetier der Gruppe →Sirenen.

Du Guesclin [dy gɛklɛ̃], Bertrand, Connétable von Frankreich (1370), * Schloß Motte-Broons in der Bretagne um 1320, † bei der Belagerung von Châteauneuf de Randon 13. 7. 1380, gewann 1369 dem Grafen Heinrich von Trastamara das Kgr. Kastilien und verjagte 1370–73 die Engländer aus Poitou und fast allen übrigen franz. Besitzungen.

Duhamel [dyamɛl], Georges, franz. Schriftsteller und Arzt, * Paris 30. 6. 1884, † Valmondois bei Paris 13. 4. 1966, veröffentlichte zuerst Gedichte und dramat. Versuche. In Betrachtungen und bes. in Romanen erweist sich D. als scharfer Beobachter und Seelenkenner, der dem Menschen einen Weg aus der Lieblosigkeit zu zeigen sucht. Seit 1935 war D. Mitgl. der Académie Française.

WERKE. Civilisation (1918; dt. Über den Krieg); Vie et aventures de Salavin, 2 Bde. (1948), Chronique des Pasquier (Gesamtausg. 10 Bde., 1948/49; dt. Die Chronik der Familie Pasquier, 1953ff.), Le Voyage de Patrice Périot (1952; dt. Professor P. Périot, 1953), Le complexe de Théophile (1958; dt. 1960), Nouvelles du sombre empire (1960); Lumières sur ma vie (Memoiren, 5 Bde., 1944–53).

Duhem [dyã], Pierre, franz. Physiker und Philosoph, * Paris 10. 6. 1861, † Cabrespine (Aude) 14. 9. 1916, Jesuit, Prof. der Physik in Bordeaux, entwickelte eine bes. im Wiener Kreis einflußreich gewordene Wissenschaftslehre. Hervorragende Bedeutung besitzt er auch als Historiker der Naturwissenschaft.

Duhm, Bernhard, evang. Theologe, * Bingum (Ostfriesland) 10. 10. 1847, † Basel 31. 8. 1928, seit 1889 Prof. das., zusammen mit Wellhausen Bahnbrecher der modernen geschichtl. Betrachtung des A. T.; bedeutender Ausleger der Propheten.

Dühring, Karl Eugen, Philosoph, Naturforscher und Volkswirtschaftler, * Berlin 12. 1. 1833, † das. 21. 9. 1921, wurde 1863 Privatdozent für Philosophie in Berlin. Wegen seiner Angriffe gegen einzelne Professoren wurde ihm 1877 die Lehrerlaubnis entzogen. Nach D.s Meinung soll die Philosophie zu einer vernünftigen Gestaltung der Wirklichkeit führen. Er bekämpfte alle Jenseitsreligionen, bes. das Judentum und das Christentum, auch die Gesellschaftsordnung seiner Zeit. In der Volkswirtschaft wandte er sich scharf gegen den Marxismus.

WERKE. Naturl. Dialektik (1865), Krit. Gesch. der Nationalökonomie und des Sozialismus (1871), Krit. Gesch. der allgemeinen Prinzipien der Mechanik (1872), Logik und Wissenschaftstheorie (1878). Selbstdarstellung: Sache, Leben und Feinde (1882).

Du'ilius, Gaius, röm. Konsul, erfocht 260 v. Chr. im 1. Pun. Krieg den ersten röm. Seesieg über die Karthager bei Mylae. D. wurde durch Errichtung der *Columna rostrata* (→Columna) auf dem Forum geehrt.

Duisburg-Ruhrorter Häfen

Duisberg [d′y:s-], Carl, Chemiker und Wirtschaftsführer, * Barmen 29. 9. 1861, † Leverkusen 19. 3. 1935, trat 1884 bei den Farbwerken Bayer ein und wurde 1912 Generaldirektor. Bei der Zusammenschlußbewegung der chemischen Industrie, bes. bei der Bildung der I. G. Farbenindustrie AG, 1925, war er führend beteiligt und seitdem Vorsitzender von Aufsichts- und Verwaltungsrat. Um die Entwicklung der Teerfarbenindustrie hat sich D. große Verdienste erworben. – 1949 wurde in Köln die *Duisberg-Gesellschaft für Nachwuchs-Förderung* gegründet.

WERKE. Abhandlungen, Vorträge und Reden 1882–1921 (1923), dass. 1922–33 (1933); Meine Lebenserinnerungen, hg. v. J. v. Puttkamer (1936).

Duisburg [d′y:s-], Stadtkreis im RegBez. Düsseldorf, Nordrhein-Westfalen, 33 m ü. M., mit (1977) 582 000 Ew. Wappen: TAFEL Städtewappen. D. liegt am rechten Rheinufer beiderseits der Mündung der Ruhr, von der hier der Rhein-Herne-Kanal nach dem Dortmund-Ems-Kanal abzweigt. Es ist mit den *Duisburg-Ruhrorter Häfen* der größte europ. Binnenhafen (Umschlag von Öl, Kohle, Erz, Grubenholz, Schrott und Lebensmitteln). Auf den Kohlenvorräten der Umgebung beruht die industrielle Entwicklung der Stadt. Hauptindustriezweige: Kohlenbergbau, Eisen- und Stahlproduktion, Maschinen-, chemische, Mühlenindustrie, Schiffbau. D. hat Landgericht, Amtsgerichte, Wasser- und Schiffahrtsdirektion, Industrie- und Handelskammer, Gesamthochschule, Staatl. Ingenieurschule, Versuchsanstalt für Binnenschiffbau, Schweißtechn. Lehranstalt, höhere und Fachschulen, darunter die Stromschifferschule, städt. Kunstsammlungen, Niederrhein. Heimatmuseum, Stadttheater, Oper, Tierpark, Botan. Garten. Die im 2. Weltkrieg zerstörte Salvatorkirche (1415) wurde wiederhergestellt.

GESCHICHTE. D., eine fränk. Königspfalz *(Dispargum)*, war seit der Stauferzeit bis 1290 Reichsstadt, kam dann an das Hzgt. Kleve und mit diesem 1614 an Brandenburg. 1651–1818 besaß es eine Universität. Durch eine Veränderung des Rheinlaufs Ende des

13. Jhs. wurde Alt-D. zur Binnenstadt; das ebenfalls klev. Ruhrort gewann dadurch an Bedeutung. Gleichwohl war nur D. selbst Hansestadt. Zu einem natürl. Wachstum im 19. kamen große Eingemeindungen im 20. Jh., u. a. 1905 Ruhrort, Meiderich, 1929 Hamborn (1929–34 hieß die Stadt D.-Hamborn). Die Bombenangriffe des 2. Weltkrieges brachten schwere Zerstörungen, denen auch die wenigen mittelalterl. Bauten fast ganz zum Opfer fielen.

LIT. H. Averdunk und W. Ring: Gesch. der Stadt D. (²1949).

Duisburger Kupferhütte AG, Duisburg, gegr. 1876, Gewinnung von Spezialeisen und Nichteisenmetallen. Nach 1945 Beteiligung der Arbeiter am Betriebsergebnis (Ergebnislohn).

Duisdorf (d′y:s-], ehem. Gemeinde in Nordrhein-Westfalen, mit (1967) 15900 Ew., Bundesministerien für Verteidigung, Wirtschaft, Ernährung, Landwirtschaft und Forsten, Bundesarbeitsministerium; Nährmittel-, Glas-, keramische Industrie; seit 1. 8. 1969 zu Bonn gehörig.

Dujardin [dyʒardɛ̃], 1) Édouard, franz. Schriftsteller, * Saint-Gervais (Loir-et-Cher) 10. 11. 1861, † Paris 31. 10. 1949, gehörte zur ersten Gruppe der Symbolisten, gründete 1885 die ›Revue Wagnérienne‹, 1886 die ›Revue Indépendante‹. In dem Roman ›Les lauriers sont coupés‹ (1888, ²1925) verwendet er den seither durch den ›Ulysses‹ von J. Joyce bekannt gewordenen ›Monologue intérieur‹ (Essay, 1931).

2) Karel, holländ. Maler und Radierer, * Amsterdam (?) um 1622, † Venedig 20. 11. 1678, in Italien, Amsterdam, zuletzt in Venedig tätig, malte im Sinne seines Lehrers Berchem, jedoch in ruhigerem Aufbau, italien. Landschaften mit stillen Gruppen von Vieh, Hirten, Reitern in schimmerndem Sonnenlicht.

Dukas [dyka], Paul, franz. Komponist, * Paris 1. 10. 1865, † das. 17. 5. 1935, Vertreter des musikal. Impressionismus; bekanntestes Werk ist ›L'apprenti sorcier‹ (1897), ein Orchesterscherzo nach Goethes ›Zauberlehrling‹.

Duk′aten [mlat.] *der*, 1) zuerst Ende des

Duka

13. Jhs. in Venedig geprägte Goldmünze (›Zechine‹), bekam wegen ihres Rückseitenbildes und dessen Legende, die mit Ducatus schloß, den Namen D. Seit 1325 in Ungarn, seit 1559 deutsche Reichsmünze, wurde er in Süddeutschland bis 1871, in Österreich bis ins 20. Jh. hinein geprägt. Die Niederlande prägten die Ritter-D. vom 16. bis ins 20. Jh. Skandinavien schlug D. von der Mitte des 16. bis ins 19. Jh., Schweden bis 1868. 2) Amtsbezirk eines byzant. →Dux.

Duk′atenblume, Dukatenröschen, gelbblütige Pflanzen, wie Hahnenfuß, Habichtskraut.

Duk′atenfalter, →Bläuling.

Duk′atengold, das reinste verarbeitete Gold von 23,5–23,66 Karat.

Duke [dju:k, engl.], Herzog, der höchste engl. Adelsrang, wurde anfangs nur Mitgliedern des kgl. Hauses verliehen, seit Richard II., häufig seit dem 17. Jh. auch anderweitig; die ›royal dukes‹ behielten den Vorrang vor allen andern. Anrede: *Your Grace* oder *My Lord D.*

D′üker [von niederl. duiker ›Taucher‹], eine Leitung zur Führung eines Wasserlaufs, einer Gas- oder Wasserleitung unter einem Hindernis nach dem Prinzip der kommunizierenden Röhren.

Düker unter einem Kanal

D′uklapaß, wichtiger Karpatenübergang (502 m) zwischen Galizien und der Slowakei, südl. des Ortes *Dukla* in der poln. Woiwodschaft Rzeszów.

dukt′il [lat.], streckbar, hämmerbar.

D′uktus [lat. ›Führung‹], 1) Federführung (beim Schreiben), individuelle Eigenart des Schreibzuges. 2) *im Schreibunterricht* die als Vorbilder dienenden Schriftzeichen für die Schreibschriften. 3) *Anatomie:* →*Ductus.*

Dulbecco, Renato, amerikan. Biologe, * Catanzaro (Italien), seit 1947 in USA, erhielt den Nobelpreis für Medizin 1975 (zus. mit D. Baltimore und H. Temin) für seine Arbeiten über krebsauslösende Viren.

Dülberg, Franz, Kunstschriftsteller, * Berlin 2. 5. 1873, † das. 21. 5. 1934.
WERKE. Die Leydener Malerschule, 2 Bde. (1899), Frühholländer, 3 Bde. (Haarlem 1903–07), Das holländ. Porträt des 17. Jhs. (1923), Niederl. Malerei d. Spätgotik und Renaissance (1929), Frans Hals (1930).

D′ulce et dec′orum est pro p′atria m′ori [lat.], Süß und ehrenvoll ist's, für das Vaterland zu sterben; Vers aus Horaz' ›Oden‹ (III, 2, 13).

Dulcinea (Dulzinea) von Toboso [dulθin′εa, span.], in Cervantes' Roman ›Don Quijote‹ die Geliebte Don Quijotes, die freilich nur in Don Quijotes Vorstellung lebt; *danach* scherzhaft: Geliebte.

D′uldsamkeit, →Toleranz.

D′uldung, stillschweigende Anerkennung.

Dülfer, Martin, Architekt, * Breslau 1. 1. 1859, † Dresden 21. 12. 1942, war 1892 bis 1906 in München tätig, 1906–29 Prof. an der Techn. Hochsch. Dresden, gehörte mit Endell und Riemerschmid zu den Vorbereitern des Jugendstils in München.
WERKE. Theater in Meran (1900), Dortmund (1904), Lübeck (1908) ; Bauten der Techn. Hochsch. Dresden: Bauingenieur-Abt. (1913), Chem. Institute (1921–26).

Dul′ichius, Philipp, Komponist, * Chemnitz 1562, † Stettin 24. 3. 1631, seit 1587 Kantor am fürstl. Pädagogium von Stettin, schrieb mehrstimmige Chorwerke ohne Orchester, vor allem kirchl. Musik.

D′ülken, ehem. Stadt im RegBez. Düsseldorf, Nordrhein-Westfalen, mit (1969) 21 700 Ew., hat AGer., höhere Schule, Bibliothek und Heimatmuseum; Textil-, Maschinen-, Schuh- und Kleinindustrie. D., 1135 erstmals erwähnt und um 1360 mit Stadtrecht beliehen, feiert einen bekannten, urwüchsigen Karneval; Sitz der 400jährigen Dülkener Narrenakademie in historischer Windmühle. – Zum 1. 1. 1970 wurde D. mit Viersen zusammengelegt.

Dullkraut, das →Bilsenkraut.

D′ullenried, jungsteinzeitl. Dorf (Gem. Buchau) im Federseemoor (Württemberg).
LIT. H. Reinerth: Das Federseemoor als Siedlungsland des Vorzeitmenschen (1936).

Dulles [d′ʌles], 1) Allan Welsh, amerikan. Diplomat, Bruder von 2), * Watertown (N. Y.) 7. 4. 1893, † Washington 29. 1. 1969, leitete im 2. Weltkrieg den amerikan. Geheimdienst von Bern aus; 1953–61 Leiter der →CIA.
2) John Foster, amerikan. Politiker (Republikaner), * Washington (DC) 25. 2. 1888, † das. 24. 5. 1959, Rechtsanwalt, später Leiter von Wirtschaftsunternehmen und öffentl. Stiftungen, 1945 Hauptberater der amerikan. Abordnung in San Francisco; als Ratgeber Achesons war er 1950 an der Ausarbeitung des Friedensvertrags mit Japan beteiligt. Als Außenmin. seit 1953 beeinflußte D. die Politik der Westmächte im Sinne des →Containment; im April 1959 trat er aus Gesundheitsgründen zurück.

D′ülmen, Stadt im Kr. Coesfeld, Nordrhein-Westfalen, mit (1977) 37 100 Ew., in der Münsterer Tieflandsbucht. In der 1945 zu 92 % zerstörten Stadt sind Teile der Stadtbefestigung erhalten. D. hat höhere Schulen, Landwirtschaftsschule; Textil-, Eisen-, Möbel- und Holzindustrie. D., seit 1311 Stadt, gehörte früher zum Hochstift Münster, 1803 kam es an die Herzöge von Croy.

Dulong [dylõ], Pierre Louis, franz. Physiker und Chemiker, * Rouen 12. 2. 1785, † Paris 19. 7. 1838, war seit 1832 ständiger Sekretär der Akademie der Wissenschaften. Gemeinsam mit *Alexis Thérèse Petit* (* Vesoul 2. 10. 1791, † Paris 21. 6. 1820) untersuchte er die Ausdehnung und die spezif. Wärme verschiedener Stoffe und stellte 1819 mit Petit das Dulong-Petitsche Gesetz auf. 1811 entdeckte D. den hochexplosiven Chlorstickstoff.

Dulong-Petitsche Regel, [dylõ pti-], eine physikalisch-chem. Regel, nach der die Atomwärmen, d. h. das Produkt aus Atomgewicht und spezif. Wärme, für alle festen Elemente annähernd gleich 6 cal/grad · Mol sind. Sie ist auf schwere Elemente besser anwendbar als auf leichte. Bei tiefen Temperaturen versagt sie vollständig, weil beim absoluten Nullpunkt die spezif. Wärmen aller Stoffe nach dem Nernstschen Wärmesatz dem Wert Null zustreben.

Dult, Duld [german. Stw.] die, bayr. Messe, Jahrmarkt; bes. bekannt die **Auer D.** in der Münchener Au.

Duluth [dju:l'uθ], Hafenstadt in Minnesota, USA, am Oberen See, mit (1970) 100600 Ew., Handelsplatz für Eisenerz, Weizen, Erdöl und Industriestadt mit Großmühlen, Hochofen- und Stahlwerk, Erdölraffinerien.

D'ulzian, Dolcian, 1) im 16. und 17. Jh. das Fagott, bes. das Diskantfagott, 2) in der Orgel eine bes. helle Zungenstimme.

Dulz'in [lat.], chem. Paraphenetolkarbamid, ein künstlicher Süßstoff, 200mal süßer als Zucker.

Dulz'it [lat.] der, **Melampyr'in,** CH_2OH (CHOH)₄CH_2OH, zur Galaktose gehöriger sechswertiger Alkohol; dem Mannit ähnlicher, süßlich schmeckender Stoff, der in Pflanzen weit verbreitet ist, z. B. in der Dulzitmanna von Madagaskar.

D'uma [russ. ›Rat‹, ›Gedanke‹] die, 1) im alten Rußland der Rat der fürstlichen Gefolgsleute; im Großfürstentum Moskau die **Bojarenduma** (Bojarskaja D.) bis in die Zeit Peters d. Gr. Nach der Städteordnung von 1870 hieß die Stadtverordnetenversammlung **Städtische D.** (Gorodskaja D.). **Reichsduma** (Gosudarstwennaja D.) hieß das russ. Parlament 1905 bis 1917. Durch das Ges. v. 19. 8. 1905 war die D. zunächst nur eine beratende Versammlung, erhielt aber bald darauf das Gesetzgebungsrecht. Die Abgeordneten wurden nach einem für Bauerngemeinden, Fabrikarbeiter und Kleingrundbesitzer dreistufigen, für die anderen Bevölkerungsgruppen zweistufigen Wahlsystem gewählt. Die 1. D. trat am 10. 5. 1906 zusammen, wurde aber ihrer radikalen Haltung wegen schon am 22. 7. aufgelöst; die 2. D. tagte 5. 3. bis 17. 6. 1907. Nach einem neuen Wahlgesetz der Regierung, das die besitzenden Klassen begünstigte, wurde die 3. D. gewählt, die vom 14. 11. 1907 bis zum 22. 6. 1912 tagte. Die 4. D. wurde am 15. 11. 1912 eröffnet und amtierte bis zur Februarrevolution. Sie bildete 1917 die ›Provisorische Regierung‹.

LIT. H. Seton-Watson: The decline of the Russian Empire (1952).

2) episches Lied der Kosaken, von Berufssängern (Kobsaren) zur Kobsa-Bandura rezitativisch u. improvisatorisch vorgetra-

gen. Die D. entwickelte sich im 16./17. Jh. aus der Totenklage und besingt vornehml. Ereignisse aus den Kämpfen gegen Tataren und Türken. Eine jüngere Schicht stammt aus der Epoche des Hetmans Bogdan Chmelnizki (1648–57), ist heiterer und stärker literarisch beeinflußt.

Dumas [dyma], 1) Alexandre der Ältere (D. père), franz. Schriftsteller; Vater von 2), * Villers-Cotterets (Pikardie) 24. 7. 1802, † Puys bei Dieppe 5. 12. 1870, Sohn des Generals Dumas, eines Mulatten, beteiligte sich an Garibaldis Feldzügen, gründete Theater, Zeitschriften u. a., schrieb Schauspiele der Leidenschaft im neuen romant. Geist. Seine Haupterfolge erzielte er mit einer über 300 Bände umfassenden Reihe von großenteils in Zusammenarbeit mit A. Maquet u. a. verfaßten histor. Abenteuerromanen. Voller Unwahrscheinlichkeiten, aber lebendig geschrieben und immer spannend, sind sie noch heute beliebte Volks- und Jugendlektüre. Sie wurden z. T. verfilmt.

WERKE. *Schauspiele:* Heinrich III. und sein Hof (1829), Kean (1836). *Romane:* Die drei Musketiere (8 Bde., 1844) mit den Fortsetzungen Zwanzig Jahre später (10 Bde., 1844/45) und Der Graf von Bragelonne (26 Bde., 1848), Der Graf von Monte Christo (12 Bde., 1844/45), Das Halsband der Königin, 11 Bde. (1849/50); das meiste auch deutsch.

LIT. A. Maurois: Die drei D. (1957; dt. 1959).

2) Alexandre der Jüngere (D. fils), franz. Schriftsteller, * Paris 28. 7. 1824, † Marly bei Paris 27. 11. 1895, verfaßte Romane in romantischem Geschmack, die er z. T. dramatisierte (Die Kameliendame, 1848; dramat. 1852), dann geschickt gebaute Schauspiele. Er gilt als Schöpfer des neuzeitlichen Gesellschaftsstücks (Die Halbwelt, 1855; Der natürliche Sohn, 1858).

Du Maurier [dju m'o:riei], 1) Daphne, engl. Erzählerin, Enkelin von 2), * London 13. 5. 1907, seit 1932 Lady *Browning,* gab in ihren Romanen psychologische Charakterstudien.

WERKE. The progress of Julius (1933; dt. Karriere, 1951), Jamaica Inn (1936; dt. 1949), The Du Mauriers (1937; dt. Kehrt wieder, die ich liebe, 1954), Rebecca (1938; dt. 1949), Frenchman's creek (1941; dt. 1949), The King's general (1946; dt. Des Königs General, 1956), The parasites (1949; dt. 1951), Mary Ann (1954; dt. 1956), The scapegoat (1957; dt. Der Sündenbock, 1957), Die Glasbläser (dt. 1963).

2) George, engl. Zeichner und Romanschriftsteller, * Paris 6. 3. 1834, † London 8. 10. 1896, zeichnete Karikaturen für den ›Punch‹ und Illustrationen zu Thackerays ›Ballads‹ und ›Esmond‹, bekannt durch seine Romane ›Peter Ibbetson‹ (1891) und ›Trilby‹ (1894; dt. 1897).

Dumbarton [damb'a:tn], Hauptstadt der Gfsch. → **Dunbarton.**

Dumb

Dumbarton Oaks [dʌmb'ɑ:tn ouks], Landsitz bei Washington, USA; hier wurden in den Konferenzen der Verein. Staaten und Großbritanniens mit der Sowjetunion (21. 8. – 28. 9. 1944) und mit China (29. 9. bis 7. 10. 1944) die Grundlagen für die Vereinten Nationen geschaffen.

Dumbbell-Nebel [d'ʌmbel -], planetar. Nebelfleck im Sternbild Füchschen.

Dumbier, *Djumbir*, höchster Gipfel der Niederen Tatra (Slowakei), 2045 m.

Dumb-Show [dʌm ʃou, ›stummes Schauspiel‹], eine Pantomime im älteren engl. Schauspiel, die den Inhalt eines Stückes oder Aufzugs im voraus erklärt.

Dum-Dum-Fieber, →Kala-Azar.

Dum-Dum-Geschoß [nach den Munitionsfabrik in Dum-Dum bei Kalkutta], Geschoß für Handfeuerwaffen aus Weichblei oder mit an der Spitze freiliegendem Bleikern (Halbmantelgeschoß). Vollmantelgeschosse werden durch Abkneifen der Spitze zu D.-D.-G. Diese verursachen schwere Wunden; als Kriegsmunition völkerrechtlich verboten.

Dumfries [dʌmfr'i:s], **1)** Grafschaft im südl. Schottland, 2785 qkm, (1970) 87000 Ew. **2)** Hauptstadt von 1), mit (1970) 28 200 Ew. Textilindustrie.

Dum'itriu, Petru, rumän. Schriftsteller, * Bazias 8. 5. 1924, lebte seit 1961 als Flüchtling in Paris, dann in Dtl.; schrieb die Romane ›Die Bojaren‹ (1956/57; dt. 1960), ›Treffpunkt Jüngstes Gericht‹ (1961; dt. 1962).

D'umka [slaw.] *die,* slaw. balladenartiges Volkslied, bes. im tschech. und ukrain. Kulturkreis. Dvořák hat sie in der Instrumentalmusik verwendet.

Dümmer, flacher, von Mooren umgebener See in Niedersachsen, 16 qkm, von der Hunte durchflossen, zwischen den Dammer Bergen und Diepholz.

Dummkoller, unheilbare Gehirnkrankheit des Pferdes.

Dummrian [nd.], Dummkopf, dummer Jan (Johann).

Dummy [dʌmi], Puppe, Attrappe, Strohmann.

Dumont [dymõ], Louise, Schauspielerin und Theaterleiterin, * Köln 22. 2. 1862, † Düsseldorf 16. 5. 1932, wirkte in Berlin, Wien, Stuttgart. 1896–1902 war sie in Berlin eine hervorragende Ibsenspielerin. 1904 gründete sie mit ihrem Gatten *G. Lindemann* († 1960) das Düsseldorfer Schauspielhaus, das sie seitdem leitete.

Du Mont [dy mõ], aus Belgien stammende rheinische Buchhändler- und Buchdruckerfamilie. Sie geht zurück auf *Maria Johann Nikolaus D. M.* (1743–1816), seit 1794 regierender Bürgermeister von Köln. Sein Sohn *Markus Theodor D. M.* (1784–1831), verheiratet mit Katharina Schauberg, kaufte 1808 die den Schaubergschen Erben gehörende Druckerei nebst der *Kölnischen Zeitung* und gründete 1818 Verlag und Druckerei *Du Mont Schauberg.*

Dumouriez [dymurje], Charles François,

franz. General, * Cambrai 25. 1. 1739, † Turville Park (Buckinghamshire) 14. 3. 1823, 1788 Brigadegeneral. In der Revolution wechselte er von den Jakobinern zu den Girondisten. Im März 1792 wurde er Außenmin., im August Führer der Nordarmee; er siegte bei Valmy (20. 9.) und Jemappes (6. 11.) und eroberte Belgien. Bei Neerwinden (18. 3. 1793) geschlagen und mit Anklage bedroht, ging er nach einem mißglückten Umsturzversuch zu den Feinden über; seit 1804 stand er in engl. Diensten.

Lit. Boguslawski: Das Leben des Generals D., 2 Bde. (1879).

D'umpalme, *Hyphaene*, afrikan. Fächerpalmengattung; Stamm meist gabelig verzweigt und struppig von Blattresten, Samen steinnußartig verwertbar.

Dumping [d'ʌmpiŋ, engl.] *das,* die Berechnung bes. niedrigen Verkaufspreisen im Auslandsabsatz, ohne Rücksicht auf Gewinn oder Verlust, mit dem Ziel, den ausländ. Wettbewerb auszuschalten. Insbes. haben Kartelle vielfach einen inländischen Zollschutz zum D. ausgenutzt, indem sie durch die höheren Inlandspreise die niedrigeren Preise im Auslandsverkauf ausgleichen. Bei einer Abwertung entsteht zu Beginn oft ein *Währungs-* oder *Valutadumping,* da die Steigerung der inländ. Erzeugungskosten zunächst hinter der Entwertung der Währung zurückbleibt und so eine bes. niedere Preisstellung gegenüber dem ausländ. Wettbewerb gegeben ist. Von *sozialem D.* spricht man, wenn die Unterbietung der Preise auf niedrige Löhne und geringe soziale Belastung der Wirtschaft (Sozialversicherung usw.) zurückgeht. Gegen das D. suchen die betroffenen Staaten sich durch Antidumpinggesetze zu schützen (Einfuhrzölle, Zollzuschläge).

Dün *der,* Muschelkalkhöhenzug im Eichsfeld, NW-Thüringen, bis 471 m hoch, setzt sich im Osten in der Hainleite fort.

D'üna, Westliche Dwin'a, lettisch D'augava, russ. Sap'adnaja Dwina, Fluß in Osteuropa, 1020 km lang, entspringt auf der Waldaihöhe, fließt durch W-Rußland und Lettland, mündet in die Rigaer Bucht.

D'ünaburg, lett. D'augavpils, russ. Dwinsk, Stadt im SO der Lettischen SSR, an der Düna, mit (1972) 105 000 Ew., hat Flußhafen (Umschlag von Flachs, Getreide, Holz), Metallverarbeitung, Herstellung von elektrotechn. Maschinen u. a. Ind.; wissenschaftl. Institute. D., 1278 vom Deutschen Orden nach Magdeburger Recht gegründet, kam mit Kurland 1561 an Polen, 1772 an Rußland, 1920 an Lettland, 1940 an die Sowjetunion.

Dunajec [dun'ajets] *der,* Nebenfluß der Weichsel, 208 km lang, entspringt am N-Hang der Tatra, mündet nordwestl. Tarnów.

Dünam'ünde, lett. D'augavgriva, der Vorhafen von Riga, 1278 vom Dt. Orden gegründet.

Dunant [dynã], Henri, schweizer. Philanthrop, * Genf 8. 5. 1828, † Heiden 30.10.1910, schilderte in seinem Buch ›Un Souvenir de Solférino‹ (1862; dt. 1895) das Elend der Kriegsverwundeten; so kam es zur Genfer Konvention von 1864 und zur Gründung des ›Roten Kreuzes‹. 1901 Friedens-Nobelpreis.
LIT. M. Gumpert: D. (1950).

Dunaújváros [d'unɔuiwarɔʃ], jetziger Name von **D'unapentele**, vor 1957 Sztálinváros, Industriegroßsiedlung (im Ausbau), südl. von Budapest, Ungarn, rechts der Donau, mit (1970) 44200 Ew., Schwerindustriekombinat mit Hochöfen, Stahlwerk, Wärmekraftwerk.

Dun'ava, serb. und bulgar. Name der →Donau.

Dunbar [d'ʌnbɑ:], William, schottischer Dichter, Franziskaner, * um 1460, † um 1525. Seine lyrisch-satirische Dichtung zeugt von Menschlichkeit, scharfer Beobachtung u. Sprachkraft.
WERKE. Poems (hg. W. M. Mackenzie ²1961).
LIT. J. W. Baxter: W. D. (London 1935).

Dunbarton [dʌnb'ɑ:tn], Grafschaft in Mittelschottland, 637 qkm, (1970) 229700 Ew. Hauptstadt: **Dumbarton**, (1970) 25100 Ew., nahe der Mündung des Leven in den Clyde; Schiff- und Maschinenbau, Eisengießereien, Seilereien.

Duncan [d'ʌŋkən], Isadora, amerik. Tänzerin, * San Francisco 27. 5. 1878, † (durch Autounfall) Nizza 13. 9. 1927, wirkte auf Kunstreisen für eine Umgestaltung des künstler. Tanzes im Sinne des altgriech. Chortanzes. Sie gründete mit ihrer Schwester Elisabeth († 1948) 1904 in Berlin die Duncan-schule (heute in München) mit dem Ziel einer Gesamterziehung von Körper, Geist und Seele.

Dunciad [d'ʌnsiæd, von engl. dunce ›Schwachkopf‹], Titel einer Verssatire von Pope auf Theobald und Cibber; daher allgemein svw. literarische Satire.

Duncker, 1) Alexander, Buchhändler, Sohn von 3), * Berlin 18. 2. 1813, † das. 23. 8. 1897, übernahm 1837 das Sortimentsgeschäft von Duncker und Humblot, widmete sich später Verlagsunternehmungen (Alexander Duncker Verlag, gegr. 1798; Berlin, München).
LIT. D. Duncker: Das Haus D. Ein Buchhändlerroman . . . (³1918).
2) Franz, Buchhändler und Politiker, Sohn von 3), * Berlin 4. 6. 1822, † das. 18. 6. 1888, einer der Gründer der Dt. Fortschrittspartei und mit Max Hirsch Gründer der *Hirsch-Dunckerschen Gewerkvereine.*
3) Karl, Buchhändler, * Berlin 25. 3. 1781, † das. 15. 7. 1869, gründete (1809) mit Peter Humblot die Buchhandlung Duncker und Humblot.
4) Max, Historiker und Politiker, Sohn von 3), * Berlin 15. 10. 1811, † Ansbach 21. 7. 1886, Prof. in Halle und Tübingen, war 1848 bis 1852 führendes Mitglied der Paulskirche

und der preuß. 2. Kammer (altliberal), 1867 bis 1874 Direktor der preuß. Staatsarchive.

Dundalk [dʌnd'ɔ:k], irisch **Dun Dealgan**, Stadt in der Republik Irland, an der Mündung des Castletown in die D.-Bai, (1971) 21700 Ew.; Brauereien, Brennereien, Spinnereien. In D. wurde der letzte König Irlands, Edward Bruce, gekrönt, der bei D. 1318 gegen die Engländer fiel.

Dundee [dʌndi:], 1) Hafen- und Industriestadt in Schottland, am Firth of Tay, mit (1971) 181500 Ew., anglikan. Bischofssitz; Textil-, Maschinen-, Linoleum-, Schuhind., Schiffbau. 2) Stadt im nördlichen Natal (Republik Südafrika), 1249 m ü. M., rd. 17000 Ew. (davon ca. 4000 Weiße), Mittelpunkt eines ergiebigen Steinkohlen- und Eisenerzbezirks.

Dunderlandsdal [d'unər-], Tallandschaft in Norwegen, zwischen Drontheim und Narvik, mit bedeutenden Eisengruben.

D'üne [german. Stw. ›Aufgeschüttetes‹], durch den Wind aufgeschüttete, überwiegend aus Quarzsand bestehende hügelige Formen des festen Landes. 1) *Festlands-dünen* nehmen ihre Aufbaustoffe aus der Verwitterung anstehenden Gesteins, soweit es aus Quarz besteht, aus Rückständen eiszeitl. Ablagerungen oder aus Fluß- und Seeablagerungen. Über irgendeinem Hindernis auf dem Boden bilden sie sich zuerst als kleine, schildförmige Sandhaufen *(Zungenhügel).* Meist sind sie bogenförmig *(Bogendünen, Sicheldünen, Barchane).* 2) *Küstendünen,* entstehen aus dem Sand des Strandes, den die Seewinde treiben und aufhäufen; sie ordnen sich annähernd gleichlaufend der Land-Wasser-Linie an. Zuerst bildet sich die *Vordüne,* die sich mit der Zeit verfestigt

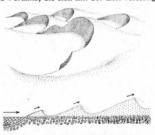

Düne: oben Sicheldünen (Barchane); unten Querschnitt durch eine Reihe von D. mit flacher, dem Wind zugekehrter Luvseite und steiler, im Windschatten gelegener Leeseite (die Pfeile zeigen die Windrichtung und das Landeinwärtswandern der D.)

und Pflanzenwuchs zeigt. Der Wind reißt Lücken in den Wall hinein und häuft hinter ihm neue D. an *(Hauptdüne, Binnendüne).* Der Übersandung von Ländereien durch *Wanderdünen* begegnet man mittels Aufforsten nach vorangegangener Bindung der D. durch Zäune, Sträucher, Sandhalm.

Dune

Dunedin [dʌn'iːdin], Stadt im S der Südinsel Neuseelands, mit (1971) 111 100 Ew.; Otago University (1869 gegr.); Verarbeitung und Ausfuhr landwirtschaftl. Erzeugnisse, bes. Fleisch. D. wurde 1848 gegründet. Zusammen mit Port Chalmers bildet D. den Hafen *Port of Otago*.

D'ünendistel, →Mannstreu.

D'ünenhafer, ein →Strandhafer.

Dunfermline [dʌnf'əːmlin], Stadt in Schottland, nahe dem Firth of Forth, mit (1970) 50 300 Ew.; alte Abteikirche mit Grabstätten schott. Herrscher; Textilindustrie, Eisengießerei, Maschinenbau, Steinkohlenbergbau.

Dung [ahd. tunga], ertragfördernder Zusatz zum Erdboden (→Dünger).

Dung'anen, Tunganen, chinesisch **Schanhui**, mohammedanisches Volk mongolischer Rasse mit chinesischer Sprache im östl. Tarimbecken und in der Dsungarei; allgemein: die Mohammedaner in NW-China. Die D. versuchten mehrmals vergeblich, die chines. Herrschaft abzuschütteln (1781–84, 1861 bis 1878, 1895/96, 1931–34).
LIT. W. Eichhorn: Kolonialkämpfe der Chinesen in Turkestan, in: Zeitschr. d. Dt. Morgenl. Ges. 96 (1942); M. Hartmann: Chines.-Turkestan (1908); Sven Hedin: Die Flucht des großen Pferdes (1935).

Dungeness [d'ʌndʒnəs], Kap an der engl. Südostküste, südöstlichstes Vorgebirge Englands.

Dünger [zu Dung; 17. Jh.], Stoffe, die die Bodenfruchtbarkeit erhalten und erhöhen. Teils ersetzt D. die durch Pflanzenanbau dem Boden entzogenen wichtigsten Pflanzennährstoffe Stickstoff, Kali und Phosphorsäure, teils bewirkt er (so die Düngung mit Kalk) im Boden chemische Vorgänge, die gewisse Nährstoffe leichter zugänglich machen oder die physikal. Bodenbeschaffenheit verbessern.
Natürliche D. sind neben dem Stalldünger die Jauche, die menschl. Ausscheidungen, der →Kompost, die *Gründüngung*. Der *Stalldünger* ist ein Gemenge von tierischen Ausscheidungen mit Stroh, Torfmull, Laub, Erde. Er enthält alle wichtigen Nährstoffe, verbessert den Bodenzustand und reichert den Humus an.

Stalldünger	Gehalt an		
	N ⁰/₀₀	P₂O₅ ⁰/₀₀	K₂O ⁰/₀₀
Schafdünger	8,3	2,3	6,7
Pferdedünger	5,8	2,8	5,3
Schweinedünger	4,5	1,9	6,0
Rindviehdünger	3,4	1,6	4,0

(N = Stickstoff, P₂O₅ = Phosphorsäure, K₂O = Kali).

Die Flüssigkeit des Stalldüngers wird in Gruben gesammelt und als Jauche (Gülle) im Aufguß verwendet, bes. auf Grasland. Ein auf überdachter, umwandeter Düngerstätte, der *Gärstatt*, unter Einstampfen und Gären aus Mist hergestellter humusartiger

D. ist der *Edelmist*, ein künstlich aus verrottenden Pflanzenteilen, Jauche, Chemikalien hergestelltes mistartiges Gemenge der *Kunstmist*.
Handelsdünger werden nach dem Hauptnährstoff benannt, am wichtigsten sind die *Stickstoffdünger*, nämlich a) salpetersaure Salze (Chilesalpeter, synthet. Natronsalpeter und Kalksalpeter), b) Ammoniaksalze (schwefelsaures Ammoniak, salzsaures Ammoniak), c) salpetersaure Ammoniumsalze (Kaliammonsalpeter, Natronammonsalpeter, Ammonsulfatsalpeter), Mischdünger; d) der Kalkstickstoff, e) der Harnstoff, f) organ. Stickstoffdünger (Blut-, Leder-, Hornmehl). *Phosphorsäuredünger* sind: Superphosphat, Thomasmehl, Rohphosphat und organische Phosphorsäuredünger, wie Guano und Knochenmehl, in denen man die Phosphorsäure, um sie löslicher zu machen, mit Schwefelsäure aufschließt. *Kalidünger* sind die Kalirohsalze (Kainit, Carnallit), ferner die fabrikmäßig verstärkten Kalisalze (40proz. Kalisalz, schwefelsaures Kali, schwefelsaure Kalimagnesia). *Kalkdünger* sind gemahlener Kalkstein, Kalkmergel, gebrannter Kalk, Abfallkalke (Scheideschlamm, Endlaugenkalk).

VERBRAUCH VON HANDELSDÜNGERN JE 1000 ha ACKERLAND (1972/73, in t)

Land	N	P₂O₅	K₂O
Bundesrep. Dtl. . .	118,9	90,3	114,8
Belgien-Luxembg. . .	18,0	15,7	19,6
Frankreich	166,2	205,8	163,5
Großbritannien	94,7	47,0	43,5
Italien	69,2	58,3	26,6
Niederlande	37,6	10,1	12,7
Österreich	13,6	12,6	15,2
Schweiz	3,9	4,9	6,7
Japan	73,3	71,7	60,0
Verein. Staaten . . .	756,5	460,1	400,2

Die Düngemittel sind auf den Gehalt an Stickstoff (N), Phosphorsäure (P₂O₅) und Kali (K₂O) umgerechnet. Der Verbrauch ist stark abhängig von der Intensität der Bodenbewirtschaftung.

Als D. für Topfpflanzen dienen Pulver, die Stickstoff, Phosphorsäure, Kali und Kalk, auch Spurenelemente, enthalten (*Blumendünger*). Andere gärtnerische Düngemittel sind: Hornmehl, Hornspäne, Knochenmehl, Laubholzasche. Von Rindermist, zersetztem Vogelmist, Guano, Jauche wirken schwache Güsse am besten.
LIT. S. Gericke: Düngemittel und Düngung (1948); E. A. Mitscherlich: Ertragssteigerung durch richtige Düngung (1952).

D'ungfliege, Mistfliege, *Scatophaga stercoraria*, gelbhaarige Fliege, deren Larve in menschl. und tier. Kot lebt.

D'ungkäfer, *Aphodinen*, Unterfamilie der Mistkäfer; meist kleine Tiere, die im Frühjahr zeitig erscheinen und ihre Eier in Dung als den Nährboden der Larven ablegen.

D'unkelfeldbeleuchtung, Beleuchtungsart

beim Beobachten mit optischen Geräten, bei der kein direktes Licht in das Gerät gelangen kann, sondern nur das vom Objekt reflektierte oder abgebeugte. Die Bildeinzelheiten erscheinen dadurch hell auf dunklem Grund. Die D. läßt oft Einzelheiten erkennen, die im üblichen *Hellfeld* nicht so leicht wahrzunehmen sind, so z. B. beim Mikroskop und im Schlierengerät.

D'unkelkammer, der völlig verdunkelte oder nur von einem photographisch nicht wirksamen (vor allem dunkelroten) Licht beleuchtete Raum für das Arbeiten mit lichtempfindlichen Stoffen.

D'unkelmännerbriefe, Ep'istolae obscur'orum vir'orum, Sammlung von satirischen, absichtlich in schlechtem Mönchslatein geschriebenen Briefen (Tl. 1, 1515, Tl. 2, 1517 erschienen). Hauptverfasser des ersten Teils ist Crotus Rubianus, des zweiten Teils Ulrich von Hutten. Die Freunde Reuchlins hatten 1514 zu seinen Ehren *Epistolae clarorum virorum* (Briefe berühmter Männer) herausgegeben. In den D. werden die Gegner Reuchlins, die Kölner Theologen, darüber hinaus die mittelalterliche Wissenschaft und Lehrweise verspottet. Ausg. von A. Bömer (1924, 1966).

D'unkelwolken, am Nachthimmel beobachtbare dunkle und sternlose Gebiete, in denen die Sterne durch Absorption ihres Lichtes verdunkelt erscheinen. D. sind große Ansammlungen interstellarer Materie in Staubform. Die kleinsten als *Globulen* bezeichneten D. sind 100- bis 1000mal so groß wie unser Sonnensystem. In der Milchstraße verursachen sie scheinbar sternarme und sternleere Gebiete, die teilweise bereits mit freiem Auge als solche kenntlich sind, wie z. B. in der Gabelung der Milchstraße im Schwan.

Dungfliege   *Dungkäfer*

Dünkirchen, französ. **Dunkerque** [dɛ̃kɛrk], fläm. **Duinekerke** [d'œjnəkɛrkə], engl. **Dunkirk** [dʌnk'ɔːk], französische Hafenstadt und Festung an der Nordsee, mit 28 400 Ew., nahe der belg. Grenze, im fläm. Sprachgebiet. Auch die Anlage der Stadt ist flämisch, der Glockenturm der Kirche Saint-Eloi (16. Jh.) beherrscht das Stadtbild. D. gehört zu den wichtigsten Häfen Frankreichs. Mit der Schiffahrt ist die Industrie eng verbunden: Werften, Stahlwerke, Spinnereien. – D., um 960 gegr., kam mit Flandern 1384 an Burgund und gehörte dann zu den Span. Niederlanden. Durch die ›Dünenschlacht‹ von 1658 fiel es an England, 1662 an Frankreich, das es zu einer starken Seefestung machte. Im 2. Weltkrieg schnitten die Deutschen hier 1940 die britisch-französ. Nordarmee ab; doch gelang es ihr, unter Verlust des gesamten Materials, fast alle Truppen nach England einzuschiffen.

Der **Vertrag von D.,** am 4. 3. 1947 zwischen Großbritannien und Frankreich auf 50 Jahre abgeschlossen, sollte beide Staaten gegen die Nichterfüllung dt. Verpflichtungen und etwaige kriegerische Absichten sichern; er wurde Vorbild des ursprünglichen →Brüsseler Vertrags (1948).

Lit. J. Armengaud: Le drame de Dunkerque (1948).

dunkler Erdteil, Name für Afrika nach Stanleys ›Durch den dunklen Erdteil‹ (1878).

Dunkmann, Karl, evang. Theologe und Soziologe, * Aurich 2. 4. 1868, † Berlin 28. 11. 1932, war 1912–16 Prof. in Greifswald, seitdem an der T. H. Berlin (Institut für angewandte Soziologie); er entwickelte eine soziologische »Gruppenlehre«.

Dunlop-Pirelli Union [d'ʌnlɔp-], London/ Mailand, größter europäischer Gummikonzern; 1971 durch Austausch einer gegenseitigen Minderheitsbeteiligung (49 %) der Dunlop Holdings Ltd. (bis 1971: Dunlop Co. Ltd., gegr. 1889 von J. B. Dunlop, 1840 bis 1921, dem Erfinder des pneumatischen Reifens) und der Pirelli S.p.A. (gegr. 1920) entstanden. Bedeutende Beteiligungen: *Dt. Dunlop Gummi Compagnie AG,* Hanau; *Veith-Pirelli AG,* Sandbach/Odenwald.

Dünndarm, Teil des →Darms.

D'ünndruckpapier, dünnes Druckpapier aus Zellstoff, auch mit Zusatz von Hadern, mit viel Füllstoff, um das Durchscheinen zu verhindern.

D'ünnglas ist gezogenes Tafelglas von weniger als 2 mm Dicke (0,8–1,8 mm); es wird für Bilderverglasung, Trockenplatten, Objektträger in Mikroskopen u. a. verwendet.

Dunnottar Castle [dʌn'ɔtə kaːsl], eine der großartigsten Burgruinen Schottlands, an der Küste, 2 km südlich von Stonehaven, 1394 von Sir W. Keith erbaut, 1715 geschleift.

D'ünnschichtchromatographie, *Chemie:* Trennverfahren ähnlich der →Papierchromatographie; an Stelle von Papierstreifen werden Glasplatten oder Aluminiumfolien verwendet, auf die ein Adsorptionsmittel in dünner Schicht aufgebracht ist. Das Verfahren arbeitet mit sehr geringen Substanzmengen und hat einen weiteren Anwendungsbereich als die Papierchromatographie.

D'ünnschichtspeicher, schneller magnetischer Speicher für Digitalwerte, insbes. bei →Rechenautomaten. Kurze Schreib- und Lesezeiten (10^{-8} bis 10^{-9} sec) werden erreicht, weil Ummagnetisierungen in Schichten unter etwa 10^{-4} mm Dicke überwiegend durch schnelle Drehprozesse, nicht durch die langsameren Wandverschiebungen der magnetischen Elementarbereiche erfolgen.

Lit. W. Kayser, in: Elektron. Rechenanlagen (1962).

D'ünnschliffe, Plättchen von der Dicke 0,02–0,04 mm, die aus Mineralien oder Gesteinen durch Schleifen mit Schmirgelpulver hergestellt werden. Die mikroskopische Beobachtung der D. gibt Aufschluß über Zusammensetzung, Aufbau und optische Eigenschaften.

Dünnschwanz, *Lepturus,* Grasgattung mit schlanken Blütenähren.

Dünnung, Flämen, Wamme, *Jägersprache:* Flanke am Schalenwildkörper.

Dunois [dynwa], Jean, Graf von, genannt **Bastard von Orléans,** Sohn des 1407 ermordeten Herzogs Ludwig von Orléans und seiner Geliebten Mariette d'Enghien, * um 1403, † Schloß Hay 24. 11. 1468, verteidigte 1429 Orléans gegen die Engländer, bis es durch Jeanne d'Arc entsetzt wurde. 1449/50 entriß er die Normandie, 1451 den größten Teil der Guyenne den Engländern.

Dunoyer de Segonzac [dynwaje də səgɔ̃zak], André, franzöt. Maler, * Boussy-Saint-Antoine 6. 7. 1884, † Paris 17. 9. 1974; Landschaften, Stilleben und Akte, auch Radierungen und Buchillustrationen.
Lit. C. Roger-Marx: D. d. S. (Paris 1951).

Dunsany [dʌns'eini], Edward, Lord, irischer Schriftsteller, →Plunkett.

Duns Scotus, Theologe und Philosoph, →Johannes Duns Scotus.

Dunst [ahd. tunst ›Sturm‹, ›Hauch‹], 1) blaugraue oder weißl. Trübung der Atmosphäre mit einer Sichtweite von mind. 1 km, durch Anhäufung fester trübender Teilchen oder feinster Wassertröpfchen, die sich an hygroskop. Kondensationskernen schon vor voller Sättigung bilden. 2) *Jägersprache:* der feinste Schrot (Vogeldunst). 3) nur *Ez.,* ein Mühlenerzeugnis, das hinsichtlich der Korngröße zwischen den Grießen und dem fertigen Mehl steht.

Dunstable [d'ʌnstəbl], Johannes, engl. Komponist, * zwischen 1380 und 1390, † London 24. 12. 1453, einer der frühen europäischen Vokalmeister, verband reiche melodische Durchgestaltung aller Stimmen mit natürlicher Textdeklamation.

Dunstan [d'ʌnstən], Heiliger, Benediktiner, Erzbischof von Canterbury, * Glastonbury um 909, † Canterbury 19. 5. 988, erlangte als Ratgeber König Edgars großen Einfluß auf die englische Politik und reformierte erfolgreich Mönchtum, Weltklerus und Laientum in England. Tag: 19. 5.
Lit. J. A. Robinson: The times of St. D. (Oxford 1923).

dünsten, Speisen mit Fett oder wenig Flüssigkeit in einem verschlossenen Gefäß gar machen. Beim D. werden die Vitamine nur wenig beeinträchtigt, der Basengehalt pflanzlicher Nahrungsmittel kaum verringert, die Mineralsalze bleiben größtenteils erhalten.

Dunsthut, Lüftungshaube, Verlängerung einer Abwasserleitung über das Hausdach hinaus, durch die die schädlichen Gase der Abwässer entweichen; meist aus Zinkblech, mit kegelförm. Dach und schräger, kragenartiger Platte als Regenschutz zum Einfügen in die Dachhaut.

D'unstkalb, eine im Mutterleib abgestorbene und durch Fäulnisgase aufgetriebene Frucht beim Rind.

Düntzer, Heinrich, Literarhistoriker, * Köln 12. 7. 1813, † das. 16. 12. 1901; schrieb über deutsche Dichtung, bes. über Goethe.

D'ünung, →Meereswellen.

D'uo [ital.], Musikstück für 2 Instrumentalstimmen mit oder ohne Begleitung. →Duett.

Duod'enum [lat.] *das,* der Zwölffingerdarm (→Darm).

Duod'ez [lat.] *das,* ein kleines Buchformat, das durch Teilung des Bogens in 12 Blätter entsteht.

Duodezfürst, Herrscher eines unbedeutenden Ländchens.

Duodezim'alsystem [lat. duodecim ›zwölf‹], **Dodek'adik** [griech. dodeka ›zwölf‹], ein Zahlensystem mit der Grundzahl 12 (statt 10), bei dem die Ziffern also fortschreitend aus Potenzen von 12 aufgebaut werden.

Duod'ezime [lat.], Tonabstand von 12 Tonstufen einer Dur- oder Molltonleiter.

Duodr'ama, ein Schauspiel, in dem nur zwei Personen auftreten.

Du'ole [ital.], eine Figur von 2 Tönen im gleichen Wert wie 3 Töne der gleichen Art (→Noten).

Duonelaitis, Donalitius, Kristijonas, litauischer Dichter, Lasdinehlen (Ostpr.) *1. 1. 1714, † Tollmingkehmen 18. 2. 1780, Schöpfer der lit. Kunstpoesie (Die Jahreszeiten, 1818).

D'uo quum f'aciunt 'idem, non est 'idem [lat.], Wenn zwei dasselbe tun, so ist es nicht dasselbe, Zitat aus Terenz' ›Adelphi‹.

Dupérac, Du Perac [dyperak], Étienne, franz. Architekt, Maler und Graphiker, * Paris um 1525 (?), † das. 1604, bekannt sind bes. seine 1575 erschienenen ›Vestigi dell'antichità di Roma‹, 40 Radierungen aus der röm. Ruinenwelt.

Dupfing [von mhd. dupfen ›mit der Nadel sticken‹], die ältere Form des Gürtels, die bei Männern und Frauen seit dem 10. Jh. gebräuchlich wurde. Als Schwertgurt mit Metall besetzt, →Dusing.

düp'ieren [franz.], täuschen, übertölpeln.

Duplessis [dyplesi], 1) Georges, franz. Kunsthistoriker, * Chartres 19. 3. 1834, † Paris 26. 3. 1899, seit 1853 am Kupferstichkabinett der Nationalbibliothek.

2) Joseph-Siffred, franz. Maler, * Carpentras (Vaucluse) 22. 9. 1725, † Versailles 1. 4. 1802, war in Rom Schüler von Subleyras, malte Bildnisse, die wegen ihrer Modell-Ähnlichkeit berühmt waren.
Lit. J. Belleudy: J. S. D., peintre du roi (Chartres 1913).

Du Plessis [dy plesi], Maurice, franz. Dichter, * Paris 14. 10. 1864, † das. 22. 1. 1924, zuerst mit den letzten Décadents befreundet, schloß sich später der École romane (→Moréas) an und schrieb Gedichte nach älteren Vorbildern.
Lit. A. Albalat: Trente ans de Quartier latin (1930).

Duplessis-Marly [dyplesi-marli], →Mornay.

D'uplex [lat. ›doppelt‹], Doppelfest, →Festtage.

Dupl'ik [lat.] *die*, † im Zivilprozeß die Gegenerklärung des Beklagten auf die Replik des Klägers.

Duplik'at [lat.], **D'uplum**, Doppelstück, Abschrift, zweite Ausfertigung einer Urkunde.

Duplikat'ur, Duplikation, Verdoppelung.

Duplizit'ät [lat.], Zweimaligkeit, bes. zufälliges Doppelgeschehen.

Duplizit'ätstheorie, die von J. v. Kries (1894) aufgestellte Lehre von den zwei verschieden arbeitenden Sehelementen der Netzhaut, den *Stäbchen* und den *Zapfen*. →Auge.

Duployé [dyplwaje], Emile, Stenograph und kathol. Geistlicher, * Notre-Dame-de-Liesse (Aisne) 10. 9. 1833, † Saint-Maur-des-Fossés 9. 5. 1912; veröffentlichte 1860–67 ein geometrisches, streng phonetisches System der Kurzschrift ohne Kürzungen, das in Frankreich größte Verbreitung erlangt hat, bes. im Schulunterricht.

Dup'ondius [lat. 2 Pfund], altröm. Münze = 2 As; in der Kaiserzeit aus Messing (Aurichalcum), seit Nero »Kaiserkopf mit Strahlenkrone« zum Unterschied vom As.

Dupont [dypõ], E. A. (Ewald André), Schriftsteller, Filmkritiker, Drehbuchautor und Filmregisseur, * Zeitz 25. 12. 1891, † Hollywood 12. 12. 1956, drehte die Filme ›Varieté‹ (1925 mit Emil Jannings), ›Piccadilly‹ (1928), ›Atlantik‹ (1929, mit Fritz Kortner und Lucie Mannheim), war dann seit 1933 in den USA und England tätig.

Du Pont [dy põ], Pieter, Kupferstecher und Radierer, * Amsterdam 5. 7. 1870, † Hilversum 7. 2. 1911, bekannter Graphiker; seit 1902 Lehrer an der Akademie in Amsterdam.

Du Pont [dy põ], aus Frankreich stammende Familie, die im nordamerikan. Wirtschaftsleben eine bedeutende Rolle spielt. Sie stammt ab von *Pierre Samuel*, genannt D. P. de Nemours (* Paris 1739, † im Staate Delaware 1817). Er veröffentlichte die Werke seines Lehrers Quesnay und nannte dessen Lehre *Physiokratie*. Sein Sohn *Eleuthère Irénée* (* Paris 1771, † Wilmington 1834) gründete eine Pulverfabrik (1802) und wurde von Thomas Jefferson unterstützt. Sein Enkel *Lammot* (* 1831, † 1884) trat als chem. Erfinder hervor und gab dem Unternehmen einen führenden Platz auf dem Gebiet der Herstellung von Explosivstoffen. Ein Urenkel Eleuthères, *Thomas Coleman* (* 1863, † 1930) entwickelte es zum größten amerikan. Chemiekonzern und dem drittgrößten amerikan. Industrieunternehmen überhaupt: **E. I. Du Pont de Nemours & Company (Inc.)** [dy põ də nemu:r əm k'ampəni], Wilmington, Delaware (USA). Nach Eingliederung mehrerer Unternehmen wurde die Herstellung von Schwerchemikalien sowie Steinkohlenteer-Produkten (Farben) aufgenommen, nach 1919 von Stickstoff, Methanol und höheren Alkoholen, Zellglas und ›Duco‹, einem Nitrocellulose-Lack, seit

1931 von synthet. Kautschuk. Epochemachend war 1938 die Erfindung von Nylon, es folgten Reyon, Orlon und Dacron. Von den Produkten gehen die meisten an andere Industrien zur Weiterverarbeitung.

Nach 1945 übernahm das Unternehmen die Herstellung radioaktiver Waffen und investierte erhebl. Mittel für die Atomforschung, u. a. baute es atomphysikal. Laboratorien und eine Wasserstoffbombenanlage mit einem Kostenaufwand von 1 Mrd. $. Tochter-Ges. ist die Remington Arms Company, Bridgeport, Conn.; viele Beteiligungen, u. a. an der →General Motors Corporation.

LIT. W. S. Dutton: D. P. – 140 Years (New York 1942).

Duport [dypo:r], Louis, franz. Violoncellist, * Paris 4. 10. 1749, † das. 7. 9. 1819; seine Verbesserung des Fingersatzes war für die Technik des Violoncellospiels (Daumenaufsatz) epochemachend.

LIT. F. Kohlmorgen: Die Brüder D. u. die Entwicklung der Violoncelltechnik (1922).

Düppel, dän. **Dybbol**, Dorf in Nordschleswig (bis 1920 preußisch), auf der Halbinsel Sundewitt. Die zur Verteidigung des Alsensundes von den Dänen angelegten *Düppeler Schanzen* (3 km Frontlänge) wurden schon im Deutsch-Dänischen Krieg (1848–50) umkämpft und am 18. 4. 1864 von den Preußen erstürmt.

Duprat [dypra], Antoine, Kanzler von Frankreich (seit 1515), * Issoire (Auvergne) 17. 1. 1463, † Nantouillet (bei Meaux) 9. 7. 1535, Lehrer Franz' I., wurde 1507 erster Präsident des Pariser Parlaments. Er förderte den kgl. Absolutismus und schloß 1516 das Konkordat ab. Er begründete auch die Käuflichkeit der Richterstellen. D. wurde 1516 Priester, 1525 Erzbischof von Sens, 1527 Kardinal.

Dupré [dypre], 1) Giovanni, italien. Bildhauer, * Siena 1. 3. 1817, † Florenz 10. 1. 1882, schuf in spätklassizist., zeitweilig stärker realist. Stil Skulpturen, bes. Grabmäler und Bildnisse.

2) Guillaume, franz. Bildhauer, * Sissonne bei Laon um 1576, † Paris 1643, schuf neben Porträtfiguren vor allem Medaillen in einem italianisierenden, aber realist. Stil; Schöpfer der franz. Medaillenkunst.

3) Jules, franz. Landschaftsmaler, * Nantes 5. 4. 1811, † L'Isle-Adam bei Paris 6. 10. 1889, gehörte der Schule von →Barbizon an.

4) Marcel, franz. Organist, * Rouen 3. 5. 1886, † Meudon 30. 5. 1971, Orgelprofessor am Pariser Konservatorium, weitgereister Konzertspieler, Orgelkomponist.

Dupuytren [dypyitrã], Guillaume, Baron, franz. Chirurg, * Pierre-Buffière (Haute-Vienne) 5. 10. 1777, † Paris 8. 2. 1835, Prof. in Paris und Chefchirurg am Hôtel-Dieu. Die **Dupuytrensche Fingerverkrümmung (Kontraktur)** ist eine durch Schrumpfen der fächerförm. Sehnenplatte hervorgerufene Zwangsbeugestellung der Finger; sie beginnt meist an beiden Händen zugleich am 4. und 5. Finger.

Lit. J. Cruveilhier: Vie de D. (1841); H. Vierordt: Guillaume D., in: Medizingeschichtl. Hilfsbuch (1916, S. 74f.).

Duquesnoy [dykɛnwa], François, genannt **il Fiammingo**, niederländ.-italien. Bildhauer, * Brüssel 1597, † Livorno 12. 7. 1643. Schüler seines Vaters Jérôme (von dem das Manneken-Pis in Brüssel stammt), lebte seit 1618 in Rom. D. vertritt in seinen Monumentalwerken (Kolossalstatue des hl. Andreas in der Peterskirche, hl. Susanna in S. Maria di Loreto in Rom) im Gegensatz zu Bernini eine weichere, ruhigere, eher klassizist. Richtung des Barocks etwa im Sinne seines Freundes Poussin. Seine Puttenreliefs, auch die Arbeiten in Elfenbein und Bronze, waren beliebt.

Dur [lat. durus ›hart‹], *Musik:* das *männliche* Tongeschlecht, dem alle →Tonarten mit großer Terz zugehören, im Gegensatz zu dem *weiblichen* →Moll (mit kleiner Terz). Diese beiden Tongeschlechter, die im 16. und 17. Jh. allmählich an die Stelle der verschiedenen Kirchentonarten traten, haben sich im Zusammenhang mit dem Entstehen des harmon. Klangbewußtseins in der →Europäischen Musik ausgebildet. Von der Musiktheorie wurden sie jedoch erst nach 1700 (→Mattheson, →Rameau) als grundlegend anerkannt. Urspr. (seit dem 9. Jh.) bezeichnete man mit D. das eckige (›harte‹) B-Zeichen│ oder │‖ = B (durum) für den auf den Grundton A folgenden Ganzton B (in der neueren Musik also H), im Gegensatz zu dem runden (›weichen‹) B (│ = B molle) für den auf den Grundton A folgenden Halbton (in der neueren Musik also B). In der →Solmisation wurde dann das Hexachord g-e, das das B durum enthielt, cantus durus genannt, während das Hexachord f-d, das das B molle enthielt, cantus mollis hieß. →Durtonart.

dur'abel [lat.], dauerhaft, haltbar.

D'ura Europ'os, antike Stadt am mittleren Euphrat, heute **Es-Salahije**, Syrien, wurde von J.-H. Breasted (1920), F. Cumont (1922/23) und einer Mission der Yale University und der Académie des Inscriptions et des Belles Lettres (1928–37) untersucht. D. wurde unter Seleukos I. (312–280 v. Chr.) gegründet und hatte bis zu seiner Zerstörung 256 n. Chr. große Bedeutung als Handelsstadt und militär. Stützpunkt. Der ursprünglich griech. Charakter von D. E. wurde unter dem Einfluß der parthisch-iranischen Reaktion gegen den Hellenismus in zunehmendem Maße orientalisiert, sichtbar jedoch in der Architektur, die gut erhaltenen Wandmalerei und in den Papyri bis in die Spätzeit fort. Echt parthische Kunst tritt im Tempel der palmyrenischen Gottheiten (55 n. Chr.) zutage, eine Synagoge zeigt entgegen dem alttjüdischen Bilderverbot Fresken nach dem A. T. (um 245 n. Chr.), eine christliche Kirche enthält die älteste datierte Darstellung Christi (232 n. Chr.).

Lit. F. Cumont: Fouilles de Doura-Europos (Text und Atlas, Paris 1926); P. Baur, M. Rostovtzeff u. a. (Hg.): The Excavations at D. E., 15 Bde. (New Haven 1929–52); A. v. Gerkan: Die frühchristl. Kirchenanlage von D.-E., in: Röm. Quartalschr. 42 (1934); T. Ehrenstein: Über die Fresken der Synagoge D. E. (Wien 1937).

D'urakk'ord, *Musik:* →Dreiklang.

Dur'al [Kw.] *das*, Duraluminium, nicht mehr gebräuchl. Bezeichnung für eine aushärtbare Aluminiumlegierung der Gattung Al-Cu-Mg.

D'ura m'ater [lat.], die harte Gehirn- und Rückenmarkshaut. Sie umgibt das Gehirn und als schlauchartige Hülle (**Duralsack**) das Rückenmark.

Durance [dyrās] *die*, Fluß in den franz. Alpen, 304 km lang, entspringt am Mont Genèvre und mündet bei Avignon in die Rhone. Eine Talsperre *Serre-Ponçon* staut die obere D. zu einem der größten Stauseen Europas.

Durand'arte, D'urendart, Schwert des Helden *Roland*, durch einen Engel Karl dem Großen überbracht, damit er es seinem besten Paladin zum Kampf gegen die Heiden verleihe.

Dur'andus de S'ancto Porci'ano, scholast. Philosoph und Theologe, Dominikaner, * Saint-Pourçain (Dep. Allier) um 1275, † Meaux 10. 9. 1334, geriet durch seine antithomistische, platonisch-augustin. Haltung in Widerspruch zu seinem Orden.

Dur'ango, 1) Staat Mexikos, 119 648 qkm mit (1970) 939 200 Ew.; reiche Bodenschätze an Silber, Blei, Kupfer, Gold, Arsen, Eisen; Baumwollbau. 2) Hauptstadt von 1), mit (1970) 150 500 Ew.; Erzbischofssitz.

Dur'ani, Durrani, Duranai, *Mz.*, der größte, vorwiegend arische Stamm der Afghanen.

Durant [dju'u:rənt], William James, amerik. Philosoph und Kulturhistoriker, * North Adams (Mass.) 5. 11. 1885, Prof. in Los Angeles.

Werke. Geschichte der Philosophie (1926; dt. 1946), Die großen Denker (1926; dt. [10]1958), Die Kulturgesch. der Menschheit, 10 Bde. (1935ff.; dt. 1956–69).

Dur'ante, 1) italien. Dichter, wohl aus der 2. Hälfte des 12. Jhs., nannte sich selbst **Ser**, bearbeitete den französ. Rosenroman unter dem Namen ›Il Fiore‹ in 232 Sonetten.

2) Francesco, italien. Komponist, * Fratta Maggiore (Neapel) 31. 3. 1684, † Neapel 13. 8. 1755, Schüler Scarlattis, komponierte im Stil der älteren römischen Schule Kirchenmusik, Klaviersonaten u. a.

Durantis, Durandus, Wilhelm, Kanonist und Liturgiker, * bei Béziers 1237, † Rom 1. 11. 1296, verfaßte eine für die Liturgiegeschichte des MA.s unentbehrliche symbolisch-allegorische Gesamtdarstellung der röm. Liturgie, das ›Rationale divinorum officiorum‹, und ein Pontifikale, auf dem das →Pontificale Romanum beruht.

Duras [dyra], Marguerite, franz. Schriftstellerin, * Giadinh (Indochina) 4. 4. 1914, eit 1932 in Frankreich, im Zweiten Weltrieg als Widerstandskämpferin nach Dtl. Reportiert, war nach dem Krieg Journalistin. WERKE. Romane: Un barrage contre le Pacifique (1950; dt. Heiße Küste, 1952), Les petits chevaux de Tarquinia (1953; dt. Die Pferdchen von Tarquinia, 1960), Moderato antabile (1957; dt. 1959), Dix heures et demie du soir en été (1960), L'après-midi de Monsieur Andesmas (1962; dt. 1963), Ein ruhiges Leben (1962), Ganze Tage in den Bäumen (1964), Le ravissement de Lol v. Stein (1964; dt. 1966), Dialoge (dt. 1966). Filmdrehbuch: Hiroshima – mon amour 1959).

Dur′azzo [ital.], alban. Durrës, Hafenstadt in Albanien, mit (1971) 55000 Ew., einziger moderner Hafen Albaniens. D., das altgriech. *Epidamnos*, wurde 625 v. Chr. von Kerkyra (Korfu) aus gegr.; während der römischen Zeit hieß D. *Dyrrhachium* und nahm als Hauptstadt der römischen Provinz Epirus nova einen großen Aufschwung. Es war im Altertum ein wichtiger Überfahrtsort von und nach Italien sowie Ausgangspunkt der Via Egnatia über Saloniki nach Byzanz. 1392 wurde D. venezianisch, 1501 türkisch; 1913–21 war es die Hauptstadt Albaniens.

Durban [d′ə:bən], Port Natal, Hafenstadt in der Prov. Natal, wichtigster Seeumschlagplatz der Republik Südafrika, mit (1970) 574000 Ew.; moderne Großstadt mit Techn. Hochschule, Universitätskolleg für Inder, Hafenanlagen mit Schiffbau, vielseitiger Industrie (Erdölraffinerie) und Güterverkehr aus den Minendistrikten; Erzbischofssitz; Modebad. D. wurde 1835 gegründet (benannt nach dem Gouverneur Sir Benjamin D'Urban).

Durčanský, Ferdinand, Jurist, * Rajec 8. 12. 1906, 1940 Min. der selbständ. Slovakei; 1945 in Abwesenheit zum Tode verurteilt, lebt in Südamerika und übt starken Einfluß auf die slowak. Emigration aus.

Durchbl′utung, Blutzufuhr und -abfuhr innerhalb bestimmter Körperteile, geregelt durch das Gefäßnervensystem. Ist dessen Tätigkeit behindert, so treten **Durchblutungsstörungen** ein, die sich durch kalte Hände und Füße, leichte Ohnmacht usw. äußern, aber auch zu schweren Krankheiten (Schrumpfniere, Schlaganfall, Brand) führen können.

durchbrochene Arbeit, 1) Flachverzierungen in Holz, Elfenbein, Metall usw., wobei das Muster ausgeschnitten, ausgesägt oder ausgefeilt ist und oft unterlegt wird, z. B. im MA. das *opus interrasile.* **2)** *Musik:* eine für die Wiener Klassiker, bes. für Beethoven bezeichnende Satztechnik, bei der verschiedenen Instrumenten nacheinander einzelne Melodieglieder zugeteilt werden, die sich beim Erklingen zu einer fortlaufenden, sinnvoll gegliederten Melodie fügen. Das Satzbild ist deshalb stark aufgelockert und von Pausen durchsetzt (Beethoven, Quartett cis-Moll op. 131, Thema der Variationen A-Dur).

D′urchbruch, *militärisch:* Angriff, der an einer Stelle durch die ganze Tiefe der feindlichen Stellungen dringt und dadurch auch seitlich angrenzende Frontteile zum Zurückgehen zwingt.

D′urchbrucharbeit, eine Handarbeit, die darin besteht, daß aus einem Gewebe Fäden ausgezogen und die stehenbleibenden mit Nadel und Faden gebündelt, verschränkt und abgeknotet werden, z. B. Hohlnaht und Hohlsaum und Hardanger Arbeit.

Durchbruchgewebe, Ajourstoffe, ›à jour.

D′urchdrehsender, Impulssender für Ionosphärenbeobachtung nach Art des Echolots.

Durchdr′ingung, Schnitt zweier Flächen derart, daß mindestens zwei geschlossene Schnittkurven entstehen.

Durchfahrtsrecht, eine im Grundbuch einzutragende Dienstbarkeit, die jemandem das Recht einräumt, einen Teil eines Grundstücks zur Durchfahrt zu benutzen.

Durchfahrtsstraßen, Straßen, die eine über den örtl. Verkehr hinausgehende Bedeutung haben und durch Ortschaften (Städte) hindurchführen. Im Bundesgebiet sind D. hauptsächlich die *Bundesstraßen* und die *Landstraßen 1. Ordnung.*

D′urchfall, *Diarrhöe,* die Entleerung dünnflüssiger und häufiger Stühle. Die Ursache ist einerseits in gesteigerter Darmtätigkeit zu suchen, wodurch die Aufsaugung des mit der Nahrung aufgenommenen Wassers und damit die Eindickung des Stuhls im Dickdarm fortfällt; andererseits ist die Abscheidung wässeriger Flüssigkeit in den Darm gesteigert. Vermehrte Darmbewegung kann durch nervöse Einflüsse (Angst, Schreck), Kältereize (kalte Füße, Abkühlung des Leibes) sowie durch entzündliche Vorgänge im Bereich des Darms (Darmkatarrh, Cholera, Typhus, Ruhr, Darmtuberkulose u. a.) verursacht werden. Anlaß zu D. können auch Speisen sein, die verdorben oder für die betreffende Person nicht verträglich sind, so bei *allergischem D.* Der hohe Fruchtsäuregehalt unreifen Obstes spielt eine Rolle bei *Sommer-D.* – Über *D. bei Säuglingen* ›Brechdurchfall. – Die Behandlung des D. mit Stopfmitteln ist falsch, denn dadurch würden die den Durchfall verursachenden Stoffe im Darm zurückgehalten werden. Vielfach wird anfangs ein Abführmittel gegeben, z. B. Rizinusöl. Im übrigen ist bei jedem D. unbekannter Ursache zunächst Bettruhe, Wärme, Enthaltung von Speisen und Getränken geboten. Als durstlöschendes Mittel wird am besten kalter Tee genommen. Schleimsuppen wirken beruhigend.

Durchflußstrom, in der Zeiteinheit durchfließende Flüssigkeits- oder Gasmenge, z. B. in cbm/h.

Durchf′orstung, *Forstwirtschaft:* Aushölzung schlecht geformter oder unterdrückter Stämme zugunsten der Bestanderziehung. Durch Entnahme schlecht geformter Stämme wird den Nutzholzstämmen von Jugend an immer mehr Wuchsraum zu ihrer Ent-

wicklung gegeben. Man unterscheidet **Hoch**-
und **Niederdurchforstung** in schwacher, mä-
ßiger und starker Form. Die Hochdurch-
forstung bewirkt einen Eingriff in den herrschenden Hauptbestand zugunsten der Elite-
stämme unter Schonung der noch lebens-
fähigen unterdrückten Stämme, während
die Niederdurchforstung grundsätzlich alle
unterdrückten herausnimmt.

D′urchfuhr, Tr′ansit, die Beförderung von
Waren vom Ursprungs- nach dem Bestim-
mungsstaat über das Gebiet eines dritten
Staates. Zur Belebung des Verkehrs und
Verbesserung der Zahlungsbilanz wird der
D.-Handel weitgehend gefördert (Vergünsti-
gungen bei Zoll- und Verkehrstarifen). Im
Merkantilismus war die D. durch Verbote
und D.-Zölle erschwert.

D′urchführung, 1) Umsetzen in die Tat.
**Durchführungsbestimmungen, Durchfüh-
rungsvorschriften,** die Ergänzungsvor-
schriften zu Gesetzen, meist als Verordnungen erlassen *(D.-Verordnung).*
2) *Musik:* die Verarbeitung eines oder mehrerer Themen eines Tonstücks, vor allem in
der Fuge und in der Sonate.

D′urchgang, für einen Erdbeobachter der
Vorübergang der Planeten Merkur und
Venus vor der Sonnenscheibe, auf der sie
als dunkle Punkte sichtbar werden. Venus-
D. sind nur selten (1874, 1882, 2004, 2012),
Merkur-D. treten etwa alle 8 Jahre ein. D.
eines Sterns durch den Meridian eines Ortes
heißt *Kulmination.*

D′urchgänger, Pferd, das leicht scheut.

**D′urchgangsinstrum′ent, Meridi′anrohr,
Mittagsrohr, Passageinstrument,** ein in der
Nord-Süd-Richtung aufgestelltes Fernrohr
zur Zeitbestimmung durch Beobachtung der
Meridiandurchgänge (Kulminationen) von
Sternen.

D′urchgangslager, *Flüchtlingslager,* zur be-
helfsmäßigen Unterbringung von Flüchtlingen, Vertriebenen, heimkehrenden Kriegsgefangenen, Aussiedlern u. a. bestimmte
Lager.

**Durchgangstöne, durchgehende Noten,
Durchgangsdissonanzen,** *Musik:* die Töne,
die nicht selbst einen Bestandteil der erklin-
genden oder als vorhanden empfundenen
(latenten) Harmonie bilden, sondern als
melodische Zwischenglieder von einem Har-
monieton zum nächsten führen.

D′urchgangswiderstand, der elektr. Widerstand im Innern von Isolierstoffen (gemessen nach VDE 0303).

Durchgangszüge, D-Züge, Schnellzüge, deren Wagen durch Faltenbälge verbunden
und mit Gängen versehen sind. Der erste
europ. D-Zug wurde 1892 auf der Strecke
Berlin–Köln gefahren.

durchgreifende Lagerung *(Bergbau)* hat ein
Erzgang, der sein Nebengestein unter einem
Winkel durchsetzt.

D′urchgriff, *Nachrichtentechnik:* von Bark-
hausen (* 1881, † 1956) eingeführtes Maß
dafür, welcher Bruchteil (in Prozent) einer
Anodenspannungsänderung einer Verstär-

kerröhre auf den von der Kathode ausgesandten Elektronenstrom ebenso stark ein-
wirkt wie eine gleichgroße Gitterspannungs-
änderung. Je kleiner der D., desto größer die
Verstärkung.

D′urchhang, bei elektr. Freileitungen der
Höhenunterschied zwischen der Verbindungsgeraden der Aufhängepunkte und dem
tiefsten Punkt.

durchkompon′ieren, einen Text ganz, d. h.
ohne Unterbrechung durch gesprochene
Stellen, in Musik setzen. Ein Lied nennt man
durchkomponiert, wenn der Text des Ge-
dichtes fortlaufend vertont ist, im Gegensatz zum strophischen Lied, das für die einzelnen Strophen dieselbe Melodie besitzt.

durchladen, bei Handfeuerwaffen das
Schloß (→Kammer) zurück- und wiedervor-
führen, wodurch die leergeschossene Patro-
nenhülse ausgeworfen wird und die neue
Patrone in das Patronenlager gleitet.

D′urchlaß, Dole, ein kleiner Tunnel zur
Unterführung eines Wasserlaufes mit freiem
Gefälle unter einem Verkehrsweg.

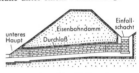

Durchlaß

D′urchlässigkeit, der Ausbildungsstand
eines Pferdes, das allen Hilfen des Reiters
entspricht.

Durchlaßzellen, Zellen der →Endodermis
mit unverdickten Zellwänden.

Durchl′aucht [spätmhd.], dem lat. *Serenitas*
und *Serenissimus* nachgebildeter Titel, wurde den got. und fränkischen Königen beigelegt. Im alten Deutschen Reich erhielten
1375 die Kurfürsten von Kaiser Karl IV. das
Attribut **Durchlauchtig,** später auch die Erz-
herzöge und die altfürstl. Häuser (seit 1712
die Benennung **Durchlauchtigst,** die auch in
Venedig, Genua und Polen üblich war. Mit
der neueren landesherrl. Erhebung in den
Fürstenstand war ebenfalls das Prädikat D.
verbunden (z. B. Bismarck). **Eure D., An-**
rede als Träger eines Fürstentitels.

d′urchlaufende Posten, Einnahmen eines
Betriebes, die in gleicher Höhe an einen
Dritten weitergegeben werden müssen.

D′urchlauferhitzer, ein mit Gas oder elektr.
Strom beheiztes Gerät, das an die Wasser-
leitung angeschlossen ist und in dem sich das
Wasser während des Abzapfens erhitzt.

Durchl′euchtung, →Röntgendurchleuchtung.

D′urchliegen, Dekubitus, →Aufliegen.

Durchlüftungsgewebe, Durchlüftungssystem,
Zellgewebe, die bei höheren Pflanzen der
für Atmung, Assimilation und Transpira-
tion erforderlichen Gasaustausch der Innen-
gewebe mit der Atmosphäre dienen.

D′urchmesser, 1) *Mathematik:* bei ebenen
oder räumlichen Figuren, die einen Mittel-

ounkt haben, durch diesen laufende Sehne. 2) *Scheinbarer D.*, der Winkel, unter dem ein Stern von der Erde aus erscheint. 3) die durch den Mittelpunkt gelegte Maßlinie eines runden Körpers, z. B. einer Welle, Bohrung; technisches Zeichen ist ∅.

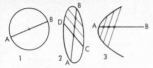

Durchmesser: 1 *Durchmesser* AB *eines Kreises.* 2 *Konjugierte Durchmesser* AB *und* CD *einer Ellipse; jeder D. halbiert die zu dem anderen parallelen Sehnen.* 3 *Durchmesser* AB *einer Parabel, wird durch Verbindung der Mittelpunkte einer Schar beliebiger, paralleler Sehnen erhalten*

Durchmusterung, ein Sternkatalog, der Örter, Helligkeiten oder Spektralklassen einer großen Anzahl von Sternen gibt, wobei statt genauer Messungen Schätzungen verwendet werden.

Durchreise, wichtigste halbjährl. Verkaufsveranstaltung (Musterung) der Berliner Damenoberbekleidungs-Industrie (DOB).

D'urchsatz, die Menge (z. B. an Öl), die in einer bestimmten Zeit eine Anlage (Hüttenwerk, Raffinerie, Ofen, Maschine) durchläuft.

Durchsch'allung, die Durchleitung von →Ultraschall durch Körper; wird verwendet bei festen Körpern zur Werkstoffprüfung, bei Flüssigkeiten, um feinste Mischvorgänge zu erhalten, beim menschlichen Körper zu Heilzwecken.

d'urchscheinend ist ein Medium, durch das Licht zwar unter starker Streuung hindurchgeht, aber keine scharfen Bilder erzeugt.

durchsch'ießen, 1) mit einem →Durchschuß versehen. 2) weißes Papier zwischen die Blätter eines Buches heften: *durchschossenes Exemplar.*

D'urchschlag, 1) mit der Schreibmaschine hergestellte Doppelschrift, Pause. 2) großes Sieb zum Durchrühren von Kartoffeln, Gemüse, Früchten. 3) *Bergbau:* der Durchbruch einer trennenden Wand. 4) elektr. Funkenentladung durch eine isolierende Schicht hindurch. 5) ein Stahlstück mit kegelförmiger Spitze zum Schlagen von Löchern in Blech.

D'urchschlagpapier, dünnes Papier für Schreibmaschinendurchschläge.

D'urchschlagsfeldstärke, D'urchschlagsfestigkeit, diejenige elektr. Feldstärke, bei der das Feld in einem Isolator durch Eintritt einer elektr. Entladung plötzlich zusammenbricht.

D'urchschnitt, *Mathematik:* der arithmetische Mittelwert mehrerer gleichartiger Größen; man erhält den D., indem man die Summe dieser Größen durch ihre Anzahl

teilt. So ist der D. der Zahlen 3, 7 und 11 gleich $\frac{3 + 7 + 11}{3} = 7$.

Durchschnittsmolekul'argewicht. Synthetisch hergestellte makromolekulare Stoffe sowie die durch chemische Abwandlung von makromolekularen Naturstoffen wie Kautschuk oder Cellulose erhaltenen Produkte sind *polymer-homolog,* d. h. sie sind zwar jeweils nach einem bestimmten Bauprinzip aus vielen gleichen Einheiten zusammengefügt, doch weisen die einzelnen Moleküle eine unterschiedl. Größe auf. Da eine Auftrennung solcher Gemische in einheitl. Fraktionen gleichen Molekulargewichts nicht möglich ist, läßt sich lediglich das D. ermitteln. Dementsprechend kann man in diesen Fällen auch nur den **Durchschnittspolymerisationsgrad** angeben, worunter man die durchschnittl. Anzahl der einzelnen wiederkehrenden Bauelemente in dem betreffenden makromolekularen Produkt versteht.

D'urchschuß, 1) Schuß, bei dem das Geschoß den Körper wieder verlassen hat; Gegensatz: Steckschuß. 2) *Einschlag, Eintrag, Schuß,* in der Weberei die Einschlag- oder Schußfäden, die mit dem Schützen (Schiffchen) in das durch die Kettfäden gebildete Webfach eingetragen werden. 3) *Drucktechnik:* Metallstücke zur Herstellung der Zeilenzwischenräume.

Durchschuß

Durchstecher'ei, gemeinsamer Betrug.

D'urchstich, eine Maßnahme zur Beseitigung starker Flußkrümmungen. Die gekrümmte Laufstrecke wird durch eine neue, wesentlich kürzere ersetzt. Dabei werden das Gefälle, die Fließgeschwindigkeit und die Schleppkraft des Wassers erhöht. Uferbeschädigungen und Sohleneintiefungen muß durch Schutzmaßnahmen entgegengewirkt werden.

Durchstoßlandung, Durchstoßverfahren, ein früher angewandtes Verfahren, um Flugzeugen durch Funkanweisungen vom Boden aus das Durchstoßen niedriger Wolkendecken beim Anflug zur Landung zu erleichtern. Das D. ist heute allgemein durch das Instrumentenlandeverfahren ersetzt.

235

Durchsuchung, das amtl. Suchen nach Spuren und anderen Beweismitteln einer Straftat sowie nach besonderen Merkmalen; sie kann sich auf die Wohnung, Räume und Betriebe (Haussuchung), die Sachen oder den Körper verdächtiger und unverdächtiger Personen erstrecken (Ermittlungsdurchsuchung).

1) *Strafprozeß:* Die D. ist in der StPO §§ 102–110 geregelt: bei dem als Täter oder Teilnehmer einer Straftat Verdächtigen kann D. der Wohnung, der Person und der Sachen zwecks Auffindung oder Ergreifung von Beweismitteln vorgenommen werden. Bei anderen Personen ist die D. nur zulässig zur Ergreifung des Beschuldigten oder zur Verfolgung von Spuren einer Straftat oder zur Beschlagnahme bestimmter Gegenstände, und auch nur dann, wenn Tatsachen vorliegen, aus denen zu schließen ist, daß die gesuchte Person, Spur oder Sache sich in den zu durchsuchenden Räumen befindet. Besonderen Beschränkungen unterliegt die Haussuchung zur Nachtzeit (§ 104 StPO). Zuständig zur Anordnung der D. ist der Richter, bei Gefahr im Verzug die Staatsanwaltschaft und Polizei (§ 105 StPO), in *Steuerstrafsachen* auch das Finanzamt nach §§ 399, 402 AO (in Verbindung mit den Vorschriften der StPO). Die Durchsicht bei der D. aufgefundener Papiere ist nur dem Richter, gesetzl. aufzubewahrender Geschäftspapiere auch der Staatsanwaltschaft erlaubt. Andere Beamte dürfen die Papiere nur mit Genehmigung des Inhabers einsehen. Wird die Genehmigung verweigert, haben sie die Papiere, deren Durchsicht sie für geboten erachten, in einem in Gegenwart des Inhabers mit dem Amtssiegel verschlossenen Umschlag an den Richter (bzw. die Staatsanwaltschaft) abzuliefern (§ 110 StPO). Im wesentlichen übereinstimmend ist die österreich. StPO (§§ 139–142). In der Schweiz kantonal geregelt.

2) *Zivilprozeß:* Die D. kann bei der Zwangsvollstreckung erfolgen.

3) zum Zweck der Vorführung eines Wehrpflichtigen kann die Polizei dessen Räume betreten (§ 44 Wehrpflichtgesetz).

Durchs'uchungsrecht, frz. *droit de visite,* engl. *visit and search, Seekrieg:* das Recht eines Kriegführenden, Handelsschiffe anzuhalten, um ihre neutrale oder feindl. Nationalität und die Natur der Ladung (Bannware) festzustellen; eingeschlossen ist die Befugnis zur Prüfung der rechtmäßigen Führung einer nationalen Flagge durch ein Handelsschiff (enquête de pavillon) und zur Feststellung unneutralen Verhaltens. Der Kapitän des Schiffes muß die durch einen Offizier des Kriegsschiffs vorgenommene Durchsuchung dulden. Bei Widerstand oder Verdacht wird das Schiff beschlagnahmt. In beiden Weltkriegen pflegte Großbritannien (unter amerikan. Protest) die Schiffe zur Durchsuchung in einen Hafen einzubringen. Ein neutrales Schiff im Geleit eines neutralen Kriegsschiffs (Convoi) darf die Durchsuchung verweigern (von Großbritannien nicht anerkannt). Im *Frieden* haben fremde Kriegsschiffe ein D. nur kraft bes. Staatsverträge. In den *Territorialgewässern* darf jeder Uferstaat für Zwecke der Polizei, des Zolles und der Gerichtsbarkeit eine Durchsuchung von Handelsschiffen vornehmen.

Lit. A. P. Higgins u. C. J. Colombos: The internat. Law of the Sea (²1951; dt. 1963).

durchw'achsen, geschichtet aus Fett und Fleisch.

Durchw'achsung, 1) *Diaphysis,* Blütenmißbildung, bei der die Achse nicht mit der Blüte endet, sondern darüber hinaus in eine neue Blüte oder einen Laubsproß fortwächst. **2)** Mißbildung des Knollenansatzes der Kartoffel; die entstehenden Nebenknollen reifen meist nicht aus.

Durchwachsung: a normaler Blütenboden der Rose mit Staub- und Fruchtblättern, b entsprechender Teil mit D. durch eine Blüte

D'urchzieher, bei der student. Mensur mit Schlägern der unter der gegnerischen Klinge durchgezogene Hieb; auch die dadurch verursachte Wunde und Narbe.

D'urchzugsrecht, das vertragliche Recht des Durchzugs fremder Streitkräfte durch das Gebiet eines Staates. Im Krieg ist den Neutralen die Gestattung des Durchzugs untersagt, bis auf den Transport von Verwundeten. Mitgliedstaaten der Verein. Nationen sind auf Anforderung des Sicherheitsrats verpflichtet, den Durchzug von Streitkräften und Hilfsmitteln gegen einen Friedensbrecher zu erlauben.

D'üren, Kreisstadt im RegBez. Köln, Nordrhein-Westfalen, mit (1977) 87 400 Ew., an der mittleren Rur, 128 m ü. M. Düren ist Industriestadt mit Papier-, Tuch-, Teppich-, Filztuch-, Glas-, Zucker-, Maschinen-, chemischer und pharmazeutischer Industrie. Es hat AGer., höhere u. Fachschulen, Rhein. Landes-Blindenbildungsanstalt und -schule. – D., bei den Römern *Marcodurum,* dann aus der fränk. Königspfalz *Duria* oder *Dura* entstanden, war kurze Zeit Reichsstadt, wurde 1238 von Kaiser Friedrich II. an den Grafen von Jülich verpfändet und kam später zum Hzgt. Jülich, dessen Geschicke es teilte. Das Heer Kaiser Karls V. brannte D. 1543 nieder. Der industrielle Aufschwung der Stadt begann Anfang des 18. Jhs., gefördert durch die frühen Bahnanschluß (1851). 1944/45 in der Hauptkampflinie liegend, wurde D. schwer zerstört, ist aber wieder aufgebaut.

Durend'art, →Durandarte.

D'ürer, 1) Albrecht, Maler, Graphiker, Kunstschriftsteller, * Nürnberg 21. 5. 1471, † das. 6. 4. 1528, lernte bei seinem Vater, dem Goldschmied *Albrecht D.* (* Gyula in Ungarn 1427, † Nürnberg 1502), und 1486 bis 1490 bei Michael →Wolgemut. 1490–94 war er auf der Wanderschaft am Oberrhein (Straßburg, Colmar, Basel), 1494 heiratete er in Nürnberg Agnes Frey († 1539). Er

Dürer: Selbstbildnis
(Erlangen, Univ.-Bibliothek)

reiste 1494/95 und 1505–07 nach Italien (bes. Venedig), 1520/21 in die Niederlande. Sonst war er in Nürnberg tätig, wo er 1509 das Haus am Tiergärtnertor erworben hatte. Er kam bald mit dem Nürnberger Humanistenkreis in Kontakt. D.s Kunst bezeichnet den Höhepunkt der Zeit des Übergangs von der Spätgotik zur Renaissance. Die Auseinandersetzung mit der ital. Renaissance, mit Humanismus und Reformation führte zu einem intensiven Erfassen des dt.-got. Elements und – als Gegenpol – zur Klassik. D. geht aus von der Nürnberger Spätgotik, von Schongauer und der oberrhein. Kunst, frühzeitig beeinflußt von Mantegna und den Venezianern. Spätgotische Gestaltung spricht am stärksten aus den Holzschnitten zur Apokalypse (1498), seine Auseinandersetzung um die südliche Formenklarheit der Renaissance vor allem aus dem Adam-und-Eva-Stich (1504), dem bedeutendsten Ergebnis seiner theoretischen Untersuchungen um die vollkommene Proportion der Menschengestalt (BILD Akt). Der Erforschung der ital. Figuration verdankte er das Verständnis des Aktes, den er zu einer neuen Monumentalität der Form und Struktur der Komposition führte. D. war sowohl der erste dt. Künstler, von dem es eine Reihe wichtiger Selbstbildnisse gibt, als auch der erste, der in sich geschlossene Landschaftskompositionen schuf. Die Welt der Pflanzen und Tiere schilderte er in ge-

nauer Detailarbeit (Rasenstück, Feldhase u. a.). Unter den weltlichen Stoffen, die einen breiten Raum in seinem Schaffen einnahmen, ragen mythologische und allegorische Themen hervor, die er, vom Humanismus angeregt, vor allem in Kupferstichen behandelte. Doch kehrte er immer wieder zur Darstellung der Passion Christi zurück (drei große graphische Folgen und viele Einzelblätter), die er als Hauptaufgabe der Kunst neben dem Bildnis bezeichnete. Der Ruhm seines Namens drang schon zu seinen Lebzeiten weit über die Grenzen Deutschlands; er ging von seinen Holzschnitten und Kupferstichen aus, in denen seine Kunst, die sich am freiesten mit den Mitteln der Linie auszusprechen vermochte, eine kaum wieder erreichte Formvollendung und Ausdruckskraft erlangte. Sein letztes großes Werk, die beiden Tafeln der Vier Apostel (1526), hinterließ er seiner Vaterstadt als Vermächtnis (heute A. Pinakothek, München), auf daß sie den »weltlichen Regenten« Mahnung und Halt in den Wirren der Zeit seien.

WERKE. *Selbstbildnisse:* Zeichnungen von 1484 (Wien, Albertina) und 1492 (Erlangen, Universitäts-Bibliothek), Gemälde von 1493 (Paris, Louvre), 1498 (Madrid, Prado) und 1500 (München, A. Pinakothek). *Gemälde:*

Dürer: Apostel Paulus und Markus, 1526
(Ausschnitt; München, Alte Pinakothek)

Wittenberger Altar (um 1495; Dresden, Galerie), Paumgärtneraltar mit der Geburt Christi und den Stiftern als heil. Georg und heil. Eustachius (um 1504; München, Pinakothek), Anbetung der Könige (1504; Florenz, Uffizien), Rosenkranzfest (1506; Prag, Galerie), Adam und Eva (1507; Madrid, Prado), Allerheiligenaltar (Die Anbetung der Dreifaltigkeit, 1511; Wien, Kunsthistor. Museum), Die vier Apostel (1526; München, Pinakothek). *Bildnisse:* Friedrich der Weise

(um 1497; Berlin, Staatl. Museum), H. Holz-
schuher (1526; ebd.), J. Muffel (1526; ebd.).
Holzschnitte: Apokalypse (15 Blatt zur Offenbarung des Johannes, 1498; Titelblatt
1511), Große Passion (11 Blatt; um 1498 bis
1510), Kleine Holzschnittpassion (37 Blatt;
1509–11), Marienleben (19 Blatt; 1501–11).
Kupferstiche: Der verlorene Sohn (um 1498),
Das Große Glück (um 1500), Adam und
Eva (1504), Kupferstichpassion (16 Blatt;
1507–12), Ritter, Tod und Teufel (1513),
Hieronymus im Gehäus (1514), Melancholie (1514), Albrecht von Brandenburg (1519,
1523), Friedrich der Weise (1523), W. Pirkheimer (1524). Melanchthon (1526), Erasmus (1526). *Zeichnungen:* Bildnisse, Tiere,
Blumen, Vorlagen für Goldschmiede, Land-
schaftsaquarelle, Skizzenbuch von der niederländ. Reise, Randzeichnungen zum Gebetbuch des Kaisers Maximilian (1515; mit
Cranach, Altdorfer, Baldung u. a.). *Schriften:* Unterweysung der Messung mit dem
Zirkel und Richtscheyt in Linien, Ebenen
und ganzen Körpern (1525), Unterricht zur
Befestigung der Stett, Schloß u. Flecken
(1527), Vier Bücher von menschl. Proportion (1528); Tagebuch der Reise in die Niederlande, Familienchronik. Reime, Briefe
an Pirkheimer aus Venedig (1506).
Lit. H. Wölfflin: Die Kunst A. D.s (⁶1943),
bearb. u. hg. von K. Gerstenberg (1963);
W. Waetzoldt: D. und seine Zeit (1953); E.
Panofsky: A. D., 2 Bde. (Princeton ³1948);
F. Winkler: A. D., Leben und Werk (1957);
ders.: Die Zeichnungen A. D.s, 4 Bde.
(1936–39); A. D.: Schriften – Tagebücher –
Briefe. Auswahl u. Einleitung v. M. Steck
(1961).
2) Hans, Bruder von 1), Maler und Graphiker, * Nürnberg 2. 2. 1490, † Krakau um
1538, wohin er 1525 übersiedelte. Er war
lange Mitarbeiter seines Bruders; sein Schaffen ist ohne künstlerische Eigenart.

D'urga [Sanskrit ›die schwer Zugängliche‹], auch **Parwati** (Bergtochter) genannt,
indische Göttin, Tochter des Himalaja, Gattin des Schiwa, erscheint als gnädige, auch
als furchtbare Göttin. In ihrer gnädigen
Form als *Annapurna* spendet sie Speise, in
ihren furchtbaren Aspekten als *Tschandi*
(die Grausame) und *Kali* (die Schwarze)
bekämpft sie Dämonen. In den letzteren
Bedeutungen wird sie mit einem Kranz von
Totenschädeln, Waffen und abgehauene
Menschenschädeln in den Händen dargestellt und durch Ziegen-(früher auch Men-
schen-)Opfer verehrt. Ihr Hauptfest *Durga-
pudscha* wird im Sept./Okt. bes. in Bengalen
zehn Tage lang gefeiert.

Durgap'ur, Stahlwerk in Mittel-Indien, mit
brit. Hilfe entstanden.

Durham [d'ʌrəm], **1)** Grafschaft im NO
Englands, 2628 qkm, (1971) 1,4 Mill. Ew.
2) Hauptstadt von 1), mit (1971) 24 700 Ew.,
anglikanischer Bischofssitz. D. hat Universität, prächtige Kathedrale (1093–1490),
theolog. Lehranstalt, Fachschulen, lebhafte
Industrie und Kohlenhandel; in der Umge-

bung reiche Kohlenlager. **3)** Stadt im Staat
North Carolina, USA, mit (1970) 95 400
Ew.; Tabak- und Textilindustrie; Universi-
tät.

Durham [d'ʌrəm], John George **Lambton,**
Earl of (seit 1833), * London 12. 4. 1792,
† Cowes (Wight) 28. 7. 1840, wurde 1838
wegen Unruhen als Gen.-Gouv. nach Kana-
da gesandt, mußte aber bald zurücktreten.
Er befürwortete die Selbstverwaltung der
Kolonien und vertrat den Commonwealth-
Gedanken.

D'urian [malaiisch] *der*, Durio, südostasiat.
Pflanzengattung der Wollbaumgewächse.
Der *indische D. (Zibethbaum)* hat kopfgro-
ße, stachelige Früchte mit überriechendem,
doch wohlschmeckendem Fruchtmus *(Stink-
frucht).*

*Durian: Frucht des indischen D.
(etwa ¹/₈ nat. Gr.)*

Durieux [dyrjø], Tilla, eigentl. Ottilie
Godeffroy, Schauspielerin, * Wien 18. 8.
1880, † Berlin 21. 2. 1971, wirkte u. a. bei
Reinhardt in Berlin, 1934 ging sie ins Ausland; vielseitige Schauspielerin, bedeutend z. B. als Hedda Gabler (Ibsen); sie
kehrte 1952 als Gast nach Berlin zurück;
schrieb den Schauspielerinnenroman ›Eine
Tür fällt ins Schloß‹ (1928) und die Erinnerungen ›Eine Tür steht offen‹ (1952).

Duris, 1) attischer Vasenmaler des 1. Drit-
tels des 5. Jhs. v. Chr.
2) D. von Samos, griech. Historiker des
3. Jhs. v. Chr., verfaßte eine makedon. Geschichte von 370 bis 281, eine Chronik von
Samos, eine Geschichte des Agathokles.

Dur'it *der*, wenig verkokbare Mattkohle.

Durkheim, Émile, franz. Soziologe, * Epi-
nal 15. 4. 1858, † Paris 15. 11. 1917, seit 1902
Prof. an der Sorbonne, suchte alle einzel-
menschl. Leistungen auf eine überindivi-
duelle soziale Wirklichkeit zurückzuführen.
Werke. La division du travail social
(⁵1926), Les règles de la méthode sociologi-
que (dt. 1908), Le suicide (²1930).

D'ürkheim, Bad D., Kreisstadt und Kurort
im RegBez. Rheinhessen-Pfalz, Rheinland-

Pfalz, mit (1977) 16100 Ew., am Rand der Hardt, 132 m ü. M. Arsen-Solbad und Natriumchlorid-Therme (→Heilquellen), hat →Ger., höhere Schulen; Holz- und Weinhandel; Spielbank.– D., schon 946 als Thuringeheim erwähnt, kam an die Grafen von Leiningen, deren Residenz es wurde, und 1816 zur bayer. Rheinpfalz.

D'ürkoppwerke AG, Unternehmen der Fahrrad- und Nähmaschinenindustrie, Bielefeld, gegr. 1889.

D'urlach, seit 1938 industriereicher Stadtteil von Karlsruhe, am Fuße des Turmberges. D. wurde 1161 als hohenstaufisches Allod erstmals erwähnt; 1565–1715 war es Sitz der (evang.) Markgrafen von Baden-D., 1689 durch die Franzosen zerstört. Schloß von 1562–65 (barocker Neubau 1697).

Dürlitze, der gelbe →Hornstrauch.

Durmersheim, Gem. im Kr. Rastatt, Baden-Württemberg, in der Rheinebene, mit (1976) 10000 Ew.; Wallfahrtskirche Bickesheim.

D'urmitor, Dormitor, höchster Gipfel von Montenegro, 2522 m hoch.

Dürnberg, salzreicher Berg bei Hallein (Österr.).

Durne, mhd. Dichter des 13. Jhs., →Reinbot von Durne.

D'ürnitz *der,* † Wohnbau einer Burg.

Dürnkrut, Markt im Bez. Gänserndorf, Niederösterreich, im Marchfeld, 163 m ü. M., mit rd. 2000 Ew.; Zuckerindustrie. Am 26. 8. 1278 siegte König Rudolf I. bei D. über Ottokar II. von Böhmen.

D'ürnstein, Stadt im Bez. Krems, Niederösterreich, an der Donau in der Wachau, 207 m ü. M., mit (1970) 1050 Ew.; Weinbau; altertüml. Stadtbild, Barockkirche (1721–28 von J. Munggenast und Matthias Steindl erbaut), Ruinen der Burg D., in der 1193 Richard Löwenherz gefangensaß. Erneuerung des älteren Stadtrechts um 1350.

Lit. G. Hoffmann: D. in d. Wachau (1951).

D'uro [span. ›hart‹], spanische Münze, →Peso.

Duropl'aste, härtbare Kunstharze.

Dürr, 1) Emil, schweizer. Geschichtsforscher, * Olten 3. 12. 1883, † Basel 12. 2. 1934, seit 1925 Prof. in Basel.

2) Ludwig, Luftschiffbauer, * Stuttgart 4. 6. 1878, † Friedrichshafen 1. 1. 1956, trat 1898 als Techniker in den Dienst des Grafen Zeppelin, hatte hervorragenden Anteil an der Entwicklung des Zeppelinluftschiffs.

Werk. 25 Jahre Zeppelin-Luftschiffbau (1925).

D'urra *die,* Getreidegras, →Hirse.

Dürre, Periode mit Niederschlagsmangel, bes. in der Vegetationszeit. Der Grad einer D. hängt von den gefallenen Regenmengen, dem Wasservorrat des Bodens sowie der Verdunstung ab.

Durrell [d'ʌrəl], Lawrence, engl.-irischer Schriftsteller, * Darjeeling (Indien) 27. 2. 1912, war als Presseattaché im diplomat. Dienst in Ägypten, Zypern, Jugoslawien. Sein Hauptwerk, das Alexandria-Quartett, schildert das moderne Alexandria.

Werke. Gedichte. Romane: Panic spring (1937), The black book (1938; dt. Die Schwarze Chronik, 1962), Cefalu (1947), Bitter lemons (1957, über Zypern; dt. Bittere Limonen, 1962), The Alexandria quartett: Justine (1957; dt. 1958), Balthazar (1958; dt. 1959), Mountolive (1958; dt. 1960), Clea (1960; dt. 1961). Dramen: Sappho (1950; dt. 1959), Actis (1961; dt. 1961).

Lit. A. Perles: Mein Freund D. (1963).

D'ürrenberg, Bad D., Stadt an der Saale im Kr. Merseburg, Bez. Halle, mit (1973) 15500 Ew.; Solbad.

D'ürrenmatt, Friedrich, schweizer. Schriftsteller, * Konolfingen bei Bern 5. 1. 1921; Graphiker, Illustrator, Theaterkritiker, dann freier Schriftsteller. Hinter dem oft kühn Burlesken und Komödiantischen seiner Dramen verbirgt sich der leidenschaftliche Moralist.

Werke. Dramen: Es steht geschrieben (1947), Der Blinde (1948), Romulus der Große (1949), Die Ehe des Herrn Mississippi (1952), Ein Engel kommt nach Babylon (1953), Der Besuch der alten Dame (1956), Frank V. Oper einer Privatbank (1959, Musik von P. Burkhard), Die Physiker (1962), Der Meteor (1965). Hörspiele: Die Panne (1956), Herkules und der Stall des Augias (1954; Komödie 1963), Das Unternehmen der Wega (1958); Gesammelte Hörspiele (neu 1963). Erzählungen, Romane: Die Stadt. Prosa I–IV (1952; neu 1962), Der Richter und sein Henker (Kriminalroman, 1952), Grieche sucht Griechin (1955), Das Versprechen (1957). – Theaterprobleme (Essays, 1955). Charakteristik seiner Hauptwerke →Deutsche Literatur.

Lit. E. Brock-Sulzer: F. D. Stationen seines Werkes (1960); H. Bänziger: Frisch u. D. (1960).

D'ürrensee, kleiner See in den Dolomiten (Südtirol), 1410 m ü. M.

Dürrenstein, 1) Berg in den österreich. Alpen bei Lunz, 1877 m hoch. 2) 2840 m hoher Berg der Ampezzaner Dolomiten.

Durrer, Robert, schweizer. Historiker, * Stans 3. 3. 1867, † das. 14. 5. 1934, seit 1896 Staatsarchivar in Stans, machte sich um die Erhaltung der histor. Kunstdenkmäler der Schweiz verdient; betätigte sich außerdem als Maler (Fresko in der Kapelle im Ranft) und als Goldschmied.

Lit. J. Wyrsch: R. D. (Stanz 1949).

Dürre resistenz, Fähigkeit von Pflanzen, Trockenperioden zu überdauern. Bei Kulturpflanzen muß mit der D. eine genügende Jahresproduktionsleistung verbunden sein. →Trockenpflanzen.

Dürr erze, geringhaltige Silbererze mit vorwiegend quarziger und karbonatischer Gangmasse.

Durrës [durs], alban. für →Durazzo.

Dürrfleckenkrankheit der Kartoffel und Tomate, *Hartfäule,* Kennzeichen: rundliche, scharf begrenzte, braunschwarze Flecken mit konzentr. Ringen auf den Blättern;

dunkel verfärbte, eingesunkene, bei Druck nicht nachgebende (deshalb ›Hartfäule‹) Flecken auf der Knollenschale, unter denen das Fleisch braun-schwarz gegen das gesunde Gewebe scnarf abgesetzt ist; vom Kelch ausgehende Schwarzfäule der Tomatenfrüchte. Erreger der Krankheit ist der Pilz *Alternaria solani*. Hartfaule Knollen sind als Pflanzgut unbrauchbar. Bekämpfung mit Kupferkalkbrühe.
Lit. H. Braun u. E. Riehm: Krankheiten und Schädlinge der landwirtschaftl. und gärtner. Kulturpflanzen (⁶1950).

Dürrfutter, getrocknetes pflanzl. Futter im Unterschied zum Grünfutter.

D'ürrheim, Bad D., Gem. im Schwarzwald-Baar-Kr., Baden-Württemberg, (1976) 9600 Ew., im südl. Schwarzwald, 700–800 m ü. M., Solbad (→Heilquellen) und Luftkurort.

D'ürrkraut, 1) ein Bruchkraut *(Herniaria)*. **2)** Gatt. *Erigeron* (Dürrwurz), →Berufkraut.

D'ürrwurz, Pflanzen: →Berufkraut *(Erigeron)* und Dürrwurzalant (→Alant).

Dur-Scharrukin, →Chorsabad.

Durst [germ. Stw.], lat. *sitis*, ein →Gemeingefühl: der Antrieb zur Aufnahme von Flüssigkeit, bes. von Wasser. D. wird verursacht durch erhöhte Salzkonzentration in der Gewebsflüssigkeit zwischen den Körperzellen. Der Wasserverlust durch Atemluft, Harn, Stuhl und Schweiß kann z. B. im Wüstenklima so groß werden, daß täglich bis zu 12 Liter Wasser getrunken werden. Schwerer D. wird von Schluckbeschwerden und Müdigkeit begleitet; dem Tod durch *Verdursten* gehen Fieber und Bewußtlosigkeit voraus. Krankhaft gesteigerter D. tritt auf bei Wassersucht, Wasserharnruhr, Zuckerkrankheit.

Durtain [dyrtɛ̃], Luc, eigentl. André *Nepveu*, franz. Schriftsteller, * Paris 10. 3. 1881, † das. 29. 1. 1959, stellt die zivilisatorischen Erscheinungen in den verschiedensten Teilen der Welt dar und vertritt die menschliche Brüderlichkeit; Lyrik, besonders aber Romane, Reiseberichte.

Durtonart, Tonart mit Halbtonschritten zwischen der 3. und 4. sowie der 7. und 8 Stufe, deren Hauptakkord der aus Grundton, großer Terz und reiner Quinte gebaute *Durdreiklang* ist. →Dur.

Duruy [dyry 'i], Victor, franzos. Historiker und Politiker, * Paris 11. 9. 1811, † das. 25. 11. 1894, war 1863–69 Unterrichtsmin., setzte sich für die Errichtung von Realschulen ein und förderte das Volksschulwesen.

Du Ry [dy ri], franz. Baumeisterfamilie, als Hugenotten ausgewandert nach den Niederlanden und Hessen:
1) Ludwig (Louis), Enkel von 2), * Kassel 13. 1. 1726, † das. 23. 8. 1799, in Paris bei Jacques François Blondel und in Italien ausgebildet, 1767 Hofbaumeister, schuf die Stadtanlage des neuen Kassel in leicht barockem Klassizismus und baute das. u. a. die Elisabethkirche (1770–74), das Museum (1769–79) und Teile des Schlosses Wilhelmshöhe (1786 f.).

2) Paul, * Paris 1640, † Kassel 21. 6. 1714 baute Festungswerke in den Niederlanden 1685 auf Empfehlung Wilhelms von Oranie vom Landgrafen von Hessen aufgenommen begann er 1688 die Anlage der Oberneustadt in Kassel in vornehmen Formen, baute das die Karlskirche als Predigtraum (1698–1710 und war an der Orangerie beteiligt (1703–11)

Dus'ares, griech. Wiedergabe von Duschara der Stammgott der Nabatäer, wurde in de ganzen röm. Provinz Arabia, bes. in →Petr verehrt. Als Fruchtbarkeitsgott wurde e dem griech. Gott Dionysos, aber auch den Helios gleichgesetzt. Zu seinen Ehren wur den Festspiele *(Dusaria)* veranstaltet.

Dusart [d'ysart], Cornelis, holländ. Maler * Haarlem 24. 4. 1660, † das. 1. 10. 1704 malte in der Art seines Lehrers Adriaen va Ostade derbe Bauernszenen in bunter Farb gebung.

Duschan, serb. Dusan, Stephan, →Stepha Duschan, Zar der Serben und Griechen.

Duschanb'e, 1929–61 **Stalinabad**, Haupt stadt der Tadschik. SSR, mit (1973) 411 00 Ew., hat Universität, Akademie der Wissen schaften, Baumwollindustrie, Verarbeitun landwirtschaftl. Erzeugnisse.

Dusche [franz.], **Brause, Tropf-, Fall-** ode **Sturzbad** zur Reinigung oder Heilbehand lung. Das Wasser wird in feinen Strahle oder zerstäubt, auch dampfförmig, auf der Körper geleitet. Kurze kalte oder heiße D (2–3 Sekunden) erregen kräftig. Laue D (28–36°) wirken beruhigend. Wechselwarm D. (bes. örtlich angewendet) steigern am Or der Anwendung Blutzufuhr und Stoffwech sel erheblich.

Eleonora Duse

D'use, Eleonora, ital. Schauspielerin * Vigevano 3. 10. 1858, † Pittsburgh (Penn. 21. 4. 1924, spielte mit wachsendem Erfol in Italien, seit 1892 auch im Ausland; ein der größten Menschendarstellerinnen (Du mas, Ibsen, Maeterlinck). 1909 verließ si die Bühne, nahm jedoch 1921 ihre künstle rische Tätigkeit noch einmal auf. Sie wa mit D'Annunzio befreundet.
Lit. E. A. Rheinhardt: Das Leben der E D. (²⁰1943); O. Signorelli: Das Vermächtni

er D. (dt. 1962); R. Kassner: Der Gott-
mensch. Erinnerungen an E. D. (1960).

D'üse [aus dem Tschech.], Ausspritzmund-
stück, ein Verengungs-Formstück für Rohre,
mit hydraulisch günstiger Form, z. B. zum
Umsetzen von Druck in Geschwindigkeit
(Wirkungsgrad bis 99,5 %), zum Verstäuben
von Flüssigkeiten *(Zerstäubungs-D.)*, in
»Strahlgebläsen *(Düsengebläse)*, zur Herstellung feiner Fäden *(Spinn-D.)*. Die
»pinn-D. für Kunstseide haben auf einer
»fenniggroßen Fläche bis 5000 Öffnungen.
Düsenantrieb, →Strahltriebwerke.

D'using, D'uchsing, D'upsing [von nd. dus
(Getöse (] *der*, in Dtl. im 14. und Anfang des
5. Jhs. der von beiden Geschlechtern ge-
»ragene, als Vorrecht des Adels geltende,
»reite, lose auf der Hüfte liegende Gürtel.
Du Sommerard [dysəməra:r], Alexandre,
»ranz. Kunsthistoriker, * Bar-sur-Aube 1799,
† Saint-Cloud 19. 8. 1842, sammelte im Hôtel
»le Cluny in Paris mittelalterl. Kunstwerke.
D'ussek [d'uʃek], Johann Ladislaus, früh-
»omantischer Komponist, getauft Tschaslau
(Böhmen) 12. 2. 1760, † St-Germain-en-Laye
»ei Paris 20. 3. 1812, Pianist und Organist,
»chrieb neben Opern vor allem Instrumen-
»almusik, darunter 12 Klavierkonzerte, 53
Klavier-, 80 Violinsonaten.

D'üsseldorf, 1) RegBez. in Nordrhein-
Westfalen.

Kreise[7]	qkm	Ew.[1] 1961[2]	Ew.[1] 1970[3]
Dinslaken	221	118,6	141,2
Düsseldorf . .	158	702,6	663,6
D.-Mettmann . .	436	317,8	387,7
Duisburg	143	503,0	454,8
Essen	195	726,6	698,4
Geldern	510	80,5	87,1
Grevenbroich .	558	177,9	258,9
Kempen-Krefeld	511	206,1	257,4[6]
Kleve	501	99,2	107,9
Krefeld	116	213,1	222,3
Leverkusen	47	94,6	107,5
Mönchengladbach	97	152,2	151,1
Moers	564	313,7	349,5
Mülheim	88	185,7	191,5
Neuß	53	92,9	114,6
Oberhausen	77	256,8	246,7
Rees	528	100,8	115,0
Remscheid	65	126,9	136,4
Rhein-Wup- per-K.[4]	362	183,6	239,3
Rheydt	45	94,0	100,1
Solingen	80	169,9	176,4
Viersen	31	41,9	—[5]
Wuppertal	151	420,7	418,5
RegBez. D. . . .	5505	5379,1	5625,9

[1] in 1000. [2] am 6. 6. [3] am 27. 5. [4] Kreisstadt Opladen. [5] ab 1. 1. 1970 zum Kr. Kem-
pen-Krefeld. [6] einschl. Viersen. [7] seit 1. 1.
1975 umfaßt der RegBez. nur noch 10
Stadt- und 5 Landkreise.

2) Hauptstadt von Nordrhein-Westfalen
und des RegBez. D., mit (1977) 615 500
Ew., am Rhein zwischen Köln und Duis-

burg gelegen, 38 m ü. M. (Wappen: TAFEL
Wappenkunde). D. nimmt im rhein.-westfäl.
Industriegebiet eine hervorragende Stellung
ein; leistungsfähiger Rheinhafen, bedeutender Flughafen, Sitz der Rhein.-Westfäl.
Börse und wichtiger Verbände und Organisationen von Wirtschaft und Technik sowie
techn. und wissenschaftl. Institute (u. a. für
Eisenforschung). Wichtige *Industriezweige:*
Maschinen- und Werkzeugmaschinenbau,
Stahl- und Walzwerke, Stahlbau, Fahrzeug-
bau, chemische, elektrotechnische, Nah-
rungs- und Genußmittel-, Bekleidungs- und
Textil-, Glasindustrie. Der Großhandel (zu
einem beträchtl. Teil Ein- und Ausfuhrhan-
del) versorgt ein weites Hinterland. D. ist
eine moderne Stadt mit breiten Straßen,
schönen Parks und bemerkenswerten Bauwerken; drei Straßenbrücken über den
Rhein. Die Königsallee (»Kö«) ist eine Ge-
schäftsstraße und elegante Promenade von
internat. Ruf. *Behörden:* Landesregierung,
Bezirksregierung, Oberfinanzdirektion,
Oberpostdirektion, OLdGer., LdGer.,
AGer., SozialGer., LandesarbeitsGer., ArbeitsGer., Landesverwaltungs-Ger., Finanz-
Ger.; Industrie- und Handelskammer,
Handwerkskammer; Landeszentralbank
(Hauptverwaltung). *Öffentl. Einrichtungen:*
seit 1966 Universität (aus der Medizin. Akademie hervorgegangen), Kunstakademie,
Verwaltungs- und Wirtschaftsakademie,
Konservatorium, Landeskirchenmusik-
schule der Ev. Kirche im Rheinland, höhere
Schulen (20), Fachschulen (u. a. Fachschulen für Industrie, Werkkunstschule); Wirt-
schafts-, Kunst-, Goethemuseum, Landes-
und Stadtbibliothek, Opernhaus, Schauspielhaus; Ausstellungsgelände.

GESCHICHTE. D. wird 1159 erstmalig erwähnt, seit 1288 Stadt. Eine Blüte erlebte D.
unter Kurfürst Johann Wilhelm von der
Pfalz (›Jan Wellem‹, 1679–1716). 1806
wurde D. Hauptstadt des napoleon. Groß-
herzogtums Berg, 1815 (20000 Ew.) kam es
an Preußen, 1881 wurde es Großstadt (100 000
Ew.). 1909 wurde Gerresheim, 1929 Kaiserswerth und Benrath (Rokokoschloß, 1755
bis 1769) eingemeindet.

LIT. H. Weidenhaupt: Kleine Gesch. der
Stadt D. (²1962); Wirtschaftsmonographie
D. (1959).

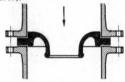

Düse, eingebaut in eine Rohrleitung

Düsseldorfer Abkommen der Ministerpräsi-
denten der Länder zur Vereinheitlichung des
dt. Schulwesens; es betraf den Schuljahrs-
beginn, die Ferien, die Bezeichnung der
Schulen und der Klassen, die Organisa-

tionsformen der Mittelschule und des Gymnasiums, die Anerkennung von Prüfungen und die Bezeichnung der Notenstufen. Es wurde am 17. 2. 1955 auf unbestimmte Zeit abgeschlossen und war vor 1965 nicht kündbar. 1964 wurde eine Neufassung beschlossen, das →Hamburger Abkommen.

Duesterberg, Theodor, * Darmstadt 19. 10. 1875, † Hameln 4. 11. 1950, Offizier, 1924 bis 1933 zweiter Bundesführer des →Stahlhelm, 1932 Reichspräsidentschaftskandidat. Er war als Gegner Hitlers 1934 vorübergehend in Haft; 1943 unterstützte er Goerdelers Pläne.

Dutchman [dˈʌtʃmən, engl.], *Mz.* **Dutchmen,** Niederländer (→deutsch); in den USA und England auch geringschätzig für Deutscher.

Dˈüte *die*, Nebenform von Tüte.

Dˈutra, Enrico Gaspar, brasilianischer General und Politiker (Sozialist), * Cuiabá 18. 5. 1885, † Brasilien 11. 6. 1974; 1936–45 Kriegsmin., zwang 1945 Präs. Vargas zur Abdankung; 1946–51 Staatspräsident.

Dutreuil de Rhins [dytrœj də rɛ̃s], Jules, franz. Forschungsreisender, * Saint-Étienne 2. 1. 1846, † (ermordet) Tibet 5. 6. 1894, unternahm Forschungsreisen nach Südostasien, dem franz. Kongo und Zentralasien.

Dutschke, Rudi, dt. Soziologe, * Schönefeld 7. 3. 1940, war 1967/68 einer der Hauptakteure der »Außerparlamentarischen Opposition« (APO) in Berlin, wurde 1968 durch ein Attentat schwer verletzt.

Dˈüttchen [zu niederd. Deut], **Dittchen,** norddeutsche Silbermünze des 17. und 18. Jhs., die ¹/₁₆-Taler oder 2-, seit 1622 3-Schilling-Stücke und die →Dreigröscher.

Dˈuttenkragen [vom nd. Dute ›Tüte‹], eine Halskrause aus feinem Leinenzeug, gesteift und getollt; heute noch in den Amtstrachten der luther. Geistlichen in Sachsen, Hamburg, Lübeck u. a. und der Professoren in Hamburg.

Duttenkragen (Gemälde von A. van Dyck, um 1627–32, Ausschnitt)

Dˈuttweiler, Gottlieb, schweizer. Wirtschaftler und Politiker, * Zürich 15. 8. 1888, † das. 8. 6. 1962, schuf 1925 ein neues Verkaufssystem zur Verbilligung der Lebensmittel (→Migros-Genossenschafts-Bund), gründete den »Hotel-Plan« für billige Ferienreisen, 1954 die Migrol zur Senkung der Benzinpreise. 1936–40 und 1943–49 war D. Abg. des von ihm gegr. *Landesrings der Unabhängigen* im Nationalrat.

Dˈutzend [aus franz. douzaine, 14. Jh. Zählmaß = 12 Stück; 12 D. = 1 Gros.

Duumvirˈat, Duˈumviri, Duˈoviri, eine aus zwei Männern bestehende altröm. Behörde.

Duun [duːn], Olav, norweg. Erzähler, * Namdalen 21. 11. 1876, † Tönsberg 13. 9. 1939, schilderte nordische Natur und norwegische Bauern, bes. in seiner Geschlechtersaga von den Juwikingern (6 Bde., 1918 bis 1923; dt. 2 Bde., 1927–29).

Duvalier [dyvalje], François, haitian. Politiker, * Port-au-Prince 14. 4. 1907, † das. 21. 4. 1971, seit 1957 diktatorisch regierender Präs. (seit 1964 auf Lebenszeit).

Duve, Christian de, belg. Biochemiker, * bei London 2. 10. 1917, Prof. in Löwen und New York, erhielt den Nobelpreis für Medizin 1974 (zus. m. A. Claude und G. E. Palade für seine Zellforschungen, entdeckte u. a. die Lysosomen).

Duvergier de Hauranne [dyvɛrʒje də ɔran], Jean, auch **Saint-Cyran,** franz. Theologe, * Bayonne 1581, † Paris 11. 10. 1643, seit 1621 Abt von Saint-Cyran, 1638–43 von Richelieu in Vincennes gefangengesetzt. Die Jansenisten verehrten ihn als Meister, Märtyrer und Heiligen.

Duvet [dyvɛ], Jean, franz. Goldschmied und Kupferstecher, * Langres um 1485, † das. um 1561, bildete sich an den Werken Raffaels, Mantegnas, Leonardos, Dürers und der Mailänder Kupferstecher.
WERKE. 23 Kupferstiche zur Apokalypse (1546–55), 5 Blätter zur Einhornlegende.

Duvetˈine, eine Samtimitation mit Baumwollkette und Schappe- oder Wollschuß.

Duvivier [dyvivje], Julien, franz. Filmregisseur, * Lille 8. 10. 1896, † Paris 29. 10. 1967, seit 1924 beim Film. Filme: Un carnet de bal (1937), Pépé le Moko (1937), Unter dem Himmel von Paris (1951), Don Camillo und Peppone (1952), Marianne (1955), Immer wenn das Licht ausgeht (1957).

Dux [lat. ›Führer‹], 1) in der spätröm. Kaiserzeit der Befehlshaber eines Heeresteils seit Diokletian der militär. Oberbefehlshaber einer Provinz; später germanischer Herzog. 2) Thema der Fuge in der Grundform.

Dux, tschech. **Duchcov,** Stadt in der Tschechoslowakei, am Fuß des Erzgebirges, 217 m ü. M., mit (1969) 10000 (1939: 9600, meist dt.) Ew.; gräfl. Waldsteinsches Schloß.

Duyse [dˈœjsə], Florimond van, fläm. Musiker, * Gent 4. 8. 1843, † das. 18. 5. 1910, schuf die Kantate ›Torquato Tassos Tod‹ und 11 Opern; schrieb über das altniederländ. Volkslied.

DVL, Abk. für →Deutsche Versuchsanstalt für Luft- und Raumfahrt.

Dvojnice, heute noch gebräuchliche südslawische Doppelflöte aus einem Stück, mit 3 und 4 Grifflöchern.

Dvořák [dvˈɔrʒaːk], 1) Antonín, tschech.

Komponist, * bei Mühlhausen (Böhmen)
. 9. 1841, † Prag 1. 5. 1904, wurde als Tanz-
und Orchestergeiger gefördert von Joh.
Brahms und Bülow, Prof. am Prager Konservatorium, war 1892–95 Direktor des
New Yorker, seit 1901 des Prager Konser-
vatoriums, wurde österreich. Herrenhaus-
mitglied. Für seine ersten Werke waren Mozart und Beethoven wegweisend. Seine spätere Musik vereint Einflüsse von Brahms
und der deutschen Romantik mit melod.,
rhythm. und harmon. Elementen der slaw.
Volksmusik. Die Instrumentation seiner
Werke ist mit allen Finessen der Klangfar-
ben versehen. D.s Musik bildet neben der
Smetanas die Grundlage der modernen
tschech. Musik, wie sie seine Schüler No-
vák, Suk und Karel repräsentieren.
WERKE. Orchester: 9 Sinfonien, darunter
Nr. 9 in e-Moll ›Aus der neuen Welt‹(1894),
Ouvertüren, sinfonische Dichtungen, Slawische Rhapsodien und Tänze; Violoncello-
konzert h-Moll ;Kammermusik: 14 Streichquartette, 3 Streichquintette, Dumky-Kla-
viertrio, Klavierquintett A-Dur; Klavier-
werke, Humoresken, Lieder, darunter Zigeu-
nerlieder, bibl. Gesänge; 11 Opern, bes.
›Rusalka‹; Chorwerke, bes. Requiem,
Stabat mater‹.
LIT. O. Šourek und P. Stefan: A. D. (1929;
Nt. Wien 1935); H.Kull: D.s Kammermusik
1948); A. Robertson: A. D. (1947); O.
Sourek: A. D. Werkanalysen, 2 Bde. (1954).
2) Max, Kunsthistoriker, * Raudnitz 14. 6.
1874, † Grusbach 8. 2. 1921, Prof. in Wien,
von starkem Einfluß durch seine geistes-
geschichtl. Betrachtung der Kunst.
WERKE. Kunstgeschichte als Geistesge-
schichte (1924), Geschichte der italien.
Kunst im Zeitalter der Renaissance, 2 Bde.
1927/28).
LIT. D. Frey: M. D.s Stellung in der Kunst-
gesch., in: Jb. für Kunstgesch., 1 (1921/22).
DVP, Abk. für →Deutsche Volkspartei.
Dwa'ita [Sanskrit], Richtung in der indi-
schen Philosophie, die im Gegensatz zum
›Adwaita‹ die Verschiedenheit von Gott,
Seelen und Materie lehrt.
Dw'arka, Hafenstadt am Westende der
Halbinsel Kathiawar, zum Staat Bombay,
Indien, gehörig, eine der 7 heil. Städte In-
diens, hat Krischnatempel.
dwars, dwas [niederd., Schiffersprache],
quer, querab. *in* **Dwarslinie,** nebeneinander.
Dweil, Dwaidel [niederd., Schiffersprache]
‹er, Wischbesen aus Lumpen.
Dw'iggins, William Addison, amerikan.
Buch- und Schriftkünstler, * Martinsville
(Ohio) 19. 6. 1880, † Hingham (Mass.)
25. 12. 1956, war Vorsitzender der Society
of Calligraphers; war auf allen Gebieten der
Buchausstattung tätig. D. schuf u. a. an
Druckschriften: *Caledonia, Electra, Metro,
Eldorado, Falcon.*
Dwin'a *die,* **1)** **Nördliche D.,** Strom in N-
Rußland, entsteht durch Zusammenfluß von
Suchona und Jug, von dort an 750 km Lauf
bis zur Mündung in das Weiße Meer. Trotz

langer Eisbedeckung (160–180 Tage) hat die
D. große Bedeutung für den Holztransport
nach Archangelsk. Das *D.-Kanalsystem,*
136 km lang, verbindet die Wolga mit der
Suchona. **2)** **Westliche D.,** die →Düna.
Dw'inger, Edwin Erich, Schriftsteller,
* Kiel 23. 4. 1898, schrieb über seine Erleb-
nisse im 1. Weltkrieg ›Die Armee hinter
Stacheldraht‹ (1929), auch Romane.
Dwinsk, russ. Name von →Dünaburg.
Dworj'ane, *Ez.* **Dworjanin** [russ. von dwor
›Hof‹], im alten Rußland Dienstleute am
Hof der Fürsten; sie erhielten Dienstland
und standen im Range unter den →Bojaren.
Seit Peter d. Gr. aus den D. den neuen
Dienstadel geschaffen hatte, bedeutete
Dworjanin kurzweg ›der Adlige‹, **Dwor-
janstwo** ›Adel‹.
dwt, Abk. für das engl. Edelmetallgewicht
pennyweight = 1,555 g.
Dy, chem. Zeichen für Dysprosium.
Dy'ade [grch.], **1)** *Biologie:* Chromosomen-
paarlinge, die aus zwei homologen Chromo-
somen bestehen. **2)** *Mathematik:* Tensor
zweiter Stufe.
Dy'adik [griech.], **dy'adisches System,** ein
Zahlensystem, →Dualsystem.
D'yas [griech. ›Zweiheit], andere Bezeichnung für die beiden Abschnitte des →Perms.
Dyce [dais], William, schott. Maler, * Aberdeen 19. 9. 1806, † Streatham (Surrey) 14. 2.
1864, war eine den →Nazarenern entsprech.
Erscheinung in der engl. Kunst (Fresken im
Parlamentsgebäude zu London).
Dyck [dεjk], Anthonis van, fläm. Maler,
* Antwerpen 22. 3. 1599, † London 9. 12.
1641, Schüler und Mitarbeiter von Rubens,
dann in England und Italien tätig, wo er vor
allem Tizian studierte und in Genua Bildnisse des Stadtadels malte, seit 1632 Hofmaler Karls I. von England. Seine von
Rubens ausgehenden, mit lebhaftem Tem-
perament gemalten religiösen Bilder stellen
in brauntonigen, venezianisch satten Farben
schlanke, elegante Körper von weichem
Gefühlsausdruck dar, der sich später zu ge-
dämpfter Pathetik entwickelte. Der ausge-
wogene Stil seiner scharf beobachteten
Bildnisse wandelte sich in England, wo er
seit 1635 ausschließlich als Porträtmaler
wirkte, zu verfeinerter Vornehmheit, hoch-
mütiger Haltung und verklingenden Farb-
andeutungen. Seine Spätwerke sind selten
ganz eigenhändig ausgeführt. – Um 1630
entstand die ›Ikonographie‹, eine Folge von
100 Radierungen mit Bildnissen bekannter
Zeitgenossen nach D.s Zeichnungen, 18
davon von ihm selber geätzt.
WERKE. Gefangennahme Christi (Madrid,
Prado); Hl. Sebastian (München, Pinakothek); Kardinal Bentivoglio (Florenz, Palazzo Pitti); Beweinung Christi (Berlin, Staatl.
Mus.); Maria Luisa de Tassis (Vaduz,
Samml. Liechtenstein); Gruppenbildnis der
engl. Königsfamilie (Schloß Windsor);
Reiterbildnis Karls I. (das.); Kinder Karls I.
(das. und Turin, Pinakothek); Selbstbildnis
mit John Digby (Madrid, Prado). ›Ikono-

graphie‹, radierte Bildnisse berühmter Zeitgenossen nach D.s Vorlagen.
LIT. G. Glück: van D. (²1931); E. Göpel: van D. (1940); A. v. D., Italien. Skizzenbuch, hg. v. G. Adriani (1940); H. Vey, Die Zeichnungen A. v. D.s (1962).

Dyckerhoff-Zementwerke AG, Wiesbaden-Amöneburg.

Dyfed, Grafschaft in Wales, 5770 qkm, (1971) 314000 Ew.; wurde 1974 aus den Grafschaften Cardiganshire, Carmarthenshire und Pembroke gebildet.

D'ygat, Stanislaw, poln. Schriftsteller, * Warschau 5. 12. 1914, zeigt in seinen Romanen den Gegensatz zwischen Wunschtraum und Wirklichkeit auf.

Dyggve [d'œgve], Ejnar, dän. Archäologe und Architekt, * Libau 17. 11. 1887, † Kopenhagen 6. 8. 1961. D. unternahm Ausgrabungen, u. a. in Salona (Dalmatien), Kalydon (Ätolien) und Saloniki.

D'yhrenfurth, Günter Oskar, schweizer. Geologe und Geograph, * Breslau 12. 11. 1886, seit 1922 Prof. das., 1926 in Zürich; 1930 und 1934 Leiter der internationalen Himalajaexpedition.
WERKE. Die internationale Himalayaexpedition 1930 (1931), Himalaya (1931), Zum dritten Pol – die Achttausender der Erde (1952).

Dylan [d'ilən], Bob, eigentlich Robert *Zimmermann*, amerik. Folksonginterpret, * Duluth (Minn.) 24. 5. 1941, schloß sich der Bürgerrechtsbewegung an, führte den amerik. Folksong fort, Protestsänger.

Dyle, fläm. **Dijle** [d'eil], Fluß in Belgien, 86 km lang, entspringt nahe der Grenze des Hennegaus, vereinigt sich mit der Senne und Nethe zur Rupel. Die D.-*Stellung* östlich von Brüssel wurde im 2. Weltkrieg am 16. 5. 1940 von den Deutschen erstürmt.

D'ymow, Ossip, eigentl. **Perelman**, russ. Schriftsteller, * Bialystok 16. 2. 1878, † New York 1. 2. 1959, Emigrant in Amerika und Berlin, schrieb Romane und Dramen. Sein Stück ›Nju‹ wurde in Deutschland verfilmt.

dyn [grch.], die Maßeinheit der Kraft im CGS-System. 1 dyn ist die Kraft, die der Masse 1 g die Beschleunigung 1 cm/sec² erteilt. 10^5 dyn = 1 Newton.

Dyn'amik [griech.], 1) *Physik:* Lehre von der Bewegung der Körper unter dem Einfluß von Kräften. 2) *Musik:* die Kunst der Veränderung der Ton- und Klangstärke, entweder stufenweise (forte, mezzoforte, piano) oder als allmähliche Veränderung (crescendo, decrescendo). Der Gegensatz forte-piano ist im Konzert der Bach-Zeit wesentlich (Tutti-Solo). Die allmähliche Veränderung der Tonstärke wird erst seit den →Mannheimern und den Wiener Klassikern zu einem wesentl. Mittel der Komposition. Von dieser primären ist die sekundäre Vortrags-D. zu unterscheiden. Die erstere ist vom Komponisten vorgesehen und wird in der Regel von ihm in der Niederschrift festgelegt. Die letztere ist eine im allgemeinen unbewußte Differenzierung der Ton-

stärke durch den ausführenden Musiker; si findet sich in jedem Singen und Musizieren soweit dies das Instrument erlaubt. Die Nei gung zur gesteigerten Differenzierung vo Stärkegraden und somit auch zur Fixierung der Vortrags-D. tritt erst nach den Klassi kern auf. 3) *allgemein:* Schwung, Triebkraf

D'ynamis [griech.] *die*, Kraft, wirkende Vermögen. D. und Energeia, →Energeia u. D

dyn'amisch, innere Kraft besitzend, leben dig wirksam; Gegensatz: statisch.

dyn'amische Bilanz, →Bilanz.

dyn'amische Geologie, die Wissenschaf von den Kräften, die den Aufbau der Erd rinde, die Gestaltung der Erdoberfläche un das erdgeschichtliche Geschehen bewirken

dyn'amische Psychologie, die Lehre von de seelischen Vorgängen und Antrieben, gleich bedeutend mit *Tiefenpsychologie*. Ferner ge braucht man den Begriff d. P. im Anschlu an die *Feldtheorie* von K. Lewin. Aufgab der Psychologie ist danach die Erfassun und Vorhersage des Verhaltens als Funk tion der jeweils wirkenden Feldkräfte. Di *dynamische Persönlichkeitspsychologie* de Gegenwart versucht schließlich im Gegen satz zu vielen statischen Auffassunge des Seelischen den Geschehnischarakte menschl. Erlebens und Verhaltens in de Theoriebildung bes. zu berücksichtigen Die Persönlichkeit wird dabei zunächst al ein *Prozeß* erfaßt, aus dem in sorgfältig vor bereiteten Schritten bestimmte *Strukture* (wie Eigenschaften, Schichten, Leitlinier abstrahiert werden.
LIT. H. Thomae: Persönlichkeit. Ein dynam. Interpretation (²1955); A. Heiss Allg. Tiefenpsychologie (Bern 1956).

dyn'amische Rente, *Produktivitätsrente* eine Rente, die durch Berücksichtigung de Produktivitätssteigerung den Rentner a wachsenden Wohlstand teilnehmen läßt.

dyn'amisches Gefüge, *Naturphilosophie:* ei gestaltetes und relativ stabiles Gebilde, da durch Innenkräfte bestimmt und dadurc gegen die Einwirkung von außen her wei gehend indifferent ist. Die Innenkräfte de Atomkerns z. B. stabilisieren ihn als d. G gegen die meisten auf der Erde vorkommer den Einwirkungen. Die d. G. können a Elemente in größere eingehen, bis zu de kosmischen Systemen; d. G. und →Ganzhei verhalten sich wie das Innere und Äuße eines einheitlichen Gebildes (→Gestalt).
LIT. N. Hartmann: Philosophie der Natu (1950).

Dynam'ismus [griech. dynamis ›Kraft‹ 1) eine Theorie der Materie (bes. seit der 17. u. 18. Jh.), wonach alle Erscheinunge auf das Wirken von Kräften zurückführba sind, die den letzten Bestandteilen der Ma terie innewohnen. Diese Kräfte werden al nur mechanische (Newton, Boskovich) ode im Sinne der auf Leibniz zurückgehende →Monadologie als seelenartige aufgefaßt. 2) die primitiv-religiöse Vorstellung, da die Natur von unpersönl. Kräften beleb ist; meist als Vorstufe des →Animismus be trachtet. Den Ausdruck prägte van Gennep 1907.

Dynamisten, →Monarchianer.

Dynami't [griech. Kw.] *das,* ein 1867 von dem schwed. Chemiker Alfred Nobel erfundener Sprengstoff, besteht in der urspr. Form aus 75 % Nitroglyzerin und 25 % gebrannter Kieselgur als Aufsaugungsmittel. Später wurde die Kieselgur durch Kollodiumwolle ersetzt; letztere ist selbst ein Sprengstoff und ergibt ein gelatineartiges D. *(Sprenggelatine).* Die Detonationsgeschwindigkeit des D. beträgt 6000–7000 m/sec.

Dynamit Nobel AG, Troisdorf, Unternehmen der chemischen Industrie, gegr. 1865 von Alfred Nobel; gehörte seit 1926 zur I. G. Farbenindustrie. Erzeugung von Sprengmitteln, Kunststoffen u. a.; gehört zum Flick-Konzern.

Dyn'amomaschine [von griech. dynamis ›Krft‹], **Dynamo,** der elektr. →Generator.

Dyn'amometamorph'ose, Stauungsmetamorphose, die Veränderungen eines Gesteins unter der Einwirkung von orogenem Druck. Bei nur *mechanischer* Umformung tritt **Kataklase** auf, die Gesteine werden zerbrochen, zerrissen, zermalmt (→Mylonite), die Minerale verbogen, zerbrochen (Mörtelstruktur), bes. nahe der Erdoberfläche. Die *plastische* Verformung bewirkt Schieferung, Fältelung in mittleren Erdtiefen. In großen Erdtiefen erfolgt **Ummineralisation** der Gemengteile, Kalkstein in Marmor, massige Gesteine in kristalline Schiefer; es wird das kleinste Molekularvolumen erstrebt.

Dynamom'eter [griech. Kw.] *das,* Gerät zum Messen von Kräften. *Bremsdynamometer* (Bremsband, Pronyscher Zaum) messen das durch Reibungsbremsung am Umfang einer Welle oder Scheibe abgegebene Drehmoment einer Maschine und dadurch die drehenden Kräfte. Ähnlich wirkt die elektr. *Leistungswaage (Pendeldynamo).* Torsionsdynamometer messen die Verdrehung durch ein Drehmoment. Federprüfgeräte der Uhrenindustrie zeichnen die Federkraftkurven unmittelbar auf.

Dyn'ast [griech.], Fürst, Herrscher, meist über ein kleineres Gebiet. **Dynast'ie,** Herrscherhaus.

Dyn'ode [griech.], eine Elektrode mit hoher Emission von Sekundärelektronen.

Dyophys'iten [griech.], Anhänger der Lehre von den ›zwei Naturen‹ Jesu. (Konzil von →Kalchedon 451; →Monophysiten).

Dyothel'eten [griech.], Anhänger der Lehre von den »zwei Willen« Jesu. (Konzil von →Konstantinopel 680/81; →Monotheleten).

Dyrrh'achium, antiker Name der Stadt →Durazzo.

dys . . . [griech.], *an Fremdwörtern:* miß…, übel . . .

Dysarthr'ie [griech.], →Sprachstörungen.

Dysbakter'ie [griech.], das Auftreten von entarteten Stämmen solcher Bakterien, die normale Mitbewohner des menschlichen Darms, des Mundes oder der Scheide sind. Diese Stämme haben wesentliche Eigenschaften der Normalkeime verloren und können andererseits abnorme Stoffe bilden, die Ursache von Selbstvergiftungen werden können. Die veränderten Reaktionen betreffen Stoffwechselvorgänge im Abbau der Kohlehydrate und des Eiweißes. Die D. ist keine eigene Krankheit, sondern eine Begleiterscheinung wie etwa das Fieber bei akuten Krankheiten.

LIT. Verhandl. der Dt. Ges. für Innere Medizin (1957); Verhandl. der Dt. Ges. für Hygiene und Mikrobiologie (1957).

Dysenter'ie [grch.], heftige Darmentzündung, bes. →Ruhr.

Dyshidr'osis [grch.] *die,* eine Störung der Schweißabsonderung; auch bläschenförm. Ausschläge an Händen und Füßen, die bei Ekzem und bei Epidermophytie auftreten können, aber nicht unbedingt auf gestörter Schweißabsonderung zu beruhen brauchen.

Dyskines'ie [grch.], *Medizin:* Bewegungsstörung, z. B. **D. der Gallenblase,** erschwerter Gallenabfluß als Folge nerval fehlgesteuerter Bewegungen der glatten Muskeln in der Gallenblasenwand.

Dyskras'ie [grch.], alte Vorstellung von ›einer schlechten Säftemischung‹ als Krankheitsursache.

Dyskras'it *der,* rhombisch-bipyramidales, pseudo-hexagonales Antimonsilbererz Ag_3Sb, silberweiß, kommt auf Silbererzgängen, z. B. bei St. Andreasberg im Harz, vor.

Dyslalie, →Idiolalie.

Dysmenorrh'öe [grch.], unnormal schmerzhafte Menstruation.

Dyspareun'ie [grch.], mangelnde Geschlechtslust bei der Frau; sie kann verschiedene, häufig konstitutionelle Ursachen haben. Klärung ist durch ärztl. Untersuchung und Aussprache zu finden.

Dyspeps'ie [grch.], Verdauungsstörung, bes. solche des Magens. Die D. äußert sich in Verminderung des Appetits, Druck und Spannung in der Magengegend, geschmacklosem oder saurem Aufstoßen, zuweilen Sodbrennen, Übelkeit, Erbrechen; Stuhlverstopfung oder Durchfall, Kopfschmerz und Schwindel, Abspannung sind häufig vorhanden. Die D. ist nur als Symptom zu betrachten, das sich sowohl bei den verschiedensten Erkrankungen des Magens, wie bei andern, den Gesamtzustand beeinflussenden Krankheiten, einstellen kann. Sie ist häufig eine Folge einfacher Überladung, des Genusses verdorbener Speisen, reichlichen Alkohols oder Kaffees. Während die D. im eben geschilderten Sinne dem Geschwür des Magens selten ist, dessen Symptomenbild vielmehr von Schmerz beherrscht wird, kann sie sehr kennzeichnend für den Magenkrebs sein. Die Untersuchung des Mageninhaltes und das Röntgenverfahren müssen bei D. manchmal herangezogen werden. Die subjektiven Beschwerden sind häufig kein Gradmesser für die Schwere der Erkrankung. Andererseits ist die D. nicht selten ein rein seelisch bedingtes Krankheitszeichen. Die Behandlung richtet sich nach den der D. zugrunde liegenden Krankheiten.

Dysphag'ie [grch.], Erschwerung, Unmöglichkeit des Schlingens. Sie kann bedingt sein durch mechan. Hindernisse in Schlund oder Speiseröhre (Entzündungen, krebsige oder syphilitische Geschwülste, Verbrennungen oder Verätzungen mit Narbenbildung) oder durch seelische Ursachen, die Krämpfe der Schluckmuskulatur auslösen.

Dysphas'ie [grch.], →Sprachstörungen.

Dysphon'ie [grch.], eine Störung der Stimmbildung.

Dysplas'ie [grch.], 1) Schwäche der formbildenden Fähigkeiten der Gewebe. 2) fehlerhafte Bildung, Mißbildung.

D'yspnoe [grch.], **Atemnot** oder **Kurzatmigkeit**, krankhafter Zustand, bei dem die Atembewegungen infolge Sauerstoffmangels und Kohlensäureanhäufung im Blut häufiger und mit stärkerer Beteiligung der Atmungsmuskulatur sowie unter Beklemmungs- und Angstgefühl erfolgen, im Unterschied zum normalen Atmen *(Eupnoe)*. Die D. tritt beim Bronchialasthma in Anfällen auf, bei chronischer Herzschwäche ist sie ein Dauerzustand. D. entsteht aber auch bei akuter Verringerung der atmenden Oberfläche der Lunge, z. B. bei Lungenentzündung, und bei schmerzhaft behinderter Atmung (Rippenfellentzündung, Verletzung des Brustkorbs usw.). Die Behandlung richtet sich nach dem Grundleiden.

Dyspr'osium [Kw.], chem. Element, Zeichen Dy, Ordnungszahl 66, Massenzahlen 164, 162, 163, 161, 160, 158, Atomgewicht 162,50, eines der seltenen Erdmetalle aus der Gruppe der →Lanthaniden, bildet eine farblose Sauerstoffverbindung, Dy₂O₃, und grünlichgelbe Salze. Das D. wurde 1886 von P. F. Lecoq de Boisbaudran entdeckt.

dysteleol'ogisch [griech.] heißen Formen und Verhaltungsweisen der Lebewesen, die nicht mit →Teleologie vereinbar erscheinen, so der Wurmfortsatz am menschl. Blinddarm.

Dyston'ie [grch.], abnormer Spannungszustand der Muskeln oder Gefäße. *Vegetative D.* tritt auf bei geschwächtem vegetativen Nervensystem und äußert sich bes. als Störung im Bereich der von diesem geregelten Lebensvorgänge, so an Herz, Darm, Haut.
Lit. R. E. Mark: Klinik u. Therapie der vegetat. D. (1954).

dystr'oph, →eutroph.

Dystroph'ia adip'oso-genit'alis [grch.-lat.] *die,* die →Fröhlichsche Krankheit.

Dystroph'ie [grch.], Ernährungsstörung, Muskelschwund, 1) ein Krankheitszustand, der durch allgemeine Unterernährung, die sich sowohl auf die Hauptnährsubstanzen (Eiweiß, Zucker, Fette) als auch auf die Wirkstoffe (Vitamine, Minerale usw.) erstreckt, hervorgerufen wird. Nicht nur der absolute Mangel, sondern auch die falsche und unzureichende Zusammensetzung der verbliebenen Restnahrung ist dabei wesentlich. Durch den zunehmenden Eiweißmangel im Blut wird das kennzeichnende Symptom der allgemeinen Wassersucht herbeigeführt.
2) eine langwierige Ernährungsstörung des Säuglings und Kleinkindes, die sich vor allem in mangelhafter Gewichtszunahme äußert. Ursachen: fehlerhafte Ernährung, zu geringes Nahrungsangebot einer sonst richtig zusammengesetzten Nahrung durch die Mutter (quantitative Unterernährung); kalorisch ausreichende, jedoch falsch zusammengesetzte Nahrung (qualitative Unterernährung); häufige Infektionskrankheiten; wiederholte akute Durchfälle; mangelnde Körperpflege und Fehlen der »Nestwärme«, die durch die schützende Obhut des Elternhauses gegeben ist (D. der in Kinderheimen aufgezogenen Kinder). Die Empfindlichkeit der Kinder gegen die angeführten äußeren Schäden ist verschieden stark und teilweise auch im Erbgut verankert oder durch den Zeitpunkt der Geburt gegeben (Frühgeburt). – Krankheitszeichen: langdauerndes Stehenbleiben des Gewichtes, blasses Aussehen, mangelhafte Gewebsspannung, Störung in der Stuhlentleerung (Verstopfung oder Durchfälle), Weinerlichkeit, Anfälligkeit für fieberhafte Infekte des Rachens und der Bronchien. – Die Behandlung erfordert oft viel Geduld, vor allem bei Anlage zu mangelhaftem Gedeihen. In allen Fällen sollte der Rat des Kinderarztes eingeholt werden. – Bleiben die Krankheitsursachen weiter bestehen, so kann die D. in eine →Dekomposition übergehen.

Dysur'ie [grch.], Störung der Harnentleerung.

dz, Abk für Doppelzentner = 100 kg.

Dzierzon [dzj'ɛrʒɔn], Johann, kath. Pfarrer und Bienenzüchter, * Lowkowitz (Oberschlesien) 16. 1. 1811, † das. 26. 10. 1906, führte die Bienenwohnung mit beweglichem Bau ein, entdeckte die Jungfernzeugung (Parthenogenese) bei der Honigbiene.

D-Zug, Kurzwort für →Durchgangszug.

E

e, E, 1) der fünfte Buchstabe im Alphabet, ein Selbstlaut, entstanden aus dem griech. →Epsilon. 2) der 3. Ton der C-Dur-Tonleiter.

E Griechisch	ƒɾ Textur
E Römische Antiqua	E e Renaissance-Antiqua
Є Unziale	Ǥ ɾ Fraktur
℮ Karolingische Minuskel	E e Klassizistische Antiqua

Entwicklung des Buchstaben E

e, *Mathematik:* die Basis der natürlichen Logarithmen = 2,71828...; e ist eine transzendente Zahl.

E, 1) *auf Münzen:* Prägestätte Muldenhütten bei Freiberg in Sachsen (bis 1887 Dresden). 2) *geogr. Abkürzung* für Ost (aus engl. East). 3) *Eisenbahn:* Eilzug.

E 605, Handelsname für *Diäthylnitrophenylthiophosphat,* ein Insektengift von hoher Wirksamkeit, das als Staub in Landwirtschaft und Gemüsebau, als Spritzmittel im Obstbau verwendet wird.

Ea, auch Enki, babylonisch-sumerischer Gott der Weisheit und der Heilkunde. Hauptkultstätte war Eridu.

Eadmer, Edmer, engl. Geschichtsschreiber, * um 1060, † um 1124, Mönch im Benediktinerkloster Christ Church (Canterbury), schrieb eine engl. Geschichte von 1066–1122 und die beste Lebensbeschreibung seines Freundes →Anselm von Canterbury, hg. in: Rerum Brit. medii aevi script., 81 (1884).
Lit. P. Ragey: Eadmer (Paris 1892).

EAG, Abkürzung für Europäische Atomgemeinschaft.

Eagle [i:gl, engl. ›Adler‹] *der,* das goldene 10-Dollar-Stück in den USA (seit 1933 außer Kurs).

Eakins ['ikənz], Thomas, nordamerikan. Maler, * Philadelphia 25. 7. 1844, † das. 25. 6. 1916, studierte in Paris, malte Firmenbilder und Bildnisse, deren Realismus auf eindringlichem Naturstudium beruht.
Lit. R. McKinney: Th. E. (New York 1942).

Ealing [i:liŋ], westlicher Stadtbezirk von London.

E. A. M., Abk. für Ellinikon Apelefterotikon Metopon [grch. ›Griechische Befreiungsfront‹], die während der dt. Besetzung aus linksgerichteten Kreisen entstandene Widerstandsbewegung; nach 1944 wurde sie eine kommunist. Bewegung. →E. L. A. S.

Earl [ə:l, engl. aus dän. jarl], der engl. Grafentitel. Ein nichtengl. Graf wird als *Count* [kaunt] bezeichnet. E. ist seit Knut d. Gr. anstatt des sächs. Ealdorman (→Alder-

man) der Titel des Statthalters eines Teilkönigreichs, wurde unter den Normannen zum bloßen Standestitel ohne Amtsgewalt. Als im 14. Jh. erst der →Duke (Herzog), dann der →Marquess Adelstitel wurden, sank der E. auf die dritte Rangstufe ab. →Peer, →Lord.

Earlom ['ə:ləm], Richard, engl. Kupferstecher, * London 1743, † das. 9. 10. 1822, Schüler von G. B. Cipriani. Er arbeitete nach Bildern und Zeichnungen großer Maler.

Early Bird [ə:li bə:d], amerik. Nachrichtensatellit (→Erdsatellit).

Early English [ə:li 'iŋgliʃ], der frühgotische Stil in der engl. Baukunst (etwa 1170–1270).

East [i:st, engl.], Osten; östlich.

Eastanglia [i:st'æŋgliə, engl.], Ostanglien, Landschaft Englands zwischen Themse und Wash, vom 6.–9. Jh. eins der angelsächs. Teilreiche. →Angeln.
Lit. D. E. A. Wallace: E. (²1943).

Eastbourne ['i:stbɔ:n], Stadt und Seebad an der engl. Kanalküste, mit (1970) 70 100 Ew.

Eastern Star ['i:stən sta:, engl. ›Stern des Ostens‹], ein amerikan. Frauenbund unter freimaurerischer Führung, 1870 von Robert Morris in La Grange (Ky., USA) gegründet.

East Galloway [i:st g'ælowei], alter Name der schott. Gfsch. Kirkcudbright.

East Ham [i:st hæm], ehem. Vorstadt Londons, seit 1963 mit West Ham und einem Teil von Barking zusammengefaßt zum Londoner Stadtbezirk Newham.

Eastleigh ['i:stli:], Stadt in der engl. Gfsch. Hampshire, mit (1970) 45700 Ew.; Waggonfabriken.

East London [i:st l'ʌndən], Hafenstadt in der Republik Südafrika (Kapprovinz), mit (1970) 125200 Ew.; Ausfuhr von Wolle, Gefrierfleisch, Molkereierzeugnissen, Südfrüchten; Fischfang.

East Lothian [i:st l'ouðiən], früher Haddington, Grafschaft in Südostschottland, mit 692 qkm und (1971) 55900 Ew.; Hauptstadt ist Haddington.

Eastman ['i:stmən], George, amerikan. Erfinder und Industrieller, * Waterville (N.Y.) 12. 7. 1854, † Rochester (N.Y.) 14. 3. 1932, vervollkommnete die photograph. Trockenplatte, wandte sich 1884 mit W. H. Walker der Rollfilmfabrikation zu, schuf 1888 den Kodak-Photoapparat. Die von E. gegr. Eastman Kodak Company in Rochester wurde eines der bedeutendsten photograph. Unternehmen.

Easton ['i:stn], zur Metropolitan Area v. →Allentown gehörende Stadt in Pennsylvania, USA, mit (1970) 30300 Ew.; Kunstfaserverarbeitung, chem. und elektrotechnische Industrie.

East Riding [i:st r'aidiŋ], östl. VerwBez. der Grafschaft York, England.

East River [i:st rivə], Wasserstraße zwischen dem Long-Island-Sund und dem

Hafen von New York, trennt New York von Brooklyn, wird von Brücken überspannt und ist untertunnelt.

East Saint Louis [iːst sənt lʹuːis], Industriestadt in Illinois, USA, am Mississippi, gegenüber Saint Louis, mit (1970) 70 000 Ew., hat Eisen- und Stahlwerke, Aluminium-Tonerdewerk, Ölraffinerien, Glashütten, Mühlen, Schlachthäuser.

East Suffolk [iːst sʹʌfək], Grafschaft in S-England, →Suffolk.

East Sussex [-sʹasiks], Grafschaft in S-England, →Sussex.

Eau [oː, frz.], Wasser. **E. d'Armagnac**, ein aus den Weinen der südfranz. Landschaft Armagnac erzeugter Weinbrand von guter Qualität. **Eau de Javelle** [oː də ʒavel, frz.], auch *E. de Labarraque*, wäßrige Lösung von Natriumhypochlorit (NaOCl); techn. Bleichmittel. **E. de vie** [lat. aqua vitae ›Lebenswasser‹], ein Branntwein.

Eau de Cologne [oː də kɔləɲ, franz.; Goethezeit] *das* oder *die*, Kölnischwasser, alkohol.-wäßrige Auflösung oder Destillat der ätherischen Öle der *Bergamotte, Zitrone, Orange* und bes. der Orangeblüten (*Neroliöl*), unter geringen Zusätzen von *Lavendel*- und *Rosmarinöl* hergestellt. Das Originalrezept wurde angeblich Ende des 17. Jhs. von Giovanni Paolo Feminis nach Köln gebracht und als *aqua mirabilis* gehandelt. Nach seinem Tode ging die Fabrikation an Gianmaria Farina über und blieb in vielen Varianten im Besitz der Familie Farina.

LIT. E. Rosenbohm: Kölnisch Wasser (1951).

Eban, Abba, israel. Politiker (Mapai), * Kapstadt 2. 2. 1915, war 1963–66 stellvertr. MinPräs.; 1966–74 Außenminister.

Ebba [fries.-niederd.], weiblicher Name.

Ebbe [niederd., Mitte des 15. Jhs.], Fallen des Meerwassers im Gezeitenwechsel (→Gezeiten).

Ebbe, Ebbegebirge, Höhenzug im westfäl. Sauerland, in der Nordhelle 663 m hoch.

Ebbinghaus, 1) Hermann, Psychologe, * Barmen 24. 1. 1850, † Halle 26. 2. 1909, seit 1894 Prof. in Breslau und Halle, förderte bes. die experimentelle Erforschung von Aufmerksamkeit und Gedächtnis. Beim *E.-Test* ist ein lückenhafter Text zu vervollständigen.

WERKE. Über das Gedächtnis (1885); Grundzüge der Psychologie, 2 Bde. (⁴1919), Abriß der Psychologie (⁸1922).

2) Julius, Philosoph, * Berlin 9. 11. 1885, war Prof. in Rostock (1930) und Marburg (seit 1940); arbeitet bes. über Rechtsphilosophie und Logik.

Ebbw Vale [ʹebuː veil], Stadtgem. in der engl. Gfsch. Monmouth, an der Grenze von Wales, 299 m ü. M., mit rd. 30 000 Ew., Eisen- und Kohlenbergbau, Stahlwerke.

Ebed Jahwe [hebr. ›Gottesknecht‹], im A.T. häufig für berühmte Persönlichkeiten (Messias) und für Israel als Ganzes.

LIT. A. Bentzen: Messias, Moses redivivus, Menschensohn (1948).

ebd., ebenda.

Ebenalp, Hochfläche in der Säntisgruppe im schweizer. Kt. Appenzell-Innerrhoden, 1644 m hoch. Nahebei der Wallfahrtsort **Wildkirchli** (1499 m), bekannt aus Scheffels ›Ekkehard‹, mit wichtigen paläolith. Höhlenfunden.

Ebenbürtigkeit, von der Gleichheit des Geburtsstandes abhängige rechtl. Gleichheit. Die E. wurde im Mittelalter bes. vor Gericht und in der Ehe gefordert, um die Stände getrennt zu halten; als Richter, Zeuge, Zweikampfgegner oder Vormund brauchte sich niemand einen ›Untergenossen‹ gefallen zu lassen. Beim dt. Hochadel spielte sie im Eherecht noch bis 1918 eine Rolle (→morganatische Ehe).

Ebene, 1) *Geographie:* Flachland. 2) *Mathematik:* eine Fläche, die sich eindeutig festlegen läßt: a) durch drei Punkte, b) durch eine Gerade und einen außerhalb von ihr liegenden Punkt, c) durch zwei einander schneidende Geraden, d) durch zwei parallele Geraden. Liegen zwei Punkte einer Geraden auf einer E., so liegen alle Punkte dieser Geraden auf dieser Ebene. 3) *Physik:* →schiefe Ebene.

Eben'ezer [hebr. ›Stein der Hilfe‹], Ort in Palästina, Schlachtfeld in den Philisterkriegen (1. Sam. 4, 1 ff.), in dem Bericht 1. Sam. 7, 12 ein heiliger Stein bei Mizpa.

Ebenheiten, im Elbsandsteingebirge ebene Plateaus am Fuß der »Steine« (Königstein, Lilienstein usw.).

Ebenholz [grch. ebenos ›Ebenholzbaum‹], einige dunkle, harte Edelhölzer verschiedener Herkunft. Das *echte* oder *schwarze* E. ist das braune bis tiefschwarze, sehr dichte und harte Kernholz verschiedener Arten der bes. in Afrika, Ostindien und im Ostind. Archipel heimischen Gattungen *Diospyros* und *Maba* aus der Fam. →Ebenholzgewächse. E. wird u. a. verwendet für Einlegearbeiten, Messerhefte, Klaviertasten, Stöcke, Pfeifenrohre und Kunstdrechslerarbeiten. Das *unechte* oder *künstliche* E. ist verschiedenartiges festes, hartes, ursprünglich helles Holz, wie Birnbaum- oder Goldregenholz, das schwarz wie echtes E. gefärbt wird.

Ebenholzgewächse, *Ebenazeen,* zweikeimblättrige, baum- oder strauchförmige Pflanzenfamilie mit strahligen, drei- bis siebengliedrigen Blüten, vielen Staubblättern und oberständigen Fruchtknoten. Viele Arten haben dunkles Kernholz (→Ebenholz).

Eben'ist [franz.], Kunstschreiner, so benannt nach dem bei Intarsien verwendeten Ebenholz. **ebenieren,** mit Ebenholz auslegen.

Ebensee, Markt und Sommerfrische im Salzkammergut, Oberösterreich, 426 m ü. M., mit (1971) 9400 Ew.; Salzsudwerk, Ammoniak- und Sodafabrik, Spinnerei, Weberei, Beton-, Sperrholzwerk, Kraftwerk Offensee; Gaßltropfsteinhöhle, Seilschwebebahn auf den Feuerkogel (1579 m) im Höllengebirge.

Ebenstrauß, ein Blütenstand, →Doldentraube.

'Eber [german. Stw.], männliches Schwein; mundartlich: Beier, Bork, Hacksch, Hegel, Kampe *(niederd.)*, Kunz *(thür.)*, Watz *(hess.)*.

'Eberbach, 1) Stadt im Rhein-Neckar-Kreis, Baden-Württemberg, mit (1976) 15 800 Ew., am Neckar, 130 m ü. M., ein altes Städtchen mit einer Hohenstaufenburg (Stolzeneck); hat AGer., höhere Schule und Fachschulen; Elektromotorenbau, chem. Werke u. a.; Heilquellen. E., im 13. Jh. gegründet, war anfangs Reichsstadt, seit 1330 kurpfälzisch; 1806 kam es an Baden.
2) ehemaliges Zisterzienserkloster im Rheingau, Gem. Hattenheim, 1131 von Bernhard v. Clairvaux gegr., 1803 aufgehoben. Die Kirche wurde um 1145 begonnen, 1186 geweiht.

'Eberesche [15. Jh., Herkunft unsicher], *Sorbus,* Pflanzengattung der Rosengewächse, Holzpflanzen der nördl. gemäßigten Zone. Der *Eschbeerbaum, Quitsche, Vogel-, Drossel-, Krammetsbeere* (Sorbus aucuparia) ist ein steinobstartiger Waldbaum Europas und Westasiens mit unpaarig gefiederten Blättern, Doldenrispen gelbweißer Blüten und scharlachroten, beerenartigen, herben Früchten; der aus dem Mittelmeergebiet in Mitteleuropa eingebürgerte *Sperberbaum, Speierling, Sperbe, Spierapfel,* österr. *Arschitze* (S. domestica) hat rötlichweiße Blüten und pflaumengroße, gelbe, rotbäckige Früchte, die zu Obstwein verwertet werden; der europ. Waldbaum *Mehlbeere, Vogelbeere, Mehlfäßchen* (S. aria) hat weißfilzige Blätter, weiße Blüten und orangegelbe Frucht; der europ.-nordafrikan.-asiat. *Elsbeerbaum, Else-, Alz-, Arls-, Arols-, Atlasbeere* (S. torminalis) hat ahornähnl. Blätter und lederbraune Früchte; die *Zwergmispel, Mehlbeere* (S. oder Aronia chamaemespilus), ein Strauch auf kalkigem Boden der Alpen und anderer europ. Gebirge, hat rosenrote Blüten und rote Früchte. Die baumförmigen Arten geben gutes Drechsler-, Schnitz- und Tischlerholz.

'Eberhard [aus ahd. ebur ›Eber‹ und hart ›stark‹], männl. Vorname.

Eberhard, württemberg. Fürsten.
1) E. I., **der Erlauchte,** Graf (1279–1325), * 13. 3. 1265, † 5. 6. 1325, widersetzte sich erfolgreich dem Versuch der Habsburger, das Hzgt. Schwaben wiederherzustellen und das im Interregnum entfremdete Reichsgut zurückzugewinnen. 1321 verlegte er seinen Sitz nach Stuttgart.
2) E. II., **der Greiner** [›Zänker‹] oder **der Rauschebart,** Graf (1344–92), Enkel von 1), * 15. 3. 1392, regierte anfangs gemeinsam mit seinem Bruder Ulrich IV. († 1366); kämpfte vor allem gegen die schwäb. Reichsstädte und errang am 23. 8. 1388 den Sieg bei Döffingen. Gedichtzyklus von Uhland (1815).
3) E. im Bart, als Graf (1450–95) E. V., als Herzog (1495/96) E. I., * 11. 12. 1445, † 24. 2. 1496, gründete 1477 die Universität Tübingen und sicherte durch den Münsinger

Vertrag 1482 die Unteilbarkeit des Landes. Gedicht von J. Kerner (Der reichste Fürst, 1818).
4) E. Ludwig, Herzog, * 18. 9. 1676, † 31. 10. 1733, bis 1693 unter Vormundschaft, befehligte im Span. Erbfolgekrieg das Oberrhein. Reichsheer. E. ließ Schloß und Stadt Ludwigsburg anlegen, erschöpfte aber die Geldmittel des Landes. Seine Geliebte Christiane Wilhelmine von Grävenitz beherrschte ihn seit 1708 bis kurz vor seinem Tod.

Eberlin von Günzburg, Johann, * um 1468, † Leutershausen bei Ansbach 13. 10. 1533, Franziskaner, wirkte in Süddeutschland für die Reformation.
LIT. J. Werner: J. E. v. G. (²1905).

Eberesche: Eschbeerbaum; a *Fruchtzweig,* b *Stück des Blütenstandes,* c *Fruchtquerschnitt*

'Ebermannstadt, Stadt im Kreis Forchheim, Oberfranken, Bayern, im Wiesenttal der Fränk. Schweiz, 293 m ü. M., mit (1976) 4900 Ew.

'Ebermayer, Erich, Schriftsteller, * Bamberg 14. 9. 1900, † Terracina 22. 9. 1970, schrieb Romane (Kampf um Odilienberg, 1929; Befreite Hände, 1938; Der Knabe und die Schaukel, 1960) und Drehbücher.

'Ebern, Stadt im Kreis Haßberge, Unterfranken, Bayern, an den östl. Ausläufern der Haßberge, 265 m ü. M., mit (1976) 6400 Ew. — Reste der mittelalterl. Mauern und Türme; 2 spätgot. Kirchen, Michaeliskapelle (1464) und Rathaus (1604, Renaissance).

'Ebernburg, Burg am Zusammenfluß der Alsenz und Nahe, Anfang des 16. Jhs. im Besitz Franz von Sickingens. Er gewährte Hutten u. a. Anhängern der Reformation in seiner »Herberge der Gerechtigkeit« eine Zuflucht.

'Eberraute, Pflanze, →Artemisie.

'Ebers, Georg, Ägyptologe, * Berlin 1. 3. 1837, † Tutzing (Oberbayern) 7. 8. 1898,

Prof. in Jena und Leipzig, schrieb spannende archäologische Romane.

WERKE. Ägypten und die Bücher Moses (1868), Durch Gosen zum Sinai (1872), Papyros E, 2 Bde. (1875). Romane: Eine ägyptische Königstochter, 3 Bde. (1864), Uarda, 3 Bde. (1877), Homo sum (1878), Der Kaiser, 2 Bde. (1881), Kleopatra (1894). Ges. Werke, 32 Bde. (1893–97). Die Geschichte meines Lebens (1892).

'**Ebersbach, 1)** E. in der Oberlausitz, Stadt im Kr. Löbau, Bez. Dresden, mit (1973) 12700 Ew.; Industrie (Textilien, künstl. Blumen, Igelitherstellung).

2) E. an der Fils, Stadt im Kreis Göppingen, Baden-Württemberg, mit (1976) 13900 Ew.; Metall- und Textilindustrie.

'**Ebersberg,** Kreisstadt im RegBez. Oberbayern, 563 m ü. M., mit (1976) 7600 Ew.; AGer., Landwirtschaftsschule; ehemal. Klosterkirche (15. Jh.), Rathaus (spätgot., um 1529). Der Ebersberger Forst ist der größte umfriedete Wald Deutschlands (5000 ha).

Ebersm'ünster, Dorf bei Schlettstadt im Unterelsaß, Dep. Bas-Rhin, hat eine im 7. Jh. gegr. Benediktinerabtei; die seit 1727 von Peter Thumb erbaute Barockkirche ist die bedeutendste im Elsaß.

'**Eberstein, 1)** schwäb. Grafengeschlecht (nach E. oder Ebersteinburg bei Gernsbach), zuerst Ende d. 11. Jhs. genannt, erlosch 1660; die Gfsch. E. (mit Gernsbach) kam seit dem 14. Jh. an Baden. **2)** niedersächs. Grafengeschlecht (nach der Burg E. bei Holzminden), zuerst im 11. Jh. genannt; die Herrschaft E. fiel durch Heirat 1408 an die Herzöge von Braunschweig-Lüneburg.

Eberswalde, Kreisstadt im Bez. Frankfurt a. d. O., nordöstl. von Berlin, 13–53 m ü. M., am Finowkanal, mit (1973) 46600 Ew.; die 1830 gegr. Forsthochschule ist Fakultät der Berliner Humboldt-Universität; Botan. Garten, Kirche (14. Jh.), Rathaus (1775); Industrie (Grauguß, Stahl, Kranbau). – In Finow bei E. kam 1913 einer der bedeutendsten vorgeschichtlichen Goldfunde Deutschlands zutage: verzierte Trinkschalen, Hals-, Arm- und Haarschmuck sowie Goldbarren. Der Fund stammte aus der Bronzezeit; er ging 1945 im Berliner Zoo-Bunker verloren.

LIT. G. Kossinna: Der german. Goldreichtum der Bronzezeit, 1 (1913); C. Schuchhardt: D. Goldfund vom Messingwerk bei E. (1914).

'**Ebert, 1)** Friedrich, Politiker (SPD), * Heidelberg 4. 2. 1871, † Berlin 28. 2. 1925, Sattler, dann Schriftleiter, seit 1912 MdR, 1913–19 Parteivorsitzender. Am 9. 11. 1918 wurde E. Reichskanzler, am 11. 11. übernahm er die tatsächl. Leitung des Rats der Volksbeauftragten; am 11. 2. 1919 wurde er von der Weimarer Nationalversammlung zum vorläufigen Reichspräsidenten gewählt. 1922 verlängerte der Reichstag unter Verzicht auf die unmittelbare Volkswahl die Amtszeit bis 30. 6. 1925. E. war ein kluger

Vermittler zwischen den parteipolit. Gegensätzen und übte sein Amt überparteilich und neutral aus. In den schweren Krisen seiner Amtszeit (Spartakisten- und Kommunistenaufstände, Kapp-Putsch, Hitler-Putsch) zeigte er sich unerschüttert; von seinen verfassungsmäßigen Machtbefugnissen (Art. 48) machte er, wo zur Verteidigung der demokrat. Republik notwendig war, entschiedenen Gebrauch.

WERKE. Schriften, Aufzeichnungen und Reden, hg. v. seinem Sohn Fr. E., 2 Bde. (1926).

LIT. Kampfmeyer: Friedrich E. (⁴1925); O. Meissner: Staatssekretär unter E., Hindenburg, Hitler (1950); G. Kotowski, E. (Bd. I 1963).

2) Friedrich, Politiker (SED), Sohn von 1), * Bremen 12. 9. 1894, war 1928–1933 MdR (SPD), danach in Konzentrationslagern, gehörte 1946 zu den Mitgründern der SED; war 1948–67 Oberbürgermeister von Ost-Berlin, seit 1960 Mitgl. des Staatsrats, seit 1967 Mitgl. des Politbüros.

'**Eberth,** Karl Joseph, Mediziner, * Würzburg 21. 9. 1835, † Berlin-Halensee 2. 12. 1926, Prof. in Zürich und Halle, entdeckte 1880 den Erreger des Typhus.

Eberwein, Karl, Musiker, * Weimar 10. 11. 1786,† das.2.3.1868, leitete häufig die musik. Veranstaltungen im Hause Goethes, vertonte mehrere Gedichte von Goethe sowie ›Proserpina‹ und ›Faust‹. Sein älterer Bruder Traugott (* 1775, † 1831) komponierte Goethes ›Claudine von Villa Bella‹ (1815) und das ›Jahrmarktsfest zu Plundersweilern‹ (1818).

LIT. W. Bode: Die Tonkunst in Goethes Leben, 2 Bde. (1912).

Eberwurz: Silberdistel

'**Eberwurz,** Carlina, distelähnliche Korbblütergattung Europas und Nordasiens. Um die großen Blütenkörbchen voll unscheinbarer, röhriger Blüten stehen dornige Hüllblätter; die innersten haben schmale weißliche bis rote trockenhäutige Fortsätze, die bei trockenem Wetter ausgebreitet, bei feuchtem nach oben um das Köpfchen zusammengeschlossen sind (*Wetterdistel, -rose, Sonnenrose, -blume*). In Europa wachsen auf trockenem Grasland die ausdauernde *stengellose* E., *Silberdistel, -wurz, Frauen-, Saudistel, englische Distel, Kraft-*

närwurz, wilde Artischocke (C. acaulis) mit grundständigen Blättern und Blütenkörben in tassengroßem, innen überstrahligem Hüllkelch, und die steif aufrechte, meist weißährige *gemeine E.*, *Donner-*, *Golddistel*, *Eselschwurz* (C. vulgaris) mit kleineren braunen Körbchen und goldig schimmernden Hüllstrahlen.

Eberz, Josef, Maler, * Limburg a. d. L. 6. 6. 1880, † München 27. 8. 1942, Schüler von Stuck und Hölzel, dessen abstrakten Flächenstil er durch Mittel eines rhythm. Expressionismus bereicherte.
WERKE. Fenster der Christkönigkirche in Rosenheim (1924), Ausmalung der Ruperuskirche in Freilassing (1926–1931), Mosaken in der Frauen-Friedenskirche in Frankfurt (1929) u. der Georgskirche in Stuttgart (1930/31).
LIT. M. Fischer: J. E. u. der neue Weg zur religiösen Malerei (1918); L. Zahn: J. E. (1920).

'**Ebingen**, ehem. Stadt im Zollernalbkreis, Baden-Württemberg, (1974) 27 100 Ew., auf der Schwäbischen Alb; seit 1975 Teil des neugebildeten **Albstadt** (51 200 Ew.).

'**Ebi-nor**, See in der →Dsungarei.

Ebion'iten [hebr. ›die Armen‹], auch Nazoräer, die judaistischen Judenchristen. Sie hielten am mosaischen Gesetz fest, verwarfen Paulus und hielten Jesus für den Sohn Josephs und der Maria, auf den bei der Taufe der Heilige Geist herabgekommen sei. Die E. hielten sich in Ostjordanien, Syrien und auf Zypern bis ins 5. Jh.

Ebisu, auch **Hiruko**, einer der japan. Sieben Glücksgötter (Shichi-Fukujin), dargestellt in altjapan. Tracht mit Angel und Fisch. Er gilt als Gott des Wohlstandes und Beschützer der Märkte.

Ebner, **1)** Christine, Mystikerin, * Nürnberg 1277, † Engeltal bei Nürnberg 1356, Dominikanerin das., hatte Christus-Visionen, die sie aufzeichnete.
2) Jeannie, Schriftstellerin, * Sydney 17. 11. 1918, lebt in Wien, schrieb Romane, Erzählungen.
WERKE. Gesang an das Heute (1952), Sie warten auf Antwort (1954), Die Wildnis früher Sommer (1958), Der Königstiger (1959), Die Götter reden nicht (1961), Figuren in Schwarz u. Weiß (1964), Gedichte 1965). Selbstporträt: Vom Traum zur Wirklichkeit (in: Welt u. Wort, Jg. 17, 1962).
LIT. H. Spiel in: Der Monat, Jg. 7 (1954/ 1955).
3) Margarethe, Mystikerin, * Donauwörth um 1291, † Medingen bei Dillingen 1351, Dominikanerin das., kulturgesch. bedeutsamer Briefwechsel mit Heinrich von Nördlingen, Aufzeichnungen ihrer Visionen und Offenbarungen.

'**Ebner-'Eschenbach**, Marie, Freifrau von, geb. Gräfin Dubsky, Erzählerin, * Zdislavitz in Mähren 13. 9. 1830, † Wien 12. 3. 1916, war verheiratet m. d. österr. Physiker und späteren Feldmarschalleutnant Moritz Frhr. v. E. (* 1815, † 1898) und lebte meist

in Wien. Ihre von Turgenjew beeinflußten Erzählungen, die das Leben des österreich. Adels, des Kleinbürgertums und der bäuerl. Bevölkerung schildern, dokumentieren ein starkes soziales, allerdings auch aristokratisch-patriarchalisches Verantwortungsbewußtsein.
WERKE. Božena (1876), Dorf- und Schloßgeschichten (1883, 1886; darin die Hundegeschichte Krambambuli), Das Gemeindekind (1887), Lotti, die Uhrmacherin (Novelle, 1889), Unsühnbar (1893). – Aphorismen (1880). – Gesammelte Werke, 9 Bde. (1961). Weisheit des Herzens (Aphorismen aus dem Nachlaß, 1948).
LIT. A. Bettelheim: M. v. E.s Wirken und Vermächtnis (1920); J. Mühlberger: Marie von E. (1930), H. Wallach: Studien zur Persönlichk. M. v. E.-E.s (Diss. 1950).

'**Eboli**, Anna de **Mendoza** [-'ðθa], Fürstin von, * 29. 6. 1540, † Pastraña 2. 2. 1592, heiratete einen Günstling Philipps II. von Spanien, Ruy Gómez de Silva, später Fürst von E. Sie wurde wegen ihrer Indiskretionen und Intrigen 1579 vom span. Hofe verbannt. Ihre Liebschaft mit Philipp II. und dessen Sekretär Antonio Pérez sind Hofgerüchte. Schiller hat sie im ›Don Carlos‹ mit dichterischer Freiheit gestaltet.

Ebon'it, Isoliermaterial aus vulkanisiertem Hartgummi.

'**Ebrach**, Markt im Kr. Bamberg, Oberfranken, Bayern, Sommerfrische im Steigerwald, 330 m ü. M., mit (1976) 2200 Ew.; Holzindustrie, Kunststoff-, Textil- und Kunststeinbetriebe; Zisterzienserkloster (1126 bis 1803, seit 1851 Strafanstalt) mit frühgot. Kirche (13. Jh., Innenausstattung Ende des 18. Jhs.) und Gebäuden von J. L. Dientzenhofer und B. Neumann.

Ebr'äer, † →Hebräer.

Ebriosit'ät [lat.], Trunksucht.

'**Ebro** [lat. Iberus] *der*, einer der größten Ströme der Pyrenäenhalbinsel, 927 km lang; das Stromgebiet umfaßt 83 500 qkm. Der E. entspringt im Kantabrischen Gebirge und empfängt im Ebrobecken seine Hauptnebenflüsse Jalón, Guadalupe, Aragón, Gallego und Segre. Bei Amposta beginnt das öde Flugsand- und Sumpf-Delta des E.

Ebrobecken, Landschaft der Pyrenäenhalbinsel, dreieckig eingesenkt zwischen Pyrenäen, Iberischem und Katalonischem Randgebirge und vom Ebro in ganzer Länge von NW nach SO durchflossen. Der Ebro und seine Nebenflüsse haben die flach muldenförmig gelagerten Sandstein-, Ton- und Mergelschichten des Tertiärs zerschnitten und in eine Tafelberg- und Stufenlandschaft aufgelöst, die bis über 700 m aufragt (Sierra de Alcubierre 744 m); arm an Niederschlägen und steppenhaft. Auf Bewässerungsland gedeihen Gemüse- und Futterpflanzen und Fruchtbäume (Llanos de Urgell); an den Rändern und im W. (Rioja) Weinbau.

'**Ebros**, griech. Name des Flusses Maritza.

'**Ebstorf**, Flecken im Kreis Uelzen, Niedersachsen, mit (1976) 4600 Ew., hat ehemal. Nonnenkloster mit Kirche aus dem 14. Jh., Ackerbauschule, Landwirtschaftl. Untersuchungs- und Forschungsanstalt, Sägewerke. Die **Ebstorfer Weltkarte**, die größte und inhaltsreichste Rundkarte des MA.s, 3 · 5 m, 1284 entworfen, ursprünglich im Besitz des Klosters E. bei Uelzen, seit 1845 im Provinzialmuseum in Hannover, dort im 2. Weltkrieg vernichtet; in 2 Nachbildungen erhalten; bestand aus 30 Pergamentblättern mit Jerusalem als Mittelpunkt.

Ebullioskop′ie, Bestimmung der relativen Molekülmasse (früher Molekulargewicht genannt) eines gelösten Stoffes aus der Siedepunktserhöhung der Lösung gegenüber dem reinen Lösungsmittel.

′**Ebur** [lat.], Elfenbein, **eburneus**, elfenbeinern. E. **ustum**, die Knochenkohle.

Ebur′acum, lat. Name von →York (England).

Ebur′onen, keltischer Stamm der Belgen an Maas und Rhein, zeitweise unter german. Botmäßigkeit. Die E. unter Ambiorix und Catuvolcus wurden 53 v. Chr. von Cäsar vernichtet.

ECA, 1) Abkürzung für engl. Economic Cooperation Administration, die amerikan. Behörde zur Verwaltung des Marshall-Plans; die Aufgaben wurden 1952 von der →Mutual Security Agency übernommen. 2) Abk. für engl. Economic Commission for Africa, regionale Wirtschaftskommission der Vereinten Nationen.

Eça de Queirós [ɛsa ðe keir′oːʃ], José Maria de, * Vila do Conde 25. 11. 1846, † Paris 16. 8. 1900, bedeutendster portugies. Erzähler des Realismus.
WERKE. Das Verbrechen des Paters Amarus (1876; dt. [7]1960), Vetter Basilio (1878; dt. 1960), Der Mandarin (1880; dt. 1954), Die Reliquie (1887; dt. 1958), Die Hauptstadt (1901; dt. 1959), A Cidade e as Serras (dt. Stadt und Gebirg, 1903 u. 1963).

ECAFE, Abkürzung für englisch Economic Commission for Asia and Far East, eine regionale Wirtschaftskommission der Vereinten Nationen.

Ecarté, Ekarté *das*, französ. Kartenspiel mit 32 Blättern der Pikettkarte, 2 Spielern. Jeder Spieler erhält 5 Blätter, das 11. Blatt bestimmt die Trumpffarbe; vom verdeckten Rest (Stamm) können für eine gleiche Zahl weggelegter Blätter neue genommen werden. Reihenfolge der Karten: König, Dame, Bube, As, 10, 9, 8, 7. Gewinner ist, wer zuerst 5 Zählpunkte hat. Trumpfkönig und Stichmehrzahl zählen je 1, alle 5 Stiche (Allstich, Vole) 2 Punkte. Farbe muß bedient werden; kann man dies nicht, darf man trumpfen oder eine beliebige Karte abwerfen.

Ecb′allium [griech.-lat.], →Spritzgurke.

′**Ecbasis** [E. cuiusdam captivi per tropologiam, ›Flucht eines Gefangenen in bildlicher Redeweise‹], latein. Tiergedicht, das um 1040 ein junger Mönch in St-Évre in Toul verfaßte.

′**Eccard**, 1) Johann Georg, →Eckhardt. 2) Johannes, Komponist, * Mühlhausen (Thüringen) 1553, † Berlin 1611, bedeutender der prot. Kirchenmusiker vor Bach. Auch seine weltl. Lieder sind beachtlich.

Ecce homo: Kupferstich aus der Passion Christi von Martin Schongauer

′**Ecce h′omo** [lat. ›siehe, (welch) ein Mensch‹] Worte des Pilatus (in der Vulgata), mit denen er den gegeißelten, dornengekrönten Jesus dem Volke vorstellt (Joh. 19, 5); in der Kunst die seit dem Spätmittelalter vorkommende Darstellung dieser Szene. Erbarmungswürdig erscheint Christus, böse das Volk. Auf diesen Gegensatz hin entwarf Schongauer die Komposition. Dürer gestaltete sie spannungsreicher (Kupferstich passion). Lukas van Leyden (Kupferstich von 1510) schuf eine große Szene in bühnenhaft wirkender Architektur, ebenso Tizian in seinem Wiener Bild (1543). Rembrandt verinnerlichte Auffassung des L. van Leyden (Radierung von 1655).

Eccles [eklz], engl. Stadt, westlich von Manchester, mit (1970) 39400 Ew. Maschinen- und Textilindustrie.

Eccles [eklz], 1) Sir David McAdam, brit. Politiker (Konservativer), * London 18. 9. 1904, war seit 1951 mehrfach Minister. 2) Sir John Carew, austral. Physiologe, * Melbourne 27. 1. 1903; erhielt 1963 mit A. L. Hodgkin und A. F. Huxley den Nobelpreis für Medizin (Arbeiten über Nerven-, Gehirn- und Rückenmarksfunktionen).

Eccl′esia [griech.-lat. ›Versammlung‹] *die* Gemeinde, Kirche; ursprünglich die gesetzmäßig berufene Versammlung freier Bürger in den freien griech. Stadtstaaten, seit der Septuaginta auch religiöse Versammlung. Das Wort blieb seitdem so vieldeutig wie

das deutsche Wort Kirche. – *E. m'ilitans*, die
streitende Kirche, die Kirche auf Erden; *E.
tri'umphans*, die triumphierende Kirche, d.
h. vollendete Kirche des Jenseits; *E. f'ilia*,
Tochterkirche; *E. m'atrix*, Mutterkirche.

Eccl'esia und Synag'oge, Sinnbilder für das
Neue und das Alte Testament; im MA. oft
als Begleitfiguren der Kreuzigung dargestellt, auch als Figurenpaar an Kirchen-
portalen (Reims, Straßburg, Bamberg);
beide gehören auch zu den Personen des
geistl. Schauspiels.

Ecclesi'astes, Ekklesiastes, Buch der Bibel,
→Prediger Salomos.

Ecclesi'asticus, in der *Vulgata:* das Buch
Jesus →Sirach.

'ecco [ital.], sieh da! hier ist . . .

Ecdys'on [Kw.], $C_{18}H_{30}O_4$, ein Insekten-
hormon, das schon in sehr geringen Mengen
die Verpuppung auslöst.

ECE, Abkürzung für englisch Economic
Commission for Europe, eine regionale Wirtschaftskommission der Vereinten Nationen.

Echappement [eʃapmã, franz.; Gottsched-
zeit], 1) *bei einer Uhr:* die Hemmung. 2) *bei
einem Klavier:* die Auslösung der Mechanik.

echappieren, entwischen.

echauffiert [eʃofʃ'i:rt, frz.; Barockzeit],
erhitzt, aufgeregt.

Ech'edar [von hebr. echad ›eins‹], G Nach-
schlüssel, die einfachste Form des Dietrichs.

Echegaray y Eizaguirre [etʃegar'aji eiðag'ir-
rɛ], José, span. Dichter, * Madrid 19. 4.
1832, † das. 16. 9. 1916, war Prof. der Mathematik und Physik in Madrid, dann
mehrfach Minister. Seine Dramen (über 60)
sind romantische Mantel- und Degenstücke
oder soziale Thesenstücke. 1904 erhielt er
den Nobelpreis für Literatur.

WERKE. Wahnsinn oder Heiligkeit (1877;
dt. 1887), Der große Galeotto (1881; dt.
1902), Obras dramáticas. 9 Bde. (1874–98).

Échelle [eʃɛl, frz.], Leiter, Skala, Tonleiter,
Maßstab.

Echev'eria, das →Nabelkraut.

Echeverría [etʃeʋer'ia], Esteban, argentin.
Dichter, * Buenos Aires 2. 9. 1805, † Montevideo 19. 1. 1851, lebte 1825–30 in Paris
und führte nach seiner Rückkehr die franz.
Romantik in Südamerika ein.

WERKE. Obras completas. 5 Bde. (1870–74).

Echinosphaer'ites [grch.], Gatt. der →Zysto-
ideen.

Echin'it [griech.] *der*, versteinerter Seeigel.

Echinoc'actus, die Gattung →Igelkaktus.

Echinod'ermen [griech.], die →Stachelhäuter.

Echino'iden [griech.], die →Seeigel.

Echinok'okkus [griech.] *der*, die Finne des
Hundebandwurms, →Hülsenwurm.

Echinops [grch.], die Pflanzengattung
→Kugeldistel.

Echinorh'ynchus, Gatt. der Würmer,
→Kratzer.

Ech'inus [grch.] *der*, 1) *Zoologie:* Seeigel.
2) *griech. Baukunst:* beim dorischen Kapitell der wulstartige Teil zwischen Säulen-
schaft und Deckplatte.

Echiquier [eʃikje, frz.], früher die höheren

Gerichtshöfe in Frankreich, bes. in der
Normandie.

'Echium [lat.], die Pflanzengattung Nat-
ternkopf.

'Echnaton, der ägypt. König →Ameno-
phis IV.

*Ecclesia (links) und Synagoge (rechts),
am Straßburger Münster*

'Echo, 1) in der griechischen und römischen
Göttersage eine Nymphe, die von Hera
wegen Begünstigung der Liebschaften des
Zeus in ihrer Sprache beschränkt wurde, so
daß ihr die Stimme nur zur Wiederholung
des letzten Wortes, das sie hörte, blieb.
Schließlich aus Gram über ihre verschmähte
Liebe zu Narkissos in Felsen verwandelt,
aus denen ihre Stimme noch ertönt (Ovid).
2) [Lutherzeit] *das* E., Widerhall, Zurückwerfen des Schalles an Wänden, Waldrän-
dern u. dgl. Für ein einsilbiges E. ist ein
Abstand des Hindernisses von mehr als
30 m erforderlich, für ein zweisilbiges die
doppelte Entfernung usw. Schnell aufeinan-
derfolgende Echos verschmelzen zum *Nachhall*. Für bestimmte Sprach- und Musik-
übertragungen verwendet man künstl. *Echo-
räume* mit glatten Wänden. **3)** *Fernsprech-
technik:* Bei ungünstigen Übertragungs-
wegen können E. entstehen, die bei Kabeln
und Freileitungen durch Schaltmaßnahmen,
bei drahtlosem Verkehr durch besonders
gebaute Antennen (Bündelung) vermieden
werden. Bei Magnetophonbändern können
durch gegenseitige magnetische Beeinflus-

Echo

sung nebeneinanderliegender Windungen Vor- und Nach-E. entstehen *(Kopiereffekt)*. **4)** *Funkverkehr:* mehrfach ankommendes Signal, hervorgerufen durch Reflexion der Kurzwellen an verschiedenen Schichten der Ionosphäre. **5)** *Musik:* Die Wiederholung einer kurzen Phrase in geringerer Tonstärke. E.-Vorstellungen kennt die Vokalmusik des 16. Jhs., bes. im Doppelchor (Lasso, auch Schütz). Häufig verwendet die selbständige Instrumentalmusik des 17. und 18. Jhs. E.-Wirkungen als Gestaltungselement (Sweelincks ›Echofantasien‹; Bach). Auch als Gattungsbezeichnung kommt E. vor (Suitensatz). **6)** *Raumfahrt:* amerikan. Nachrichtensatellit (1960), →Erdsatelliten.

Echogewölbe, Flüstergewölbe, Flüstergalerie, Räume, die Schallwellen durch Zurückwerfen an parallelen oder gewölbten Wänden wie in einem Rohr weiterleiten und schließlich fast in einem Brennpunkt vereinigen, so daß Töne oder Worte ungewöhnl. weit von der Schallquelle entfernt deutlich vernehmbar werden, wie z. B. in der St.-Pauls-Kirche in London.

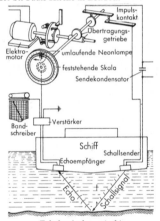

Echolot (schematisch)

Echogr'aph, Schreibgerät eines →Echolots, auch die gesamte mit einem Schreibgerät ausgerüstete Echolotanlage.

Echoinstrumente, Musikinstrumente, die das natürl. Echo nachahmen sollen. Zumeist sind in ihnen schnell einschaltbare Dämpfer eingebaut, so beim Echoklavier und bei der Echomaschine des Horns. Auch das Echowerk der Orgel gehört hierher.

Echolal'ie, zwangsmäßiges Nachsprechen gehörter Worte bei manchen geistigen Störungen, auch bei arktischen Naturvölkern.

Echolied, Gedicht mit echoartigen Antworten auf im Text gestellte Fragen, schon in der Antike vorgebildet. E. waren, in *Poetiken* gelehrt, bes. vom 16. bis zur Mitte des 18. Jhs. sowie in der Romantik beliebt.

'**Echolot** *das,* Gerät zur Entfernungsmessung mit Hilfe von Schallstößen (Glockenton, Explosion, Ultraschallimpulse). Im Wasser dient meist das *Ultraschall-E.* zum Messen der Wassertiefe, zum Anpeilen von Wracks, Fischschwärmen (Fischlupe) usw. Gemessen wird die Zeit von der Abgabe des Signals bis zum Wiedereintreffen der reflektierten Schallwellen. Das *Unterwasser-E.* wurde von Behm entwickelt, um Zusammenstöße von Schiffen mit Eisbergen zu verhindern. Die Geräte der Funkmeßtechnik arbeiten mit Impulsen hochfrequenter elektromagnetischer Wellen.

Echo-Orientierung, Sonar, die Orientierung mancher Tiere (Fledermäuse, Delphine u.a.) durch selbstausgesandte Laute, die von den Gegenständen ihrer Umgebung zurückgeworfen werden.

'**Echos** [grch., eigentl. ›Ton‹] *der,* eine Tonart der byzantinischen, in Teilen der Ostkirche noch heute gebräuchl. einstimmigen Musik. Es gibt acht solcher Tonarten. →Oktoechos.

Echo-Viren (enteric cytopathogenic human orphan), Virengruppe, die bes. Erkältungskrankheiten beim Menschen auslöst.

'**Echse** [von Eidechse; 1836], *Sauria,* Unterordnung der Schuppenkriechtiere, gekennzeichnet durch höcker- oder schuppenförmige Hornbedeckung, meist langen Schwanz und bewegliche Augenlider, nicht vorschnellbare Zunge und lose den Kiefern angefügte Zähne. Die vier Gliedmaßen können mehr oder minder vollständig ausgebildet sein, aber auch fehlen. Die meisten Arten sind klein, doch erreicht der Komodowaran bis 3 m Länge. Der Schwanz kann bei Teilverlust durch Neubildungen ersetzt werden. Die E. bewohnen vor allem wärmere Gebiete; es sind z. T. recht bunte, auch farbwechselnde Tiere. Zur Nahrung dienen meist Kleintiere, seltener Pflanzen, den größeren Arten auch Vögel, Eier und Kleinsäuger. Die E. pflanzen sich fort durch Eier, die frei abgelegt werden oder, bei lebendgebärenden Formen, im Muttertier ausreifen. Nach der Beschaffenheit des Schädels, der Zähne, Zunge und Beschuppung werden die rund 2500 Arten auf 20 Fam. verteilt; die wichtigsten sind: Eidechsen, Geckos, Flossenfüßer, Agamen, Leguane, Gürtel-E., Schleichen, Krusten-E., Warane, Schienen-E., Ringel-E. und Wühl-E.

echt [aus mhd. ehehaft ›gesetzlich‹], **1)** *Mathematik:* ein Bruch ist e., wenn er kleiner ist als 1. **2)** *Farben:* widerstandsfähig (gegen Licht, Luft, Wasser usw.).

echte Not, lat. *sunnis,* im *german. Recht:* Gründe, die die Versäumung eines Gerichtstages entschuldigten, bes. Königsdienst, Gefangenschaft, Krankheit, Überschwemmung und Hausbrand.

'**Echterdingen,** seit 1975 **Leinfelden-E.,** Stadt im Kr. Esslingen, Baden-Württemberg, 420 m ü. M., (1976) 34 200 Ew., Flughafen von Stuttgart, mit Gedenkstein an den Absturz des Zeppelinluftschiffs Z 4 am 5. 8. 1908.

'Echtermeyer, Ernst Theodor, Schriftsteller, * Liebenwerda 1805, † Dresden 6. 5. 1844, 1831–41 Gymnasiallehrer am Pädagogium zu Halle, Gründer des ›Deutschen Musenalmanachs‹ (1840).

'Echternach, Echtern, Stadt in Luxemburg, rechts der Sauer, im Gutland, 160 m ü. M., mit (1971) 3800 Ew.; alte Benediktinerabtei, eine Stiftung des hier verstorbenen heil. Willibrord (698). Bekannt ist die in E. alljährlich am Pfingstdienstag veranstaltete *Springprozession*, ein Dankfest für das Aufhören des Veitstanzes, der im 8. Jh. in dieser Gegend wütete. Die Teilnehmer springen nach drei Schritten vorwärts jedesmal zwei Schritte zurück.

'Echter von Mespelbrunn, Julius, →Julius, Fürsten.

'Echtgelb, *Gelb 1*, Natriumsalz der Aminoazobenzoldisulfosäure, zugelassener Lebensmittelfarbstoff.

Echtlosigkeit, *altdeutsches Recht:* Verlust der Rechtsfähigkeit (Echt). Die E. trat durch Strafurteil oder Acht ein und hatte Verwirkung von Ehre und Rechtsschutz zur Folge.

Ecija [εθ'ixa], alte malerische Stadt in Spanien (Andalusien), mit (1970) 36 100 Ew.; Textil- und Lederindustrie.

Eck, Johann, eigentl. Maier, kath. Theologe, * Egg an der Günz 13. 11. 1486, † Ingolstadt 10. 2. 1543, wurde 1510 Prof. in Ingolstadt, schrieb gegen Luthers Thesen die ›Obelisci‹ (›Spießchen‹, im Sinne von Anmerkungen) und veranlaßte dadurch das Leipziger Streitgespräch 1519 mit Karlstadt und Luther. Er überbrachte 1520 die päpstl. Bannandrohungsbulle und war 1530 an der →Confutatio, 1541 an den Religionsgesprächen zu Worms und Regensburg beteiligt.
LIT. E. Iserloh: Die Eucharistie in d. Darstellung d. J. E. (1950).

'Eckardt, Felix von, Diplomat, * Berlin 18. 6. 1903, war nach 1933 Drehbuchautor, 1945–52 Chefredakteur des ›Weser-Kurier‹, 1952–55 und 1956–62 Bundespressechef, 1955/56 Beobachter bei den Verein. Nationen; 1962–65 Bundesbevollmächtigter in Berlin, 1965–69 MdB (CDU).

Eckart, Dietrich, Publizist, * Neumarkt (Opf.) 23. 3. 1868, † Berchtesgaden 26. 12. 1923, vertrat in Romanen und Theaterstücken den german. Führungsanspruch, war Chefredakteur des ›Völkischen Beobachters‹.

'Eckart, 1) der getreue E., tritt zuerst in der Harlungensage als Pflegevater der beiden Harlunge auf. E. kann nicht verhindern, daß die Harlungen von König Ermanrich gehängt werden, und nimmt an einem Rachezug gegen ihn teil. Schon zur Zeit des Nibelungenliedes scheint E. eine sprichwörtl. Rater- und Warngestalt gewesen zu sein; als die Burgunden in Etzels Land kommen,

finden sie ihn an der Grenze. Das spätere MA. läßt ihn als Warner am Eingang des Venusbergs stehen.

2) Meister E., Eckhart, Eckehart, Dominikaner, der bedeutendste deutsche Mystiker, * Hochheim (bei Gotha) um 1260, † Köln 1327 (Avignon 1328?); 1302 in Paris Magister (daher *Meister E.*), bis 1311 in höheren Ordensstellungen, dann Lehrer in Paris, Straßburg und Köln. Er gelangte als Prediger zu höchstem Ruhm. In seinen letzten Lebensjahren wurde er wegen seiner Lehren von der Kirche angegriffen; 28 seiner Sätze wurden nach seinem Tode durch Papst Johannes XXII. (1329) verdammt. Das Ziel seiner spekulativen Mystik ist die Einswerdung des Seelengrundes mit Gott (unio mystica), die ›Geburt‹ Gottes aus der Seele. In seinem Bestreben, den Vorgang dieser Einigung und die geheimnisvolle schöpferische Kraft der unsterblichen Seele (›Seelenfünklein‹) in Worte zu fassen, wagte E. sehr kühne Wendungen und Begriffsbildungen; Christus und die Sakramente traten dabei zurück. Doch zeigen seine latein. Schriften einen weit engeren Zusammenhang mit der zeitgenössischen Scholastik (Albertus Magnus, Thomas von Aquin) als die deutschen Predigten und Traktate. E. war ferner der Urheber einer neuen spekulativen Theologie (Seuse und Tauler sind seine Schüler) auf der Grundlage seiner mystischen Frömmigkeitserfahrung und Schöpfer einer deutschsprachigen religionsphilosophischen und metaphysischen Terminologie. E. übte starken Einfluß auf Nikolaus v. Kues, J. Böhme, Angelus Silesius und den dt. Idealismus aus. Die kirchl. Theologie hält daran fest, daß E. den Wesensunterschied zwischen dem Sein Gottes und dem Sein der Geschöpfe und die Zeitlichkeit der Welt leugnete und insoweit Häretiker sei.
WERKE. Die dt. u. lat. Werke, hg. i. A. der Dt. Forschungsgem. (lat. 1940 ff.; dt. 1948 ff.); Dt. Predigten und Traktate, hg. von J. Quint (²1963).
LIT. O. Karrer: Meister E., d. System s. religiösen Lehre u. Lebensweisheit; Textbuch aus den gedruckten u. ungedruckten Quellen mit Einführung (1926); F. Meerpohl: Meister E.s Lehre v. Seelenfünklein (1926); M. Grabmann: Neu aufgefund. Pariser Quästionen Meister E.s u. i. Stellung in s. geistigen Entwicklung (1927); A. Dempf: Meister E. (1934, ²1960); H. Denifle: Meister E. (1956); W. Bange: Meister E.s Lehre vom göttl. und menschl. Sein (1937); J. Kopper: Die Metaphysik Meister E.s (1955).

Eckartsb'erga, Stadt im Bez. Halle, südöstlich d. Finne, 285 m ü. M., mit (1964) 2200 Ew.; über der Stadt die Ruine der um 1000 von Markgraf Ekkehard von Meißen gegr. Burg; seit 1247 im Besitz der Wettiner.
LIT. B. Liebers: Aus 1000 Jahren E.er Vergangenheit (1926).

'Eckball, *Sport:* die →Ecke 2).

Eckbert, männl. Name, →Egbert.

Eckblatt, Eckknollen, *byzantin., roman., frühgot. Baukunst:* blattartige Verzierung an den vier Ecken der Säulenbasis, die zwischen der quadrat. Fußplatte und dem runden Säulenfuß vermittelt.

Eckblatt: Notre-Dame, Paris

'**Ecke** *der,* in der deutschen Sage ein Riese. Von ihm erzählt das *Eckenlied (Ecken Ausfahrt)* aus der 1. Hälfte des 13. Jh. im Berner Ton, wie er zusammen mit seinem Bruder Fasolt im Kampf mit Dietrich von Bern fällt. **Eckesachs,** in der deutschen Heldensage von Alberich geschmiedetes Schwert, Eigentum Dietrichs von Bern. Der schon früh nicht mehr verständliche Name (Ecke = Schneide des Schwerts) wurde von dem Riesen E. hergeleitet.

'**Ecke, 1)** *Geometrie:* ein Punkt (Eckpunkt), in dem zwei Seiten eines Vielecks oder mehrere Ebenen eines Körpers zusammenstoßen. **2)** *Sport:* Eckball, ein Strafstoß beim →Fußball, auch beim Handballspiel, Hockey u. a.
Eckehard, Eckehart, →Eckard.
'**Eckehart, 1)** Mönche in St. Gallen, →Ekkehart. **2)** deutscher Mystiker, →Eckart 2).
Ecken Ausfahrt, Eckenlied, mittelhochdt. Gedicht, →Ecke.
'**Eckener,** Hugo, Luftschiffer, * Flensburg 10. 8. 1868, † Friedrichshafen 14. 8. 1954, wurde 1935 Vorsitzender der Zeppelin-Reederei, führte mit Luftschiffen 1929 eine Weltfahrt, 1931 eine Nordpolfahrt und 1936/37 fahrplanmäßige Fahrten nach Nordamerika mit dem Luftschiff ›Hindenburg‹ aus, das 1937 in Lakehurst (N. Y.) durch eine Explosion zerstört wurde. Selbstbiographie: Im Zeppelin üb. Länder u. Meere (1949).
Eckenh'agen, ehem. Gemeinde im RegBez. Köln, Nordrhein-Westfalen, mit (1967) 8000 Ew., Kurort; einst mit regem, seit 1167 bezeugtem Bergbau (Silber); zeitweilig Münzstätte der Grafen von Berg. Seit 1969 gehört E. zur neugebildeten Gem. →Reichshof.
Eckensteher Nante, Gestalt aus ›Ein Trauerspiel in Berlin‹ (1845) von Karl von Holtei.
'**Ecker** [german. Stw., ›wilde Frucht‹] *die,* Frucht der Eiche (Eichel) oder der Rotbuche (Buchecker). **Eckern, Eicheln,** eine Farbe der deutschen Spielkarte.
'**Eckeren,** Gerard van, eigentl. **Maurits Esser,** niederländ. Schriftsteller u. Verleger, * Haarlem 29. 11. 1876, † Wassenaar 23. 10. 1951, entwickelte sich in seinen Romanen

vom Naturalismus zu philosophisch-ethischer Besinnung.
Werke. Ontwijding (1900), Menschen en machten (1919), Parade gaat door (1937), Klopsymfonie (1950).
'**Eckermann,** Johann Peter, Schriftsteller, * Winsen a. d. Luhe 21. 9. 1792, † Weimar 3. 12. 1854, knüpfte 1822 durch Übersendung der Handschrift seiner ›Beiträge zur Poesie mit bes. Hinweisung auf Goethe‹ Beziehungen zu →Goethe an. Goethe zog E. nach Weimar und bediente sich der Hilfe dieses Verehrers zur Herausgabe seiner Alterswerke. Aus der Zusammenarbeit erwuchsen die ›Gespräche mit Goethe in den letzten Jahren seines Lebens‹ (Bd. 1 u. 2, 1836; Bd. 3, 1848; neu hg. v. H. H. Houben, [25]1959; Einf. u.Textüberwachung v. E. Beutler 1948). Nach Goethes Tod besorgte E. die Redaktion des Nachlasses und der Ausgabe von Goethes ›Sämtl. Werken‹ (40 Bde., 1839/40).
Lit. J. Petersen: Die Entstehung der Eckermannschen Gespräche mit Goethe und ihre Glaubwürdigkeit ([2]1925); H. H. Houben: J. P. E., sein Leben für Goethe, 2 Bde. (1925–28); E. Beutler in: Essays um Goethe, 2 (1947); Mary Lavater-Sloman: Der strahlende Schatten (1959).
Eckernf'örde, Stadt im Kr. Rendsburg-E., Schleswig-Holstein, mit (1977) 23 100 Ew., an der *Eckernförder Bucht,* Ostseebad; hat Fachschulen, Staatsbauschule, Marine-Garnison; Fischereibetriebe, Hafen, Kleinschiffbau, optische u. a. Industrie. E. wird bereits 1197 erwähnt.
'**Eckersberg,** Christoffer Vilhelm, dän. Maler, * Varnoes bei Apenrade 2. 1. 1783, † Kopenhagen 22. 7. 1853, Schüler von J. L. David in Paris, malte historische Bilder, vor allem aber schlichte Landschaften, Seestücke, Bildnisse.
Eckesachs, Schwert in der dt. Heldendichtung, →Ecke.
'**Eckflügler, Fleckenfalter,** *Vanessa,* Gattung der Tagschmetterlinge, mit eckig gezähntem Flügelrand. Raupen mit Dornen, Puppen oft mit Metallflecken. E. sind z. B. Admiral, Distelfalter, Fuchs, Pfauenauge, Trauermantel.
'**Eckhardt, 1)** E., Eccard, Johann Georg von, (1719), * Duingen bei Hildesheim 7. 9. 1664, † Würzburg 9. 2. 1730, seit 1694 Mitarbeiter und 1716 Nachfolger von Leibniz als welf. Hofhistoriograph in Hannover, konvertierte 1724 zum Katholizismus und wurde Hof-Bibliothekar in Würzburg.
2) Tibor von, ungar. Politiker, * Makó 26. 10. 1888, † New York 3. 9. 1972, seit 1931 Abg., wurde der Führer der Partei der Unabhängigen Kleinlandwirte, 1940 emigriert nach den USA, seit 1947 führend in der ungar. Emigration.
Ecklein, früh. württembg. Trockenmaß = 0,6923 *l.*
'**Ecklohn,** der tariflich festgesetzte Stundenlohn des Facharbeiters; die Tariflöhne der übrigen Arbeiter werden durch prozentuale

'u- oder Abschläge errechnet. Bei Lohnverhandlungen wird deshalb meist nur um den l. gekämpft.

'**Eckmann,** Otto, Maler, Zeichner, * Hamburg 19. 11. 1865, † Badenweiler 11. 6. 1902, Vorkämpfer des Jugendstils (Zeichnungen in 'er ›Jugend‹ und im ›Pan‹), entwarf die *Eckmann-Schrift.*
Lit. K. Klingspor: Über Schönheit v. Schrift u. Druck (1949).

Eckmühl, bayr. Dorf, →Eggmühl.

Eckmühl, Fürstentitel des Marschalls ›Davout.

'**Eckstein,** 1) rechteckig behauener Stein, 'er die Ecke einer Mauer begrenzt. 2) *Karenspiel:* Karo.

'**Eckstein,** Ernst, Schriftsteller, * Gießen s. 2. 1845, † Dresden 18. 11. 1900, schrieb Jedichte, Schulgeschichten, kulturgeschichtl. Romane.
Werke. Der Besuch im Karzer (1875), Die Claudier, 3 Bde. (1881), Nero, 3 Bde. (1889). Ausgew. Romane, 6 Bde. (1910).

Eckstine ['ɛkstain], Billy, amerikan. Jazzmusiker und Schlagersänger, * Pittsburgh Pa.) 8. 7. 1914.

'**Eckzahn,** →Zähne.

ECLA, Abkürzung für englisch Economic Commission for Latin America, eine regionale Wirtschaftskommission der Vereinten Nationen.

Eclair [eklɛ:r, frz.], Gebäck, mit Krem gefüllt.

Éclat [ekla, frz.], →Eklat.

école [ekɔl, frz.], Schule; auch Fachinstitut, Akademie; **é. maternelle,** Kindergarten; **é. primaire,** Grund-, Volksschule; **é. secondaire,** höhere Schule.

Economist, The [ik'ɔnəmist], 1843 gegründete Londoner Wirtschaftszeitschrift, überparteilich, liberal; erscheint wöchentlich amstags.

Economizer, Economiser [i:k'ɔnəmaizə, ngl. Vorwärmer], Vorrichtung zum Vorwärmen des Speisewassers für Dampfkessel mit Rauchgasen.

Ec'onomo, Konstantin, Freiherr von, Neurologe, * Braila 21. 8. 1876, † Wien 21. 10. 1931, beschrieb (1917) zum erstenmal die Gehirnentzündung und fand ein Kau- und Schluckzentrum und ein Schlafteuerungszentrum. Er hatte auch Verdienste um das österr. Flugwesen.

Economy-Klasse [i:k'ɔnəmi, engl.], eine niedrige Flugtarifklasse; im Nordatlantikverkehr seit 1958.

Econ-Verlag GmbH, Düsseldorf, gegr. 1950; moderne Sachbücher, Fotografie.

Écorcheurs [ekɔrʃœ:r, frz. ›Schinder‹], ein anderer Name für die von Caboche geführte Partei (1413) in Paris (→Cabochiens), in weiterem Sinne gebraucht für die räuberischen Söldnerbanden, die etwa 1430–45 Frankreich verwüsteten (→Armagnac).

ECOSOC, Abk. für engl. Economic and Social Council, Wirtschafts- und Sozialrat der →Vereinten Nationen.

Écossaise, Tanz, →Ekossaise.

Ecraséleder [von frz. écraser ›zerdrücken‹], farbiges, pflanzlich gegerbtes Ziegenleder aus grobnarbigen Fellen. Beim Gerben wird die Narbenmembran stark profiliert, so daß beim Färben mit Schwamm oder Bürste nur die Hervorwölbungen Farbe erhalten. Dann wird das Leder kräftig gereckt, gepreßt und auf Hochglanz zugerichtet, wodurch die ungefärbten Stellen als feine Adern erscheinen.
écrasez l'infâme [ekrɑze lɛfɑ:m, franz.], zu ergänzen: superstition, dt. ›rottet den verruchten Aberglauben aus‹, kirchenfeindliches Wort Voltaires.

ecrü, écru [ekry, frz.], roh, ungebleicht.

Ecruseide [ekry], **Cruseide, Bastseide,** die nach der gelblichen Farbe des Bastes benannte Rohseide.

Écu [eky, franz. von lat. scutum ›Schild‹], 1) *É. d'argent* [-arʒã, frz. ›silberner Schild‹], *É. blanc, Louis blanc, Louis d'argent,* franz. Silbermünze von 1641–1803, etwa dem Taler entsprechend. 2) *É. d'or* [-dɔ:r, frz. ›goldener Schild‹, *Couronne d'or* [kurɔn dɔ:r, frz. ›goldene Krone‹], die Hauptgoldmünze Frankreichs in der Zeit von Philipp von Valois (1328–50) bis zum 17. Jh., seit Ludwig XI. (1461–83) die einzige Goldmünze, von etwa 3,2 g Feingold.

Ecuad'or, amtlich span. **República del Ecuador,** Republik im NW Südamerikas, 283 560 qkm mit (1976) 6,950 Mill. Ew. Hauptstadt ist Quito.
Natur. E. erstreckt sich von der Küste des Stillen Ozeans mit dem tiefen Golf von Guayaquil über ein 50–150 km breites Tiefland und über das an Vulkanen reiche Hochgebirge der Anden ostwärts bis ins Tiefland des Amazonenstromgebietes. Höchste Gipfel sind der Chimborazo (6310 m) und der Vulkan Cotopaxi (6005 m). Die Hauptflüsse gehen nach O zum Amazonenstrom; größter Fluß ist der Napo. Das Klima ist im N heiß und feucht, im südlichen Küstengebiet trocken, im Hochland gemäßigt bis kühl. Pflanzenwelt: Im nördl. und östl. Tiefland herrschen tropische Urwälder vor, im S Dornbusch- und Kakteensteppen. Das innere Hochland ist waldarm. Die Schneegrenze liegt bei 4600 m.
Die *Bevölkerung* besteht überwiegend aus Mestizen, ferner Indianer (ca. 30%), Weiße, Neger, Mulatten u. a. Sozial bestimmend sind Regierungsbeamte, Militärs und Großkaufleute. Die Bevölkerung ist überwiegend römisch-katholisch. Landessprache ist Spanisch.
Wirtschaft, Verkehr. E. ist ein Ackerbauland; im Küstenland Plantagenbau auf Kakao, Zuckerrohr, Bananen, Reis, Tabak, in höheren Lagen Anbau von Kaffee und Baumwolle, im Hochland indian. Landbau (Getreide, Kartoffeln); ferner Rinder-, Schaf- und Lamazucht. In den östl. Wäldern werden Wildkautschuk und Edelhölzer gewonnen. Die Industrie wird entwickelt, die Erschließung der Bodenschätze gefördert: Gold, Silber, Kupfer, Mangan, Eisen und Blei; Erdöl an der Küste. Hauptausfuhr-

güter sind Bananen, Kakao, Kaffee, Reis, Balsaholz. Haupthandelsländer sind die USA, die Bundesrep. Dtl. und die Beneluxländer. Das Verkehrsnetz ist noch dünn: 1340 km Eisenbahnen (wichtigste Linie: Guayaquil–Quito–San Lorenzo; von 21 300 km Straßen sind 3100 km asphaltiert (am wichtigsten ist die rd. 1000 km lange Carretera Interamericana); infolge der Unwegsamkeit des Landes hat der Flugverkehr große Bedeutung. Haupthafen: Guayaquil.

Staat. Nach der Verfassung vom 15. 5. 1967 (seit 22. 7. 1970 suspendiert) liegt die ausführende Gewalt bei dem auf 4 Jahre direkt gewählten Präsidenten. Gesetzgebung durch den aus Senat (54 Mitgl.) und Abgeordnetenkammer (80 auf 2 Jahre gewählte Abg.) bestehenden Nationalkongreß. Wahlpflicht für Männer (außer für Analphabeten); Frauenwahlrecht seit 1939. Einteilung in 20 Provinzen.

Wappen TAFEL Wappen III, Flagge TAFEL Flaggen I (wie Kolumbien). Maße und Gewichte metrisch und altspanisch. Währungseinheit ist der Sucre zu 100 Centavos.

Rechtsprechung nach argentinischem, französischem und span. Vorbild; oberster Gerichtshof in Quito. Seit 1942 besteht obligator. Sozialversicherung.

Bildungswesen; Die allgemeine Schulpflicht vom 6.–12. Lebensjahr ist noch nicht vollständig durchgeführt; Universitäten in Quito, Guayaquil, Cuenca, Loja und Portoviejo. Kirche seit 1916 vom Staat getrennt; 3 Kirchenprovinzen.

Streitkräfte; seit 1921 allgem. Wehrpflicht vom 18.–45. Lebensjahr, zweijährige Dienstzeit. Der Personalbestand beträgt etwa 20000 Mann, die Flotte verfügt nur über wenige kleine Einheiten. Die Luftwaffe wurde nach 1947 reorganisiert.

GESCHICHTE. Vor der Span. Eroberung bildete E. einen Teil des Inkareiches. Pizarros General Benalcázar eroberte 1533/34 das Land. Als *Audiencia de Quito* gehörte es zum Vizekönigreich Perú, seit Anfang des 18. Jhs. zum Vizekönigreich Neugranada. Die span. Herrschaft beseitigte der Sieg am Pichincha, den Bolívars General Sucre am 24. 5. 1822 erfocht. E. wurde von der Bolívar geschaffenen Zentralrepublik Kolumbien angegliedert, bis der General Juan José Flores auf d. Kongreß in Riobamba am 11. 5. 1830 E. als selbständige Republik proklamierte und ihr als 1. Präsident 1831–35 und erneut 1839 bis 1845 vorstand. Auf seinen Sturz folgten innere Unruhen und Nachbarkriege, bis 1861 mit der Wahl von García Moreno zum Präs. ein diktator. Regime einsetzte. G. M. stützte sich auf den noch starken Einfluß der Kirche, deren Stellung durch das Konkordat von 1863 gefestigt wurde, übertrug den Jesuiten den Unterricht an den höheren Schulen und machte 1873 E. zur *Republik des Heiligsten Herzens Jesu.* Nach seiner Ermordung 1875 gelangten die Liberalen an die Macht; aber die zahlreichen Revolutionen der folgenden Jahrzehnte führten zu

anarch. Zuständen, die auch die wirtschaftl. Entwicklung des Landes hemmten. Der bedeutendste Führer der Liberalen, der General Eloy Alfaro, der 1895-97 als Diktator, 1897–1901 und 1905–09 als Präs. autokrat. regierte und 1911 ermordet wurde, beschränkte die Rechte der Kirche, führte die Zivilehe und die Religionsfreiheit ein und setzte sich für den Bau der Eisenbahn Guayaquil–Quito ein. 1917 brach E. die diplomat. Beziehungen zum Dt. Reich ab. Verhältnismäßig ruhige Zeiten endeten mit der Militärrevolution von 1925, die Isidro Ayora zum Präs. erhob. Nach seinem erzwungenen Rücktritt 1931 wurde fast jeder Präs. noch vor Ablauf seiner Amtszeit durch einen Aufstand gestürzt. 1931 wurde der langjährige Grenzstreit mit Kolumbien beigelegt. 1942 brach E. wiederum die diplomat. Beziehungen zum Dt. Reich ab. Im gleichen Jahr mußte es den größten Teil des Amazonas-Tieflandes an Peru abtreten. Staatspräsidenten: 1944–47 u. ö. J. M. Velasco Ibarra, 1947–52 G. Plaza Lasso, 1956–60 C. Ponce Enríquez, 1961–63 A. Monroe, 1963–66 Reg. unter Militärjunta (gestürzt), 1966–68 O. A. Gómez, 1968–72 Velasco Ibarra (gestürzt); 1972–76 regierte Gen. G. Rodríguez Lara (von Militärjunta entmachtet). Seit Jan. 1976 regiert ein Oberster Regierungsrat unter A. Poveda Burbano.

E. ist Gründermitgl. der UNO (1945), gehört der OAS an (1948) und ist Mitglied der Lateinamerikan. Freihandelszone (1961).

Ecuadorianische Literatur. Ein später Nachfahre der span. Barockdichtung des ausgehenden Goldenen Zeitalters war der Jesuit *Juan Bautista Aguirre* (* 1725, † 1786), dessen wenig umfangreiches Werk (etwa 20 Gedichte) eine erstaunliche Vielfalt in der Thematik und den metrischen Formen zeigt. *Francisco Eugenio de Santa Cruz y Espejo* (* 1747, † 1795), der zu den Hauptvertretern der Aufklärung in Südamerika zählt, wurde durch seine vorwiegend satirischen Schriften (›Nuevo Luciano o Despertador de ingenios‹) zu einem der geistigen Vorbereiter der Unabhängigkeit. *José Joaquín de Olmedo* (* 1780, † 1847) ahmte antike Vorbilder nach; in der Ode ›La victoria de Junín. Canto a Bolívar‹ (1825) besingt er die Siege Simón Bolívars. Einer der größten Meister der span. Prosa war *Juan Montalvo* (* 1832, † 1889), bedeutend als politischer Schriftsteller und Essayist (›Siete Tratados‹; ›Capítulos que se le olvidaron a Cervantes‹). *Juan León Mera* (* 1832, † 1894) schrieb den sentimental-romantischen Roman ›Cumandá‹ (1879). *Luis A. Martínez* (* 1868, † 1909) eröffnete mit ›A la costa‹ (1904) die Reihe der realistischen Romane mit sozialer Thematik. Den Naturalismus als Mittel der sozialen Anklage finden wir bei einer Gruppe von Schriftstellern sozialistischer oder kommunistischer Tendenz: *José de la Cuadra* (* 1903, † 1941), *Alfredo Pareja Díez-Canseco*

* 1908), *Enrique Gil Gibert* (* 1912), *Adalerto Ortiz* (* 1914), mit Betonung der negativen Seiten, des sozialen Elends, der Ausbeutung der Indianer usw. Der bekannteste unter ihnen ist *Jorge Icaza* (* 1906; Huasipungo‹, 1934). Die Lyrik von *Jorge Carrera Andrade* (* 1903) zeigt vor allem Einflüsse der franz. Romantiker und Symbolisten (›Registro del mundo‹, 1940). Zur jüngeren Generation gehört *Alejandro Carrión* (* 1915).

LIT. A. Arias: Panorama de la literatura ecuatoriana (Quito ²1948); I. J. Barrera: La literatura del Ecuador (Buenos Aires 1947).

'**Ed.,** Abkürzung für lateinisch →editio, Ausgabe (eines Buches), **ed.** für edidit, hat herausgegeben, **edd.** für ediderunt, haben herausgegeben.

'**Edam,** Stadt in Nordholland, mit (1971) 8500 Ew.,bekannt durch die Herstellung der kugelförmigen, außen rot gefärbten *Edamer Käse.*

'**Edaphon** [von grch. edaphos ›Erdboden‹], der Boden als Lebensraum, die Gesamtheit aller in und auf dem Erdboden lebenden Pflanzen und Tiere. **edaphisch,** auf den Boden bezüglich, bodenbedingt.

'**Edda** [›Poetik‹ oder ›Buch von Oddi‹] *die, Edden,* zwei verschiedene Werke des altisländ. Schrifttums, die jüngere oder prosaische oder *Snorra-Edda* und die ältere oder poetische oder *Saemundar-Edda.* Den Namen E. führte ursprünglich nur die jüngere E., während die ältere ihn erst im 17. Jh. durch isländ. Gelehrte erhielt.

Die *Snorra-Edda,* erhalten in Handschriften aus dem 13. und 14. Jh. (Codex regius, Kgl. Bibl. Kopenhagen; Codex Wormianus, Univ.-Bibl. Kopenhagen), ist ein Lehrbuch für junge Skalden, die daraus die dichterischen Ausdrücke, namentlich die Umschreibungen (Kenningar), und die verschiedenen Versarten kennenlernen sollten. Sie beginnt mit einer Darstellung der nordischen Mythologie in zwei Teilen, der Gylfaginning ›König Gylfis Täuschung) und den Bragaœður (Reden des Dichtergottes Bragi), beide in Gesprächsform; es folgen die Skáldskaparmál (Sprache der Dichtkunst), reich an Beispielen und Belegen aus Gedichten der Skalden des 9.–12. Jhs.; den Schluß bildet ein Lobgedicht Snorri Sturlusons auf den norweg. König Håkon und seinen Jarl Skuli, das Háttatal (Aufzählung der Versarten). Alles dies hat Snorri zwischen 1220 und 1230 zusammengestellt. Ausgabe von F. Jónsson, ›Snorri Sturluson E.‹ (²1926). Deutsch von G. Neckel und F. Niedner ⁵1942).

Die *Saemundar-Edda,* allgemein Liederedda genannt, wird fälschlich dem Saemund zugeschrieben und ist erhalten in einer Handschrift aus dem 13. Jh. (Codex regius 2365, 4⁰ der Kgl. Bibliothek zu Kopenhagen). Sie ist eine Sammlung von Liedern, deren Inhalt teils der nordischen Mythologie, teils des german. Heldensage angehört,

fur die sie die wichtigste Quelle ist. Die Lieder stammen in der uns überlieferten Gestalt hauptsächlich aus der Wikingerzeit (9.–12. Jh.). Ihre Heimat ist Island, Norwegen, vereinzelt Grönland. Eins der bedeutendsten Gedichte ist die →Völuspa. Andere wichtige Lieder sind die Hávamál (Sprüche des Hohen), eine Spruchsammlung, die vorchristliche Lebensweisheit bietet, die Grimnismál (Lehren des Grimnir, d. i. Oðin) und Vafthrúðnismál, die beiden nordischen Mythenlehren. Die südgerman. Heldensage von Siegfried und den Burgunden enthalten die Sigurds-, Brynhilden- und Atli-(d. h. Attila-)Lieder. Ausgaben der Liederedda von G. Neckel (²1936); dazu ›Kommentierendes Glossar‹ (²1936). Dt. Übersetzungen v. Simrock (neu 1966), H. Gering (1892), F. Genzmer (neu hg. 1960).

LIT. Neckel: Die altnord. Literatur (1923); Heusler: Die altgerman. Dichtung (1923).

'**Eddington** [′ediŋtn], Sir Arthur Stanley, engl. Astronom und Physiker, * Kendal 18. 12. 1882, † Cambridge 22. 11. 1944, dort Prof. und Direktor der Sternwarte; entdeckte die Massen-Helligkeitsbeziehung der Sterne und begründete die Pulsationstheorie der →Cepheiden. E. vertrat mit Nachdruck einen »selektiven Subjektivismus« der Naturgesetzlichkeit, indem er annahm, daß die physikal. Grundgesetze wesentlich durch die Struktur des Erkenntnisvorgangs mitbestimmt seien und daher aus dieser durch logische Deduktion abgeleitet werden könnten. In seinem nachgelassenen Werk ›Fundamental Theory‹ begründete er diesen Standpunkt ausführlich durch die Entwicklung einer mathematischen Strukturtheorie der physikal. Grundgesetze, deren Bedeutung noch umstritten ist.

WERKE. Raum, Zeit und Schwere (1921; dt. 1923), Die Philosophie der Naturwissenschaft (1939; dt. 1949), Fundamental Theory (Cambridge 1946).

LIT. A. V. Douglas: The life of A. S. E. (1956).

Eddy, Mary, geb. **Baker,** * Boston 16. 7. 1821, † das. 3. 12. 1910, entwickelte seit 1866 die Christian Science (→Christliche Wissenschaft). Sie kam durch persönl. Heilungserfahrung zu der Überzeugung, daß das Christentum auch heute noch die Kraft besitzt, alle Krankheiten allein mit geistigen Mitteln zu heilen. Ihr Werk ›Science and Health‹ (1875) wurde das Fundament der 1879 gegr. Church of Christ, Scientist.

LIT. S. Wilbur: Das Leben d. M. B. E. (dt. 1926); L. P. Powell: M. B. E. (dt. 1933); I. C. Tomlinson: Twelve years with M. B. E. (Boston 1945).

'**Ede,** Gemeinde in der Prov. Gelderland, Niederlande, mit (1973) 77 600 Ew.; Kunstseidenfabrik.

'**Edeka-Verband** *deutscher kaufmännischer Genossenschaften e. V.,* Hamburg, fachl. Prüfungsverband der Einkaufsgenossenschaften deutscher Kolonialwaren- und Lebensmitteleinzelhändler (E. d. K.), größte Einkaufsorganisation des Einzelhandels, gegründet 1907 in Leipzig. Dem Edeka-Verband angeschlossen sind rund 30000 Einzelhändler. Warenzentrale ist die Edeka Zentrale AG. Ferner sind angeschlossen: Edeka Bank AG, Edeka Ausstattungs- und Baudienst GmbH, Edeka Betriebsberatungs- und Kapitalbeteiligungs GmbH.

ʹEdelfalter, Tagfalter, die →Papilionidén.

ʹEdelfäule *die*, beginnende Zersetzung reifer Weinbeeren durch den *Edelfäulepilz* (Botrytis cinerea). Bei geeignetem Herbstwetter werden die Beeren rosinenähnlich und geben Auslesewein.

ʹEdelfreie, Edelinge [ahd. adaling], bei den Germanen im Stand der Freien eine durch edle Abkunft ausgezeichnete und in höherem Ansehen stehende Schicht (nobilitas), für die sich besondere Vorrechte (dreifaches Wergeld) erst spät nachweisen lassen. Aus ihnen entwickelten sich im 11./12. Jh. die *freien Herren* (liberi barones), die rittermäßigen, mit Gerichtshoheit ausgestatteten Grundherren (hoher →Adel) im Unterschied zum ursprüngl. großenteils unfreien Dienstadel (→Ministerialen).

ʹEdelgase, die Elemente *Helium, Argon, Neon, Krypton, Xenon* und die isotopen radioaktiven *Emanationen Radon, Thoron* und *Aktinon*. Die E. sind farb- und geruchlos und bilden normalerweise keine chem. Verbindungen; 1962 gelang es, eine Xenon-Fluor-Verbindung herzustellen; seither auch andere E.-Verbindungen. Sie bilden im periodischen System die nullte Gruppe. Die E. kommen in geringen Mengen in der atmosphär. Luft vor: 100 Liter Luft enthalten 932 cm³ Argon, 1,5 cm³ Neon, 0,5 cm³ Helium, 0,11 cm³ Krypton, 0,008 cm³ Xenon. Zusammen mit Mineralwässern und aus Erdgasquellen treten oft Gase aus, die größere Mengen an Argon und Helium enthalten. Bei der Trennung der Bestandteile der flüssigen Luft durch fraktionierte Destillation werden in einem Anteil der Edelgase (außer Helium) angereichert; sie können daraus in verhältnismäßig großer Reinheit als Gemisch oder einzeln gewonnen werden. Die E. sind ein wenig in Wasser löslich, z. B. Argon etwas besser als Sauerstoff. Sie besitzen ein höheres elektr. Leitvermögen als andere einfache Gase und ermöglichen schon bei verhältnismäßig niedrigen elektr. Spannungen leuchtende Entladungen. Die Spektren des dabei ausgesandten Lichtes sind sehr charakteristisch und haben praktische und theoretische Bedeutung in der Physik. – Die E. verdanken ihre Entdeckung der Beobachtung von Lord Rayleigh und Ramsay (1892), daß der aus Luft durch Entfernung von Sauerstoff, Kohlendioxyd und Wasserdampf verbleibende Gasrest, nach damaligen Kenntnissen reiner Stickstoff, infolge seines Gehaltes an Argon eine höhere Dichte aufwies. Die Entdeckung aller anderen E. folgte innerhalb weniger Jahre.

1962 gelang es, eine Xenon-Fluor-Verbindung herzustellen; seither auch andere E.-Verbindungen.

ʹEdelhirsch, →Hirsche.

ʹEdelinck, Gerard, fläm. Kupferstecher, * Antwerpen 20. 10. 1640, † Paris 2. 4. 1707, wo er seit 1666 lebte. In seinem über 400 Blätter umfassenden Werk verbindet sich niederländ. mit franz. Manier.

ʹEdelkastanie, die echte →Kastanie.

ʹEdelkoralle, →Korallen.

ʹEdelkrebs, ein →Flußkrebs.

ʹEdelkrone, die Adelskrone, →Rangkrone.

ʹEdelkunstharze, reine Phenolharze, die in Form von Platten, Stäben u. a. spanabhebend weiterverarbeitet werden.

Edelman, Gerald Maurice, amerik. Mediziner und Biochemiker, * New York 1. 7. 1929, erhielt den Nobelpreis für Medizin 1972 (zus. mit R. R. Porter) für seine Forschungen über die Struktur der Antikörper.

Edelmann, ursprüngl. der Angehörige des hohen Adels (→Edelfreie) zum Unterschied vom einfachen Ritter; später jeder Ritter.

ʹEdelmetalle, die Metalle Silber, Gold und die Platinmetalle *Ruthenium, Rhodium, Palladium, Osmium, Iridium, Platin.* Sie sind luftbeständig, korrosionsfest und in verschiedenem Maße säurebeständig: Silber ist in Salpetersäure und Schwefelsäure löslich, Gold, Platin und Palladium lösen sich in Königswasser, während die übrigen Platinmetalle selbst darin unlöslich sind.

ʹEdelmetall- und Schmuckwarenindustrie, *Bijouterie-Industrie*, umfaßt Gold- und Silber-, neuerdings auch Aluminiumschlägerei (Hauptstandort Nürnberg-Fürth mit Schwabach), Gold- und Silberschmiedewerkstätten (Juwelierwerkstätten) und die eigentl. Schmuckwaren-Industrie (Hauptstandort: Pforzheim, Schwäbisch Gmünd).

ʹEdelpilz, der →Champignon.

ʹEdelraute, mehrere weißfilzige Alpenpflanzen, so ein Kreuzkraut, eine Garbe und eine Artemisie.

ʹEdelreife tritt bei Trauben ein, wenn sie eine Höchstmenge von Zucker gespeichert haben. Die Beerenhäute sind dünn geworden und bräunen sich die Kerne.

ʹEdelreis, →Veredlung.

ʹEdelrost, Überzug auf Kupfer und Kupferlegierungen, →Patina.

ʹEdelstähle, Stähle, die durch Zuatz von Nickel, Chrom, Molybdän, Wolfram u. a. besondere Eigenschaften erhalten (z. B. Festigkeit, Korrosionsbeständigkeit).

ʹEdelstein (hierzu Farbtafel S. 160/61), Mineral, das sich durch Glanz und Feuer, Durchsichtigkeit, teilweise auch schöne Färbung, durch bedeutende Härte und Widerstandsfähigkeit auszeichnet. Zu den E. gehören Diamant, Korund, Beryll, Spinell, Chrysoberyll, Topas, Granat, Opal, Turmalin, Amethyst, Rauchquarz, Citrin, Bergkristall u. a. Durchscheinend oder undurchsichtig sind Chalzedon, Achat, Onyx, Heliotrop, Lasurstein (Lapislazuli), Türkis, Jaspis, Malachit, Jade (Jadeit und Nephrit),

Bernstein u. a. m. Viele natürliche E. finden sich in Flußablagerungen. Zur Verwendung als Schmucksteine werden die E. geschnitten oder geschliffen; das Schleifen der in eine metalline Halbkugel *(Doppe, Dogge)* eingekitteten E. geschieht auf einer mit Diamantpulver bestrichenen Schleifscheibe. Das Einheitsgewicht im Edelsteinhandel ist das Karat (rd. 0,2 g).

Künstliche E., synthetische E., auf chemischem Wege hergestellte E., die gleiche Zusammensetzung und gleichen Feinbau wie die natürlichen Steine haben. Heute werden namentlich Rubine und Spinelle künstlich hergestellt. Auch Smaragde und einige andere Mineralien können in schleifwürdigen Kristallen gewonnen werden.

Edelsteinimitationen werden für billige Schmuckwaren verwendet. Die Nachahmung kann erfolgen durch die Art und Weise der Fassung, wodurch z. B. Feuer des Steins vorgetäuscht werden kann (Fassung mit Folie, Silber- oder Kupferblech), ferner durch Veränderung der Farbe durch Brennen oder Färben der verwendeten Steine vor dem Fassen. Sehr häufig werden für billige Nachahmungen Glasflüsse von hoher Brechkraft verwendet, z. B. der an Blei reiche Straß; Nachahmungen von Diamanten aus Straß heißen Similidiamanten.

Fassung: Auf Schmuckstücken werden fehlerlose Steine *à jour* gefaßt, einzelne größere Steine in einer *Krappen-, Kasten-* oder *Zargenfassung* angebracht. Beim Fassen in eine Fläche werden die gebohrten Löcher konisch ausgestochen, so daß sich die Rundiste etwas unter die Metalloberfläche des Schmuckstücks setzt. Die überstehende Metallmenge wird von dem Fasser so ausgehoben, daß sich entweder ein Korn bildet, das über die Rundiste (Zone des größten Durchmessers) gedrückt wird, und mindestens je 4 Körner den Stein in der Fläche festhalten, oder die überstehende Metallfläche wird *beigeschlagen* (verdeckte Fassung).

GESCHICHTE. In der Antike kamen E. hauptsächl. aus den Ländern des Orients (Persien, Indien, bes. Ceylon), seit der Entdeckung Amerikas auch aus Süd- und Mittelamerika nach Europa; im 19. Jh. sind bes. in Brasilien, Südafrika und Australien neue Fundstätten erschlossen worden, die heute den Hauptteil des Weltbedarfs decken. Die den alten Ägyptern bekannte Steinschneidekunst setzt die Kenntnis der Bearbeitung der E. voraus. 1373 gab es in Nürnberg eine Diamantpoliererzunft. Epochemachend war die Erfindung der für das Farbenspiel des Diamanten überaus wichtigen regelmäßigen Facettierung mit Hilfe von Diamantpulver durch den älteren Berquen. Von ital. Meistern wurde berühmt der Venetianer Hortensio Borgio, ferner Matteo del Nettaro, den Franz I. 1525 nach Paris berief. Unter Kardinal Mazarin (1650–60) wurde der Brillantschliff zum erstenmal angewendet. Die Plünderung Antwerpens 1576 durch die Spanier veranlaßte die Übersied-

lung der portug. Juden, die den Diamanthandel betrieben, nach Amsterdam.

LIT. K. F. Chudoba u. E. Gübelin: Schmuck- und edelsteinkundliches Taschenbuch (Neuaufl. 1966).

'**Edelsteingraveur, Edelsteinschleifer,** spezialisierte Handwerksberufe. Man unterscheidet *Gemée-(Negativ-)graveure*, die Monogramme, Wappen u. a. Verzierungen in Rohedel- und Halbedelsteine eingravieren, und *Kamée-(Positiv-)graveure*, die Reliefs, Köpfe usw. aus dem Stein herausarbeiten. Die *E.-Schleifer* dagegen nehmen durch Schleifen und Polieren eine Oberflächenbehandlung der Edelsteine vor und sind ebenfalls stark spezialisiert (Lapidär-, techn. Steinschleifer, Diamantschleifer usw.). Hauptort der E. ist Idar-Oberstein.

'**Edeltanne,** ein Nadelholz, →Tanne.

'**Edelweiß** [wohl tirolerisch], *Leontopodium*, Korbblütlergattung mit etwa 40 Arten, größtenteils in Asien; hellfilzige Kleinstauden oder Halbsträucher mit meist trugdoldig gehäuften Blütenkörbchen. Das europäische *Leontopodium alpinum* mit strahlig abstehenden weißfilzigen Hochblättern wächst in den Alpen (am häufigsten und tiefsten im Süden), in den Pyrenäen, Karpaten und im Balkan an Felsen sowie auf steinigen Matten. Das E. steht unter Naturschutz.

'**Eden** *das*, Garten E., das →Paradies.

Eden [i:dən], Sir (1954) Anthony, Earl (1961) of Avon, brit. Staatsmann, * Windlestone (Durham) 12. 6. 1897, † Alvediston (England) 14. 1. 1977, 1923–57 konservativer Abg. im Unterhaus, 1931–33 Unterstaatssekretär des Auswärtigen, 1934/35 Lordsiegelbewahrer, 1935–38 Außenminister; wegen der Nachgiebigkeit Chamberlains gegenüber Hitler und Mussolini trat er zurück. Mai 1940 wurde er Kriegs-, Dez. 1940 wieder Außenmin. bis Juli 1945 (seit 1942 zugleich Führer des Unterhauses) und erneut Okt. 1951 bis April 1955. 1952 heiratete er in zweiter Ehe Churchills Nichte *Clarissa Spencer* (* 1920). Nach Churchills Rücktritt wurde er Premierminister (6. 4. 1955) und Parteiführer der Konservativen. Unter ihm trat eine Abkühlung der engl.-amerikan. Beziehungen ein, die während der von E. betriebenen Suez-Expedition (Okt./Nov. 1956) ihren Höhepunkt hatte. Eine schwere Erkrankung zwang ihn zum Rücktritt (10. 1. 1957). – Seine Vorschläge (*Eden-Plan*), die zur Befriedung Europas u. a. eine entmilitarisierte Zone vorsahen, scheiterten auf den Konferenzen von Berlin (1954) und Genf (1955).

WERKE. Angesichts der Diktatoren. Memoiren 1923–1938 (dt. 1964), Memoiren 1945–1957 (engl. u. dt. 1960).

Eden [i:dən], 105 km langer Fluß im nördlichen England; in seinem Tal der Landsitz **Edenhall,** bekannt durch Uhlands Ballade ›Das Glück von Edenhall‹.

'**Edenkoben,** Stadt im Kr. Landau-Bad Bergzabern, Rheinland-Pfalz, mit (1976) 6500 Ew., Weinbauort an den Vorhügeln der

Eden

Hardt, 148 m ü. M.; Finanzschule; Metall-, Radioindustrie.

Edent'arten [lat.], →Zahnarme.

'**Eder, Edder** *die*, linker Nebenfluß der Fulda, 177 km lang, entspringt auf dem 676 m hohen Ederkopf im Rothaargebirge und mündet südlich Guntershausen; Nebenfluß die Schwalm. Bei Hemfurt ist die E. durch die *Edertalsperre* gestaut, die ein Fassungsvermögen von 202 Mill. cbm hat.

. . . **eder** [griech.], Ableitungssilbe für regelmäßige Körper: das *Rhomboeder*, von sechs Rhomben begrenzter Körper.

Ed'essa, 1) *E.*, früher *Wodena*, Stadt in Griechenland, mit (1971) 16 500 Ew., an der Bahn Saloniki–Monastir, orthodoxer Bischofssitz.

2) *E.*, arab. *Ruha*, jetzt *Urfa*, antike Stadt im nördl. Mesopotamien, in sumerischen, akkadischen und hethit. Urkunden *Urschu*, unter den Makedoniern auch *Antiochia*. Nach den Partherkriegen von 145–129 v. Chr. machte sich in E. eine eigene Dynastie (meist unter dem Namen →Abgar) selbständig, doch geriet es um 70 v. Chr. in röm. Abhängigkeit. 216 n. Chr. wurde das Gebiet von E. röm. Provinz. Seit etwa 200 n. Chr. war es Mittelpunkt syrisch-christlicher Gelehrsamkeit. In der ganzen christl. Welt wurde es auch durch das »wahre« Bild Christi berühmt, das es zu besitzen vorgab. Seit dem Ende des 5. Jhs. Mittelpunkt der monophysitischen oder jakobitischen Kirche. 641 n. Chr. fiel E. in die Hände der Araber. 1031 kam es an Byzanz zurück, wurde dann 1098 Sitz einer fränkischen Gfsch. unter Balduin, einem Bruder Gottfrieds von Bouillon. 1144 fiel es an die Seldschuken, dann war es ägyptisch, mongolisch, turkmenisch, persisch. Seit 1637 ist es türkisch.

'**Edeweçht**, Gemeinde im Kreis Ammerland, Niedersachsen, mit (1976) 12 900 Ew., inmitten großer Moore; Fleischwarenindustrie, Torfwerke.

'**Edfelt**, Johannes, schwed. Lyriker und Kritiker, * Kyrkefalla (Skaraborgs Län) 21. 12. 1904, verschmilzt traditionsbewußte Formkultur und surrealistisch orientierten Modernismus.

WERKE. Dt. Übers. in den Anthologien von Nelly Sachs (1947, 1950, 1958).

'**Edfu, Idfu**, oberägyptische Stadt am Nil, mit über 20000 Ew.; großer, dem Sonnengott Horus geweihter Tempel aus der Ptolemäerzeit (um 230 v. Chr.).

'**Edgar** [engl.; verwandt mit Ottokar], männl. Vorname.

Edgeworth ['edʒwə:θ], Maria, engl. Erzählerin, * Black Bourton (Oxford) 1. 1. 1767, † Edgeworthtown (Irland) 22. 5. 1849, lebte seit 1773 in Irland und gab in ihren Erzählungen aus dem irischen Alltag Charakter- und Sittenbilder des verkommenen Adels und der unterdrückten Bauern. Auswahl, dt., 4 Bde. (1840).

Edgeworthia [edʒw'ə:θiɑ, nach dem engl. Botaniker M. P. Edgeworth], strauchige

Pflanzengattung der Seidelbastgewächse im Himalaja und in Ostasien. Die Bastfaser einer in Japan angebauten Art liefert das Papier *Mitsumata*.

ed'ieren [lat.; Lutherzeit], *Literatur, Buchhandel:* herausgeben. Edition, →editio.

Ed'ikt [lat.; Lutherzeit] *das*, obrigkeitliche Bekanntmachung; im alten Rom Verordnungen des röm. Magistrats, insbes. die Grundsätze der Prätoren für die Rechtsanwendung während ihres Amtsjahres. Kaiser Hadrian erwirkte um das Jahr 130 n. Chr. einen Senatsbeschluß, der das E. in der Fassung des Juristen Salvius Iulianus als *Edictum perpetuum* verbindlich machte. Auszüge daraus stehen im →Corpus iuris. E. wird später der Name für bestimmte Erlasse der Kaiser. E. von Nantes, →Nantes.

LIT. O. Lenel: Das Edictum perpetuum (³1927).

Edinburgh ['edinbərə], Herzogstitel des engl. Prinzen Alfred, des späteren Herzogs von Sachsen-Coburg-Gotha († 1900); seit 1947 des Prinzen →Philipp.

Edinburgh ['edinbərə], Hauptstadt von Schottland und der Gfsch. Midlothian, am Eingang des Firth of Forth, hat (1971) 453400 Ew. Wappen: TAFEL Städtewappen. Die Altstadt wird überragt von dem auf 130 m hohem Fels gelegenen alten Schloß. Zu den bedeutendsten Baudenkmälern der Stadt gehören das 60 m hohe Scott-Monument, die National Gallery of Scotland, St. Giles's Cathedral (1385–1495 erbaut) mit 49 m hohem Glockenturm (1495), Holyrood Palace, die Residenz der schott. Könige, 1650 zerstört, 1671–79 wiederaufgebaut. E. ist der polit. und geistige Mittelpunkt Schottlands, Sitz der höchsten Behörden, eines Bischofs der schott. Hochkirche und eines kath. Erzbischofs. Seit 1583 hat E. Universität. E. hat Gummi-, Maschinen-, Gas- und Wassermesser-, Eisen- und Draht-, Back-und Süßwarenindustrie, Brauerei und Brennerei, Radio-, Präzisionsgeräte- und elektron. Industriebetriebe und graphisches Gewerbe. Jährlich finden die *E.er Musik- und Theater-Festspiele* statt. – Der Name E. geht wohl auf den angelsächs. König Edwin von Northumbrien im 7. Jh. zurück. Frühzeitig wurde E. schott. Königssitz, um 1450 Landeshauptstadt. Die Altstadt in ihrer jetzigen Gestalt wurde Mitte des 16. Jhs. nach einem großen Brand neu aufgebaut, die Neustadt gegen Ende des 18. Jhs. in breiter, regelmäßiger Bauweise angelegt.

Edinburgh Review ['edinbərə rivj'u:], engl., in London erscheinende Vierteljahrsschrift für Politik und Literatur. 1802 in Edinburgh von Jeffrey mit Brougham, Sydney Smith u. a. gegründet, erlangte sie als Hauptorgan der *Whigs* polit. Einfluß; stellte 1929 das Erscheinen ein.

'**Edingen**, seit 1975: E.-Neckarhausen, Gem. im Rhein-Neckar-Kr., Baden-Württemberg, (1976) 13 200 Ew., am Neckar, in der Rheinebene.

Ed′irne, türk. Name von →Adrianopel.

Edison [′edisn], Thomas Alva, amerikanischer Ingenieur, * Milan (Ohio) 11. 2. 1847, † West Orange (N. J.) 18. 10. 1931, erfand 1876 ein Kohlekörnermikrophon, eine Vervollkommnung des Bellschen Mikrophons, 1877 den Phonographen, 1879 die Kohlenfadenlampe (schon 1854 von Göbel angegeben), zeigte 1881 den ersten, von einer Dampfmaschine unmittelbar angetriebenen Generator zur Erzeugung elektrischen Stroms, 1882 die erste elektrische Beleuchtungsanlage in großem Stil. Er erfand 1899 den *Kinetographen*, einen Filmaufnahmeapparat, und 1895/96 das *Vitaskop*, ein Gerät für Laufbildprojektion. Der Aufbau einer Portlandzementfabrik führte zu einer Reihe wichtiger Erfindungen auf diesem Gebiet (z. B. Betongießverfahren 1907). 1883 entdeckte er den Edison-Effekt (→Glühemission). Eine seiner letzten großen Erfindungen war der Eisen-Nickel-Akkumulator (1904). Lɪᴛ. F. L. Dyer u. Th. C. Martin: Th. A. E., 2 Bde. (New York 1910); A. F. Bryan: E. Der Mann u. sein Werk (dt. v. Otten, 1927); D. G. Runes: The Diary of E. (New York 1948).

Edisonfassung, die heute allgemein übliche, von Edison entwickelte Fassung für elektr. Glühlampen, bei der durch Einschrauben in ein Gewinde *(Edisongewinde)* die Kontakte mit den Zuleitungen hergestellt werden.

Edith [aus angelsächs. ead ›Besitz‹ und gyth ›Kampf‹], weibl. Vorname.

Editha, Stiefschwester des angelsächs. Königs Aethelstan, † 946, seit 929 Gemahlin Ottos d. Gr., begraben im Dom zu Magdeburg.

ed′itio [lat.], Herausgabe. **Editio pr′inceps**, Erstausgabe eines Buches.

Editi′on, 1) literarisch svw. →Ausgabe. **Editionstechnik**, Verfahren bei der Herstellung einer kritischen Textausgabe. **Editor**, Herausgeber. 2) im Zivilprozeß die Vorlegung einer Urkunde, die nicht im Besitz der beweisführenden Partei ist. Sie wird vom Gericht auf Antrag des Beweisführers angeordnet (§ 421 ff. ZPO).

Edler von, früher in Österreich und Bayern Titulierung des Briefadels.

Edlinger, Joseph Georg von, Maler, * Graz 1. 3. 1741, † München 15. 9. 1819, wo er seit 1770 lebte, seit 1781 als Hofmaler; bürgerl. Bildnisse in spätbarockem bräunlichem Ton.

Edmonton [′edməntən], 1) ehem. Vorstadt Londons, gehört seit 1963 zum Stadtbezirk Enfield.
2) Hauptstadt der Prov. Alberta in Kanada, mit Vororten (1971) 495 700 Ew., Sitz eines kathol. Erzbischofs, Universität; hat petrochemische und eisenverarbeitende Industrie, ist Flugverkehrszentrum.

′Edmund [aus angelsächs. ead ›Besitz‹, mund ›Schutz‹], männl. Vorname.

Edmund, seit 855 König von Ostangeln,

wurde 870 von den Dänen erschlagen; Heiliger. Tag: 20. 11.

Lɪᴛ. F. Herven: History of King E. (Oxford 1929).

′Edo, Bini, Stammesgruppe der Sudanneger westl. des unteren Niger, die heutigen Bewohner von Benin und Umgebung.

Lɪᴛ. P. Dittel: D. Besiedlung Südnigeriens von d. Anfängen bis zur brit. Kolonisation (Diss. Leipzig 1936).

′Edom, Arabia Petraea, Hochland östlich und südöstlich vom Toten Meer, das Siedlungsgebiet des arab. Stammes der *Edom′iter*, der Nachkommen Esaus. Die Edomiter waren bereits vor Israel zu politischer Macht gelangt; so verstrickte sie das Aufkommen des israel. Königtums unter David in wechselvolle Kämpfe. Der Besitz E.s war für Israel wichtig wegen der dortigen Kupfergruben und des Hafens →Ezion Geber. Mit den übrigen Völkern Palästinas gerieten auch sie unter die Botmäßigkeit der Assyrer, später der Babylonier. Um 500 v. Chr. wanderten sie in das südl. Juda ein, wo sie um 126 dem jüd. Staat einverleibt wurden. Aus ihrer Mitte stammt Antipater (47 v. Chr. von Cäsar zum Prokurator von Judäa ernannt) und sein Sohn Herodes d. Gr. Die Beurteilung der Edomiter im A. T. schwankt. Dem Buche Hiob, dessen Personen als Edomiter bezeichnet sind, gelten sie als Muster frommer Weisheit.

Lɪᴛ. M. Noth: Die Welt des A. T. (⁴1962).

′Edschmid, Kasimir, eigentl. *Eduard Schmid*, Erzähler, * Darmstadt 5. 10. 1890, † Vulpera (Schweiz) 31. 8. 1966, begann als Expressionist, schilderte als Weltenbummler in Reisebüchern die ›bunte Erde‹, vergangene und noch lebende Kulturen.

Wᴇʀᴋᴇ. Die sechs Mündungen (Novellen 1915), Die achatenen Kugeln (1920), Lord Byron (1929), Zauber und Größe des Mittelmeers (1932), Afrika – nackt und angezogen (1930, erw. 1951), Glanz u. Elend Südamerikas (Neuausg. 1957), Italien, 3 Bde. (Neuausg. 1959–62), Wenn es Rosen sind, werden sie blühen (Büchner-Roman, 1950), Der Bauchtanz (Exot. Novellen, 1952), Der Marschall und die Gnade (Neuausg. u. d. T. ›Bolivar‹ 1965), Tagebuch 1958–60 (1960). – Das gute Recht (autobiogr. Roman, ¹1964), Frühe Manifeste. Epochen d. Expressionismus (1957).

Edsin-gol, Fluß der südwestl. Gobi. Unweit von seinem Unterlauf die Ruinenstadt Chara-Choto.

′Eduard [aus angelsächs. ead ›Besitz‹, ward ›Hüter‹], männl. Vorname.

Eduard, engl. **Edward**, englische Herrscher.
1) **E. der Bekenner**, angelsächs. König (1042–66), * um 1002, † 5. 1. 1066, schwächlicher, von normann. Günstlingen beeinflußter Herrscher. Wegen seiner Frömmigkeit 1161 heiliggesprochen; Tag: 13. 10.
2) **E. I.**, König (1272–1307), aus dem Hause Plantagenet, * 17. 6. 1239, † Burgh (bei Carlisle) 7. 7. 1307, stellte als Thronfolger durch den Sieg bei Evesham über Simon von

Montfort (1265) die Herrschaft seines schwachen Vaters (Heinrich III.) wieder her. Wegen seiner Gesetzgebung wird er der ›Justinian Englands‹ genannt. Er ließ im Parlament Vertreter der Grafschaften und Städte teilnehmen. 1282/83 unterwarf er Wales, dann vorübergehend auch Schottland.

LIT. F. Powicke: King Henry III. and Lord E., 2 Bde. (Oxford 1947).

3) **E. II.**, König (1307–27), Sohn von 2), * Carnarvon 25. 4. 1284, † Berkeley 21. 9. 1327, wurde von den Schotten 1314 bei Bannockburn besiegt, von seinen Baronen gestürzt und ermordet.

4) **E. III.**, König (1327–77), Sohn von 3), * Windsor 13. 11. 1312, † 21. 6. 1377, besiegte die Schotten bei Halidon Hill (1333), ließ ihnen aber im Frieden von 1359 die Selbständigkeit. Er begann wegen seiner Erbansprüche auf die französ. Krone 1339 den ›Hundertjährigen Krieg‹, siegte 1346 bei Crécy, mußte aber fast allen Gewinn des Friedens von Brétigny 1360 später wieder preisgeben.

5) **E.**, Thronfolger (Prinz von Wales), nach seiner Rüstung der ›schwarze Prinz‹ genannt, Sohn von 4), * 15. 6. 1330, † Westminster 8. 6. 1376, besiegte 1356 den französ. König Johann den Guten bei Maupertuis und führte den vertriebenen kastil. König Peter den Grausamen durch den Sieg bei Najera 1367 auf den Thron zurück.

LIT. J. Cammidge: Black Prince (1943).

6) **E. IV.**, König (1461–83), aus dem Hause York, * Rouen 28. 4. 1442, † 9. 4. 1483, gelangte 1461 durch den Sieg bei Towton über Heinrich VI. aus dem Hause Lancaster auf den Thron. Die Macht des Parlaments drängte er zurück; mit ihm begann der Absolutismus in England.

LIT. C. L. Scofield: The life and reign of E. IV., 2 Bde. (1923).

7) **E. V.**, König (1483), Sohn von 6), * 2. 11. 1470, † im Tower im Aug. 1483, wurde mit seinem jüngeren Bruder durch seinen Onkel Richard III. verdrängt und ermordet.

8) **E. VI.**, König (1547–53), Sohn Heinrichs VIII., * Hampton Court 12. 10. 1537, † Greenwich 6. 7. 1553. Das wichtigste Ereignis der Regierung E.s war die Einführung der Reformation durch die erste →Uniformitätsakte und das gemeinsame Gebetbuch (→Common Prayer Book) 1549. Mit E. erlosch der Mannesstamm der Tudors.

9) **E. VII.**, König (1901–10), ältester Sohn der Königin Viktoria und des Prinzgemahls Albert von Sachsen-Coburg, * London 9. 11. 1841, † das. 6. 5. 1910, wirkte in seiner Vorliebe für Frankreich und seinen persönl. Abneigung gegen seinen Neffen Wilhelm II. an der englisch-französ. Entente von 1904 mit.

LIT. Sir S. Lee: E. VII., 2 Bde. (dt. 1928); A. Maurois: E. VII. u. seine Zeit (dt. 1933).

10) **E. VIII.**, König (1936), Enkel von 9), * White Lodge 23. 6. 1894, † Paris 28. 5. 1972, als Prinz von Wales sehr volkstümlich,

folgte am 20. 1. 1936 seinem Vater Georg V. auf den Thron. Er dankte am 11. 12. vor der Krönung zugunsten seines Bruders Georg VI. ab, da ihm MinPräs. Baldwin die Zustimmung zur Heirat mit der geschiedenen Amerikanerin Wallis Warfield-Simpson versagte. Seit der Eheschließung (1937) lebte er als *Herzog von Windsor* im Ausland. 1940–45 war er Gouverneur der Bahama-Inseln. Erinnerungen: Eines Königs Geschichte (dt. 1951).

Edukati′on [lat.], Erziehung.

E-Dur, eine →Tonart.

EDV, Abk. für elektronische Datenverarbeitung.

Edwards [′edwədz], 1) Jonathan, amerikan. Theologe, * South Windsor (Conn.) 5. 10. 1703, † Princeton (N. J.) 22. 3. 1758, Gegner John Lockes. Seine Bußpredigten lösten eine Erweckungsbewegung *(Great Awakening)* im kirchl. Leben Amerikas aus. Er bildete den Calvinismus fort, indem er den Determinismus mit der moral. Verantwortlichkeit verband.

LIT. P. Miller: J. E. (New York 1949).

2) Richard, engl. Komponist und Dramatiker, * Somerset 1524, † London 31. 10. 1566, Leiter der kgl. Chorknabenkapelle, dichtete und komponierte Lieder und schrieb zwei Dramen, von denen nur eines *(Damon und Pythias)* erhalten ist.

′Edwardsee, früher **Albert-Edward-See**, stark im Verlanden begriffener See im Zentralafrikan. Graben südlich des Äquators, 914 m ü. M., 2200 qkm groß; Abfluß durch den Semliki zum →Albertsee.

′Edwin [aus angelsächs. ead ›Besitz‹ und win ›Freund‹], männl. Vorname.

′Edzard [hochd. ›Eckhart‹], Name mehrerer Grafen Ostfrieslands.

Edzard, Kurt, Bildhauer, * Bremen 26. 5. 1890, † Braunschweig 22. 10. 1972; entwickelte einen durch Freude an Oberflächenreizen gekennzeichneten plastischen Stil.

Eeckhout [′ekhaut], Gerbrand van den, holländ. Maler, * Amsterdam 19. 8. 1621, † das. 29. 9. 1674, malte bibl. Darstellungen, Genrebilder und Bildnisse, zunächst in der Art seines Lehrers Rembrandt, später theatralischer und bunter.

E′eden, Frederik van, niederländ. Schriftsteller, * Haarlem 3. 4. 1860, † Bussum bei Amsterdam 16. 6. 1932, war Nervenarzt in Bussum, wo er 1898 die sozialistische Kolonie Walden gründete, die als Fehlschlag endete. 1922 trat er zum Katholizismus über. Als Dichter gehörte er zum Kreis der von ihm mitgegründeten Zeitschrift ›De Nieuwe Gids‹.

WERKE. Lyrik: Ellen (1891; dt. ²1913). Romane: Der kleine Johannes, 3 Bde. (1886 bis 1906; dt. 1891–1906), Die Nachtbraut (1909; dt. ³1920). Dramen: Liebe (1897; dt. 1912), Ystrand (1908; dt. 1908). Selbstbiogr.: Glückl. Menschheit (1908; dt. 1913).

EEG, →Elektro-Enzephalogramm.

Eekhoud [′ekhaud], Georges, belg. Erzähler, * Antwerpen 27. 5. 1854, † Brüssel 28. 5.

1927, Mitgründer der literar. Bewegung *La Jeune Belgique*. Er schilderte das harte Leben der Bauern und Schicksale von Menschen, die sich gegen die unaufrichtige bürgerl. Moral auflehnen.

WERKE. Escal-Vigor (1899; dt. 1903), Kees Doorik (1883; dt. 1919), La Nouvelle Carthage (1888; dt. 1917).

LIT. M. Bladel: L'œuvre de G. E. (Brüssel 1922); G. Black: Bibliogr. de G. E. Boston 1931).

'Eemskanal, Kanal der nördl. Niederlande, verbindet Groningen mit dem Dollart, 6 m tief, für Schiffe bis 2000 t.

Ef'e, Zwergvolk der →Bambuti.

Ef'endi, Effendi [türk. von byzantin.-grch. authentes ›Herr‹], türk. Ehrentitel für Gebildete und höhere Beamte, dann allg. Anredeform (›Herr‹; mit dem Suffix: Efendim ›mein Herr‹); schriftsprachlich seit 1934: Bei.

'Eferding, Bezirksstadt in Oberösterreich, 271 m ü. M., mit (1971) 2950 Ew.; BezGer., spätgot. Kirche, Starhembergsches Schloß. E. war Mittelpunkt des oberösterr. Bauernaufstands von 1621.

'Efeu [ahd. ebahewi], *Hedera*, Gattung der Araliengewächse. In Europa und Vorderasien in Wäldern, bes. auf kalkreichem Boden heimisch ist der *gemeine E. (Winter*grün, *Immergrün*, Hedera helix), ein kriehender oder bis 30 m hoch kletternder Strauch mit ledrigen immergrünen Blättern und Dolden gelbgrüner Blüten, die meist erst im Spätherbst erscheinen und erbsengroße, blauschwarze Beeren geben. Der E. kann über 500 Jahre alt werden und 2 m Stammumfang erreichen. Über den Korbblüter *Sommerefeu* →Mikanie.

'Effe, nordwestd. die Flatterulme, →Ulme.

Ef'ekt [lat.; Lutherzeit] *der*, 1) Wirkung, erstaunliche) Folge. 2) *Physik:* →Leistung.

Ef'ekten [lat.] *Mz.*, 1) Wertpapiere, die Anteils- oder Forderungsrechte beurkunden und Gegenstand des Handels ind (Aktien, Kuxe, Obligationen, Pfandbriefe u. a.). Das *Effektengeschäft* der Banen umfaßt die Emission und den An- und Verkauf von E. für eigene und fremde Rechnung, in weiterem Sinne ferner die Beeihung (Lombard- und Reportgeschäft) sowie die Aufbewahrung und Verwaltung von E. (Depotgeschäft, Einlösung von Zins- und Gewinnscheinen). Der *Effektenhandel* spielt sich vorwiegend an den Börsen ab, die auch die Kurszettel für die bei ihnen gehandelten E. herausgeben. 2) bewegliche Habe.

Ef'ektgarn, farbiges Zier- und Phantasiegarn mit Knoten, Noppen, Schleifen, Schlingen u. a.

effekt'iv, tatsächlich.

Effekt'ivgeschäft, Geschäft mit sofortiger der späterer Lieferung; Gegensatz: →Differenzgeschäft.

effekt'ive Arbeit, effektive Leistung, bei Kraftmaschinen die an der Welle wirklich ur Verfügung stehende Nutzarbeit oder Leistung.

effekt'ive Temperatur, 1) Maß für das Temperaturempfinden des Menschen, bei dem neben der Lufttemperatur auch relative Feuchtigkeit und Windgeschwindigkeit (formelmäßig) berücksichtigt werden. 2) die aus der Gesamtstrahlung eines Sterns auf Grund des Stefan-Boltzmannschen Strahlungsgesetzes berechnete Oberflächentemperatur.

Effekt'ivstand, Iststärke; Gegensatz: Sollstärke.

Ef'ektkohlen, Bogenlampen-Elektroden, die eine größere Lichtausbeute haben als gewöhnliche Bogenlampen-Kohlen. In eine Bohrung in der Mitte der E. sind geeignete Salze als Docht gepreßt (z. B. Magnesiumfluorid, Fluoride der seltenen Erden, für gelbrotes Licht Kalziumfluorid), die in der Hitze verdampfen und leuchten.

effektu'ieren, *kaufmännisch:* bewerkstelligen, leisten, einen Auftrag ausführen.

Ef'el, Jean, eigentlich *François Lejeune*, franz. Karikaturenzeichner, * Paris 12. 2. 1908.

WERKE. Dt. Ausgaben seiner Bilderfolgen (mit Vorw. v. K. Kusenberg): Die Erschaffung Evas (1960), Die Erschaffung der Welt (1960), Die Erschaffung des Menschen (1961), Heitere Schöpfungsgeschichte f. fröhl. Erdenbürger (²1965).

gemeiner Efeu: a *blühender Sproß*, b *Blüte*, c *Beeren*, d *nichtblühendes Zweigstück mit Haftwurzeln.* (a und b etwa ²/₅ nat. Gr.)

effemin'iert [lat.], weibisch.

'Effen, Justus van, niederländ. Schriftsteller, * Utrecht 21. 2. 1684, † Herzogenbusch 18. 9. 1735, förderte als bedeutendster niederländ. Prosaschriftsteller seiner Zeit die Reinheit und Ausdrucksmöglichkeit des Niederländischen; bes. auch als Mitarbeiter der nach engl. Mustern verfaßten sozial-

Effe

kritischen Wochenschrift *De Hollandsche Spectator* (1731–35; hg. v. P. A. Verwer, 1756, 6 Tle., mit Biographie van E.s).

Effet [εfε, franz. ›Wirkung‹] *das, Billard:* Abweichung auf Grund eines seitlichen, also nicht gegen die Mitte der Kugel geführten Stoßes.

Effi Briest, Ehe- und Gesellschaftsroman von Theodor Fontane (1895).

Efficiency [if'iʃənsi, engl.], Leistungsfähigkeit, Ergiebigkeit, Wirtschaftlichkeit; ein Schlagwort, unter dem bes. der Präs. der USA Hoover (1929–33) seine wirtschaftl. Rationalisierungs- und Organisationsmaßnahmen volkstümlich zu machen suchte.

Effizi'enz [lat.], Wirksamkeit, Leistung. **effizieren,** bewirken.

Effloresz'enz [lat.], Hautausschlag (volkstüml. ›Blüte‹).

efflu'ieren [lat.], ausströmen, verfließen; **Effluvium,** Ausfluß, Ausdünstung.

'Effner, Joseph, bayer. Hofbaumeister (1715), * Dachau 4. 2. 1687, † München 23. 2. 1745, ausgebildet in Paris, vollendete Schloß Nymphenburg (seit 1714), in dessen Park er die Pagodenburg und die Badenburg erbaute, und den Ausbau von Schloß Schleißheim (seit 1719). Schmuckformen, die er in den ›Reichen Zimmern‹ der Münchener Residenz zur Vollendung entwickelte, übertrug er beim Bau des Preysing-Palais in München auf die Außenarchitektur (1723–28).
Lɪᴛ. M. Hauttmann: Der kurbayr. Hofbaumeister J. E. (Straßburg 1913).

Effusi'on [lat. effusio ›Erguß‹], der Lavaausfluß aus Vulkanen, im Gegensatz zur Lockereruption.

Effus'ivgesteine, vulkan. Ergußgesteine, Laven.

EFTA, Abkürzung für European Free Trade Association, die →Europäische Freihandelsgemeinschaft.

Eftali'otis, Argyris, Pseudonym des neugriech. Schriftstellers *Kleanthis Michailidis,* * auf Lesbos 13. 7. 1849, † Antibes Aug. 1923, einer der Vorkämpfer der echten Volkssprache. Bes. kennzeichnend sind seine Inselgeschichten (1894).

e. g., Abk. für **exempli gratia** [lat.], † zum Beispiel.

e. G., Abkürzung für eingetragene Genossenschaft.

EG, 1) Abk. für Europäische Gemeinschaften.
2) Abk. für Einführungsgesetz.

egalis'ieren [lat.], ausgleichen. Beim *Färben:* Farbstoffe gleichmäßig auf Textilien aufziehen, begünstigt durch farbstoffzurückhaltende Produkte (**Egalisierungsmittel**). **Egalisierungsfarbstoffe** sind stark saure Wollfarbstoffe von ausgezeichnetem Egalisierungsvermögen.

Égalitaires [egalite:r], franz. Parteigänger und Vorkämpfer der absoluten (rechtl., polit. und wirtschaftl.) Gleichheit, die sich im 19. Jh. in zahlreichen Geheimgesellschaften zusammenschlossen.

Égalité [egalite, franz.] *die,* Gleichheit, bes in politischer und gesellschaftlicher Bezie hung (→Liberté, É., Fraternité). Um sein republikanische Gesinnung zu bezeuge nahm der Herzog Philipp von →Orléans in Sept. 1792 den Namen *Philippe É.* an.

'Egartenwirtschaft, Ödgarten-, Ehegarte wirtschaft [aus ahd. egerda ›Brachland‹], sü deutsche Form der Feldgraswirtschaft. Übe wiegende Wiesen-(Grünland-)Nutzung m abwechselndem Umbruch einzelner Tei zum Anbau von Getreide, Kartoffeln u. (→Landwirtschaft, landwirtschaftliche B triebssysteme).

'Egbert, Eckbert [ahd. ›Schwertglanz männl. Vorname.

'Egbert, angelsächs. König, † 839, unte warf von Wessex aus Cornwall, Kent, Eas anglia, Mercia und Northumbria.

Egbert von Trier, Erzbischof, † Trier 99 war 976/77 Kanzler Ottos II., stellte d durch die Normanneneinfälle verwüstete Kirchen und Klöster wieder her und förder die Goldschmiedekunst und Buchmalere Die bedeutendste der für ihn geschaffene Handschriften ist das auf der Reichenau e standene Evangeliar der Trierer Stadtb bliothek mit vielen Miniaturen (Codex E berti).

Egede ['ejədə], Hans, der Apostel der Esk mos, * Trondenœs (Hindö) 31. 1. 168 † Falster 5. 11. 1758, war 1721–36 Missi nar im dän. Grönland und wurde 174 Superintendent der grönländ. Mission kirche. Er gründete ein Seminar für grö länd. Missionare, schrieb mehrere Werk über die Missions- und Naturgeschich Grönlands. Sein Sohn *Paul* (* 1708, † 178 führte sein Werk fort und machte sich u. die grammatikal. und lexikal. Bearbeitu der grönländ. Sprache verdient.
Lɪᴛ. M. Heydrich: H. E., die Erforschur Grönlands (1923).

'Ege-Gebiet, Landschaft Westanatolie zwischen dem Großen Mäander (Mendere und dem Golf von Edremit, wichtigstes G biet des mittelmeerischen Anbaus in Klei asien.

'Egel [dt. Stw.] *der,* die Ringelwürmersipp →Blutegel.

'Egelkrankheit, die →Leberegelkrankhe der Tiere.

'Egelkraut, verschiedene Sumpf- und Wa serpflanzen, wie Binse, Hahnenfuß, Sonne tau.

'Egell, Paul, Bildhauer, * 9. 4. 169 † Mannheim 11. 1. 1752, nach Lehrjahre bei Permoser in Dresden seit 1721 Hofbil hauer in Mannheim, schuf Bildwerke, d groß und bewegt im Sinne des Barock un zugleich zart und geschmeidig gestaltet sin
Lɪᴛ. A. Feulner: Zum Werk P. E.s, in Zeitschr. d. Dt. Vereins f. Kunstwiss., (1934); G. Jakob: P. E., in: Mannheime Geschichtsblätter, 35 (1934); K. Lankhei Die Zeichnungen des kurpfälz. Hofbildha ers P. E. 1691–1752 (1954).

'Egeln, Stadt an der Bode, Bez. Magdebur

n Braunkohlen- und Salzbergbaugebiet am -Rand der Börde, mit (1964) 6800 Ew.; ergbau, Gießerei; hat evang. (1270) und ath. Kirche (1262).

'**Egelsbach**, Gemeinde im Landkreis Offen- ach, Hessen, hat (1976) 8300 Ew.; Ma- hinenfabrik.

'**Egelschnecken**, *Limaciden*, Landnackt- chnecken mit schildartigem Mantel; Pflan- en- und Aasfresser.

'**Egenolff**, Christian, Buchdrucker, * Hada- ar 1502, † Frankfurt a. M. 1555, siedelte 530 mit seiner 1528 in Straßburg gegr.)ruckerei nach Frankfurt über und wurde ier der erste Schriftgießer, Drucker und /erleger von Bedeutung. Seine Schrift- ießerei hat bis 1810 fortbestanden.
Lit. H. Gerber: Christian E., in: Nassau- che Lebensbilder, 3 (1948); G. Richter: h. E.'s Erben, in: Archiv f. Gesch. des uchwesens, 7 (1966).

'**Eger**, 1) *die* E., tschech. **Ohře** [ˈorʒɛ], linker ebenfluß der Elbe im nordwestl. Böhmen, 50 km lang, entspringt im Fichtelgebirge nd mündet bei Theresienstadt.
2) *E.*, tschech. **Cheb** [xɛp], Stadt im nord- estl. Böhmen, Tschechoslowakei, Haupt- rt des Egerlandes, mit (1970) 26 100 (1939: 5 500) Ew., 448 m ü. M., an der Eger, ein edeutender Straßen- und Bahnknoten, at Maschinen-, Textil- und chem. Indu- trie. Die Altstadt hat altertümliches iepräge, Kaiserburg (von Barbarossa mgebaut), Stadthaus, in dem Wallenstein rmordet wurde (Museum), Rathaus (18.Jh.) nd got. St.-Nikolaus-Kirche aus dem 12.Jh. Das *Egerland* wurde im frühen Mittelalter on Slawen besiedelt, dann seit dem 10. Jh. on der Oberpfalz aus eingedeutscht. Es kam 167 an die Staufer; E., das damals entstand, vurde 1277 Reichsstadt. Ludwig der Bayer erpfändete das Egerland 1322 an Böhmen, essen Geschichte es fortan teilte.
Lit. O. Schürer: Gesch. d. Burg u. Pfalz E. 1934); H. Sturm: E., Gesch. einer Reichs- tadt, 2 Bde. (1951).
3) *Eger* [ˈɛgɛr], ungar. Name von →Erlau.

Egerer Arbeit, Relief-Intarsia in farbigen lölzern zum Schmuck von Möbeln und ieräten, im 17. Jh. in Eger hergestellt.

Eg'eria, römische Quell- und Geburtsgöt- in, Gattin des Königs Numa.

'**Egerling** [von alemann. Egerte ›Ödland‹], er Pilz →Champignon.

'**Egge** [german. Stw.], **1)** kammartig wir- endes Ackergerät. Ein größerer Rahmen (*starre* oder *Balken-E.*) oder mehrere kleine, egeneinander bewegliche *(Gelenk-* oder ilieder-E.)* tragen meist nach vorn gebogene tahlspitzen. Sie dienen dazu, den Acker ein- uebnen, zu krümeln und zu entkrusten, egen Austrocknung aufzurauhen, Kunst- ünger und Samen einzuscharren und Un- raut auszureißen. Die *Scheiben-E.* mit glat- en oder gezackten linsenförmigen Stahl- cheiben eignet sich zum Stoppelschälen und erkleinern grober Schollen. Die *Federzahn- .* hat biegsame Zinken, bei der *Walzen-E.*

sitzen die Zinken auf Hohlwalzen. 2) [nie- derd., ›Ecke‹], die Gewebekante, Selfkante, Tuch- oder Salleiste, der Webrand. Das **Eggenband, Eckenband**, ein schmales Band mit Leinenkette und Baumwollschuß, ver- hindert das Verziehen der Kanten in An- zügen und Mänteln.

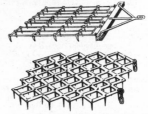

Egge: oben Gelenk-E., unten starre E.

'**Egge** *die*, nordsüdlich streichender Höhen- zug in Westfalen, mit starkem Ost-, flachem Westabfall, bewaldeter Kreideschichtkamm, im Völmerstod 468 m hoch.

'**Egge**, Peter, norweg. Schriftsteller, * Dront- heim 1. 4. 1869, † Oslo 15. 7. 1959, gab die Welt des Bauern und Bürgers seiner Heimat Tröndelag wieder. Sein Thema war der einsame, selbständige, wahrheitsliebende Mensch.
Werke. Dramen: Das Idyll (1910; dt. 1911), Die Geige (1912; dt. 1913), Narren (1917; dt. 1918), ferner Lustspiele, Novellen, Erinnerungen.

'**Eggebrecht**, Axel, Schriftsteller, * Leipzig 10. 1. 1899; Erzähler, Essayist, Film- und Hörspielautor, schrieb eine Gesch. der Welt- literatur (1948), die Chronik eines Berliner Hauses 1930–34 ›Volk ans Gewehr‹ (1959).

'**Eggenburg**, Stadt in Niederösterreich, östl. des Manhartsbergs, mit (1971) 3700 Ew., hat alte Mauern und Türme, roman.-spätgot. Kirche, Sgraffitohaus (1547), geolog.-prä- histor.-volkskundl. Museum.

'**Eggenf'elden**, Stadt im Kreis Rottal/Inn, Niederbayern, an der Rott, (1976) 9100 Ew;. Landwirtschaftsschule, Pfarrkirche (15.Jh.); Schuh- und Bekleidungsindustrie, Säge- werke, Tonwerk, Schokoladenfabrik.

'**Eggental**, ital. **Val d'Ega**, linkes Nebental des Eisack in Südtirol, mündet bei Kardaun oberhalb Bozen; wird von den Dolomiten- straße durchzogen.

'**Egger-Lienz**, Albin, Maler, * Striebach bei Lienz 29. 1. 1868, † Zwölfmalgreien bei Bo- zen 4. 11. 1926, malte, von Hodler beein- flußt, Bilder aus dem Bauernleben und der Geschichte Tirols.
Lit. H. Hammer: A. E. (Innsbruck 1930).

Eggheads [ˈeghedz], »Eierköpfe«, im USA volkstüml. Bezeichnung für Intellek- tuelle, bes. auch für die Berater Präsident Kennedys.

'**Eggischhorn, Eggishorn**, 2927 m hoher Aus- sichtsberg am Südrand des Berner Ober- landes.

'**Eggjumstein**, das umfangreichste Denkmal mit älteren Runen (192 Zeichen, 8. Jh.), gefunden auf dem Gehöft Eggjum in S-Norwegen.

Eggleston ['eglstən], Edward, amerikan. Schriftsteller, * Vevay (Indiana) 10. 12. 1837, † Joshua's Rock, Lake George (New York) 2. 9. 1902, war methodist. Prediger, Gründer der ›Church of the Christian Endeavour‹; schrieb Romane.
WERKE. The Hoosier schoolmaster (1871; dt. 1877), The end of the world (1872), The mystery of Metropolisville (1873), Roxy (1878).
LIT. W. P. Randel: E. E. (N. Y. 1946).

Egg-shell porcelain ['egʃel p'ɔ:slin], →Eierschalenporzellan.

'**Eggmühl**, Gemeinde im Kr. Regensburg, bayr. Regbez. Oberpfalz, südöstl. von Regensburg, mit (1976) 900 Ew. Hier schlug Napoleon I. am 22. 4. 1809 die Österreicher unter Erzherzog Karl.

Eg'idii, Egidientag, der 1. September, Tag des hl. →Ägidius.

'**Egill**, früheste Verkörperung des Meisterschützen Bruder Wielands im *Völundlied*. In der Thidrekssaga ist die Geschichte vom Apfel, den er vom Haupt seines Sohnes schießen muß, überliefert. Später wurde die Sage auf Wilhelm Tell übertragen.

'**Egill Sk'allagrimsson**, isländ. Dichter des 10. Jhs. Sein abenteuerreiches Leben schildert die **Egilssaga** aus dem 13. Jh., hg. v. F. Jónsson (²1924; dt. v. Niedner, ²1923).

'**Egilsson**, Sveinbjörn, isländ. Sprachforscher und Lehrer, * Innri-Njardvik 24. 2. 1791, † Reykjavik 17. 8. 1852, gehörte zu den Stiftern der Isländ. Literaturgesellschaft (1816) sowie der Königl. nordischen antiquarischen Gesellschaft (1825).
WERK. Lexicon poëticum antiquae linguae septentrionalis (1854–60, neu hg. 1916 mit Biograph.).

Egin'etico, Cornante, ital. Dichter, →Frugoni.

'**Eginhard**, Nebenform von →Eckard.

'**Egisheim**, franz. Eguisheim, Städtchen im Oberelsaß, franz. Dep. Haut-Rhin, hat bedeutenden Weinbau. Fachwerkhäuser (16. und 17. Jh.). Über E. liegen am Vogesenrand die **Drei Exen**, die Burgruine von Hohen- oder Dreienegisheim mit den Türmen Weckmund, Wahlenburg und Dagsburg. Pfalz aus der Stauferzeit (1466 zerstört).

Egk, Werner, Komponist, * Auchsesheim (Bayern) 17. 5. 1901, war 1936–40 Dirigent an der Staatsoper Berlin, 1941–45 Leiter der Fachschaft Komponisten, 1950–52 Direktor der Musikhochschule Berlin. Er verbindet in seinen Werken bajuwarisch-volkstüml. Melodik mit einer an Strawinsky und den neueren Franzosen geschulten Harmonik und Instrumentation.
WERKE. Opern: Die Zaubergeige (1935), Peer Gynt (1938), Columbus (1942), Circe (1948), Irische Legende (1955), Der Revisor (1957), Die Verlobung in San Domingo (nach H. v. Kleist; 1963); Siebzehn Tage und vier Minuten (1966); Ballette: Joan von Zarissa (1940), Abraxas (1948), Die chinesische Nachtigall (1953); Orchester- und Konzertwerke.

EGKS, die Europ. Gemeinschaft für Kohle und Stahl, →Montanunion.

Eglantine [eglãtin, frz.], die wilde Rose; Hundsrose, auch die gelbe Rose.

Église [egli:z, frz.] *die*, Kirche. **É. du désert** [dy dezɛ:r], Kirche der Wüste, Religionsgemeinschaft der →Hugenotten Frankreichs. **É. libre** [libr], →Freikirche.

Eglomisé, eine Art der →Hinterglasmalerei nach dem Pariser Kunsthändler J. B. Glomy (Ende des 18. Jhs.).

eGmbH, Abk. für eingetragene Genossenschaft mit beschränkter Haftpflicht. →Genossenschaft.

'**Egmond aan Zee**, Seebad westlich Alkmaar in Nordholland, mit rd. 8000 Ew., einst Stammsitz der Grafen v. E.

Graf von Egmont

'**Egmont**, Egmond, Lamoral, Graf von, Fürst von Gavre, * Schloß La Hamaid (Hennegau) 18. 11. 1522, † Brüssel 5. 6. 1568, war Statthalter von Flandern und Artois. Mit Wilhelm von Oranien und Graf Hoorn trat er an die Spitze der Adelsopposition gegen die span. Verwaltung der Niederlande. Als die Unruhen zum offenen Aufstand wurden (1566), zog sich E. zurück, dennoch wurde er von Alba am 9. 9. 156. verhaftet und mit Hoorn hingerichtet. Trauerspiel von Goethe (1788; ungeschichtlich), dazu Bühnenmusik von Beethoven (1810).
LIT. Ch. v. d. Bavay: Le procès du Comte d'E. (Brüssel 1854).

Egmont, Mount [maunt 'egmənt], 2518 m

hoher, schneebedeckter Trachytvulkan an der W-Küste der Nordinsel Neuseelands mit regelmäßiger Kegelform, 1770 von Cook entdeckt.

eGmuH, Abk. für eingetragene Genossenschaft mit unbeschränkter Haftpflicht, →Genossenschaft.

Egn'atische Straße, lat. Via Egnatia, Römerstraße von Dyrrhachium (Durazzo) an der Adria über Thessalonike (Saloniki) nach Byzanz, gebaut 146 v. Chr. als östliche Fortsetzung der Appischen Straße.

Ego'ismus [aus lat. ego ›ich‹; Gottschedzeit], **Selbstsucht,** die nur auf Wahrung eigenen Vorteils und Interesses gerichtete Gesinnung oder Willenshaltung. Die biologisch bedingte Vorform des E. ist die Tendenz zur Selbsterhaltung (Selbsterhaltungstrieb) und zur Erhaltung der Art (→Instinkt). Die klass. Nationalökonomie (A. Smith, Ricardo) sah im E. *(self-interest)* den Antrieb alles wirtschaftl. Handelns und die Voraussetzung für den wirtschaftl. Fortschritt des Ganzen. Einige Richtungen der Moralphilosophie und Gesellschaftslehre haben alles gesellschaftl. Verhalten, auch das Gemeinschaftsleben und die Sittlichkeit, auf den E. zurückzuführen versucht (Epikur, Hobbes, Mandeville, Helvetius, Holbach). M. Stirner gründete sein gesamtes philos. System auf den E. Das Problem des berechtigten (»wohlverstandenen«) E. hat die Ethik vielfach beschäftigt. Gegensatz: Altruismus.

'Egon [Kurzform zu den mit Egin... gebildeten Namen], männl. Vorname.

Egot'ismus [von lat. ego ›ich‹], Eigenliebe, die Neigung, das Gefühl für die eigene Person zu pflegen.

Egoutteur [egutœ:r, franz.] *der,* **Vorpreßwalze,** mit einem feinen Sieb überzogene hohle Walze auf der Siebpartie der Papiermaschine; dient zum groben Auspressen der Papierstoffbahn, auch zum Einpressen der Wasserzeichen.

egoz'entrisch [von lat. ego ›ich‹ und centrum ›Mittelpunkt‹], das eigene Ich in den Mittelpunkt stellend, ich bezogen.

Egren'ierung [franz.], Entkörnung der Baumwolle; geschieht mit der *Egreniermaschine.*

'Egtved, dän. Dorf bei Vejle (Jütland), Fundort eines eichenen Baumsargs mit der Leiche einer jungen Frau aus der älteren Bronzezeit mit blondem, über der Stirn kurz geschnittenem Haar, bekleidet mit kurzer Jacke mit halben Ärmeln und einem aus Schnüren gewirkten, bis zum Knie reichenden Rock.

Egúren, José Maria, peruan. Lyriker, * Lima 8. 7. 1882, † das. 19. 2. 1942, schrieb Gedichte, in denen sich Einflüsse der span. Klassik und des französ. Symbolismus mit denen des ›creacionismo‹ verbinden.

Egyptienne [eʒipsjen, frz.], eine Antiquaschrift, →Schriften.

e. h., ehrenhalber, →Doktor.

'Ehard, Hans, Politiker (CSU), * Bamberg 10. 11. 1887, Jurist, gehörte bis 1933 der Bayer. Volkspartei an, war 1925–28 im Reichs-, dann im bayer. Justizministerium, 1933–45 Senatspräs. am OLdGer. München. Als Mitglied der CSU wurde er 1945 Staatssekr. im bayer. Justizministerium, war 1946 bis 1954 und 1960–62 MinPräs. von Bayern, 1949–54 Landesvorsitzender der CSU, Dez. 1954 bis Jan. 1960 Landtagspräsident, 1962 bis 1966 bayer. Justizminister.

eh bien [e: bjɛ̃:, franz.], **1)** nun? **2)** gut denn.

Ehe [ahd. ewe ›Gesetz‹], die auf Dauer angelegte Verbindung zweier (Monogamie) oder mehrerer Menschen (Polygamie) verschiedenen Geschlechts zu einer Gemeinschaft und sexueller Grundlage. Im allgemeinen wird durch die Zeugung von Kindern eine Familie begründet. Die E. wird überall und zu allen geschichtlich erfaßbaren Zeiten durch gesellschaftl., religiöse und, nach Entstehung staatl. Lebens, auch durch weltlich-rechtl. Formen geregelt. Die Institution der E. als Keimzelle der Familie, die wiederum Keimzelle des Staates ist, erfüllt wirtschaftl., politische und soziale Funktionen, die durch die jeweilige Gesellschaftsstruktur bedingt sind.

Die Partnerwahl bewegt sich in ständisch gebundenen Gesellschaftsordnungen in einem Kreis sozial nahestehender Personen. Sie ist, bis in die Gegenwart, oft durch Rang- und Besitzgesichtspunkte bestimmt. In gesellschaftl. Verhältnissen mit stärkerer Mobilität pflegt die Partnerwahl im wesentl. Sache des einzelnen zu werden. Doch ist in vielen sozialen Schichten das Mitspracherecht der Eltern oder der Verwandten noch wirksam. Die Fähigkeit, eine Familie wirtschaftlich zu erhalten, macht sich als Bedingung der Eheschließung geltend. Die Häufigkeit der Eheschließungen ist daher im großen auch von der wirtschaftl. Gesamtentwicklung abhängig. Beim Scheitern der E. ist im Gesetz fast überall die Möglichkeit der →Ehescheidung vorgesehen.

Der bis heute geltende Begriff der E. wird zunehmend relativiert und als ein Wertbegriff betrachtet, der auf Grund einer historisch, wirtschaftlich und kulturell besonderen Entwicklung der E. zu einem universalen Ehebegriff umgedeutet wurde. Die Idealvorstellung von der monogamen unauflöslichen E., zu deren Wesen der Wille zum Kind gehört, gerät immer mehr in Widerspruch zu den offenbaren Auflösungserscheinungen der Ehe. Zu diesen Auflösungserscheinungen der E. hat die zunehmende Befreiung der Sexualität beigetragen, die jahrhundertelang nicht zuletzt infolge der Sexualfeindlichkeit der Kirche als reines Mittel zur Fortpflanzung verstanden wurde, sowie die fortschreitende Emanzipation der Frau, deren wirtschaftliche Unabhängigkeit die Bedeutung der E. als Schutz- und Versorgungsinstitution mindert.

Bei den Naturvölkern und im Orient gibt es als Eheformen neben der Einehe *(Monogamie)* die Mehrehe *(Polygamie),* und zwar als Verbindung eines Mannes mit mehreren

Ehe

Eheschließungen und Ehescheidungen in der Bundesrepublik Dtl.

Jahr	Ehe-schlie-ßungen	Ehe-schei-dungen	Jahr	Ehe-schlie-ßungen	Ehe-schei-dungen
				auf 1000 Ew.	
1963	507 644	50 833	1963	8,8	0,88
1964	506 182	55 698	1964	8,7	0,95
1965	492 128	58 718	1965	8,3	1,00
1966	484 562	58 730	1966	8,1	0,98
1967	483 101	62 835	1967	8,1	1,05
1968	444 150	65 264	1968	7,4	1,08
1969	446 586	72 300	1969	7,3	1,19
1970	444 510	76 520	1970	7,3	1,26
1971	432 030	80 444	1971	7,0	1,31
1972	415 132	86 614	1972	6,7	1,40
1973	394 603	90 164	1973	6,4	1,45
1974	377 119	98 584	1974	6,1	1,59
1975	386 681	106 829	1975	6,3	1,73
1976	365 620	...	1976	5,9	...

Frauen (Polygynie) oder einer Frau mit mehreren Männern (Polyandrie). Dabei sind zuweilen noch Hauptehe von Nebenehe zu trennen. Eine völlige Freiheit von ehel. Bindungen (Promiskuität) hat man nirgends feststellen können. Blutsverwandtschaft in unserem Sinne bildet nicht notwendigerweise ein Ehehindernis; streng beachtet werden jeweils die Sitten, nach denen die E. nur innerhalb des Stammes oder der Sippe (Endogamie) oder nur außerhalb der eigenen Verwandtschafts- oder Totemgruppe (Exogamie) geschlossen werden darf. Nach dem Zustandekommen der Ehe kann man unterscheiden: die Raubehe, bei der die Frau geraubt, die Kaufehe, bei der sie gekauft, und die E., bei der sie durch Arbeit bei den Eltern der Frau erdient wird.

Religiöse Bedeutung der E. Nach der katholischen Lehre baut die christl. E. auf den Begriff der Naturehe auf. Diese ist eine unauflösl. und ausschließl. Gemeinschaft zwischen einem Mann und einer Frau mit dem Ziel der Kindererzeugung; sie beruht auf dem Konsens (lat. ›Willenseinigung‹). Der Vertragsakt ist zwischen Getauften notwendig auch ein Sakrament (Eph. 5, 25 bis 32). Einheit und Unauflöslichkeit sind naturrechtl. Eigenschaften, die im Alten Bund abgeschwächt waren, aber durch Christus für alle E., nicht bloß für die christl., wiederhergestellt worden sind. Die E. kommt nicht zustande, wenn dem Konsens eine dieser beiden Eigenschaften oder die Kindererzeugung ausgeschlossen werden; jedoch erkennt die Kirche die Josephsehe, bei der auf die Ausübung des ehel. Verkehrs von vornherein verzichtet wird, und die in Anlehnung an die nach kath. Lehre nicht vollzogene E. zwischen Maria und Joseph so heißt, als gültige E. an. Moraltheologisch lehnt die kath. K. die künstliche Geburtenbeschränkung als schwer sündhaft ab; daneben unterstreicht sie unter Ablehnung der Ehescheidung die lebens-längl. Bindung der Ehegatten aneinander· Über die Höherbewertung der Ehelosigkeit gegenüber der E. →Vollkommenheit.

Nach evang. Auffassung ist die E. mit der Schöpfung zugleich von Gott gestiftet. Hierauf wird von Christus verwiesen, und damit wird die christl. über die weltlichen Eheauffassungen einschließl. der des A. T. hinausgehoben. Sie umschließt als selbstverständliche Forderung die Unauflöslichkeit der E., die Einehe und die volle Ebenbürtigkeit der Frau. Nach evangel. Auffassung besteht das Wesen der E. in einer Verbindung des Institutionellen und des Sittlich-Religiösen. Die E. wird ebenso gefährdet durch eine einseitige Betonung der sinnlich-seelischen Gemeinschaft der Liebenden ohne Anerkennung der verpflichtenden Kraft der Institution wie umgekehrt durch die bloße Auffassung der E. als äußerer Ordnung ohne die Heiligung der Liebe in der gemeinsamen Verantwortung vor Gott.

Ehelosigkeit ist nach evang. Auffassung kein höherer Stand. Reinheit und Keuschheit des Herzens können in der E. und ohne E. bewahrt werden. In der Ehelosigkeit kann ein besonderer Segen liegen, vor allem, wenn sie größere Freiheit gibt für den Dienst in Beruf und Kirche oder wenn sie durch die gläubige Bejahung der göttl. Führung zu einer Vertiefung führt, die dem Stande der Ehelosigkeit eine heilende Funktion im Gemeinschaftsleben geben kann.

Nach Auffassung der Reformatoren ist die E. als Institution eine natürliche, weltliche Ordnung. Die Kirche kann die staatl. Ehegesetzgebung anerkennen, soweit sie nicht das Wesen der Ehe als Ordnung und die sich hieraus ergebenden Grundforderungen verletzt. Nach Einführung der Zivilehe, gegen die die evang. Kirche keine Einwendungen hat, ist die kirchl. Trauung eine einfache heilige Handlung im Sinne eines vor Gott und der Gemeinde abgelegten Treuerversprechens mit religiöser Bekräftigung durch die kirchl. Segnung und Fürbitte. Wegen der Heiligkeit der E. sind die Glieder der Kirche verpflichtet, für ihre E. um den Segen der Trauung nachzusuchen.

→Eherecht, ferner →eheliches Güterrecht.

Lit. Th. H. van de Velde: Die vollkommene E. (^{77}1967); J. u. R. Christopher: Design for modern marriage (1962); Th. Bovet: Die Ehe. Ein Handbuch für Eheleute. (3. Fassg. 1974). Ehepraxis Bd. 2 (1972); B. Häring: E. in unserer Zeit (Studia theologiae moralis et pastoralis Bd. 4; 1960); U. Moser: Psychologie u. Partnerwahl (1957); E. Chesser: Die befreite E. (^{5}1958); J. Fischer: Die Lebensalter der E. (E. und Elternschaft Bd. 2; neu 1965); E. A. Westermarck: The history of human marriage, 3 Bde. (London ^{5}1925); Cl. Lévi-Strauß: Les formes élémentaires de la parenté (1949); W. Reich: Die sexuelle Revolution (1936; ^{8}1971); H. Marcuse: Triebstruktur und Gesellschaft (1968, 1973).

'**Eheberatungsstelle,** Einrichtung zur Beratung von Eheleuten z. B. in zerrütteten Ehen, häufig auch zur Vorbereitung von Verlobten auf die Ehe.

'**Ehebetrug, Eheerschleichung,** die arglistige Verschweigung eines Ehehindernisses bei Eingehung einer Ehe oder die arglistige Verleitung des anderen Teils zur Eheschließung; wurde bis 1.1. 1975 nach § 170 StGB bestraft. In *Österreich* strafbar nach § 193 StGB, während der Tatbestand dem *schweizer.* Recht fremd ist.

'**Ehebruch,** außerehelicher Geschlechtsverkehr eines Ehegatten; er berechtigte den andern Gatten zur Scheidung (§ 42 Eheges., seit 1. 7. 1977 außer Kraft gesetzt; →Ehescheidung). Nach § 172 StGB (seit 1. 9. 1969 aufgehoben) wurde der E., wenn seinetwegen die Ehe geschieden ist, auf Antrag an dem schuldigen Ehegatten sowie dessen Mitschuldigem auf Antrag bestraft. Ähnlich in der *Schweiz* (Art. 214 StGB). In *Österreich* ist eine Bestrafung auch ohne vorherige Scheidung möglich (§ 194 StGB).

'**Ehefähigkeitszeugnis,** das von Ausländern bei der Eheschließung geforderte Zeugnis einer Behörde ihres Heimatlandes, daß ein in den Gesetzen des Heimatlandes begründetes Ehehindernis nicht besteht (§ 10 Eheges.).

'**Ehegattenbesteuerung,** die Besteuerung der Einkünfte von Ehegatten in der Einkommensteuer. Durch das Bundesverfassungsgericht wurde am 17. 1. 1957 die Zusammenveranlagung der Ehegatten (§ 26 EStG) wegen der Benachteiligung der Familien, in denen beide Ehegatten verdienen, für verfassungswidrig erklärt. Die daraufhin ergangene Übergangslösung sah getrennte Veranlagung der Ehegatten vor (rückwirkend bis 1949). Mit dem Gesetz v. 18. 7. 1958 wurde grundsätzlich ein Splittingsystem (→Splitting) eingeführt, bei dem das Gesamteinkommen der Ehegatten nach Abzug von Freibeträgen halbiert wird und die sich dann ergebende Steuer verdoppelt wird.

'**Ehehindernis,** →Eherecht, Eheverbote.

'**eheliches Güterrecht,** die Regelung der vermögensrechtl. Wirkungen der Ehe. Falls die Ehegatten keinen →Ehevertrag abgeschlossen haben, gilt als gesetzl. Güterstand ab 1. 7. 1958 die *Zugewinngemeinschaft* (Gleichberechtigungsgesetz v. 18. 6. 1957, § 1363 ff. BGB): für das in die Ehe eingebrachte Gut gilt der Grundsatz der Gütertrennung, jeder Ehegatte kann sein Vermögen selbständig verwalten und nutzen. Bei Verfügungen über das ganze Vermögen eines Ehegatten oder bei Verfügungen über Gegenstände des ehel. Haushalts ist jedoch die Zustimmung des anderen Ehegatten erforderlich. Der Erwerb während der Ehe (Zugewinn) bleibt gleichfalls Eigentum des erwerbenden Ehegatten, jedoch hat jeder Ehegatte bei Aufhebung der Zugewinngemeinschaft (z. B. bei Scheidung oder Aufhebung der Ehe, bei gerichtl. Urteil auf vorzeitigen Ausgleich des Zugewinns oder bei Abschluß eines Ehevertrags) einen Anspruch auf Teilung des Zugewinns zu gleichen Teilen. Bei Tod eines Ehegatten wird der Zugewinn schematisch durch Erhöhung des gesetzl. Erbteils des überlebenden Ehegatten um $^1/_4$ der Erbschaft ausgeglichen (→Erbfolge), auch wenn im einzelnen Fall kein Zugewinn erzielt wurde. Wird der überlebende Ehegatte nicht Erbe, z. B. bei Ausschlagung der Erbschaft, so kann er den Ausgleich des Zugewinns verlangen. – Bis zum 30. 6. 1958 galt als gesetzl. Güterstand der Grundsatz der *Gütertrennung* (seit 1. 4. 1953): durch Erklärung gegenüber dem Amtsgericht (bis zum 30. 6. 1958) konnte die Gütertrennung auch weiterhin beibehalten werden. Vor dem 1. 4. 1953 hatte der Mann die Verwaltung und Nutznießung des »eingebrachten Gutes« der Frau; ausgenommen von diesem Recht des Mannes war das Vorbehaltsgut der Frau (z. B. für den persönl. Gebrauch bestimmte Sachen, Arbeitserwerb während der Ehe).

Als *vertragsmäßige Güterstände* regelt das BGB ab 1. 7. 1958 nur die *Gütertrennung*, bei der die güterrechtl. Verhältnisse der Ehegatten durch die Eheschließung nicht berührt werden, und die *Gütergemeinschaft.* Hierbei wird das gesamte gegenwärtige und zukünftige Vermögen der Ehegatten gemeinschaftliches Vermögen (Gesamtgut). Das Gesamtgut kann durch den Mann, durch die Frau oder gemeinschaftlich verwaltet werden (bis zum 30. 6. 1958 wurde es durch den Mann verwaltet). Daneben kann jeder Ehegatte Sondergut und Vorbehaltsgut besitzen. Die Güterstände der *Errungenschaftsgemeinschaft,* bei der das eingebrachte Gut rechtlich getrennt blieb und der Erwerb während der Ehe Gesamtgut unter der Verwaltung des Mannes wurde, und der *Fahrnisgemeinschaft,* bei der das bei Eintritt des Güterstandes vorhandene unbewegliche Vermögen getrennt blieb und das vorhandene bewegliche Vermögen und der spätere Erwerb Gesamtgut unter der Verwaltung des Mannes wurde, sind in der Neufassung des BGB nicht mehr geregelt. Soweit diese

Güterstände in bestehenden Ehen vereinbart sind, können sie auch weiterhin beibehalten werden.

In *Österreich* gilt als gesetzl. Güterstand die *Gütertrennung*, andere Güterstände können jedoch vereinbart werden. In der *Schweiz* gilt, soweit kein Ehevertrag geschlossen wurde, die *Güterverbindung*, bei der das Eigentum am Mannes- und Frauengut getrennt bleibt, die Verwaltung und Nutzung jedoch dem Mann zusteht (Art. 178 bis 251 ZGB).

'**Ehelichkeit**, eheliche Abstammung. Ein Kind ist ehelich, wenn es nach der Eheschließung geboren, vor Beendigung der Ehe empfangen worden ist und der Mann innerhalb der Empfängniszeit (181.–302. Tag vor der Geburt) der Frau beigewohnt hat. Das Kind gilt als nicht ehelich, wenn es den Umständen nach offenbar unmöglich ist, daß die Frau es von dem Ehemann empfangen hat. Die E. kann vom Mann binnen 2 Jahren (persönlich, nicht durch einen Vertreter), angefochten werden, in Ausnahmefällen auch später (§ 1591 ff. BGB). Ähnlich in *Österreich* (§§ 138, 156 ff. ABGB) und in der *Schweiz* (Art. 252 ff. ZGB).

'**Ehelichkeitserklärung**, →Legitimation.

'**Ehelosigkeit**, Eheverbot für Priester, →Zölibat.

'**Ehemündigkeit**, →Eherecht.

'**Eheprozeß**, das zivilprozessuale Verfahren in Ehesachen (§ 606 ff. ZPO). Die Abweichungen des E. vom normalen Zivilprozeß beruhen auf dem Interesse des Staates am Bestand der Ehe.

Daher kann das Gericht auch von den Parteien nicht vorgebrachte Tatsachen berücksichtigen, die der Aufrechterhaltung der Ehe günstig sind, bei der Nichtigkeits- und Feststellungsklage alle Tatsachen, die für die Entscheidung von Bedeutung sind. Das Parteiverhalten, bes. Geständnis und Anerkenntnis, haben keine gesetzlich vorgeschriebene Wirkung auf die Entscheidung. Zuständig für Ehesachen ist nach dem seit 1. 7. 1977 geltenden Ehe- und Familienrecht das *Familiengericht*, in dessen Bezirk die Ehegatten ihren Wohnsitz haben (§ 606 ZPO). Der Scheidungs- und Herstellungsklage hatte – von Ausnahmefällen, bes. der vorauszusehenden Erfolglosigkeit, abgesehen – ein *Sühneversuch* vorherzugehen, den der Kläger beim Prozeßgericht zu beantragen hat und zu dem beide Parteien erscheinen sollen. In Ehesachen konnte (bis 30. 6. 1977) das Gericht auf Antrag durch einstweilige Anordnung das Getrenntleben der Ehegatten gestatten, die Unterhaltspflicht zwischen ihnen und das Verhältnis zu den Kindern, sowie die Benutzung von Wohnung und Hausrat regeln und einen Unterhaltsanspruch auch für die Zeit nach der Rechtskraft des Urteils vorläufig festsetzen. Die Scheidungsklage wegen Verschuldens ist mit dem ab 1. 7. 1977 geltenden Scheidungsrecht entfallen. Eine Scheidung kann nur bei Scheitern (§ 1565 I BGB) der

Ehe beantragt werden (§§ 622 ff.). Beide Ehegatten sollen zur Verhandlung erscheinen, nur im Falle der Verhinderung oder zu großer räumlicher Entfernung kann der betreffende Ehegatte durch einen ersuchten Richter vernommen werden. Die Aussetzung des Verfahrens aus zweckmäßigen Gründen darf nur einmal wiederholt werden. Die Kosten werden seit 1. 7. 1977 zwischen den Ehegatten geteilt.

In der *DDR* ist die Zuständigkeit für Ehesachen seit 1. 4. 1970 auf die Amts-, seit 1952 auf die Kreisgerichte übertragen worden (VO. v. 21. 12. 1948). Sie entscheiden in vereinfachtem Verfahren unter Zuziehung von *Eheschöffen*, sofern die Parteien nicht auf sie verzichten.

In *Österreich* ist der E. ähnlich geregelt. In der *Schweiz* greifen in das kantonalrechtlich geordnete Scheidungsverfahren einige bundesrechtl. Vorschriften (ZGB Art. 158) ein. Tatsachen zur Begründung des Scheidungsanspruches gelten auch bei Anerkennung durch die Gegenpartei als bestritten und sind somit zu beweisen. Verschiedentlich ist ein Sühneversuch vorgeschrieben.

LIT. H. Link: Ehe- und Familienrecht (⁵1977).

'**Eherecht**, die staatlichen und kirchl. Rechtsbestimmungen über die Ehe. 1) *staatliches Eherecht*. Eine gültige Ehe kann nur vor einem Standesbeamten geschlossen werden (obligatorische Zivilehe; Ehegesetz v. 20. 2. 1946); die kirchl. Trauung hat keine bürgerlich-rechtl. Wirkung und darf erst nach der standesamtlichen erfolgen. Aus einem Verlöbnis kann nicht auf Eingehung der Ehe geklagt werden. Die *Ehemündigkeit* beginnt (seit 1. 1. 1975) mit 18 Jahren, auf Antrag kann sie auf das vollendete 16. Lebensjahr herabgesetzt werden, wenn ein Ehegatte volljährig ist. Minderjährige oder beschränkt Geschäftsfähige bedürfen zur Eheschließung der Einwilligung ihres gesetzl. Vertreters. Der Eheschließung soll ein →Aufgebot vorangehen.

Eheverbote (Ehehindernisse) sind (seit 1. 7. 1977): 1) Verwandtschaft und Schwägerschaft: Eine Ehe darf nicht geschlossen werden zwischen Verwandten in gerader Linie, zwischen vollbürtigen und halbbürtigen Geschwistern sowie zwischen Verschwägerten in gerader Linie. Dies gilt auch, wenn das Verwandtschaftsverhältnis durch Annahme als Kind erloschen ist. 2) Annahme als Kind: Zwischen Personen, deren Verwandtschaft oder Schwägerschaft durch Annahme als Kind gegründet worden ist, soll keine Ehe geschlossen werden. (Dies gilt nicht, wenn das Annahmeverhältnis aufgelöst worden ist.) Vom Eheverbot wegen Schwägerschaft kann im Fall von 1) und 2) Befreiung erteilt werden. 3) Doppelehe: Niemand darf eine Ehe eingehen, bevor seine frühere Ehe für nichtig erklärt oder aufgelöst worden ist. 4) Wartezeit: Eine Frau soll nicht vor Ablauf von 10 Monaten nach der Auflösung ihrer früheren

:he eine neue eingehen (Befreiung möglich).) Fehlen eines vormundschaftsgerichtlichen Zeugnisses über die vermögensrechtliche Auseinandersetzung mit den Kindern aus einer früheren Ehe. 6) Das Fehlen eines :hefähigkeitszeugnisses für Ausländer (Befreiung möglich). Das Eheverbot des Ehebruchs ist seit dem 1. 7. 1977 aufgehoben.

Nichtig ist eine Ehe 1) bei Verletzung wesentlicher Formerfordernisse; 2) bei Geschäftsunfähigkeit, Bewußtlosigkeit oder vorübergehender Störung der Geistestätigkeit zur Zeit der Eheschließung; 3) bei vorliegen trennender Ehehindernisse (Doppelehe, Verwandtschaft, Schwägerschaft). Neben der Nichtigkeit, bei der von Anfang an keine Ehe vorhanden ist, kennt das Ehe-.es. die *Aufhebung der Ehe (Aufhebungslage)*. Aufhebungsgründe sind: mangelnde Einwilligung des gesetzl. Vertreters bei Minderjährigen; Irrtum über die Eheschließung der die Person des Ehegatten; Irrtum über persönliche Eigenschaften; arglistige Täuschung durch den anderen; Abschluß der Ehe unter schwerer Drohung. Bei Rückkehr eines fälschlich für tot erklärten Ehegatten kann der wiederverheiratete Ehegatte die Aufhebung der neuen Ehe begehren. Die Aufhebungsklage kann nur innen Jahresfrist geltend gemacht werden. Eine *Auflösung* der Ehe ist die →Ehescheidung.

Wirkungen der Ehe (§ 1353 ff. BGB): Die :he wird auf Lebenszeit geschlossen. Die :hegatten sind einander zur ehel. Lebensgemeinschaft verpflichtet; aber nicht mehr, wenn die Ehe gescheitert ist. Die Ehe-.atten führen einen gemeinsamen Familiennamen (Ehenamen). Zum Ehenamen können die Ehegatten bei der Eheschließung den Geburtsnamen des Mannes oder den der Frau bestimmen. Die Ehegatten sind verpflichtet, durch ihre Arbeit und mit ihrem Vermögen die Familie angemessen zu unterhalten. Ist einem Ehegatten die Haushaltsführung überlassen, so erfüllt er seine Verpflichtung, durch Arbeit zum Unterhalt der Familie beizutragen, in der Regel durch die Führung des Haushalts, den er in eigener Verantwortung leitet. Beide Ehegatten sind berechtigt, erwerbstätig zu sein. Bei der Wahl und Ausübung einer Erwerbstätigkeit haben sie auf die Belange des anderen Ehegatten und der Familie die gebotene Rücksicht zu nehmen. Jeder Ehegatte ist berechtigt, Geschäfte zur Deckung des Lebensbedarfs der Familie auch für den anderen Ehegatten zu besorgen. Über die vermögensrechtl. Beziehungen der Ehegatten →eheliches Güterrecht.

In *Österreich* wurde 1938 das dt. Eherecht eingeführt und nach 1945 mit geringen Änderungen beibehalten. In der *Schweiz* (Art. 131–158 ZGB) ist der Mann bereits mit 20 Jahren, mit Zustimmung der Kantonsregierung mit 18 Jahren ehefähig; die Frau mit 17 Jahren. Das Ehehindernis der Verwandtschaft besteht auch zwischen Onkel und Nichte, Tante und Neffe, eine Befreiung vom Ehehindernis der Schwägerschaft ist nicht möglich. Ein Ehehindernis des Ehebruchs besteht nicht, jedoch kann bei der Scheidung ein Eheverbot bis zu 3 Jahren auferlegt werden.

2) kirchliches Eherecht. Nach katholischer Lehre ist die Ehe ein Sakrament und nur durch die kirchliche Trauung gültig (cc. 1012 bis 1143 CIC). Die Eheschließung wird durch Brautexamen, Aufgebot und Brautunterricht vorbereitet, während das Verlöbnis kirchlich belanglos ist. Die Befreiung von Ehehindernissen *(Dispens)* steht dem Papst zu, jedoch haben die Ortsordinarien stets und die Seelsorger im Notfall Dispens-Vollmacht. Von den trennenden Ehehindernissen sind besonders wichtig das geschlechtliche Unvermögen (Dispens unmöglich), das schon bestehende Eheband (Dispens unmöglich) und die Weihe vom Subdiakonat an aufwärts (Dispens von der Priesterweihe selten, von der Bischofsweihe nie). Die Formvorschriften des CIC, die die Eheschließung vor dem zuständigen Pfarrer und 2 Zeugen vorschreiben, gehen auf das Tridentinum zurück (1563 Dekret ›Tametsi‹). Alle Eheschließungen, bei denen wenigstens ein Partner Katholik ist oder war, sind bei Verletzung der Formvorschrift ungültig. Eine rückwirkende Gültigerklärung *(Sanatio in radice)* ist dem Hl. Stuhl vorbehalten. Eine Ungültigerklärung kann im Eheprozeß angestrebt werden. – Nach evangelischer Lehre ist die Ehe kein Sakrament, sondern »ein äußerlich weltlich Ding, weltlicher Obrigkeit unterworfen« (Luther). Erwartet wird aber religiöse Besiegelung durch die kirchl. Trauung (→Ehe).

'ehern [verwandt mit Erz], **1)** D aus Erz; eisern; **2)** hart, undurchbrechbar.

'Eherne Schlange, unter Hiskia aus Jerusalem entferntes heilkräftiges Schlangenbild (2. Kön. 18, 4), nach 4. Mos. 21, 9 (Joh. 3, 14) von Moses hergestellt.

'ehernes Lohngesetz, von Lassalle geprägter Ausdruck für die Theorie, daß der Lohn nie über die Kosten des Existenzminimums steigen könne.

'Ehescheidung, die Auflösung einer Ehe. Das Ehegesetz (§ 41ff.) war gültig bis zum 30. 6. 1977. Ermöglichte die Scheidung wegen Verschuldens und die Scheidung aus anderen Gründen. Das seit dem 1. 7. 1977 geltende Familienrecht (§ 1564ff. BGB) kennt nur noch das Scheitern der Ehe und nicht das schuldhafte Verhalten eines Ehegatten. Die Ehe ist gescheitert, wenn die Lebensgemeinschaft der Ehegatten nicht mehr besteht und nicht erwartet werden kann, daß die Ehegatten sie wiederherstellen. Das Scheitern der Ehe wird unwiderlegbar vermutet, wenn die Ehegatten seit einem Jahr getrennt leben und der Scheidung beantragen (oder der Antragsgegner der Scheidung zustimmt) oder wenn die Ehegatten seit drei Jahren getrennt leben. Trotz Scheiterns soll die Ehe nicht geschieden werden, wenn die Aufrechterhaltung der Ehe im Interesse minderjähriger Kinder »aus besonderen Gründen ausnahmsweise notwendig ist« oder wenn die Scheidung für den sie ablehnenden Teil »auf Grund außergewöhnlicher Umstände eine so schwere Härte darstellen würde«, daß die Aufrechterhaltung der Ehe »auch unter Berücksichtigung der Belange des Antragstellers ausnahmsweise geboten erscheint«. Diese Härteklausel (§ 1568 BGB) gilt nicht mehr, wenn die Ehegatten länger als fünf Jahre getrennt leben.

Folgen der Scheidung: Die geschiedene Frau behält den Familiennamen des Mannes, kann jedoch durch Erklärung gegenüber dem Standesbeamten ihren Familiennamen oder, wenn aus einer früheren Ehe Nachkommenschaft vorhanden ist, ihren früheren Ehenamen wieder annehmen.

Für die in der Ehezeit erworbenen Rentenansprüche findet zwischen den geschiedenen Ehegatten ein *Versorgungsausgleich* statt (§§ 1587 ff. BGB).

Kann ein Ehegatte nach der Scheidung nicht selbst für seinen *Unterhalt* sorgen, so hat er gegen den anderen Ehegatten einen Anspruch auf Unterhalt (§ 1569 BGB). Der Unterhaltsanspruch ist für folgende Fälle vorgesehen:

Betreuung eines Kindes; Alter; Krankheit oder Gebrechen; bis zur Erlangung einer angemessenen Erwerbstätigkeit; Umschulung und Ausbildung; wenn schwerwiegende Gründe gegen eine Erwerbstätigkeit sprechen (Billigkeit). Der Anspruch erlischt mit der Wiederheirat oder dem Tod des Berechtigten. Der laufende Unterhalt (Geld) muß monatlich im voraus entrichtet werden. – Bis 1938 kannte das BGB neben der Scheidung die *Aufhebung der ehelichen Gemeinschaft* (Trennung von Tisch und Bett), bei der die Ehe rechtlich bestehenblieb.

In *Österreich* ist die E. nach dem Verschulden geregelt. In der *Schweiz* ist neben der Scheidung die *Ehetrennung* anerkannt, von ihr ist als kurzfristige Eheschutzmaßnahme die *Aufhebung des gemeinsamen Haushalts* zu unterscheiden. Nach der Scheidung nimmt die Ehefrau ihren alten Namen wieder an.

Nach kathol. Lehre ist die Ehe unauflöslich, eine E. ist nur durch päpstl. Dispens möglich bei einer nicht vollzogenen Ehe, bei einer Ehe zwischen Nichtgetauften auch auf Grund des Privilegium Paulinum (1. Kor. 7, 12–16). – Die luther. und reformierten Kirchen haben die E. und die Wiedertrauung Geschiedener in bestimmten Fällen zugelassen, während die anglikan. Kirche an der Unscheidbarkeit der Ehe festhält und daher Geschiedene nicht traut.

Ehestandsliteratur, im Zeitalter des Humanismus beliebte moralisatir. Prosa- oder Versdichtung, die an die Minnelehre des Andreas Capellanus anknüpfend »deutsche Biederkeit welscher Leichtfertigkeit« gegen-

überstellt. Ihre Blüte liegt zwischen dem Ehebüchlein Albrechts v. Eyb (1472) und Fischarts Ehezuchtbüchlein (1578).

'Ehevermittlung, Eheanbahnung, die gewerbsmäßige Vermittlung von Ehemöglichkeiten. Eine versprochene Vergütung *(Ehemäklerlohn)* kann nicht eingeklagt, das Geleistete jedoch nicht zurückgefordert werden (§ 656 BGB). Deshalb werden meist hohe Vergütungen vor Beginn der Vermittlung gefordert. Ähnlich in *Österreich* (§ 879 ABGB) und der *Schweiz* (Art. 416 OblR).

'Ehevertrag, Ehekontrakt, Vertrag, durch den Ehegatten oder Verlobte ihre güterrechtlichen Verhältnisse abweichend vom gesetzlichen Güterstand regeln (→eheliches Güterrecht). Der E. muß bei gleichzeitiger Anwesenheit beider Teile vor Gericht oder einem Notar geschlossen werden. Er wirkt gegenüber Dritten nur, wenn er im Güterrechtsregister eingetragen oder dem Dritten bekannt ist (§ 1408 ff. BGB). Ähnlich in *Österreich,* wo güterrechtl. Vereinbarungen während der Ehe *Ehepakte* genannt werden (§ 1217 ff. ABGB), und in der *Schweiz* (Art. 179 ff. ZGB).

'Ehewappen, Allianzwappen, Verbindung der Wappen eines Ehepaares durch nebeneinandergestellte und einander zugewendete Schilde mit einander zugewendeten Helmen oder nur mit dem Helm des Mannes oder der Rangkrone.

'Ehingen, Stadt im Alb-Donau-Kreis, Baden-Württemberg, am Rand der Schwäb. Alb, mit (1976) 21 600 Ew., 515 m ü. M.; höhere Schulen, Frauenarbeitsschule; Zellstoff-, Baumwoll-, Eisen- und Metallindustrie, St.-Blasius-Kirche (urspr. gotisch), Konviktskirche (1712–19), Liebfrauenkirche (1724), Ritterhaus (1700) und ehemals österr.-schwäb. Ständehaus (1749). E., seit 1228 Stadt, gehörte früher zu Vorderösterreich und kam 1805 an Württemberg.

Ehinger, Heinrich, dt. Konquistador, * Konstanz, † 1537 (?), 1519 als Faktor des süddeutschen Fernhandels in Saragossa nachgewiesen, galt als einer der einflußreichsten Kaufleute im spanischen Machtbereich. 1528–30 beteiligte er sich mit seinen Brüdern Ambrosius und Georg an der Kolonisation der Welser in Venezuela.

Ehlen, Nikolaus, Studienrat, * Graach 9. 12. 1886, † Velbert 18. 10. 1965, vollzog 1915 mit der von ihm gegründeten *Großdeutschen Jugend* den ersten Einbruch des Geistes der Jugendbewegung in die kath. Jungmännervereine. Mit seiner Monatsschrift ›Großdeutsche Jugend‹ (später ›Lotsenrufe‹, 1915–65 im allgem. zweimonatlich erschienen) beeinflußte E. die kath. Laienbewegung nachhaltig. Im Alter wurde er durch sein Wirken für den Bau familiengerechter Heime und Siedlungen für Kinderreiche als ›Siedlervater‹ bekannt.

'Ehlers, Hermann, Politiker (CDU), * Berlin 1. 10. 1904, † Oldenburg 29. 10. 1954, wurde 1945 Mitgl. des evangel. Oberkirchenrats in Oldenburg, 1949 MdB, war seit

Okt. 1950 Bundestagspräsident und (seit 1952) zweiter Vorsitzender der CDU.

'**Ehmcke,** Fritz Helmuth, Buchkünstler und Graphiker, * Hohensalza 16. 10. 1878, † Widdersberg (Obb.) 3. 2. 1965, Prof. in München, gründete 1900 mit G. Belwe und F. W. Kleukens die *Steglitzer Werkstatt*, 1914 die Rupprecht-Presse, die nur Druckschriften E.s verwendete.

'**Ehmke,** Horst, Politiker (SPD), * Danzig 4. 2. 1927, Jurist, 1969 Justizminister, Okt. 1969–72 Min. für Besondere Aufgaben im Bundeskanzleramt, 1972–74 Min. für Forschung, Technologie, Post.

'**Ehrang,** ehem. Gemeinde im RegBez. Trier, Rheinland-Pfalz, am Eintritt der Kyll in das Moseltal, 131 m ü. M., Bahnknotenpunkt, mit (1967) 6100 Ew., gehört seit 1968 zu Trier.

'**Ehre,** die auf der Selbstachtung beruhende Achtung, die der Mensch von seinen Mitmenschen beansprucht. Als innere, auf dem Bewußtsein der eigenen Unbescholtenheit begründete Haltung, die sich auch durch äußere Mißachtung und Verunglimpfung nicht angefochten fühlt, kann E. zu einem ein sittl. Begriff werden. Meist überwiegt jedoch die äußere Seite; die E. haftet dann nicht so sehr am persönlichen Wert des Menschen als an seiner Stellung in der Gesellschaft (Alter, Abstammung, Rang, Beruf). Die Ansichten darüber, was mit der E. verträglich oder durch sie gefordert sei, wechseln innerhalb bestimmter Grenzen nach Völkern und Zeitaltern. Konflikte der E. mit anderen hohen Gütern, z. B. der Liebe, bildeten zu allen Zeiten ein Hauptthema der epischen und dramat. Dichtung. Rechtlich ist die *bürgerliche E.* das Maß an Achtung, das jedem unbescholtenen Menschen zukommt. Sie ist Ausfluß der in Art. 1 GG garantierten Unantastbarkeit der Menschenwürde, außerdem strafrechtlich, geschützt (→Beleidigung). Bei schuldhafter Verletzung der E. besteht ein zivilrechtl. Anspruch auf Schadenersatz und Unterlassung (§§ 823, 824, 826 BGB).

'**Ehren,** Hausflur, →Ehrn.

'**Ehrenamt,** ein öffentl. Amt, für dessen Erfüllung kein Entgelt, sondern nur Ersatz der Auslagen gewährt wird. Die E.ämter sind teils solche, die übernommen werden müssen (Schöffe), teils solche, die freiwillig übernommen werden (Gemeindeämter).

'**Ehrenannahme, Ehrenakzept,** →Ehreneintritt.

'**Ehrenberger Klause,** ein 946 m hoher Engpaß der Nordtiroler Kalkalpen, zwischen dem Lech- und dem Loisachtal. Die *Ehrenberger Schlösser,* die den Paß einst schützten, wurden 1800 von den Franzosen geschleift.

'**Ehrenbezeigung, Ehrenbezeugung, Ehrenerweisung,** Ausdruck besonderer Hochachtung und Verehrung bei offiziellen und feierlichen Anlässen (Staatsempfängen) oder gegenüber Staatsoberhäuptern oder anderen Persönlichkeiten, auch zur Ehrung von Toten; beim Militär z. B. durch Gestellung

von Ehrenkompanien oder kleineren Abordnungen, Wachen und Posten oder durch Salutschießen von Kriegsschiffen oder Küstenbatterien oder Schießen von Ehrensalven.

'**Ehrenbreitstein,** rechtsrhein. Vorort von Koblenz, überragt von der alten *Festung E.*; sie gehörte als Burg seit dem 11. Jh. dem Erzbistum Trier, wurde 1801 von den Franzosen gesprengt, 1815–32 durch Preußen zu einer der stärksten Festungen ausgebaut, auf Grund des Versailler Vertrags als Festung aufgelassen.

'**Ehrenburg,** Ilja, russischer Schriftsteller, * Kiew 27. 1. 1891, † Istra b. Moskau 31. 8. 1967, floh als Revolutionär 1908 nach Paris, kehrte 1917 nach Rußland zurück; 1921 emigrierte er nach Paris. Seit 1940 lebte er wieder in d. UdSSR und schrieb propagandistische Romane, Schauspiele, Novellen (Der Fall von Paris, 1941; dt. 1945; Der Sturm, 1947; dt. 1948). In seinen Erzählungen ›Tauwetter‹ (2 Tle., 1954–56; dt. 1957) übte er nach dem Tod Stalins Kritik, schwenkte aber wieder auf die streng kommunist. Parteilinie ein. – Autobiographie: ›Menschen, Jahre, Leben‹ (1961; dt. 1962).

'**Ehrenbürger,** Ehrentitel von Personen, die sich um eine Gemeinde verdient gemacht haben und mit dem gemeindl. Bürgerrecht ausgezeichnet wurden *(E.-Recht)*; auch Hochschulen ernennen verdiente Förderer zu Ehrenbürgern.

'**Ehrencron-Kidde,** Astrid, dän. Schriftstellerin, * Kopenhagen 4. 1. 1871, † das. 30. 6. 1960, war mit dem dän. Dichter Harald Kidde verheiratet, schrieb Romane.

'**Ehrendoktor, Dr. e. h., Dr. h. c.,** ehrenhalber, ohne Prüfung verliehener Doktortitel (→Doktor).

'**Ehreneintritt, Intervention,** das Eintreten eines Dritten für einen Wechsel, wenn der Bezogene ihn nicht annimmt, nicht bezahlt oder der Wechsel unsicher wird. Der Aussteller und jeder Indossant können auf dem Wechsel neben dem ursprünglichen Bezogenen einen weiteren benennen *(Notadresse,* z. B. ›im Fall der Not bei . . .‹). Die Annahme eines solchen Wechsels durch den Notadressaten wird *Ehrenannahme (Ehrenakzept),* die Einlösung *Ehrenzahlung* genannt (Art. 55 ff. Wechselges.).

'**Ehrenerklärung,** die Erklärung eines Beleidigers, daß er den Beleidigten nicht habe kränken wollen; häufig zur Vermeidung einer Beleidigungsklage.

Ehrenfels, Christian Frh. von, Philosoph, * Rodaun (Nd.-Österr.) 20. 6. 1859, † Lichtenau (Nd.-Österr.) 8. 9. 1932, seit 1900 Prof. an der Univ. Prag, wurde durch die Entdeckung der Gestaltqualitäten (1890) einer der Begründer der modernen Gestaltpsychologie.
LIT. M. Brod: Chr. E. zum Gedenken, in: Kantstudien 37 (1932).

'**Ehrenfest,** Paul, österreich. Physiker, * Wien 18. 1. 1880, † Leiden 25. 9. 1933, Prof. das., förderte die Atomphysik.

'Ehrenfried, umgedeutet aus Arnfried [ahd. arn ›Adler‹ und fridu ›Schutz‹], männl. Vorname.

Ehrenfr'iedersdorf, Bergstadt im Bez. Chemnitz, 530 m ü. M., im Erzgebirge am Fuß der Greifensteine (732 m), mit (1964) 6300 Ew.; Wirkwaren-, Posamenten-, Schuhindustrie, ehemals bedeutende Zinnerzförderung. In der St.-Nikolai-Kirche (14.–15. Jh.) Schnitzaltar (Anf. 16. Jh.).

'Ehrengericht, mit Standesgenossen besetztes Gericht zur Untersuchung und Beilegung von Verfehlungen in bestimmten Berufen, z.B. bei Rechtsanwälten, Redakteuren, Ärzten. Die E. entsprechen den Disziplinargerichten für Beamte (→Dienststrafrecht).

Ehrenpreis: 1 *Gamander-E.*; a *Frucht*, b *aufgesprungene Frucht.* 2 *Bachbunge;* c *Einzelblüte. (Hauptbilder* ²/₅ *nat. Gr.)*

'Ehrenhaft, Felix, österreich. Physiker, * Wien 24. 4. 1879, † das. 4. 3. 1952, Prof. in Wien, bekannt durch atomphysikal. Arbeiten.

'Ehrenhof, Cour d'honneur, der an der Frontseite von Schloßbauten zwischen zwei vorspringenden Flügelbauten gelegene Hof, dessen freie Seite durch ein Gitter geschlossen ist.

'Ehrenkämmerer, päpstlicher, →Prälat.

'Ehrenkreuz, Ehrenzeichen des Deutschen Reiches zur Erinnerung an den 1. Weltkrieg, gestiftet am 13. 7. 1934 vom Reichspräsidenten v. Hindenburg, in drei Ausführungen verliehen: an Frontkämpfer (mit Schwertern), an Kriegsteilnehmer und an Witwen und Eltern von Gefallenen. Das E. ist nach dem Ordens-Ges. v. 28. 6. 1957 in der Bundesrep. Dtl. zugelassen.

'Ehrenlegion, franz. Légion d'honneur, höchster französischer Orden, gestiftet 1802; Ordensgrade: Ritter, Offiziere, Kommandeure, Großoffiziere, Großkreuze (FARBTAFEL Orden und Ehrenzeichen I, 11) Das Kreuz der E. dürfen zahlreiche franz Städte wegen im Kriege erworbener Verdienste in oder an ihrem Wappen führen.

'Ehrenmal, Denkstein, Denkmal, auch architekton. Anlage (Ehrenhalle) zum Gedächtnis der Gefallenen. Dem gleicher Zweck dienen Ehrenhaine.

'Ehrenpatenschaft, die vom Staatsoberhaupt bei Familien mit einwandfreiem Ru übernommene Patenschaft (in der Bundesrep. Dtl. für das 7. Kind).

Ehrenpreis das oder der, Veronica, artenreiche Pflanzengattung der Rachenblüter Kräuter, Sträucher, Bäumchen mit gegenständigen Blättern und zweifächeriger Kapselfrucht. Einjährige häufige Feldunkräute sind z. B.: das herz-eiförmig beblätterte Feld-E. (Vogelkraut), das efeublättrige E (Hühnerdarm, Hühnerbiß), das dreiblättrige E. (blaues Hungerblümchen). Kleinstauder sind z. B. das Gamander-E. (Männertreu Frauenbiß, Augentrost, wildes Vergißmein nicht) mit blauen Blüten auf Grasland, das echte E. (Veronica officinalis) und die in Bächen wachsende Bachbunge mit etwas fleischigen Blättern und tiefblauen Blüten

'Ehrenrechte, bürgerliche E., alle Rechte die einem Staatsbürger als solchem zustehen. Die Aberkennung der bürgerlichen E (Ehrverlust) war nach bisherigem Recht als Nebenstrafe neben Zuchthaus stets, neben Gefängnis unter bestimmten Voraussetzungen zulässig, und zwar entweder auf Zeit oder (bei lebenslangem Zuchthaus) unbeschränkt. Sie hatte teils Dauerfolgen (Verlust öffentlicher Ämter usw.), teils zeitlich begrenzte Wirkungen (Verlust des aktiven und passiven Wahlrechts usw.). Mit der Beseitigung der Zuchthausstrafe ist auch die Aberkennung durch das 1. Strafrechtsreform-Gesetz 1969 mit Wirkung vom 1. 4. 1970 ab beseitigt worden, weil ihre diffamierende Wirkung sich nicht mit dem Strafzweck der Resozialisierung verträgt. Das Gericht entscheidet nunmehr über den Verlust der Amtsfähigkeit und des aktiven und passiven Wahlrechts im Einzelfall, soweit die gesetzlichen Voraussetzungen hierfür vorliegen und die Rechtsverluste nicht kraft Gesetzes eintreten. Das Gericht bestimmt jeweils die Dauer des Rechtsverlustes (2–5 Jahre). Nach Ablauf der Hälfte der Frist kann das Gericht die verlorenen Rechte und Fähigkeiten wiederverleihen.

Das österreich. StGB (§ 27) kennt nur den Begriff des Amts- und Wahlrechtsverlust (auch im Zivilrecht); im schweizer. Strafrecht (Art. 52) wurde bei jeder Verurteilung zu Zuchthaus die Einstellung in die bürgerliche Ehrenfähigkeit ausgesprochen bei einer Gefängnisstrafe dann, wenn die Tat eine ehrlose Gesinnung bekundet; durch das Bundesgesetz vom 18. 3. 1971 wurde Art. 52 ersatzlos gestrichen.

'Ehrenstein, Albert, Schriftsteller, * Wie

23. 12. 1886, † New York 8. 4. 1950, schrieb expressionist. Gedichte, Erzählungen und kulturkrit. Essays.

WERKE. Tubutsch (Wien 1911), Der Selbstmord eines Katers (1912; 1919 Neuaufl. u. d. T.: Bericht aus einem Tollhaus), Der Mensch schreit (1916), Wien (1921), Ritter des Todes (Ges. Erz., 1926), Mörder aus Gerechtigkeit (1931; als Hörspiel 1959); Gedichte u. Prosa (hg. v. K. Otten 1961); Ausgewählte Aufsätze (hg. v. M. Y. Bengavriël 1961).

'Ehrenstrafe, eine Nebenstrafe (→Ehrenrechte), früher häufig als schimpfliche und beschämende Strafe (z. B. Ausstellung am Pranger) verhängt.

'Ehrenwort, feierliches Versprechen einer Leistung oder Unterlassung unter Berufung auf die Ehre. Das E. ist rechtlich bedeutungslos. Das Sichversprechenlassen auf E. bei Rechtsgeschäften mit Minderjährigen war bis 10. 4. 1974 nach § 302 StGB strafbar. Es bildet bei Wucher einen Strafschärfungsgrund.

'Ehrenzahlung, →Ehreneintritt.

'Ehrenzeichen, ordensähnliche Auszeichnung, z. B. das E. des Dt. Roten Kreuzes, gestiftet am 8. 5. 1953 durch den Präsidenten des Dt. Roten Kreuzes; in Österreich das E. für Verdienste um die Republik Österreich. →Orden.

'Ehrfurcht, lat. reverentia, veneratio, gesteigerte Achtung vor der sittlichen Würde einer Persönlichkeit, eines Gesetzes, eines Gottes. Goethe unterscheidet: E. vor dem, was über uns ist (ethische E.), E. vor dem, was uns gleich ist (philos. E.), E. vor dem, was unter uns ist (christl. E.), E. vor sich selbst als Ergebnis der drei anderen. Kant spricht von Achtung als der »Einschränkung unserer Selbstschätzung durch die Würde der Menschheit in eines anderen Person«.

'Ehrgeiz, lat. ambitio, Begierde des Menschen nach Ehre, Macht und Ruhm, der Eifer, andere zu übertreffen zu wollen. E. verführt oft, zu sittlich fragwürdigen Mitteln zu greifen. In der Pädagogik wird der E. meist positiv gewertet und geweckt, dagegen wird er scharf bekämpft von Rousseau in seiner Kulturkritik und Pädagogik.

'Ehrhard, Albert, kath. Kirchenhistoriker und Byzantinist, * Herbitzheim (Elsaß) 14. 3. 1862, † Bonn 23. 9. 1940, seit 1920 Prof. in Bonn. E. war ein Führer des →Reformkatholizismus.

WERKE. Der Katholizismus und das 20. Jh. 1901), Das Mittelalter und seine kirchl. Entwicklung (1908), Die kath. Kirche im Wandel der Zeiten, 2 Bde. (1935–37; unvollndet), Überlieferung und Bestand der hagiographischen und homiletischen Literatur der griech. Kirche (1937 ff.).

'Ehrhardt, Hermann, Korvettenkapitän und Freikorpsführer, * Diersburg (Baden) 9. 11. 1881, † Brunn am Walde (Nd.-Österr.) 27. 9. 1971, bildete Anfang 1919 die Brigade E., mit der er die kommunist. Räte-

herrschaft in Braunschweig und München bekämpfte und am Kapp-Putsch teilnahm.

'Ehringsdorf, südlicher Vorort von Weimar, Fundort altsteinzeitlicher Feuersteingeräte sowie von Knochenresten zweier Menschen, die neben Merkmalen der Neandertalgruppe auch solche späterer Formen aufweisen.

LIT. H. Virchow: Die menschl. Skelettreste aus d. Kämpfeschen Bruch im Travertin von E. b. Weimar (1920); F. Wiegers, Fr. Weidenreich, E. Schuster: Der Schädelfund v. Weimar-E. (1928).

'Ehrismann, 1) Albert, schweizer. Schriftsteller, * Zürich 20. 9. 1908, lebt in Zürich.

WERKE. Lyrik: Lächeln auf dem Asphalt (²1931), Sterne von unten (1939), Tag- und Nachtgleiche (1952), Himmelspost (1956), Riesenrad der Sterne (1960). Dramat. Legenden: Der neue Kolumbus (1939), Kolumbus kehrt zurück (1947). Erzählungen: Der letzte Brief (1948).

2) Gustav, Germanist, * Pforzheim 8. 10. 1855, † Hamburg 9. 9. 1941, war 1909–24 Prof. in Greifswald.

WERK. Geschichte der dt. Literatur bis zum Ausgang des Mittelalters (2 Bde. in 4 Tln., 1918–35; Neudruck 1959).

'Ehrle, Franz, Kardinal (seit 1922), Historiker, * Isny (Württemberg) 17. 10. 1845, † Rom 31. 3. 1934, wurde 1861 Jesuit, 1929 Bibliothekar und Archivar der Röm. Kirche, gab u. a. das ›Archiv für Literatur- und Kirchengeschichte des Mittelalters‹ heraus (7 Bde., 1885–1900, mit Denifle).

'Ehrler, Hans Heinrich, Schriftsteller, * Mergentheim 7. 7. 1872, † Liebenau/Waldenbuch 14. 6. 1951; Erzähler und Lyriker von romant. Naturfrömmigkeit.

WERKE. Lyrik: Lieder an ein Mädchen (1912), Gedichte (1920). Romane: Briefe vom Land (1911), Briefe aus meinem Kloster (1922), Charlotte (1946).

'Ehrlich, Paul, Mediziner, * Strehlen (Schlesien) 14. 3. 1854, † Homburg v. d. H. 20. 8. 1915, wurde 1899 Direktor des Instituts für experimentelle Therapie in Frankfurt a. M. E. schuf die wissenschaftliche Grundlage für die Herstellung hochwertiger Heilsera und ist der Begründer der neuzeitlichen Chemotherapie; 1909 entdeckte er mit seinem Mitarbeiter Hata das Syphilisheilmittel Salvarsan (Ehrlich-Hata 606). 1908 erhielt er den Nobelpreis für Medizin.

LIT. H. Loewe: Paul E. (1950); M. Marquardt: P. E. (1951).

'Ehrlosigkeit, im Mittelalter die Minderung der Rechtsfähigkeit durch Verurteilung zu entehrenden Leibesstrafen (an »Haut und Haar«) oder ohne weiteres durch Begehung einer ehrlosen Tat (bes. Treubruch).

'Ehrn, Ern der, der Eingangsflur des mittel- und oberdeutschen Bauernhauses. Im bayerischen Haus wird dieser Raum ›Fletz‹, in Vorarlberg teils ›Hus‹ (Haus) oder ›Vorhus‹, teils ›Laube‹ genannt. In neuerer Zeit hat die Bezeichnung ›Flur‹ die älteren Namen meist verdrängt.

'Ehrwald, Gemeinde im Bez. Reutte, Tirol,

Ei

am Fuß der Zugspitze, rd. 1000 m ü. M., mit (1971) 5000 Ew., Sommerfrische, Skiort, Ausgangspunkt der österreich. Zugspitz-Seilschwebebahn.

Ei [german. Stw.], lat. *Ovum*, **1)** vom Körper mehrzelliger Tiere und des Menschen in weibl. Geschlechtsdrüsen (→Eierstock), von Pflanzen in Archegonium, Oogonium oder Samenanlage, abgegliederte Zelle *(Eizelle)*, die alle Anlagen für die Entwicklung eines Lebewesens (Embryo) enthält; diese beginnt nach Befruchtung der Eizelle. Der Zellkörper.*(Eiplasma* oder *Dotter)* besteht aus dem den Embryo bildenden Bildungsplasma *(Bildungsdotter)* und dem zur Ernährung des Keims dienenden *Nahrungsdotter.* Der Zellkern heißt *Eikern.* Die zur Entwicklung des Keims führende Zellteilung nennt man beim Ei die *Furchung.* Bei Säugetier und Mensch sind die Eier mikroskopisch klein (beim Menschen 0,2 mm); sie entwickeln sich im Mutterkörper, der ihnen Nährstoffe für den Aufbau liefert. Hingegen haben z. B. Eier, die bald abgelegt werden (so bei Vögeln, Kriechtieren, den meisten Insekten), außer dem Bildungsdotter noch reichlich Nahrungsdotter. So enthält das Ei der Vögel und Kriechtiere außer der eigentlichen Eizelle (dem Gelben, Eigelb) einen Vorrat Eiweiß als Abscheidung des Eileiters, eine pergamentähnliche Schalenhaut und eine kalkige, schützende, luftdurchlässige Schale. Harte Schale haben auch die Eier vieler Haifische, Landschnecken, Insekten. Bei den meisten Fischen, den Lurchen und de[n] meisten Weichtieren sind die Eier weic[h] schleimumhüllt und werden klumpenwei[se] abgelegt *(der Laich).* Die Eizahl ist a[m] größten bei Tieren, die keine →Brutpfle[ge] haben und bei solchen, deren Eier ei[ne] komplizierte Entwicklung durchmache[n]. So bringen z. B. Schmarotzer wie Ban[d]wurm oder Spulwurm zwischen 40 und [60] Millionen E. im Jahr hervor. Ein Karpfe[n] erzeugt 750000 E. im Jahr, der Stichli[ng] dagegen, der Brutpflege treibt, nur etw[a] 100. Vögel entwickeln im höchsten Fall [in] der Freiheit jährlich 30 E. Von den üb[er] 35000 E., die in den beiden Eierstöcken d[er] Frau vorhanden sind, werden im Laufe d[es] Lebens etwa 400 ausgestoßen.

Fossile Eier werden sehr selten gefunde[n]. Fossile Vogeleier fand man in den tertiäre[n] Ablagerungen bei Nördlingen im Ries un[d] im Tertiär von Westnebraska (USA). In de[r] Wüste Gobi wurden von Andrew und Hed[i] gut erhaltene E. von Dinosauriern entdeck[t].

Das Wissen von den Vogeleiern heißt *Eie[r]kunde (Oologie)*, die Anzahl der Eier i[n] einer Brut das *Gelege.* Die kalkige Scha[le] des Eis bildet sich im Eihalter, einem Te[il] des Eileiters. Vögel, die offen brüten, lege[n] in der Regel gefleckte Eier (die z. T. de[m] Untergrund ähneln), Höhlenbrüter weiß[e] oder wenig gefleckte Eier. Die Eier de[s] Kuckucks ähneln den Eiern des von ihm [in] einer Gegend bevorzugten Wirtsvogels. Nu[r] 1 Ei je Gelege legen z. B. die Pinguine, 2 d[ie]

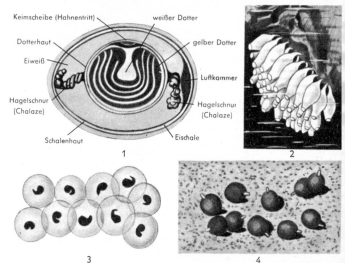

Ei: 1 Hühnerei. 2 Eikapseln der Purpurschnecke. 3 Eiergruppe aus dem Laichklumpen de[s] Grasfrosches. 4 Eier der Stabheuschrecke

Tauben, 5 die meisten Singvögel, 8–12 die Meisen, Goldhähnchen und Enten, 20–24 die Hühner. Haushühner legen zwischen 250–300 Eier im Jahr. Die harte Schale des Hühnereis ist zu 89–97% kohlensaurer Kalk, zu 2–5% organischer Stoff, die Schalenhaut hornartiger Stoff. Das Hühnereiweiß enthält 84,7–86,4% Wasser, 12,0 bis 13,5% Stickstoffsubstanz, 0,3–0,8% Mineralstoffe. Der Dotter (Eigelb), von einer dünnen *Dotterhaut* umschlossen, enthält den gelben, schleimig-flüssigen Zellkörper und innerhalb eines weißlichen Fleckes, der *Keimscheibe (Hahnentritt)*, den Eikern. Im Zellkörper umgliedern geringe Mengen von Protoplasma gelbe und weiße *Dotterkügelchen*, Vorratsstoffe für den Keimaufbau: Eiweiß, Lezithin, Cholesterin, fettes Öl und Salze (bes. Kaliphosphate) mit gelben Farbstoffen (Lutein, Zeaxanthin, Karotin, Ovoflavin). Der Geschmack der Eier wird durch Futter oft beeinflußt. In faulen Eiern entwickelt sich viel Schwefelwasserstoffgas, das den üblen Geruch verursacht. An Nährwert entspricht 1 Hühnerei rund 50 g mittelfetten Rindfleischs; zudem enthält es die Vitamine A, B und D. Frische Eier erscheinen beim Durchleuchten dem Eierspiegel hell und klar. Auch sinkt ein frisches Ei im Wasser unter, schon ein über 8 Tage altes nicht ganz. Um Eier haltbar zu machen, bewahrt man große Mengen in Kühlhäusern auf (Kühlhauseier), umgibt sie mit Kunststoffhüllen (USA) oder verarbeitet sie zu Trockenei. Im Haushalt werden Eier heute meist in Wasserglas, Kalkwasser oder Ätzkalkpräparaten eingelegt.

Als *Lebensmittel* dienen die E. des Hausgeflügels (Haushuhn, Ente, Gans, Pute) sowie der Rogen mancher Fische (Kaviar). Kiebitzeier und Möweneier gelten als besondere Delikatessen. Den *Handel mit Hühnereiern* regelt die Verordnung vom 1. 9. 1958. Danach gibt es die Handelsklassen S mit 65 g und darüber, A mit 60–65 g, B mit 55–60 g, C mit 50–55 g, D mit 45–50 g und E unter 45 g. Alle Eier müssen gekennzeichnet werden, insbesondere konservierte Eier; für Auslandseier bestehen Einschränkungen im Rahmen der gemeinsamen Getreidemarktordnung der EWG seit 1. 7. 1967 für Produkte, die auf Getreide als Futtergrundlage beruhen.

Im *Brauchtum* und *Volksglauben* vieler Völker gilt das Ei als Sinnbild der Fruchtbarkeit, der Auferstehung, als Urgrund der Welt *(Weltei)*. Es wird als Opfer und Orakel verwendet. Besonders im Frühjahr werden ihm Wunderkräfte zugeschrieben, so den *Antlaß*- und *Karfreitagseiern*, vor allem aber dem *Osterei*. Im Frühjahr sind vielerorts Eierspiele Brauch, z. B. das Eierwerfen, Eierpicken, Eierlesen, Eierklauben oder Eierlaufen.

2) Nürnberger Ei, Taschenuhr aus der Mitte des 16. Jhs., →Uhr, Geschichte.

3) Ei des Kolumbus, die Aufgabe, ein Ei aufrecht zu stellen (durch Eindrücken der Spitze); sprichwörtlich für die überraschende Lösung einer anscheinend schwierigen Aufgabe. Nach Benzoni, ›Historia del mondo nuovo‹ (1565), soll Kolumbus diese Aufgabe auf einem Gastmahl des Kardinals Mendoza (1493) gestellt haben, als einige der Anwesenden sich rühmten, daß ihnen die Entdeckung der Neuen Welt ebenso hätte gelingen können.

eiapop'eia [mhd.], 1) urspr. Ausruf der Verwunderung, Freude oder Klage. 2) Schallwort in Wiegenliedern.

'**Eiapparat**, Teil des →Embryosacks.

'**Eibau**, Gemeinde im Bez. Dresden, 387 m ü. M., im Lausitzer Bergland, mit (1964) 5200 Ew.; Textilindustrie.

'**Eibe** [ahd. iwa] *die*, *Taxus baccata*, **Taxus**, Nadelholzart der Familie *Eibengewächse* (Taxazeen), bewohnt in sieben Unterarten die nördl. Halbkugel. Die in Europa, im

Eibe: a *Zweig mit weibl. Blüten*, b *weibl. Blüte*, c *Zweig mit männl. Blüten*, d *männl. Blüte*, e *Zweig mit Früchten*, f *Fruchtlängsschnitt*, g *Blattquerschnitt* (a, c und e ³/₅ *nat. Gr.)*

Orient und in Nordafrika heimische Unterart ist ein immergrüner Strauch oder Baum mit rötlich-brauner Rinde, zweihäusigen Blüten und meist zweizeilig stehenden flachen Nadeln. Die männl. Blüten bestehen aus zu kugeligen Köpfchen geordneten Staubblättern und sind von braungelben Schuppen umgeben. An der einzigen Samenanlage der weibl. Blüte bildet sich ein scharlachroter, sehr süßer ungiftiger Samenmantel um den schwarzbraunen Samen. Nadeln und Samen enthalten das giftige Alkaloid *Taxin*. Die E. ist meist nur als einzelnes Unterholz oder Einzelbaum erhalten und gesetzlich geschützt. Sie soll bis 3 Jahrtausende alt werden und 6 m Stammumfang erreichen; das harte, elastische, dauerhafte, harzfreie Holz wurde schon in vorgeschichtlicher Zeit für Gebrauchsgegenstände und Waffen (Bogen) benutzt; es dient heute nach Schwarzbeizung als »deutsches Ebenholz«. Zierpflanze ist die E. bes. in Nordwesteuropa als Friedhofsbaum.

'**Eibenstock,** Stadt im Bez. Karl-Marx-Stadt (Chemnitz), 620 m ü. M., im westl. Erzgebirge, mit (1964) 9500 Ew.; Stickerei, Holz-, Papier-, Metallwarenindustrie; in der Nähe die *Sosatalsperre*

Eibisch: 1 *Roseneibisch,* 2 *Rosenpappel, fruchttragender Zweig,* 2a *Fruchtquerschnitt,* 2b *Same,* 2c *Samenlängsschnitt. (1 und 2 etwa ¹/₃ nat. Gr.)*

Eibenzypresse, Nadelbaumart *Taxodium,* →Sumpfzypresse.

'**Eibisch, Ibisch** [aus griech.-lat. ibiscus, hibiscus] *der,* mehrere Gattungen der Malvengewächse: **1)** →Althäe; **2)** die in warmen Erdgebieten heimische Gattung *Hibiscus.* Hohe Kräuter sind der wohl südeurop.-vorderasiatische *rosablütige E. (Sumpf-E.)* und der gelbblütige *Hanf-E. (Hanfrose),* der in Afrika und Vorderindien im Anbau die Faser Gambo-, Ambari-, Dekkanhanf (Bastardjute) sowie Gemüse liefert, und der wohl asiatische *Rosella-* oder *Sabdariffa-E.,* der Gemüse und in Ostindien Rosellahanf liefert. Die Früchte der *Rosenpappel* dienen unreif als Gemüse. Der *Moschus-E.* enthält in seinem Samen (Ambrettekörner) das ätherische Moschuskörneröl. Zierpflanze ist in Mitteleuropa der *Stunden-E. (Wetterrose),* dessen gelbe, dunkelgefleckte Blüten nur wenige Stunden geöffnet sind.

Eibl-Eibesfeldt, Irenäus, Biologe und Verhaltensforscher, * Wien 15. 6. 1928, seit 1949 Mitarbeiter des Max-Planck-Instituts für Verhaltensphysiologie, Prof. in München.

WERKE. Galapagos (³1964), Im Reich der tausend Atolle (1964), Grundriß der vergl. Verhaltensforschung. Ethologie (1967).

'**Eibsee,** Alpensee am Nordfuß der Zugspitze, 971 m ü. M., 1,8 qkm groß, 3 km lang, 1 km breit, bis 32,5 m tief.

Eich, Günter, Schriftsteller, * Lebus 1. 2. 1907, † Salzburg 20. 12. 1972, Lyriker und Hörspieldichter.

WERKE. Abgelegene Gehöfte (1948, Ged.), Stimmen. 7 Hörspiele (²1962), Träume. 4 Spiele (1953, ¹1959), Botschaften des Regens (1955, ²1961, Gedichte), Zu den Akten. Gedichte (1964), In anderen Sprachen. Vier Hörspiele (1964), 15 Hörspiele (1966), Anlässe und Steingärten. Neue Gedichte (1966), Maulwürfe (1968).

'**Eichamt,** →eichen.

'**Eiche** [german. Stw.], *Quercus,* Holzpflanzengattung der Buchengewächse. Die männl. Blüten sitzen in schlaff herabhängenden Kätzchen, die weiblichen einzeln oder gebüschelt. Jede weibl. Blüte wird umwallt von einem verholzenden, außen beschuppten Fruchtbecher (Cupula). Die Frucht *(Eichel, Ecker)* ist eine einsamige Nuß. In Mitteleuropa sind heimisch: die *Stiel-* oder *Sommereiche* (Q. pedunculata oder Q. robur), die *Trauben-Stein-* oder *Wintereiche* (Q. sessiliflora), beides große, knorrige, starkborkige Bäume, ferner Bastarde von beiden. Bei der Stieleiche sind die Früchte (je 1–5) an langen Stielen angeordnet; sie wächst in Flußniederungen, die Traubeneiche in höheren Lagen. Von südeurop. Eichenarten liefern die beiden

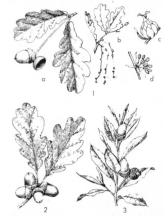

Eiche: 1 *Stieleiche;* a *Fruchtzweig,* b *blühender Zweig mit weibl. (oben) und männl. (unten) Blütenstand,* c *weibl.,* d *männl. Blüte;* 2 *Traubeneiche, Fruchtzweig;* 3 *Steineiche, Fruchtzweig. (Hauptbilder etwa ¹/₈ nat. Gr.)*

Korkeichen den Kork, eine Schicht ihrer Rinde. Die *Steineiche,* ein kleiner Baum oder Strauch ·mit immergrünen Blättern, ist kennzeichnend für die Mittelmeerbüsche.

Nordamerikanische, in Mitteleuropa angepflanzte Arten mit schöner Herbstfärbung sind *Roteiche* und *großblättrige E.*

Das harte, schwere Eichenholz verwendet man hauptsächlich im Schiffbau, zu Fässern, Eisenbahnschwellen, Parkettfußböden, für Furniere. Die Eichenrinde wurde früher zu →Lohe zermahlen. Die Eichel ist ein vorzügiches Mastfutter für Schweine. Geröstete und pulverisierte Eicheln werden Kaffee-Ersatzmischungen zugesetzt. Die durch Stich von Gallwespen an Blatt, Knospe, Frucht gebildeten →Gallen sind reich an Gerbstoff und dienen daher als Gerbmittel sowie zur Herstellung von Tinte.

In der Volkskunde ist die E. das Sinnbild der Freiheit und Kraft. Bei vielen indogermanischen Völkern und besonders bei den Germanen ist sie der am meisten verehrte Baum (Donar-Kult); außerdem gilt sie als Gewitterbaum und spielt im Volksglauben eine Rolle.

LIT. Wagler: Die E. in alter und neuer Zeit, 2 Tle. (1891); M. Lange: Unsere dt. E. (1937); J. Krahl-Urban: Die E. Forstl. Monographie d. Traubeneiche u. d. Stieleiche (1959).

'**Eichel** [ahd. eihila], **1)** die Frucht der Eiche. **2)** vorderster Teil des männl. Gliedes (→Penis). **3)** Farbe der deutschen Spielkarte.
'**Eichelbohrer,** ein Rüsselkäfer, dessen Larve in Eicheln lebt.
'**Eichelentzündung, Vorhautentzündung,** *Balanitis,* Entzündung der Eichel des männl. Gliedes und des inneren Vorhautblattes, bes. häufig bei Phimose; wegen der Eiterung volkstümlich *Eicheltripper* genannt. Behandlung: Spülungen, Puder; auch operativ.

Eichelhäher am Nest

'**Eichelhäher, Häher,** *Garrulus glandarius,* europ.-nordasiat. Rabenvogel, etwa 30 cm lang, rötlichgrau, mit blau, schwarz und weiß gebänderten Oberflügeldeckfedern und aufrichtbarer gestreifter Haube. Der E. ist in Mischwäldern verbreitet; er lebt bes. von Eicheln, Bucheckern, Haselnüssen.

'**Eichelschwamm,** →Stinkmorchel.
'**Eicheltripper,** die →Eichelentzündung.
'**Eichelwürmer,** *Enteropneusta,* **Enteropneusten,** urtümliche wurmförmige Meerestiere, die in ihrem Bau Merkmale der Stachelhäuter und der Chordatiere aufweisen.
eichen, *früher:* aichen [spätmhd. aus lat.], im weiteren Sinne jede Art von Auswertung, z. B. Sterneichung, die Auszählung von Sternen auf einem bestimmten Flächenraum des Himmels. E. im engeren Sinn *(Zimentieren, Fechten, Justieren, Pfechten, Rogen, Sinnen)* ist die Prüfung (Abgleichung) der im öffentl. Verkehr verwendeten Maße und Meßgeräte durch die Eichbehörde (**Eichamt**); in Deutschland Staatsmonopol. Die gebührenpflichtige eichtechn. Prüfung und Stempelung eines Meßgeräts durch die **Eichbeamten** ist entweder Neueichung oder Nacheichung. Bei der *Neueichung* wird geprüft, ob das Meßgerät *eichfähig* ist, d. h. 1) den Vorschriften (Maß- und Gewichtsges., Eichordnung und Eichanweisung) entspricht und 2) innerhalb der zulässigen Fehlergrenzen richtig ist, d. h. mit »Normalen«, die im Besitz der Eichämter sind, übereinstimmt. Die Richtigkeit und Empfindlichkeit von Waagen wird mit Normalgewichten und bei großen Waagen mit Gewichtsgerätschaften (beladenen Fahrzeugen mit genau bekanntem Gewicht) bestimmt. Meßgeräte für wissenschaftl. und techn. Untersuchungen werden meist mit Wasser oder Quecksilber ausgewogen. Zur *Nacheichung* sind alle eichpflichtigen Meßgeräte, ausgenommen die ganz aus Glas hergestellten, innerhalb gesetzlich vorgeschriebener Fristen vorzulegen. Die geeichten Gegenstände werden durch **Eichstriche** oder **Eichstempel** gekennzeichnet. Oberste Fachbehörde für die Bundesrep. Dtl. ist die Physikalisch-Techn. Bundesanstalt (Braunschweig, Berlin). Sie arbeitet die Prüfvorschriften aus und verkehrt mit den Eichaufsichtsbehörden (Eichdirektionen, Landesamt für Maß und Gewicht usw.). Die Eichaufsichtsbehörden überwachen die ihnen unterstellten Eichämter und deren Normalgeräte. Sie sind mit »Hauptnormalen« ausgerüstet, die in längeren Zeitabständen (20 Jahre) mit den »Normalen« der Oberbehörde verglichen werden.
'**Eichenbock,** ein →Bockkäfer.
'**Eichendorff,** Joseph, Freiherr von, Dichter, * Schloß Lubowitz (Oberschlesien) 10. 3. 1788, † Neiße 26. 11. 1857, begann 1805 in Halle zu studieren, ging 1807 nach Heidelberg, wo er Görres, Arnim und Brentano kennenlernte, 1809 nach Berlin (Umgang mit Adam Müller und Brentano) und zum Abschluß seiner jurist. Studien 1810 nach Wien. Hier schloß er sich besonders Friedrich Schlegel und seinem Kreis an. An den Freiheitskriegen nahm er als Lützowscher Jäger, dann als Leutnant in einem schles. Landwehrregiment teil. 1816 begann er seine Beamtenlaufbahn im preuß. Staatsdienst, die ihn von Breslau über Danzig, Königsberg 1831 nach Berlin führte, wo er

281

bis zu seinem Rücktritt 1844 Regierungsrat für kathol. Angelegenheiten im Kultusministerium war. 1855 ließ er sich in Neiße nieder. E. stand am Ausgang der Romantik; viele seiner Gedichte sind volksliedhaft (›Wer hat dich, du schöner Wald‹, ›Wem Gott will rechte Gunst erweisen‹). In E.s Lyrik und Prosa, die in bewußt naivem Ton gehalten sind, geht die unmittelbarste Wirkung von seinen stimmungsbetonten Adjektiven aus. Als bezeichnendstes literarisches Dokument für das Lebensgefühl der Spätromantik gilt sein ›Aus dem Leben eines Taugenichts‹ (1826). Die Grundtendenz in E.s Werk, das sich auch mit der gesellschaftspolitischen Realität seiner Zeit auseinandersetzt, ist eine schmerzlich resignierende Melancholie. – Deutsches E.-Museum in Wangen (Allgäu) (eröffnet 1957).

WERKE. Gedichte (1837). Nov.: Das Marmorbild (1819), Dichter und ihre Gesellen (1834), Das Schloß Dürande (1837), Die Glücksritter (1841). Roman: Ahnung und Gegenwart, 3 Bde. (1815). Trauerspiele: Ezzelin von Romano (1828), Der letzte Held von Marienburg (1830). Verslustspiel: Die Freier (1833). – Literaturgeschichtliche Werke: Der deutsche Roman des 18. Jhs. (1851), Geschichte der poet. Literatur Deutschlands, 2 Bde. (1857). – Histor.-krit. Gesamtausgabe, hg. v. W. Kosch, erst teilw. ersch. (1923). Auswahl v. E. Roth, 2 Bde. (1949), W. Rasch, 1 Bd. (²1959). Werke und Schriften, hg. v. G. Baumann mit S. Grosse, 4 Bde. (1957–60).

LIT. Jos. Nadler: E.s Lyrik (1908); H. v. Eichendorff: Joseph Frh. v. E. (3. Aufl., neu bearb. von K. v. Eichendorff und W. Kosch, 1924); G. Möbus: Der andere E. (1960); J. v. E. in Selbstzeugnissen u. Bilddokumenten hg. v. P. Stöcklein (rowohlts monographien Bd. 84, 1963).

Eichenfarn, *Phegopteris Dryopteris*, eine zu den Polypodiazeen gehörige Farnart; auf sauren Humusböden in Laub- und Nadelwäldern ist der E. in gemäßigten und kalten Zonen weit verbreitet. Die zarten Wedel sind doppelt gefiedert.

Eichengallwespen, verschiedene an Eichen lebende →Gallwespen mit Generationswechsel. Bei der in Dtl. weitverbreiteten *Biorrhiza pallida* erzeugt die zweigeschlechtliche Sommergeneration große schwammige Knospengallen, die eingeschlechtliche Wintergeneration kleinere Wurzelgallen. Ferner sind bekannt die **gemeine E.** *(Diplolepis quercus folii)* und die **Knopperngallwespe** *(Cynips quercus calicis).*

Eichenkastanie, die eßbare Frucht der in Indien verbreiteten der Edelkastanie nahestehenden Gatt. *Castanopsis.*

Eichenkreuz, Verband für Leibesübungen im Evang. Jungmännerwerk Deutschlands, gegr. 1921, verbot en 1933, wieder gegr. nach 1945. Sitz: Kassel-Wilhelmshöhe.

Eichenmistel, 1) der Schmarotzerstrauch →Riemenblume; **2)** eine an Eichen schmarotzende Abart der Mistel.

Eichenspinner, Schmetterlinge: **1)** eine →Glucke, **2)** ein →Seidenspinner.

Eichfelder, engl. selected Areas, *Astronomie:* die kleineren Felder an der Sphäre, auf die man sich bei der Beobachtung lichtschwacher Sterne beschränkt.

Eichhase, Eichpilz, *Haselschwamm* (Polyporus ramosissimus), ein verzweigter, bräunlicher Löcherpilz, der wie der dunklere, bis 12 kg schwere *Klapperschwamm (Laubporling, graue Gans,* Polyporus frondosus) eßbar ist.

Eichhorn, Karl Friedrich, Rechtsgelehrter, * Jena 20. 11. 1781, † Köln 4. 7. 1854, Prof. in Göttingen, Frankfurt a. d. O. und Berlin. Durch seine ›Deutsche Staats- und Rechtsgeschichte‹ (4 Bde., 1808–23; ⁵1843/44) wurde er der Begründer der historischen Schule im deutschen Recht.

Eichhörnchen, Baumhörnchen, eine über alle Erdteile außer Australien verbreitete Gruppe baumbewohnender Nagetiere aus der Familie Hörnchen, mit kurzen Vorderbeinen und langem, zweizeilig behaartem Schwanz. In den Waldgebieten fast ganz Europas und einem großen Teils von Asien heimisch ist das rattengroße *gemeine E.* oder *Eichkätzchen* (Sciurus vulgaris). Es hat pinselförmige Ohrbehaarung. Das Fell ist in

gemeines Eichhörnchen

Mitteleuropa im Sommer fuchsrot, im Winter grau durchfärbt, unten stets weiß, im Nadelwald oft am ganzen Körper schwarz, in Sibirien und Nordeuropa im Winter fast rein grau und so als *Feh* geschätztes Pelzwerk. Dieses E. bewegt sich sehr hurtig auf den Bäumen, frißt Pflanzenstoffe, Vögel, Eier und baut im Baumgipfel ein backofenförmiges Nest, worin es überwintert, jedoch keinen eigentl. Winterschlaf hält. Zu den E. gehören auch die *Grau-* und *Rothörnchen* Nordamerikas sowie das *Riesen-E.* Vorderindiens.

Eichh'ornie, *Eichhornia,* **Wasserhyazinthe,** einkeimblättrige schwimmende Pflanzengattung der Pontederiazeen im warmen Amerika, mit spatenförmigen Blättern auf schwimmblasenartigen Blattstielen und hyazinthenähnl. blauen Blüten; Unkraut in Flüssen *(Wasserpest).*

'**Eichkurve, 1)** eine Kurve, die die Abweichung der Meßwerte eines Meßgeräts von durch →Eichen erhaltenen Vergleichswerten (Sollwerten) angibt. **2)** *analytische Chemie:* eine Kurve, die den Zusammenhang zwischen einer physikal. Eigenschaft (Farbe, Dichte, Lichtbrechung) und der Konzentration des zu bestimmenden Stoffes angibt.

'**Eichmann, Adolf,** nationalsozialist. Politiker, * Solingen 19. 3. 1906, † Ramle 31. 5. 1962 (hingerichtet); organisierte 1941–45 Judendeportationen, wurde 1960 von Argentinien nach Israel entführt und zum Tode verurteilt.

'**Eichmaß, Aichmaß,** früheres mittel- und süddeutsches Flüssigkeitsmaß = 1,6–1,9 *l*. In einzelnen Gegenden unterschied man zwischen *Hell-E.* oder *lauterem E.* und *Trüb-E.* für Most. Hierher gehören auch Jungmaß, Zapfmaß, Schenk-(Schank-)maß.

'**Eichpfahl,** ein mit einer Eichmarke versehener Pfahl oberhalb eines Wehrs oder einer Talsperre, der die zulässige Stauhöhe kennzeichnet.

'**Eichpilz,** Pilzart, →Eichhase.

'**Eichrodt,** Ludwig, Pseudonym *Rudolf Rodt*, humoristischer Dichter, * Durlach 2. 2. 1827, † Lahr 2. 2. 1892, wo er seit 1871 Oberamtsrichter war. Von E.s 1855–57 zusammen mit A. Kußmaul u. d. T. ›Biedermaiers Liederlust‹ in den ›Fliegenden Blättern‹ veröffentlichten Gedichten in der Art des schwäb. Dorfschulmeisters S. F. Sauter rührt der Name ›Biedermeier her.
Werke. Ges. Dichtungen, 2 Bde. (1890).

'**Eichsfeld,** das nordwestliche Randgebiet des Thüringer Beckens, durch Wipper und Leine in zwei Landschaften geschieden. Das *Obere E.* (im S) ist eine etwa 450 m hohe Muschelkalkfläche, im Höhenzug Dün bis 517 m hoch, mit Laubwald; meist kleinbäuerliche Betriebe, Viehzucht; Kalibergbau. Hauptort: Heiligenstadt. Das *Untere E.* (im N) ist eine Buntsandsteintafel mit Zeugenbergen aus Muschelkalk, in den Ohmbergen bis 538 m hoch; es ist klimatisch mehr begünstigt, gute Ernten (Getreide, Tabak, Obst). Hauptort: Duderstadt. – Das E. gehörte seit Ende des 13. Jhs. zum Erzbistum Mainz, 1803–06 zu Preußen, 1806–15 zum Kgr. Westfalen, 1815–1945 zu Preußen.

'**Eichstätt,** Kreisstadt im RegBez. Oberbayern, 389 m ü. M., im Tal der Altmühl, mit (1976) 13 100 Ew. E. ist Bischofssitz, hat kathol. Gesamthochschule, Pädagog. Hochschule, Gymnasien; Geschichtliches Museum auf der *Willibaldsburg* (ehem. Residenz der Bischöfe); Industrie hat nur geringe Bedeutung: Textilien, Schuhe, Papier; Steinbrüche.
Die Bischofsstadt E. erhielt 908 Marktrecht; um 1200 Anlage der Bürgerstadt. Der Dom ist im wesentl. eine got. Hallenkirche (14. Jh.). Nach den Zerstörungen des Dreißigjährigen Krieges entstand die barocke Residenzstadt: die Schutzengelkirche, die ehemal. Benediktinerinnenkirche St. Walburga (vollendet 1706), die

ehemal. Dominikanerkirche St. Peter(1714), die ehemal. Notre-Dame-Kirche (1719), die frühere bischöfl. Residenz und die alten Kavalierhöfe (17.–18. Jh.). Barockbauten aus fürstbischöflicher Zeit. – Bonifatius gründete 741 das Bistum E. und setzte den Angelsachsen Willibald als Bischof ein. Das *Fürstentum E.*, seit dem 14. Jh. der reichsunmittelbare Besitz der Bischöfe, wurde 1805 bayerisch; das 1821 wiedererrichtete Bistum gehört zur Kirchenprovinz Bamberg.
Lit. J. Sachs: Gesch. d. Hochstiftes u. d. Stadt E. (Neuaufl. 1927).

'**Eickstedt,** Egon, Freiherr von, Anthropologe und Ethnologe, * Jersitz bei Posen 10. 4. 1892, † Mainz 20. 12. 1965, war Prof. in Breslau, Leipzig, 1946–60 in Mainz.
Werke. Rassenkunde und Rassengeschichte der Menschheit (1934, 2. Aufl. u. d. T.: Die Forschung am Menschen, 3 Bde., 1937 bis 1959), Rassendynamik von Ostasien (1944), Atom u. Psyche (1954), Türken, Kurden u. Iraner seit dem Altertum (1961).

Eid [german. Stw.], die Anrufung einer verehrten oder gefürchteten Macht zum Zeugen für die Wahrheit einer Aussage oder die Ehrlichkeit einer Zusage und zum Rächer des falschen oder gebrochenen Eides (**Meineid**). Das A. T. verurteilt den Mißbrauch des E., hat ihn aber nicht verhindern können. Auch das N. T. hält an ihm fest (z. B. Hebr. 6, 16), obwohl Jesus selbst ihn ablehnt (Jak. 5, 12; abgeschwächt Matth. 5, 37). Das Christentum betont demgemäß stark die Heiligkeit des E. (vgl. die Lehrbücher der Ethik, des Kirchenrechts, der Moraltheologie). Die kathol. Kirche hat ein eigenes Recht des E. entwickelt (Glaubenseid, Schweigeeid, Gerichtseid usw.); gleichzeitig betont sie nachdrücklich, daß kein staatlicher E. gegen das im Sinne der Kirche ausgelegte Naturrecht, göttliche oder kirchliche Recht verpflichten kann. Rechtlich ist der E. eine auf obrigkeitl. Anordnung in bestimmter Form abgegebene verbindliche Erklärung, entweder das Versprechen, etwas tun oder lassen zu wollen (*promissorischer Eid, Voreid:* E. auf die Verfassung, Diensteid) oder die Versicherung, etwas getan oder gelassen zu haben (*assertorischer E., Nacheid:* Zeugeneid vor Gericht). Im Prozeßrecht ist der E. bei Zeugen und Sachverständigen und als →Offenbarungseid von Bedeutung. Im Zivilprozeß wurde 1933 der *Parteieid* durch die (u. U. eidliche) Parteivernehmung ersetzt (§ 452 ZPO). Im Strafprozeß wird der Angeklagte im Unterschied zum alten deutschen (→Eideshelfer) und angloamerikan. Recht zum E. nicht zugelassen. Bei Zeugen kann das Gericht von einer Vereidigung absehen, z. B. beim durch die Straftat Verletzten und dessen Angehörigen, bei gemeinsamem Verzicht der Staatsanwaltschaft, des Angeklagten und des Verteidigers. Die Vereidigung geschieht nach Hinweis auf die Bedeutung des E. *(Eidesbelehrung)* in der Weise, daß der Richter an den Schwurpflichtigen die

Worte richtet: »Sie schwören bei Gott dem Allmächtigen und Allwissenden, daß Sie nach bestem Wissen die reine Wahrheit gesagt und nichts verschwiegen haben« *(Eidesnorm)*. Der Schwurpflichtige spricht hierauf unter Erhebung der rechten Hand: »Ich schwöre es, so wahr mir Gott helfe« *(Eidesformel)*. Die religiöse Beteuerung kann auch weggelassen werden (§ 66c StPO). Der wissentliche oder fahrlässig falsche E. ist als Meineid oder fahrlässiger Falscheid unter Strafe gestellt (§§ 154, 163 StGB). – Das österreich. Recht kennt seit 1895 die eidl. Parteivernehmung; der Zeugeneid ist ähnlich wie im dt. Recht geregelt (§ 371ff. ZPO). In der *Schweiz* gibt es in einigen Kantonen noch den Parteieid (Schiedseid) mit voller Beweiskraft.

ʹEidam [german. Stw.], Schwiegersohn.

Zauneidechse

ʹEidechse [ahd.], 1) *Lacertidae*, Familie der Echsen, schlanke Kriechtiere mit 4 langzehigen Füßen und schlängelnder Fortbewegung; Bewohner trockener Gegenden der Alten Welt; Kleintier- und Pflanzenstofffresser. In Mitteleuropa sind z. B. heimisch die bis 25 cm lange, als Weibchen bräunliche, als Männchen grünliche *Zaun-E.* (Lacerta agilis), die bis 40 cm lange, leuchtend grüne, an der Kehle blaue *Smaragd-E.* (Lacerta viridis), die der Zaun-E. ähnliche, in Mitteleuropa lebendgebärende, in SW-Europa eierlegende *Berg-E.* (Lacerta vivipara). Ihr Schwanz bricht leicht ab, wächst aber nach. Die größte der E. ist die südeurop. *Perl-E.* (Lacerta lepida) mit rund 60 cm Länge. Bemerkenswert sind ferner die *Sandläufer* (Psammodromus) mit stark gekielten Schuppen, die wüstenbewohnenden *Fransenfinger* (Acanthodactylus), deren im Namen ausgedrückte Besonderheit das Einsinken im Sand verhindert, und das *Schlan-*

genauge (Ophisops), dessen Lider, wie bei den Schlangen, zu einer durchsichtigen Kapsel verwachsen sind.
2) E., lat. *Lacerta*, Sternbild am nördl. Himmel.

ʹEidechsennatter, eine →Trugnatter.

ʹEidechsenschwanz, *Saururus*, Pflanzengatt. mit 2 Arten, von denen eine in Ostasien, die andere im westl. Nordamerika beheimatet ist; krautige Sumpfgewächse mit dichten Blütenähren.

ʹEidechsenwurz, Eidechsenpflanze, *Sauromatum*, Gattung der Aronstabgewächse im trop. Afrika und Asien, mit purpurner, widerlich riechender Blüte und fußförmig zerteiltem Blatt. Von den etwa 6 im trop. Asien und Afrika verbreiteten Arten werden mehrere, die sich aus der frei liegenden Knolle als Trockenblüher (ohne Wasser- und Erdversorgung) zu entwickeln vermögen, in Stuben und Gewächshäusern gezogen (**Wunderknolle**).

ʹEider *die*, Grenzfluß zwischen Schleswig und Holstein, entspringt südlich von Kiel und mündet bei Tönning in die Nordsee; 188 km lang, ab Rendsburg schiffbar. **Eiderkanal**, 1777–84 angelegt, z. T. in den Nord-Ostsee-Kanal einbezogen. 1973 wurde der **Eiderdamm** eingeweiht.

ʹEiderdänen, →Dänemark, Geschichte.

ʹEiderʹente [nord. Lw.], *Somateria*, Gattung gänsegroßer Tauchenten. An nordischen Küsten von Ostgrönland bis zu den Friesischen Inseln brütet gesellig die eigentl. E. *(Somateria mollissima)*, das Weibchen unscheinbar schwärzlich-braun, das Männchen durch schneeweiße Oberseite, schwarzen Oberkopf und moosgrünes Feld an Nacken und Halsseiten sehr auffallend. Das Nest wird mit den Pelzdaunen des Weibchens *(Eiderdaunen, -dunen)* umpolstert. Die Daunen sind sehr gesucht für Bettfedern. Auf den hohen Norden beschränkt ist die **Prachteiderente** *(Somateria spectabilis)*, Männchen mit blaugrauem Hinterkopf und dick aufgetriebenem orangefarbenem Schnabel.

Eiderente

ʹEiderstedt, Halbinsel an der Westseite von Schleswig-Holstein, zwischen Eidermündung und dem Heverstrom.

ʹEidesfähigkeit, Fähigkeit zur Eidesleistung im Prozeß. Sie ist an die Vollendung des 16. Lebensjahres geknüpft *(Eidesmündigkeit)*. Die Vereidigung eines wegen Meineids Verurteilten ist nach dem 1. Strafrechtsreform-Gesetz nicht mehr unzulässig. - In *Österreich* tritt die E. mit dem 14., in der *Schweiz* meist mit dem 16. Lebensjahr ein.

'**Eideshelfer,** im alten deutschen Recht eine Person, die die persönliche Glaubwürdigkeit der schwurpflichtigen Partei beschwor.

'**eidesstattliche Versicherung,** Mittel der Glaubhaftmachung im Prozeßrecht und in Sachen der freiwilligen Gerichtsbarkeit. Sie kann mündlich oder schriftlich abgegeben werden und unterliegt der freien Beweiswürdigung. Eine wissentlich falsche e. V. wird mit Freiheits- oder Geldstrafe bestraft (§ 156 StGB). Die e. V. ersetzt im bürgerl. Recht den Offenbarungseid (Ges. v. 27. 6. 1970). Im *österr.* Recht (§ 274 ZPO) besteht im wesentl. die gleiche Regelung. Auch das *schweizer.* Recht kennt die Glaubhaftmachung.

Eid'etik [aus griech. eidos ›Bild‹], 1) *Philosophie:* Lehre von dem begrifflich allgemeinen Wesen, von den idealen Bedeutungen, bes. in der Phänomenologie Husserls. 2) *Psychologie:* Lehre von den subjektiven Anschauungsbildern: nachbildartige, physisch wahrgenommene Bilder bei Fehlen des Reizgegenstandes. Die Fähigkeit zu solchen Anschauungsbildern ist im Kindesalter häufig, kommt aber auch bei Erwachsenen, bes. bei Künstlern vor.

Lit. V. Urbantschitsch: Über subjekt. opt. Anschauungsbilder (1907); E. R. Jaensch (mit Mitarb.): Über den Aufbau der Wahrnehmungswelt und ihre Struktur im Jugendalter (²1927); Die Eidetik und die typolog. Forschungsmethode (²1927); Eidet. Anlage und kindl. Seelenleben (1934); O. Kroh: Subjekt. Anschauungsbilder (1922).

eid'etisch, 1) wesensmäßig. 2) anschaulich.

'**Eidgenossenschaft,** kultischer oder polit. Zusammenschluß (*Schwurbund,* →Amphiktyonie), besonders die *Schweizerische E.* (→Schweiz).

Eidoph'orverfahren [Kw., griech. ›Bildträger‹], ein Verfahren zur Wiedergabe (Projektion) von Fernsehbildern auf großen Bildschirmen (Kinoleinwand). Die Helligkeitsverteilung des Bildes wird auf die Oberfläche einer zähen Flüssigkeit, des *Eidophors,* in Form eines Ladungsrasters übertragen, ähnlich wie in der Bildröhre des Fernsehempfängers durch einen in der Intensität gesteuerten, zeilenweise geführten Elektronenstrahl. Durch die entsprechend der Bildhelligkeit von Punkt zu Punkt wechselnde Ladung wird die Oberfläche des Eidophors verschieden stark verformt und damit seine Lichtbrechung beeinflußt. Der Eidophor befindet sich zwischen zwei Balkengittern G_1 und G_2, von denen durch die Linse L_1 die Balken des einen (G_1) auf die Zwischenräume des anderen (G_2) abgebildet werden, so daß kein Licht durch das Gitter G_2 fällt (Strahlengang I durch Punkt A), wenn die Eidophoroberfläche glatt ist. Wird durch eine Ladung die Oberfläche des Eidophors ver-

formt, so wird das Licht so abgelenkt, daß es zwischen den Balken von G_2 hindurchtreten kann (Strahlengang II durch Punkt B). Durch die Linse L_2 wird über den Spiegel das Bild auf dem Schirm abgebildet.

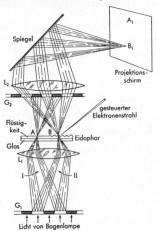

Eidophorverfahren

'**Eidos** [griech. ›Bild‹], Urbild, Idee, Gestalt, in der Philosophie seit Platon, in neuerer Zeit bes. bei Husserl die Art (Species) im Unterschied zur Gattung. '**Eidolon,** Abbild, Nachbild.

Eidsvoll, Eidsvold, kleiner Ort nordöstl. von Oslo, Norwegen; in der Nähe das Eidsvollbygning (Eidsvollgebäude), ein ehemal. Herrenhaus, in dem 1814 die norweg. Unabhängigkeit ausgerufen und am 17. 5. (norweg. Nationalfeiertag) die norweg. Verfassung angenommen wurde.

'**Eierfressen,** Ausdruck einer →Mangelkrankheit bei Hühnern und Stubenvögeln. '**Eierfrucht,** ein →Nachtschatten.

'**Eierkuchen, -pfannkuchen,** in der Pfanne gebackener fladenförmiger Kuchen aus Teig von Eiern, Milch (Wasser) und Mehl; *mundartlich:* Flins, Plinse, Palatschinke, Fridatte. →Omelette.

'**Eierlikör,** Likör aus mindestens 20 Vol.-% Alkohol, frischem Eigelb (mind. 240 g/l), Zucker. Eierweinbrand darf Alkohol nur als Weinbrand enthalten.

Eiermann, Egon, Architekt, * Neuendorf/ Berlin 29. 9. 1904, † Baden-Baden 19. 7. 1970; 1947 Prof. an der TH Karlsruhe, baute 1961–63 die neue Kaiser-Wilhelm-Gedächtniskirche in Berlin.

'**Eierpaketler,** Insektensippe, eine Gruppe der Geradflügler, mit den Schaben und den Fangheuschrecken. Das Weibchen hüllt das Eiergelege in erhärtenden Schleim.

'**Eierpflanze,** ein →Nachtschatten.

'Eierschalenporzellan, engl. Egg-shell porcelain, sehr dünnwandiges Porzellan, ursprünglich nur in China und Japan hergestellt.

'Eierschlangen, Angehörige der afrikan. und ind. Natter-Gattungen *Dasypeltis* und *Elachistodon*, die Eier fressen; die Eierschalen werden durch Wirbelfortsätze zerbrochen, die in den Darm hineinragen, und dann ausgespien. Das Gebiß ist wenig entwickelt.

'Eierschwamm, →Pfifferling.

'Eierspiegel, Eierprüfer, Ovoskop, Schierlampe, Gerät zur Beurteilung der Frische der Hühnereier nach einem Durchleuchtungsbild.

'Eierstab, Zierleiste aus abwechselnd eiförmigen und pfeilspitzenartigen Gebilden, unten mit einem Perlstab (Astragalus) abgeschlossen; vor allem am Kapitell und Gebälk ionischer und korinthischer Bauten. →Kymation.

'Eierstich, Eiergelee, Eier mit Milch geschlagen, in Formen gefüllt und im Wasserbad gar gemacht. Gesüßter E. ist ein Nachtisch; gesalzener und geschnittener wird als Suppeneinlage verwendet.

'Eierstock, lat. *Ovarium*, der Teil des menschl. und tierischen Körpers, in dem sich die weibl. Geschlechtszellen (Eizellen,

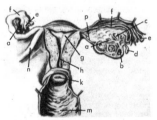

Eierstock: weibliche Geschlechtsorgane von vorn, z. T. aufgeschnitten; a Eierstock mit Graafschen Follikeln (b), c Nebeneierstock mit bläschenförmigem Anhang (e), e Fimbrien, f Eileiter, g Gebärmutterhöhle, h innerer, k äußerer Muttermund, m Scheide, n rundes Mutterband, p Eierstockband (etwa ²/₅ nat. Gr., nach Spalteholz)

Eier) entwickeln. Mensch und Säugetiere haben einen rechten und einen linken E., die beim Menschen an der Außenwand des kleinen Beckens liegen, durch das *Eierstockband* mit dem oberen Teil der Gebärmutter verbunden sind und bei der geschlechtsreifen Frau etwa Größe und Form einer Mandel haben. Jeder E. besteht aus Mark und Rinde. Das Mark enthält Bindegewebe, Blutgefäße und Nerven; in der etwa 1–2 mm dicken Rinde des E. entstehen Gebilde bis zum Umfang einer Erbse, die mit wasserheller Flüssigkeit gefüllt sind. Diese Bläschen heißen nach ihrem Entdecker, dem Anatomen Reinier de Graaf, die *Graafschen*

Bläschen oder *Follikel*. Die Flüssigkeit wird von den Wandzellen des Bläschens abgesondert. Innerhalb dieser Wand liegt das *Ei*, das im reifen Zustand einen Durchmesser von etwa 0,2 mm hat. Die Zahl der in beiden E. angelegten Eier beträgt etwa 400000; die meisten verkümmern jedoch, und nur 12–13 reifen jährlich. In der Regel alle 4 Wochen, zwischen zwei Menstruationen, platzt an der Oberfläche des E. ein Bläschen *(Follikelsprung, Ovulation)*; das freigewordene Ei tritt in die trichterförmigen Enden der Eileiter über, durch die es in die Gebärmutterhöhle gelangt. In das entleerte Bläschen ergießt sich Blut *(Roter Körper)*. Der Rote Körper wird dann nach Aufsaugung des Blutes und unter starkem Heranwachsen der Follikelzellen zu einer »Hormondrüse«, dem *Gelben Körper* (Corpus luteum). Tritt keine Schwangerschaft ein, so zerfällt der Gelbe Körper bei der nächsten Menstruation und wird zum weißlich-narbigen Körper; bei erfolgter Befruchtung dagegen bleibt er während der ganzen Schwangerschaft erhalten. Die *Eierstocks-* oder *Ovarialhormone* regeln oder bedingen die periodischen Veränderungen der Geschlechtsorgane. Das von den schrumpfenden Follikeln innersekretorisch abgesonderte *Follikelhormon* fördert das Wachstum von Gebärmutter (bes. Gebärmutterschleimhaut), Scheide und Milchdrüse. Das *Gelbkörperhormon* regelt bes. die Vorgänge nach der Befruchtung.

'Eierstockentzündung, grch. *Oophoritis*, durch Bakterien hervorgerufene entzündliche Erkrankung der Eierstöcke; meist sind Eileiter und Bauchfell miterkrankt. Die Beschwerden bestehen in Unterleibsschmerzen, bes. beim Stehen, Gehen, beim Geschlechtsverkehr und bei der Menstruation. Die Behandlung ist Sache des Arztes.

'Eierstockkrebs, nächst dem Gebärmutterkrebs der häufigste Krebs bei der Frau. Wenn die Krebsgeschwulst durch rechtzeitige Operation entfernt oder durch Röntgenbestrahlung zerstört wird, ist Heilung zu erwarten.

'Eierstockpräparate, Arzneimittel, die Eierstockhormone (→Eierstock) enthalten, gegen Störungen in der inneren Sekretion der Eierstöcke, z. B. in den Wechseljahren.

'Eierstockzysten, *Ovarialzysten*, krankhaft vergrößerte, nicht geplatzte Follikel oder echte Geschwulstbildungen, die 10 und mehr Liter Flüssigkeit enthalten und den ganzen Bauchraum ausfüllen können. Letztere führen zu Verdrängungserscheinungen an den übrigen Bauchorganen und neigen zu krebsiger Entartung; sie werden deshalb meist operativ entfernt.

'Eierstockschwangerschaft, eine →Extrauterinschwangerschaft.

'Eiertanz, Kunsttanz zwischen ausgelegten Eiern; Sinnbild für vorsichtiges Verhalten in heikler Lage.

'Eifel, der linksrhein. Teil des Rheinischen Schiefergebirges zw. Mosel und Kölner

Bucht, ein welliges Rumpfhochland von etwa 600 m Höhe, von einzelnen Rücken härteren Gesteins *(Hohes Venn, Schneifel, Kondelwald)* durchzogen. Hauptflüsse: Kyll, Lieser, Alf und Eltz zur Mosel; Ahr, Brohl und Nette zum Rhein. Die E. zeigt Reste von tertiärem und diluvialem Vulkanismus, Maare und Basaltkuppen (Hohe Acht, 746 m). Wirtschaftl. Bedeutung haben neben den Basalten und Phonolithen die Tuffe, der Traß und Bimsstein, ferner die nachvulkan. Säuerlinge für Kohlensäuregewinnung und Sprudel (Bertrich, Daun, Gerolstein, Tönisstein, Apollinaris-Sprudel bei Remagen, Namedy). Klima: auf den Höhen rauh, niederschlagsreich; der Ackerbau ist wenig ergiebig. Moore und Heide werden zunehmend eingeschlossen; Forstwirtschaft.

'**Eifersucht** [Lutherzeit], leidenschaftliches Streben nach Alleinbesitz mit haßerfüllter Angst vor jedem möglichen Nebenbuhler. Der echte **Eifersuchtswahn** führt zu grotesken Verdrehungen der Wirklichkeit. Er ist meist ein Symptom der Schizophrenie, wobei die Gesamtpersönlichkeit wenig oder gar nicht verändert zu sein braucht. Kranke mit voll ausgebildetem E.-Wahn können gemeingefährlich werden.

Eiffel [ɛfɛl], Alexandre Gustave, franz. Ingenieur, * Dijon 15. 12. 1832, † Paris 28. 12. 1923, konstruierte viele Brücken und Hallen und für die Pariser Weltausstellung 1889 den 300 m hohen **Eiffelturm.**

'**Eifischtal,** schweiz. Hochtal, französ. Val d' →Anniviers.

'**Eigelsterne** [von lat. aquila ›Adler‹], römische, von einem Adler gekrönte Denkmäler im Rheinland, so der Grabturm des Drusus (Eichelstein) in Mainz, der E. in Köln, das Grabmal der Secundinier in Igel bei Trier (Igeler Säule).

Eigen, Manfred, Chemiker, * Bochum 9. 5. 1927, seit 1964 Dir. des Max-Planck-Instituts für Physikal. Chemie in Göttingen; erhielt zus. mit M. Portner und R. G. W. Norrish den Nobelpreis für Chemie 1967 für Untersuchungen extrem schnell verlaufender chem. Reaktionen durch Störung des molekularen Gleichgewichtszustandes durch kurzfristige Energiestöße.

'**Eigenbesitz,** der Besitz mit dem Willen, den Gegenstand wie ein Eigentümer zu beherrschen (§ 872 BGB). E. ist z. B. Voraussetzung für die →Ersitzung.

'**Eigenbetrieb,** ein wirtschaftl. Unternehmen der Gemeinden, ohne Rechtspersönlichkeit. Es wird wie im Privatunternehmen mit Gewinnabsicht geführt (z. B. Versorgungs- und Verkehrsbetriebe), jedoch mit größerer Selbständigkeit als im Regiebetrieb. Wirtschaftl. Gemeindebetriebe in Form einer jurist. Person sind keine E., ebensowenig solche, zu deren Einrichtung die Gemeinden gesetzlich verpflichtet sind, sowie die Einrichtungen des Erziehungswesens, der Gesundheits- und Sozialhilfe u. a.

'**Eigenbewegung,** die sehr geringe Ortsveränderung der Fixsterne an der Sphäre. Die größte bisher beobachtete E. hat mit 10 Gradsekunden im Jahr der Barnardsche Pfeilstern.

'**Eigenblutbehandlung,** Behandlung mit Blut, das vom Kranken entnommen und ihm in die Muskeln eingespritzt wird. Die E. ist eine unspezifische Reizkörpertherapie, die heute nur noch als Naturheilmittel angewandt wird.

'**Eigenbrötler,** Sonderling, ursprüngl. schwäb. für einen Junggesellen, der sein eigenes Brot bäckt.

'**Eigenfermente,** die in Zellen und Organen vorhandenen, für diese typischen Fermente (→Enzyme), die jedoch nicht in der Lage sind, die lebendige Zellsubstanz zu verdauen. Eine solche Selbstverdauung tritt in Form der →Autolyse erst nach dem Zelltod ein.

'**Eigengeschäft, Propergeschäft,** ein Handelsgeschäft in eigenem Namen für eigene Rechnung; Gegensatz: Kommissionsgeschäft. **Eigenhändlergeschäfte,** *Wertpapierhandel:* Geschäfte, bei denen die Bank unmittelbar mit dem Kunden zu festem Preis abschließt und die Stücke liefert oder übernimmt, bes. bei Effekten mit geringen Kursschwankungen (Staatsanleihen, öffentl.-rechtl. Schuldverschreibungen, Schatzanweisungen, -wechsel, Pfandbriefe) in Form des Tafelgeschäfts oder bei nicht offiziell gehandelten Effekten (unnotierten Werten). **Eigenhändlerklausel,** die Erklärung der Bank ihrem Kunden gegenüber, daß sie im Wertpapierhandel mit ihm als Eigenhändler (Selbstkontrahent, durch Selbsteintritt) auftritt.

'**Eigengewässer,** die der vollen Staatshoheit unterstehenden Gewässer (Ströme, Kanäle, Strommündungen) im Unterschied zum Küstenmeer unter staatl. Hoheit (→Dreimeilenzone) und zur freien See.

'**Eigenhandel, Gesamteigenhandel,** im Außenhandel die gesamte Ein- und Ausfuhr eines Landes mit Veredelungsverkehr, aber ohne Durchfuhr.

'**eigenhändig, 1)** lat. *manu propria,* mit eigener Hand (unterschrieben). **2)** Vermerk auf Postsendungen, die nur der in der Anschrift bezeichneten Person auszuhändigen sind.

'**Eigenharnbehandlung,** das Einspritzen von dem Kranken steril entnommenem und mit Phenol versetztem Harn in die Muskeln. Die Methode der E. beruhte auf der Erkenntnis, daß mit dem →Harn Stoffe ausgeschieden werden, die im Haushalt der Hormone oder als Antikörper bei Überempfindlichkeitsreaktionen und bei der Überwindung von Infektionen eine Rolle spielen. Erfolge der E. bei verschiedenen Krankheiten sind aufgetreten; trotzdem ist ihr Wert wissenschaftlich fragwürdig. Die E. wird heute nur noch bei völligem Arzneimittelmangel angewendet.

'**Eigenkapital,** der Teil des Gesamtkapitals eines Unternehmens, der den Eigentümern gehört; Gegensatz: Fremdkapital (Verbindlichkeiten). Zum E. gehören auch offene und stille Rücklagen (Reserven).

'Eigenkirche, im Mittelalter die im Eigentum eines weltl. Grundherrn stehende Kirche (auch Klosterkirche: Eigenkloster). Der Grundherr hatte das Recht zur Ernennung des Geistlichen, ihm stand der wirtschaftl. Ertrag der Kirche zu. Das von der karoling. Gesetzgebung geregelte System der E. griff später auch auf das Verhältnis des Königs zur Reichskirche über, als deren Eigentümer der König betrachtet wurde. Dagegen führte die Kirche den →Investiturstreit. Das höhere E.-Wesen wurde durch das Wormser Konkordat (1122) beseitigt, das niedere zur →Inkorporation oder zum →Patronat umgebildet.

Lit. U. Stutz: Die E. als Element d. ma.-germ. Kirchenrechts (1895, Neuaufl. ³1961).

'eigenmächtige Abwesenheit von der Truppe oder militär. Dienststelle wird, wenn sie länger als 3 Tage dauert, mit Freiheitsstrafe von einem Monat bis zu 2 Jahren oder mit Strafarrest bestraft (§ 15 WStG); früher unerlaubte Entfernung.

'Eigenname, →Name.

'Eigennutz, rücksichtsloses Streben nach eigenem Vorteil (Egoismus). Eigw.

eigennützig.–Strafbarer E., die in den §§ 284–297 StGB zusammengefaßten Delikte Glücksspiel, unerlaubte Lotterie, Vollstreckungsvereitelung, Pfandkehrung und Gebrauchsanmaßung, Jagdwilderei, Fischereifrevel, Schiffsgefährdung durch Konterbande, Entlaufen mit der Heuer.

'Eigenschaft, Merkmal oder Besonderheit einer Sache (seit Chr. Wolff). Unterschieden werden wesentliche (substantielle) E., Attribute, und zufällige (akzidentelle) E.

'Eigenschaftswort, Beiwort, Adjektiv, Wortart, die ein Substantiv (Hauptwort) durch Angabe eines Merkmals (Eigenschaft) genauer beschreibt. Das E. kann als Beifügung (attributives Adjektiv) verwendet werden, z. B. der kleine Mann, oder selbständig in der Satzaussage stehen, z. B. der Mann ist klein (prädikatives Adjektiv). Verbunden mit dem Hauptwort wird das E. dekliniert, in selbständiger Stellung bleibt es unverändert (auch als →Umstandswort). Das E. kann gesteigert werden, wenn es sein Sinn erlaubt (tot z. B. nicht).

'Eigenschwingung, Physik: die freie Schwingung eines abgeschlossenen Systems. Schwingungsfähige Gebilde, z. B. Bauteile, Glocken, haben im allg. mehrere E., die durch äußeren Anstoß gleichzeitig angeregt werden.

'Eigenserumbehandlung, Autoserotherapie, eine Form der Reizkörperbehandlung mit dem Blutserum des Kranken selbst.

'Eigenspannungen in Werkstoffen sind Kraftwirkungen ohne Beziehung zu äußerer Beanspruchung. Sie entstehen durch ungleichmäßige, teilweise bleibende Volumenänderung einzelner Werkstoffelemente oder ganzer Zonen, bes. infolge von Kaltverformung oder ungleichmäßiger Temperatur-

einwirkung. Die Summe der Eigenspannungen eines Körpers ist im Gleichgewichtszustand gleich Null.

'Eigenständigkeit, die einem Lebenskreis, einer Institution oder einem Sachzusammenhang zugesprochene oder für ihn geforderte Eigenschaft, sich ohne Eingriff von außen selbst zu ordnen, z. B. die Eigenständigkeit der Familie gegenüber dem Staat, der Logik gegenüber der Psychologie.

'Eigentum, die umfassende Besitz-, Verfügungs- und Nutzungsmacht über eine Sache im Unterschied zur tatsächl. Gewalt über sie (→Besitz). Diese Macht kann einer Gesamtheit von Berechtigten (Kollektiv-, Gemeineigentum) oder einem Einzelnen zustehen (Privateigentum); zwischen beiden Möglichkeiten gibt es viele Zwischenformen des gebundenen E. – In der Bundesrep. Dtl. ist das E. grundsätzlich gewährleistet mit der Begrenzung, daß »der Gebrauch des E. zugleich dem Wohle der Allgemeinheit dienen soll« (»soziale Bindung«, Art. 14 GG). In der modernen Sozialordnung sind viele Eigentumsbegrenzungen wirksam, z. B. im Städtebau die Festsetzung der Fluchtlinien, in der Wirtschaft die Mitbestimmungsrechte der Arbeitnehmer; der klassisch-liberale Eigentumsbegriff hat sich grundlegend gewandelt. Der Übergang von der Eigentumsbegrenzung zur Eigentumsentziehung ist fließend. Diese ist nur als →Enteignung zum Wohle der Allgemeinheit oder als Überführung in Gemeineigentum (→Sozialisierung) zulässig. Statthaft ist ferner die →Einziehung im Straf- und Verwaltungsverfahren sowie die Eigentumsumschichtung (Bodenreform, Lastenausgleich). Wird das E. zum Kampf gegen die freiheitl. demokratische Grundordnung mißbraucht, kann das Bundesverfassungsgericht die Verwirkung des E. aussprechen (Art. 18 GG). Im Rahmen der sozialen Marktwirtschaft wird in der Bundesrep. Dtl. eine breite Streuung des E. angestrebt (Ges. v. 12. 7. 1961 zur Förderung der Vermögensbildung der Arbeitnehmer). – In der DDR wird nach Art. 10 der Verfassung zwischen sozialist. (→Volkseigentum) und genossenschaftl. Gemeineigentum unterschieden, die im Gegensatz zum Privateigentum stehen. In Österreich und der Schweiz ist das E. ähnlich wie in der Bundesrep. Dtl. gewährleistet.

Im Privatrecht (§§ 903–1011 BGB) genießt das E. einen besonderen dinglichen Rechtsschutz; es besteht ein Herausgabeanspruch gegenüber jedem unrechtmäßigen Besitzer, ein Unterlassungsanspruch gegenüber Störungen u. a. Das E. an einem Grundstück erstreckt sich auch auf den Raum über und unter dem Grundstück, es wird eingeschränkt durch das →Nachbarrecht. Erworben wird das E. an Grundstücken durch →Auflassung und Eintragung in das Grundbuch, das E. an bewegl. Sachen durch Einigung über den Eigentumsübergang und Übergabe der Sache. Die Übergabe kann ersetzt werden durch Abtretung eines Herausgabeanspruchs, wenn die Sache im Besitz eines Dritten ist, oder durch Vereinbarung eines Besitzmittlungsverhältnisses (z. B. Leihe), wenn der Veräußerer im Besitz bleiben will. Außerdem kann das E. an bewegl. und unbewegl. Sachen durch →Ersitzung erworben werden. – Ähnlich in *Österreich* (§ 353 ff. ABGB) und der *Schweiz* (Art. 641 ff. ZGB).

Gemeinsames E. sind das Miteigentum und das gesamthänderische E. Beim **Miteigentum** (Bruchteilseigentum) kann jeder Eigentümer über seinen Anteil verfügen und jederzeit Teilung verlangen, die Verwaltung steht allen gemeinsam zu. Beim **gesamthänderischen E.** (Gesamthandseigentum), das im Gesellschaftsrecht, bei der ehel. Gütergemeinschaft und der Erbengemeinschaft vorkommt, sind die Einzelfälle verschieden gestaltet, jedoch können grundsätzlich die Gesamthänder nur gemeinsam über die Sache verfügen.

Über geistiges **Eigentum** →Urheberrecht.

Völkerrechtlich kann im Landkrieg feindliches **Staatseigentum** zerstört oder weggenommen werden, soweit es der Kriegführung dient. Privat-E. ist geschützt, die Wegführung von Industrieeinrichtungen, Kunstgegenständen u. a. aus besetzten Gebieten ist unstatthaft. Weiteres →Prise. In beiden Weltkriegen wurde feindliches E. von den kriegführenden Mächten beschlagnahmt und eingezogen (→Auslandsvermögen).

'**Eigentümerhypothek**, eine Hypothek, die durch Bezahlung der Forderung durch den Eigentümer auf diesen übergeht. Dadurch wird verhindert, daß nachfolgende Rechte aufrücken und dadurch eine unbegründete Rangverbesserung erhalten (§ 1163 BGB).

'**Eigentumsbildung**. In der *Bundesrep. Dtl.* haben die bisher nur von der Eigeninitiative einer Reihe von Unternehmen getragenen Bemühungen, auch die Arbeitnehmer am Produktionseigentum zu beteiligen, zu einem ersten Versuch einer gesetzlichen Regelung geführt. Mit dem »Ges. zur Förderung der Vermögensbildung der Arbeitnehmer« vom 12. 7. 1961 sollen die Bestrebungen gefördert werden, den Arbeitnehmern neben ihrem zum Verbrauch bestimmten Lohn einen gesonderten Lohn zu gewähren, der als Sparkapital oder Bausparkapital oder im Unternehmen des Arbeitgebers selbst für bestimmte Zeit investiert wird *(Investivlohn)*. Es werden »vermögenswirksame Leistungen« der Arbeitgeber bis zu jährlich 624 DM je Arbeitnehmer mit 8 % pauschal versteuert und von der Beitragspflicht zur Sozialversicherung freigestellt. »Vermögenswirksame Leistungen« sind: 1. in bestimmten anderen Gesetzen näher bezeichnete Arten von Sparbeiträgen und Aufwendungen für den Wohnungs- und Familienheimbau; 2. Aufwendungen des Arbeitgebers für den Erwerb eigener Aktien durch den Arbeitnehmer zu einem Vorzugskurs (Belegschaftsaktien); 3. Aufwendungen des Arbeitgebers zur Be-

gründung von Darlehensforderungen der Arbeitnehmer gegenüber dem Arbeitgeber. Die Leistungen müssen allen Arbeitnehmern des Betriebes oder der Betriebsabteilung oder Gruppen von Arbeitnehmern gewährt werden, die nach festgelegten Merkmalen abgegrenzt sind. Sie müssen, um nach dem Gesetz gefördert zu werden, in Betriebsvereinbarungen oder Einzelverträgen, für die das Gesetz Form und Inhalt vorschreibt, zugesagt werden. Grundlage der Berechnung kann insbes. der Leistungserfolg des Betriebes sein (Ergebnisbeteiligung), zum Beispiel errechnet auf Grund von Materialeinsparungen, Verminderung des Ausschusses oder der Fehlzeiten, besserer Maschinenwartung, Verbesserung der Arbeitsmethoden oder der Qualität der Erzeugnisse oder sonstiger Produktions- oder Qualitätssteigerungen. – Die Bundesregierung hat versucht, durch bevorzugte kursverbilligte Ausgabe von Aktien privatisierten Unternehmen der öffentlichen Hand (Preußag, Volkswagenwerk, VEBA) an Arbeitnehmer bis zu einer bestimmten Einkommenshöhe auch ohne betriebliche Förderung vermögenswirksamer Maßnahmen eine breitere Streuung von Produktionseigentum zu erreichen.

Lit. O. Klug: Volkskapitalismus durch E.-streuung (1962).

'**Eigentumsvorbehalt**, die beim Verkauf einer bewegl. Sache getroffene Vereinbarung, daß die verkaufte Sache bis zur Zahlung des Kaufpreises Eigentum des Verkäufers bleiben soll. Nach § 455 BGB ist der Verkäufer zum Rücktritt vom Vertrag berechtigt, wenn der Käufer mit der Zahlung in Verzug kommt. Für Abzahlungsgeschäfte gelten besondere Bestimmungen. – Ähnlich in *Österreich;* in der *Schweiz* muß der E. am Wohnsitz des Käufers in das E.-Register eingetragen werden (Art. 715/716 ZGB).

Lit. R. Serich: E. und Sicherungsübertragungen (1963 ff.).

'**Eigentumswohnung**, →Wohnungseigentum, →Dauerwohnrecht.

'**Eigenversicherung**, →Fremdversicherung.

'**eigenwarme Tiere**, die →Warmblüter.

'**Eigenwerte** *einer Differential- oder Integralgleichung*, bestimmte Zahlenwerte der festen oder veränderlichen Hilfsgrößen der Gleichung, für die allein die Gleichung lösbar ist. Zu ihnen gehören die *Eigenfunktionen*, die entweder Lösungen sind oder zur Ermittlung von Lösungen dienen. *Eigenwerte einer Matrix* sind die in der Diagonale stehenden Zahlen, wenn die Matrix durch eine Transformation auf Diagonalgestalt gebracht worden ist, d. h. wenn außerhalb der Diagonale lauter Nullen stehen.

'**Eigenzeit**, Begriff der Relativitätstheorie: die entlang der Weltlinie (→Welt) eines Körpers gemessene Zeit.

'**Eiger**, vergletscherter Kalkgipfel der Finsteraarhorngruppe im Berner Oberland, südl. von Grindelwald, 3970 m hoch, mit fast senkrechter Nordwand. Auf dem Süd-

Eign

westgrat der **Kleine E.** (3472 m), zwischen E. und Mönch das **Eigerjoch** (3614 m).

ˈ**Eignungsuntersuchung, Eignungsprüfung,** soll bei der Berufsberatung die Eignung zu einem Beruf feststellen. In der Schulberatung, Wehrpsychologie und Personalauslese für eine Berufsstellung dient die E. oft einer Konkurrenzauslese, die von mehreren Bewerbern den geeignetsten heraussuchen soll. Methoden sind Lebenslauf-, Ausdrucks-, Arbeits-, Leistungsanalyse und vielerlei Tests. Die E. sind Gruppen- oder Einzelprüfungen.
LIT. A. Huth: Hb. psychologischer E. (1953).

ˈ**Eihaut,** →Mutterkuchen.

Eijkman [ˈɛjkman], Christiaan, niederländ. Hygieniker, * Nijkerk (Prov. Gelderland) 11. 8. 1858, † Utrecht 5. 11. 1930, war 1888–96 Direktor des Laboratoriums für Pathologie in Batavia, 1898–1928 Prof. in Utrecht; E. erkannte die Beriberi als eine Folge von Mangel an Stoffen, die man später »Vitamine« genannt hat. Nobelpreis 1929.

ˈ**Eike** (Eico, Heiko) **von Repgau** (Repgow, Repkow), aus Reppichau bei Aken an der Elbe, war Schöffe und Richter, verfaßte zwischen 1220 und 1235 den →Sachsenspiegel. Umstritten ist, ob er auch der Verf. der ›Sächsischen Weltchronik‹ ist. ›Freidanks Bescheidenheit‹ wurde ihm fälschlich zugeschrieben.
LIT. E. Wolf: Große Rechtsdenker (⁴1963).

Eikonomˈeter [grch.-lat. Kw.], **Ikonometer,** Gerät zum Messen der Größe eines entfernten Gegenstandes aus der Bildgröße und der Brennweite der abbildenden Optik; in Photographie und Kinematographie dient die E. auch zur Bestimmung der für eine gewünschte Bildgröße geeigneten Objektivbrennweite.

Eiland [altfries.], D kleine Insel.

ˈ**Eilbote, ˈEilbrief,** →Eilsendung.

ˈ**Eileiter** der, lat. Oviduct, paarige Kanäle, die bei den Tieren die reifen Eier aus den Eierstöcken aufnehmen und nach außen leiten. Bei Mensch und Säugetier beginnen die E. (*Muttertrompete, Tube*) in der Nähe der Eierstöcke (BILD) mit trichterförmigen, Fransen (*Fimbrien*) tragenden Öffnungen, die sich beim Austritt eines Eies aus dem Eierstock dicht an diesen anlegen; sie gehen in die Gebärmutter über.

Eileiterschwangerschaft, Tubenschwangerschaft, die Einnistung und Entwicklung des befruchteten Eies schon im Eileiter statt in der Gebärmutter, die häufigste Form einer sich außerhalb der Gebärmutter (*extrauterin*) entwickelnden Schwangerschaft. Behandlung: Operation. →Extrauterinschwangerschaft.

Eileithˈyia [grch.], **Ilithyia,** *griech. Mythologie:* eine Geburtsgöttin, meist der →Artemis oder auch der →Hera gleichgesetzt.

Eileithyiˈaspolis, griech. Name der Stadt →El-Kab.

ˈ**Eilenburg,** Kreisstadt im Bez. Leipzig, an der Mulde, Bahnknoten, mit (1973) 22 100

Ew.; Maschinen- und Möbelfabriken, chem. Werk. Nikolaikirche (Backsteinhallenbau, 15.–16. Jh.), Rathaus (1544). – E., benannt nach der *Ilburg,* im 10. Jh. auf dem Boden einer Sorbenschanze errichtet, kam um 1000 an die Wettiner. Die Stadt entstand um 1150, fiel 1364 an Böhmen, 1402 an Meißen, 1815 an Preußen; 1945 wurde sie schwer zerstört.

ˈ**Eilgut.** Frachtgut (Stückgut, Wagenladungen), das zu erhöhtem Satz beschleunigt befördert wird; Begleitpapier ist der **Eilfrachtbrief.**

ˈ**Eilhart von Oberg,** mittelhochdt. Dichter aus braunschweig. Ministerialengeschlecht, dichtete um 1184 nach 1170. Vorlage das Liebesepos ›Tristrant‹, die erste dt. Bearbeitung dieses urspr. keltischen Stoffes. Hg. von F. Lichtenstein (1877) und K.Wagner (1924).

ˈ**Eilsen, Bad E.,** Gem. im Kr. Schaumburg-Lippe, Niedersachsen, mit (1976) 2300 Ew.; Deutschlands ältestes Schwefel-Schlammbad (→Heilquellen).

ˈ**Eilsendung,** Postsendung, die gegen erhöhte Gebühr am Bestimmungsort sofort durch Eilboten zugestellt wird, besonders der **Eilbrief.**

Eilsleben, Gem. im Bez. Magdeburg, östl. der Aller in der Magdeburger Börde, hat (1964) 3200 Ew.; Zuckerfabrik.

Eilüberweisung, auch Direktüberweisung, erfolgt in bes. Fällen ohne Einschaltung von Zentralstellen (Abrechnung nachträglich auf normalem Weg über das Girosystem).

ˈ**Eilzüge,** Eisenbahnzüge, die nur an wichtigeren Orten halten; sie sind zuschlagfrei (Bundesrep. Deutschland).

ˈ**Eimer** [Lw. aus griech.-lat. amphora], 1) Gefäß mit Henkel, bes. zum Tragen von Flüssigkeiten. 2) früheres Flüssigkeitsmaß in Deutschland, Österreich, der Schweiz, etwa 70 *l,* in Württemberg um 300 *l.*

Eimˈeria, Gattung der Sporentierchen, Schmarotzer, Krankheitserreger.

ˈ**Eimert,** Herbert, Komponist, * Kreuznach 8. 4. 1897, † Düsseldorf 15. 12. 1972, wandte sich frühzeitig der atonalen Musik, der Zwölftonmusik und dann der elektron. Musik zu; verfaßte ›Lehrbuch d. Zwölftontechnik‹ (1950), Leiter d. musik. Nachtprogr. WDR Köln.

ˈ**Eimerwerk,** ine →Becherwerk mit Eimern.

ˈ**Einakter,** Schauspiel in einem Aufzug.

Einankerumformer, eine elektr. Maschine zur Umformung von Dreh- oder Wechselstrom in Gleichstrom oder umgekehrt in einem einzigen Anker. Der Dreh- oder Wechselstrom wird auf der einen Seite über Schleifringe zugeführt, der Gleichstrom auf der anderen Seite an einem Kommutator abgenommen.

ˈ**Einantwortung,** im österreich. Recht die Übertragung der Erbschaft in den rechtl. Besitz des Erben (§ 797 ABGB). Sie erfolgt durch das Gericht, sobald das Erbrecht gehörig nachgewiesen ist und bestimmte Verpflichtungen seitens des Erben erfüllt worden sind (§ 819 ABGB).

einarmiges **Stoßen**, *Gewichtheben:* Heben der Hantel in Schulterhöhe, dann Stoßen zur Hochstrecke.

'**Einarsson,** Indriði, isländ. Dramatiker, * Husabakki 30. 4. 1851, † Reykjavik 31. 3. 1939.
WERKE. Die Neujahrsnacht (1872; dt. 1910), Schwert u. Krummstab (1899; dt. 1900).

'**einäschern,** *Chemie:* Stoffe mit organischen Anteilen vorsichtig verbrennen, so daß die anorganischen, nichtflüchtigen Anteile zurückbleiben. In der chem. Analyse werden häufig Papierfilter samt einem darin durch Filtrieren gesammelten Niederschlag in besonderen Glühtiegeln eingeäschert, um die Niederschlagssubstanz für sich allein zu erhalten.

'**Einäscherung,** →Feuerbestattung.

Einaudi [ein'audi], Luigi, italien. Politiker (Democrazia Cristiana), * Carrù (Piemont) 24. 3. 1874, † Rom 30. 10. 1961, Finanzwissenschaftler, wurde 1945 Präsident der Bank von Italien; 1947 stellvertretender MinPräs. und Budgetmin.; Mai 1948 bis April 1955 Staatspräsident.
WERK. Prinzipien der Finanzwissenschaft (1948).

'**Einback** [Goethezeit] *der,* weiches Milch-Hefe-Gebäck, aus dem durch Zerschneiden und nochmaliges Backen der **Zwieback** hergestellt wird.

'**Einbahnstraße,** Verkehrsweg, der nur in der Richtung benutzt werden darf, in die der Pfeil (weiß im blauen Feld, Aufschrift: E.) weist; die verbotene Richtung wird durch einen roten Kreis mit waagerechtem weißen Querbalken gesperrt (Bundesrep. Deutschland).

'**Einbalsamierung,** ein Verfahren, Leichname vor Verwesung zu schützen, indem man sie mit fäulniswidrigen Stoffen durchtränkt. Die E. war schon im Altertum bekannt (→Mumie). Der Körper trocknet ein, die Weichteile schrumpfen und werden lederartig. Bei Feuchtigkeit zersetzen sich auch einbalsamierte Leichname.

'**Einband, Einbanddecke,** Rücken und Dekkel eines Buches, sind bei einem *Kartonage-* oder *Pappband* mit Papier, bei einem *Leinenband* mit Leinen, einem *Lederband* mit Leder verbunden und überzogen. Bei einem *Halbleinen-* oder *Halbleder-(Halbfranz-)band* sind nur Rücken und Ecken mit Ln. bzw. Ldr. bezogen.

'**Einbauküche,** eine Küche, in der nicht nur Herd und Spüle, sondern auch Geschirr-, Topf-, Vorrats-, Speisen- und Besenschrank, Arbeitstisch und möglichst auch ein Kühlschrank eingebaut sind. Grundfläche: etwa 5–6 m².

'**Einbaum** [oberd.], 1) aus einem ausgehöhlten Baumstamm bestehendes urtümliches Boot; in Europa bereits seit der Jungsteinzeit bekannt; bei den meisten Naturvölkern benutzt. Der Baumstamm wird vielfach ausgebrannt und mit dem Beil an den Wänden geglättet, oft auch mit heißem Wasser

gefüllt und durch Querstreben ausgeweitet. Mit einem Parallelbalken wird der E. zum →Auslegerboot und mit Planken als Borderhöhung zur →Piroge. 2) *Bergbau:* die ursprüngl. Form der Leiter: ein starkes Rundholz mit eingeschnittenen Stufen; heute kaum noch in Gebrauch.

Einbäume (Amazonas-Gebiet)

'**Einbaumöbel,** im Bauplan vorgesehene, fest mit der Wand verbundene Einrichtungsgegenstände.

'**Einbeck,** Stadt im Kreis Northeim, Niedersachsen, mit (1976) 29 800 Ew., an der Ilme. Die malerische Innenstadt mit teilweise noch erhaltenen Befestigungswerken ist reich an schönen alten Bauten: St. Alexandri-Stiftskirche und Marktkirche St. Jacobi seit Ende des 13. Jhs., Rathaus (1550), Fachwerkhäuser aus dem 16.–18. Jh. E. hat Amtsgericht, höhere und landwirtschaftl. Schule. Industrie: E.er Bier (seit 1264), Textilien, Papier, Tapeten, Fahrräder, Baumaschinen, Tonmöbel, Formstechereien, Musterzeichnereien, Holzverarbeitung; Saatzucht. E., seit Anfang des 13. Jhs. Stadt, kam um 1272 an die Welfen.

'**Einbeere,** *Paris,* asiat.-europäische Gattung der Liliengewächse. Die mitteleurop. **vierblättrige E.** *(Paris quadrifolia),* **Gift-, Teufels-, Moos-** oder **Steinbeere,** kleine Tollkirsche, **Schlangenkraut,** ist eine giftige Staude schattiger Laubwälder mit meist 4 quirlständigen Blättern, gelblichgrünerBlüte und blauschwarzer, bis kirschgroßer Beere. Die E. enthält das Saponin *Paristyphnin.* Der Genuß der Beeren führt zu Übelkeit, Erbrechen, Leibschmerzen, Schwindel und Pupillenverengerung.

'**einbetten,** in der Mikroskopie das Überführen eines Objektes in eine Masse, in der es mit dem Mikrotom in feine Schnitte zerlegt werden kann. Als **Einbettungsmassen** werden Paraffin, Celloidin, Gelatine, Cellodal, Hartwachse u. ä. gebraucht.

'**Einbettungsmethode,** Verfahren zur Bestimmung der Lichtbrechung fester durchsichtiger Körper. Es beruht darauf, daß die Grenzflächen eines solchen Körpers gegen eine Flüssigkeit nahezu unsichtbar werden, wenn beide Substanzen die gleiche Lichtbrechung haben. Das erreicht man durch Mischen zweier verschieden stark brechender Flüssigkeiten. Die Brechungszahl der

Mischung wird mit einem →Refraktometer bestimmt.

'**Einbildung** [spätmhd.], 1) Vorstellung, der keine Wirklichkeit entspricht. 2) Eingebildetheit, Dünkel.

'**Einbildungskraft,** die →Phantasie.

'**einbinden,** 1) *Bücher:* →Buchbinderei. 2) *Schuhherstellung:* Oberleder auf die Brandsohle von Hand annähen.

'**Einbiß, Einschliff,** eine Höhlung bei Pferden auf den oberen Eckzähnen, früher irrtümlich als Alterskennzeichen gedeutet.

'**Einblattdrucke,** einseitig bedruckte, nicht selten mit volkstüml. Illustrationen versehene Blätter. Trotz großer Auflagen sind sie nur zufällig in einzelnen Exemplaren, zumeist als Einbandmakulatur, erhalten. Die Publikationsform der E. tritt sogleich zu Beginn des Buchdrucks auf (Mainzer Ablaßbriefe 1454) und setzt handschriftliche Traditionen fort. Die E. dienten kirchlichen, politischen, administrativen, geschäftlichen und privaten Zwecken (z. B. Einladungen zu Schützenfesten, Bücheranzeigen, Kalender, satirische Zeitgedichte, Vorlesungsanzeigen, Türkenablässe, Fehdebriefe, Pestblätter, Wunderberichte) und waren zum Teil Vorstufe der Zeitungen. Bedeutende Künstler haben bes. im 16. Jh. Holzschnitte für die E. geschaffen (Dürer, Baldung, Cranach). Wichtigste dt. Sammlungen in der Bayr. Staatsbibliothek, München, und im Kestner-Museum, Hannover. →Flugblätter, →Bilderbogen.
Lɪт. W. Cohn: Unters. z. Gesch. d. dt. Einblattholzschn. (1934); J. Jahn: Beitr. z. Kenntnis der ältesten E. (1927).

'**Einbrecher** [Lutherzeit], Dieb, der Wohnungen oder Behältnisse aufbricht (→Diebstahl).

'**Einbrenne** *die, oberd.,* in Fett geröstetes Mehl, *Mehlschwitze,* mit der Suppen, Soßen oder Gemüse verdickt werden.

'**Einbruch,** 1) →Diebstahl durch gewaltsames Öffnen verschlossener Räume; kann auch als Hausfriedensbruch strafbar sein. 2) *Wappenkunde:* verkürzter Schrägfaden.

'**Einbruchsmeer, -becken,** bei einem Einbruch der Erdrinde entstandene Vertiefung.

'**Einbruchsicherung,** in einfachster Form ein Steckschlüssel mit abschraubbarem Schaft, bei dessen Losschrauben aus dem Bart seitlich zwei Krallen herausstreten; diese halten den Bart im Schloß fest und machen es unbenutzbar. Zur E. von Banken, Geschäfts- u. Industrieräumen verwendet man elektrisch, elektromagnetisch oder optisch auslösbare Alarmvorrichtungen, wobei z. B. bei gewaltsamer Stromunterbrechung oder beim Durchschreiten eines Infrarot-Lichtstrahls durch einen Unbefugten Alarm ausgelöst wird (Glocken-, Lichtzeichen, Sperren, Polizeianruf usf.).

'**einbündig** heißt die Anlage von Einzelräumen an nur einer Seite des Verbindungsflures.

'**Einbürgerung** [Barockzeit], *Naturalisierung,* der staatsrechtliche Hoheitsakt, durch den einem Ausländer die Staatsangehörig-

keit verliehen wird. Voraussetzungen sind: Niederlassung im Inland, unbeschränkte Geschäftsfähigkeit, Unbescholtenheit, Gewähr für Lebensunterhalt. Rechtsanspruch auf E. besteht nicht, die zuständigen Landesbehörden (meist der Regierungspräsident) entscheiden nach freiem Ermessen. Über die E. ehemaliger dt. Staatsangehöriger →Ausbürgerung. – In *Österreich* und der *Schweiz* ist die E. ähnlich geregelt.

'**Eindampfapparat,** Gerät zum Eindampfen (Abdampfen) von Flüssigkeiten, ein meist geschlossener, unter vermindertem Druck arbeitender Apparat.

'**Eindecker,** Flugzeug mit einem durchgehenden Tragflügel.

'**eindeutig** heißt in der Wissenschaft ein Ausdruck (Wort, Terminus, Zeichen), der nur eine einzige bestimmte Bedeutung hat.

'**Eindeutung,** Deutung eines undurchsichtigen Wortes durch geläufiges Sprachgut. So wird z. B. *Sintflut* (›große Flut‹) zu *Sündflut,* ahd. *einôti* (›Einsamkeit‹, wobei *-ôti* zur Wortbildungsmittel ist) zu *Ein-öde.* Bes. fremde Wörter unterliegen der E. (→Entlehnung). Eine ältere Bez. für E. ist **Volksetymologie.**

'**Eindhoven,** Stadt in den südl. Niederlanden, mit (1972) 189 200 Ew.; hat Techn. Hochschule; elektrotechnische (Philipswerke), Zigarren-, Textil- und Fahrzeugindustrie (DAF).

'**eindicken,** Lösungen auf hohe Konzentration und dickflüssige Konsistenz eindampfen (z. B. kondensierte Milch); ferner Schlämme durch Absitzen und Abklären zum Anreichern von Feststoffen konzentrieren, z. B. durch Spitzkästen, Klassierer und Eindicker.

'**Einem,** 1) Gottfried von, Komponist, * Bern 24. 1. 1918, Schüler von B. →Blacher, trat besonders mit den Opern ›Dantons Tod‹ (nach Büchner, 1947), ›Der Prozeß‹ (nach Kafka, 1952), ›Der Zerrissene‹ (nach Nestroy, 1964) hervor.
2) Karl von, genannt **von Rothmaler,** preuß. Gen.-Oberst, * Herzberg (Harz) 1. 1. 1853, † Mülheim a. d. Ruhr 7. 4. 1934, war 1903–09 preuß. Kriegsmin., führte im 1. Weltkrieg im Westen anfangs das VII. Armeekorps, dann die 3. Armee.
WERKE. Erinnerungen eines Soldaten 1853–1933 (1933, ⁶1937), Ein Armeeführer erlebt den Weltkrieg (1938).

'**Einer,** 1) in jedem Zahlensystem die Zahlen, die kleiner als die Grundzahl des Systems sind, im Zehnersystem also die Zahlen von eins bis neun. 2) Sportboot für *einen* Ruderer.

Eines Mannes Rede *ist keines Mannes Rede,* →audiatur et altera pars.

'**Einfädelmaschine,** Vorrichtung zum Einführen der Fäden in die Nadeln verschiedener Maschinen.

'**einfahren,** 1) *Bergbau:* in die Grube gehen (fahren). 2) *Jägersprache:* in den Bau kriechen, von Kleinraubwild, Kaninchen, Hund, Frett. 3) *Kraftfahrtechnik:* →einlaufen.

'**einfallen, 1)** *Bergbau:* die Neigung einer Lagerstätte oder Strecke zur Horizontalen. **2)** *Geologie:* →Streichen und Fallen. **3)** *Jägersprache:* das Niederfliegen von Federwild auf den Erdboden oder auf Wasser.

'**Einfallsebene, Einfallswinkel,** *Optik:* →Brechung.

'**Einfamilienhaus,** für eine Familie bestimmtes Haus: ein freistehendes Einzelhaus, die Hälfte eines Doppelhauses oder ein Reihenhaus.

'**Einfangprozesse,** Atomkernumwandlungen, bei denen ein von einem Teilchen getroffener Atomkern dieses einfängt und sich in einen Kern von höherem Atomgewicht verwandelt. E. von Elektronen aus der eigenen Elektronenhülle nennt man je nach der Schale, aus der das Elektron stammt, K-*Einfang*, L-*Einfang* usw. Beim Elektroneneinfang bleibt die Massenzahl erhalten.

Ein' feste Burg ist unser Gott, Choral, den Luther nach dem 46. Psalm gedichtet und vermutlich auch vertont hat (wohl 1528); vielleicht zunächst ein Kampflied gegen die Türken, später in vielen Werken der Kunstmusik verwendet (J. S. Bach, Reger).

'**Einflechtung,** Dazwischenschieben (von Sprüchen oder Betrachtungen).

'**Einflugzeichensender,** Ultrakurzwellensender in der Einflugschneise von Flughäfen, die senkrecht nach oben voneinander verschiedene Kennsignale ausstrahlen. 'Der Abstand der Sender von der Landebahn ist bekannt, so daß der Flugzeugführer aus dem Signal seine Entfernung von ihr erkennt.

'**Einflußgebiet, Interessensphäre,** im Völkerrecht ein Gebiet, auf das ein Staat seinen wirtschaftl. und polit. Einfluß erstreckt. Vor 1914 wurden E. häufig vertraglich abgegrenzt (China, Persien, Marokko, Hinterland von Kolonien), zu Beginn d. 2. Weltkriegs auch zwischen Hitler und Stalin, heute nur bei den strittigen Gebieten in der Antarktis üblich.

'**Einflußlinien,** *Baustatik:* graphische Darstellungen des Zusammenhangs zwischen statischem Schnittwert und Laststellung. E. können sich auf Auflagerkräfte, Momente, Querkräfte, Verformungen u. dgl. beziehen, die sich mit der Stellung der Last auf dem Tragwerk gesetzmäßig verändern. E. sind in Tabellen oder Kurventafeln zusammengestellt.

'**Einfriedung,** Abgrenzung eines Grundstückes gegen Straße und Nachbarn durch Hecken, Zäune, Mauern. In der Stadt bedarf die E. von Grundstücken an der Straße nach Herstellungsart und Höhe der Genehmigung durch die Bauaufsichtsbehörde.

'**Einfriertemperatur,** ein mehr oder weniger breiter Temperaturbereich, in dem die kettenförmigen Makromoleküle von amorphen Körpern, bes. auch von Kunststoffen, ihre freie Beweglichkeit verlieren. Während z. B. kautschukartige Stoffe wegen ihrer sehr beweglichen Molekül-Kettenglieder eine weit unter dem Gefrierpunkt liegende E. aufweisen, ist diese bei vielen Kunststoffen

wesentlich höher, bei Polyvinylchlorid z. B. bei + 90° C. Durch →Weichmachung läßt sich die E. erniedrigen. Experimentell wird die E. durch Aufnahme von Volumen-Temperatur-Kurven ermittelt.

'**Einfühlung,** das gefühlsmäßige Verstehen fremden Seelenlebens, auch seelisches Hineinversetzen in Dinge und Lebewesen, so daß diese von unseren eigenen Zuständen, Gefühlen, Stimmungen erfüllt zu sein scheinen. Die E. wurde von Vischer, Volkelt und bes. Lipps als ein Grundvorgang des ästhetischen Erlebens betrachtet.

'**Einfuhr** [Gottschedzeit], **Import,** das Hereinbringen ausländischer Waren zum Verbrauch im Inland (→Außenhandel).

'**Einfuhrscheine,** auf Antrag erteilte Zeugnisse über den Zollwert ausgeführter Waren, die zur zollfreien Einfuhr der gleichen oder ähnlichen Produkte berechtigen und von den Exporteuren an die Importeure verkauft werden. Sie wurden im dt. Zollrecht 1894 eingeführt und mit Unterbrechungen bis 1945 vor allem für Getreide, Hülsenfrüchte und Müllereiprodukte ausgegeben. Die E. subventionierten die zu den westdt. Verbrauchszentren frachtungünstig gelegenen ostdt. Getreidezonen.

Einfuhrumsatzsteuer, Sonderform der Umsatzsteuer, die seit 1. 1. 1968 für aus dem Ausland bezogene Waren von den Zollämtern erhoben wird.

'**Einfuhr-** und **V'orratsstellen,** in der Bundesrep. Dtl. Behörden des Landwirtschaftsministeriums zur Abstimmung zwischen Einfuhr und Eigenerzeugung landwirtschaftl. Erzeugnisse und zur Beeinflussung der Preisgestaltung durch Anlage von Vorräten. Es bestehen vier E. u. V. (für Getreide und Futtermittel, für Fette, für Schlachtvieh, Fleisch und Fleischerzeugnisse und für Zucker; alle in Frankfurt a. M.).

'**Einführungsgesetz,** EG, ist einem größeren Gesetz beigegeben (z. B. EG zum BGB), es enthält u. a. Bestimmungen über den räuml. und zeitl. Geltungsbereich des Hauptgesetzes.

'**Einfuhrverbot,** ein gegen bestimmte Waren oder solche aus bestimmten Ländern gerichtetes Mittel der staatl. Außenhandelskontrolle. Dem E. können polit., handelspolit. oder polizeil. Erwägungen zugrunde liegen. Es dient zur vollständigen Abriegelung der betreffenden inländ. Produktion vor ausländ. Wettbewerb (E. zur Unterstützung von Autarkiebestrebungen) und zur Entlastung der Zahlungsbilanz. Dazu rechnen die von vielen Ländern nach dem 2. Weltkrieg verhängte E. von »nicht lebenswendigen« Gütern (→Essentials). Weiter können gesundheits- und veterinärpolizeil. Gründe zu E. führen (Verhinderung von Seucheneinschleppung); die handelspolit. Nebenwirkungen sind meist beabsichtigt. Zeitlich befristete E. dienen der saisonalen Entlastung des Binnenmarktes (E. von Gemüse und Obst zu Haupterntezeiten).

'**Einfuhrzoll,** →Zoll.

'**Eingabe**, schriftliches Gesuch (an Behörden).

'**Eingabeln**, das Ermitteln der Zielentfernung beim beobachteten Schießen durch gewollte Nah- und Weitschüsse vor und hinter dem Ziel.

'**Eingänger, Einläufer, Einsiedler,** Hauptschwein, das sich vom Rudel abseits hält.

Eingang vorbehalten, E. v., *Bankgeschäft:* Klausel zum Rückgängigmachen von Gutschriften, falls der Gegenwert hereingenommener Schecks, Wechsel usw. nicht eingeht.

'**eingebildete Kranke, Der e. K.,** Lustspiel von Molière (1673).

'**Eingebinde,** † Angebinde; bes. Patengeschenk.

'**eingeblindet,** halberhaben (Säule).

'**eingebrachtes Gut,** nach dem früheren ehel. Güterrecht das Vermögen, das ein Ehegatte bei der Eheschließung oder auch später in die Ehe einbringt. Bei der Zugewinngemeinschaft ist dafür das *Anfangsvermögen* der Ehegatten getreten (→eheliches Güterrecht).

'**Eingebung,** mühelos auftauchender Gedanke, der von einer höheren Macht zu stammen scheint.

'**Eingefäßschaltung,** eine Stromrichterschaltung unter Verwendung von nur einem, meist mehranodigen Stromrichter, z. B. angewandt bei der ruhenden →Leonardschaltung. Im Gegensatz zur →Antiparallelschaltung ist ein zusätzl. Umschalter erforderlich.

'**eingelegte Arbeit,** →Einlegearbeit.

'**Eingemeindung,** die Vereinigung eines Teils einer Gemeinde mit einer anderen *(Umgemeindung)* oder mehrerer Gemeinden miteinander; geschieht entweder auf Grund eines E.-Vertrags oder, wenn es das öffentl. Interesse erfordert, durch Gesetz. Die E. ist seit 1952 in den Gemeindeordnungen der Länder geregelt, z. T. abweichend von der Dt. Gemeindeordnung v. 30. 1. 1935, die nur die ersten beiden Möglichkeiten kannte; so ist z. B. in Bayern die Zustimmung der Mehrheit der Gemeindebürger für eine E. vorgesehen.

'**Eingerichte** *das,* das Innere eines Türschlosses.

'**Eingesandt** *das,* in eine Zeitung oder Zeitschrift aufgenommene Mitteilung aus dem Leserkreis.

'**eingesprengt,** ein Mineral, das sich in kleineren oder größeren Teilchen in anderen Mineralien findet.

'**eingestrichen** nennt man die Oktave vom eingestrichenen c (c') bis h (h').

'**eingetragener Verein,** abgek. *e. V.,* ein Verein, der durch Eintragung in das Vereinsregister des Amtsgerichts Rechtsfähigkeit erlangt hat.

'**Eingeweide** [mhd.] *Mz.,* latein. *Intestina,* griech. *Entera* (TAFELN Blut, Mensch), die von der Brustwand und der unteren Fläche des Zwerchfells umschlossenen *Brusteingeweide* (Lungen, Herz), die von der Bauchwand und der unteren Fläche des Zwerchfells

umschlossenen *Baucheingeweide* (Magen, Darm, Verdauungsdrüsen, Leber, Nieren, Milz), die in der Höhle des kleinen Beckens liegenden *Beckeneingeweide* (Harnblase und Mastdarm, bei der Frau noch Gebärmutter, Eierstock und Eileiter) und die *Halseingeweide* (Kehlkopf, Luftröhre, Speiseröhre, Schilddrüse). Innerhalb der Brustwand liegen beiderseits die Lungen in je einer Pleurahöhle. Die Pleurahöhlen begrenzen den Mittelfellraum. In ihm liegt kopfwärts die Thymusdrüse. Der abwärts gerichtete Teil des Thymus bedeckt den Herzbeutel, in dem das Herz liegt. Im Mittelfellraum befindet sich ferner die Luftröhre bis zu ihrer Teilung in die beiden Bronchien. Hinter der Luftröhre liegt die Speiseröhre vor der Wirbelsäule. Über den linken Bronchus zieht der Aortenbogen hinweg, der in die absteigende Aorta übergeht. Diese tritt zwischen Wirbelsäule und Speiseröhre. Speiseröhre und Aorta treten dann durch das Zwerchfell.

Unterhalb des Zwerchfells werden die Baucheingeweide zum Teil vom großen Netz bedeckt. Frei liegt ein Teil der Leber nebst der Spitze der Gallenblase und ein Teil des Magens. Wird das große Netz zurückgeschlagen, so liegen die oberflächlichen Dünndarmschlingen frei, deren unterste in den Dickdarm einmündet. Der Dickdarm umzieht mit seinem aufsteigenden, quer verlaufenden und absteigenden Teil die Masse der Dünndarmschlingen. Unterhalb der Einmündung des Dünndarms liegt der Blinddarm, von dem der Wurmfortsatz abgeht. Die Umbiegungsstelle des aufsteigenden in den quer verlaufenden Dickdarm liegt unter der Leber verborgen und vor der rechten Niere. Die Umbiegungsstelle des quer verlaufenden in den absteigenden Dickdarm liegt bedeckt vom Magen und vor der linken Niere, die Milz liegt kopfwärts von der Umbiegungsstelle.

An der Leber werden der rechte und der linke Lappen unterschieden. An der unteren Fläche der Leber ist die Gallenblase sichtbar. Von der Leber zum Teil bedeckt der Magen, der sich am Magenmund mit der Speiseröhre verbindet. Die Speiseröhre durchbricht hier das Zwerchfell. Nach rechts geht der Magenpförtner in den Zwölffingerdarm über, der die rechte Niere z. T. bedeckt und sich dann nach links wendet, um in den Dünndarm überzugehen. In der Ausbiegung des Zwölffingerdarms liegt der Kopf der Bauchspeicheldrüse, deren Körper vor der Wirbelsäule liegt, während der Schwanzteil vor die linke Niere tritt. Die beiden Nieren liegen der hinteren Bauchwand an. Am oberen Pol jeder Niere liegt die Nebenniere. Die Milz liegt unter dem Zwerchfell und dem linken Unterrippenraum und lagert sich dem Magen und der linken Niere an. Hinter dem Zwölffingerdarm und der Bauchspeicheldrüse liegt die Bauchaorta, die zwischen den beiden Zwerchfellpfeilern hindurchtritt, und die die

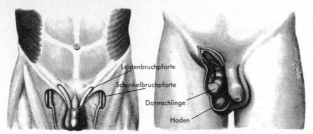

Eingeweidebruch: links Lage der Bruchpforten; rechts einseitiger Hodenbruch, Einbruch einer Darmschlinge in den Hodensack

untere Hohlvene, die durch das Zwerchfell hindurch in den rechten Vorhof des Herzens mündet. Seitwärts von den großen Gefäßen zieht der Harnleiter über den großen Lendenmuskel hinweg.

In der Höhle des kleinen Beckens liegt bei beiden Geschlechtern vorn die Harnblase, hinten vor dem Kreuzbein der Mastdarm, der sich an das unterste S-förmig gebogene Ende des Dickdarms anschließt. Zwischen Blase und Mastdarm liegt bei der Frau die Gebärmutter, in die von jeder Seite der Eileiter mündet. Das freie Ende des Eileiters umgreift beiderseits den Eierstock. Gebärmutter, Eileiter und Eierstöcke liegen in einer großen Bauchfellfalte, dem breiten Mutterband, an dem als besondere Falten das runde Mutterband und das Eierstock-Gebärmutterband hervortreten.

'**Eingeweidebruch, Bruch, Hernie,** lat. *Hernia,* das Hindurchtreten eines Teils der Eingeweide der Brust- oder Bauchhöhle durch eine vorgebildete oder erworbene Lücke *(Bruchpforte).* Beim *äußeren E.* tritt der Eingeweideteil, umschlossen vom Bauchfell *(Bruchsack),* als Bauchgeschwulst unter der Haut hervor (so der Leistenbruch). Als *innere E.* kennt man z. B. neuerdings die ›Lungenhernien‹ in der Brusthöhle. Ein E. ist selten angeboren, meist erworben, so bei muskel- und bindegewebsschwachen Menschen durch Überlastung schwacher Stellen der Körperwand. Im Anfang lassen sich die Eingeweide meist leicht in die Körperhöhle zurückschieben (reponieren; *reponibler Bruch).* Infolge Verwachsung zwischen den Eingeweiden und dem Bruchsack oder Brucheinklemmung kann dies später nicht mehr gelingen *(irreponibler Bruch).* Bei Einklemmung besteht Gefahr des Darmverschlusses; es ist deshalb rasches Eingreifen des Arztes erforderlich. Behandlung meist operativ; ein reponibler E. kann durch ein *Bruchband* zurückgehalten werden, das aus einer Stahlfeder mit Druckkissen und Riemen besteht.

'**Eingeweidefisch,** der →Nadelfisch.

'**Eingeweidesenkung,** griech. *Enteroptose,* auch *Splanchnoptose, Glénardsche Krankheit,* Senkung der Baucheingeweide infolge von Erschlaffung und Dehnung der Bänder, an denen sie aufgehängt sind. Häufig sind nur einzelne Organe betroffen, wie Magen *(Magensenkung)* oder Nieren *(Wanderniere).* Die E. ist oft anlagebedingt und bildet sich dann in den Wachstumsjahren aus; sie kann auch durch äußere Einflüsse entstehen, so bei Frauen, die mehrmals entbunden haben, nach starken Entfettungskuren, bei zehrenden Krankheiten, schließlich als Alterserscheinung. Die Behandlung richtet sich nach dem Einzelfall.

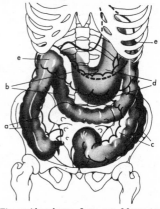

Eingeweidesenkung: Lage von Magen und Dickdarm; a *aufsteigender,* b *querverlaufender,* c *absteigender Grimmdarm,* d *Magen,* e *starke Knickung des Grimmdarms infolge der E. Die normale Lage ist durch die Umrißlinien dargestellt.*

'**Eingeweidewürmer, Enthelminthen, Entozoen,** die bei Mensch und Tieren bes. im Magen-Darm-Kanal schmarotzenden Würmer, wie Bandwürmer, Saugwürmer, Fadenwürmer. Ihre Jugendstadien leben, bevor sie zum Ansitz in jenen Organen kommen, meist eine Zeit im Freien, manche auch in

»Zwischenwirten«. Die E. können durch Nahrungsentzug, mechanische und toxische Schädigungen des Wirtes sehr verschiedenartige Krankheiten verursachen.

'**Einglas,** Mon'okel, Augenglas zum Ausgleich eines einseitigen Brechungsfehlers, das mit Hilfe des Schließmuskels der Lider gehalten wird.

'**Eingliederungsdarlehen,** Darlehen aus dem Lastenausgleichsfonds, meist als Vorleistung auf die Hauptentschädigung; es soll den Geschädigten (Vertriebene, Kriegssachgeschädigte, z. T. auch politisch Verfolgte und Opfer des NS-Regimes) die Möglichkeit geben, sich wieder in den wirtschaftl. Prozeß einzugliedern.

'**einhängen** *Buchbinderei:* Zusammenfügen von Buchblock und Einbanddecke. Die **Einhängemaschine** hängt den Buchblock ein und klebt gleichzeitig die äußeren Vorsatzblätter an die inneren Deckelseiten.

'**Einhard,** Nebenform von Eckehard.

'**Einhart,** nicht *Einhard,* Gelehrter und Vertrauter Karls d. Gr., * im Maingau um 770, † Abtei Seligenstadt 14. 3. 840, lebte seit 794 am Hof Karls d. Gr., der ihm die Leitung seiner Bauwerke, z. B. in Aachen, übertrug. 830 schied er aus seinen Ämtern, zog sich mit seiner Gemahlin *Imma* († 836) nach Michelstadt im Odenwald zurück und gründete die Abtei Seligenstadt; er beschaffte dafür Reliquien aus Rom und schilderte dies in seiner *Translatio S. Marcellini et Petri* (Mon. Germ. Hist., Script. 15). Bedeutender ist seine Lebensbeschreibung Karls d. Gr., *Vita Caroli Magni,* nach antikem Vorbild (Sueton) die erste Herrscherbiographie des Mittelalters (hg. v. Holder-Egger, [6]1911; mehrfach übers.). Wichtig sind auch seine Briefe (Mon. Germ. Hist., Epist. 5); wohl fälschlich wurden ihm die ›Einhard-Annalen‹ zugeschrieben. Die Sage von *Eginhard und Emma,* der angebl. Tochter Karls d. Gr., die mehrfach dichterisch verarbeitet worden ist, beruht wohl auf einer Verwechslung mit Angilbert.

Lɪᴛ. Buchner: E.s Künstler- und Gelehrtenleben (1922).

'**Einhart,** Deckname von Heinrich →Claß.

'**Einhäusigkeit,** *Monözie,* das Vorhandensein beider Geschlechter auf derselben Pflanze, →Blüte.

'**Einheirat,** Übernahme einer Teilhaberschaft oder eines Geschäfts durch Ehe mit einer Erbin (Tochter, Witwe).

'**Einheit, 1)** das gleichbleibende Element einer Mehrheit: *Größeneinheit,* z. B. die Größe einer Größenklasse, die sich zu deren anderen Größen verhält wie die Zahl 1 zu den reellen Zahlen. **2)** die Gesamtheit einer Mannigfaltigkeit, sofern sie ein zusammengehöriges Ganzes bildet: E. eines Organismus, der Welt, eines Kunstwerks u. a. Das Suchen nach E., vor allem nach einem einheitl. Grund der Welt, ist ein Urbedürfnis der menschl. Natur und bestimmt viele Hochreligionen und philos. Systeme, die bestrebt sind, die Vielheit der Erscheinungen in der E. aufgehen zu lassen (monist. Systeme). Im Gegensatz hierzu stehen andere Systeme, die an einer Zweiheit (Dualismus) oder Vielheit (Pluralismus) festhalten. **3)** *Mathematik:* die Zahl Eins oder das an ihre Stelle tretende Einselement in Gruppen, Ringen u. dgl. **4)** die einfache Größe im Maß-, Gewichts- und Längenwesen. **5)** *Militär:* Truppenverband (Kompanie, Regiment u. a.). **6)** Norm: *die Einheitsformen,* (vorgeschriebene) Musterformen.

'**Einheitsbew'ertung,** →Einheitswert.

'**Einheitsb'ohrungen,** →Passung.

'**Einheitsgewerkschaft,** eine Gewerkschaft, die parteipolitisch und weltanschaulich unabhängig ist, im Unterschied zur Richtungsgewerkschaft.

'**Einheitskreis,** Kreis vom Halbmesser (→Radius) 1.

'**Einheitsk'urzschrift,** →Kurzschrift.

'**Einheitsmietvertrag,** ein von den Hauseigentümern und Mietervereinen gemeinsam ausgearbeitetes Muster eines Mietvertrags.

'**Einheitspreisgeschäft, Kleinpreisgeschäft,** warenhausähnlicher Großbetrieb des Einzelhandels, der seine Waren in einigen festen Preisstufen verkauft.

'**Einheitsschlüssel,** *Notenschrift:* die neuerdings versuchte Beschränkung auf einen Schlüssel (Violinschlüssel mit besonderen Zeichen zur Kennzeichnung der höheren und tieferen Oktaven).

'**Einheitsschule,** der einheitliche Aufbau aller Schulen eines Landes. Zuerst von Comenius gefordert, wurde die E. in Deutschland bes. von der Schulreformbewegung angestrebt: gemeinsame Grundschule, weitere Schulbildung ohne Rücksicht auf Konfession, Stand und Vermögen der Eltern. 1920 wurde die vierjährige Grundschule eingeführt. Die in West-Berlin, Bremen und Hamburg neu geordneten Schulsysteme haben sechs-, Bremen und Hamburg daneben wieder vierjähr. Grundschule. Auch die Einrichtungen des →zweiten Bildungsweges rechnen zu den Bestrebungen der E. Eine E. mit achtjähriger Grundschule, zehnjähriger polytechnischer Oberschule, verwirklicht die DDR. In den USA, Großbritannien, Frankreich, Dänemark, Schweden, Norwegen u. a. Staaten werden E.-Systeme verwirklicht oder angestrebt.

Lɪᴛ. K. E. Schellhammer: Gesch. d. Einheitsschulidee (1925).

'**Einheitsstaat,** ein Staat mit einheitl. Gesetzgebung, Verwaltung und Rechtspflege, im Unterschied zum →Bundesstaat. Die öffentl. Gewalt ist entweder bei Zentralbehörden zusammengefaßt (*zentralisierter E.,* →Zentralisation) oder zum Teil Selbstverwaltungskörpern übertragen, die unter Aufsicht der Zentralbehörden stehen (*dezentralisierter E.*).

'**Einheitsversicherung,** eine Versicherung gegen eine Mehrheit von Gefahren, z. B. in der Transportversicherung, wobei mehrere

Versicherungsarten zusammengefaßt werden können.

Einheitsw'elle, →Passung.

Einheitswert, der nach dem Bewertungsges. v. 16. 10. 1934 i. d. F. v. 10. 8. 1971 einheitlich festgesetzte steuerliche Wert des Grund- und forstwirtschaftl. Vermögens sowie des sonstigen Grund- und Betriebsvermögens (→gemeiner Wert, →Teilwert). Die *Hauptfeststellung* erfolgt in regelmäßigen Abständen von 3 (bei Betriebsverm.) oder 6 Jahren.

Ändern sich Wert, Art oder Zurechnung des bewerteten Wirtschaftsguts innerhalb des Hauptfeststellungszeitraums erheblich, so ist eine *Wertfortschreibung* möglich. Bei Neugründung oder Neuentstehung einer steuerpflicht erfolgt eine *Nachfeststellung* des E.

Einheitsw'issenschaft, →Wiener Schule (Kreis).

'einhellig [ahd. ›in eins hallend‹], gleichgesinnt.

Einh'erjer [›vortrefflicher Kämpfer‹] *Mz.*, in der nordischen Göttersage die im Kampfe gefallenen Helden, die Walhall bewohnen. Aus 540 Toren ziehen tagsüber je 800 Mann zum Kampf heraus, so auch, wenn sie einst beim letzten Kampf den Göttern zu Hilfe eilen. Der Name E. ist wohl mit dem Odinsnamen *Herjan* zu verbinden. In den E. zeigt sich die erste Spur der Vorstellung eines *Wilden Heers.*

'Einhorn [ahd.], **1)** Fabeltier von Pferdegestalt, mit geradem, spitzem Horn in der Stirnmitte, dem Mittelalter bes. durch den ›Physiologus bekannt; in frühchristl. Zeit als Sinnbild gewaltiger Kraft auf Christus bezogen (nach Ps. 22, 22 und anderen Bibelstellen); später auch Sinnbild der Keuschheit, da es seine Wildheit verliere, wenn es ein Haupt einer Jungfrau in den Schoß lege. Diese Sage wurde auf Maria übertragen, und das E. erschien in spätmittelalt. Darstellungen der Verkündigung. Das Horn galt als mag. Mittel gegen Gift. In der *Heraldik* gewöhnl. aufrecht (»springend«) dargestellt; im brit. Wappen das Symbol für Schottland.

2) E., *Monoceros*, Sternbild der Äquatorzone.

Lit. H. Graf: D. Darst. d. sakralen E.-agd i. d. altdt. Kunst (Diss. Münster 1923); R. Ettingshausen: The unicorn (1950).

'Einhufer, die pferdeartigen →Unpaarhufer.

'einhüllende Kurve, Envelope, eine Kurve, die eine gegebene Kurvenschar so einhüllt, daß sie jede Kurve der Schar mindestens einmal berührt und andererseits in jedem Punkt die e. K. von mindestens einer Kurve der Schar berührt wird. Entsprechendes gilt für *einhüllende Flächen* im Raum.

'einhüllende Mittel, *Mucilaginosa*, Gummiund Stärkearten, Pflanzenschleime und fette Öle, die infolge ihrer kolloiden Eigenschaften auf entzündeten Schleimhäuten einen reizlosen mechan. Schutz gegen weitere Schädigungen bilden. Innerlich genommen,

verzögern sie die Resorption (Aufsaugung) von Arzneimitteln. Die bekanntesten sind *Gummi arabicum,* Traganth, Stärke, Salep, isländ. Moos und Leinsamen.

Einigung, der zur Begründung oder Übertragung eines dinglichen Rechts an einer Sache (Eigentum, Besitz) erforderliche Vertrag (§§ 873, 929, 1032, 1205 BGB).

'Einigungsämter, früher die Einigungsstellen für Industrie- und Handelskammern, zur gütlichen Beilegung von Wettbewerbsstreitigkeiten; in *Österreich* Behörden zur Beilegung arbeitsrechtl. Streitigkeiten.

'Einigungsstellen, in Betrieben bei Bedarf eingerichtete Schlichtungsstellen zur Beilegung von Meinungsverschiedenheiten zwischen Arbeitgeber und Betriebsrat (§ 76 BVG).

'einjährig, 1) ein Jahr alt. **2)** ein Jahr dauernd. **3)** *annu'ell,* in nur einer einzigen Sprießzeit lebendig, wie die meisten Gartenund Feldunkräuter, viele Zier- und Gemüsepflanzen. Zeichen dafür in Pflanzenwerken ist ⊙. Pflanzen mit einer Vegetationszeit von nur wenigen Wochen nennt man **ephemer,** solche, die im Herbst keimen und im nächsten Frühjahr blühen und fruchten (z. B. Hungerblümchen) heißen **winterannuell.**

'Einjährige *das,* † Reife zur Obersekunda einer höheren Lehranstalt. Der **Einjährige,** genauer **Einjährig-Freiwillige,** seit 1815 in der preußischen, dann in der dt. Armee bis zum 1. Weltkrieg ein Wehrdienstpflichtiger, der auf Grund der E. (mittlere Reife) bei freiwilliger Meldung nur 1 Jahr aktiv zu dienen brauchte. In *Österreich* war die Einrichtung der Einjährigen 1935 wieder neu erstanden.

einhüllende Kurve

'Einkammersystem, die Staatsform, in der die gesetzgebende Körperschaft aus einer einzigen Kammer besteht (z. B. Dänemark seit 1953), im Unterschied zum →Zweikammersystem.

'Einkauf, 1) Erwerb durch Kauf. **2)** Betriebsabteilung, der die Beschaffung der benötigten Rohstoffe obliegt. Der **Einkäufer** in Handels- und Industriebetrieben ist ein

Eink

ausschließlich mit dem E. von Materialien und Fertigerzeugnissen betrauter Angestellter.

LIT. H. Rump/A. Degelmann: Hb. d. Einkaufsleitung (1960).

'**Einkaufsbuch**, das →Wareneingangsbuch.

'**Einkehle, Einkehlung**, Fangsack am Schleppnetz.

'**Einkeimblättrige**, *Monocotyledonae*, eine von Jussieu aufgestellte Gruppe der Bedecktsamigen unter den Blütenpflanzen, deren Keimling nur ein einziges Keimblatt hat, Gegengruppe der →Zweikeimblättrigen. Bei der Keimung der E. stirbt die Hauptwurzel bald ab und wird durch adventiv entstehende Wurzeln (»Faserwurzeln«) ersetzt; die Blätter stehen wechselständig, zweizeilig am Stengel, zeigen parallel verlaufende Nerven und meist einen scheidenartigen Grund; die Blüten sind nach der Dreizahl gebaut. Anatomisch sind die E. gekennzeichnet durch »geschlossene« Leitbündel (ohne →Kambium), die auf dem Stengel- oder Stammquerschnitt zerstreut liegen; in den Wurzeln zeigen sie viele Gefäßstrahlen (polyarcher Bau). Die E. umfassen über 30000 Arten, sie lassen sich von den Zweikeimblättrigen ableiten oder doch beide von gemeinsamen Ahnen. Zu den E. gehören u. a. Liliengewächse, Gräser, Orchideen, Palmen.

'**Einkesselung**, 1) *Militär:* die Umzingelung des Fe'ndes durch Umfassung von allen Seiten. *Kesselschlachten* sind meist für beide Seiten bes. verlustreich. 2) *Hasenjagd:* das Umstellen einer Fläche mit Schützen und Treibern, die dann nach der Mitte zu vorgehen.

'**Einkindschaften**, im *österreich*. Recht Verträge zwischen Ehegatten, wonach die vorehel. Kinder des einen oder andern Teils erbrechtlich den ehel. Kindern gleichstehen sollen; rechtlich wirkungslos (§ 1259 ABGB). Im *schweizer*. Recht ist ein angenomm. Kind aus einer Vorehe seinen Stiefgeschwistern erbrechtlich gleichgestellt (Art. 465 ZGB).

'**Einklang**, ital. unisono, *Musik:* das Singen oder Spielen der gleichen Töne, auch in verschiedenen Oktaven, von mehreren Stimmen oder Instrumenten.

'**Einklemmung**, entwed. von Eingeweideteilen in einem Bruchsack (→Bruch) oder von Steinen in engen Kanälen, z. B. Nieren- oder Harnleitersteinen im Harnleiter, Gallensteinen im Gallengang, oder von Gelenkmäusen (freie Gelenkkörper) im Gelenkspalt; jede E. ist äußerst schmerzhaft und macht schnelle ärztliche Hilfe erforderlich.

'**Einkommen, Einkünfte**, 1) die einer Person, Gesellschaft oder einem Verein aus der Anteilnahme am Wirtschaftsprozeß in einem bestimmten Zeitraum (Monat, Jahr) zufließende Kaufkraft, in der Regel Geldeinkommen. Naturaleinkommen besteht u. a. noch in der Landwirtschaft (→Deputat). Man unterscheidet zwischen *Arbeitseinkommen* (Lohn, Gehalt), *Besitzeinkommen* (Kapitalzins, Bodenrente) und *Unternehmer-*

gewinn, nach anderen Merkmalen zwischen *fundiertem E.* (z. B. aus Vermögensbesitz) und *unfundiertem E.*; mit Rücksicht auf die Schwankungen des Geldwertes zwischen dem in einer Geldsumme ausgedrückten *Nominaleinkommen* und dem *Realeinkomme* (der tatsächlichen Kaufkraft). Die Summe aller den Haushalten zugeflossenen E. bilde das *Volkseinkommen*. 2) das Steuerrecht unterscheidet zwischen *Einkünften*, d. h. Überschuß der Einnahmen über die Betriebsausgaben oder Werbungskosten, und *Einkommen*, d. h. Gesamtbetrag der Einkünfte nach Ausgleich mit Verlusten und nach Abzug der Sonderausgaben.

Einkommensdisparität, *Agrarpolitik:* der Unterschied der Einkommen von Arbeitskräften in der Landwirtschaft und in den nichtlandwirtschaftl. Bereichen.

Einkommenspolitik, i. w. S. alle jene Bestrebungen und Maßnahmen, durch die eine Sicherung der Existenz gegenüber verschiedenen Gefährdungen erreicht werden soll; i. e. S. eine Erhöhung des Einkommensanteils der unselbständig Beschäftigten durch eine gleichmäßigere Einkommensverteilung.

'**Einkommensteuer**, die Steuer auf das Einkommen natürlicher Personen. Nach der Einkommensteuergesetz (EStG, i. d. Fassung v. 5. 9. 1974) sind in der *Bundesrep. Dtl.* alle Personen, die ihren Wohnsitz ode gewöhnl. Aufenthalt im Inland haben, unbeschränkt mit sämtlichen Einkünften steuerpflichtig, andere Personen nur beschränkt mit ihren inländ. Einkünften; juristische Personen unterliegen der →Körperschaftsteuer. Als Zeitabschnitt für die Berechnung der Einkünfte gilt das Kalenderjahr, bei Landwirten und Gewerbetreibenden das Wirtschaftsjahr.

Der E. unterliegen 1) Einkünfte aus Land- und Forstwirtsch., 2) aus Gewerbebetrieben, 3) aus selbständiger Arbeit, 4) aus nichtselbständiger Arbeit (→Lohnsteuer), 5) aus Kapitalvermögen, 6) aus Vermietung und Verpachtung, 7) sonstige Einkünfte (vor allem Spekulationsgeschäfte, ferner Leib- und Zeitrenten; nicht daggen Erbschaften und Lotteriegewinne). Als Einkünfte gelten bei 1) bis 3) der Gewinn, d. h. der Unterschied zwischen dem Betriebsvermögen am Anfang und am Schluß des Wirtschaftsjahres, vermehrt um die Entnahmen und vermindert um die Einlagen oder, soweit die Steuerpflichtigen keine Bücher führen, der Überschuß der Betriebseinnahmen über die Betriebsausgaben; bei 4) bis 7) der Überschuß der Einnahmen über die Werbungskosten. Bei der Bewertung der Wirtschaftsgüter ist im allgemeinen der Anschaffungs- oder Herstellungspreis, vermindert um die Absetzung für Abnutzung (→Abschreibung), oder der niedrigere tatsächliche Teilwert zugrunde zu legen.

Steuerfrei sind u. a. Leistungen aus einer Krankenversicherung, das Arbeitslosengeld, Geld- und Sachbezüge der Soldaten, Kindergeld, Heiratsbeihilfen des Arbeitgebers

298

bis zu 700 DM, Geburtsbeihilfen bis zu 500 DM, Unterhaltszahlungen bis zu 3000 DM, Abfindungen wegen Auflösung des Dienstverhältnisses in der Regel bis zu 24000 DM, Reisekosten und dienstlich veranlaßte Umzugskosten, Wohngeld nach der Wohngeldgesetzgebung, Ausgaben des Arbeitgebers für die Zukunftssicherung des Arbeitnehmers, soweit sie aus gesetzlicher Verpflichtung geleistet werden, sowie die Zinsen auf gewisse Wertpapiere. Wird der Gewinn durch ordnungsgemäße Buchführung ermittelt, so können die Verluste der fünf vorangegangenen Jahre vom Gewinn des Veranlagungszeitraumes abgezogen werden.

Bei der Ermittlung des Einkommens werden →Werbungskosten und →Sonderausgaben abgezogen, auf Antrag können →außergewöhnliche Belastungen berücksichtigt werden. Bei der veranlagten E. wird das Einkommen nach dem Tarif des Einkommensteuergesetzes versteuert. Verheiratete können zwischen dem Splittingverfahren (→Splitting) und der getrennten Veranlagung wählen.

Die bisherigen Kinderfreibeträge sind seit dem 1. 1. 1975 durch eine vom Einkommen unabhängige Zahlung von →Kindergeld ersetzt worden.

Die Erhebung der E. erfolgt bei den Einkünften aus nicht selbständiger Arbeit durch Abzug vom Arbeitslohn (*Lohnsteuer*), bei Einkünften aus Gewinnanteilen an Kapitalgesellschaften sowie als stiller Gesellschafter durch einen Abzug vom Kapitalertrag (*Kapitalertragsteuer*). Eine →Aufsichtsratsteuer wird nur noch bei beschränkt Steuerpflichtigen erhoben. Die übrigen Einkommen werden jährlich auf Grund der vom Steuerpflichtigen abgegebenen Steuererklärung veranlagt (*veranlagte E.*); in diesem Fall sind vierteljährliche Steuervorauszahlungen nach der vorjährigen Veranlagung zu leisten, die dann bei der folgenden Veranlagung verrechnet werden.

Das Aufkommen aus der Einkommensteuer steht Bund und Ländern gemeinschaftlich zu. Ein durch Bundesgesetz zu bestimmender Anteil (seit 1970: 14%) wird an die Gemeinden weitergeleitet. Das Aufkommen betrug 1976 insges. 113,8 Mrd. DM (80,6 Mrd. aus der Lohnsteuer, 30,9 aus der veranlagten Einkommensteuer, 2,3 Mrd. DM aus der Kapitalsteuer).

Die am 1. 1. 1975 in Kraft getretene *Steuerreform* sieht durch Änderung des Tarifs und der Freibeträge eine Entlastung der Bezieher von Einkommen unter 20000 DM (Verheiratete 40000 DM) und eine stärkere Belastung der darüber liegenden Einkommen vor.

In der *DDR* werden Angehörige der freischaffenden Intelligenz (mit Ausnahme von Rechtsanwälten, Steuerberatern u. a.) bei der E. stark begünstigt. Für die übrigen einkommensteuerpflichtigen Personen (Gewerbe, Landwirtschaft) beträgt die Progression des Steuertarifs in hohen Tarifstufen über 90% des Einkommens.

Das *österreich.* Steuersystem ist dem dt. ähnlich. In der *Schweiz* ist die *Wehrsteuer* eine allgemeine E. mit ergänzender Vermögensteuer; daneben bestehen kantonale E.

Geschichte: William →Pitt führte 1799 in England die erste E. (Income Tax) ein. 1800 wurde sie wieder abgeschafft, 1842 endgültig festgelegt. Die Kantone und Gemeinden der Schweiz erhoben erstmalig 1840 eine E. In Preußen führte J. Miquel 1891 die erste moderne E. ein. In Österreich wurde die dem engl. System ähnliche E. (1849) nach preuß. Muster umgestaltet (1896). Die westl. Länder verfügen über gut funktionierende E.-Systeme; in den Ostblockländern spielt die E. nur eine geringe Rolle; in den Entwicklungsländern muß sie vielfach noch ausgebaut werden.

'**Einkreiser,** ein Rundfunkempfänger mit einem Schwingungskreis.

'**Einkreisung, 1)** Umschließung (von Wild). **2)** die polit. und militärische Isolierung eines Staates durch Defensiv- oder Offensivbündnisse seiner Nachbarstaaten untereinander. In Dtl. empfand man die englisch-französ. Entente von 1904 und die englisch-russ. Verständigung von 1907 als Einkreisung.

'**Einkristall,** Ausdruck für Kristall, ursprünglich eingeführt vom Metallographen zur Bezeichnung gezüchteter großer Metallkristalle im Gegensatz zum üblichen körnigen Kristallaggregat der Metalle.

'**Einkünfte,** steuerlich →Einkommen 2).

'**Einladung,** *Fechten:* Herausforderung des gegnerischen Angriffs durch eine scheinbare Blöße.

'**Einlage,** *rechtlich* der in Geld oder sonstigen Vermögenswerten bestehende Beitrag eines Gesellschafters zur Förderung des Gesellschaftszwecks. Die E. wird Teil des Gesellschaftsvermögens. Bei Personalgesellschaften wird sie jedem Gesellschafter auf dem Kapitalkonto gutgeschrieben, bei den Kapitalgesellschaften bestimmt sie den Anteil des einzelnen am Grundkapital.

'**Einlagenpolitik,** das erstmalig im Gesetz über die Dt. Bundesbank (§ 17) vom 26. 7. 1957 geregelte geldpolit. Instrument der Notenbank in der Bundesrep. Dtl. Die E. betrifft die Pflicht des Bundes, des Sondervermögens Ausgleichsfonds, des ERP-Sondervermögens und der Länder, ihre flüssigen Mittel bei der Dt. Bundesbank auf Girokonto einzulegen. Zweck der E. ist es, eine Ausweitung der Kreditschöpfungskapazität der Geschäftsbanken, wie sie gegebenenfalls durch die zusätzliche Liquidität der öffentlichen Hand hervorgerufen werden kann, unter die Kontrolle der Notenbank zu bringen.

'**Einlager,** auch **Einreiten,** lat. *obstagium*, im Mittelalter Bestärkungsmittel der Verträge: das Versprechen des Schuldners oder seiner Bürgen, im Falle der Nichterfüllung auf Mahnung des Gläubigers »einzureiten«, d. h. sich in Personalarrest zu begeben.

Einlagerungsverbindungen, →Komplexverbindung.

Einlassung, im Zivilprozeß die sachliche Stellungnahme des Beklagten zu einem Vorbringen des Klägers (Zugestehen, Bestreiten, Einreden); durch Nichtverhandeln, bes. Nichterscheinen, wird das →Versäumnisverfahren ermöglicht. Zwischen der Zustellung der Klageschrift und dem Termin zur mündlichen Verhandlung muß eine Mindestfrist liegen, die im Anwaltsprozeß zwei Wochen, im Parteiprozeß drei Tage oder eine Woche beträgt *(Einlassungsfrist).* Sie kann auf Antrag abgekürzt werden (§§ 262, 499, 604 ZPO). – In *Österreich* beträgt die Einlassungsfrist in der Regel 14 Tage (§§ 231, 436 ZPO), in der *Schweiz* richtet sie sich nach den kantonalen Prozeßordnungen.

Einlauf, 1) bei *Pferderennen* die Reihenfolge, in der die Pferde ins Ziel einkommen. Übertragen: letzte gerade Strecke vor dem Ziel. **2)** das Einbringen größerer Flüssigkeitsmengen durch den After in den Dickdarm mit Hilfe eines →Irrigators im Unterschied zum Klistier, das zum Einbringen kleinerer Mengen gebraucht wird. Der E. dient zur Darmreinigung, zum Einführen von Blutersatzmitteln (nach Blutverlusten), Arznei- oder Nahrungsmitteln (so Traubenzucker). Für einen *Reinigungseinlauf* zur Stuhlentleerung verwendet man 400–600 ccm Wasser. Die Wirkung des E. beruht bes. auf der Dehnung der Darmwände, die zu verstärkter Darmbewegung (Peristaltik) führt. Zusätze wie Glyzerin, Öl, Seife, Milchsirupmischung wirken als Reiz auf die Darmwand. Zum Reinigen des Dickdarms mit größeren Mengen Flüssigkeit dient das →Darmbad. **3)** Lücke in Wildzäunen, →Einsprung. **4)** K eingegangene Post: *die Einläufe erledigen.*

einlaufen, 1) das Einschrumpfen von Geweben. **2)** *Technik:* ein Vorgang, der dazu dient, die Rauhigkeiten neu gefertigter Gleitelemente (Lager, Kolben, Zahnräder) von Maschinen während des Laufs so weit zu beseitigen, bis ihre Gleitflächen unter den normalen Betriebsbedingungen einwandfrei aufeinander laufen. Die anfängliche Rauhigkeit von aufeinander gleitenden Flächen erhöht die Reibung, die Temperatur und den Verschleiß, auch sind beim E. noch andere Einflüsse, z. B. Oxydation, wirksam. Daher wird im Einlaufvorgang, z. B. bei Kraftwagen und Flugmotoren, mit geringeren Geschwindigkeiten und Belastungen gefahren, als sie dem normalen Betrieb entsprechen **(einfahren)**. Neuerdings ist man mit Erfolg bestrebt, die Einlaufzeiten zu verkürzen oder ganz zu beseitigen, und zwar durch besondere Oberflächenbearbeitung, z. B. durch Feinhonen (→honen).

Einläufer, 1) der →Eingänger. **2)** Jagdgewehr mit nur einem Lauf.

Einlegearbeit, eingelegte Arbeit, ornamentale oder bildliche Flächenverzierung durch Einlagen aus andersfarbigem gleichem oder ähnlichem Material in Holz (→Intarsia),

Stein (→Pietra dura), Metall (→Tauschierung) und Leder (→Lederarbeiten).

Einlegerohr, Rohr kleineren Kalibers, das bei Übungsschießen in das Rohr der Waffe eingelegt wird, damit aus Ersparnis- und Sicherheitsgründen Munition kleineren Kalibers verschossen werden kann. Bei Handfeuerwaffen: *Einstecklauf (Einlegelauf).*

Einlieger, 1) landwirtschaftlicher Gelegenheitsarbeiter. Er wohnt meist gegen bestimmte Dienste zur Miete beim Bauern. **2)** in Kost gegebener Armer.

Einliegerwohnung ist eine vermietbare selbständige Kleinwohnung im Einfamilien-Siedlungshaus, die zur Erleichterung der Finanzierung und Schaffung vermehrten Wohnraums nach dem 1. Wohnungsbauges. v. 24. 4. 1950 und dem 2. Wohnungsbauges. i. d. F. v. 1. 9. 1965 vorgesehen wurde.

Einlösungspflicht, die Verpflichtung der Banken, insbes. der Notenbanken, die von ihnen ausgegebenen Verpflichtungsscheine *(Banknoten)* in Währungsgeld *(Gold)* umzutauschen. Im Zuge der währungspolit. Umwälzungen seit 1914 wurde die E. in fast allen Ländern aufgehoben.

Einmacheverfahren, Maßnahmen zum Haltbarmachen von Fleisch, Obst und Gemüse durch *Hitzesterilisierung* in Gläsern oder Dosen, durch *Einkochen* mit oder ohne Zucker (Marmelade, Gelee), durch *Einsäuern* (Kraut, Bohnen, Gurken).

Einmal eins, Zusammenstellung aller Produkte von je zwei der (natürlichen) Zahlen unter 10 *(kleines E.)* oder sämtlicher Produkte von je zwei der (natürlichen) Zahlen unter 20 (das *große E.).*

Einmalprämie, in der Versicherung die Abgeltung für die gesamte Laufzeit.

Einmanngesellschaft, eine Kapitalgesellschaft mit nur einem Gesellschafter; kann entstehen, wenn die Anteile einer AG oder GmbH durch Kauf oder Erbschaft in einer Hand vereinigt werden. Zur Gründung einer Gesellschaft sind jedoch immer mehrere Gesellschafter erforderlich.

Im Ergebnis führt die E. zu einer Unternehmensform mit beschränkter Haftung, die sonst im deutschen Recht unbekannt ist.

Einmann-Torpe do, →Kleinkampfmittel.

Einmarsch, Betreten in geschlossenem Zuge; auch kampfloses Einrücken von Truppen in fremdes Gebiet.

Einmietung, Aufbewahrungsweise für Feldfrüchte, →Miete.

Einminutenkamera, Polaroid-Land-Kamera, eine photograph. Kamera, die etwa eine Minute nach der Aufnahme das Negativ und eine fertige Papierkopie liefert. Die E. enthält eine Rolle mit Negativfilm und eine Rolle eines Papiers, dessen lichtempfindliche Schicht Silberkeime enthält. An der Filmrolle sind zwischen den einzelnen Bildern Behälter, aus denen eine Paste zwischen Film und Papier gepreßt wird, die das unbelichtete Bromsilber des Negativs durch ein Fixiermittel löst. Ein gleichzeitig vorhandener Entwickler reduziert aus der Lösung feinverteiltes Silber, das sich an die Silberkeime des Papiers anlagert und diese in Form einer Schwärzung sichtbar macht. An den starkbelichteten Stellen wird das Bromsilber schon im Negativfilm reduziert. Es kommt dann nicht zum Papier, so daß an diesen Stellen das Positiv weiß bleibt. In der E. können jetzt auch Farbfilme in 50 sec entwickelt und kopiert werden.

'Einmüßler, *schweiz.* Junggeselle mit eigenem Haushalt.

'Einnebelung, Vern'ebelung, Erzeugung künstlichen Nebels, um ein militärisches Ziel der Sicht des Feindes zu entziehen.

'Einöde [westgerman.], 1) Wüstenei, einsame Gegend. 2) *die* Einöd, *oberd.* der gesamte geschlossen beieinanderliegende Grundbesitz einer bäuerlichen Stelle. Umfaßt die Siedlung nur eine Bauernwirtschaft, so heißt sie Einödhof, umfaßt sie mehrere, meist 2–3 Höfe, Einödsiedlung. Die Siedlungsart entstand durch die im 16.–19. Jh. in Süddeutschland durchgeführte Vereinödung, die Beseitigung der Gemengelage unter Leitung der Grundherren.

'Einödr'iegel, höchster Berg (1126 m) im Vorderen Bayer. Wald.

'Einparteienstaat, Einparteiensystem, →Partei.

'Einpauker, student. Ausdruck für private Lehrer (→Repetitor), die auf Hochschulprüfungen vorbereiten.

'Einpeitscher, engl. *Whipper* [wipə], auch *Whip*, in Großbritannien der von einer Partei gewählte Abgeordnete, der u. a. bei wichtigen Abstimmungen im Unterhaus für die Anwesenheit der Mitglieder seiner Fraktion zu sorgen hat.

'Einphasenstrom, →Wechselstrom mit nur einer Phase; Gegensatz: Zweiphasen- und Dreiphasen-(Dreh-)strom.

'einpökeln, →einsalzen.

'einpollern, das Lagern von Holzstämmen im Wasser in *Einpollerbecken* vor der Verarbeitung. Das E. schützt vor Austrocknung und Fäulnis und erleichtert das Sägen und Schälen (für Furniere).

'Einquartierung [30jähr. Krieg], vorübergehende Unterbringung von Truppen in Privatquartieren, auch die einquartierten Soldaten selbst.

Verzeichnis der Tafeln des vierten Bandes

Brockhaus
Nachschlagewerke
Sprichwörtliche Zuverlässigkeit

BROCKHAUS
SACHWISSEN
Von A–Z · für Jungen und Mädchen

Brockhaus Sachwissen erklärt »Sachver-
halte«, mit denen ein acht- bis zwölfjähriger
Schüler heute in Berührung kommt. Dabei
geht es aber nicht nur um komplizierte
Technik, sondern es handelt sich auch um
Begriffe aus Politik, Wirtschaft oder Kultur.
Brockhaus Sachwissen erklärt diese Begriffe in einer »kindgemäßen« Sprache und
erleichtert so dem Schüler die selbständige
Informationsbeschaffung. 340 Seiten mit
mehr als 500 farbigen und einfarbigen Bildern sowie 16 Seiten bunte Karten.

F. A. BROCKHAUS

Der
Taschengoedeke

Das Verzeichnis enthält, alphabetisch nach
Verfassern geordnet, die wichtigen Werke der
deutschen Literatur, der Philosophie, der
Kunst- und Musikwissenschaft, Verzeichnisse
der gelüfteten und nicht gelüfteten Anonyma
und Pseudonyma und auch Übersetzungen.
Mit Verweisen auf den »großen« Goedeke;
reicht allgemein bis etwa 1880.
WR 4030, 4031

Daten deutscher Dichtung

In diesem bewährten Hilfsmittel mit seinen
übersichtlich geordneten Informationen
steht das oft vernachlässigte Einzelwerk
bewußt im Mittelpunkt: Das erste Erscheinen,
als selbständiges Buch oder in Zeitschriften,
bei Schauspielen auch die Uraufführung,
dazu Angaben über Inhalt, Form und Wirkung
rekonstruieren im Zusammenhang mit den
Einleitungen und Biographien die einzelnen
literarischen Epochen.
3101, 3102

H.A. und E. Frenzel:
Daten
deutscher Dichtung
Chronologischer
Abriß der deutschen
Literaturgeschichte

Band I
Von den Anfängen
bis zur Romantik
dtv

H.A. und E. Frenzel:
Daten
deutscher Dichtung
Chronologischer
Abriß der deutschen
Literaturgeschichte

Band II
Vom Biedermeier
bis zur Gegenwart
dtv